Martyn

Heinrich Schlier · Der Römerbrief

HERDERS THEOLOGISCHER KOMMENTAR ZUM NEUEN TESTAMENT

Herausgegeben von Alfred Wikenhauser †

Anton Vögtle, Rudolf Schnackenburg

BAND VI

DER RÖMERBRIEF

Kommentar

von

Heinrich Schlier

HERDER

FREIBURG · BASEL · WIEN

DER RÖMERBRIEF

Kommentar
von
Heinrich Schlier

Professor der Universität Bonn

1977

HERDER
FREIBURG · BASEL · WIEN

DEN HOCHWÜRDIGEN
THEOLOGISCHEN FAKULTÄTEN
DER UNIVERSITÄTEN INNSBRUCK UND SALZBURG
ZUM ZEICHEN DES DANKES
FÜR DIE DEM VERFASSER VERLIEHENE WÜRDE
EINES EHRENDOKTORS DER THEOLOGIE

Vorwort

Es gibt wohl keinen Zweifel daran, daß dieser an die ferne und fremde Gemeinde in Rom gerichtete Brief des Apostels Paulus zu den schwierigsten Texten des Neuen Testaments gehört. Man denke an seine Form, seinen Stil, seine Begrifflichkeit und alles in allem an seine theologischen Aussagen. Ein Hinweis darauf ist schon die unübersehbare Literatur zum Gesamtbrief und zu den einzelnen Texten. So sei es mir erlaubt, von dieser Literatur nur eine Auswahl zu bringen und das darzulegen, was ich aus diesem Brief gehört habe. Das mag subjektiv erscheinen. In Wahrheit ist diese „Subjektivität" nur die einer jeden Begegnung.

Dem Verlag Herder habe ich für seine große Geduld und für seine ständige Fürsorge, daß der Band erscheinen konnte, zu danken.

Bonn, im Winter 1976/77   *Heinrich Schlier*

INHALT

TEXTE UND LITERATUR

A. Kommentare (in Auswahl) *

Schelkle, K. H., Paulus. Lehrer der Väter. Die altkirchliche Auslegung von Römer 1–11 (Düsseldorf 1956).

Pseudo-Ambrosius (Ambrosiaster), PL XVII, 1879.

Thomas von Aquin, In omnes S. Pauli Apostoli Epistolas Commentarius Ed. II (Turin 1917) Vol. I; deutsche Übersetzung von H. Fahsel (Freiburg i. Br. 1927).

Luther, M., Vorlesung über den Römerbrief 1515/16, hrsg. von J. Ficker, Anfänge reformatorischer Bibelauslegung, Bd. I (Leipzig ³1925); deutsche Übersetzung von E. Ellwein, ⁴1957.

Calvin, J., In omnes Novi Testamenti Epistolas Commentarii, Bd. I, Corpus Reformatorum Bd. 77 (Braunschweig 1892).

In omnes Novi Testamenti Epistolas commentarii Bd. I, ed. A. Tholuk (Gotha ²1834).

Bengel, J. A., Gnomon Novi Testamenti (Tübingen 1773), hrsg. von P. Steudel (Stuttgart ⁸1915).

Möhler, J. A., Commentar zum Brief an die Römer, hrsg. von Fr. X. Reithmeyer (Regensburg 1845, Nachdruck 1968).

De Wette, W. M. L., Kurze Erklärung des Briefes an die Römer (Leipzig ⁴1847).

Estius, G., In omnes D. Pauli Epistolas item in Catholicas Commentarii, curavit J. Holzammer. Bd. I (Paris 1858).

Delitzsch, F., Paulus des Apostels Brief an die Römer (Leipzig 1870).

Vilmar, A. F. Chr., Praktische Erklärung des Neuen Testaments, Bd. V ([Marburg – Leipzig] 1880).

Bisping, A., Erklärung des Briefes an die Römer (Exegetisches Handbuch zu den Briefen des Apostels Paulus) (Münster 1883).

Beck, J. T., Erklärung des Briefes an die Römer, hrsg. von J. Lindenmeyer (Gütersloh 1884).

Godet, F., Kommentar zu dem Brief an die Römer T. I/II (Hannover 1892/93).

Cornely, R., Commentarius in S. Pauli Apostoli Epistolas. Bd. I (Paris 1896).

Weiß, B., Der Brief an die Römer (Göttingen ⁹1899).

Sanday, W. – Headlam, A. C., The Epistle to the Romans (The International Critical Commentary) (Edinburgh ⁵1902, Neudruck 1954).

Kühl, E., Der Brief des Paulus an die Römer (Leipzig 1913).

Barth, K., Der Römerbrief (1. Auflage München 1919, Nachdruck 1963) (Barth I).

Ders., Der Römerbrief, 2. u. ff Auflagen (München 1922 u. ff) (Barth II).

Ders., Kurze Erklärung des Römerbriefs (München ²1959) (Barth III).

Zahn, Th., Der Brief des Paulus an die Römer (Leipzig ³1925).

Bardenhewer, O., Der Römerbrief des Heiligen Paulus (Freiburg i. Br. 1926).

Haering, Th., Der Römerbrief des Apostels Paulus (Stuttgart 1926).

Gutjahr, F. S., Der Brief an die Römer, I–II (Graz und Wien 1923, 1927).

Sickenberger, J., Die Briefe des Heiligen Paulus an die Korinther und Römer (= Die heiligen Schriften des Neuen Testaments, hrsg. von F. Tillmann, VI) (Bonn ⁴1932).

Lietzmann, H., An die Römer (Handbuch zum Neuen Testament 8) (Tübingen ⁴1933).

Schlatter, A., Gottes Gerechtigkeit (Stuttgart ¹1935, ³1959).

---

* Die Kommentare werden nur mit dem Namen des Verfassers zitiert.

Dodd, C. H., The Epistle of Paul to the Romans (The Moffat NT commentary) (London ⁸1941, Neudruck 1959).
Lagrange, M. J., Saint Paul, Épître aux Romains (Paris ⁶1950).
Kürzinger, J., Der Brief an die Römer (Echter Bibel) (Würzburg 1951).
Asmussen, H., Der Römerbrief (Stuttgart 1952).
Gaugler, E., Der Brief an die Römer, I–II (Zürich 1958 u. 1952).
Huby, J.– Lyonnet, St., Saint Paul, Épître aux Romains (Verbum Salutis X) (Paris 1957).
Barrett, C. K., A Commentary on the Epistle to the Romans (Black's New Testament Commentaries, ed. G. H. Chadwick 6) (London 1957).
Leenhardt, F. J., L'épître de Saint Paul aux Romains (Commentaires du Nouveau Testament VI) (Neuchâtel 1957).
Nygren, A., Der Römerbrief (Göttingen ³1959).
Ridderbos, H., Aan de Romeinen (Commentaar op het Nieuwe Testament) (Kampen 1959).
Kuss, O., Der Römerbrief I–II (bis Röm 8,9) (Regensburg 1957, 1959).
Murray, J., The Epistle to the Romans (London 1960).
Boor, W. de, Der Brief an die Römer erklärt (Wuppertal 1962).
Schelkle, K. H., Meditationen über den Römerbrief (Einsiedeln 1962).
Schmidt, H. W., Der Brief des Paulus an die Römer (Theologischer Handkommentar zum Neuen Testament VI) (Berlin 1962).
Taylor, V., The Epistle to the Romans (London ²1962).
Michel, O., Der Brief an die Römer (Krit. exeg. Kommentar über das Neue Testament) (Göttingen ¹²1963).
Best, E., The Letter of Paul to the Romans (The Cambridge Bible Commentary) (Cambridge – London 1967).
Baulès, R., L'Evangile Puissance de Dieu (Lectio Divina 53) (Paris 1968).
Bruce, F. F., The Epistle of Paul to the Romans (Grand Rapids ⁵1969).
Althaus, P., Der Brief an die Römer (Das Neue Testament Deutsch 6) (Göttingen ¹¹1970).
Käsemann, E., An die Römer (Handbuch zum Neuen Testament 8a) (Tübingen ³1974).
Grosche, R., Kommentar zum Römerbrief (Werl 1975) (dcv-Druck).

B. Untersuchungen und Hilfsmittel zum Römerbrief*

Althaus, P., Paulus und Luther über den Menschen (Gütersloh ³1958).
Amiot, F., Die Theologie des Heiligen Paulus (Freiburg i. Br.– London 1962).
Andersen, W., Ihr seid zur Freiheit berufen. Gesetz und Evangelium nach biblischem Verständnis (Biblische Studien 41) (Neukirchen 1964).
Ders., Der Gesetzesbegriff in der gegenwärtigen theologischen Diskussion (Theologische Existenz heute 108) (München 1963).
Asting, R., Die Heiligkeit im Urchristentum (Göttingen 1930).
Ders., Die Verkündigung des Wortes im Urchristentum (Stuttgart 1939).
Bacher, W., Die exegetische Terminologie der jüdischen Traditionsliteratur I (Leipzig 1899).
Ders., Die Agada der Tannaiten (Straßburg 1903).
Balz, H. A., Heilsvertrauen und Welterfahrung. Strukturen der paulinischen Eschatologie nach Römer 8,18–39 (München 1971).
Barrett, C. K., Die Umwelt des Neuen Testaments. Ausgewählte Texte, hsrg. und übersetzt von C. Colpe (Tübingen 1959).
Ders., From first Adam to last. A Study in Pauline Theology (London 1962).
Ders., Reading through Romans (London 1963).
Bauer, J. B., Bibeltheologisches Wörterbuch, I–II (Graz ²1962).

* Die angegebene Literatur wird nur mit dem Namen des Verfassers und einem Stichwort zitiert. Aufsätze erscheinen in den Anmerkungen am ersten Ort ihres Zitates.

XII

Bauer, W., Griechisch-deutsches Wörterbuch zu den Schriften des Neuen Testaments und der übrigen urchristlichen Literatur (Berlin ⁵1958).

Bauer, K. A., Leiblichkeit das Ende der Werke Gottes. Die Bedeutung der Leiblichkeit des Menschen bei Paulus (Gütersloh 1971).

Baumgarten, J., Paulus und die Apokalyptik (WMANT 44) (Neukirchen 1975).

Becker, J., Das Heil Gottes. Heils- und Sündenbegriff in den Qumrantexten und im Neuen Testament (Studien zur Umwelt des Neuen Testaments 3) (Göttingen 1964).

Bertrams, H., Das Wesen des Geistes nach der Anschauung des Apostels Paulus (Münster 1913).

Beyer, K., Semitische Syntax im Neuen Testament I (Göttingen 1962).

Biard, P., La Puissance de Dieu (Travaux de l'Institut Catholique de Paris 7) (Paris 1960).

Binder, H., Der Glaube bei Paulus (Berlin 1968).

Bizer, E., Fides ex auditu (Neukirchen ²1961).

Bjerkelund, C. J., Parakalo (Oslo 1967).

Bläser, P., Das Gesetz bei Paulus (Münster 1941).

Blaß, Fr. – Debrunner, A., Grammatik des neutestamentlichen Griechisch (Ergänzungsheft von David Tabachovitz) (Göttingen ¹²1965).

Bonsirven, J., Exégèse rabbinique et exégèse Paulinienne (Paris 1939).

Ders., L'Évangile de Paul (Théologie 12) (Paris 1948).

Bormann, P., Die Heilswirksamkeit der Verkündigung nach dem Apostel Paulus (Paderborn 1965).

Bornkamm, G., Das Ende des Gesetzes (München 1952).

Ders., Studien zu Antike und Christentum. Gesammelte Aufsätze II (München 1959).

Ders., Geschichte und Glaube I. Gesammelte Aufsätze III (München 1968).

Ders., Geschichte und Glaube II, Gesammelte Aufsätze IV (München 1971).

Ders., Paulus (Stuttgart 1969).

Bousset, W., Kyrios Christos (Göttingen ²1921).

Bousset, W. – Gressmann, H., Die Religion des Judentums im späthellenistischen Zeitalter (Berlin ³1926).

Brandenburger, E., Adam und Christus (Neukirchen 1962).

Ders., Fleisch und Geist (Neukirchen 1968).

Braumann, G., Vorpaulinische christliche Taufverkündigung (BWANT 2) (Stuttgart 1962).

Braun, H., Gerichtsgedanke und Rechtfertigungslehre bei Paulus (Leipzig 1930).

Ders., Qumran und das Neue Testament I–II (Tübingen 1966).

Bring, R., Christus und das Gesetz (Leiden 1969).

Bultmann, R., Der Stil der paulinischen Predigt und die kynisch-stoische Diatribe (Göttingen 1910).

Ders., Geschichte und Eschatologie (Tübingen ²1964).

Ders., Theologie des Neuen Testaments (Tübingen ⁵1965).

Bussmann, C., Thesen der paulinischen Missionspredigt auf dem Hintergrund jüdisch-hellenistischer Missionsliteratur (Bern–Frankfurt/Main 1971).

Cambier, J., L'Évangile de Dieu selon l'Épître aux Romains I (Brügge 1967).

Ders., Le Chrétien dans la Théologie Paulinienne (Paris 1962).

Ders., La Théologie de l'Église suivant Saint Paul (Paris 1965).

Charles, R. H., The Apocrypha and Pseudepigrapha of the Old Testament, I–II (Oxford 1913).

Conzelmann, H., Grundriß der Theologie des Neuen Testaments (München 1967).

Cremer, H., Die paulinische Rechtfertigungslehre im Zusammenhang ihrer geschichtlichen Voraussetzungen (Gütersloh ²1900).

Cremer, H. – Kögel, J., Biblisch-theologisches Wörterbuch der neutestamentlichen Gräzität (Gotha ¹¹1923).

Cullmann, O., Die ersten christlichen Glaubensbekenntnisse (Zollikon– Zürich 1943).

Ders., Die Christologie des Neuen Testaments (Tübingen 1957).

Ders., Christus und die Zeit. Die urchristliche Zeit- und Geschichtsauffassung (Zollikon– Zürich ³1962).

Ders., Heil als Geschichte. Heilsgeschichtl. Existenz im Neuen Testament (Tübingen 1965).

Dahl, N. A., Das Volk Gottes. Eine Untersuchung zum Kirchenbewußtsein des Urchristentums (Oslo 1941, Neudruck 1963).

Daube, D., The New Testament and Rabbinic Judaism (London 1956).

Davies, W. D., Paul and Rabbinic Judaism. Some Rabbinic Elements in Pauline Theology (London ²1955).

Dehn, G., Vom christlichen Leben. Auslegung des 12. und 13. Kapitels des Briefes an die Römer (Biblische Studien 6) (Neukirchen 1954).

Deichgräber, R., Gotteshymnus und Christushymnus in der frühen Christenheit (Göttingen 1967).

Deissmann, A., Licht vom Osten (Tübingen ⁴1923).

Ders., Bibelstudien (Marburg 1895).

Delling, G., Der Gottesdienst im Neuen Testament (Berlin 1952).

Ders., Zeit und Endzeit (Neukirchen 1970).

Dibelius, M. – Kümmel, W. G., Paulus (Berlin ³1964).

Dietzfelbinger, Chr., Paulus und das Alte Testament (München 1961).

Ders., Heilsgeschichte bei Paulus? (München 1965).

Dittenberger, W., Sylloge Inscriptionum Graecarum, I–IV (Leipzig – Hildesheim ⁵1960).

Dodd, C. H., The Apostolic Preaching and its Development (London 1951).

Ders., Das Gesetz der Freiheit (München 1960).

Ders., Gospel and Law (London ³1952).

Dülmen, A. van, Die Theologie des Gesetzes bei Paulus (Stuttgart 1968).

Dupont, J., Gnosis (Louvain/Paris 1949).

Ders., Σὺν Χριστῷ, L'union avec le Christ selon Saint Paul, I (Brüssel – Paris 1952).

Ders., La réconciliation dans la Théologie de saint Paul (Paris 1953).

Eichholz, G., Die Theologie des Paulus (Neukirchen 1972).

Ellis, E. E., Paul's Use of the Old Testament (London 1957).

Eltester, F. W., Eikon im Neuen Testament (Berlin 1957).

Feine, P., Der Römerbrief. Eine exegetische Studie (Göttingen 1903).

Filson, F. V., St. Paul's Conception of Recompense (Leipzig 1931).

Fraine, J. de, Adam und seine Nachkommen. Der Begriff der „korporativen Persönlichkeit" in der Heiligen Schrift (Köln 1962).

Frankemölle, H., Das Taufverständnis des Paulus, Taufe, Tod und Auferstehung nach Röm 6 (Stuttgart 1970).

Freundorfer, J., Erbsünde und Erbtod beim Apostel Paulus (Neutestamentliche Abhandlungen 12) (Münster 1927).

Fuchs, E., Christus und der Geist bei Paulus (Leipzig 1932).

Ders., Die Freiheit des Glaubens. Römer 5–8 ausgelegt (München 1949).

Galley, K., Altes und neues Heilsgeschehen bei Paulus (Stuttgart 1965).

Gäumann, N., Taufe und Ethik (München 1967).

Gnilka, J., Die Verstockung Israels (München 1961).

Goppelt, L., Typos (Gütersloh 1939, Nachdruck 1973).

Grabner-Haider, A., Paraklese und Eschatologie bei Paulus (Münster 1968).

Greeven, H., Gebet und Eschatologie im Neuen Testament (Gütersloh 1931).

Grelot, P., Péché originel et rédemption à partir de l'épître aux Romains (Paris 1973).

Grundmann, W., Der Begriff der Kraft in der ntl. Gedankenwelt (Stuttgart 1932).

Ders., Der Römerbrief des Apostels Paulus und seine Auslegung durch M. Luther (Weimar 1964).

Gutbrod, W., Die paulinische Anthropologie (Stuttgart 1934).

Haas, O., Paulus der Missionar (Diss. theol. Würzburg 1959/60 – Münsterschwarzach 1971).

Häring, Th., ΔΙΚΑΙΟΣΥΝΗ ΘΕΟΥ bei Paulus (Tübingen 1896).

Hahn, F., Christologische Hoheitstitel (Göttingen 1963).

Ders., Das Verständnis der Mission im NT (Neukirchen 1963).

Hahn, W. T., Das Mitsterben und Mitauferstehen mit Christus bei Paulus (Gütersloh 1937).

Hainz, J., Ekklesia (Münchener Universitätsschriften, Kath. Theol. Fakultät) (München 1972).

Hanson, St., The Unity of the Church in the New Testament (London 1946).

Harder, G., Paulus und das Gebet (Gütersloh 1936).

Harnack, A. von, Marcion (Leipzig ²1924).

Harnisch, W., Verhängnis und Verheißung der Geschichte (Göttingen 1969).

Hatch, E. – Redpath, H., A Concordance to the Septuagint, I–III (Oxford 1897/1906).

Haufe, C., Die sittliche Rechtfertigungslehre bei Paulus (Halle 1957).

Hegermann, H., Die Vorstellung vom Schöpfungsmittler im hellenistischen Judentum und Urchristentum (Berlin 1961).

Heidland, H. W., Die Anrechnung des Glaubens zur Gerechtigkeit. Untersuchungen zur Begriffsgeschichte von חשׁב und λογίζεσθαι (Stuttgart 1936).

Hengel, M., Judentum und Hellenismus (Tübingen 1969).

Ders., Der Sohn Gottes (Tübingen 1975).

Hennecke, E., Neutestamentliche Apokryphen in deutscher Übersetzung I–II, hrsg. von W. Schneemelcher (Tübingen ³1959, 1964).

Hermann, I., Kyrios und Pneuma (München 1961).

Herold, G., Zorn und Gerechtigkeit Gottes bei Paulus. Eine Untersuchung zu Röm 1,16–18 (Zürich 1973).

Hoppe, Th., Die Idee der Heilsgeschichte bei Paulus mit besonderer Berücksichtigung des Römerbriefes (Gütersloh 1926).

Jeremias, J., The Central Message of the New Testament (London 1965).

Jervell, J., Imago Dei. Gen 1,26f im Spätjudentum in der Gnosis und in den paulinischen Briefen (Göttingen 1960).

Jörns, K.-P., Das hymnische Evangelium, Studien zum NT 5 (Gütersloh 1971).

Jüngel, E., Paulus und Jesus (Tübingen ²1962).

Käsemann, E., Leib und Leib Christi (Tübingen 1933).

Ders., Paulinische Perspektiven (Tübingen ²1972).

Kamlah, E., Die Form der katalogischen Paränese im Neuen Testament (Tübingen 1964).

Kautzsch, E., Die Apokryphen und Pseudepigraphen des Alten Testaments (Tübingen 1900, Neudruck 1921).

Kertelge, K., Rechtfertigung bei Paulus. Studien zur Struktur und zum Bedeutungsgehalt des paulinischen Rechtfertigungsbegriffs (Münster 1966).

Kittel, G. – Friedrich, G., Theologisches Wörterbuch zum Neuen Testament (Stuttgart 1933ff).

Kittel, H., Die Herrlichkeit Gottes. Studien zu Geschichte und Wesen eines neutestamentlichen Begriffs (Gießen 1934).

Knox, W. L., St. Paul and the Church of the Gentiles (London ²1961).

Kramer, W., Christos, Kyrios, Gottessohn (Zürich 1963).

Kümmel, W. G., Einleitung in das Neue Testament (Heidelberg ¹⁷1973).

Ders., Die Theologie des Neuen Testaments nach seinen Hauptzeugen (Göttingen 1969).

Kuhlmann, G., Theologia naturalis bei Philo und Paulus (Gütersloh 1930).

Kuss, O., Paulus, Die Rolle des Apostels in der theologischen Entwicklung der Urkirche (Regensburg 1971).

Liddell, H. B. – Scott, R., A Greek-English Lexicon (Oxford 1925ff).

Ligier, L., Péché d'Adam et Péché du Monde. Bible – Kippur – Eucharistie II (Gembloux – Paris 1961).

Limbeck, M., Die Ordnung des Heils. Untersuchungen zum Gesetzesverständnis des Frühjudentums (Düsseldorf 1971).

Lindeskog, G., Studien zum neutestamentlichen Schöpfungsgedanken (Uppsala 1952).

Ljungman, H., Pistis. A Study of its Presuppositions and its Meaning in Pauline Use (Lund 1964).

Lohmeyer, E., Grundlagen paulinischer Theologie (Tübingen 1929).

Lohse, E., Die Texte aus Qumran (Darmstadt 1964).

Lührmann, D., Das Offenbarungsverständnis bei Paulus und in den paulinischen Gemeinden (Neukirchen 1965).

Lütgert, W., Der Römerbrief als historisches Problem (Bf chr Th 17) (Gütersloh 1913).

Luz, U., Das Geschichtsverständnis des Paulus (München 1968).

Texte und Literatur

Lyonnet, S., Quaestiones in Epistolam ad Romanos, I–II (Rom 1955, 1956).

Ders., Exegesis epistolae ad Romanos, Caput VIII (Rom 1962).

Ders., Les Étapes du mystère du Salut selon l'épître aux Romains (Paris 1969).

Maier, F. W., Israel in der Heilsgeschichte nach Römer 9–11 (Biblische Zeitfragen 12) (Münster 1929).

Maier, J., Die Texte vom Toten Meer, I–II (München 1960).

Marxsen, W., Einleitung in das Neue Testament (Gütersloh ³1964).

Mattern, L., Das Verständnis des Gerichts bei Paulus (Zürich 1966).

Maurer, Chr., Die Gesetzeslehre des Paulus nach ihrem Ursprung und ihrer Entfaltung dargelegt (Zürich 1941).

Meinertz, M., Theologie des Neuen Testaments, I–II (Bonn 1950).

Merk, O., Handeln aus Glauben. Die Motivierung der Paulinischen Ethik (Marburg 1968).

Meuzelaar, J. J., Der Leib des Messias. Eine exegetische Studie über den Gedanken vom Leib Christi in den Paulusbriefen (Assen 1961).

Michel, O., Paulus und seine Bibel (Gütersloh 1929).

Mittring, K., Heilswirklichkeit bei Paulus (Gütersloh 1929).

Molland, E., Das paulinische Euangelion. Das Wort und die Sache (Oslo 1934).

Moore, G. F., Judaism in the first Centuries of the Christian Era, I–III (Cambridge ⁷1954).

Moule, C. F. D., An Idiom-Book of New Testament Greek (Cambridge ²1968).

Moulton, J. H. – Milligan, G., The Vocabulary of the Greek Testament illustrated from the Papyri and other nonliterary sources (London 1914–29).

Müller, C., Gottes Gerechtigkeit und Gottes Volk (Göttingen 1964).

Müller, E. F. K., Rechtfertigung und Heiligung (Neukirchen 1926).

Müller, K., Anstoß und Gericht. Eine Studie zum jüdischen Hintergrund des paulinischen Skandalonbegriffs (StANT 19) (München 1969).

Munck, J., Paulus und die Heilsgeschichte (Kopenhagen 1954).

Ders., Christus und Israel. Eine Auslegung von Römer 9–11 (Kopenhagen 1956).

Neugebauer, F., In Christus (Göttingen 1961).

Nieder, L., Die Motive der religiös-sittlichen Paränese in den paulinischen Gemeindebriefen (München 1956).

Niederwimmer, K., Der Begriff der Freiheit im Neuen Testament (Berlin 1966).

Nock, A. D., Paulus (Zürich 1940).

Nock, A. D. – Festugière, A. J., Corpus Hermeticum Iff (Paris 1945 ff).

Norden, E., Agnostos Theos. Untersuchungen zur Formengeschichte religiöser Rede (Leipzig ¹1913, Darmstadt ⁴1956).

Oepke, A., Die Missionspredigt des Apostels Paulus (Leipzig 1920).

Ders., Das neue Gottesvolk in Schrifttum, Schauspiel, bildender Kunst und Weltgestaltung (Gütersloh 1950).

Osten-Sacken, P. von der, Römer 8 als Beispiel paulinischer Soteriologie (Göttingen 1975).

Paulsen, H., Überlieferung und Auslegung in Römer 8 (Neukirchen 1974).

Percy, E., Der Leib Christi in den paulinischen Homologoumena und Antilegomena (Lund 1942).

Peterson, E., Die Kirche aus Juden und Heiden (Salzburg 1933); (Theologische Traktate) (München 1951).

Pfister, W., Das Leben im Geist nach Paulus (Fribourg/Schweiz 1963).

Plag, Chr., Israels Wege zum Heil. Eine Untersuchung zu Römer 9–11 (Stuttgart 1969).

Pluta, A., Gottes Bundestreue. Ein Schlüsselbegriff in Röm 3,25a (Stuttgart 1969).

Plutta-Messerschmidt, E., Gerechtigkeit Gottes bei Paulus (Tübingen 1973).

Pohlenz, M., Vom Zorne Gottes (Göttingen 1909).

Ders., Die Stoa, I–II (Göttingen 1948, 1955).

Popkes, W., Christus traditus (Zürich 1967).

Prat, F., La théologie de Saint Paul, I–II (Paris ²1961).

Preisigke, F., Die Gotteskraft der frühchristlichen Zeit (Leipzig 1922).

Prümm, K., Die Botschaft des Römerbriefes. Ihr Aufbau und Gegenwartswert (Freiburg i. Br. 1960).

Radermacher, L., Neutestamentliche Grammatik (Tübingen ²1925).

XVI

Rahlfs, A., Septuaginta (Stuttgart ⁵1952).

Ranft, J., Der Ursprung des katholischen Traditionsprinzips (Würzburg 1931).

Rauer, M., Die Schwachen in Korinth und Rom (Biblische Studien 21) (Neukirchen 1923).

Reitzenstein, R., Die hellenistischen Mysterienreligionen (Leipzig ³1927, Neudruck Darmstadt 1966).

Ridderbos, H., Paulus. Ein Entwurf seiner Theologie (Wuppertal 1970).

Riedl, J., Das Heil der Heiden nach R 2, 14–16 – 16, 26.27 (Mödling 1965).

Rießler, P., Altjüdisches Schrifttum außerhalb der Bibel (Augsburg 1928).

Rigaux, B., Paulus und seine Briefe. Der Stand der Forschung (München 1964).

Rößler, D., Gesetz und Geschichte. Untersuchungen zur Theologie der jüdischen Apokalyptik und der pharisäischen Orthodoxie (Neukirchen 1960).

Roller, O., Das Formular der paulinischen Briefe. Ein Beitrag zur Lehre vom antiken Brief (Stuttgart 1933).

Roloff, J., Apostolat – Verkündigung – Kirche (Gütersloh 1965).

Romaniuk, K., L'amour du Père et du Fils dans la sotériologie de saint Paul (Analecta Biblica 15) (Rom 1961).

Sand, A., Der Begriff „Fleisch" in den paulinischen Hauptbriefen (Biblische Untersuchungen 2) (Regensburg 1967).

Saß, G., Apostelamt und Kirche (München 1939).

Schille, G., Frühchristliche Hymnen (Berlin 1962).

Schlatter, A., Der Glaube im Neuen Testament (Calw – Stuttgart ⁴1927).

Ders., Die Theologie der Apostel (Calw – Stuttgart ²1922).

Schmid, H. H., Gerechtigkeit als Weltordnung (Tübingen 1968).

Schmidt, K. L., Die Judenfrage im Lichte der Kapitel 9–11 des Römerbriefes (Zürich ²1947).

Schmithals, W., Das kirchliche Apostelamt (Göttingen 1961).

Ders., Der Römerbrief als historisches Problem (Gütersloh 1975).

Schmitz, O., Die Christusgemeinschaft des Paulus im Lichte seines Genitivgebrauchs (Gütersloh 1924).

Schnackenburg, R., Das Heilsgeschehen bei der Taufe nach dem Apostel Paulus (München 1950).

Ders., Die Kirche im Neuen Testament (Freiburg i. Br. 1961).

Schneider, N., Die rhetorische Eigenart der paulinischen Antithese (Hermeneutische Untersuchungen 11) (Tübingen 1970).

Schniewind, J., Die Begriffe Wort und Evangelium bei Paulus (Diss. Halle 1910).

Ders., Euangelion I–II (Gütersloh 1927, 1931).

Schoeps, H. J., Paulus. Die Theologie des Apostels im Lichte der jüdischen Religionsgeschichte (Tübingen 1959).

Schottroff, L., Der Glaubende und die feindliche Welt (Neukirchen 1970).

Schrage, W., Die konkreten Einzelgebote in der paulinischen Paränese (Gütersloh 1961).

Schrenk, G., Studien zu Paulus (Zürich 1954).

Ders., Die Weissagung über Israel im Neuen Testament (1954).

Schumacher, R., Die beiden letzten Kapitel des Römerbriefes (Münster 1929).

Schunack, G., Das hermeneutische Problem des Todes im Horizont von Römer 5 untersucht. (Hermeneutische Untersuchungen zur Theologie 7) (Tübingen 1967).

Schweitzer, A., Geschichte der paulinischen Forschung (Tübingen 1911).

Ders., Die Mystik des Apostels Paulus (Tübingen 1930, Neudruck 1954).

Schweizer, E., Erniedrigung und Erhöhung bei Jesus und seinen Nachfolgern (Zürich ²1962).

Schürer, E., Geschichte des jüdischen Volkes im Zeitalter Jesu Christi I–IV (Leipzig 1901–1911).

Seidensticker, Ph., Lebendiges Opfer (Römer 12, 1) (Münster 1954).

Siber, P., Mit Christus leben (Bern 1971).

Sommerlath, E., Der Ursprung des neuen Lebens nach Paulus (Leipzig 1923).

Spicq, C., Agape dans le Nouveau Testament (Paris 1959).

Staab, K., Pauluskommentare aus der griechischen Kirche (Münster 1933).

Stählin, G., Skandalon (Gütersloh 1930).

Stalder, K., Das Werk des Geistes in der Heiligung bei Paulus (Bern 1962).

Strack, H.L. – Billerbeck, P., Kommentar zum Neuen Testament aus Talmud und Midrasch, I–IV (München 1922–1928).

Strobel, A., Untersuchungen zum eschatologischen Verzögerungsproblem (Leiden 1961).

Stromberg, A. von, Studien zur Theorie und Praxis der Taufe in der christlichen Kirche der ersten zwei Jahrhunderte (Berlin 1913).

Stuhlmacher, P., Gerechtigkeit Gottes bei Paulus (Göttingen 1965).

Ders., Das paulinische Evangelium I. Vorgeschichte (Göttingen 1968).

Süß, Th., Das neue Leben auf Grund des Zeugnisses von Römer 6 (Diss. Tübingen 1954).

Tachau, P., „Einst" und „Jetzt" im Neuen Testament (Göttingen 1972).

Taylor, V., Forgiveness and Reconciliation (London 1948).

Thüsing, W., Per Christum in Deum (Münster 1965).

Thyen, H., Studien zur Sündenvergebung im Neuen Testament und seinen alttestamentlichen und jüdischen Voraussetzungen (Göttingen 1970).

Tibbe, J., Geist und Leben. Eine Auslegung von Römer 8 (Bibl. Studien 44) (Neukirchen 1965).

Tobac, E., Le Problème de la Justification dans Saint Paul (Louvain 1908, Neudruck 1941).

Ulonska, H., Paulus und das Alte Testament (Münster 1964).

Vielhauer, Ph., Oikodome (Diss. theol. Heidelberg 1939; Karlsruhe 1940).

Ders., Geschichte der urchristlichen Literatur (Berlin 1975).

Vögtle, A., Die Tugend- und Lasterkataloge im Neuen Testament exegetisch, religions- und formgeschichtlich untersucht (Münster 1936).

Ders., Das Neue Testament und die Zukunft des Kosmos (Düsseldorf 1970).

Vollmer, H., Die Alttestamentlichen Zitate bei Paulus (Leipzig 1895).

Volz, P., Die Eschatologie der jüdischen Gemeinde (Tübingen [2]1934).

Wagner, G., Das religionsgeschichtliche Problem von Römer 6,1–11 (Zürich 1962).

Weber, F., Jüdische Theologie (Leipzig [2]1897).

Weber, H.E., Das Problem der Heilsgeschichte nach Römer 9–11 (Leipzig 1911).

Wegenast, K., Das Verständnis der Tradition bei Paulus und in den Deuteropaulinen (Neukirchen 1962).

Weiß, B., Lehrbuch der Biblischen Theologie des NT (Berlin 1903).

Wendland, H.D., Die Mitte der paulinischen Botschaft (Göttingen 1935).

Ders., Ethik des Neuen Testaments (Göttingen 1970).

Wendland, P., Die urchristlichen Literaturformen (Tübingen [3]1912).

Wengst, K., Christologische Formeln und Lieder des Urchristentums (Gütersloh 1971).

Wetter, G.P., Charis. Ein Beitrag zur Geschichte des ältesten Christentums (Leipzig 1913).

Wibbing, S., Die Tugend und Lasterkataloge und ihre Traditionsgeschichte unter besonderer Berücksichtigung der Qumrantexte (Berlin 1959).

Wiederkehr, D., Die Theologie der Berufung in den Paulusbriefen (Fribourg [Schweiz] 1963).

Wienke, G., Paulus über Jesu Tod (Gütersloh 1939).

Wikenhauser, A. – Schmid, J., Einleitung in das Neue Testament (Freiburg i.Br. [6]1973).

Wiles, G.P., Paul's intercessory prayers (London 1974).

Windisch, H., Paulus und Christus (Leipzig 1934).

Ders., Paulus und das Judentum (Stuttgart 1935).

Wißmann, E., Das Verhältnis von πίστις und Christusfrömmigkeit bei Paulus (Göttingen 1926).

Wobbe, J., Der Charisgedanke bei Paulus (Münster 1932).

Wolff, H.W., Jesaja 53 im Urchristentum (Berlin [3]1952).

Zeller, D., Juden und Heiden in der Mission des Paulus. Studien zum Römerbrief (Stuttgart 1973).

Ziessler, J.A., The Meaning of Righteousness in Paul (London/Cambridge 1972).

Zsifkovits, V., Der Staatsgedanke nach Paulus in Röm 13,1–7 (Wiener Beiträge zur Theologie, Bd. VIII) (Wien 1964).

ABKÜRZUNGSVERZEICHNIS

BAUER WB	Griechisch-Deutsches Wörterbuch zu den Schriften des Neuen Testaments und der übrigen urchristlichen Literatur, ⁵1958
Bibl.	Biblica
Bibl.St.	Biblische Studien
Bibl.Z.	Biblische Zeitschrift
BLASS-DEBR	F. Blass, Grammatik des neutestamentlichen Griechisch, bearbeitet von A. Debrunner, ¹¹1961. Ergänzungsheft zur 12. Auflage, 1965
Conj. Neotest.	Conjectanea Neotestamentica
Ev. Th.	Evangelische Theologie
IKZ	Internationale Kirchliche Zeitschrift
Jahrb. Liturgiewiss.	Jahrbuch für Liturgiewissenschaft
JBL	Journal of Biblical Literature and Exegesis
JThSt	The Journal of Theological Studies
KuD	Kerygma und Dogma
LIDDELL-SCOTT	A Greek-English Lexicon compiled by H. G. Lidell and R. Scott, ¹²1953
Moulton-Milligan	The Vocabulary of the Greek Testament, 1930
Münch. ThZ	Münchener Theologische Zeitschrift
NTSt	New Testament Studies
Nov. Test.	Novum Testamentum
RAC	Reallexikon für Antike und Christentum, hrsg. von Th. Klauser
RADERMACHER	L. Radermacher, Neutestamentliche Grammatik, ²1925
RB	Revue Biblique
RGG	Die Religion in Geschichte und Gegenwart, 3. Aufl., hrsg. von K. Galling, 1957–1965
Stud.Evang.	Studia Evangelica
Stud. Hell.	Studia Hellenistica
Stud. Paul. Congr.	Studiorum Paulinorum Congressus Internationalis
Stud. Theol.	Studia Theologica
ThBl	Theologische Blätter
ThEx.heute	Theologische Existenz heute
ThLZ	Theologische Literaturzeitung
ThQu	Theologische Quartalschrift
ThR	Theologische Rundschau
ThSt	Theologische Studien
ThStKr	Theologische Studien und Kritiken
ThWb	Theologisches Wörterbuch zum Neuen Testament, hrsg. von G. Knittel und G. Friedrich, seit 1933
ThZ	Theologische Zeitschrift
Trier.ThZ	Trierer Theologische Zeitschrift

Abkürzungsverzeichnis

Einführung

Zur Vorbereitung der Auslegung müssen wir uns ein Vierfaches vor Augen führen, nämlich 1) die historische Situation der Entstehung des Römerbriefes, 2) den Charakter des Schreibens, 3) den Umfang des Briefes und 4) den Gang des Gedankens.

1. Die historische Situation der Entstehung des Römerbriefes

Dieser bedeutsame und in der Geschichte der Kirche so folgenreiche Brief des Apostels Paulus gehört an das Ende von dessen uns erkennbarer Wirksamkeit. Ihm sind von den uns im Corpus Paulinum erhaltenen Briefen 1 (und 2) Thess, Gal, 1 und 1 und 2 Kor vorausgegangen. Ihm folgen noch wahrscheinlich der Phil (und Eph, Kol, Past). Paulus selbst läßt uns im Römerbrief die Umstände seiner Abfassung ein wenig erkennen. Er hat das Evangelium Christi „von Jerusalem aus im Umkreis bis Illyrien" verkündigt (15, 19). Und da er den Grundsatz vertritt und „seine Ehre darein setzt", das Evangelium nur dort zu verkündigen, wo der Name Christi noch nicht hingedrungen ist (15, 20), steht ihm „kein Wirkungskreis" (15, 23) in den östlichen Gegenden mehr offen. So will er „nach Spanien" aufbrechen und seinen Weg über Rom nehmen (15, 23f). Es ist also ein entscheidender Augenblick und ein Wendepunkt[1] in seiner apostolisch-missionarischen Tätigkeit, in dem er den Römerbrief schreibt. Zwar hatte er seinen Blick schon längere Zeit nach dem Westen und bis zur Grenze der Ökumene gerichtet (15, 22f)[2], aber jetzt gibt ihn der Osten frei, und aus dem lange gehegten Plan kann Wirklichkeit werden.

Doch wird die Abfassungssituation des Römerbriefes vom Apostel noch etwas genauer gezeichnet. Nach 15, 25ff besteht noch ein Hindernis für den sofortigen Aufbruch nach Rom. Paulus ist nämlich im Begriff, vor seiner Fahrt nach dem Westen noch nach Jerusalem zu reisen. Dort will er eine Kollekte, die von den Christen in Makedonien und Achaia für die Jerusalemer Gemeindeglieder gesammelt worden ist, abliefern (vgl. auch 15, 31). Dann aber will und kann er über Rom nach Spanien aufbrechen.

---

[1] G. SCHRENK, Der Römerbrief als Missionsdokument, in: Studien zu Paulus (Zürich 1954) 81–106, 82.

[2] G. BORNKAMM, Christus und die Welt, in: Das Ende des Gesetzes. Paulusstudien (München 1952) 157–172, 159f.

Den Ort der Abfassung unseres Briefes zu bestimmen ist schwer. Das νυνì ... πορεύομαι εἰς Ἰερουσαλήμ (15,25) kann man so verstehen, daß sich Paulus jetzt dorthin aufmachen wird, oder so, daß er sich bereits auf der Reise befindet. Unter der Voraussetzung, daß Kap. 16 zum ursprünglichen Römerbrief gehört, wird man das erstere annehmen. Paulus richtet ja 16,23 Grüße von seinem und der gesamten Gemeinde „Gastgeber" Gaius aus, den wir aus 1 Kor 1,14 als einen korinthischen Täufling des Apostels kennen. Und 16,1 empfiehlt er seinen Adressaten die Phöbe, die eine διάκονος der Gemeinde in Kenchreae, dem Hafen von Korinth, ist. Vielleicht ist sie die Überbringerin unseres Briefes nach Rom. Ist aber Korinth als Abfassungsort des Römerbriefes anzunehmen, so ist an jenen dreimonatigen Aufenthalt des Apostels in „Hellas" zu denken, den Apg 20,2f erwähnt (vgl. 19,21). Das genaue Jahr läßt sich wegen der Unsicherheit der chronologischen Fixierung der Paulusdaten nicht ermitteln. Die meisten Forscher nehmen den Beginn des Jahres 57 oder 58 n. Chr. an[3]. Gehört Kap. 16 nicht zum ursprünglichen Römerbrief, so fällt die dortige Beziehung zu Korinth fort, und man mag ihn aus Philippi und also einige Zeit später (vgl. Apg 20,6) geschrieben denken[4]. Freilich muß man dabei in Rechnung setzen, daß der Aufenthalt des Apostels in Philippi sehr kurz war und neben allen dortigen Schwierigkeiten und Sorgen die Zeit für die Abfassung eines solchen großen und gewichtigen Briefes wie die des Römerbriefes knapp bemessen war. So wird man als Abfassungsort unseres Schreibens bei Korinth bleiben[5].

Die Gemeinde in Rom, an die unser Brief gerichtet ist, existierte schon längere Zeit vor unserem Brief[6], wahrscheinlich in verschiedenen Hausgemeinden oder Nachbargruppen, kaum nur in einzelnen Christen, die in der Weltstadt zerstreut lebten. Paulus wollte sie ja auch schon oft, „seit vielen Jahren" (15,23), besuchen und wurde nur immer wieder daran gehindert (1,13; 15,22ff) Und sie ist, wie man aus 1,8 erfährt, eine schon recht bekannte Gemeinde. Paulus mag sich deshalb auch über sie vielfältig haben orientieren können. Gehört Kap. 16 zum ursprünglichen Brief, so hatte er in Rom zahlreiche Bekannte und Freunde. Nach Apg 28,15 holten ja auch Christen aus Rom den Apostel vor den Toren der Stadt ab.

---

[3] W. G. KÜMMEL, Einleitung (Heidelberg 12 1963) 222: „etwa 57 oder 58"; F. F. BRUCE, Christianity under Claudius, in: Bull. John Ryland Library 44, 162: Anfang 57 n. Chr.; G. FRIEDRICH, „Römerbrief", in: RGG 3 V, 1137–44, 1138: „Die Vermutungen schwanken zwischen Herbst 54 und Frühjahr 59 (wahrscheinlich Frühjahr 55)." G. BORNKAMM, Der Röm als Testament des Paulus, in: Geschichte und Glaube, 2. Teil: Gesammelte Aufsätze IV (München 1971) 120–139, 120: „mit einiger Wahrscheinlichkeit der Winter 55/56". PH. VIELHAUER, Urchristliche Literatur (Berlin 1975) 175: „frühestens 56, spätestens 59 n. Chr."
[4] So G. FRIEDRICH, Römerbrief, a.a.O. 1138.
[5] „Mit Recht Korinth angenommen", H. STROBEL, Furcht, wem Furcht gebührt. Zum profangriechischen Hintergrund von Röm 13,7, in: ZNW 55 (1964), 58–62, 62. W. G. KÜMMEL, Einleitung, 222.
[6] W. SCHMITHALS, Römerbrief (1975) passim. Die erste Erwähnung findet sich freilich bei Valerius Maximus, der die Austreibung von Juden zusammen mit den Chaldaei (Astrologen) im Jahr 139 v. Chr. berichtet. W. WIESEL, Die jüdische Gemeinschaft im antiken Rom und die Anfänge des römischen Christentums, in: Jud 26 (1970) 65–88. M. HENGEL, Judentum und Hellenismus, 478f 560f.

Wann und durch wen die römische Gemeinde gegründet worden ist, liegt im Dunkel[7]. Jüdische Gemeinden gab es in Rom natürlich schon geraume Zeit. Die ersten Nachrichten darüber reichen in das erste Drittel des 1. Jahrhunderts v. Chr. zurück[8]. Hinweise auf das Auftreten von Juden in Rom im Jahre 139 v. Chr. werden uns durch den römischen Kompilator Valerius Maximus gegeben. Im 1. Jahrhundert n. Chr. war eine starke Judenschaft – 50000 Glieder – in einer größeren Anzahl von Synagogenverbänden organisiert, von denen wir bis jetzt dreizehn mit Namen kennen[9]. Die ersten christlichen Nachrichten über das dortige Christentum in jüdischen Kreisen geben uns unser Römerbrief und Apg 28, 15, die ersten außerchristlichen lesen wir bei Sueton, Vit. Claudii 25, 14 (etwa 120 n. Chr.), wo gesagt wird: „(Claudius) Judaeos impulsore Chresto assidue tumultuantes Roma expulit."[10] Chrestos ist ein hellenistischer Sklavenname. Sueton bezog ihn offenbar auf einen römischen Juden, den er für den Urheber von Unruhen in den jüdischen Gemeinden hielt. Das Gerücht sprach von einem Chrestos, der wahrscheinlich Christus ist. So ist diese Notiz, die nach Orosius (Adv. paganos VII 6, 15) Ereignisse des Jahres 49 n. Chr. betrifft, ein Hinweis darauf, daß sich um das Jahr 49 n. Chr. die Verkündigung von Christus in den römischen Synagogen so stark regte, daß es dort zu heftigen Auseinandersetzungen kam. Die Apostelgeschichte, die in der Pfingstgeschichte (2, 10) von aus Rom stammenden Juden und Proselyten, die jetzt in Jerusalem wohnten, berichtet und 6, 9 von einer Synagoge der Libertiner, die vielleicht Nachkommen der von Pompeius 61 v. Chr. nach Rom verschleppten und dort freigelassenen jüdischen Kriegsgefangenen darstellen[11], bestätigt die Nachricht Suetons in 18, 2. Dort berichtet sie über Aquila und Prisca, daß sie „vor kurzem von Italien gekommen waren". „Claudius hatte nämlich angeordnet, daß alle Juden Rom verlassen müßten." Aquila und Prisca mögen schon in Rom Judenchristen gewesen sein, was sie natürlich nicht der Notwendigkeit enthob, mit den Juden Rom zu verlassen. Eine judenchristliche Gemeinde um 50 n. Chr. setzt auch der in die Vulgata eingedrungene, wahrscheinlich marcionitische Prolog zum Römerbrief voraus, und ebenso eine Nachricht, die der Ambrosiaster bringt, dessen Verfasser wahrscheinlich Glied der römischen Gemeinde war.

Der judenchristliche Charakter der römischen Gemeinde hat sich anschei-

[7] H. Lietzmann, Geschichte der Alten Kirche I (Berlin 1932) 133f 209f, meint, daß sie wahrscheinlich von Missionaren (aus Antiochia?), die der hellenistischen Synagoge entstammten, gegründet sei. G. Friedrich, Römerbrief, a. a. O. 1137, sagt: „Wahrscheinlich ist die Gemeinde sehr früh ohne Wirksamkeit eines bestimmten Missionars entstanden (vgl. Ambrosiaster, MPL 17, 47f)."

[8] E. Schürer, Geschichte des jüdischen Volkes III (Leipzig [4]1909) 59.

[9] J. B. Frey, Des communautés juives à Rome aux premiers temps de l'église, in: RScR 18 (1930) 275ff; A. Wikenhauser, Einl. in das NT (Freiburg i. Br. [2]1956) 285 Anm. 1; vgl. auch M. Hengel, Proseuche und Synagoge. Festgabe für K. G. Kuhn (Göttingen 1972) passim.

[10] Vgl. W. den Baer, Scriptorum paganorum I–IV saec. de christianis testimonia (Leiden 1948) 8, ([2]1965) 10; M. Hengel, Die Ursprünge der christlichen Mission, in: NTSt 18 (1971) 15–38, 16.

[11] E. Schürer, a. a. O. II 31; W. G. Kümmel, Einleitung, 221; E. Haenchen, Die Apostelgeschichte (Göttingen [13]1961) 223 Anm. 3.

nend nicht durchgehalten. Der Römerbrief selbst ist nämlich nicht an eine vorwiegend judenchristliche Gemeinde geschrieben. Was man an Argumenten dafür anführt, hat wenig Gewicht. So etwa versteht sich der Apostel, wenn er Abraham als „unseren Vorfahren dem Fleisch nach" bezeichnet (4, 1), mit seinen Volksgenossen zusammen als Jude und denkt also an diese und nicht an die Judenchristen der Gemeinde. Dasselbe gilt für Ἰσαὰκ τοῦ πατρὸς ἡμῶν (9, 10). In 4, 12 dagegen meint „Abraham, unser Vater" diesen als den Vater aller Gläubigen, einschließlich der Heidenchristen. Die Anrede in 2, 1: ὦ ἄνθρωπε πᾶς ὁ κρίνων, zeigt nur, daß das εἰ δὲ σὺ Ἰουδαῖος ἐπονομάζῃ (2, 17) generalisiert wird – der Ἰουδαῖος ist als Typos zu verstehen – und im übrigen der gesetzestreue Jude und nicht der Judenchrist gemeint ist. Schwierigkeiten bereiten eigentlich nur 7, 1 ff. Aber wenn Paulus seine Leser in 7, 1 „Leute, die das Gesetz kennen", nennt, so kann er damit auch Heidenchristen mit im Sinn haben, für die die Tora bzw. der Pentateuch ebenso heiliges Buch geworden ist, wie sie es für Judenchristen war [12]. Aber vielleicht kann man auch sagen, daß Paulus jetzt, da er zum neuen Thema kommt, der Freiheit vom Gesetz, seinen Blick primär auf den früheren Juden, also auf den jetzigen Judenchristen, richtet, dabei aber prinzipiell argumentiert, so daß die Heidenchristen nicht ausgeschlossen sind. Auch sonst führt der Römerbrief eine grundsätzliche Diskussion mit „dem Juden", nicht aber eine aktuelle Auseinandersetzung speziell mit römischen Judenchristen (z. B. 2, 17 – 3, 8; 3, 31; 6, 1 f. 9–11). Bei solcher prinzipieller Diskussion wird Paulus natürlich beachten, daß es in der römischen Gemeinde *auch* Judenchristen gibt, so daß die grundsätzliche Auseinandersetzung mit dem Juden und dem Judentum durch und für die römischen Verhältnisse an Aktualität gewann, wenn er beide Gruppen, Heiden- und Judenchristen, berücksichtigte wie 1, 16; 2, 9 ff. 25 ff; 3, 29; 10, 12; 15, 7 ff oder wenn er das Geschick der Juden bzw. Israels in Kap. 9–11 ausführlich behandelt. Gehört Kap. 16 zum Römerbrief, so ist das Vorhandensein ehemaliger Juden in der römischen Gemeinde erwiesen. Denn dort werden 16, 7 Andronikos und Junias, die schon vor dem Apostel Christen geworden waren, οἱ συγγενεῖς μου genannt, und 16, 11 heißt Herodion ὁ συγγενής μου. Vielleicht, daß auch die ἀσθενοῦντες (14, 1) oder ἀδύνατοι (15, 1) Judenchristen waren und die Kap. 14 – 15, 13 eine aktuelle Auseinandersetzung zwischen Juden- und Heidenchristen berühren. Aber diese Auseinandersetzung mit einem im übrigen eigenartigen Judenchristentum und jene über die jüdische Grundposi-

---

[12] Diese Heidenchristen können ehemalige „Gottesfürchtige" gewesen sein, wie SCHMITHALS, Römerbrief (passim), betont. Freilich, sein Hauptargument, daß nur dann der Widerspruch zwischen der Tatsache, daß Paulus an Heidenchristen schreibt, der Sache nach sich aber gegen den Juden und seine Argumente abgrenzt, ist nicht tragfähig. Warum sollte er nicht auch anderen Heiden in der Umgebung, die mit der Synagoge nichts zu tun haben, aber mit Juden und Judenchristen leben, das Zentrale seiner eigenen Verkündigung, die sich gegen das Judentum richtete, die Gerechtigkeit Gottes in Jesus Christus für den Glaubenden aus Juden und Heiden, in diesem vorbereitenden Brief an die fremde und bedeutende Gemeinde darlegen? Im übrigen spricht Paulus nie von σεβόμενοι bzw. φοβούμενοι τὸν θεόν, wie etwa die Apg in 13, 43; 16, 14; 17, 17 und in 10, 2.22; 13, 16.26. Literatur zu diesen bei SCHMITHALS, a. a. O. 70 f Anm. 199.

tion überhaupt liegen nicht auf derselben Linie. Die Judenchristen werden in der römischen Gemeinde, an die Paulus schreibt, eine Minorität gewesen sein [13], selbst wenn nach dem Tod des Claudius (54 n. Chr.) die Durchführung seines Dekrets milder gehandhabt oder auch unterlassen worden ist, so daß viele Judenchristen nach Rom zurückkehrten [14]. Als Adressaten hat Paulus ohne Zweifel vorwiegend Heidenchristen vor Augen [15]. Dafür zeugen mehrere Texte direkt, wie etwa 1, 5f. 13f; 11, 13ff; 15, 15ff. Aber auch die Betonung der Verbundenheit des Apostels mit seinen „Verwandten dem Fleisch nach" (9, 3f; 10, 1ff) ist ein Indiz für den Gegensatz zu Nichtjuden (Röm 11, 25.28.31). Auch die Charakterisierung der Vergangenheit der Adressaten, die sie abgelegt haben oder ablegen sollen (z. B. 6, 19; 13, 13), sowie der Hinweis auf den ἀδόκιμος νοῦς, der erneuert werden soll (1, 28; 12, 2), charakterisieren den ehemaligen Heiden. Dabei mögen die Heidenchristen noch in sich differenziert gewesen sein. Paulus rechnet z. B. 12, 3ff mit Charismatikern und der typischen Gefahr der Charismen, dem ὑπερφρονεῖν im Denken und Handeln. Zu solchen Charismatikern gehören vielleicht auch die in 13, 1ff Ermahnten, aber auch die „Starken" von Kap. 14 und 15. Sie mit Judenchristen zu identifizieren wird dadurch fraglich, daß die typisch judaistischen Forderungen offenbar nicht gestellt werden, etwa die nach Beschneidung oder auch Tischgemeinschaft. Wegen Röm 14, 5 drei Gruppen anzunehmen ist nicht nötig [16]. Wenn Kap. 16 bzw. 16, 17–20 ursprünglich zum Römerbrief gehören, hat Paulus vielleicht auch vom Eindringen von Gnostikern in die römische Gemeinde gehört.

---

[13] Vgl. G. BORNKAMM, Paulus (Stuttgart 1969) 103f: „Das einzige, was wir mit Sicherheit ausmachen können, ist, daß sie (die römische Gemeinde) zur Zeit der Abfassung des Briefes überwiegend, wenn auch nicht ausschließlich aus Heidenchristen bestand (Röm 1, 5f.13; 11, 13; 15, 15ff)." Vgl. G. SCHRENK, a. a. O. 85, mit Hinweis auf E. RIGGENBACH in: ThStK 1893, 649f. G. KLEIN, Der Abfassungszweck des Röm, in: Rekonstruktion und Interpretation (München 1969) 129–144 (hier 136), meint, Paulus habe „eine gemischte Zusammensetzung" der römischen Gemeinde überhaupt nicht als Problem empfunden.

[14] Vgl. LEENHARDT, 8ff.

[15] G. SCHRENK, a. a. O. 84, mit Hinweis auf C. WEIZSÄCKER, Apostolisches Zeitalter (Berlin–Halle 1886) 421, E. GRAFE, J. E. BELSEN; auch G. EICHHOLZ, EvTh 21 (1961) 17; W. G. KÜMMEL, Einleitung, 221; K. H. SCHELKLE in: ZKTh 81 (1956) 400; G. BORNKAMM, Der Römerbrief als Testament des Paulus, in: Geschichte und Glaube, 2. Teil: Gesammelte Aufsätze IV (München 1971) 126; W. SCHMITHALS, Römerbrief, passim; MUNCK, Heilsgeschichte, 26; KUSS, Paulus (Regensburg 1971) 188. Für eine judenchristliche Gemeinde plädieren u. a. F. CH. BAUR, Über Zweck und Veranlassung des Römerbriefes, in: Tüb. Ztschr. f. Theol. 3 (1866) 54; DERS., Der Apostel Paulus (Leipzig 1866) 343ff; W. J. MANGOLD, Der Römerbrief und seine geschichtlichen Voraussetzungen (1884); dazu A. SCHLATTER in: ThStK 59 (1886) 575ff; TH. ZAHN, Einleitung in das NT I (³1924) 300ff; W. MANSON, The Epistle to the Hebrews (London 1953) 172ff; T. FAHY, St. Paul's Romans were Jewish Converts, in: The Irish Theological Quarterly 26 (1959) 182ff; N. KRIEGER, Zum Röm, in: NT 3 (1959) 146–148. Anders K. KERTELGE, Rechtfertigung, 74.

[16] G. FRIEDRICH, Römerbrief, a. a. O. 1138.

2. Der Charakter des Schreibens

Aber was wollte der Apostel, der sich zu einem letzten Aufbruch nach dem Osten, nach Jerusalem, rüstete (oder schon auf dem Weg dorthin war) und den Westen als neues Missionsgebiet im Blick hatte, mit seinem an die überwiegend heidenchristliche Gemeinde in Rom geschriebenen Brief? Diese Frage läßt sich einmal von daher beantworten, daß Paulus verhältnismäßig ausführlich von seinem angekündigten Besuch in der römischen Gemeinde redet und damit indirekt diesen seinen Brief dahin charakterisiert, daß er ihn dem beabsichtigten Besuch vorausschickt, zweitens aber auch aus der formalen und inhaltlichen Eigenart des Briefes selbst. Was das erstere betrifft, so kommen dafür vor allem der Eingang (1, 8ff) und der Ausgang (15, 14ff) in Frage, die wir hier erst kurz unter unserer Fragestellung betrachten müssen. Paulus spricht in 1, 10 von seinem Gebet, endlich einmal – nach Gottes Willen – nach Rom kommen zu dürfen (vgl. 15, 23). Er begründet das in 1, 11 damit, daß er den Gliedern der Gemeinde zur Stärkung eine „geistliche Gabe" vermitteln will, oder besser (1, 12), daß sie und er einander gemeinsamen Zuspruch geben und empfangen sollen, daß (1, 13) seine Arbeit Frucht bringen möge wie unter anderen Völkern oder, kurz und offen gesagt (1, 15), daß er auch ihnen in Rom das Evangelium verkündigen will. Das wollte er schon oft, aber er wurde immer wieder daran gehindert. Man erkennt ohne Zweifel eine gewisse Unsicherheit bei solcher Begründung seines beabsichtigten Besuches. V 12 korrigiert V 11. In V 13 formuliert er zunächst zurückhaltend, reiht dann aber doch auch die römische Gemeinde in sein Missionsgebiet ein und nennt V 15 kurz und bündig das εὐαγγελίζεσθαι als sein Ziel auch in Rom (vgl. 1, 6f). Zuletzt ist also nicht mehr von den römischen Christen, die geistlich gestärkt werden sollen, die Rede, sondern von solchen, denen wie allen Heidenvölkern vom Heidenapostel das Evangelium verkündigt wird. Und eben an diesem Punkt fällt dann das Wort, das zum Thema des Briefes überleitet, freilich ohne das ausdrücklich zu bemerken (1, 15.16.17). Er, Paulus, ist bereit, „euch in Rom" das Evangelium zu verkündigen. Er schämt sich seiner nicht. Denn es ist ein mächtiges, den Glaubenden rettendes Handeln Gottes. In ihm wird ja die δικαιοσύνη θεοῦ, die Gottes Gerechtigkeit durchsetzende Tat Gottes, dem Glauben offenbare Gegenwart. Man beachte: im Zusammenhang des Briefes redet der Apostel noch von dem künftigen εὐαγγελίζεσθαι in Rom. Aber unversehens ist er schon dazu übergegangen, auch das Thema eben dieses Briefes zu formulieren. Dieser Brief steht also mit jener Absicht für Rom in enger Beziehung. Was er bei seiner Durchreise nach Spanien bei seinem römischen Aufenthalt zu tun hofft – wenn er es auch nur sehr verklausuliert sagt –, das will er jetzt auch schon in seinem vorausgeschickten Brief tun, so daß dieser sein römisches Vorhaben vorbereitet, das ist aber: sein, des Paulus, Evangelium zu verkündigen. Dasselbe ergibt sich aus 15, 14–16. Paulus ist überzeugt, daß die römischen Christen mit aller „Erkenntnis" erfüllt sind und also einander Zuspruch schenken können. Gleichwohl hat er ihnen geschrieben, zum Teil „etwas kühn". Er hat sie aber nur „erinnert"[17]. Er hat es getan, um im Dienst

---

[17] ἐπαναμιμνήσκω ist nicht nur „wieder" oder „noch einmal erinnern", sondern auch ein-

Jesu Christi das Evangelium „priesterlich zu verwalten" und so die Heiden als ein Gott wohlgefälliges Opfer darzubringen. Auch sein Brief enthält also schon sein Evangelium. Freilich kommt Paulus damit in Konflikt mit seinem Prinzip, nur dort das Evangelium zu verkündigen, wo der Name Christi noch nicht bekannt ist (15, 20; 2 Kor 10, 15 f)[18]. Deshalb ja auch die zögernde und verdeckende Aussage in 1, 11 ff und die entschuldigende Verteidigung seines Briefes in 15, 14 f. Deshalb auch die Betonung, daß er sich auf seiner Reise nach Spanien nur vorübergehend in Rom aufhalten will, um die römische Gemeinde kennenzulernen (15, 24). Deshalb auch die Formulierung, daß er mit seinem Brief nur „erinnern" will kraft der ihm gegebenen „Gnade" Gottes. Aber letztlich und eigentlich sollen auch die römischen Christen sein, des verantwortlichen und von Gott ermächtigten Heidenapostels, Evangelium hören, und zwar dann, wenn er nach Rom kommt, und jetzt schon mit seinem Brief, der damit auf solche Weise sein Kommen vorbereitet[19].

Sein Brief ist also Evangelium, genauer: einführendes und vorbereitendes Evangelium, mit dem sich der Apostel den römischen Christen vorstellt[20]. Von daher ist auch seine formale Eigenart zu verstehen. Wir können hier freilich nur vorläufig auf einiges aufmerksam machen. Erweisen wird es erst die Auslegung selbst. Jedenfalls läßt der Brief erkennen, daß man bei seiner Gesamtbeurteilung zwei extreme Ansichten vermeiden muß. Er hat einerseits nicht den Charakter eines Schreibens, das als ganzes und seinem Hauptgewicht nach durch eine aktuelle Situation der römischen Gemeinde veranlaßt ist. Weder ist er in Kap. 1–11 ein Versuch, Streitigkeiten zwischen Juden- und Heidenchristen zu schlichten, wie Augustinus, Hieronymus und die alten Prologe behaupten, noch stellt er eine akute Auseinandersetzung mit judenchristlichen Gegnern in Rom dar, die etwa von außerhalb durch „Judaisten" beeinflußt und bedrängt sind, wie vielfach, z. B. von Lietzmann, behauptet wird. Er ist aber auch nicht eine durch besondere aktuelle Umstände hervor-

---

fach „erinnern" (vgl. Plato, Leg. 688 a), und zwar im Sinn einer „Erinnerung als eine(r) zu dem bisherigen Besitzstand des Lesers bestätigend hinzukommende(n)", ZAHN, MICHEL; anders SCHMITHALS, Römerbrief, 166.

[18] G. KLEIN, a. a. O. 140, will den Widerspruch in der Weise beseitigen, daß er behauptet, Paulus meinte, das Evangelium in Rom verkündigen zu können, „weil das dortige Christentum ihm nicht als apostolische Gründung gilt". Mir scheint Paulus eher deshalb in Widerspruch geraten zu sein, weil er Röm 1, 13 annimmt, daß in Rom wohl schon Evangelium, aber nicht *sein* Evangelium verkündet worden ist. Wie sehr Paulus sein Evangelium im Röm zusammenfaßt, ergibt sich auch aus den Berührungen des Römerbriefes mit Themen, die im Röm der früheren Situation entnommen und neu durchdacht sind; vgl. G. BORNKAMM, Der Röm als Testament des Paulus, 130 ff. Vgl. gegen Kleins These auch VIELHAUER, Urchristliche Literatur, 184 Anm 8; KUSS, Paulus, 196 ff; G. BORNKAMM, a. a. O. 120–139. Jedenfalls spiegelt sich auch in diesem Widerspruch sein Kampf um die Anerkennung seines Apostolates und dessen Grenzen wider.

[19] Weil Paulus sich sozusagen auch der römischen Gemeinde gegenüber des Evangeliums nicht enthalten kann, ist dann die direkte Zuwendung zu den Gliedern der Gemeinde, die von 12,1 bis 15,33 (bzw. 16,23) reicht, zu verstehen. Der Charakter des Briefes ist also kaum, wie W. MARXSEN, Einleitung, 94, meint, von der Paränese Kap. 12–15 her zu verstehen.

[20] ZAHN, LAGRANGE, ALTHAUS, DODD, KUSS, KÜMMEL, Einleitung, 223 f u. a., auch G. KLEIN, a. a. O. 144.

gerufene Konfession oder Apologie des Apostels, wenn er auch vielfach mit einem fiktiven oder auch wirklichen Gesprächspartner spricht. Auf der anderen Seite stellt unser Brief auch nicht so etwas wie ein doctrinae Christianae compendium dar, als welches man ihn weithin in der Reformationszeit, z. B. Melanchthon in seinen loci communes, verstand[21]. Dazu würden ja auch schon im Blick auf das gesamte Corpus Paulinum wesentliche Themen, z. B. Schöpfung, Kirche, Herrenmahl, Eschatologie, fehlen. Auch entbehrt er eines systematischen, freilich nicht eines geordneten Aufbaus im ganzen[22]. Vielmehr muß man sagen, daß der Brief beide Elemente, das aktuelle und das doktrinäre, enthält, und zwar so, daß er als echter Brief aus einer konkreten Situation des Verfassers an eine bestimmte, von Paulus aber nicht gegründete Gemeinde, die er vom Hörensagen kennt, zur Vorbereitung seines Besuches[23] *sein* Evangelium in einigen ihm besonders wichtigen Themen[24] grundsätzlich ausbreitet, dabei seinen Ausführungen gelegentlich aktuelle Wendungen gibt, z. B. 3, 1ff; 11, 13ff, und auch in die Verhältnisse der römischen Gemeinde eingreift, z. B. 14–15, und es u. U. sogar zu persönlichen Äußerungen kommen läßt, z. B. 3, 8; 9, 1ff; 10, 1; 11, 13. So ist es verständlich, daß er vielfach in der Weise der Diatribe[25] und also in Auseinandersetzung und im Wechselgespräch mit einem konkreten, aber stilisierten Partner schreibt, bis er solche Form der Abhandlung zuerst gelegentlich (3, 1ff; 11, 13ff) und dann überhaupt verläßt und zur konkreten Paraklese übergeht (12, 1ff). Dazwischen nimmt er aber auch traditionelle Formulierungen auf, die er von der eigenen Theologie her interpretiert und korrigiert, wie z. B. 1, 3; 3, 24f; 4, 17. 21f; 8, 2f. 11. 28. 32. 34; 10, 9.

Man kann sagen: Der Römerbrief ist ein echter Brief[26], der freilich unter dem Einfluß des Evangeliums diese Form weitaus sprengt. Er ist – sit venia verbo – ein Evangeliumsbrief, der von seinem Zentralthema aus in gewisser thematischer Ordnung sein Evangelium vorbereitend der römischen Gemeinde mitteilt, was die Fremdartigkeit der paulinischen Verkündigung für sie schon einmal mildern soll. Nicht zufällig mündet er dann in generelle und spezielle oder auch in prinzipielle und aktuelle Paraklese. In ihr erweist sich

---

[21] PHIL. MELANCHTHON, Loci communes von 1521, hrsg. von G. L. PLITT-TH. KOLDE (^{4}1925) 63.

[22] So ist auch mißverständlich, was NYGREN (1951, 10) über den Röm sagt, nämlich „was Evangelium eigentlich ist, was der christliche Glaube bedeutet, lernt man im Röm wie sonst nirgends im NT kennen". Auch Kuß (163) meint, der Röm „gibt einen fast systematisch zu nennenden Einblick in die Fundamente des Glaubens".

[23] U. BORSE, Die geschichtliche und theologische Einordnung des Römerbriefes, in: BZ NF 16 (1972) 73f, spricht von einem „Einführungsschreiben".

[24] Vgl. R. BULTMANN, Theologie, 301.

[25] G. BORNKAMM, Paulus, 105; J. JEREMIAS in: ZNW 49 (1958) 154f; DERS., Zur Gedankenführung in den paulinischen Briefen, in: Studia Paulina. In honorem Joh. de Zwaan (Haarlem 1953) 146–154, 149.

[26] Vgl. GAUGLER I, 5: „Sicher ist nur, daß auch der Römerbrief keine Abhandlung ist, nicht der ‚dogmatische und moralische Katechismus des Apostels' sein will, auch nicht einfach aus dem ‚Bedürfnis' entstanden ist, ‚den Ertrag seiner Wirksamkeit sich selbst zum Bewußtsein zu bringen', sondern ein echter *Brief,* der sich an ganz bestimmte Leser richtet und ihnen *das* Evangelium in Auseinandersetzung mit *ihren* Fragen und Nöten *verkündigen* will."

wie auch in anderen Briefen des Apostels der immerwährende Anspruch des Evangeliums, von dem freilich auch die reflektierenden theologischen Darlegungen getragen sind. Alles in allem kann man sagen: Der Römerbrief ist ein doktrinärer, aktueller, parakletischer Evangeliumsbrief sui generis an die überwiegend heidenchristliche Gemeinde in Rom, in dem der Apostel in Konflikt zwischen seinem oben erwähnten Grundsatz und der Universalität seines Apostolates gerät.

3. Der Umfang des Briefes

Haben wir uns ein wenig über die historische Situation der Entstehung unseres Briefes und über seinen literarischen Charakter orientiert, so müssen wir noch kurz auf die Frage eingehen, welches der authentisch paulinische Text des Schreibens ist. Dabei müssen wir drei verschiedene Fragen berücksichtigen. Einmal, ob es Glossen im Brieftext gibt, die nicht paulinisch sind. Solche nimmt z. B. R. Bultmann[27] in 2, 1. 16; 5, 6f; 6, 17b; 7, 25b; 8, 1; 10, 17; 13, 5 an, hat aber nur in bezug auf 7, 25b allgemeine Zustimmung gefunden. Grundsätzlich ist natürlich mit ihnen zu rechnen, aber sie sind schwer beweisbar, vor allem weil sie sehr verschiedenen Charakter haben und keine äußeren Hinweise, etwa durch wesentliche Textvarianten, vorliegen. Dazu kommt, wenn man solche Glossen annimmt, daß, wie Schmithals[28] betont, „in den meisten Fällen eine sichere Entscheidung nicht möglich ist; ob eine paulinische Randbemerkung in den Text geriet oder ob eine Inkonsequenz der paulinischen Gedankenführung vorliegt; ob eine paulinische Randnotiz vielleicht an falscher Stelle in den Text eingeordnet wurde; oder ob durch ein Versehen des Abschreibers ein zunächst ausgelassener Satz an falscher Stelle nachgetragen wurde; oder ob eine echte Interpolation vorliegt". Wir müssen bei der Auslegung jeweils darauf zu sprechen kommen.

Zweitens: Was die Doxologie 16, 25–27 betrifft[29], so herrscht ziemlich allgemein die Überzeugung, daß sie nicht zum ursprünglichen Römerbrief gehört[30]. Dafür spricht in der Tat eine Reihe gewichtiger Momente, und zwar 1) ihre schwankende Stellung, zum Teil ihr Fehlen in bestimmten Handschriften. a) So steht sie hinter 14, 23, wobei Kap. 15 und 16 fehlen (Marcion nach Orig., Comm. 7, 453 [Lommatzsch]), was Einfluß auf einige Handschriften der abendländischen Kirche hatte; b) sie steht zwischen 14, 23 und 15, 1 (– 16, 24!) $\mathfrak{M}$ 104 sy[h] Chrys u. a.; c) sie fehlt bei F G g Archetyp von D, und sie steht hinter 14, 23 bei vg 1648 1792 und anderen altlateinischen Handschriften nach alten Kapitelverzeichnissen, vielleicht Iren Tert Cypr u. a.; d) sie steht zwischen 15, 23 und 16, 1–23 in $\mathfrak{P}^{46}$; e) sie steht zweimal:

[27] ThLZ 72 (1947) 197–202.
[28] A. a. O. 208.
[29] E. KAMLAH, Traditionsgeschichtliche Untersuchungen zur Schlußdoxologie des Römerbriefes (Diss. Tübingen 1955).
[30] Vgl. LIETZMANN, Exkurs; H. W. SCHMIDT, Exkurs II 205f; W. G. KÜMMEL 225ff; SCHMITHALS 108ff; VIELHAUER, a. a. O. 189ff.

hinter 14, 23 und hinter 16, 23 in A P min; f) sie steht am Schluß des Briefes in $\mathfrak{P}^{61}$ B C D sy^p d e f vg bo sah Ambrstr. Die Entstehung solcher Varianten braucht uns nicht zu beschäftigen. Am besten ist f) bezeugt. Aber als Urtext wird man wohl 1, 1 bis 16, 23 annehmen müssen, dem die Doxologie später sinngemäß angefügt wurde. Die Frage ist nur, warum $\mathfrak{P}^{46}$ diese sinnvolle Anordnung durch die Einfügung der Doxologie zwischen 15, 33 und 16, 1ff geändert hat. Gab es vielleicht 16, 1–23 noch nicht im Römerbrief? Aber 1, 1 bis 15, 33 hatte anderseits schon in V 33 einen Segen als angemessenen Schluß des Briefes. 2) Auch die unpaulinische Diktion, die unpaulinische Begrifflichkeit und ihre unpaulinischen Gedanken sprechen gegen ihre Ursprünglichkeit im Brief. Jedenfalls ist es ein späterer liturgischer Stil. Zur Begrifflichkeit vergleiche man die Stichworte αἰώνιος θεός (Gn 21, 33; Is 26, 4; 40, 28; Bar 4, 8; Susanna 42; 2 Makk 1, 25; im NT sonst nicht), μόνος (2 Makk 1, 25; 1 Tim 1, 17; Jud 25), σοφὸς θεός (4 Makk 1, 12; 1 Clem 60, 1; vgl. Röm 11, 32), γνωρίζειν τὸ μυστήριον (Eph 1, 9; 3, 3; 6, 19). Solche Begrifflichkeit erinnert an den LXX-Sprachgebrauch und an späteren urchristlichen. Vor allem aber ist der Grundgedanke unpaulinisch, nämlich daß das Evangelium des Apostels und das Kerygma Jesu Christi die Offenbarung eines Geheimnisses seien, das ewige Zeiten verschwiegen, jetzt aber an den Tag gekommen und durch prophetische Schriften allen Völkern bekanntgemacht wurde [31]. Natürlich muß offenbleiben, ob Paulus etwa selbst eine Doxologie aus liturgischer Gemeindetradition übernommen und, weil sein Brief sonst nur mit Grüßen geschlossen hat, an 16, 23 angefügt hätte. Auch dann wäre 16, 25–27 nicht paulinisch, aber er hätte sich mit ihr identifiziert. Sehr erwägenswert ist auch die Annahme von Schmithals [32], daß die Doxologie als Abschluß einer Sammlung der Paulusbriefe, in der der Römerbrief wie im Kanon Muratori und bei Tert., Adv. Marc. IV 5; De praescr. haer. 36 am Ende stand, hinzugefügt wurde [33].

Drittens: Die Frage, ob 16, 1–23 paulinisch ist, was die meisten Forscher annehmen, und ob dieses Kapitel ursprünglich zum Römerbrief gehörte, was nicht viel Zustimmung erfährt, ist zu unterscheiden. Die erstere kann man ohne weiteres bejahen. Unpaulinisches ist in diesem Text nicht zu entdecken. Die Gründe gegen die ursprüngliche Zugehörigkeit von 16, 1–23 zu unserem Brief sind im großen und ganzen folgende: 1) Der Textbefund, der natürlich nicht nur 16, 25–27 betrifft, sondern auch 16, 1–23, besagt für die Frage der ursprünglichen Zugehörigkeit von 16, 1–23 zum paulinischen Brief kaum etwas. So fehlt ja in Marcions Apostolicum und von da in einigen Handschriften der abendländischen Kirche nicht nur Kap. 16, sondern auch Kap. 15. Das ist eine bewußte Streichung. Auch die Stellung von 16, 1–23 hinter 16, 25–27 in $\mathfrak{P}^{46}$ beweist keineswegs, daß es eine Handschrift gab, die mit 15, 33 endete und in dieser Textform nach Rom geschickt wurde. $\mathfrak{P}^{46}$

---

[31] Vgl. KÄSEMANN: „Am nächsten berührt sich ihr Zentrum mit Anschauungen, die in Kol, Eph und 1 Tim 3, 16 aufgenommen und verarbeitet wurden, führt aber über dieses Stadium mit der Spekulation über das göttliche Schweigen hinaus."

[32] A. a. O. 118f.

[33] Vgl. auch DODD, KÄSEMANN, KAMLAH a. a. O. 127f.

enthält ja auch das Kap. 16, nur an anderer Stelle. 2) Die auffallend vielen persönlichen Bekannten, die Paulus grüßen läßt. Und grüßt er jemals auch nur annähernd so viele Christen anderswo, z. B. in der ihm so wohlbekannten Gemeinde von Korinth?[34] Und selbst wenn man eine so große Zahl von Bekannten in Rom annehmen dürfte[35], muß man fragen, ob es den Absichten seines Briefes dient, wenn Paulus statt die führenden Persönlichkeiten der Gemeinde alte und manchmal nur indirekte Freunde grüßen läßt. 3) Ἐπαίνετος als ἀπαρχὴ τῆς Ἀσίας (16, 5) sucht man in Ephesus und nicht in Rom. Ebenso vermutet man Prisca und Aquila mit ihrer Hausgemeinde in Korinth und dann in Ephesus (Apg 18, 10 f. 26; 1 Kor 16, 19). 4) Passen 16, 17–20 die scharfen Warnungen vor Christen, die Spaltung in der Gemeinde hervorrufen, zur römischen Situation, soweit sie uns bekannt ist, und zu der sonstigen vorsichtigen Haltung des Apostels gegenüber der römischen Gemeinde (vgl. 1, 10 ff; 12, 3 ff; 15, 14 ff)? 5) 16, 20b ist neben 15, 33 ein doppelter Briefschluß, den Paulus sonst nicht kennt.

Diese Argumente gegen die ursprüngliche Zugehörigkeit von Kap. 16 zum Römerbrief haben Gewicht. Aber sie können m. E. doch nicht überzeugen. Was den Textbefund betrifft, so haben wir schon darüber gesprochen. Was die Grüße betrifft, muß man nur von neun der sechsundzwanzig genannten Personen annehmen, daß sie aus dem Osten nach Rom umgesiedelt sind: Prisca und Aquila (V 3), Epainetos (V 5), Andronikos und Junias (V 7), Ampliatos (V 8), Stachys (V 9), Rufus und seine Mutter (V 13). Außerdem muß Paulus nicht alle, die er grüßen läßt, persönlich gekannt haben. Und selbst wenn das der Fall sein sollte, sie sind für die vielen Jahre seiner Mission und für die Größe der römischen Gemeinde nicht zahlreich[36]. Was speziell Epainetos betrifft, so ist seine Kennzeichnung in V 5 in einem Brief nach Rom verständlicher als in einem solchen nach Ephesus, wo man ihn ja kannte. Auch 16, 16b ist nach Rom gerichtet verständlicher als nach Ephesus. Und warum sollten Prisca und Aquila nicht nach des Claudius Tod wieder nach Rom gezogen sein, von wo sie gekommen waren (Apg 18, 2)? Der scharfe Angriff auf solche Christen, die die Gemeinde zu spalten drohen (16, 17–20), ist bei Paulus nicht unmöglich und kann verschieden erklärt werden, wie Zahn, Lietzmann, Michel, H. W. Schmidt, Dodd u. a. zeigen. Zu den beiden Briefschlüssen sind Phil 4, 9.23 und 1 Thess 3, 11–13; 5, 23 f zu vergleichen.

---

[34] KÄSEMANN 399 fügt noch hinzu, daß, wenn Paulus so viele Freunde in Rom hat, sich sein Rechenschaftsbericht über seine spezifische Lehre erübrige und seine Unsicherheit gegenüber den Adressaten verwunderlich erscheine, was freilich angesichts der vielfältigen und großen Gemeinde der Weltstadt kaum ein Argument sein dürfte.
[35] Die Freizügigkeit der damaligen Menschen war sehr groß, der Seeverkehr war sehr entwickelt, und Rom war ein Versammlungsort des Weltkreises, eine „Weltherberge": ἐν Ῥώμῃ τῇ κοσμοτρόφῳ I G XIV 1108, „ein Kompendium der Welt" (ἐπιτομή), GALEN XVIII A 347; Athen I 20b. Vgl. L. FRIEDLÄNDER, Darstellungen aus der Sittengeschichte Roms I, 9 (1919) 17; U. KAHRSTADT, Kulturgeschichte der römischen Kaiserzeit (1944) 102.236.245 ff. HENGEL, a. a. O. 183 weist auf die alten Beziehungen zwischen Korinth und Rom hin und findet darin einen Grund für die ausführlichen Grußlisten in Röm 16, 3 ff.
[36] Auch Kol 4, 10 ff enthält Grüße an die Glieder einer fremden Gemeinde. Solche Grüße sind ja mehr als Erinnerung. Es sind Austauschungen von Segen und Heil.

Es hat aber, abgesehen von diesen Gegenargumenten, sonst noch große Schwierigkeiten, in Kap. 16 einen nach Ephesus oder sonstwohin adressierten Brief zu sehen. Sollte es gerade nach Ephesus einen Brief geben, der nur aus einer Empfehlung, vielen Grüßen, einer Warnung und nochmals Grüßen besteht? Gibt es unter den paulinischen Briefen eine Analogie zu derartigem Schreiben? Und ohne Kap. 16 hätte unser Brief überhaupt keine Grüße. Eine Frage ist es auch, wie ein „Epheserbrief" dieser Art an den Römerbrief angefügt werden konnte, ja wie sich ein solches Brieffragment – denn etwas anderes ist Röm 16 nicht – erhalten haben sollte. Wohin sind die Adresse und das Protokoll dieses „Epheserbriefes" gekommen? So nehmen wir, freilich nicht mit Sicherheit, an[37], daß Kap. 16, 1–23 ursprünglich zum Römerbrief gehört. Es unterstreicht dann den Briefcharakter dieses den Rahmen eines Briefes sprengenden paulinischen Schreibens.

4. Der Gang des Gedankens

Sehen wir uns noch den Gedankengang des Briefes an. Nach dem Präskript, das nach jeder Seite hin gewichtig formuliert ist (1, 1–7), und nach dem Eingang, der den Dank gegen Gott für den Glaubensstand der römischen Gemeinde enthält und das Verlangen und die Bereitschaft des Apostels, nach Rom zu kommen, zum Ausdruck bringt (1, 8–15), formuliert Paulus, was man den Kern seines Evangeliums, das er auch in Rom verkündigen will, nennen könnte, und deutet damit zugleich das Generalthema des Briefes an, der den Besuch in Rom vorbereiten soll: im Evangelium als der den Glaubenden rettenden „Macht Gottes" tritt „die Gerechtigkeit Gottes" zutage (1, 16f). Das Evangelium zu verkündigen, das ist, meint der Apostel, die Dynamis Gottes, seine Dynamik, könnte man sagen, wirksam werden zu lassen. Denn es läßt Gottes δικαιοσύνη, Gottes kritisches Gerechtigkeitshandeln, dem Menschen, der glaubt, gegenwärtig werden und so an und unter den Glaubenden Gottes Gerechtigkeit, die Heil gewährt, realisieren, indem sie gerecht macht.

Denn – ist der Gedankengang *des ersten Teiles* des Römerbriefes (1, 18 bis 4, 25) – durch solchen Erweis der Gerechtigkeit Gottes kommt es zur Rechtfertigung des Glaubenden. Bis dahin, und also bis zur Ankunft der offenbaren Gerechtigkeit Gottes, waltet unter den Menschen, d. h. unter den Heiden (1, 18–32) und unter den Juden (2, 1 – 3, 20), die ὀργὴ θεοῦ, das Zorngericht Gottes, da beide der Sünde unterworfen sind (3, 9ff) und das Gesetz nicht helfen kann (3, 19f), welch letzterer Gedanke hier zwar angedeutet, aber nicht näher ausgeführt wird. So spricht der erste Teil des Briefes (1, 18 – 3, 20) noch nicht grundsätzlich von der Ohnmacht des Gesetzes gegenüber dem Heil, sondern legt nur die faktische Situation des Menschen

---

[37] Mit ZAHN, SICKENBERGER, LIETZMANN, JÜLICHER, GOGUEL, MICHEL, HUBY-LYONNET, GAUGLER, SCHLATTER, BARRETT, LEENHARDT, H. W. SCHMIDT. Gegen KÜHL, G. FRIEDRICH, RGG V 1138, KÄSEMANN.

dar, der nicht mehr im Licht und in der Kraft der ursprünglichen δόξα Gottes steht (vgl. 3, 23). Die Heiden halten die Wahrheit, welche die Gerechtigkeit Gottes ist, die sie als Geschöpfe im „Herzen" ahnen, aus einem fundamentalen Un-dank im Vollzug von Ungerechtigkeit nieder und ziehen so den Zorn Gottes auf sich herab (1, 18–32). Die Juden, die den Willen Gottes aus dem Gesetz, das ihn verkörpert, kennen (2, 17ff) – sind ihnen doch die λόγια τοῦ θεοῦ anvertraut (3, 2) – verurteilen zwar die Heiden und ihr Treiben, aber sie handeln ebenso wie sie und sammeln sich den Zorn Gottes an (2, 1 bis 3, 8). Alle also, Heiden und Juden, sind, wie schon Propheten und Psalmisten sagen, schuldig vor Gott (3, 9–20).

Ist das bisher die Weltsituation gewesen, so ist aber jetzt (νυνὶ δέ [3, 21]) die δικαιοσύνη θεοῦ mit Jesus Christus und in seinem Sühnegeschehen in die Welt eingebrochen, und zwar ohne Zutun des Gesetzes für alle, die glauben (3, 21–26). Gott hat *seine* „Gerechtigkeit" und also *seine* „Wahrheit" noch einmal und inmitten aller Ungerechtigkeit der Welt in Jesus Christus aufgerichtet. Und diese Gerechtigkeit und Wahrheit wird als rechtmachende Gerechtigkeit nicht durch Leistungen gegenüber dem Gesetz gewonnen, sondern dem ihr sich ergebenden Glauben geschenkt. Der Mensch, Heide und Jude, wird so allein aus Glauben gerechtfertigt. Aber gerade dadurch wird das Gesetz in seinem ursprünglichen Sinn als göttliche Weisung wieder aufgerichtet (3, 27–31). Ein Typos solchen rechtfertigenden Glaubens ist im AT Abraham, der der Vater der Gläubigen aus Juden und Heiden und das vorausweisende Beispiel der Gerechtigkeit des Glaubens ist. Er empfing aufgrund des Glaubens die Zusage Gottes, der Vater vieler Völker im Sinn eschatologischer Erfüllung der Verheißung zu sein (4, 1–25). Man sieht deutlich, wie Paulus erst in 3, 21 – 4, 25 auf seine grundsätzliche These, daß alle Menschen bisher am Gesetz, d. h. an ihren frommen oder unfrommen Leistungen, gescheitert sind, daß das Gesetz kein Heil bringt, zu sprechen kommt, und damit zur eigentlichen, in 1, 16f angekündigten Thematik seines Evangeliums und seines Briefes. Die Ausführungen 1, 18 – 3, 18 sind nur der vorausgenommene negative Erweis der Richtigkeit jener These, eine aus der faktischen menschlichen Situation sichtbar werdende negative Bestätigung der Wahrheit der grundlegenden Aussage. Ausgesprochen wird die These in ihrem negativen Sinn erst in 3, 19f, und erst in 3, 21ff rückt sie positiv in den Mittelpunkt der Reflexion. Im Dienst solcher Aufgabe nimmt 1, 18 – 3, 18 in seinen beiden Teilen, 1, 18–32 und 2, 1 – 3, 18, nicht zufällig weithin polemische Traditionen und traditionelle Sprache an. Es ist noch nicht das Eigentliche, was hier zur Sprache kommt. Die Frage für die Exegese ist aber angesichts dieses Tatbestandes, wieweit auch dieser Abschnitt schon vom Eigentlichen der apostolischen Verkündigung her ausgelegt werden muß, von dem er umklammert ist (vgl. 1, 17 und 3, 20).

Mit 5, 1 setzt *der zweite Teil* des Römerbriefes ein, der bis 8, 39 reicht. Waren die letzten Worte des Kap. 4 der Hinweis auf unsere δικαίωσις, um deretwillen der Kyrios Jesus auferweckt worden ist, so setzt 5, 1 mit δικαιωθέντες οὖν ἐκ πίστεως ein, um das aus Glauben Gerechtfertigtwerden, d. h. die δικαιοσύνη θεοῦ, das Gerechtigkeitsgeschehen Gottes in Jesus Christus hinsichtlich seiner Auswirkung an uns, also im Blick auf seine vorläufige Durchführung in dieser Welt, zu entfalten. Was alles schließt die Rechtfertigung aus Glauben bzw. die im Evangelium begegnende „Gerechtigkeit Gottes" im Blick auf die Menschen, die sich ihr im Glauben überlassen, ein? Zunächst (5, 1–11) die εἰρήνη πρὸς τὸν θεόν, den Frieden mit Gott, und die ἐλπὶς τῆς δόξης τοῦ θεοῦ, die Hoffnung auf die Herrlichkeit Gottes, die uns verherrlichen wird. Dann aber (5, 12–21) die ζωή, das Leben schlechthin. Doch das ist eine sehr schematische Wiedergabe des Inhaltes von 5, 12–21. Denn in 5, 12 fährt Paulus nicht einfach von einer Darlegung des Rechtfertigungsheiles zu einer anderen fort, sondern setzt noch einmal neu an. Das viel umrätselte διὰ τοῦτο usw. in 5, 12 bezieht sich sachlich auf die Aussagen in 3, 21ff zurück, wiewohl es grammatisch den Anschluß an 5, 11 herstellt. Paulus nimmt aber den Gedankengang wieder bei 3, 21ff auf, weil er das, was in der Offenbarung der Gerechtigkeit Gottes in Jesus Christus geschehen ist, nun unter einem anderen Gesichtspunkt entwickeln will, nämlich dem der Gegenüberstellung Adams und Christi, durch dessen Gabe in seinem δικαίωμα, in seiner gerechten Tat, er sich als der andere Adam der überschwenglichen Charis erweist. Mit dieser „gerechten Tat" ist durch den zweiten Adam die Sünde nicht nur aufgewogen, sondern der Menschheit ein Übermaß von Charis zum ewigen Leben geschenkt. Ein unvergleichlicher neuer Weltanfang ist von Gott in Jesus Christus gewährt worden.

Sind aber mit der gerechtmachenden Gerechtigkeit Gottes in Jesus Christus dem Glaubenden „Hoffnung" und „Leben" gewährt, so ist er – das ist ein dritter Gesichtspunkt im Zusammenhang – als Getaufter von Grund auf der Sünde entrissen (6, 1–11), ihrer Macht entnommen, so daß er nicht mehr ihr Sklave sein muß (6, 8), vielmehr eben dieser δικαιοσύνη zum δουλεύειν in Freiheit hingegeben ist (6, 12–23). Damit ist er aber auch – ein vierter Gesichtspunkt – der Macht entrissen oder „gestorben", durch die die Sünde provoziert wird, dem Gesetz (7, 1–25). Dieses ist seiner ursprünglichen Intention nach nicht solche Sündenprovokation. Es ist vielmehr „heilig, gerecht und gut" (7, 12). Aber es trifft ständig auf den unter die Sünde „verkauften" Menschen (7, 14), der auf solchen Angriff hin entgegen seiner Geschöpflichkeit sich in den durch das Gesetz hervorgerufenen Sünden der Ungerechtigkeit und Selbstgerechtigkeit den Tod holt. Aber als ein aus Glauben Gerechtfertigter ist er – und das ist ein fünfter Gesichtspunkt des Abschnittes – durch das πνεῦμα τῆς ζωῆς, welches in Jesus Christus und also durch das Wirken der Gerechtigkeitsmacht Gottes wirksam geworden ist, instand gesetzt, das δικαίωμα τοῦ νόμου, die vom Gesetz bezeugte und geforderte Gerechtigkeit Gottes, anzunehmen und so zu erfüllen, sich also das Leben zu erschließen als Sohn und Erbe und Empfänger einer unsagbaren künftigen δόξα, in die mit ihm auch alle Kreatur eingeschlossen ist (8, 1–30). So gewährt Gott uns mit Christus alles, und kein Geschick und keine Macht wird uns von seiner Liebe in Christus trennen (8, 31–39). Auch diese Ausführungen von Kap. 6–8 sind wie die von Kap. 5 nicht systematische Entfaltungen des die Gerechtigkeit Gottes dem Glaubenden gewährenden Heilsgeschehens, sondern vollziehen sich in immer neuen, z. T. freilich rhetorisch bedingten Ansätzen, wie

5, 12; 6, 1.15; 7, 1.7; 8, 31, und Übergängen (8, 1.13.18), unter Einfügung anderer Gesichtspunkte, z. B. der Taufe in 6, 1 ff, unter Einschiebung von Exkursen, z. B. 7, 7 ff (Gesetz und Sünde), in ungleichmäßigem, zum Teil streng argumentierendem (7, 7 ff), zum Teil hymnisch bewegtem Stil (8, 31 ff), und im ganzen fast überladen von theologischem Gewicht, so daß es oft schwierig ist, dem Gedankengang im einzelnen zu folgen. Und doch verliert Paulus auch in diesem Teil des Briefes nie sein jeweiliges Einzelthema aus den Augen und vergißt auch nicht, sondern umkreist es immer wieder von neuem, sein Zentralthema. Ein Zeichen unter anderem ist dies, daß wir am Ende der Ausführungen sachlich wieder an den Anfang zurückgeführt werden und am selben Ort stehen, von dem wir ausgegangen sind. Das wird durch die Stichworte δόξα, δοξάζεσθαι angezeigt (vgl. 5, 1 f; 8, 18 und 8, 30). Eben diese δόξα, die durch die δικαιοσύνη θεοῦ den Glaubenden als den δικαιωθέντες als zukünftige so eröffnet worden ist, daß sie jetzt schon in ihr stehen, mangelte den Menschen, Juden und Heiden, bis jetzt. So hängt 5, 1 ff oder Kap. 5–8 auch noch weiter rückwärts mit Kap. 1–3 zusammen. Die Klammer ist in 3, 21 ff erkennbar.

Wie sehr Paulus im Römerbrief das eine Thema der δικαιοσύνη θεοῦ, und was mit ihm zusammenhängt, vor Augen hat, es aber immer von neuen Gesichtspunkten her zur Sprache bringt, erweist sich besonders daran, daß er *im dritten Teil* seines Briefes ein, äußerlich gesehen, völlig anderes, aber gleichwohl im Kern dasselbe Thema behandelt. Die Kap. 9–11 sehen fast wie ein Exkurs aus, nach dem 12, 1 ff wieder zur eigentlichen Sache zurückkehrt und an 8, 39 anknüpft. Man könnte die Darlegungen von Kap. 9–11 etwa überschreiben: „Das Mysterium Israels", und so diese Kapitel deutlich als Einschaltung bezeichnen. Aber sieht man näher zu, so geht auch hier das Thema der δικαιοσύνη θεοῦ weiter, was rein terminologisch an der entscheidenden Stelle, dem Angelpunkt 9, 30 ff; 10, 3 ff, zum Ausdruck kommt. Die Kap. 9–11 behandeln das Mysterium Israels unter dem Aspekt der abgewiesenen „Gerechtigkeit Gottes", die, wie wir 3, 21 hörten, „vom Gesetz und den Propheten" bezeugt ist und in dieser Weise in Israel schon gegenwärtig war. Dabei ist der Gedankengang der Kapitel folgender: Der erschütternde Tatbestand der Verwerfung Israels, dem alle Zusagen Gottes gegeben waren, erregt den Schmerz des mit seinem Volk innigst verbundenen Apostels (9, 1–5). Aber er weiß: Gott hat sein Wort nicht hinfällig werden lassen. Es galt immer schon dem Ἰσραὴλ κατὰ πνεῦμα, das nach wie vor von der Zusage Gottes lebt, der souverän annehmen oder verwerfen kann (9, 6–29). Israel als ganzes hat die ἰδία δικαιοσύνη, die eigen-mächtige Gerechtigkeit, aufgerichtet und sich der Gerechtigkeit Gottes versagt, die ja nicht durch das Gesetz und gesetzliche Leistungen zu erlangen ist, sondern durch den Glauben, der durch das Evangelium erweckt wird (9, 30 – 10, 21). Der „Fall" Israels, von dem ein „Rest", ein λεῖμμα κατ᾽ ἐκλογὴν χάριτος (11, 5), ausgenommen ist und der selbst als „Fall" noch heilsam ist, weil er der Heimholung der Heiden dient, die freilich deshalb keinen Grund zur Überheblichkeit gegenüber Israel haben, ist nur vorläufig, und zwar im Sinn der Vorläufigkeit aller Geschichte. Als ein besonderes Mysterium ist zu hören, daß Gott nach den

Heiden ganz Israel retten wird und so sich aller Menschen erbarmt (11, 1–32). Die abschließende Antwort des Apostels auf dieses alles ist eine bewegte Doxologie (11, 33–36). Man sieht schon aus diesem Überblick über Kap. 9–11, der natürlich schematisiert ist, wie Paulus sich wiederum, und diesmal überaus heftig, von der neuen Variante seines Themas mitreißen läßt, so daß sie fast wie ein selbständiger Teil mitten im Römerbrief steht, und wie er doch, und zwar in der Mitte seiner Ausführungen, den verborgenen Zusammenhang mit dem Ganzen seines Briefes erkennen läßt.

Auch *der vierte Teil* unseres Briefes hängt, ohne daß es ausdrücklich gemacht wird, mit dem zentralen Thema der δικαιοσύνη θεοῦ zusammen. In ihm, der von 12, 1 bis 15, 13 „Mahnungen" enthält, Paraklese, wie man nach 12, 1 sagen kann, kommt noch der Anspruch zur Sprache, den die in Jesus Christus erwiesene und im Glauben angenommene δικαιοσύνη θεοῦ erhebt. Sie wird in 12, 1 mit οἱ οἰκτιρμοὶ τοῦ θεοῦ umschrieben und 12, 3 mit χάρις (vgl. 15, 15). Δικαιοσύνη selbst als solche, die es von den Gläubigen im πνεῦμα zu realisieren gilt, taucht einmal (14, 17) und dort nicht pointiert auf. Die Gerechtigkeit Gottes ist nicht nur Erbarmen und Gnade Gottes, sondern als solche auch Anspruch und Aufruf an die, für die sie geschehen ist. Von daher sind die Kap. 12, 1 – 15, 13 in ihrer teilweise auf die römische Gemeinde bezogenen Konkretion zu verstehen. Der Anruf der erwiesenen Gerechtigkeit Gottes, die „Gnade" ist, geht grundlegend und allgemein 1) auf das heilige, Gott wohlgefällige, lebendige Opfer der Hingabe an Gott (12, 1 f); 2) im einzelnen auf Besonnenheit im Blick auf die charismatischen Gaben und Dienste, auf demütige Liebe unter den Brüdern und auf das Gutestun in jedem Sinn (12, 3–21); 3) aber – es ist ein Zwischengedanke, der deshalb nicht weniger wichtig ist – auf Unterordnung unter die politischen Machthaber (13, 1–7) und wiederum auf das ἀλλήλους ἀγαπᾶν angesichts des nahe gekommenen Heilstages (13, 8–14); 4) jedoch, und nun deutlich die konkreten römischen Verhältnisse in den Blick nehmend, auf gegenseitige Rücksicht derer, die kühn oder ängstlich, stark oder schwach in der Freiheit des Glaubens sind (14, 1 – 15, 6), und überhaupt auf gegenseitige Annahme, „so wie auch Christus uns angenommen hat zur Ehre Gottes" (15, 7–13). Auch in diesem letzten Hauptteil des Römerbriefes, in dem die Gerechtigkeit Gottes die Glaubenden zu ihrer Bekräftigung anfordert, entfaltet Paulus sein Thema nur fragmentarisch, aber von verschiedenen Seiten her.

Dem Eingang des Briefes (1, 8–15) entspricht der Ausgang (15, 14–33), in dem Paulus zu seinen Absichten und Wünschen in bezug auf seinen Besuch in Rom zurückkehrt. Daran schließen sich Empfehlungen, Grüße und Grußbestellungen aus seiner Umgebung, dazwischen unerwartet eine heftige Warnung vor die Gemeinde spaltenden Irrlehrern (16, 1–23) an. Eine spätere Doxologie ersetzt den am Schluß fehlenden, aber schon 15, 33 und 16, 20b ausgesprochenen Segen (16, 25–27).

Auslegung

A. 1,1–17 Der Briefeingang

I. 1,1–7 DAS PRÄSKRIPT

1 Paulus, Sklave Christi, zum Apostel gerufen, ausgesondert zum Evangelium Gottes, 2 das er zuvor verheißen hat durch seine Propheten in den heiligen Schriften, 3 von seinem Sohn, der geboren ist aus dem Samen Davids dem Fleisch nach, 4 der eingesetzt ist zum Sohn Gottes in Macht dem Geist der Heiligkeit nach, seit der Auferstehung der Toten, von Jesus Christus, unserem Herrn. 5 Durch ihn haben wir Gnade und Apostelamt empfangen, um den Glaubensgehorsam für seinen Namen unter allen Heiden zu erwecken, 6 zu denen auch ihr gehört, die ihr Gerufene Jesu Christi seid, 7 an alle in Rom, die von Gott geliebt sind, die gerufenen Heiligen. Gnade sei mit euch und Friede von Gott, unserem Vater, und dem Herrn Jesus Christus.

Der Form nach ist das Präskript des Römerbriefes wie alle Briefeingänge des Apostels gebildet. Seine Grundstruktur ist: „Paulus... an alle Geliebten Gottes zu Rom. Gnade mit euch...“ Das Grundgerüst besteht also aus der Erwähnung des Absenders, der Adressaten und des Segens. Entgegen dem griechischen Briefschema, das im NT ausgerechnet der Jakobusbrief verwendet (Jak 1,1; vgl. Apg 15,23; 23,26) und das in *einem* Satz besteht, gebraucht das paulinische zwei Sätze und folgt damit orientalischer und auch jüdischer Briefsitte, die vielleicht auf den babylonisch-persischen Kurialstil der offiziellen Kanzleien zurückgeht und in erster Linie in amtlichen Schreiben verwendet wurde. Beispiele[1] sind etwa Dn 4,1 Θ: Ναβουχοδονοσορ ὁ βασιλεὺς πᾶσιν τοῖς λαοῖς, φυλαῖς καὶ γλώσσαις... Εἰρήνη ὑμῶν πληθυνθείη (vgl. 1 Petr 1,2; 2 Petr 1,2; Jud 1; 1 Clem 1,1f). Auch an syrBar 78,2 kann man erinnern: „So sagt Baruch, der Sohn Nerjas, den Brüdern, die gefangen weggeführt sind. Gnade (wie) auch Friede sei (mit) euch!“ Und um ein drittes Beispiel zu nennen: Tos, Sanh 2,6 (416) im Brief des Rabban Gamaliel (90 n. Chr.): „An unsere Brüder, die Bewohner von Obergaliläa und die Bewohner von Untergaliläa. Euer Friede sei groß.“[2] Vielleicht kann man aus der Verwendung solchen Briefschemas entnehmen, daß der Apostel auch

---

[1] Vgl. E. LOHMEYER, Probleme paulinischer Theologie I. Briefliche Grußüberschriften, in: ZNW 26 (1927) 158–173; anders G. FRIEDRICH, Lohmeyers These über das paulinische Briefpräskript kritisch beleuchtet, in: ThLZ 81 (1956) 343–346.
[2] STRACK-BILLERBECK I 154.

seine Briefe als so etwas wie „amtliche" Schreiben[3] verstanden hat. Freilich hat er nun solches Schema des Präskriptes seinerseits sehr frei behandelt, sofern er die einzelnen Grundelemente in völlig ungewohnter Weise erweiterte und mannigfach variierte. Formal reicht die Titulatur des Absenders bis V 5. Demgegenüber ist die Adresse nur mäßig angefüllt und hat der Segensgruß nur die auch 1 Kor 1, 3 gebrauchte erweiterte[4] Form. Offenbar wollte Paulus den Absender, also seine Person, der fremden Gemeinde in seinem ganzen Gewicht darstellen. Dabei ist es bezeichnend, wie das geschieht. Zu den beiden auch schon erweiterten Titulaturen in 1, 1 tritt, mit ihnen eigentümlich verknüpft, eine Kennzeichnung seines Evangeliums (1, 2–4) und des eigenen Auftrags (1, 5–6)[5]. Die Selbstdarstellung geschieht in der betonten Weise der Darstellung der ihm übertragenen Aufgabe, wie sie auch sonst gekennzeichnet wird (z. B. 15, 16.19 [16, 25f]; 1 Thess 2, 4). Das Präskript wird dabei gesprengt, Niemand erwartet nach V 6 noch eine Adresse, wie man sich V 3f des Absenders nicht mehr erinnert. Doch Paulus hat die Form des Präskripts weiter vor Augen. Er empfand nur die Notwendigkeit, schon in ihm, also sofort, von sich, dem gerufenen Apostel, und von seinem Evangelium und Auftrag zur römischen Gemeinde zu reden. Dabei ist der Übergang vom Absender zur Adresse geschickt und ungeschickt zugleich. V 6 ergibt sich zwanglos aus V 5, aber der notwendige Dativ in V 7a stößt sich mit dem Nominativ in V 6. Doch das nimmt Paulus wie vieles andere stilistisch Unregelmäßige in Kauf.

V 1 Der Absender nennt naturgemäß erst seinen Namen. Παῦλος, wie er übrigens in allen seinen Briefen (und in der Apg von Kap. 13 ab als cognomen oder praenomen außer in den Bekehrungsberichten 22, 7.13; 26, 14) erscheint. Er verwendet also nie den jüdischen Namen Saul (שָׁאוּל, Σαούλ), den er nach der Apg 9, 4.17; 22, 7.13; 26, 14 (für Lk in der gräzisierten Form Σαῦλος) getragen hat, sondern als civis Romanus die lateinische Form[6]. Paulus nennt sich dabei in unserem Brief, anders als in 1 u. 2 Kor, Gal, 1 u. 2 Thess, Phm, Phil, als Absender allein (vgl. auch Eph 1, 1). Dazu leitet ihn wohl bewußte Überlegung. Es deutet indirekt an, daß der Römerbrief allein sein, des Paulus, apostolisches Schreiben ist, daß er in ihm *sein* Evangelium vorlegt (vgl. 2, 16 [16, 25]) und es allein verantwortet.

---

[3] Vgl. 2 Makk 1, 1ff; bSanh 11b u. a.; STRACK-BILLERBECK I 154, III 1; LIETZMANN, 22f: Exkurs über die Briefanfänge des Paulus.

[4] Das hat aber seinen Grund nicht darin, wie ZAHN, MICHEL und andere meinen, daß Paulus gemäß der Länge des Römerbriefes auch dem Präskript einen größeren Umfang als in allen seinen anderen Briefen gegeben hat, sondern in der eigentümlichen Situation der Abfassung dieses Briefes am Wendepunkt der paulinischen Mission, in der Unbekanntheit seines Verfassers bei seinen Adressaten und in seiner Absicht, dieser bedeutenden Gemeinde sein Evangelium bekanntzumachen. ZAHN läßt durch seinen Vergleich des Röm mit Tit dieses letztere Motiv auch anklingen.

[5] Vgl. ED. SCHWEIZER, Die Kirche als Leib Christi in den paulinischen Antilegomena, in: ThLZ 86 (1961) 252f.

[6] Vgl. H. H. WENDT, E. HAENCHEN, E. CONZELMANN, Die Apg, z. St.

Dem Namen fügt er zwei Titel an und bezeichnenderweise in dieser Reihenfolge: δοῦλος Χριστοῦ Ἰησοῦ und, um der römischen Gemeinde gegenüber (wie Gal 1, 1ff), nur in unpolemischem Sinn, seine Autorität verstärkt hervorzuheben, κλητὸς ἀπόστολος ἀφωρισμένος εἰς εὐαγγέλιον. Er kommt auch jetzt in diesem Brief nicht in eigenem Namen, sondern im Namen seines Herrn als dessen Sklave und als dieses Herrn und damit Gottes Gesandter. Daß δοῦλος im allgemeinen den „Sklaven" und hier also des Paulus völlige Abhängigkeit von Christus als dem Kyrios meint und daß er nicht nur sein Diener, sondern sein Eigentum und Werkzeug ist, sein „Leibeigener" [7], kann nach dem sonstigen Gebrauch von δοῦλος, δουλοῦν, δουλεία, δουλεύειν, den wir bei Paulus in Übereinstimmung mit dem Profangebrauch finden, nicht bezweifelt werden [8]. In bezug auf sich selbst und dort zusammen mit Timotheus spricht er im Titel des Präskripts noch einmal (Phil 1, 1) als von δοῦλοι Χριστοῦ Ἰησοῦ, wie dann auch von den Christen im allgemeinen als von δοῦλοι Χριστοῦ die Rede ist (z. B. 1 Kor 7, 22; Eph 6, 6; Kol 4, 12). Daß auf diese Bezeichnung als δοῦλος Χριστοῦ Ἰησοῦ auch der LXX-Sprachgebrauch eingewirkt hat, nach dem neben den Israeliten überhaupt (Dt 32, 36) und dem Volk Israel (Is 48, 20; 49, 3; Jer 26, 27) oder neben den Frommen und Betern (Pss 18, 12; 26, 9; 30, 17; 88, 51 u. ö.) mit besonderem Ton Abraham (Ps 104, 42), Isaak (Dn 3, 35), vor allem aber Moses (Nm 12, 7f; Jos 14, 7 A; 1 Sm 8, 53; 4 Kg 18, 12; Ps 104, 26 u. a.), auch Josua (Jos 24, 30) oder David (2 Sm 7, 5; Ps 88, 4.21 u. a.) oder Zerubabel (Agg 2, 23) oder auch die Propheten (Am 3, 7; Jon 1, 9; Jer 7, 25 u. a. m.) mit δοῦλος θεοῦ bzw. κυρίου bezeichnet wurden, ist wohl anzunehmen [9]. In δοῦλος Χριστοῦ Ἰησοῦ wäre dann auch die Würde mitzuhören. Das andere Moment, daß Paulus als „Sklave Christi Jesu" Eigentum und Werkzeug Christi Jesu ist, wird dadurch nicht berührt. Er weiß sich ja auch mit anderen Gläubigen zusammen als von Christus „erkauft" (vgl. 1 Kor 6, 20; 7, 23; Gal 3, 13; 4, 5). So ist die Übersetzung „Sklave Christi Jesu" wohl die sachgemäßeste [10]. Daß es an unserer Stelle Χριστοῦ Ἰησοῦ und nicht wie gewöhnlich (vgl. 1, 4.6.7) Ἰησοῦ Χριστοῦ heißt, muß auch beachtet werden. Vielleicht liegt hier eine Absicht vor. Läßt doch Χριστὸς Ἰησοῦς noch an Jesus als den Messias denken und

---

[7] Vgl. οἱ τοῦ Χριστοῦ 1 Kor 15, 23; τοῦ Χριστοῦ εἶναι Röm 8, 9; 1 Kor 3, 23; 2 Kor 10, 7.

[8] RENGSTORFF in: ThWb II 264ff; vgl. auch G. SARS, Zur Bedeutung von δοῦλος bei Paulus, in: ZNW 40 (1941) 20–32.

[9] Vgl. KÄSEMANN und zum Ganzen LIETZMANN, a. a. O., auch Art. παῖς θεοῦ (J. Jeremias) in: ThWb V 653ff. Auch in den Qumranschriften ist der Begriff „Knecht Gottes" teils auf die Propheten (z. B. 1 QS I 3; 1 QHab 2, 5), teils auf den frommen Beter (vgl. 1 QH 7, 16; 9, 10f; 11, 30; 14, 25 u. a.) bezogen. Vgl. G. JEREMIAS, Die Lehrer der Gerechtigkeit (1960) 304f, der darauf hinweist, daß auch der „Lehrer der Gerechtigkeit" sich als der „Knecht Gottes" bezeichnet.

[10] C. K. BARRETT, 15: „It is particulary appropriate to an apostle, but can be used of any Christian." H. W. SCHMIDT: „Paulus will hier wohl einen Wesenszug seines apostolischen Dienstes beschreiben." H. LIETZMANN: „Ich komme nicht in eigener Sache, sondern unselbständig auf höheren Befehl als bloßes Werkzeug Christi." (Δοῦλος ist Korrelat zu κύριος.)

19

also an Jesu messianischen Charakter erinnern [11] und setzt damit auch den δοῦλος in messianisches Licht.

Bezeichnet der erste Titel, den Paulus für sich in Anspruch nimmt, sein Verhältnis „nach der Seite Gottes hin" (Kuss) und damit für die römische Gemeinde seine absolute Dienstbereitschaft für den Kyrios, so bestimmt der zweite Titel, jedenfalls zum Teil, sein Verhältnis „nach der Seite der Menschen hin": er nennt sich κλητὸς ἀπόστολος. Man kann auch sagen: bezeichnet δοῦλος Χριστοῦ Ἰησοῦ mehr den „Stand", aber auch seine paradoxe Würde, so blickt κλητὸς ἀπόστολος mehr auf sein „Amt" und den Sinn seines Dienstes [12]. Wie Paulus ἀπόστολος versteht, zeigt sich einmal am absoluten Gebrauch. Er weiß sich und gibt sich der römischen Gemeinde als ἀπόστολος schlechthin zu erkennen und nicht – das wäre etwa ein Gegensatz – als ἀπόστολος ἐκκλησιῶν (2 Kor 8, 23; Phil 2, 25) [13] oder als einer der Missionare, wie etwa Andronikos und Junias (16, 7). In polemischer Zuspitzung formuliert er dafür Gal 1, 1: Παῦλος, ἀπόστολος οὐκ ἀπ' ἀνθρώπων οὐδὲ δι' ἀνθρώπου, ἀλλὰ διὰ Ἰησοῦ Χριστοῦ καὶ θεοῦ πατρός. Gemeint ist also seine direkte Autorisation, Bevollmächtigung und Delegation durch Jesus Christus bzw. durch Gott, die ihn – aber das bleibt hier ungesagt – an die Seite der Apostel „vor ihm" (Gal 1, 17ff; 1 Kor 9, 5; 15, 2f) stellt. Er verdankt sein Apostelsein, wie hier und 1 Kor 1, 1 durch κλητός angedeutet wird, dem Ruf Gottes [14] und nicht eigenem, charismatisch begründetem Entschluß noch einem Auftrag anderer Apostel bzw. anderer Behörden. Bei der Formulierung κλητὸς ἀπόστολος und bei dem dadurch angedeuteten Sachverhalt mag eine Erinnerung an die Berufung der Gottesmänner des AT mitgespielt haben. Abraham wurde „gerufen" (Gn 12, 1ff), Moses (Ex 3 und 4), Jesaja (Is 6), Jeremia (Jer 1). Aber primär ist hier natürlich an das Ereignis gedacht, das Paulus Gal 1, 15f beschreibt. Freilich sind auch alle Christen „gerufen", und zwar von Gott (vgl. 8, 30f; 9, 24; 1 Kor 1, 9.26; 7, 15.17ff; Gal 1, 6; 5, 8.13 u. a. m.). Sie werden 1, 6 κλητοὶ Ἰησοῦ Χριστοῦ oder 1, 7; 1 Kor 1, 2 κλητοὶ ἅγιοι oder 1 Kor 1, 24 κλητοί schlechthin genannt. Aber die Christen sind durch das Evangelium ge-

---

[11] LIETZMANN zu Röm 1,1: „Aber man wird kaum mit KÜHL sagen dürfen, daß Christus noch nicht zum Eigennamen geworden ist."

[12] Zum Begriff ἀπόστολος bzw. zur Geschichte des Begriffes vgl. STRACK-BILLERBECK III 2ff; RENGSTORFF in: ThWb I 406ff; ferner u. a. LIETZMANN, Röm, Exkurs ἀπόστολος; H. v. CAMPENHAUSEN, Der urchristliche Apostelbegriff, in: StTh I (1948) 96–130; E. LOHSE, Ursprung und Prägung des christlichen Apostolates, in: ThZ 9 (1953) 259–275; E. M. KREDEL, Der Apostelbegriff in der neueren Exegese, in: ZKTh 78 (1956) 169–193; J. ROLOFF, Apostolat – Verkündigung – Kirche (Gütersloh 1965); F. HOLTZ, Zum Selbstverständnis des Apostels Paulus, in: ThLZ 91 (1966) 321–330, der das prophetische und apostolische Amt verknüpft, betont Sp. 324 andererseits mit Recht, daß man beide nicht einfach gleichsetzen darf. Zwischen ihnen „steht der gemeinsame Bezugspunkt, Jesus Christus". Vgl. auch WIEDERKEHR, Berufung, 99–106.

[13] Vgl. C. K. BARRETT: „Paul himself, however, is not an apostle of 'Church...', but an apostle of Jesus Christ (1 Cor 1,1; 2 Cor 1,1; Col 1,1; cf. Gal 1,1), from whom alone his mission and authority are derived."

[14] „Κλητός bei ἀπόστολος betont eben die durch den Herrn selbst erhaltene Bevollmächtigung, was gerade für Paulus, den später zur Apostelzahl Hinzugekommenen, zu premiren war" (J. T. BECK).

rufen, ihn hat Gott in einer Offenbarung Jesu Christi gerufen. Paulus weiß sich ja auch dem „Ruf" zuvor als der, der ἀφωρισμένος εἰς εὐαγγέλιον ist. Auch dadurch kennzeichnet er sich sozusagen als Prophet (vgl. Is 49, 1; Jer 1, 5) in der Zeit der Erfüllung. Er stellt sich nicht den Propheten gleich, aber er sieht in dem κλητὸς ἀπόστολος, den es als solchen in der Zeit der Verheißung noch nicht gab, eine Weiterführung und Erfüllung oder Vollendung des Propheten, so wie das Evangelium die Erfüllung der Prophetie ist [15]. Ἀφορίζειν ist „aussondern", „auserwählen" u. ä. und steht im AT in der Nähe von ἁγιάζειν. Paulus ist von Gott für Gott (vgl. Apg 13, 2) aus der Welt ausgesondert. Der Begriff ἀφωρισμένος ist keine, in Rom ja wohl auch unverständliche Anspielung an die dem hebräischen bzw. aramäischen Wort zukommende Bedeutung für Pharisäer (פָּרוּשׁ und פְּרִישָׁא) [16]. Daß ἀφωρισμένος an unserer Stelle *nach* κλητὸς ἀπόστολος steht, hat seinen Grund darin, daß Paulus jetzt zur Aufgabe seines Apostolates übergeht. Er weiß sich ausgesondert für „das Evangelium Gottes" (vgl. auch Gal 1, 16: ἀποκαλύψαι τὸν υἱὸν αὐτοῦ ἐν ἐμοί, ἵνα εὐαγγελίζωμαι αὐτὸν ἐν τοῖς ἔθνεσιν). An unserer Stelle wird das Substantiv εὐαγγέλιον gesetzt, das hier aber kaum den Vollzug des apostolischen Dienstes meint, sondern die Heilsbotschaft als solche, deren Inhalt der Apostel sogleich der römischen Gemeinde in einer Abbreviatur mitteilen wird. Das Fehlen des Artikels bei εὐαγγέλιον θεοῦ hat keine sachliche Bedeutung, sondern ist durch die Präposition εἰς bedingt [17]. Der Genitiv θεοῦ (vgl. 15, 16; 2 Kor 11, 7; 1 Thess 2, 2.8.9; Mk 1, 14; 1 Petr 4, 17 [Apk 10, 7]) ist gen. subj. oder auct. und meint Gott als den, der durch das Evangelium ruft, in ihm seinen Zuspruch und Anspruch erhebt und seine „Macht" wirken läßt [18]. So stellt sich Paulus also der römischen Gemeinde vor als Sklave Christi Jesu, der dessen Eigentum und Werkzeug ist, und als der durch den unmittelbar ergangenen Ruf Gottes „gerufene Apostel", der von Gott dazu ausgesondert ist, das Evangelium Gottes den Menschen zu verkündigen.

Aber um welches Evangelium handelt es sich? Diese Frage beantwortet Paulus durch ein stilisiertes Bekenntnis (VV 2–4). Durch seine Einfügung unterscheidet sich das Präskript des Römerbriefs von dem aller anderen paulinischen Briefe. Die ihm unbekannte Gemeinde, die wahrscheinlich auch selbst von ihm kaum etwas weiß und wahrscheinlich gerade seinem Evangelium gegenüber

---

[15] FRANZ-J. LEENHARDT: „,Vocation' et ,mise à part' rapprochent l'apôtre des prophètes. Paul a eu certainement conscience d'être, entre les mains de Dieu, l'instrument de la réalisation de son plan de salut."

[16] Vgl. O. KUSS; E. KÄSEMANN; anders u. a. ZAHN, SCHLATTER, NYGREN, MICHEL.

[17] Vgl. z. B. PHILO, Quis rer. div. her. 159: ἐν ἱεραῖς γραφαῖς λέγεται; De post. Caini 158 u. a. Zur Artikellosigkeit auch ZAHN, 34 Anm. 28; HOTZ, 41 Anm. 4; KÜHL meint freilich, daß die Tatsache, daß es die einzige Stelle ist, wo εὐαγγέλιον ohne Artikel steht, einer „qualitativen Nuancierung" diente. Es drängt den Apostel, „im folgenden eine qualitative Näherbestimmung dieses εὐαγγέλιον θεοῦ zu geben".

[18] SCHLATTER, 18: „Ist ... Gott der, der durch die Botschaft redet, dann ist ihre Verkündigung ein Handeln, aus dem der Empfang der göttlichen Gnade entsteht." Vgl. auch J. CAMBIER, L'Evangile de Dieu selon l'épître aux Romains I, 177–184; J. GIBBET, Evangelium S. Pauli juxta Rom. I, 1–5 (Collectanea Mechlinensia T. XXIII/LLL, 1953) 331–335.

mißtrauisch ist, soll dieses sein Evangelium wenigstens summarisch vorweg schon im Präskript erfahren. Paulus charakterisiert es in doppelter Hinsicht: einmal als solches, das Gott, schon bevor es als Evangelium kam, durch seine Propheten in den heiligen Schriften verkündigt oder angekündigt hatte (V 2), und zweitens als solches, das vom „Sohn Gottes" (welcher ist Jesus Christus, unser Herr) spricht.

V 2 Es ist das Evangelium, das Gott durch seine Propheten in den heiligen Schriften angekündigt hat. Προεπαγγέλλειν heißt „zuvor ansagen" (vgl. 2 Kor 9, 5), „ankündigen", so daß die Aussage die wäre, daß Gott durch seine Propheten in den heiligen Schriften des AT das Kommen des Evangeliums vorausgesagt hätte. Aber möglich und mehr im Sinn des Apostels scheint mir das Verständnis von προεπαγγέλλειν, das dem προκαταγγέλλειν von Apg 3, 18 nahekommt, also daß Gott das Evangelium seinem Erscheinen voraus durch seine Propheten in heiligen Schriften verkünden ließ. Diese Überzeugung spricht Paulus ja auch 3, 21 aus, wonach die δικαιοσύνη θεοῦ „von dem Gesetz und den Propheten bezeugt worden" ist. Auch an 15, 8 kann man denken, wonach Christus die den Vätern zuteil gewordene ἐπαγγελία durch seinen Dienst einlöst (vgl. 2 Kor 1, 20). Die ἐπαγγελία steht ja auch schon wie das Evangelium dem νόμος als Heilsgrund entgegen, sie ist als das Evangelium im Modus der Verheißung die Gegenpart zum νόμος (vgl. 4, 13ff; Gal 3, 14ff). Daß Paulus an unserer Stelle wahrscheinlich nicht die Ankündigung des Evangeliums meint, sondern seine Verheißungsweise, ergibt sich wohl auch aus der generellen Formulierung „durch seine Propheten in heiligen Schriften". Denn so allgemein wird er kaum davon reden wollen, daß Gottes Propheten, wie sie in den heiligen Schriften vorliegen, das Kommen des Evangeliums angekündigt haben, wohl aber sind Gottes Propheten überall in den heiligen Schriften Vorausverkündiger des Evangeliums. Deshalb gilt ja auch 15, 4; 1 Kor 10, 11. Das Evangelium ist die eschatologische Verheißung in ihrer Erfüllung. Freilich hat man das Empfinden – und das erklärt die Unsicherheit des Verständnisses –, Paulus formuliere hier schon in traditioneller und nicht so sehr in eigener Sprache [19]: es werden vom AT nur die Propheten genannt. Bemerkenswert ist auch das im NT singulär jüdisch-hellenistische ἅγιαι γραφαί, mit dem höchstens die ἱερὰ γράμματα von 2 Tim 3, 15 zu vergleichen sind. Sie bezeichnen im Plural die gesamte Heilige Schrift [20]. Der Aussage in V 2 schließt sich ja auch die von VV 3 und 4 an, die den Inhalt des eschatologischen Evangeliums in einer Paulus vorgegebenen und von ihm in seiner Interpretation vorgelegten christologischen Credo-Formel der römischen Gemeinde vor Augen stellt [21].

---

[19] Vgl. SCHRENK in: ThWb I 750ff; SCHNIEWIND-FRIEDRICH II 573ff 582f; MICHEL; S. PORUBOAN, The Pauline Message and the Prophets, in: Stud. Paul. Congr. I (Rom 1963) 111.
[20] Vgl. J. JEREMIAS, Artikelloses Χριστός, in: ZNW 57 (1966) 214 Anm. 13.
[21] MICHEL meint, von einem „Taufbekenntnis" reden zu können, wofür es freilich keine konkreten Anhaltspunkte gibt. Vgl. sonst etwa G. K. BARRETT: „a brief (perhaps credal) formula ... a formula which he did not himself compose"; O. KUSS: „eine Art christologischer Exkurs", „von einer Tradition abhängig"; „Die christologische Formel V 3.4a

VV 3–4 Daß der Apostel innerhalb des Präskripts eine solche Formel verwendet, läßt sich aus verschiedenen Gründen wahrscheinlich machen. Zunächst weist die Unterbrechung und dann die Wiederaufnahme des Zusammenhangs in 3a: περὶ τοῦ υἱοῦ αὐτοῦ, und 4b: Ἰησοῦ Χριστοῦ τοῦ κυρίου ἡμῶν, darauf hin. Inhaltlich ist damit der römischen Gemeinde gesagt, daß das eschatologische Evangelium, das er verkündigt, von Christus, dem „Sohn Gottes", der „unser Kyrios" ist, handelt. Darin liegt gewiß eine Übereinstimmung des Apostels mit der römischen Gemeinde. Diese Inhaltsangabe des apostolischen Evangeliums wird durch eine Aussage über die beiden Seinsweisen dieses Sohnes und Herrn erläutert, die die eigentliche Formel ausmacht. Die Formulierung „das Evangelium von seinem Sohn" ist paulinisch, wie gleich 1, 9 zeigt, wo Paulus von seinem Dienst „...am Evangelium seines (Gottes) Sohnes" spricht[22]. Auch das plerophorische Ἰησοῦ Χριστοῦ τοῦ κυρίου ἡμῶν ist paulinisch. Es steht auch sonst (z. B. 1 Kor 1, 9; 2 Kor 4, 5) anstelle eines einfachen εὐαγγέλιον τοῦ Χριστοῦ (1 Kor 9, 12; 2 Kor 2, 12; 9, 13; 10, 14 u. a.). Oft spricht Paulus auch in umgekehrter Reihenfolge von ὁ κύριος ἡμῶν Ἰησοῦς Χριστός (5, 1.11; 15, 30 u. a.). Aber vielleicht hat sich in der Wiederaufnahme des „Sohnes Gottes" durch „Jesus Christus, unseren Herrn" in letzterem das Subjekt erhalten, das in der vorgegebenen Formel stand[23]. Zwischen „Sohn Gottes" und „Jesus Christus, unser Herr" stehen nun die Sätze, die diesen charakterisieren und nach Form und Inhalt formulierte Überlieferung vermuten lassen. Es handelt sich um einen Zweizeiler bzw., wenn man das ἐξ ἀναστάσεως νεκρῶν für sich nimmt, um einen Dreizeiler mit kurzem Schluß-

---

fällt auf; sie trägt nicht spezifisch paulinischen Charakter". R. BULTMANN, Theologie ([5]1965) 53: ein Satz, „der sich offenbar an eine ihm überlieferte Formel anlehnt"; auch E. KÄSEMANN hält V. 3 u. 4 mit Hinweis auf 1 Kor 15, 1f für vorpaulinisch. Vgl. auch die ausführlichen Analysen von E. SCHWEIZER, Röm 1, 3f und der Gegensatz von Fleisch und Geist vor und bei Paulus, in: EvTh 15 (1955) 563f (= Neotestamentica, Zürich 1963, 180–188); DERS., Erniedrigung und Erhöhung bei Jesus und seinen Nachfolgern (1962) 31f; KL. WEGENAST, Tradition, 70–76; F. HAHN, Christologische Hoheitstitel (1963) 251ff; W. KRAMER, Christos, Kyrios, Gottessohn (1963) 105ff; VERNON H. NEUFELD, The Earlist Christian Confession (Leiden 1963) 50f; K. WENGST, Christologische Formeln und Lieder des Urchristentums (Diss. Bonn 1967) 104ff; P. STUHLMACHER, Theologische Probleme des Römerbriefspräskriptes, in: EvTh 27 (1967) 374–389; E. LINNEMANN, Tradition und Interpretation in Röm 1, 3f, in: EvTh 31 (1971) 264–276. H. SCHLIER, Zu Röm 1, 3f, in: Neues Testament und Geschichte. Festschrift O. Cullmann zum 70. Geburtstag (Zürich 1972) 207–218.

[22] Περί... ist attributiv zu εὐαγγέλιον, ZAHN, LIETZMANN, MICHEL. Zu υἱός τοῦ θεοῦ bei Paulus vgl. 2 Kor 1, 19; Gal 2, 20; auch Eph 4, 13. E. KÄSEMANN: „Kein ntl. Schriftsteller (hat) die Gottessohnschaft Jesu anders als im metaphysischen Sinn verstanden."

[23] Vgl. K. WENGST, a. a. O. 104. J. T. BECK u. a. mehr, darunter z. B. der Ambrosiaster, meinen, daß mit Ἰησοῦς Χριστὸς ὁ κύριος ἡμῶν die beiden Bestimmungen in der ersten und zweiten Zeile zusammengefaßt werden. J. HUBY: „Cette appellation ‹Jésus Christ notre Seigneur› est la formule complète qui désigne le Christ glorifié, le Fils de Dieu incarné, placé près du Père et à la droite de sa majesté, auquel ses fidèles rendent un culte d'adoration. Le nom de Seigneur exprime cette domination universelle et suprême qui élève le Christ à un rang proprement divin et lui donne droit aux hommages réservés à Dieu même."

kolon[24]. Die beiden Zeilen sind im knappen Partizipialstil gehalten und stellen, so wie sie jetzt lauten, einen antithetischen Parallelismus dar. Dabei kann man eine dreifache Kongruenz feststellen: τοῦ γενομένου – τοῦ ὁρισθέντος, ἐκ σπέρματος Δαυίδ – ἐξ ἀναστάσεως νεκρῶν, κατὰ σάρκα – κατὰ πνεῦμα. Läßt das schon an eine fixierte Formel denken, so wird diese Annahme nicht nur durch die Passivformulierung[25] unterstützt, die sich vielfach auch in anderen Credo-Formeln findet (z. B. 4, 25; 1 Kor 15, 3f; 1 Tim 3, 16), sondern auch dadurch, daß die Antithese κατὰ σάρκα – κατὰ πνεῦμα, sofern sie Jesus Christus charakterisiert, auch sonst ähnlich in überlieferten Formeln auftaucht (vgl. 1 Tim 3, 16; 1 Petr 3, 18; Joh 6, 63). Paulus selbst kennt sonst keine christologische Aussage im Schema „nach dem Fleisch" – „nach dem Geist"[26]. Und so wie in 1 Tim 3, 16 u. a. begegnet auch hier die typisch semitische Voranstellung des Verbs[27]. Auch die 1, 3f verwendeten Begriffe weisen auf unpaulinische Herkunft dieser Sätze. So sind ἐκ σπέρματος Δαυίδ, πνεῦμα ἁγιωσύνης, ὁρισθείς und ἐξ ἀναστάσεως νεκρῶν bei Paulus singulär. Hinzufügen kann man noch, daß ein Hinweis auf den Tod Jesu Christi fehlt, welcher anderwärts von Paulus als „der alles andere in den Hintergrund stellende Gegenstand der apostolischen Predigt bezeichnet wird" (Zahn).

Wir haben also den Tatbestand vor uns, daß der Apostel, nachdem er das Evangelium Gottes als von den Propheten verheißene, eschatologische Größe gekennzeichnet hat, es nun seinem Inhalt nach als das Evangelium „vom Sohn Gottes" bzw. von „Jesus Christus, unserem Herrn", zu verstehen gibt, über dessen weiteren Inhalt er ein Zweifaches und Gegensätzliches in einer von ihm überkommenen und interpretierten Formel darbietet:

„Geworden aus dem Samen Davids dem Fleisch nach,
    bestellt zum Sohn Gottes in Macht dem Geist der Heiligkeit nach,
    aus der Auferstehung von den Toten."

Das ἐν δυνάμει, das aller Wahrscheinlichkeit nach, wie auch die meisten Ausleger annehmen[28], zu υἱοῦ θεοῦ und nicht zu ὁρισθέντος gehört, das ja keiner näheren Bestimmung bedarf, stört die Parallelität der Aussage. Es hat im ersten Satz der Formel kein Äquivalent. In unserem Zusammenhang dient es wahrscheinlich dem Ausgleich der paulinischen Christologie mit einer älteren. Denn wenn nach Paulus das Evangelium Jesus Christus als Sohn Gottes verkündigt, kann dieser nicht erst durch die Auferstehung der Toten zum Sohn Gottes werden, wohl aber zum Sohn Gottes „in Macht". Er ist ja für Paulus auch sonst der durch die Macht Gottes von den Toten Erweckte (1 Kor 6, 14),

---

[24] Auch die Stilisierung – Artikellosigkeit und ohne ἐκ vor νεκρῶν – ist nicht, wie LIETZMANN und KUSS meinen, „nur des Wohlklangs und der Kürze willen" vorgenommen worden, sondern verrät archaischen Charakter. Im übrigen ist ἐξ ἀναστάσεως νεκρῶν im christologischen Sinn im NT singulär.

[25] W. POPKES, Christus Traditus, 252.   [26] VERNON H. NEUFELD, Confession, 50f.

[27] Vgl. E. NORDEN, Agnostos Theos, 254ff.

[28] Vgl. z. B. CORNELY, ZAHN, KÜHL, LAGRANGE, HUBY-LYONNET, NYGREN, BARRETT, MICHEL, H. W. SCHMIDT z. St. Unsicher sind LIETZMANN, KUSS; zögernd H. THÜSING, Per Christum, 144ff. Zu ὁρισθείς gehörend, z. B. BECK, SCHLATTER, K. BARTH. Zur Erörterung vgl. auch O. CULLMANN, Die ersten christlichen Glaubensbekenntnisse (²1949) 49f; DERS., Die Christologie des NT (1957) 299.

gibt sich als der Auferstandene in seiner δύναμις und als δύναμις zu erfahren (1 Kor 5, 4; 2 Kor 12, 9; Phil 3, 10), und zwar durch den Geist und sein Wirken (15, 13; 1 Kor 2, 4.5) und kraft des Evangeliums (1, 16; 1 Kor 1, 18; 1 Thess 1, 5 u. a.), des Wortes seiner Macht. Er ist nun selbst θεοῦ δύναμις (1 Kor 1, 24). In seiner Parusie wird sich seine Macht endgültig offenbaren (2 Thess 1, 7). „Der Sohn Gottes in Macht" ist Jesus Christus als der Kyrios. Von ihm als solchem war in der dem Apostel vorliegenden Formel noch nicht die Rede. Aber von ihm mußte nach paulinischem Verständnis die Rede sein, da er nach Paulus „Sohn Gottes" schon vor seiner Auferstehung von den Toten war (vgl. 1 Kor 8, 6; Phil 2, 6), von Gott in das dem Sündenfleisch ähnliche Fleisch gesandt (8, 3; vgl. Gal 4, 4), von Gott „hingegeben" (8, 32), der sich selbst für uns hingegeben hat (Gal 2, 20), der den Tod erlitten hat (5, 10), der, von den Toten erstanden, die himmlische Eikon trägt (8, 29), die Eikon Gottes ist (2 Kor 4, 5), dessen Geist Gott sendet (Gal 4, 5), der sich dem Apostel sozusagen in das Evangelium hinein geoffenbart hat (Gal 1, 16) und nun im Evangelium als Gottes Gerechtigkeit verkündigt wird (1, 9; 2 Kor 1, 19), in dessen Gemeinschaft wir gerufen wurden (1 Kor 1, 9), mit dem der Apostel nach dem Tod zusammensein wird (Phil 1, 23), in dessen Reich wir versetzt sind (Kol 1, 13), nach dessen Eikon wir gestaltet werden (8, 29), den wir aus dem Himmel erwarten (1 Thess 1, 10), der sich selbst am Ende, wenn ihm alles unterworfen ist, Gott unterwerfen wird, damit Gott alles in allem sei (1 Kor 15, 28), in dem alle Zusagen Gottes erfüllt sind (2 Kor 1, 20)[29]. Eben dieser „Sohn Gottes", der es nicht erst wird, sondern immer schon war und jederzeit ist und endlich sich offenbaren wird, ist „aus der Auferstehung von den Toten" zum „Sohn Gottes in Macht" geworden. Das ist die differenzierende Interpretation des Apostels[30] einer ihm vorgegebenen Credo-Formel, die demnach so gelautet haben könnte:

„Der geworden ist aus dem Samen Davids dem Fleisch nach,
bestellt zum Sohn Gottes dem Geist der Heiligkeit nach,
aus der Auferstehung von den Toten."

Aber liegt nicht noch mehr paulinische Interpretation in unserer vermuteten Credo-Formel vor? Bultmann, dem Linnemann, Wengst u. a. folgen, meint, der Gegensatz κατὰ σάρκα – κατὰ πνεῦμα ἁγιωσύνης sei ebenfalls paulinische Interpretation. E. Schweizer, dem Wegenast, Zeller u. a. zustimmen, hält die Formulierung für vorpaulinisch; so jetzt auch Käsemann. Dem muß man m. E. beistimmen. Nicht als ob Paulus nicht ein κατὰ σάρκα zur Kennzeichnung des menschlichen Daseins kennte (vgl. 4, 1; 9, 5; 1 Kor 10, 18)[31]. Und nicht als ob Paulus, freilich nicht in christologischem Zusam-

---

[29] Vgl. O. Kuss, 12–15; O. Cullmann, Christologie, 276 ff; F. Hahn, Hoheitstitel, 285 ff; W. Thüsing, Per Christum, 144–150; R. Bultmann, Theologie, 127 ff; H. Conzelmann, Grundriß, 94–100; W. G. Kümmel, Theologie, 143 f; Kl. Wegenast, Tradition, 74 ff; P. Stuhlmacher, a. a. O. 374–389, 382 f; W. Kramer, Christos, 105 ff 183 ff.

[30] Eine formale Analogie ist in Phil 2, 8 der paulinische Zusatz: θανάτου δὲ σταυροῦ.

[31] ὁ Χριστὸς τὸ κατὰ σάρκα. Vgl. Blass-Debr, § 266, 12: „Der Zusatz des Artikels hebt die Beschränkung stark hervor (insoweit als das Leibliche in Betracht kommt)." Zum atl. und jüdischen Hintergrund, der freilich das Schema κατὰ σάρκα – κατὰ πνεῦμα nicht kennt, vgl. Ed. Schweizer, Neotestamentica, 180–189.

menhang, den Gegensatz κατὰ σάρκα – κατὰ πνεῦμα nicht auch ausdrücklich mache (vgl. Gal 4, 29) und ihn dann, vor allem 8, 4ff; Gal 3, 1ff; 5, 17; Phil 3, 1ff, durch das Verständnis des hinfälligen Fleisches als des sich verfallenen Sündenfleisches vertiefte. Aber unpaulinisch ist die Formulierung πνεῦμα ἁγιωσύνης und von daher der mit ihr ausgesprochene Gegensatz zu σάρξ. Paulus kennt zwar den Begriff ἁγιωσύνη im Sinn von Heiligung und Heiligkeit in paränetischen Zusammenhängen (2 Kor 7, 1; 1 Thess 3, 13), aber er spricht immer von πνεῦμα ἅγιον und nie von πνεῦμα ἁγιωσύνης[32]. Dieser Begriff weist in die Gegend des Judenchristlichen. In der LXX ist ἁγιωσύνη bemerkenswerterweise die Heiligkeit Jahwes, die mit seiner Königsherrschaft gegeben ist. Sie ist Übersetzung von הוד (Hoheit; Ps 144, 5), קֹדֶשׁ (Heiligkeit; Pss 29, 5; 96, 12) und עֹז (Macht, Herrlichkeit; Ps 95, 6). ἁγιωσύνη steht neben μεγαλοσύνη, μεγαλοπρέπεια, δύναμις. Ps 144, 5 heißt es einmal, daß die Frommen τὴν μεγαλοπρέπειαν τῆς δόξης τῆς ἁγιωσύνης σου λαλήσουσιν, „die Erhabenheit der Glorie deiner Heiligkeit verkünden werden“. ἁγιωσύνη ist Jahwes heilige Hoheit und Macht als Wesenszug seiner δόξα, seiner כָּבֹד. Dieser Zusammenhang von ἁγιωσύνη und δόξα wird bestätigt durch eine Stelle in TestLev 18, 11. Dort wird gesagt, daß der messianische „neue Priester“ „den Heiligen zu essen geben wird vom Holz des Lebens, und der Geist der Heiligkeit (πνεῦμα ἁγιωσύνης) wird auf ihnen ruhen“. Hier haben wir den Begriff πνεῦμα ἁγιωσύνης, und auch sein Zusammenhang mit der δόξα wird angedeutet. Denn bei dem Lebensbaum im Paradies wohnt die Schekina Gottes[33]. Dann hätte die Paulus bekannte Glaubensformel dem Sinn nach von Jesus Christus erklärt: „Der geworden ist aus dem Samen Davids dem Fleisch nach, der bestellt wurde zum Sohn Gottes dem Geist der Glorie nach aus (= kraft) der Auferstehung von den Toten.“[34] Dabei wird „aus dem Samen Davids dem Fleisch nach“ nichts anderes meinen als die irdische Seinsweise Jesu Christi, der aber κατὰ πνεῦμα ἁγιωσύνης zum Sohn Gottes eingesetzt wurde. Es handelt sich dabei keineswegs um eine „Zwei-Stufen-Theologie“, die Jesus als den irdischen Messias (im ersten Glied) und als den Inthronisierten (im zweiten Glied) bekennt[35]. So mag vielleicht eine Formel gelautet haben, die hinter der

---

[32] LIETZMANN meint freilich, daß Paulus πνεῦμα ἁγιωσύνης sagt „ohne Bedeutungsunterschied und nur um rhetorisch scharf gegeneinanderzustellen“. Aber, von allem anderen abgesehen, geschieht das letztere überhaupt durch die Formulierung πνεῦμα ἁγιωσύνης? Vgl. auch B. SCHNEIDER, Kata Pneuma Hagiosynes (Rom 1, 4), in: Bib 48 (1967) 359–387.

[33] Auf eine weitere Stelle hat ERIK PETERSON, Das Amulett von Acre, in: Frühkirche, Judentum und Gnosis (Freiburg i. Br. 1959) 346–354 (hier 351f), aufmerksam gemacht. Auf diesem Amulett findet sich ebenfalls der Begriff πνεῦμα ἁγιωσύνης, und zwar im Wechsel mit δόξα. Peterson meint dazu: „Das jüdische Amulett von Acre wird damit zum Beweisstück: daß in Röm 1, 4 ... die Wendung πνεῦμα ἁγιωσύνης nicht einfach Wiedergabe von πνεῦμα ἅγιον ist, ... sondern die δόξα Gottes bezeichnet, welche die Auferstehung Christi bewirkt hat, wie das dann auch Röm 6, 4 ausgesprochen wird.“

[34] Vgl. F.-J. LEENHARDT: „ἐξ peut soutenir les deux significations: en vertue de ... ou depuis.“ Vgl. BECK, LAGRANGE, MICHEL, K. WENGST, a. a. O. 107.

[35] So ED. SCHWEIZER, Der Glaube an Jesus als den „Herrn“ in seiner Entwicklung von den ersten Nachfolgern bis zur hellenistischen Gemeinde, in: EvTh 17 (1957) 17–21; dazu F. HAHN, Hoheitstitel, 252; auch KÄSEMANN.

dem Apostel vorgegebenen stand, bei der auch das κατὰ σάρκα – κατὰ πνεῦμα ἁγιωσύνης fehlte und die nur einfach so hieß:

„Jesus Christus, geworden aus dem Samen Davids,
bestellt zum Sohn Gottes, aus der Auferstehung der Toten."[36]

Solch eine Formel gehörte dann in den Umkreis einer anfänglichen juden-christlichen Theologie, die in dem irdischen Jesus den messianischen Nach-kommen Davids sah und seine Auferstehung als Adoption und Inthronisation zum Sohn Gottes – im Sinn einer messianischen Königstitulatur – verstand. Aber das sind Vermutungen, die zudem zur Erklärung des Präskripts nicht viel beitragen. Die Paulus vorliegende Formel, die vielleicht in den Bereich eines hellenistischen Judentums in Rom verweist, hat sich jedenfalls von einer adop-tianischen Tendenz entfernt und kennt den absoluten Gegensatz des Jesus Christus κατὰ σάρκα und, kraft seiner Auferstehung von den Toten, des Jesus Christus im Geist der Glorie[37]. Die Interpretation des Apostels ist eine Unterstreichung dieses Gegensatzes und für die römische Gemeinde eine Kundgabe seines Evangeliums, das, wie gleich das Präskript sagen soll, im Kern kein anderes als das der römischen Gemeinde ist. Paulus übernimmt, will er der römischen Gemeinde sofort sagen, ihr Glaubensbekenntnis und verstärkt seine Aussage, indem er ihren Kern: Jesus Mensch und Gottes Sohn kraft der Auferstehung von den Toten, vor Mißverständnissen schützt. Es bestätigt sich, daß das ἐν δυνάμει diesem Ziel dient.

V 5 Hier kommt Paulus wieder auf sich selbst bzw. auf sein Verhältnis zu diesem Kyrios Jesus Christus zu sprechen. Sein Gerufensein zum Evangelium (V 1) erfährt noch eine Erläuterung. Dieser „Sohn Gottes in Macht" hat dem Apostel das Evangelium Gottes übergeben, d. h. genauer: „durch ihn haben wir Gnade und Apostolat empfangen". Wenn also – das sollen die römischen Christen wissen – der gerufene und für das Evangelium Gottes auserwählte Apostel dieses verkündet, wird zugleich eine Gabe „unseres Herrn Jesus Chri-stus" wirksam, d. h. für Paulus dessen, der allen κύριοι, allen Göttern und Her-ren, gegenüber (1 Kor 8, 4ff) der Gott und Herr und zugleich der Weltenschöp-fer und Kosmokrator (1 Kor 8, 6; Phil 2, 9ff) ist. Das ἐλάβομεν ist nicht ein sogenannter plur. majestatis. Es meint aber auch nicht: wir, die Apostel, also Paulus und die Apostel vor ihm oder Paulus und andere Missionare[38] oder

[36] Die Vermutung, daß es eine solche Formel im Sinn einer adoptianischen Theologie gegeben hat, wird durch den Gebrauch von ὁρίζειν verstärkt. Der Begriff ist nicht ein-deutig. Er muß in der paulinischen und vorpaulinischen Formel, wie LIETZMANN, MICHEL u. a. mit Recht meinen, „jemand zu etwas bestellen", „einsetzen" heißen. Aber nach Aus-weis der Lexika bedeutet er das weder im profanen noch im biblischen Griechisch, vielmehr heißt er dort, kurz gesagt, „deklarieren" oder „dekretieren". Beides aber, das im Blick auf das Handeln Gottes seinen ausschließlichen Gegensatz meint, würde gut zur angenomme-nen ältesten Formel passen. Diese besagen dann, daß Jesus seiner irdischen Herkunft nach irdischer Messias ist, den Gott in der Auferweckung von den Toten zum Sohn Gottes deklariert und so als messianischen König inthronisiert hat.
[37] A. SCHLATTER, 26: „Wie er durch das Fleisch ein Davidssohn und ein Menschensohn ist, so ist er durch den Geist der, der Gott gehört und mit ihm verbunden ist, Gottes Sohn."
[38] So u. a. ZAHN; dagegen KÜHL, ALTHAUS, KÄSEMANN.

auch Paulus und die übrigen Christen, sondern ist sogenannter schriftstellerischer Plural, bei dem der Redende oder Schreibende sein Ich in den Hintergrund treten läßt [39]. Der Aorist deutet ein besonderes Ereignis an, das aber hier nicht näher geschildert wird. Das διὰ ᾿Ιησοῦ Χριστοῦ ist konkret zu verstehen; das Empfangen und Geben ist durch Jesus Christus geschehen, durch ihn vermittelt worden [40]. Jesus Christus ist nicht nur der, von dem her der Apostel Gnade und Apostolat empfing – das müßte ἀπό heißen (vgl. 1, 7; 1 Kor 11, 23) –, auch nicht nur der, aus dessen Händen Paulus empfing – das müßte παρά heißen (vgl. 11, 27; Phil 4, 18 u. a.) –, sondern der, mittels dessen und durch den Paulus die Gabe erhielt. In welcher Weise wird durch Gal 1, 11 f. 15 f erhellt: durch Offenbarung Jesu Christi an den Apostel zu seinem Evangelium und zu seiner Sendung. Indem Gott Jesus Christus dem Apostel enthüllte, empfing dieser „durch" jenen „Gnade und Apostolat". Damit erhalten wir aber schon einen Wink, wie χάρις und ἀποστολή an unserer Stelle zu verstehen sind. Χάρις ist nicht das Gläubiggewordensein des Apostels [41]. Sie ist auch nicht mit der ἀποστολή identisch [42], so daß hier ein Hendiadyoin vorläge. Die χάρις ist die von Jesus Christus durch Gott erwiesene Gnade, die kraft der Offenbarung dieses Jesus Christus an den Apostel nun in seinem Evangelium begegnet. Für dieses Verständnis spricht eine Reihe anderer paulinischer Aussagen. So vor allem Gal 2, 7.9, wo πεπίστευμαι τὸ εὐαγγέλιον durch ἡ χάρις ἡ δοθεῖσά μοι aufgenommen wird. Die Gnade ist Paulus von Gott gegeben worden, indem ihm kraft Offenbarung Jesu Christi das Evangelium anvertraut worden ist. Sie ist die im Evangelium gegenwärtige Gnade. Sie meint auch 1 Kor 3, 10 f, wenn Paulus davon spricht, daß er „gemäß der Gnade Gottes, die mir gegeben worden ist" [43], das Fundament gelegt hat, welches Jesus Christus ist. Die Gnade Gottes, die er empfangen hat, ist das die Kirche fundierende Gnadengeschehen in Christus Jesus, das im Evangelium zu Wort kommt. In diesem Sinn ist sie das Evangelium des Apostels. Von ihr spricht Paulus auch 12, 3; 15, 15.

Aber der Apostel hat durch Jesus Christus kraft dessen Offenbarung nicht nur die Gnade Gottes empfangen, die in seinem Evangelium wirksam ist,

---

[39] Kuss, E. v. Dobschütz, Exkurs zu 1 Thess 1, 3; K. Dick, Der schriftstellerische Plural bei Paulus (Diss. Halle 1900) bes. 151ff; J. A. Moulton, Einl. in die Sprache des NT (Heidelberg 1911) 137f. Vgl. Röm 3, 2; 1 Kor 9, 11ff; 2 Kor 1, 12ff; Beck mit Hinweis auf 2 Kor 3, 1f; 5, 11f; 10, 3ff; Kol 4, 3f. Anders Zahn, Leenhardt, Huby-Lyonnet, Käsemann. Gegen Zahn Schlatter, Roller, Formular, 172.

[40] Vgl. A. Schöttler, Die paulinische Formel „durch Christus" (1907) 40ff.

[41] So Zahn, Gaugler, Jülicher, Sanday-Headlam, Lagrange, Nygren, Leenhardt.

[42] So Michel, Bardenhewer, Bisping, Cornely, Gutjahr, Sickenberger, Kuss, Schlatter, H. W. Schmidt: χάρις und ἀποστολή ein Hendiadyoin, Käsemann: „fast ein Hendiadyoin"; G. Sass, Apostelamt, 88. Lietzmann: entweder Gnade des Christwerdens oder apostolisches Charisma. Huby-Lyonnet mit den griechischen Vätern (Chrysostomus und seine Schule) entgegen den lateinischen (Augustinus, Ambrosius u. a.), die zwei Gaben unterscheiden, die Gnade der Umkehr und die Berufung zum Apostel. Auch H. Satake, a. a. O. 98ff, versteht unter der χάρις die ἀποστολή.

[43] Vgl. J. Wobbe, Χάρις-Gedanke, 73f; Bormann, Heilsverkündigung, 19–21 42–46.

sondern auch die ἀποστολή[44]. Diese ist die notwendige Konsequenz jener. Das καί zwischen χάρις und ἀποστολή ist also nicht ein καί epexegeticum. Es ist, wie Gal 1, 15f ebenfalls zeigt, mit der Gnade des ins Evangelium geoffenbarten Jesus Christus das Mandat des εὐαγγελίζεσθαι αὐτὸν ἐν ἔθνεσιν gegeben. Eben dieses ist in einem besonderen Sinn die ἀποστολή. Gnade und Apostolat sind ja auch nötig εἰς ὑπακοὴν πίστεως – ἐν πᾶσιν τοῖς ἔθνεσιν – ὑπὲρ τοῦ ὀνόματος αὐτοῦ. Mit dieser dreifachen, äußerst knappen Angabe sind Sinn und Ziel des Empfanges von χάρις und ἀποστολή umschrieben.

Ὑπακοὴ πίστεως (vgl. 16, 26) könnte an sich den Gehorsam meinen, der dem Glauben im Sinn der Glaubensbotschaft, die mit Jesus Christus gekommen ist (Gal 3, 23.25), geleistet wird[45]. Die Wendung wäre dann mit ἵνα ὑπακούσωσιν τῇ πίστει wiederzugeben. Es wäre dann eine dem ὑπακούειν τῷ εὐαγγελίῳ (10, 16; 2 Thess 1, 8; vgl. 3, 14) entsprechende Formulierung. Aber wahrscheinlich ist πίστεως als gen. epexeg.[46] bzw. apposit. zu verstehen, durch den der Gehorsam charakterisiert wird[47]. Ὑπακοή allein kommt ja auch im Sinn von Glaubensgehorsam bei Paulus öfters vor, so z. B. an der Parallelstelle 15, 18 oder auch 16, 19; 2 Kor 7, 15; 10, 5.6 (vgl. 1 Thess 1, 8). Glaube ist für Paulus primär Gehorsam, und zwar, wie 6, 17 erkennen läßt, gegenüber dem Evangelium in der Form des τύπος διδαχῆς. Vgl. auch Gal 3, 2.5: ἀκοὴ πίστεως. Der Gehorsam ist der des Glaubens, so daß Unglaube als Ungehorsam (ἀπείθεια, ἀπειθεῖν) bezeichnet werden kann (10, 21; 11, 30ff; 15, 31; auch Eph 2, 2; 5, 6; Apg 14, 2; 19, 9).

Die dem Apostel in das Evangelium hineingegebene Gnade und das Mandat seiner Sendung im Apostolat dienen aber dazu, den Glaubensgehorsam[48] in einem umfassenden Sinn, nämlich ἐν πᾶσιν τοῖς ἔθνεσιν, unter allen (Heiden-) Völkern, zu erwecken. Die apostolische Botschaft ist eine solche an alle Völker. Τὰ ἔθνη meint hier und sonst bei Paulus die Nichtjuden[49] mit mehr oder weniger Abgrenzung von den Juden (vgl. 1, 13; 2, 14; 9, 30; 11, 11.12.13.25; 15, 9ff; 1 Kor 5, 1 u. a.). An unserer Stelle ergibt sich der Sinn von „(Heiden-)Völker" aus dem ἐν οἷς ἐστε καὶ ὑμεῖς, das sonst keinen Sinn hätte. Denn daß die römischen Christen als die κλητοὶ Ἰησοῦ Χριστοῦ unter den Völkern wohnen, weil sich in Rom alle Völker versammeln, wäre im Zusammenhang eine überflüssige Bemerkung[50]. Auch Gal 2, 8 spricht gegen solche Auffassung. Freilich ist an

---

[44] Bei Paulus ist ἀποστολή Bezeichnung seines Apostelamtes, 1 Kor 9, 12; Gal 2, 8. Apg 1, 25 meint es das Apostelamt der Zwölfe und steht neben διακονία.

[45] Vgl. 2 Kor 10, 5; Apg 6, 7: ὑπήκουον τῇ πίστει. Aber vgl. auch Röm 10, 8; 16, 26 (Gal 1, 23); Gal 3, 2–3.

[46] BULTMANN, Theologie, 315f; ThWb VI 206; EICHHOLZ, Theologie, 233; KÄSEMANN.

[47] GUTJAHR, SANDAY-HEADLAM, LAGRANGE, KÜHL, ZAHN, HUBY-LYONNET, JÜLICHER, ALTHAUS, KÄSEMANN. MICHEL und LEENHARDT verbinden beides. LEENHARDT, 24: „Dans la foi l'aspect objectif et l'aspect subjectif sont conjoints et inséparables."

[48] ZAHN: den Gehorsam, „welcher im Glauben besteht". Sachlich bedeutet das, wie SCHLATTER formuliert: „Die Annahme des Wortes und den Entschluß zum Gehorsam hat Paulus nicht voneinander getrennt; beides ist ein und dieselbe Bewegung des Willens."

[49] Vgl. ZELLER, Juden und Heiden, 13.

[50] Vgl. LIETZMANN, 26: „Unsere Stelle wird, wenn überhaupt einer Erläuterung bedürftig, durch V 13 und vor allem 11, 13.30; 15, 15f. 18 unzweifelhaft klargestellt." So auch VILMAR,

unserer Stelle keine ausdrückliche Abhebung von οἱ Ἰουδαῖοι wie etwa
3,29; 9,24; 11,13; Gal 2,8 ausgesprochen. Zu πάντα τὰ ἔθνη vgl. 15,11;
16,26; Gal 3,8b; 2 Tim 4,17. Paulus bezeichnet sich also den römischen
Christen gegenüber als der Weltapostel und gibt seinem Evangelium damit
einen weltweiten Sinn. Davon wird 15,14ff Näheres gesagt. Alle Völker
– ohne Grenzen – sollen zum Glaubensgehorsam durch die dem Apostel
gegebene Gnade des Evangeliums und von ihm als deren Mandatar erweckt
werden. Allen Heidenvölkern dient der Apostel mit seinem Evangelium zu
ihrer Rettung oder ihrem Heil (vgl. 1 Kor 1,18.21; 15,2; 1 Thess 2,16 u. a.);
aber das nur, weil er dem Namen Christi Jesu dient, der ja die Mitte des Evangeliums ist und mit ihm „genannt" wird (Röm 15,20). Diesem zugute[51], der
ja „der Name über allen Namen" ist (Phil 2,9f; Eph 1,21), „durch den und
unter Berufung auf den" der Apostel überhaupt nur sein Evangelium verkünden kann (vgl. 1 Kor 1,10; 2 Thess 3,6), dient das Evangelium, und dieser
Name soll durch seine Verkündigung unter allen Völkern bekannt und gepriesen werden, mit und in diesem Namen aber er selbst.

V 6 Zu diesen (Heiden-)Völkern, zu denen der Apostel den Namen Christi
tragen soll, für deren Glaubensgehorsam ihm die Gnade und das Apostolat
durch Jesu Christi Offenbarung gegeben wurden, gehören auch sie, die Glieder
der römischen Gemeinde, die freilich schon κλητοὶ Ἰησοῦ Χριστοῦ sind. Sie
werden direkt angeredet. Zuerst noch V 6 innerhalb eines zum Vorigen gehörenden regelrechten Relativsatzes, der zum Folgenden überleitet: „zu
denen auch ihr gehört, Gerufene Jesu Christi"[52], so daß – könnte man daraus
entnehmen – ich mich auch an euch wende, die zwar nicht durch mich, aber
durch andere die Wirkung der apostolischen Gnade erfahren haben. Jedenfalls sind auch sie „Gerufene Jesu Christi" und als solche Christi Sklaven und
Eigentum. Ἰησοῦ Χριστοῦ ist wahrscheinlich gen. poss. und nicht gen. auct.[53].
Für Paulus ist der, der ruft, immer Gott (vgl. 8,30; 9,24; 1 Kor 7,15.17.18.
20ff; Gal 1, 6; 5,8.13 u.a.). Gott aber ruft „in die Gemeinschaft mit seinem
Sohn, Jesus Christus, unserem Herrn" (1 Kor 1,9). Ebendas läßt auch sie, die
römischen Christen, die überwiegend zu den Heidenvölkern gehören, Jesus
Christus zu eigen sein. Sie gehören ihm in der Gemeinschaft mit ihm.

V 7 Hart setzt nun Paulus den Dativ neben den Nominativ und geht auf
diese Weise zur Adresse und zu den Adressaten über, die durch zwei Bezeichnungen noch näher charakterisiert werden. Alle Glieder der römischen Gemeinde werden angesprochen (vgl. 1,8; 12,3; 15,33; 16,24). Daß das einen

---

CORNELY, GUTJAHR, BARDENHEWER, HUBY, HÄRING, JÜLICHER, KÜHL, LAGRANGE,
BARRETT, H. W. SCHMIDT, NYGREN, ALTHAUS, LEENHARDT; dagegen ZAHN, SCHLATTER.

[51] „Ὑπέρ steht teils kausativ von dem, um dessentwillen etwas ist und geschieht, teils
namentlich teleologisch von dem, welchem zu Dienst es statthat", BECK, 50. Vgl. WINER,
§ 47,1; BLASS-DEBR, § 231.

[52] BECK, 51: „Κλητοί ist hier Apposition, um ihren Stand unter den Heidenvölkern zu bezeichnen, nachdem er sie unter das ἐν πᾶσιν τοῖς ἔθνεσιν im allgemeinen eben mit ἐν οἷς
ἐστέ subsumiert hat."

[53] So auch BLASS-DEBR, § 183; KÜHL, 15: „durch Berufung Eigentum Christi".

Gegensatz impliziert – etwa: nicht nur des Paulus dortige Bekannte, oder: nicht nur die dortigen Heidenchristen, sondern auch die Judenchristen –, ist nicht wahrscheinlich. Es ist die Gesamtgemeinde und jedes ihrer Glieder gemeint. Ἐν Ῥώμῃ ist in einigen Handschriften zu Unrecht ausgelassen[54]. Die Adressaten sind, wie gesagt, zweifach gekennzeichnet: einmal als ἀγαπητοὶ τοῦ θεοῦ, das bei Paulus singulär ist. Was gemeint ist, zeigt 1 Thess 1,4: ἀδελφοὶ ... ἠγαπημένοι ὑπὸ θεοῦ (vgl. 2 Thess 2,13; Kol 3,12; auch Röm 9,25). Sie sind als von Gott zu Christus Gerufene von Gott geliebt. Von dieser Liebe sprechen dann 5,5.8; 8,32.39, wobei zu beachten ist, daß das Verbaladjektiv (statt des Perf. pass.) wiederum wie bei κλητός den Stand, hier also in der Liebe Gottes, anzeigt. Mit dieser Kennzeichnung sind die römischen Christen aber auch als das Israel der Erfüllung gekennzeichnet. Denn Israel ist das von Gott „geliebte Volk": ὁ ἠγαπημένος Ἰσραήλ (Is 44,2) oder οἱ ἀγαπητοί σου (Pss 59,7; 107,7; vgl. Dt 7,14; 10,14f; 23,6; 32,15; 33,5.26; Os 3,1; 11,4; 14,5 u. a.; Is 43,15). Nicht nur also ist das Evangelium die endzeitliche Erfüllung der prophetischen Verheißung, sondern auch die Ekklesia die Erfüllung Israels. Als ἀγαπητοὶ θεοῦ sind die römischen Christen – das ist die zweite Bezeichnung – auch κλητοὶ ἅγιοι, so wie auch die Glieder der korinthischen Gemeinde als „gerufene Heilige" angeredet werden (1 Kor 1,2; 2 Kor 1,1)[55]. Sie sind kraft des Rufes Gottes aus der Welt erwählt und Gott zu eigen geworden. Aber vielleicht ist κλητοὶ ἅγιοι auch eine Kennzeichnung der römischen und korinthischen Christen als zum Kult versammelte Ekklesia[56]. Sie wäre dies dann im Anschluß an die atl. Bezeichnung des versammelten Volkes Israel als מִקְרָא קֹדֶשׁ (Ex 12,16; Lv 23,2ff.21A.24.27.35; Nm 28,25), was die LXX mit κλητὴ ἁγία übersetzt[57]. Κλητή ist dabei Substantiv (vgl. Lv 23,24). Κλητοὶ ἅγιοι sind demnach die, welche die κλητὴ ἁγία ausmachen. Wie Israel, wenn es sich versammelte, ein heiliges Volk war, da ja Gott seine Glieder zusammengerufen hatte, so stellen die Christen in der zum Kult versammelten Gemeinde das neue heilige Volk Gottes dar[58]. Auch als solches ist die Gemeinde in Rom oder anderswo die eschatologische Erfüllung Israels. Als Geliebte Gottes und als heilige Kultversammlung sind sie aber κλητοὶ Ἰησοῦ Χριστοῦ, von Gott Gerufene, die Christus gehören.

Damit sind Absender und Adressaten genannt und gekennzeichnet. Das Präskript schließt ab mit dem Gruß, der in den paulinischen Briefen ein Segen

---

[54] G^d Orig^pt. Näheres vgl. LIETZMANN, 27, Exkurs zu Röm 1,7. Anders ZAHN, 50ff, Exkurs I 615ff. Auch A. HARNACK, „Zu Röm 1,7", in: ZNW 3 (1902) 83–86.

[55] KUSS, 11 meint, der Gebrauch von κλητοὶ ἅγιοι im Sinn von „heilige Gemeinde" könnte erklären, warum im Unterschied zu 1 Thess 1,1; 2 Thess 1,1; 1 Kor 1,2; 2 Kor 1,1; vgl. Gal 1,2 im Präskript ἐκκλησία fehlt.

[56] Freilich nicht gegenüber ἐκκλησία als „ältere Selbstbezeichnung", wie SCHMITHALS, 68 meint. Jedenfalls spricht Paulus Röm 16,5 von ἡ κατ' οἶκον αὐτῶν ἐκκλησία.

[57] Mit ἐπίκλητος ἁγία Nm 28,18.26; 29,1.7.12.

[58] Vgl. R. ASTING, Heiligkeit, 141–144; LEENHARDT: „Le nouvel Israel est, comme l'ancien κλητὴ ἁγία, une assemblée convoquée en ‹peuple saint›." L. CERFAUX, La théologie de l'église suivant saint Paul, 89; HUBY-LYONNET, 50 Anm. 3; PROCKSCH in: ThWb I 108. Daß diese LXX-Wendung von den Heidenchristen nicht hätte erkannt werden können, ist kein Argument dafür, daß Paulus sie nicht gebraucht hat. Anders KÄSEMANN.

ist[59]. Er wird, wie wir hörten, mit einem zweiten Satz angefügt. Die gleiche Formulierung des Segens wie hier findet sich 1 Kor 1,3; 2 Kor 1,2; Gal 1,3; Phil 1,2; 2 Thess 1,2; Phm 3; Eph 1,2, während 1 Thess 1,1 die kurze Form χάρις ὑμῖν καὶ εἰρήνη gebraucht[60]. Vielleicht stellt der Segensgruß eine in den paulinischen Gemeinden den Gottesdienst einleitende Formel dar. Jedenfalls ist er liturgisch stilisiert. Es sind drei Zellen zu je vier Worten. Zugrunde liegt eine jüdische Formel, nur daß am Anfang an die Stelle von ἔλεος bei Paulus χάρις tritt. Χάρις καὶ ἔλεος findet sich bereits Weish 3,9; 4,15. In den Segensgrüßen[61] späterer, außerpaulinischer Briefe, wie z. B. 1 Tim 1,2; 2 Tim 1,2, lesen wir ausführlich: Χάρις, ἔλεος, εἰρήνη ἀπὸ θεοῦ πατρὸς καὶ Ἰησοῦ Χριστοῦ τοῦ κυρίου ἡμῶν (vgl. auch Tit 1,4 v. l.; 2 Joh 3). Ἔλεος allein hat Jud 2: ἔλεος ὑμῖν καὶ εἰρήνη καὶ ἀγάπη πληθυνθείη (vgl. Polyk, inscriptio: ἔλεος καὶ εἰρήνη). Aber man denke auch an das Segenswort Gal 6,16: εἰρήνη ἐπ᾽ αὐτοὺς καὶ ἔλεος, καὶ ἐπὶ τὸν Ἰσραὴλ τοῦ θεοῦ. Paulus ersetzt ἔλεος durch χάρις[62] wohl nicht nur wegen des Anklangs an das griechische χαίρειν, sondern weil χάρις der weitere und tiefere Begriff ist[63]. Εἰρήνη, das im Sinn von שלום umfassend das ,,Heil'' meint, das inneren und äußeren Segen schlechthin in sich begreift, ist natürlich jene εἰρήνη, von der Phil 4,7 spricht, die alles Begreifen übersteigt[64]. Die χάρις aber ist die Quelle des Heils.

Gnade und Friede aber kommen ἀπὸ θεοῦ πατρὸς καὶ κυρίου Ἰησοῦ Χριστοῦ. Θεός und κύριος stehen ohne Artikel wie auch sonst in präpositionalen und formelhaften Wendungen[65]. Beide, Gott der Vater durch Jesus Christus, sind die Quelle der Gnade, die die Gemeinde empfangen soll, und des Friedens, der sie umfangen wird[66]. Κύριος Ἰησοῦς Χριστός verrät seine Herkunft aus geprägten Bekenntnisformeln (vgl. 1 Kor 8,6; 12,3). Dabei meint κύριος, wie Phil 2,11 erkennen läßt, den erhöhten Herrn der Kirche, der auch der Herr der Welt und ihrer Mächte ist. Der von Gott für das Evan-

---

[59] Vgl. A. PUJOL, De salutatione apostolica: Gratia vobis et pax, in: VD 12 (1932) 38–40 76–82.

[60] Χάρις allein in dem Schlußsegen der Briefe: Röm 16, 20; 1 Kor 16,23; Gal 6,18; Phil 4,23; 1 Thess 5,28; 2 Thess 3,18; Phm 25; ferner: Eph 6,24; Kol 4,18; 1 Tim 6,21; 2 Tim 4,22; Tit 3,15.

[61] Vgl. L. BRUN, Segen und Fluch im Urchristentum (Oslo 1932) 38.

[62] Vgl. LIETZMANN, ALTHAUS u. a., die meinen, daß χάρις durch Paulus in die Grußformel eingebracht worden sei; dagegen MICHEL. Vgl. das altjüdische Achtzehngebet, das in der 14. und 15. Bitte um ,,Erbarmen'', in der 18. Bitte um ,,Frieden über Israel'' bittet und in der 17. Bitte für die ,,Gnade und das Erbarmen'' dankt. Aber vgl. auch Nm 6,24ff; ApkBar 78,2: ,,So spricht Baruch ... zu den Brüdern, die gefangen sind: Erbarmen und Friede sei mit euch.''

[63] Vgl. Röm 3,24; 5,15.17.20f; 1 Kor 1,4; Gal 1,6; 5,4; auch Eph 2,5.8; 2 Tim 2,1; Tit 2,11; 3,7. Zu ἔλεος vgl. Röm 15,9; Eph 2,4; Tit 3,5; 1 Petr 1,3. J. WOBBE, a.a.O.

[64] ALTHAUS, 6: ,,Friede ... hat im Mund des Paulus sicherlich den besonderen Sinn des Friedens mit Gott, den Gottes Gnade durch Christus schenkt (5,1).''

[65] Vgl. BLASS-DEBR, §§ 254 und 255.

[66] Ambrosiaster z. St.: ,,Et ut sine Christo nullam esse pacem et spem doceret, adiecit gratiam et pacem non solum de Deo Patre esse, sed et a Christo Jesu.'' Die Verbindung von Gott, dem Vater, und Jesus Christus, dem Herrn, ,,dürfte vorpaulinisch sein'', KÄSEMANN (vgl. LOHMEYER, a.a.O.; MICHEL; KRAMER, a.a.O. 150).

gelium ausgesonderte und gerufene Apostel übermittelt wie im Gottesdienst, so auch jetzt im Brief, der ja im Gottesdienst verlesen wird, den von Gott gerufenen und Christus gehörenden, von Gott geliebten Gliedern der heiligen Festversammlung den Segen, der von Gott und dem Herrn Jesus Christus kommt und Gnade und Heil auf sie legt. Die Gemeinde in Rom hört den apostolischen Brief als von vorneherein durch den Apostel von Gott und Jesus Christus gesegnete.

Zusammenfassung

Wir sehen: das Präskript ist durch die Fülle seiner Aussagen formlos geworden, und nur mit Mühe kann, wie der Anschluß von 1, 3 und besonders der Übergang in 1, 7 zeigen, das übliche Schema festgehalten werden. Aber es entspricht der Situation und dem Zweck des Briefes[67]: der in Rom persönlich unbekannte und hinsichtlich seiner Verkündigung nur wenig bekannte und wahrscheinlich oft mißverstandene Apostel stellt sich betont in seiner Sendung und Berufung durch Gott und in seinem unmittelbaren Dienstverhältnis zu Christus vor, dabei zugleich summarisch den Inhalt seines Evangeliums. Dies letztere geschieht mit einer alten judenchristlichen Bekenntnisformel, die Paulus leicht interpretiert und korrigiert. Von Jesus Christus unmittelbar hat er die „Gnade" im Evangelium und den Apostolat empfangen, um den Glaubensgehorsam unter allen (Heiden-)Völkern zu erwecken, zu denen ja auch die römischen Christen gehören, die Paulus nun, zu ihnen als den Adressaten sich wendend, von Christus Gerufene und von Gott Geliebte, die neue heilige Festversammlung nennt. Auf sie legt er in seinem Segensgruß die Gnade und den Frieden Gottes. In all dem, was Paulus in der gedrängten Kürze des Präskripts sagt, deutet sich noch eines besonders an: der eschatologische Charakter des Evangeliums, des Apostolates und der römischen Gemeinde.

II. 1, 8–17 DAS PROÖMIUM

8 Vor allem danke ich meinem Gott durch Jesus Christus für euch alle, weil euer Glaube in der ganzen Welt verkündigt wird. 9 Ist doch Gott, dem ich mit dem Evangelium von seinem Sohn mit meinem Geist diene, mein Zeuge, wie unablässig ich euer gedenke 10 (und) allezeit bei meinen Gebeten darum bitte, es möge mir nach Gottes Willen endlich einmal gelingen, zu euch zu kommen. 11 Denn ich sehne mich danach, euch zu sehen, um euch geistliche Gabe mitzuteilen, daß ihr dadurch gefestigt werdet, 12 oder besser, damit wir gemeinsam bei euch Zuspruch erfahren durch euren und

---

[67] CORNELY, 28: „Sollemnissima inscriptio, quae a reliquis tantum non omnibus multum discrepet, iis, quibus epistula scribitur, est accommodata."

meinen Glauben. 13 Ich will es euch nicht verhehlen, Brüder, daß ich mir schon oft vorgenommen habe, zu euch zu kommen – aber bis jetzt bin ich daran gehindert worden –, damit ich auch bei euch wie bei allen Heiden ein wenig Frucht ernte. 14 Griechen und Barbaren, Weisen und Toren bin ich verpflichtet. 15 So bin ich bereit, auch euch in Rom das Evangelium zu verkündigen. 16 Denn ich schäme mich des Evangeliums nicht. Ist es doch eine Macht Gottes, um jeden zu retten, der glaubt, den Juden zuerst und auch den Griechen. 17 Denn in ihm wird die Gerechtigkeit Gottes offenbart aus Glauben zum Glauben, wie geschrieben steht: „Der Gerechte wird aus Glauben leben."

1, 8–17 enthält – nach dem Präskript – den Übergang zum Briefthema. Die Sätze bringen zuerst den Dank des Apostels für die römische Gemeinde und die Mitteilung, daß er ihrer unaufhörlich gedenkt, zur Sprache (1, 8–9); erwähnen dann seine Bitte an Gott, er möge ihn doch einmal – endlich einmal! – nach Rom gelangen lassen (1, 10). Diese Bitte wird mit seinem Verlangen begründet, auch den Christen in Rom eine geistliche Gabe zu ihrer Stärkung zukommen zu lassen, nein: sich gegenseitig Stärkung und Trost zu schenken (1, 11–12). Er habe ja schon oft zu ihnen kommen wollen, um bei ihnen ein bißchen Frucht zu pflücken, sei aber bis jetzt daran gehindert worden (1, 13). Er hat ja auch – eine neue, objektive Begründung – allen heidnischen Völkern gegenüber die Verpflichtung, das Evangelium zu verkündigen (1, 14–15). Dieses Evangelium hat die Macht, alle Glaubenden zu retten, Juden und Hellenen. Denn in ihm begegnet die Gerechtigkeit Gottes dem Glauben (1, 16–17). Aufs Ganze gesehen, redet also dieser Briefeingang vom Verlangen des für die römische Gemeinde dankbaren und ihrer ohne Unterlaß gedenkenden Apostels, auch in Rom einmal das Evangelium zu verkündigen, das den Glaubenden, Juden und Heiden, die Gerechtigkeit Gottes eröffnet.

Wiederum ist auch dieser Abschnitt wie das Präskript mit Gedanken überfüllt [1]. Aber das kommt diesmal nicht mit der Sicherheit zum Ausdruck, mit der er dort sein Evangelium und sein apostolisches Amt erwähnt und die angeschriebene Gemeinde charakterisiert. Fast bis zum Ende unseres Abschnittes herrscht eine gewisse Verlegenheit, die sich durch einen etwas stockenden Gedankengang und durch verklausulierte Sätze verrät. Erst in 1, 14f, wo Paulus von der Erörterung des eigenen persönlichen Verhältnisses zur römischen Gemeinde abgeht und auf seine allgemeine und sozusagen „amtliche" Verantwortung und Verpflichtung zu sprechen kommt, und erst recht in 1, 16f, wo er das Wesen und Wirken des Evangeliums objektiv beschreibt, spricht er freier und bestimmter.

---

[1] H. GREEVEN, Gebet und Eschatologie (Gütersloh 1931). Vgl. P. SCHUBERT, Form and Function of the Pauline Thanksgiving. Beihefte ZNW 20 (Berlin 1939); G. EICHHOLZ, Der ökumenische und missionarische Horizont der Kirche. Eine exegetische Studie zu Röm 1, 8–15, in: EvTh 21 (1961) 15–27.

V 8   Auch die Formulierung des Briefeinganges ist wie die des Präskripts von antiker Briefsitte bestimmt, die freilich dem Apostel auch entgegenkommt. So wie nach ihr auf die Adresse mit Gruß oft – besonders im Ausgang des 1. Jahrhunderts n. Chr. – eine Versicherung des Gebetes für die Adressaten und des Dankes an die Götter im Zusammenhang mit persönlichen Nachrichten folgt, so auch bei Paulus, der sich bis in den Stil hinein dieser Gewohnheit anschließt. Lagrange zitiert zu unserer Stelle einen privaten Papyrusbrief aus dieser Zeit, der als Beispiel für alle anderen stehen mag: Ἀντώνιος Μάξιμος Σαβίνῃ τῇ ἀδελφῇ πλεῖστα χαίρειν. Πρὸ μὲν πάντων εὔχομαί σε ὑγιαίνειν καὶ ἐγὼ γὰρ αὐτὸς ὑγιαίνω. Μνεῖαν σου ποιούμενος παρὰ τοῖς ἐνθάδε θεοῖς ἐκομισάμην ἓν ἐπιστόλιον καὶ ἐπιγνούς σε ἐρρωμένην ἐχάρην (BGU 632)[1a]. Sofort wird aber auch der Unterschied zur paulinischen Version deutlich. Zuerst wird, wie im übrigen auch 2 Makk 1,11f, der Dank ausgesprochen. Er gilt Gott, und er bezieht sich auf den Glauben der Adressaten (wie auch 1 Thess 1,2; 2 Thess 1,3; 1 Kor 1,4; Kol 1,3; vgl. auch Dank und Bitte Phil 1,3.4; Phm 4.6).

Das πρῶτον μέν ist gleich πρὸ μὲν πάντων. Es folgt ihm kein δεύτερον oder ἔπειτα δέ. Es ist also hervorhebend gemeint: „Vor allem – danke ich meinem Gott." Der Dank ist das erste. Er liegt dann der Bitte zugrunde. Und er gilt bezeichnenderweise nicht den Adressaten, wiewohl er sie betrifft. Er gilt Gott. Genauer: er gilt „meinem Gott". Das θεός μου des atl. Beters sagt Paulus nur selten: 2 Kor 12,21; Phil 4,19 und im Briefeingang Phil 1,3; Phm 4; 1 Kor 1,4 v.l. Es verrät ein persönliches Verhältnis zu dem Gott, von dem nun im Folgenden die Rede sein wird, und betont, da Paulus es der Gemeinde in Rom gleich im Briefeingang zu hören gibt, von vorneherein eine gewisse Vertrautheit zu ihnen. Nicht zufällig spricht er auch Phil 1,3; Phm 4 von ihm an dieser Stelle des Briefes. Sosehr es des Apostels Dank an seinen Gott ist, ist es doch nicht nur der seine. Der seine allein bedeutete nicht viel. Er wird aber, wenn der Apostel ihn sagt, διὰ Ἰησοῦ Χριστοῦ dargebracht, also durch den erhöhten Herrn. Wenn der Apostel dankt, dann dankt er „durch Jesus Christus", der nicht nur der Urheber des Dankes ist, sondern auch der, durch den in des Apostels Wort der Dank ergeht[2]. So wie ja der Apostel, wenn er „mahnt", „durch unseren Herrn Jesus Christus" mahnt (Röm 15,30) oder „durch die Sanftmut und Milde Christi" (2 Kor 10,1). Auch des Apostels „Befehl" ergeht „durch den Herrn Jesus Christus" als dessen Befehl (1 Thess 4,2; vgl. auch Röm 7,25 v.l.). Durch die Betonung des διὰ Ἰησοῦ Χριστοῦ erhält der Dank an den Gott, der des Apostels Gott ist, ein unendliches Gewicht und ist aus der Sphäre jedes menschlichen Dankens herausgehoben, obwohl doch der Apostel ihn ausspricht.

Dieser Dank des Apostels, um den es ihm „vor allem" geht, bezieht sich auf alle Christen in der römischen Gemeinde: περὶ πάντων ὑμῶν. Und er hat

---

[1a] Vgl. zu Einzelheiten auch P. Tebt, 412; BGU II 423; 1 Makk 12,11; 2 Makk 1,1ff; Kol 1,9ff.
[2] Vgl. Thüsing, Per Christum, 175–177.

seinen Grund nicht in diesen oder jenen ihrer Vorzüge, sondern in dem allen Gliedern Gemeinsamen, er betrifft ihre πίστις, die schon in aller Welt bekannt geworden ist[3]. Gewiß kann man ἡ πίστις hier in dem allgemeinen Sinn von „Christenstand"[4] oder „Christentum" u. ä. verstehen. Aber solche Übersetzung schwächt das, was hier gemeint ist, sehr ab, nämlich das, was Paulus in 1,5 ὑπακοὴ πίστεως genannt hat. In Rom ist solcher Glaubensgehorsam lebendig geworden – vor Paulus und ohne ihn – und lebendig geblieben, und ebendas ist der Grund dafür, daß der Apostel durch Jesus Christus seinem Gott vor allem Dank sagt, zumal von diesem Glauben alle Welt spricht, er also ein starker und eindrucksvoller Glaube sein muß. Vielleicht ist aber mit καταγγέλλεται noch etwas anderes gemeint. Es heißt nicht eigentlich „sprechen", „berichten", „erzählen". Paulus verwendet den Begriff in folgenden Zusammenhängen: a) von Personen und Ereignissen: τὸν Χριστόν (Phil 1,17.18; Kol 1,28; vgl. Apg 17,4); τὸν θάνατον τοῦ κυρίου (1 Kor 11,26; vgl. Apg 4,2D); b) in bezug auf Sachen oder Sachverhalte: τὸ μαρτύριον τοῦ θεοῦ (1 Kor 2,1); τὸ εὐαγγέλιον (1 Kor 9,14; vgl. Apg 13,5; 15,36; 17,13: τὸν λόγον τοῦ θεοῦ). Das aber entspricht auch profanem Sprachgebrauch, wo es oft „feierlich verkündigen", „proklamieren" u. ä. bedeutet[5]. So ist die von Bauer Wb 882 zitierte ägyptische Grabschrift ὧν ἡ σωφροσύνη κατὰ κόσμον λελάληται keine direkte Parallele zu unserer Stelle. Jedenfalls könnte Paulus durch den Gebrauch von καταγγέλλειν an unserer Stelle der römischen Gemeinde auch andeuten wollen, daß ihr in alle Welt gedrungener Glaube für alle Welt ein Evangelium geworden ist. Daß der Apostel die Kunde vom Glauben dieser oder jener Gemeinde für eine Verkündigung hält, sieht man aus der Parallelität von ὁ λόγος τοῦ κυρίου und ἡ πίστις ὑμῶν πρὸς τὸν θεόν in 1 Thess 1,8 (vgl. auch Polyk 1,2).

Solchen Dank an Gott für den überall in der Welt „verkündigten" Glauben der römischen Gemeinde ist aber nur eine Weise seines, des Apostels, unaufhörlichen Gedenkens dieser Gemeinde. V 9 schließt sich als Begründung (γάρ) an V 8 an. „Ich danke meinem Gott für euch alle ... Ich gedenke euer ja unaufhörlich." Wenn er ihrer gedenkt, kann er gar nicht anders, als seinem Gott für sie zu danken. Und wenn er jetzt dankt, ist das ein Zeichen, daß er ihrer unablässig gedenkt. Das ist gewiß eine captatio benevolentiae, aber gewiß auch keine Phrase. Denn Gott, sagt er, tritt dafür als Zeuge ein. Vielleicht mag diese Behauptung die Gemeinde überraschen. Wer ist schon von ihrer Sicht her dieser Paulus? Aber es ist wahr, und das soll die Gemeinde wissen.

---

[3] BORNKAMM, a.a.O. 136, meint freilich ebenso wie KUSS, daß sich diese captatio benevolentiae auf die Tatsache bezieht, daß „der Christusglaube überhaupt in Rom bereits Fuß gefaßt hat", „sagt aber nichts Bestimmtes über Ausbreitung und Zustand der Gemeinde". Aber warum formuliert Paulus dann nicht entsprechend? KÄSEMANN meint, daß der Glaubensstand der römischen Gemeinde überall bekannt ist, weil es sich um die Gemeinde der Weltstadt handelt. Das wäre kaum ein Grund für den Dank an Gott.
[4] SCHLATTER, MICHEL, KUSS u. a.
[5] Vgl. J. SCHNIEWIND in: ThWb I 68–71.

36

Der atl.-jüdische Hinweis auf Gott[6] als Zeugen für die Wahrheit dessen, was der Apostel sagt, kehrt auch sonst bei Paulus wieder: 1 Thess 2, 5.10; Gal 1, 20; 2 Kor 1, 23; 11, 31; Phil 1, 8; Röm 9, 1; 2 Kor 2, 17; 12, 19, nur daß hier dieser Gott noch einmal charakterisiert und sein, des Apostels, Verhältnis zu ihm dargelegt wird. Er, Paulus, stellt sich ihm und seinem Evangelium ganz zur Verfügung, was noch einmal voraussetzt, daß sich Gott ihm geoffenbart und ihn gesendet hat. Λατρεύειν wird nicht immer vom kultischen Dienst gebraucht – vgl. dagegen λατρεία (9, 4; 12, 1) –, wohl aber vom religiösen Dienst für Gott, wie hier und Phil 3, 3. Paulus dient Gott ἐν τῷ πνεύματί μου, was hier meint, daß dieser Dienst für Gott seinen Geist beherrscht. Jedenfalls ist nicht der Geist Gottes[7], sondern das „den Menschen bestimmende Inwendige"[8] gemeint. Aber worin besteht dieser innerste Dienst für Gott? Ἐν τῷ εὐαγγελίῳ τοῦ υἱοῦ αὐτοῦ, darin also, daß er das Evangelium vom Sohn Gottes verkündigt, also in diesem Sinn: „mit dem Evangelium von seinem Sohn" (vgl. 1, 3; 2 Kor 8, 18; 10, 14). Timotheus wird 1 Thess 3, 2 als συνεργὸς τοῦ θεοῦ ἐν τῷ εὐαγγελίῳ τοῦ Χριστοῦ genannt. Dieser Gott also, dem Paulus mit seinem Geist durch die Verkündigung seines Sohnes einen heiligen Dienst leistet, kann das unablässige (vgl. 1 Thess 1, 2; 2, 13; 5, 17; auch IgnEph 10, 1; Polyk 4, 3; 8, 1 u. a.) Gedenken der römischen Gemeinde durch den Apostel bezeugen. Und dieses Gedenken beruht auf einem „Gott danken" für ihren in aller Welt verkündigten Glauben.

V 10 Aber dieses Gedenken schließt auch allezeit eine Bitte ein, nämlich die, ihn, den Apostel, doch endlich einmal nach Rom kommen zu lassen. Man wird πάντοτε δεόμενος zusammenziehen und also vor δεόμενος kein Komma setzen[9]. Sonst stößt sich das πάντοτε zu sehr mit dem ἀδιαλείπτως. Es hat ja auch noch eine Erläuterung bei sich: ἐπὶ τῶν προσευχῶν μου, die freilich die Bitte nicht einschränkt, sondern die Situation des μνεῖαν ποιεῖσθαι zu erkennen gibt. Das unablässige Gedenken, das zunächst Danken ist, geschieht in seinem allzeitigen Gebet, so wie auch die Bitte, die jetzt erwähnt wird. Dabei mag man sich gerade hier erinnern, daß es sich ja nicht um seine, des Paulus, Ekklesia handelt[10], sondern um eine ihm fast unbekannte, ihm vielleicht auch zum Teil abgeneigte Gemeinde. In diesen seinen Gebeten bittet der Apostel, daß es ihm doch endlich einmal gelingen möge, nach Gottes Willen zu den römischen Christen zu kommen. Εἴ πως, das die Ungewißheit ausdrückt, ist soviel wie ὅπως bzw. ἵνα. Ἤδη ποτέ meint „endlich einmal" (Phil 4, 10; 2 Clem 13, 1)[11], was die Ungeduld des Apostels verrät.

---

[6] Vgl. 1 Sm 12, 6 LXX: Μάρτυς κύριος ὁ ποιήσας τὸν Μωυσῆν καὶ τὸν Ἀαρῶνα, ὁ ἀναγαγὼν τοὺς πατέρας ἡμῶν ἐξ Αἰγύπτου . . . TestLev 19, 13: Μάρτυς ἐστι ὁ κύριος καὶ μάρτυρες οἱ ἄγγελοι αὐτοῦ . . . OrSib II fr. 1, 4: θεὸν μάρτυρα πάντων. Vgl. Bauer WB 977 f; Klauser in: RAC II 220f.

[7] Schlatter, Ed. Schweizer in: ThWb VI 434.

[8] Michel, Leenhardt, Käsemann. Vgl. auch S. Lyonnet, Deus cui servio in spiritu meo (Rom 1, 9), in: Test. Dom. 41 (1963) 52–59.

[9] Anders Käsemann.

[10] Vgl. Schlatter, G. Eichholz in: EvTh 21 (1961) 17 f.   [11] Lietzmann.

Εὐοδοῦσθαι pass. heißt nicht mehr „einen guten Weg geführt werden" (wie Tob 5,17), sondern „einen guten Fortgang haben" oder „Erfolg haben", deutlicher (wie 1 Kor 16,2): „gelingen" (vgl. LXX 2 Chr 32,30; Sir 41,1). Freilich: ἐν τῷ θελήματι τοῦ θεοῦ, mit oder nach dem Willen Gottes (vgl. 15,32: διὰ θελήματος θεοῦ). Es ist der Vorbehalt, den Paulus auch sonst in anderer Form macht (vgl. 1 Kor 4,19; 16,7). Auch diese Bitte wird Gott anheimgestellt, wiewohl die Formulierung den dringenden Wunsch und die fast ungeduldige Erwartung, die Christen in Rom zu besuchen, verrät.

V 11 Mit einem γάρ verknüpft, fügt Paulus in diesem Vers eine Begründung hinzu, die den dringenden Wunsch des Apostels verständlich machen soll. Sie ist recht ausführlich und dabei etwas verklausuliert. Er sehnt sich danach, die römischen Christen zu sehen. Ἐπιποθεῖν ist „Sehnsucht, Verlangen haben" u. ä. (z. B. Phil 1,8; 2,26; 2 Kor 9,14), mit folgendem Infinitiv, wie hier und in 1 Thess 3,6; 2 Tim 1,4. Ἰδεῖν kann „wiedersehen", aber ebenso im NT und in der sonstigen Gräzität ein erstmaliges Sehen (Lk 9,9; 23,8; Apg 28,20 u. a.), also „kennenlernen" (Gal 1,19 : 18), bedeuten [12]. Der Grund dieses heftigen Verlangens wird zweifach formuliert, wobei die zweite Formulierung mit einem korrigierenden τοῦτο δέ ἐστιν die erste einschränken soll. Eine dritte Formulierung findet sich in V 13b. Und was das alles meint, d. h., was der einfache und eigentliche Grund seines Verlangens, nach Rom zu kommen, ist, geht dann aus den nun schon allgemein und objektiv gehaltenen Sätzen in den VV 14f und 16f hervor. Paulus versucht also, bei der Darlegung seines Motivs für seine Reise nach Rom der fremden Gemeinde gegenüber vorsichtig und zurückhaltend zu sein, aber es gelingt ihm nicht recht. Die erste Formulierung in V 11 geht dahin, daß er ihnen eine geistliche Gabe spenden wolle. Μεταδιδόναι ist „Anteil geben", „mitteilen" (vgl. 1 Thess 2,8), natürlich von dem, was er selbst empfangen hat, was aber hier nicht betont wird. Χάρισμα ist allgemein als Gabe zu verstehen (vgl. 5,15.16; 6,23; 11,29; 2 Kor 1,11). Sie wird aber durch das πνευματικόν als charismatische Gabe charakterisiert, die vom Geist gewirkt und Geist gewährend ist [13]. Paulus hat also Verlangen, nach Rom zu kommen, um den dortigen Christen eine Gabe des Geistes zu schenken. „Das sonderbare τε in 11,b hält alle Möglichkeiten offen" (Käsemann). Aber jedenfalls ist es eine Gabe, die der Festigung der Gemeinde dient. Στηρίζειν im Sinn des die Christen innerlich – 1 Thess 3,13: τὰς καρδίας! –, damit aber auch die Ekklesia insgesamt im Glauben Festigens und Stärkens findet sich auch 16,25; 2 Thess 3,3 u. a. Aufschlußreich ist 1 Petr 5,10: αὐτὸς καταρτίσει, στηρίξει, σθενώσει, θεμελιώσει. Neben παρακαλεῖν und ὑπὲρ τῆς πίστεως ὑμῶν findet es sich 1 Thess 3,2 (vgl. 2 Thess 2,17). Nach 1 Thess 3,13; 2 Thess 2,17; 3,3; 1 Petr 5,10 ist Gott es, der die Christen „stärkt". Aber selbst dieses Ziel der apostolischen Reise nach Rom findet Paulus vielleicht schon zu anmaßend formuliert. Es fällt ihm ein, daß er damit doch zu einseitig nur von sich als dem Gebenden redet, und das einer fremden und berühmten Gemeinde gegenüber. So korrigiert er seinen Satz mit einem

---

[12] G. Bornkamm, a.a.O. 127, 24.   [13] Lagrange, anders Käsemann.

erklärenden τοῦτο δέ ἐστιν [14]. Es ist nicht nur er, der der römischen Gemeinde geistliche Gabe schenkt, sondern wenn er nach Rom kommt, wird es ein gegenseitiges Geben und Nehmen werden. Es soll – V 12 – ein συμπαρακληθῆναι sein, ein gemeinsamer gegenseitiger Zuspruch: ἐν ὑμῖν, „in eurer Mitte", und zwar durch den Glauben, den sie haben und den er hat, durch den und mit dem sie sich wechselseitig begegnen. Das ἡ ἐν ἀλλήλοις πίστις, der Glaube, der wechselseitig wirksam ist, wird noch verdeutlicht durch ὑμῶν τε καὶ ἐμοῦ. Auch er, der Apostel, bedarf des Zuspruchs durch ihren Glauben, so wie sie durch den seinen. Natürlich beruht diese rücksichtsvolle und vorsichtige Formulierung auch auf einem theologischen Sachverhalt, nämlich auf einer grundlegenden Auffassung des Apostels von seinem Amt: er ist, wie ja auch die Erwähnung seiner Mitverfasser in anderen Briefen zeigt, als Apostel immer auch „Bruder". „Das apostolische Amt macht seinen Träger nicht selbstgenügsam" (Barth). Paulus lag an der Realität solcher Brüderlichkeit. Dazu kommt noch: sein Wissen um seine jedenfalls in Rom, aber auch sonst bezweifelte Apostolizität, das mit dem Bewußtsein seiner Autorität offenbar in Konflikt kommt.

V 13 Solches Verlangen nach einem Besuch in der römischen Gemeinde hat er – so fährt Paulus fort – nicht erst neuerdings. Die Römer sollen bedenken, daß er sich schon oft vorgenommen hatte, zu ihnen zu kommen. Es ist kein augenblicklicher Einfall, der ihn dazu bestimmt. Es lag ihm schon früher im Sinn. Daß sein Wunsch sich nicht erfüllte, lag nicht an ihm. Es ist für ihn und sie wichtig, daß sie auch das erfahren. Der Satz wird mit einer von Paulus häufig gebrauchten, umständlichen Formulierung eingeleitet, die einem hellenistischen γινώσκειν σε θέλω in Briefen entspricht [15]: οὐ θέλω δὲ ὑμᾶς ἀγνοεῖν... Sie bringt zum Ausdruck, daß man etwas Bedeutsames mitzuteilen hat. So sind auch 11, 25; 1 Kor 10, 1; 12, 1; 2 Kor 1, 8; 1 Thess 4, 13, wo dieselbe Wendung steht, alles Stellen, in denen Paulus etwas Gewichtiges mitteilt. Die „Brüder" – nicht zufällig fällt hier in unserem Brief diese erste Apostrophierung der Glieder der Gemeinde als „Brüder" (vgl. 7, 1.14; 8, 12; 10, 1; 11, 25; 12, 1; 15, 14.30; 16, 17) – sollen wissen, ὅτι πολλάκις προεθέμην ἐλθεῖν πρὸς ὑμᾶς. Προτίθεσθαι ist hier weniger „sich vornehmen" als „einen Entschluß fassen", „beschließen". Und diesen Beschluß hat Paulus πολλάκις gefaßt. Wir wissen nicht, seit wann und wo das geschah. Vielleicht als er zum erstenmal Europa betrat und auf der Via Egnatiana wanderte. Vielleicht ist 2 Kor 10, 16 eine Anspielung darauf. 2 Kor und Röm sind nur ein halbes Jahr voneinander getrennt. V 13 fährt mit einem finalen ἵνα-Satz fort. Was dazwischenliegt, ist Parenthese, eingeleitet mit einem adversativen καί [16]. Diese Konstruktion ist bemerkenswert. Denn sie zeigt, daß neben dem, daß nun auch sein eigener öfterer Vorsatz, zu den Christen nach Rom zu kommen, betont werden soll, sein Gedanke immer noch bei dem verweilt, was seine Absicht in Rom war. Denn diese Angabe der damaligen Absicht seines Besuches ist auch

---

[14] Vgl. hellenistisch τοῦτ' ἔστιν 7, 18; 9, 8; 10, 6.8; Phm 12 u. a. Andere Selbstkorrekturen 2 Kor 8, 17; Gal 1, 3; 1 Thess 1, 8.
[15] BAUER WB 701. [16] BLASS-DEBR, § 465, 1; KÜHL, H. W. SCHMIDT, KÄSEMANN u. a.

für den Brief von großer Bedeutung und läßt schon vermuten, daß dieser einen künftigen Besuch vorbereiten soll. So fährt denn auch die dritte Angabe des Zieles eines Besuches in Rom fort in der Enthüllung der Absicht unseres Briefes. Nicht an Paulus lag es, wenn sein wiederholter Entschluß, nach Rom zu kommen, nicht glückte. Das ist zum Verständnis wenigstens so allgemein in Parenthese zu sagen und wird im Ausgang des Briefes (15, 22) wiederholt. Das ἐκωλύθην wird nicht näher erläutert, und wir können, wie wohl auch die römischen Christen, nur Vermutungen äußern. War es nur der allgemeine Grund, der sich aus 15, 18–22 ergibt, nämlich der, daß er damals noch nicht seine östliche Mission zum Abschluß gebracht hatte? Oder lagen jeweils konkrete Hindernisse vor, auf welche Paulus auch z. B. 1 Thess 2, 18 angespielt hatte? Wir wissen es nicht. Aber die einzelnen Gründe sind für die römische Gemeinde ja auch nicht von Gewicht. Daß die Hindernisse im Willen Gottes lagen, zeigt das Passiv ἐκωλύθην. Wichtig innerhalb des gesamten Gedankengangs ist das andere, daß sie noch einmal und jetzt zum drittenmal erfahren, warum er nach Rom kommen wollte und kommen will: ἵνα τινὰ καρπὸν σχῶ καὶ ἐν ὑμῖν καθὼς καὶ ἐν τοῖς λοιποῖς ἔθνεσιν. Der Satz überrascht. Es ist wieder von Paulus und seinem Vornehmen die Rede. Er will nicht nur die Gemeinde „stärken" oder im Glauben festigen, sondern καρπὸν ἔχειν bzw. σχεῖν, „Gewinn haben", „Frucht ernten", „einen Ertrag davontragen". Das könnte noch allgemein im Sinn von V 12 verstanden werden. Aber die Fortsetzung zeigt, daß Paulus an einen missionarischen Erfolg denkt, wie auch das καρπὸν σχεῖν an das καρπὸς ἔργου von Phil 1, 22 erinnert. Und das καὶ ἐν ὑμῖν καθὼς καὶ ἐν τοῖς λοιποῖς ἔθνεσιν bestätigt das. Bei den übrigen Heidenvölkern hat er durch das Evangelium Frucht davongetragen und Gemeinden gegründet. So will er auch ἐν ὑμῖν, „bei euch", eben im Westen und in der Hauptstadt der Welt, Christen durch das Evangelium gewinnen. Freilich τινὰ καρπόν lautet wieder die Einschränkung. Die römische Gemeinde existiert ja schon. Doch wer sagt, daß sie nicht noch größer durch sein, des Apostels, Evangelium werden kann?

Damit hat sich die eigentliche Absicht seiner oft beschlossenen, oft verhinderten, ständig aber von Gott erbetenen Reise nach Rom zur römischen Gemeinde enthüllt. Gewiß soll sie gestärkt werden durch Mitteilung geistlicher Gaben, gewiß sollen sie gegenseitig (er und sie) ermuntert und getröstet werden durch Darlegung des beiderseitigen Glaubens. Aber letztlich und eigentlich (und kraft des doch nicht zu leugnenden apostolischen Auftrags) sollen auch in Rom, wie unter den übrigen Heiden, der Gemeinde neue Glieder gewonnen werden durch das – εὐαγγελίζεσθαι.

Dieser Begriff fällt dann auch gleich in V 15 und innerhalb eines Zusammenhanges, in dem der Apostel den letzten objektiven Grund für seine von ihm so sehr ersehnte, bisher aber immer wieder vereitelte Reise nach Rom nennt: er ist als Apostel (der Heiden) allen verpflichtet, er ist aller Schuldner, steht in der Schuld aller [17].

---

[17] Zum Begriff der Schuldnerschaft vgl. P. S. MINEAR, Gratitude and Mission in the Epistle of Romans. Basileia. Festschrift für W. Freytag (1961) 42–48.

V 14 „Aller", d. h. im konkreten Fall: Ἕλλησιν καὶ βαρβάροις, σοφοῖς τε καὶ ἀνοήτοις. Die Ἕλληνες stehen bei Paulus sonst vielfach im Gegensatz zu den Ἰουδαῖοι (vgl. 1,16; 2,9.10; 10,12; Gal 3,28; Kol 3,11 im Singular; 3,9; 1 Kor 1,22.24; 10,32; 12,13 im Plural). Hier in 1,14 sind sie im Gegensatz zu βάρβαροι eine Gruppe innerhalb der ἔθνη. Daraus geht hervor, daß Paulus vor allem diese im Auge hat, wenn er an die römische Gemeinde schreibt, und daß er in deren Sprache spricht, wenn er so die Mehrzahl der heidenchristlichen Gemeinde einteilt. Mit Ἕλληνες sind die griechisch Sprechenden und Teilhaber an der griechisch-römischen παιδεία in den großen Städten und also auch und hier in erster Linie in Rom gemeint, während die βάρβαροι die anderssprachigen Angehörigen der verschiedenen Landschaften und Provinzen des römischen Imperiums sind (vgl. Kol 3,11: βάρβαρος, Σκύθης). Auch in Spanien, wohin Paulus letztlich will (15,24), sprach man ja nicht griechisch und hatte wenig Anteil an hellenistischer Kultur. Βάρβαρος ist wohl auch für Paulus im gewissen Sinn abwertend. Die Formel wird im griechischen Raum entstanden sein. Es sind die Träger verschiedenartiger Kulturen[18], deren Unterschiede der Apostel nicht einebnet, die aber beide das Evangelium mit Beschlag belegt. Die zweite Kennzeichnung, σοφοῖς καὶ ἀνοήτοις, deckt sich der Sache nach ungefähr mit der ersten. Gal 3,1.3 werden die Galater als ἀνόητοι bezeichnet, was verrät, daß Paulus das Verständnis des Evangeliums als Maßstab im Auge hat, und zwar auf den einzelnen bezogen[19]. Aber auch diese Unterschiede spielen für Paulus und sein Evangelium keine Rolle. Er, Paulus, ist mit seinem Evangelium allen „verpflichtet". Zu ὀφειλέτης εἶναι mit Genitiv oder Dativ der Person oder Sache vgl. 8,12; 15,27; Gal 5,3[20]. Worin diese Verpflichtung ihren Grund hat und wie absolut sie ist, kann man 1 Kor 9,16 entnehmen. Vor ihr erlischt jeder natürliche Unterschied der Völker und ihrer Kulturen und der intellektuellen Begabung der einzelnen. Mit anderen Worten: das Evangelium kennt, was bedeutsam ist, keine natürlichen Voraussetzungen oder Hindernisse. Der Apostel ist jedenfalls mit seinem Evangelium allen verpflichtet.

V 15 Und dieser Verpflichtung entspricht seine Bereitschaft, auch in Rom das Evangelium zu verkündigen. Unser Vers zieht die Konsequenz aus dem eben in V 14 Gesagten und ist zugleich der Schlußstrich unter die Ausführungen von VV 10–13. Οὕτως ist soviel wie „so", „dementsprechend" (vgl. 6,11; Lietzmann). Τὸ πρόθυμον ist soviel wie ἡ προθυμία[21]. Es meint nicht so sehr den Wunsch, sondern die Bereitschaft und Bereitwilligkeit (vgl. 2 Kor 8,11 f.19; 9,2). Κατ' ἐμέ ersetzt den Genitiv wie in Apg 18,15; 26,3; Eph 1,15. Es ist hellenistisch[22]. Eben diese Bereitschaft, auch in Rom das Evangelium zu verkündigen, erklärt das heftige Verlangen des Apostels, nach Rom zu kommen. Und sie entspricht seiner Inpflichtnahme durch Gott, allen Völkern und allen Menschen das Evangelium zu bringen.

---

[18] Literatur bei MICHEL, 41 Anm. 3. Vgl. auch ThWb I 544f, II 512f.
[19] SCHLATTER; anders MICHEL, KUSS.   [20] BLASS-DEBR, § 190.
[21] Vgl. 3 Makk 5,26: τὸ πρόθυμον βασιλέως...   [22] Vgl. BLASS-DEBR, § 224.

VV 16–17 Freilich, wie sollte er auch nicht bereit sein wollen, dieses entsprechend seiner universalen Indienstnahme auch in Rom [23] zu verkündigen? Das Evangelium ist ja nicht eine theologische Liebhaberei, von der man auch absehen kann, sondern es ist eine „Macht", und zwar eine solche, die Gott zur Rettung aller, die es annehmen, ausübt. Mit diesem Gedanken und damit mit der Erhellung dessen, was den Apostel treibt und drängt und bereit macht, erreicht er in den VV 16 und 17 das Ende und den Höhepunkt seiner einleitenden Ausführungen. Die Sätze sind *V 16* mit den vorhergehenden durch ein γάρ verknüpft und gehören, da sie auch untereinander in V 17 miteinander durch ein γάρ verbunden sind, eng zusammen. Οὐκ ἐπαισχύνομαι ist die negative Formulierung eines positiven ὁμολογῶ. Das bedeutet aber nicht, daß der negative Sinn von οὐκ ἐπαισχύνομαι völlig ausfällt und sich V 16 auf V 14 und nicht auf V 15 bezieht, wie Käsemann meint. Es taucht auch sonst in solchen Zusammenhängen auf (vgl. Mk 8, 38; Lk 9, 26; Röm 6, 21; 2 Tim 1, 8; 1, 12.16) [24]. Tὸ εὐαγγέλιον ist hier deutlich die Botschaft ihrem Inhalt nach, die zu verkündigen – vgl. das vorhergehende εὐαγγελίζεσθαι – der Apostel nicht zögert. Der Begriff τὸ εὐαγγέλιον steht absolut wie 10, 16; 11, 28; 1 Kor 4, 15; 9, 14 u. a. Daß es εὐαγγέλιον [τοῦ] θεοῦ ist (1, 1; 15, 16.19 u. a.) oder τὸ εὐαγγέλιον τοῦ Χριστοῦ (1 Kor 9, 12; 2 Kor 2, 12 u. a.), versteht sich von selbst. Eben diese Botschaft Gottes und Christi ist *die* Botschaft überhaupt, neben der es für den Apostel keine andere gibt (vgl. Gal 1, 6). Und als solche ist sie auch sein, des Apostels, Evangelium (vgl. 2, 16; 16, 25; 2 Tim 2, 8). Seiner schämt er sich nicht. Diese Botschaft bekennt er offen. Aber warum sollte er es auch nicht bekennen und verkündigen? Nun, es gibt genug Gründe, von denen Paulus z. B. 1 Kor 1, 18 ff spricht, vor allem Gründe, die in der Sache, im Evangelium selbst, liegen. Es ist ja im Kern ὁ λόγος τοῦ σταυροῦ und als solcher in den Augen der Griechen μωρία, törichtes Gerede (vgl. 1 Kor 1, 18.21.23), in den Augen der Juden aber ein σκάνδαλον, ein Ärgernis und Anstoß. Das Evangelium enthält für jeden Menschen etwas Abneigung, ja Abscheu Erregendes, eben das Kreuz, das der Mensch instinktiv ablehnt, die kulturell Hochstehenden und die Barbaren, die Intellektuellen und die geistig Einfachen. Aber Paulus hat keine Furcht vor ihrer ärgerlichen, abweisenden, ironischen und feindlichen Haltung. Nicht weil er sich Griechen und Barbaren „geistig" überlegen fühlte und sich auf seine Dialektik verließe, sondern weil die Sache, die er vertritt, und der Dienst, den er leistet, unvergleichliche Gewalt hat (vgl. auch 1 Kor 2, 3 f). Das Evangelium ist (V 16 b) δύναμις θεοῦ εἰς σωτηρίαν παντὶ τῷ πιστεύοντι. Es ist Gottes

---

[23] Τοῖς ἐν Ῥώμῃ läßt G zu Unrecht aus.
[24] Zum Folgenden: O. GLOMBITZA, Von der Scham des Gläubigen. Erwägungen zu Röm 1, 14–17, in: NT 4 (1960) 74–80; A. STROBEL, Verzögerungsproblem (1963) 177–188 196–198. J. CAMBIER, Justice de Dieu, salut de tous les hommes et foi, in: RB 1964, 537 bis 583; Wort Gottes in der Zeit. Festschrift K. H. Schelkle (1973); H. SCHLIER, Εὐαγγέλιον im Römerbrief, 127–142; MICHEL, Zum Sprachgebrauch von ἐπαισχύνομαι in Röm 1, 16, in: Glaube und Ethos. Wehrung-Festschrift (1940) 36–53; KERTELGE, Rechtfertigung, 85–106 meint im Hinblick auf Mk 8, 38 und 2 Tim 1, 8, daß es sich V 16 a „um urchristliche Bekenntnisterminologie handelt".

„Macht"[25]. In ihm begegnet Gottes Wunderkraft. Derselbe Ausdruck, δύναμις, wird 1 Kor 1, 18 vom λόγος τοῦ σταυροῦ gebraucht; und zwar ist das Evangelium diese mächtige „Möglichkeit" im fundamentalen Sinn, weil sich in ihm – das entnehmen wir 1 Kor 1, 24; 2, 4; 4, 20 – der begegnen läßt, der selbst θεοῦ δύναμις καὶ σοφία ist, und weil solche Selbsteröffnung Jesu Christi im Evangelium ein Erweis der δύναμις oder des πνεῦμα ist. Gott richtet durch die Selbstoffenbarung Jesu Christi im Evangelium kraft des Geistes seine Herrschaft auf.

Solche δύναμις θεοῦ, das Evangelium, wirkt εἰς σωτηρίαν. Im Evangelium ist die Heilsmacht Gottes gegeben. Σωτηρία[26] meint im nächsten Verständnis des Apostels das eschatologische Heil, das sich mit der Parusie Jesu Christi endgültig offenbart (vgl. 5, 9; 13, 11; 1 Kor 3, 15; 5, 5; Phil 1, 19). Der Gegensatz ist ἀπώλεια (2 Kor 2, 15; Phil 1, 28). Doch diese σωτηρία ist auch schon gegenwärtig, und zwar sofern sie als in Jesus Christus geschehene sich im Evangelium vollzieht (vgl. 8, 24; 11, 11.14; 1 Kor 1, 18.21; 2 Kor 2, 15; 6, 2 u. a.). Es ist freilich eine kritische σωτηρία. Das Evangelium erweist sich ja nicht für jeden εἰς σωτηρίαν, sondern für den Glaubenden. Der πιστεύων aber ist – das sei vorläufig gesagt –, wie etwa 10, 14.16 f zeigt, der die Botschaft Hörende und dem Gehörten Gehorsame (vgl. 2, 8; 6, 17; Phil 2, 12; 2 Thess 1, 8; 3, 14 u. a.). Unter den Glaubenden gibt es keine Ausnahme: παντὶ τῷ πιστεύοντι. Für jeden kann es in der Entscheidung des Glaubensgehorsams zur „Aneignung der eschatologisch-öffentlichen Proklamation an alle Welt und jeden einzelnen" (Käsemann) kommen und darin zur Hingabe an das, was diese Proklamation des Evangeliums in ihrer Weise gegenwärtig sein läßt. Was „ein jeder" heißt und wie radikal die Universalität des Evangeliums ist, zeigt die Erläuterung, die Paulus dem παντὶ τῷ πιστεύοντι gibt: Ἰουδαίῳ τε πρῶτον καὶ Ἕλληνι. Nicht nur der Jude, wie er etwa selbst meint (vgl. Kap. 2), als Glied des erwählten Volkes Gottes und Hüter des Gesetzes, sondern auch der Grieche, d. h. hier der Heide, kann im Glauben durch das Evangelium gerettet werden. Auch der Ἕλλην – Paulus kennt keinen Singular von τὰ ἔθνη, z. B. ἐθνικός (vgl. Mt 18, 17) – wird, wenn er nur glaubt, von der Rettungs- und Heilsmacht Gottes, dem Evangelium, ergriffen. Die gesamte Welt steht unter dem mächtigen Heilszu- und -anspruch Gottes. Freilich der Jude „zuerst". Die Heilsordnung im Sinn des Heilsweges des Evangeliums über Israel zu den Heidenvölkern bleibt. Das πρῶτον ist allerdings nicht nur zeitlich zu verstehen, sondern der zeitliche Vorrang ist im sachlichen begründet, im „heilsgeschichtlichen" (vgl. 3, 1.9–11)[27]. Aber mehr als das „zuerst" in diesem Sinn läßt sich nicht sagen. Das Evangelium als rettende Macht Gottes gilt dann genauso den Heiden, die zum Glauben kommen. Auch wenn πρῶτον hier mit B G g sah Mcion Tert Ephr u. a. zu streichen wäre, was nicht der Fall ist, so wie es 1 Kor 1, 24 im Unterschied zu Röm

---

[25] Vgl. W. GRUNDMANN, Der Begriff der Kraft in der ntl. Gedankenwelt, in: ZNW 32 (1933) 53 ff; ThWb II 298 f 309 f. Vgl. Mekh Ex 15,2.13.26; 18,1 u. a., wo die Tora nach festem exegetischem Grundsatz „Die Stärke Gottes" genannt wird.
[26] Zum atl., jüdischen (LXX, Qumran) und ntl. Begriff vgl. FOERSTER in: ThWb VII 966 ff.
[27] Paulus hat – auf alle Fälle – um der Kontinuität des Heilplans willen dem Judentum eine Prävalenz eingeräumt" (KÄSEMANN). Vgl. ZELLER, Juden und Heiden, 141 f.

2, 9.10 auch fehlt, würde derselbe heilsgeschichtliche Vorrang durch die Voranstellung des Ἰουδαῖος zum Ausdruck gebracht. Bemerkenswert und nicht nur zufällig ist der Wechsel von Ἕλλησίν τε καὶ βαρβάροις (V 14) zu Ἰουδαίῳ τε πρῶτον καὶ Ἕλληνι. Und nicht nur weil er die Universalität des Evangeliums deutlicher macht, sondern auch weil er den Übergang des Gedankengangs zum Thema des Briefes markiert, bei dem es um die Rettung Israels und der Völker, die heilsgeschichtlich bisher geschieden waren, geht.

Doch in welchem Sinn ist das Evangelium eine δύναμις θεοῦ? Das bedenkt der Apostel noch im *V 17* mit einem Begründungssatz. Im Evangelium wird die δικαιοσύνη θεοῦ, „die Gerechtigkeit Gottes“, geoffenbart. Was damit gemeint ist, wird erst allmählich in 3, 5. 21 ff; 10, 3 etwas deutlicher, wozu vor allem noch 2 Kor 5, 21 und Phil 3, 9 zu befragen sind. Wir lassen es noch offen[28], bedenken nur gemäß dem Kontext, 1) daß „die Gerechtigkeit Gottes“, wenn sie im Evangelium als der Macht Gottes dem Glaubenden Rettung bringt, ein Handeln Gottes, das sich zugleich als Gabe Gottes darstellt, sein muß; jedenfalls ist nicht eine Eigenschaft Gottes gemeint, auch nicht eine in seinen Werken wirksame Eigenschaft, wie das in den Qumrantexten häufig der Fall ist, z. B. 1QH IV 36 ff; 1QS XI 12[29]; 2) daß diese δικαιοσύνη θεοῦ eine solche ist, die ἐν αὐτῷ (scil. εὐαγγελίῳ) ἀποκαλύπτεται, also als ein Mysterium verhüllt ist und nun im Evangelium geoffenbart wird; 3) daß sie ein eschatologisches Geschehen meint, wie denn ἀποκαλύπτειν im Sinn eines geschichtlichen Geschehens auf ein eschatologisches Ereignis verweist (vgl. 8, 18; 1 Kor 3, 13; 2 Thess 2, 3.6.8; 1 Petr 1, 5; 5, 1); zu ἀποκάλυψις im Sinn der Aufdeckung von völlig Verborgenem vgl. 2, 5; 8, 19; 1 Kor 1, 7; 2 Thess 1, 7; 1 Petr 1, 7.13; 4, 13; 4) daß das Geoffenbarte nicht nur bekannt wird, sondern wirksam begegnet, so wie die gegenwärtige ὀργὴ θεοῦ von 1, 18, die in den Strafen und Leiden der an sich selbst von Gott preisgegebenen Menschen enthüllt, also erfahren wird; 5) daß nicht nur Gottes Gerechtigkeit ein eschatologisches Phänomen ist, sondern entsprechend auch ihre Enthüllung und Begegnung im Evangelium und also das Evangelium selbst als ihre vorausgenommene Offenbarung. Das Evangelium ist deshalb ein Machterweis Gottes, weil in seiner Verkündigung durch den Apostel sich Gottes eschatologisches Gerechtigkeitshandeln im voraus so enthüllt, daß es erfahren wird. Das Evangelium in seinem Vollzug ist das jetzt schon Zugängigmachen des Gerechtigkeitserweises Gottes, die vorläufige Aufdeckung und Begegnung der eschatologischen δικαιο-

---

[28] Wenn man nach der Art des Genitivs fragt, so soll hier gleich bemerkt werden, daß es sich primär, also nicht ausschließlich, um einen gen. subj. handelt, wie der Gegensatz zu ὀργὴ θεοῦ 1, 18 zeigt. Gen. auct. nehmen KÜHL, KUSS u. a. an.

[29] 1QH IV 36 ff: „...Da richtete ich mich auf und erhob mich, und mein Geist gewann wieder Festigkeit gegenüber der Plage; denn ich stützte mich auf deine Barmherzigkeit und die Fülle deines Erbarmens. Denn du sühnst Sünde und reinigst den Menschen von Verschuldung durch deine Gerechtigkeit“; 1QS XI 12: „Wenn ich wanke, so sind Gottes Gnadenerweise meine Hilfe auf ewig. Und wenn ich strauchle durch die Bosheit des Fleisches, so steht meine Rechtfertigung bei der Gerechtigkeit Gottes in Ewigkeit“ (Übers.: ED. LOHSE, Die Texte aus Qumran, 1964).

σύνη θεοῦ. Als solches ist es δύναμις θεοῦ εἰς σωτηρίαν. Die eschatologische σωτηρία hat sich in dieser „Macht" Gottes schon in Bewegung gesetzt, ist in ihr in die Welt eingebrochen. Sie ist schon im Gang, weil und sofern das Gerechtigkeitsgeschehen Gottes schon im Evangelium, der „Macht" Gottes, begegnet.

Freilich – wiederum wird diese Entsprechung nicht vergessen – als Heil begegnet sie nur dort, wo der Glaube sich ihr öffnet und sie annimmt. Nur für ihn wird diese vorausgeeilte δικαιοσύνη θεοῦ Erfahrung und Wirklichkeit des Heils. Das wird hier mit der Formel ἐκ πίστεως εἰς πίστιν betont [30]. Sie ist ein Semitismus und findet sich analog nicht nur auf einer Grabinschrift: ἐκ γῆς εἰς γῆν ὁ βίος οὗτος, sondern auch vielfach in der LXX, z. B. Jer 9, 2: ἐκ κακῶν εἰς κακά, Ps 83, 8: ἐκ δυνάμεως εἰς δύναμιν, 2 Kor 2, 16: ἐκ θανάτου εἰς θάνατον... ἐκ ζωῆς εἰς ζωήν (vgl. 3, 18; 4, 17), und soll das einfache ἐκ πίστεως verstärken, nicht aber die zeitliche oder auch innerliche Bewegung des Glaubens andeuten, und zwar weder so, daß der Glaube als Zustimmung zum Glauben als Vertrauen wächst, noch so, daß er als Glaube des Predigers entsteht und zum Glauben des Hörers führt, noch so, daß er aus der Treue Gottes zum Glauben des Menschen führt, noch so, daß er vom atl. Glauben zum ntl. wird, u. ä. Grammatisch gehört die Formel weder zum Subjekt noch zum Verb, sondern ist Apposition zum ganzen Satz und gibt sozusagen die Dimension an, in der sich diese Offenbarung der Gerechtigkeit Gottes ereignet [31]. Daß das Geschehen der Gerechtigkeit Gottes sich im Evangelium dort, wo der Glaube Anfang und Ende ist, ereignet, ist für den Apostel die Überzeugung der Schrift, die als Zeugnis für die Wahrheit dieser Behauptung in 17b herangezogen wird. Die Zitationsformel kehrt auch sonst wieder: 2, 24; 3, 10; 4, 17; 8, 36; 9, 13.33; 11, 26, καθάπερ als Variante 3, 4; 9, 13; 10, 15; 11, 8 – 15, 3.9.21; 1 Kor 1, 31; 2, 9; 2 Kor 8, 15; 9, 9. Das Zitat, das sich auch Gal 3, 11; Hebr 10, 38 wörtlich findet, sonst im AT, in der LXX, 1 QpHab VII 17, bei den Rabbinen in vielfacher Abwandlung, stammt aus Hab 2, 4 f [32]. Auf diesem Hintergrund ist die völlig andere paulinische Interpretation erkennbar. Paulus sieht 1) im Gerechten den,

---

[30] Zu ihr A. FRIEDRICHSEN, Aus Glauben zu Glauben: Röm 1, 17, in: ConiNeot 12 (Uppsala-Lund 1948) 54.

[31] Vgl. GAUGLER, MICHEL, KÄSEMANN; STUHLMACHER, Gerechtigkeit, 83.

[32] Hab 2, 4f steht inmitten eines prophetischen Selbstgesprächs: der Prophet soll seine „Schauung" aufschreiben und auf ihre Erfüllung warten. Denn sie bleibt nicht aus. Der Inhalt der „Schauung" aber ist folgender:
V 4: „a) Siehe, wer Arges übt, dessen Seele bleibt nicht in ihm;
    b) doch der Gerechte bleibt am Leben durch seine Treue."
V 5: „Erst recht nicht bleibt leben der Treulose,
    der freche Mann hat keinen Bestand..."
Der Sinn von V 4b ist also: die Treue zu Jahwe wird den Gerechten leben lassen. Hab 2, 4 wird später vielfach zitiert, und es ist bezeichnend, in welchem Sinn. In LXX heißt es: ὁ δὲ δίκαιος ἐκ πίστεώς μου ζήσεται, vgl. Hebr 10, 38. Also: Gottes Treue läßt den Gerechten leben. In 1QpHab 8, 1f heißt es: „Der Gerechte wird durch seine Treue (אֱמוּנָה) leben. „Seine Deutung geht auf alle Täter des Gesetzes im Hause Juda, die Gott erretten wird aus dem Hause des Gerichts um ihrer Mühsal und ihrer Treue willen zum Lehrer der Gerechtigkeit. Also: 1) von der Treue (oder dem Glauben) des Menschen ist die Rede; 2) die Treue oder der Glaube – was sprachlich nicht sicher zu entscheiden ist – bezieht sich auf den Leh-

der die δικαιοσύνη θεοῦ im Glauben erfährt; 2) in der πίστις, wie wir sehen werden, nicht eine Weise der Gesetzeserfüllung und entsprechend ein Verdienst, sondern den Gegensatz zu den ἔργα νόμου, den gesetzlichen Leistungen; 3) im ζήσεται das eschatologische Leben in der Zukunft (5, 17.21; 6, 22f; 11, 25 u. a.) und schon in der Gegenwart (6, 2.11.13 u. a.); 4) alle Zitate machen es wahrscheinlich, daß ἐκ πίστεως zu ζήσεται zu ziehen ist.

So ist Paulus in den VV 16–17 von persönlichen Erwägungen zur Sache gelangt und legt mit eigenen Worten – im Unterschied zu 1, 3f – der römischen Gemeinde dar, was das Evangelium nach seiner Überzeugung ist: eine Macht und ein Machterweis Gottes, der jeden, der glaubt, ohne Unterschied von Jude und Heide, zur Rettung und zum Heil wird. In ihm offenbart sich ja ,,die Gerechtigkeit Gottes", sein Gerechtigkeitsgeschehen und -handeln in der Dimension des Glaubens, wie schon die Schrift in Hab 2, 4f belegt.

---

rer der Gerechtigkeit; 3) diese Treue geht zusammen mit dem Tun des Gesetzes (,,Mühsal"); 4) der Lehrer des Gesetzes ist kein σωτήρ, sondern etwa ein ἱλαστήριον.
Bei den Rabbinen wird Hab 2, 4 oft zitiert, z. B. Mekh Ex 15, 1 unter vielen Schriftstellen, die den Glauben (אֱמוּנָה) preisen. Der Glaube ist der, der die Gebotserfüllung auf sich nimmt und selbst eine ist. Mak 23b bringt einen Ausspruch des Rabbi Šimlai's (ca. 250) über die allmähliche Reduzierung von 613 Geboten Mosis durch David auf 11, durch Jo auf 6 usw. Aber Rab Nachman ben Jischaq († 356) meint: durch Hab auf eines, und zitiert dabei Hab 2, 4: ,,Der Gerechte wird durch seinen Glauben leben." Nun war strittig, wie diese Darlegung des Rabbi Šimlai's zu verstehen sei. Nach Raschi, dem sich STRACK-BILLERBECK III 542ff anschließt, dahin, daß an der Makkotstelle der Glaube als das Bekenntnis zum Monotheismus als die geringste Leistung angesehen wird, die als einzige dann in der entarteten Zeit vom Propheten gefordert wird.

B. 1, 18 – 15, 13 Der Brieftext

I. 1, 18 – 4, 25 DIE NOTWENDIGKEIT DER OFFENBARUNG DER GERECHTIGKEIT GOTTES

1. 1, 18 – 3, 20 Heiden und Juden sind der Sünde verfallen

a) 1, 18–32 Der Zorn Gottes über die Heiden

18 Denn offenbart wird Gottes Zorn über alle Gottlosigkeit und Ungerechtigkeit der Menschen, welche die Wahrheit in Ungerechtigkeit niederhalten. 19 Denn was von Gott erkennbar ist, ist ihnen offenbar. Gott nämlich hat es ihnen geoffenbart. 20 Denn seine unsichtbare Wirklichkeit wird seit der Erschaffung der Welt an dem Geschaffenen denkend wahrgenommen, seine ewige Macht und Göttlichkeit. So können sie sich nicht entschuldigen. 21 Denn obwohl sie Gott erkannten, haben sie ihm nicht Lobpreis und Dank dargebracht, sondern sie wurden eitel in ihren Gedanken, und ihr unverständiges Herz wurde verfinstert. 22 Sie behaupten, weise zu sein, und wurden Toren. 23 Sie vertauschten die Herrlichkeit des unvergänglichen Gottes mit dem Abbild der Gestalt eines vergänglichen Menschen und von Vögeln und Vierfüßlern und Gewürm.

24 Darum hat Gott sie in den Begierden ihres Herzens der Unreinigkeit preisgegeben, so daß ihre Leiber durch sie selbst geschändet wurden. 25 Haben sie doch die Wahrheit Gottes mit der Lüge vertauscht und der Schöpfung anstelle des Schöpfers Verehrung und Dienst erwiesen. Gepriesen sei er in alle Ewigkeit. Amen. 26 Darum hat Gott sie schändlichen Leidenschaften preisgegeben. Denn ihre Frauen vertauschten den natürlichen Verkehr mit dem widernatürlichen. 27 Ebenso haben auch die Männer den natürlichen Verkehr mit der Frau aufgegeben und sind in ihrer Brunst zueinander entbrannt. Männer trieben mit Männern Schamloses und erhielten die gebührende Vergeltung an sich selbst für ihre Verirrung. 28 Und weil sie sich nicht dafür entschieden haben, Gott in der Erkenntnis zu bewahren, hat sie Gott einem haltlosen Denken preisgegeben, das zu tun, was nicht statthaft ist: 29 erfüllt von jeglicher Ungerechtigkeit, Schlechtigkeit, Habgier, Bosheit; voll Neid, Mord, Streit, Arglist und Tücke. 30 Ohrenbläser, Verleumder, Gotteshasser, Gewalttäter, Überhebliche, Prahlhänse, erfinderisch im Bösen, aufsässig gegenüber den Eltern, 31 unverständig, unbeständig, ohne Liebe, ohne Erbarmen. 32 Sie haben Gottes Rechtssatzung erkannt, wonach die des Todes schuldig sind, welche dergleichen tun. Gleichwohl tun sie es nicht nur, sondern zollen denen Beifall, die so handeln.

Mit 1,18 beginnt der Kontext des Briefes. Er umfaßt, wie wir bei der Übersicht über den Brief schon sahen, vier große Teile, deren erster 1,18–24 ist. Dieser handelt von der Notwendigkeit und Tatsächlichkeit der Offenbarung der Gerechtigkeit Gottes als Glaubensgerechtigkeit. Er läßt sich in drei Abschnitte zerlegen: 1) 1,18 – 3,20: Heiden und Juden sind der Sünde verfallen (ὑφ' ἁμαρτίαν); 2) 3,21–31: Jetzt ist die Gerechtigkeit Gottes in Jesus Christus erschienen und allen Glaubenden zugängig; 3) 4,1–25: Für die Kraft des Glaubens als des Weges zur Gerechtigkeit ist schon Abraham Zeuge, der Glaubenden, Juden und Heiden, Vater. Der erste dieser drei Abschnitte läßt sich wiederum in drei Unterabschnitte einteilen: 1) 1,18–32: Der Zorn Gottes und die Heiden; 2) 2,1–29: Der Zorn Gottes und die Juden; 3) 3,1–20: Alle Menschen stehen unter der Sünde.

Der Gedankengang des ersten Unterabschnittes[1] ist relativ klar. Die Heiden verehren die Schöpfung anstelle des Schöpfers. Dadurch ziehen sie sich den Zorn Gottes zu, der sich in ihrer sittlichen Verwirrung und Auflösung erweist. Unser Abschnitt setzt *V 18* ein und knüpft sich mit einem begründenden γάρ an die vorhergehenden Aussagen in Antithese zu 1,17a, jetzt freilich unter Voranstellung und also Betonung des Verbs: ἀποκαλύπτεται. War in 1,16.17 gesagt: „Das Evangelium ist eine Macht Gottes zur Rettung aller Glaubenden. Denn in ihm wird Gottes Gerechtigkeit enthüllt aus Glauben zum Glauben", so fährt der Apostel in V 18 fort: „Denn enthüllt wird Gottes Zorn vom Himmel her über alle Gottlosigkeit…" Das γάρ hat also den Sinn, das Folgende als Begründung der Offenbarung der Gerechtigkeit Gottes aus Glauben hinzustellen. Es zeigt, daß jetzt die Notwendigkeit jener Offenbarung bedacht wird[1a]. Paraphrasierend könnten wir einschalten: „Denn es ist so…" Das γάρ leitet also eine Darlegung der Situation der heidnischen Menschheit ein, auf die die Offenbarung der Gerechtigkeit Gottes trifft. Auch in dieser Menschheit wirkt schon eine Offenbarung. Die Offenbarung der Gerechtigkeit Gottes zielt auf eine andere, die ihr Gegenteil ist und die mit der geschichtlichen Menschheit der heidnischen Völker gegeben ist. Auch diese Offenbarung findet wie jene schon gegenwärtig statt. Ἀποκαλύπτεσθαι steht im Präsens. Auch sie ist eine vorausgenommene eschatologische. Denn ἀποκαλύπτεσθαι hat als Antithese zur eschatologischen Offenbarung der Gerechtigkeit Gottes seinen eschatologischen Sinn nicht verloren. Das bestätigt sich durch den Begriff ὀργὴ θεοῦ, der den jetzt schon wirkenden und sich sammelnden (2,5!) eschatologischen Gerichtszorn Gottes meint. Diese gegenwärtig schon unter den Heidenvölkern waltende Zornesoffenbarung Gottes ist die Kehrseite der eschatologischen Heilsoffenbarung. Ὀργὴ θεοῦ meint bei Paulus nicht eine Emotion Gottes, sondern eine Manifestation. Sie ist vom AT (vgl. Soph 1,18; Dn 8,19) und von der jüdischen Apokalyptik her „Gottes Zorngericht"[2]. Sie ist zukünftig

---

[1] Vgl. S. SCHULZ, Die Anklage in Röm 1,18–32, in: ThZ 14 (1958) 161–173; J. JEREMIAS, Zu Röm 1,22–32, in: ZNW 45 (1954) 119–123.

[1a] KÄSEMANN gegen LIETZMANN, KUSS.

[2] G. H. C. MACGREGOR, The Concept of the Wrath of God in the New Testament, in: NTSt 7 (1960/61) 101–109. BULTMANN, Theologie, 288f; KÄSEMANN: „Phänomenologisch betrachtet, ist der Zorn die Macht des Fluches." BUSSMANN, Thesen, 108–122.

wie etwa 2, 5.8; 3, 5; 5, 9; 9, 22; 1 Thess 1, 10; 5, 9; Eph 5, 6, anderseits, wie gesagt, schon gegenwärtig wie 1 Thess 2, 16, vielleicht auch Röm 4, 15; 12, 19. Als solche stellt sie das vorausgenommene, vorläufige Gericht dar, das sich in der Geschichte, die ja von der Zukunft her verstanden wird, vollzieht. Worin es jetzt in der Gegenwart unter den Heiden besteht, ergibt sich aus dem Gesamtzusammenhang, d. h. aus dem, was 1, 24ff beschrieben wird: in der Auslieferung der Heiden an die pervertierte Geschlechtlichkeit, in der Flut von Lastern und im verirrten Gewissen. Diese die Geschöpfe zerstörenden Geschehnisse der heidnischen Welt sind für Paulus nicht einfach historisch, psychologisch oder soziologisch zu „erklären", sondern als Auswirkungen des ständig die Geschichte von ihrem Ende her durchwaltenden Zornes oder Grimmes Gottes. Der ständige Verfall und Zerfall der menschlichen Person und Gemeinschaft ist ein metaphysisches Geschehen. Dabei muß man noch beachten, daß für Paulus solcher sittliche Verfall und Zerfall einerseits die Auswirkung, anderseits die Ursache des Zornes Gottes ist. Das Zorngericht Gottes *ist* die ἀδικία, die es hervorruft. Man wird hier an Weish 11, 16 erinnert, wo es heißt: δι' ὧν τις ἁμαρτάνει, διὰ τούτων κολάζεται. Vgl. auch TestGad 5, 10; Jub 4, 32; 1QS IV 11f. Freilich überwiegt im Gesamtduktus des paulinischen Gedankens 1, 18ff die jüdischer Tradition widersprechende Ansicht des Apostels, daß im menschlich-geschichtlichen Dasein der Verfall an die Götzen und das daraus folgende verfallende Leben das Zorngericht Gottes innerhalb der Geschichte darstellen. „Die Verächter der Gottheit vollstrecken zugleich den göttlichen Fluch an sich selber" (Käsemann). Aus diesem Zusammenhang kann noch zweierlei für den Begriff ἀποκαλύπτεσθαι entnommen werden: 1) Das Offenbarwerden des Zornes Gottes ist nicht sein Enthülltwerden durch das Evangelium, sondern sein Begegnen im unheilvollen Geschehen. Und 2) als solches ist es „Offenbarung" im Sinn der Aufdeckung eines Mysteriums. Das Geschehen der ἀδικία ist an sich zweideutig. Die Heiden selbst verstehen es anders als Paulus. Für diesen ist es unbeweisbar, aber real Zorngericht Gottes.

Seine Offenbarung geschieht ἀπ' οὐρανοῦ, so wie etwa Nm 16, 46: ἐξῆλθεν ἡ ὀργὴ ἀπὸ προσώπου θεοῦ; vgl. Ex 15, 7; Nm 17, 11; Pss 68, 25; 78, 6 u. a., auch 1 Hen 91, 7, wo ebenfalls von einem „großen Strafgericht vom Himmel her" gesprochen wird, das im übrigen seinen Grund in „Ungerechtigkeit, Sünde, Lästerung und Gewalttätigkeit in allem Tun", das zunimmt, und im Wachsen „von Abfall und Frevel und Unreinheit" hat. Eben dieses Strafgericht geschieht nach Paulus jetzt schon umgreifend und unentrinnbar[3], da sich der Himmel über den Heiden so aufgetan hat, daß sie sich selbst Gottes Strafgericht bereiten, wodurch sie sich bis in das Leibliche hinein zerstören. Nun sagt Paulus aber nicht allgemein und unbestimmt, daß der Zorn Gottes vom Himmel her den Heiden begegnet, sondern er kommt „auf alle Gottlosigkeit und Ungerechtigkeit der Menschen, die die Wahrheit durch Ungerechtigkeit niederhalten", herab. Daran ist bedeutsam: 1) Paulus gibt an, wem dieses Zorngericht primär gilt: der menschlichen Fundamentalsünde.

---

[3] H. SCHLIER, Von den Heiden: Die Zeit der Kirche, 29–37.

Sie ist die ἀσέβεια καὶ ἀδικία, was hier fast ein Hendiadyoin ist. Es ist die „Gottlosigkeit", aber nicht im Sinn der ἀθεότης, sondern als der Gegensatz zur εὐσέβεια, der frommen Verehrung Gottes in Wort und Tat, in Gesinnung und Vollzug. Doch ist die heidnische Welt nicht voll εὐσέβεια? Paulus meint, nein. Denn er sieht in der Verehrung der heidnischen Götter gerade, wie er bald aufdecken wird, die Wurzel der ἀσέβεια und ihrer Folgen. Er meint nicht, daß der religiöse Sinn der Menschheit die via ordinaria zu Gott und der christliche Glaube die via extraordinaria sei. Die sogenannte via ordinaria, also der religiöse Sinn der Heiden, ist nicht der Weg zu Gott, sondern zu sich selbst, freilich aus einem unauslöschlichen Verlangen nach Gott. Paulus meint mit ἀσέβεια jene allem zerstörenden moralischen Verhalten und Handeln zugrunde liegende Verweigerung des dankenden An-sehens Gottes, von dem er V 21a spricht. Das Zorngericht Gottes vom Himmel her trifft auf das unfromme oder scheinfromme Wesen und Tun der Heiden als derer, die die Schöpfung anstelle des Schöpfers verehren. Es meint aber auch die damit zusammenhängende ἀδικία, die Verletzung des Rechtes, an das Gott sich selbst bindet und in seiner Schöpfung zur Geltung bringt. Wir können ἀδικία mit „Ungerechtigkeit" wiedergeben, sofern wir nur bedenken, daß diese ein Vergehen gegen das von Gott der Schöpfung gewährte und in ihr waltende Recht ist. Solches unfromme und ungerechte Wesen und Handeln zieht den unerbittlichen Zorn Gottes vom Himmel her auf sich herab.

Bedeutsam ist 2) aber auch dies: Wenn der Zorn Gottes auch der Sünde der Menschen antwortet, so wird doch konkret der Mensch, der sie tut, von ihm getroffen. Paulus formuliert ja auch weiter: ἀνθρώπων τῶν τὴν ἀλήθειαν ἐν ἀδικίᾳ κατεχόντων. Jetzt kann ἀδικία allein genannt werden, da sie, wie wir hörten, die ἀσέβεια impliziert. Es ist die ἀδικία der Menschen, deren Leben „die Wahrheit" in der „Ungerechtigkeit" „niederhält". Κατέχειν ist „niederhalten", ein Wort, das im Zauber vielfach eine Rolle spielt und das man etwa auch mit „bannen" übersetzen kann[4]. Es liegt in ihm etwas von gewaltsamem und mysteriösem Unterdrücken. Das, was die Menschen in oder mit ihrer ἀδικία „niederhalten", ist hier ἡ ἀλήθεια genannt. Das ist aber nicht, wie O. Michel mit A. Schlatter sagt, „ein Verhalten, durch das der Mensch das, was ihm gezeigt wird, anerkennt und vor Entstellung schützt, durch das er aber auch sich selbst zeigt, wie er ist", nicht „das rechte Verhalten gemäß dem Recht des Schöpfers". Es ist auch nicht, wie O. Kuss meint, „das mit der Wirklichkeit übereinstimmende Bild von Gott, zusammen mit den praktischen Konsequenzen, die sich daraus ergeben", sondern es ist, wie 1,25 erkennen läßt, die offenbare und gültige Wirklichkeit der Schöpfung Gottes, die die Heiden, die das Geschöpf an die Stelle des Schöpfers setzen, verfälschen[5], im Vollzug der ἀδικία niederhalten und nicht zur Erscheinung und Wirkung kommen lassen, die offenbare Realität der Schöpfung nicht dulden. Ἀλήθεια ist das von Gott in seiner Schöpfung als von ihm geschaf-

---

[4] Vgl. LIDDELL-SCOTT, 926, 26 Id; A. DEISSMANN, Licht vom Osten (⁴1923) 260.
[5] Vgl. R. BULTMANN in: ThWb I 244: „Die Erschlossenheit der göttlichen Welt und ihres Anspruchs"; vgl. KÄSEMANN; LACHMANN, Geheimnis 34–94 176–211.

fene Gewährte und Geforderte, das „Gerechte" des Seins und Daseins. Paulus setzt also voraus, daß Wahrheit und Ungerechtigkeit Gegensätze sind. In dem ungerechten Handeln wird immer auch die „gerechte", d. h. die in der Schöpfung als Schöpfung offenbare und gültige Wirklichkeit verletzt. Ungerechtigkeit verhüllt und unterdrückt zugleich diese Wahrheit. Der Gegensatz zur Wahrheit ist primär nicht Lüge im subjektiven Sinn, sondern das die Schöpfung in den Bann der objektiven Lüge niederdrückende Unrecht.

3) Zu beachten ist auch noch dies: Das Zorngericht Gottes kommt über πᾶσαν ἀσέβειαν καὶ ἀδικίαν ἀνθρώπων. Das Fehlen des Artikels vor ἀνθρώπων bedeutet nicht, daß Menschen von anderen unterschieden werden sollen, sondern meint die Menschheit generell. Daß Paulus dabei ἀνθρώπων statt ἐθνῶν sagt, wiewohl er doch diese im Auge hat, zeigt, daß die ἔθνη von ihm als Typus verstanden werden, ebenso wie der „Mensch" in 2,1 der Jude ist. Er meint immer die Menschheit, die einmal durch diese, ein andermal durch jenen vertreten wird. Sowenig der Zorn Gottes einen Menschen ausläßt, von dem man sagen muß, daß er die Wahrheit im Unrecht niederhält, so wenig läßt er auch irgendeine ἀσέβεια und ἀδικία aus. Das πᾶσαν ist nicht rhetorisch gemeint.

Das also ist die Situation der Menschheit, soweit sie durch die Heiden vertreten wird: das Geschehen des jetzt schon wirksamen Zorngerichtes Gottes, das dem gottwidrigen und ungerechten Handeln der Menschen gilt, deren Geschichte eine ständige Verbannung der Wahrheit, d. h. der offenbaren und gültigen Geschöpflichkeit, ist. Dieses κατέχειν τὴν ἀλήθειαν ist aber nicht ein Fatum, sondern Schuld. Der Zorn Gottes trifft Schuldige. Das ist der Sinn der folgenden Darlegungen, die mit ihrer Anklage weit ausholen. Für den Apostel gibt es nicht die romantische Vorstellung vom „unschuldigen" Heiden, obwohl dieser auch für ihn relativ unschuldig ist gegenüber dem Juden, der Gott und sein Gesetz kennt, und erst recht gegenüber dem abgefallenen Christen, dem Gott in Jesus Christus begegnet ist.

V 19 Das διότι ist wiederum, wie das γάρ in V 18, umfassend, also etwa so wiederzugeben: „weil es sich um Folgendes handelt". Gehen wir mit dem Apostel, der bekanntlich, worauf schon die Abstrakta τὰ ἀόρατα αὐτοῦ, ἀΐδιος δύναμις, θειότης und die Wendung τὰ ἀόρατα … νοούμενα καθορᾶται hinweisen [6], hier in der Sprache hellenistischer Popularphilosophie [7] redet, Schritt für Schritt vor. 1) Zu γνωστὸν τοῦ θεοῦ vgl. τὸ μωρὸν τοῦ θεοῦ, τὸ ἀσθενὲς τοῦ θεοῦ (1 Kor 1,25), τὸ χρηστὸν τοῦ θεοῦ (Röm 2,4), τὸ δυνατὸν αὐτοῦ (Röm 9,22) u. a. Das Neutrum Sing. des Adjektivs steht anstelle eines Substantivs. Τὸ γνωστόν ist dabei soviel wie „quod cognoscibile est de deo", nicht „quod notum est", was eine Tautologie ergäbe. Hinzufügen kann man noch mit Thomas: „non in se, sed quoad nos". 2) Φανερόν ἐστιν ἐν αὐτοῖς meint den Dativ [8] wie in Gal 1,16; 2 Kor 4,3; 8,1; vgl. Röm 10,20 𝔓⁴⁶ B D G.

---

[6] BLASS-DEBR, § 263,2.
[7] Vgl. G. BORNKAMM, Die Offenbarung des Zorns Gottes, Röm 1–3: Das Ende des Gesetzes, 9–33.14ff.   [8] BLASS-DEBR, § 220,1.

Gesagt ist also: a) Das, was von Gott erkennbar ist, ist ihnen (den Menschen) bekannt oder, besser, offenkundig. Es liegt am Tage. Φανερόν ist nicht „erkennbar" wie Sir 21,7 LXX. Das ergäbe, wie gesagt, eine Tautologie: „Was an Gott erkennbar ist, ist ihnen erkennbar." b) Aber wodurch und in welcher Weise ist es offenkundig? Nicht an sich, sondern aufgrund dessen, daß Gott es ihnen hat erscheinen lassen (V 19b). Er ist als „der sich Bekanntgebende" bekannt[9], soweit er überhaupt erkennbar ist und sich zu erkennen gibt. c) In welcher Weise hat er sich bekanntgegeben, so daß er den Menschen bekannt ist?

So – V 20 –, daß τὰ ἀόρατα αὐτοῦ . . . νοούμενα καθορᾶται. Der Plural des Neutrums weist auf die allumfassende Fülle seines Wesens hin. Vielleicht steht er auch deshalb, weil im Folgenden zwei Substantive gebraucht werden, δύναμις und θειότης, die das Erkennbare näher kennzeichnen[10]. Τὰ ἀόρατα . . . καθορᾶται ist ein Oxymoron[11] und bedeutet soviel wie „wird wahrgenommen", „geschaut" (vgl. 3 Makk 3,11; Jos a 8,168 u. a.). Dieses Sehen oder Wahrnehmen erfährt noch eine nähere Bestimmung durch νοούμενα. Es ist ein verständiges oder einsichtiges Sehen (vgl. Hebr 11,3; auch Eph 3,4.20). Es bestimmt nun das φανερόν ἐστιν ἐν αὐτοῖς und das ἐφανέρωσεν αὐτοῖς von seiten des Menschen her. Doch wie wird Gottes unsichtbares Wesen „denkend wahrgenommen"? Die Antwort ist: ἀπὸ κτίσεως κόσμου τοῖς ποιήμασιν, also von Anfang der Schöpfung, von der Erschaffung der Welt an[12] durch das Geschaffene oder an dem Geschaffenen (vgl. Eph 2,10), wobei dieses umfassend zu verstehen ist. Jetzt wird auch deutlich, wie das φανερὸν εἶναι ἐν αὐτοῖς und das ἐφανέρωσεν αὐτοῖς zu verstehen ist. Gott hat sich in dem, was er schuf, wahrnehmen lassen und ist, indem er sich am Geschaffenen zu erkennen gab, soweit er erkennbar ist, den Menschen offenbar. Τὰ ποιήματα sind hier nicht die Schöpfungstaten Gottes (wie z. B. 1 Sm 8,8; 19,4 LXX), auch nicht das Wirken Gottes in der Geschichte überhaupt (wie z. B. Pss 63,10; 91,5; 142,5; Prd 3,11; 7,13; 8,17 u.a.; 1QH III 23, X 11; Damask I 1, II 14f u. a.), sondern die Werke der Schöpfung, die er in der Zeit wirkt. Es sind „die Werke deiner Hände" von Ps 8,7 oder „seine Werke" (Ps 102,22), die auch „sein Werk" (Sir 42,16) heißen, das er ständig vollzieht. Vgl. syrBar 54,18: „Denn nicht haben euch seine Werke belehrt; auch hat euch nicht die kunstvolle Einrichtung seiner Schöpfung, die allezeit besteht, davon (von der Einsicht des Höchsten) überzeugt." Auch 1QH XVI 8: „Gepriesen seist du, Herr, der du groß von Rat und auch an Tat bist, dessen Werk alles ist", oder 1QH X 10f: „Und welches unter allen deinen wunderbaren,

---

[9] Zu φανεροῦν als Begriff für die Offenbarung vgl. Röm 3,21; 16,25f. μυστηρίου… φανερωθέντος; vgl. 2 Kor 2,14; 5,10; Kol 1,26; 3,4.

[10] W. MICHAELIS in: ThWb V 370 Anm. 10; dort 321ff 335ff 369f 379 hellenistische und jüdische Beispiele zur „natürlichen Gotteserkenntnis".

[11] Vgl. Ps.-ARISTOTELES, De mundo 399b: πάσῃ θνητῇ φύσει γενόμενος ἀθεώρητος ἀπ᾽ αὐτῶν τῶν ἔργων θεωρεῖται.

[12] Vgl. Mt 24,21: ἀπ᾽ ἀρχῆς κόσμου; 25,34: ἀπὸ καταβολῆς κόσμου; Mk 10,6: ἀπὸ καταβολῆς κόσμου; 13,19: ἀπ᾽ ἀρχῆς κτίσεως.

großen Werken hätte die Kraft, vor deiner Herrlichkeit zu bestehen" (vgl. auch 1 QH XIII 8, XV 20) u. a. Gottes Schöpfung verwahrt in sich den Anblick des sich zu erkennen gebenden Schöpfers. d) Was aber gibt die Schöpfung von Gott denkend wahrzunehmen? Das sagt das τὰ ἀόρατα αὐτοῦ interpretierende ἥ τε ἀΐδιος αὐτοῦ δύναμις καὶ θειότης, seine „ewige Macht und Göttlichkeit". Ἀΐδιος von ἀεί ist auch Weish 2, 23; 7, 26 Attribut Gottes bzw. seiner Weisheit. Θειότης (vgl. Weish 18, 9: Καὶ τὸν τῆς θειότητος νόμον) ist nicht gleich θεότης (Gottheitlichkeit, Gott-Sein, Kol 2, 9), sondern die Göttlichkeit. Die Offenbarung Gottes in seinen Schöpfungswerken läßt also seine göttliche Hoheit und überlegene Macht erkennen. e) Was meint aber endlich das „denkende Wahrnehmen" des Ewig-Mächtigen und Göttlichen, das Gott in seinen Schöpfungswerken kundtut? Meist ist die Antwort auf diese Frage die, welche O. Kuss so formuliert: „Der Mensch ... vermag hinter dem Sichtbaren das Unsichtbare zu sehen, in dem die ganze, ihn umgebende Welt Ursprung und Bestand hat. Er kann die ihm durch die Sinne vermittelte Welt der Erscheinungen nicht einfach hinnehmen, sondern muß *nach Ursache und Urheber* fragen [13] und vermag dabei den Bereich des Sichtbaren zu überschreiten." Man kommt auf diese Auslegung, weil in jüdisch-hellenistischer und vor ihr in hellenistischer Popularphilosophie der Gedanke, daß der Mensch durch Schlußfolgerung aus dem Vor-Augen-Liegenden auf das Zugrunde-Liegende die causa seines Daseins erkennt, sehr verbreitet ist [14]. Aber es ist nicht zweifelhaft, daß Paulus das hier nicht gemeint hat. Sein Denken ist sozusagen ursprünglicher. Er äußert sich an unserer Stelle nicht direkt darüber, aber er läßt im Zusammenhang der VV 21 und 23 seine Auffassung erkennen. Wenn nämlich in V 21b gesagt wird, daß nach der Absage des Geschöpfes an Gott, den Schöpfer, ihr „uneinsichtiges Herz" verfinstert wurde, also ihr Herz uneinsichtig und verfinstert wurde, so ist vorausgesetzt, daß es vordem Einsicht und Licht hatte und eben dieses einsichtige und lichte Herz dem Schöpfer als Schöpfer zugewandt und offen war. Die ursprüngliche Gotteserkenntnis ist eine des Herzens. Und − das ist noch deutlicher − wenn in V 23 gesagt wird, daß die Menschen bei ihrer Absage an

---

[13] Vom Verfasser ausgezeichnet.
[14] Vgl. z. B. SENECA, Nat. quaest. VII 30, 3: effugit oculos, cogitatione vivendus est. PHILO, De spec. leg. I 32; Leg. alleg. III 87–93; De fuga et invent. 12 u. a. m., aber auch syrBar 54, 17 ff; TestNaph 3, 2–5 u. a. Statt aller anderen sei nur ein prägnantes Beispiel, nämlich Weish 13, 1 ff, zitiert:

1 Μάταιοι μὲν γὰρ πάντες ἄνθρωποι φύσει, οἷς παρῆν θεοῦ ἀγνωσία, καὶ ἐκ τῶν ὁρωμένων ἀγαθῶν οὐκ ἴσχυσαν εἰδέναι τὰ ὄντα οὔτε τοῖς ἔργοις προσέχοντες ἐπέγνωσαν τὸν τεχνίτην,
2 ἀλλ' ἢ πῦρ, ἢ πνεῦμα ... ἢ φωστῆρας οὐρανοῦ πρυτάνεις κόσμον θεοὺς ἐνόμισαν,
3 ὧν εἰ μὲν τῇ καλλονῇ τερπόμενοι ταῦτα θεοὺς ὑπελάμβανον, γνώτωσαν πόσῳ τούτων ὁ δεσπότης ἐστὶν βελτίων
   ὁ γὰρ τοῦ κάλλους γενεσιάρχης ἔκτισεν αὐτά·
4 εἰ δὲ δύναμιν καὶ ἐνέργειαν ἐκπλαγέντες,
   νοησάτωσαν ἀπ' αὐτῶν πόσῳ ὁ κατασκευάσας αὐτὰ δυνατώτερός ἐστιν·
5 ἐκ γὰρ μεγέθους καὶ καλλονῆς κτισμάτων
   ἀναλόγως ὁ γενεσιουργὸς αὐτῶν θεωρεῖται.

Gott, den Schöpfer, τὴν δόξαν τοῦ ἀφθάρτου θεοῦ mit Bildern von Götzen vertauschten, dann ist vorausgesetzt, daß es ursprünglich diese δόξα τοῦ ἀφθάρτου θεοῦ war, in der Gott, der Schöpfer, begegnete und in der er denkend wahrgenommen wurde. Diese Herrlichkeit war sozusagen die Sprache des Schöpfers in seiner Schöpfung, die der ursprüngliche Mensch vernahm. In 3, 23 hören wir, daß der gefallene Mensch diese δόξα, die ja ursprünglich auch aus ihm als Geschöpf erstrahlte, verloren hat. Durch diesen Machtglanz des Schöpfers in seiner Schöpfung also, in dem Glanz seiner Weisheit, könnten wir auch nach 1 Kor 1, 21f sagen, wurde der Mensch ursprünglich auf den sich offenbarenden Gott verwiesen und nahm ihn wahr. Der Machtglanz des Schöpfers in der Schöpfung fiel in das Herz des Menschen und ließ ihn so den Schöpfer erkennen. Paulus denkt also nicht wie die jüdisch-hellenistische Weisheit an eine Schlußfolgerung und in den Kategorien von Ursache und Wirkung. Freilich ist die hellenistisch-jüdische Weisheit auch nicht einheitlich. Späte Psalmen z. B. kommen seiner Auffassung nahe, wie z. B. Ps 18, 2ff LXX:

> οἱ οὐρανοὶ διηγοῦνται δόξαν θεοῦ,
> ποίησιν δὲ χειρῶν αὐτοῦ ἀναγγέλλει τὸ στερέωμα ·
> ἡμέρα τῇ ἡμέρᾳ ἐρεύγεται ῥῆμα,
> καὶ νὺξ νυκτὶ ἀναγγέλλει γνῶσιν,
> οὐκ εἰσὶν λαλιαὶ οὐδὲ λόγοι,
> ὧν οὐχὶ ἀκούονται αἱ φωναὶ αὐτῶν ·
> εἰς πᾶσαν τὴν γῆν ἐξῆλθεν ὁ φθόγγος αὐτῶν
> καὶ εἰς τὰ πέρατα τῆς οἰκουμένης τὰ ῥήματα αὐτῶν.

Vgl. auch Pss 103, 31; Sir 42, 16. Das Geschaffene kündet als solches in sich die Herrlichkeit Gottes und läßt so durch ein Wort, das kein Wort ist, den Schöpfer vernehmen. Das Geschöpf nimmt ihn unmittelbar in seinem durch solche Doxa erleuchteten Herzen wahr. Es vernimmt in solcher Weise Gottes ewig-göttliche Schöpfermacht.

Paulus schließt seinen Satz (V 20), indem er zunächst nicht ganz verständlich hinzufügt: εἰς τὸ εἶναι αὐτοὺς ἀναπολογήτους. Das εἰς τὸ εἶναι ist konsekutiv gemeint[15] wie z. B. 3, 26; 4, 18; 6, 12; 7, 4 u. a., wenn es auch grammatisch final sein kann[16]. Aber von einer Absicht Gottes, die Menschen unentschuldbar sein zu lassen, ist im Zusammenhang nicht die Rede. Es würde auch die Argumentation des Apostels sehr abschwächen. Es soll eine Tatsache genannt werden, deren Begründung im Folgenden gegeben wird: sie haben keine Entschuldigung. Damit ist auch deutlich, unter welchem Hauptgesichtspunkt Paulus hier von den Heiden spricht: 1, 18–32 ist eine Anklage. Aber warum haben die Heiden keine Entschuldigung? Das war noch nicht nach allen Seiten hin gesagt. Es war nur die eine Seite kräftig her-

---

[15] So OEPKE in: ThWb II 428; KÄSEMANN. Anders ZAHN, KÜHL, SCHLATTER, NYGREN, MICHEL, H. W. SCHMIDT.
[16] BLASS-DEBR, § 402, 2.

vorgehoben: Gott hat sich ihnen als der Schöpfer in seiner Schöpfung bekanntgemacht. Und vorher war die andere Seite mit ἀσέβεια und ἀδικία und mit
dem κατέχειν τὴν ἀλήθειαν gekennzeichnet. Sie haben demnach keine Entschuldigung, weil sie trotz des sich Offenbarens Gottes in seiner Schöpfung
die Wahrheit, die unverhüllte und gültige Wirklichkeit in ihrer Gottwidrig-
keit und Ungerechtigkeit unterdrückt haben. Aber, könnte man weiterfragen,
warum haben sie die Wahrheit „gebannt“ und also verbannt?

Das wird *V 21* ausgeführt, und zwar so, daß dieser Satz nicht nur V 20 c begründet, sondern in ihm auch V 18 eine nachträgliche Erläuterung findet. Das διότι
von V 21 nimmt daher auch das von V 19 auf, wiederum in dem Sinn: „Denn
es ist so...“ Dabei ist der Vorgang, der zur heidnischen ἀσέβεια und ἀδικία
führte, nur in V 21a genannt, während die VV 21bf schon die Folgen dieses
Vorgangs nennen, die freilich selbst wiederum die Voraussetzung für das
sind, was in V 23 ausgeführt wird. Die Menschen haben Gott erkannt. So wird
jetzt das, was sich im νοούμενα καθορᾶται einstellt, bezeichnet. Es ist dabei
das geschöpfliche Dasein gemeint. Aber wenn sie ihn auch erkannt haben
(als den, der sich zu erkennen gab!), οὐχ ὡς θεὸν ἐδόξασαν ἢ ηὐχαρίστησαν.
Δοξάζειν ist „die Ehre geben“ und „lobpreisen“. Der Lobpreis ist: Gott als
Gott die Ehre geben, und umgekehrt. Δοξάζειν könnte man im Zusammenhang übersetzen: sie haben ihm nicht das Ansehen als Gott gegeben. Es ist
fundamental gemeint, ebenso wie das ηὐχαρίστησαν, das absolut zu verstehen
ist und durch das ἢ, „noch“, bei negativen Aussagen, als eine gewisse Steigerung gegenüber dem οὐχ ... ἐδόξασαν angesehen werden kann[17]. Unsere Aussage berührt sich sehr eng mit 4 Esr 8, 60: „Denn nicht der Höchste hat gewollt, daß die Menschen verlorengehen, vielmehr die Geschöpfe selber haben
den Namen dessen, der sie geschaffen hat, verunehrt und Undankbarkeit be-
wiesen gegen den, der ihnen doch das Leben bereitet hat.“ Aber der Unterschied zur paulinischen Äußerung ist deutlich. 4 Esr denkt an einzelne konkrete Verunehrungen und Undankbarkeiten gegenüber Gott von seiten der
Heiden. Paulus spricht an unserer Stelle noch nicht davon, sondern nennt den
fundamentalen Vorgang des menschlichen Daseins *vor* jenem ἤλλαξαν κτλ.
(V 23). Er hat die Ur- und Grundsünde des Menschen vor Augen, der als
geschichtlicher seine Geschöpflichkeit schon preisgegeben hat und nun von
daher kommt[18]. Es handelt sich bei Paulus auch nicht darum, daß, wie man
manchmal ausgelegt findet, der Mensch aus einem „theoretischen“ Erkennen
„praktische“ Konsequenzen zieht. Das γινώσκειν meint vielmehr das ἐν
ἐπιγνώσει ἔχειν von 1, 28. Das δοξάζειν ἢ εὐχαριστεῖν ist die Weise, wie
Gott als der Schöpfer erkannt und in der Erkenntnis gehalten wird. In dem,
daß der Mensch Gott sein Ansehen schenkt und ihm dankt, äußert und verwahrt sich das Erkennen Gottes. Das Andenken des wahrnehmenden Denkens, von dem Paulus vorher sprach, versammelt sich in der Andacht der

---

[17] Vgl. BAUER WB 677.
[18] Daß er den Vorgang auch anders darstellen kann, zeigt Röm 5, 12 ff; wie beides zu vereinbaren ist, wäre die Frage.

Anerkennung Gottes als des Schöpfers. Diese An-dacht erweist sich im Danken. Die ursprüngliche Gotteserkenntnis ist letztlich in dem Dank beheimatet, in dem sich das Geschöpf dem Schöpfer ver-dankt. Ihr An-denken ist das des Dankes. Dank ist das Verbalnomen zu denken! Aber eben diese Gotteserkenntnis, die im δοξάζειν, im Widerspiegeln seiner δόξα, die aus der Schöpfung strahlt, und im εὐχαριστεῖν, im Verdanken, besteht, haben die Heiden nicht durchgehalten. Mit anderen Worten: sie haben Gott das Ansehen als Gott nicht gelassen und sind dem Un-dank verfallen.

VV 21b–23 Und das hatte Konsequenzen, die nun dargelegt werden, und zwar so, daß die jetzige geschichtliche Situation des Menschen charakterisiert wird. Zunächst wird in *V 21b* der Zustand seiner διαλογισμοί aufgedeckt. Die Menschen sind in ihren Gedanken „eitel" geworden, ἐματαιώθησαν. Ματαιοῦν im Passiv ist „nichtig" oder „eitel gemacht werden" in dem Sinn, daß dieses „eitle" Denken die Wirklichkeit verstellt, verdeckt, verfälscht und also vereitelt. Dadurch wird es selbst unwirklich, eitel. Μάταιος[19] ist in der LXX häufig Übersetzung von הֶבֶל (Hauch, Nichts), vgl. z. B. Ps 93, 11, der 1 Kor 3, 20 (mit σοφῶν statt ἀνϑρώπων) zitiert wird. Vom „Eitelwerden" derer, die sich von Gott entfernen, spricht auch Jer 2, 5: ἀπέστησαν μακρὰν ἀπ᾽ ἐμοῦ καὶ ἐπορεύϑησαν ὀπίσω τῶν ματαίων καὶ ἐματαιώθησαν. Hier ist freilich das Eitelwerden[20] eine Folge des Götzendienstes. Es tritt ein durch das Hinterherlaufen hinter den μάταιοι, den unwirklichen Göttern, und durch die Absage an den wirklichen Gott (vgl. Weish 13, 1). Nach unserer Stelle ist die „Eitelkeit" eine Folge des fundamentalen Undanks und der Verachtung Gottes als des Schöpfers und betrifft die διαλογισμοί, die Erwägungen, Überlegungen, Gedanken des Menschen. Zu διαλογισμοί vgl. Lk 2, 35; 5, 22; 9, 46f; Röm 14, 1; zu διαλογίζεσϑαι Mk 2, 6.8par; 9, 33 u. a. Sie werden öfters als Erwägungen des Herzens bezeichnet (vgl. Mt 15, 19; Mk 7, 21; Lk 9, 47). Eben von diesem wird nun auch im folgenden Satz (V 21c) gesprochen: „und finster wurde ihr uneinsichtiges Herz". Von σκοτίζειν im Passiv ist im übertragenen Sinn auch 11, 10 (Ps 69, 24) die Rede. Dort sind es die Augen, die verfinstert werden, die Sehkraft verlieren, erblinden. An unserer Stelle wird es als Folge jener fundamentalen Abneigung gegen Gott von der καρδία, der innersten Mitte und Kraft des Menschen, ausgesagt. Das Herz ist für Paulus[21] das dem Menschen letztlich selbst unzugängliche Lebenszentrum (1 Kor 14, 25), das aber Gott offen ist (1 Thess 2, 4; vgl. Röm 8, 27). Von ihm gehen seine Neigungen (10, 1), Begehrungen (1, 24), Absichten (1 Kor 4, 5), Beschlüsse und Entschlüsse (1 Kor 7, 37) aus, in ihm vollzieht sich seine Umkehr (2, 5), sein Gehorsam (6, 17; Eph 6, 5), sein Glaube (10, 9f). In ihm oder mit ihm „sieht" der Mensch letztlich auch (2 Kor 4, 6; Eph 1, 18). Und wenn also infolge seines Undanks gegen den Schöpfer

---

[19] Vgl. BAUERNFEIND in: ThWb IV 525–530.
[20] Vgl. die Charakterisierung der ἔϑνη in Eph 4, 17ff.
[21] Vgl. H. SCHLIER, Das Menschenherz nach dem Apostel Paulus, in: Das Ende der Zeit (1971) 184–200.

die Gedanken des Geschöpfes „nichtig" geworden sind, so daß sie nicht mehr die Wirklichkeit erfassen, sondern ins Eitle und damit ins Leere gehen, so hängt das mit einer innersten Verdunklung der menschlichen Existenz zusammen, damit, daß sein Herz verfinstert worden ist, seine ἀσύνετος καρδία, sein Herz – ist natürlich gemeint –, das jetzt nicht mehr συνιέναι kann, nicht mehr einsehen, verstehen, begreifen[22]. Zu ἀσύνετος, das hier die Folge der Verfinsterung anzeigt, vgl. 1, 31; 10, 19 u. a. Das Herz ist uneinsichtig, unverständig geworden. Dieses uneinsichtige Herz hat freilich nicht jede Einsicht verloren, und dieses verfinsterte Herz ist nicht völlig ohne Licht. Sein Verstehen ist ein nichtiges Verstehen, das versteht und doch nicht versteht. Es versteht aber nicht die offenbare und gültige Wirklichkeit der Dinge, die Wahrheit. Der Mensch lebt in einem zwielichtigen Dasein. Seine Finsternis ist die des Zwielichts.

Diese ist aber um so verhängnisvoller, als er sich über sie täuscht – *V 22*. Er hält seinen Zustand, der ihn alles im Zwielicht sehen und die Wirklichkeit nicht erkennen läßt, für „Weisheit" und nicht für das, was er ist, für fundamentale Torheit. Das zweideutige Denken des uneinsichtigen Herzens ist ein μωρανθῆναι, es macht den Menschen „töricht" oder, grob gesagt, dumm. Zu μωραίνειν vgl. 1 Kor 1, 20, auch Jer 10, 14; Sir 23, 14[23]. Sein Denken ist prinzipiell μωρία von einem μωρός. Es gilt auch in bezug auf die Schöpfung, was 1 Kor 3, 19 sagt: ἡ ... σοφία τοῦ κόσμου τούτου μωρία παρὰ θεῷ ἐστίν und 1 Kor 3, 18: Niemand täusche sich selbst, εἴ τις δοκεῖ σοφὸς εἶναι ἐν ὑμῖν ἐν τῷ αἰῶνι τούτῳ μωρὸς γινέσθω. Doch ihre fundamentale Torheit erkennen die Menschen nicht, sondern φάσκοντες εἶναι σοφοὶ ἐμωράνθησαν. Φάσκειν ist hier „behaupten", „beteuern" u. ä. [24] Gegenüber V 21b stellt V 22 eine Steigerung dar, gehört also schon aus diesem Grund mit dem Vorigen zusammen[25], wie im übrigen auch V 23, der das konkrete Resultat aus dem ματαιοῦσθαι und μωραίνεσθαι und damit das Ergebnis der Absage an den Schöpfer darlegt. Solche Selbstbeurteilung als grundsätzlich „Weise" potenziert ihre faktische Torheit und erweist ihr Denken, das dem Undank und Ungehorsam gegenüber dem Schöpfer entspringt, als von sich aus unüberwindbar.

Worin sich dieses Denken des Herzens, das sich die Wahrheit vereitelt, in seiner Torheit erweist, sagt *V 23*. Paulus nimmt auch hier wieder alttestamentlich-jüdische Gedanken auf, wie wir sie Dt 4, 16; Ps 105, 20f, auch Jer 2, 11 u. a. finden. Um den Erweis des „nichtigen" Denkens der Heiden zu veranschaulichen, greift er zu dem Verbot Jahwes an Israel, sich Bilder von der Schöpfung zu machen und sich ein goldenes Kalb anzufertigen. Er wendet die Übertretung des Gebotes ins Grundsätzliche. Er will ja einen Grundzug des sich Gott nicht mehr verdankenden Geschöpfes beschreiben. Die Formulierung ist bedeut-

---

[22] Mit καρδία zusammen Mt 13, 15; Apg 28, 27 (= Joh 12, 40).
[23] Vgl. BERTRAM in: ThWb IV 850ff.
[24] Vgl. Apg 24, 9; 25, 19.
[25] Anders KÄSEMANN.

sam. Ὁμοίωμα und εἰκών meinen an sich dasselbe, nämlich Abbild (vgl. Gn 1, 26f), hier aber offenbar unter verschiedenem Gesichtspunkt: ὁμοίωμα unter dem, daß die εἰκών im Abbild da ist; εἰκών in dem, daß dem ὁμοίωμα ein Bild zugrunde liegt. Also, kann man sagen, ist ὁμοίωμα das Abbild, εἰκών die Gestalt, die Figur, ὁμοίωμα εἰκόνος das Abbild einer Gestalt (irgendeines Geschöpfes), wofür als Beispiele ὁ ἄνθρωπος, τὸ πετεινόν (Vogel; vgl. Apg 10, 12; 11, 6) in derselben traditionellen Zusammenordnung (vgl. Gn 2, 20; 7, 8) mit τετράποδα (Vierfüßler) und ἑρπετά (Kriechtiere) (vgl. Jak 3, 7) dienen. Es ist dabei an den ägyptischen Kult angespielt, der auch Weish 11, 15; 12, 24 verabscheut wird. Im ὁμοίωμα ist also die εἰκών als abgebildete. Einander entgegengesetzt werden ἡ δόξα τοῦ ἀφθάρτου θεοῦ und ὁμοίωμα εἰκόνος φθαρτοῦ ἀνθρώπου. Das besagt sowohl für δόξα wie für ὁμοίωμα etwas. Ὁμοίωμα ist in irgendeinem Sinn δόξα und umgekehrt δόξα in bestimmter Hinsicht ein ὁμοίωμα. Das Gemeinsame ist dies: in beiden kommt das, was im Genitiv steht, zur Erscheinung, in beiden läßt sich das Jeweilige sehen. Und doch sind δόξα und ὁμοίωμα nicht nur Ps 105, 20, sondern auch für Paulus unterschieden, wiewohl er auch von der δόξα der Geschöpfe reden kann (vgl. 1 Kor 15, 40f; auch 1 Kor 11, 7) [25a]. Aber im hiesigen Zusammenhang, meint er, handelt es sich bei dem ὁμοίωμα der Gestalt eines Geschöpfes zwar um ein Darin-in-Erscheinung-Treten und Sich-zur-Erscheinung-Geben des Geschöpfes. Aber diese Erscheinung ist nicht von der unvergleichlichen δόξα, in der Gott, der Schöpfer, sich zu erkennen gibt. Daher auch die Betonung des Gegensatzes: δόξα τοῦ ἀφθάρτου θεοῦ und ὁμοίωμα εἰκόνος φθαρτοῦ ἀνθρώπου. Die δόξα θεοῦ ist, wie wir sahen, der mächtige Glanz des Schöpfers bzw. seiner Weisheit, der auf der Schöpfung liegt. Diese δόξα aber vertauschten die Menschen in der Blindheit ihres Undankes mit der eigenen, die sie in ihren Göttern verehrten. Sie apotheotisierten die Welt, und sie verweltlichten Gott. Das ist ihre konstituelle μωρία, die sie σοφία nennen. Sie können die ursprüngliche Wirklichkeit, die Schöpfung im Glanz des Schöpfers, nicht mehr wahrnehmen. Gott in der Welt zu sehen und die Welt als Gott entspringt jener fundamentalen Weigerung, Gott das Ansehen und den Dank als Schöpfer zu schenken, wir können auch sagen und sagten es schon: jenem nicht Durchhalten der ursprünglichen Gotteserkenntnis. Das ist der große Tausch und die große Täuschung, die sich in, mit und unter dem menschlichen Dasein, so wie es geschichtlich vor-kommt, vollziehen. In dieser Weise ist der Mensch von jeher schuldig: er ver-sagt sich der überwältigenden Erscheinung des Schöpfers in seiner Schöpfung. In dieser Schuld kommt er immer schon vor. Der konkrete Götzendienst des antiken Heiden oder der christlichen Apostaten, von denen freilich hier nicht die Rede ist, ist nur die Explikation jener fundamentalen undankbaren Absage des Geschöpfes an den Schöpfer, die sein Dasein bestimmt.

[25a] Zum Begriff vgl. J. Schneider, Doxa. Eine bedeutungsgeschichtliche Studie (1932); Kittel, Die Herrlichkeit Gottes (1934); Ch. Mohrmann, Note zur δόξα. Sprachgeschichte und Wortbedeutung, in: Festschrift für A. Debrunner (1954) 321–328; H. Schlier, Doxa bei Paulus als heilsgeschichtlicher Begriff, in: Stud. Paul. Congr. I 45–56. Zu ὁμοίωμα J. Jervell, Imago Dei, u. a. 312–331.

Doch solcher Götzendienst, wie wir jetzt kurz sagen können, hat nun seinerseits konkrete Auswirkungen. Diese werden in 1, 24–32 beschrieben, und zwar so, daß wiederum mit Gedanken und in der Sprache jüdisch-hellenistischer Überlieferung mit einem dreifachen, refrainartigen παρέδωκεν αὐτούς in den VV 24.26.28 die Strafe, die Gott über die Heiden für ihre Welt- und Selbstapotheose verhängt, dargelegt wird: die Perversion des Lebens bis in ihre geschlechtlichen Triebe hinein (VV 24–27), die Überflutung mit Lastern (VV 28–31) und die Verderbnis ihres sittlichen Urteils (V 32). Ebendies alles ist Auswirkung des Zornes Gottes, der durch die Verweigerung der Anerkennung und des Dankes gegenüber dem in seiner Schöpfung sich offenbarenden Schöpfer hervorgerufen ist. Unter dieser Auswirkung des göttlichen Zorngerichtes lebt die heidnische Welt. Uber sie kommt dann die δικαιοσύνη θεοῦ im Evangelium.

V 24 Die Anknüpfung mit διό läßt das Gesagte ausdrücklich als Ursache des Folgenden erscheinen, so wie das zweite παρέδωκεν mit διὰ τοῦτο an das Vorhergehende angeknüpft und das dritte durch einen καθώς-Satz eingeleitet wird. Die Folge wird zunächst mit einem παραδιδόναι durch Gott charakterisiert, einem Überliefern, Ausliefern, Übergeben, Anheimgeben, Überlassen, auch Preisgeben u. a. Παραδιδόναι kommt in diesem Sinn etwa 1 Kor 5, 5 vor: παραδοῦναι τῷ σατανᾷ (vgl. 2 Kor 4, 11; 1 Tim 1, 20; 2 Petr 2, 4; auch Eph 4, 19).

Daß das rechtliche Moment, das an παραδιδόναι haftet, auch hier eine Rolle spielt, ist wenig wahrscheinlich. Das Perfekt παρέδωκεν weist auf die Fortdauer dieses Geschehens hin. In welcher Weise diese Preisgabe durch Gott geschah, wird nicht gesagt. Augustinus (Sermo 57, 9) meint: ,,Ira iudicis donavit quosdam concupiscentiis suis. Quomodo tradidit? Non cogendo, sed deserendo.'' Er mag im Sinn des Apostels recht haben. Wem Gott die Heiden auslieferte, wird zunächst mit εἰς ἀκαθαρσίαν angegeben[26], so wie es V 26 εἰς πάθη ἀτιμίας und V 28 εἰς ἀδόκιμον νοῦν heißt[27]. Diese ἀκαθαρσία, die sich in sogenannten Lasterkatalogen (2 Kor 12, 21; Gal 5, 19; Eph 5, 3; Kol 3, 5) als Einzellaster neben πορνεία, ἀσέλγεια (πλεονεξία) findet, ist hier, wo es allein steht, wie 6, 19 (Eph 4, 19); 1 Thess 4, 7 umfassend gemeint und hat die geschlechtliche Zuchtlosigkeit in Gesinnung und Tat vor Augen. Die Erotisierung oder, besser, die Sexualisierung des öffentlichen und privaten Lebens war ein Hauptkennzeichen der verfallenden heidnischen antiken Welt nach jüdischem und christlichem Urteil. Sie ist es also, in der sich nach unserem Zusammenhang die Selbstherrlichkeit des Menschen auswirkt. Solche Auslieferung an die zerstörende Sexualität geschah ἐν ταῖς ἐπιθυμίαις τῶν καρδιῶν αὐτῶν, in der Weise, daß ihre Herzen ,,begehrlich'' wurden[28]. Die Preisgabe an die

---

[26] Als Unzucht kennzeichnet sie für den Juden das heidnische Wesen (KÄSEMANN).
[27] Es kann auch mit einem Infinitivsatz formuliert werden, wie z. B. Apg 7, 42: παρέδωκεν αὐτοὺς λατρεύειν τῇ στρατιᾷ τοῦ οὐρανοῦ.
[28] Nicht allein Bezeichnung der Sphäre, ,,in welcher sich die Menschen aufhalten'', son-

pervertierte Sexualität bediente sich der ἐπιθυμίαι, die aus dem Innersten des Menschen kommen. Ἐπιθυμία kann an sich in einem neutralen Sinn gebraucht werden (wie Phil 1, 23; 1 Thess 2, 17; vgl. ἐπιθυμεῖν Gal 5, 17; 1 Tim 3, 1), besagt aber im Singular oder Plural meist bei Paulus das selbstsüchtige Begehren, die ἐπιθυμία σαρκός (Gal 5, 16; vgl. Röm 7, 12; 7, 7.8; 13, 14; Gal 5, 24 u. a.), die den Menschen von innen her beherrscht. Endlich sagt Paulus noch, was solche Auslieferung an die sexuellen Begierden bedeutet: τοῦ ἀτιμάζεσθαι τὰ σώματα αὐτῶν ἐν αὐτοῖς. Der Infinitiv ist konsekutiv. Τὰ σώματα αὐτῶν betont die Leiblichkeit des Menschen, die ja sozusagen der nächste Raum seiner Existenz ist. Ἐν αὐτοῖς meint entweder „durch sich selbst" oder „an sich selbst", betont jedenfalls die Selbstentehrung oder Selbstschändung und bekräftigt das τὰ σώματα αὐτῶν. Sie widerspricht nicht der Auslieferung durch Gott, sondern charakterisiert diese dahin, daß die Preisgabe durch Gott eine eigene Schändung des Menschen ist, läßt also das Moment der Verantwortung hervortreten. So sehen wir bis jetzt: Die Selbstentehrung der Leiblichkeit durch die Sexualisierung des Lebens, ausgehend vom Begehren des Herzens, ist eine Folge der Preisgabe durch Gott und seines Zorngerichtes, das auf die Selbstapotheose des Menschen antwortet, die im Ungehorsam und Undank gegenüber dem Schöpfer gründet und ihren konkreten Ausdruck in den Göttern der Heiden findet. Die darin wirksame Vergöttlichung der Welt führt zur Selbstentehrung und Weltschändung. Davon legen historisch manche antike, heidnische Kulte Zeugnis ab. Und in der Selbstapotheose der nachchristlichen „weltlichen Welt" tritt diese Schändung des Menschen durch die Sexualität ebenfalls auf, wobei sie von den Agnostikern nicht als Entehrung des Leibes, sondern als Ehrung empfunden und ausgegeben wird. So sind von jenem zwielichtigen Denken des sich Gott versagenden Menschen her die Maßstäbe und überhaupt das Urteil verkehrt.

V 25 Worin das ἀτιμάζεσθαι, das auf die πάθη ἀτιμίας von V 26 anspielt, besteht, wird in diesem Vers noch nicht gesagt, sondern hier wird in einer anderen zusammenfassenden Formulierung und in einem eigentümlich rhythmisierten Satz noch einmal der Grund für die Preisgabe des Menschen durch Gott an die ἀκαθαρσία wiederholt. Das Relativum οἵτινες am Anfang des Satzes ist wie das von V 32 begründend. Der Grund wird jetzt in einem μεταλλάσσειν gesehen, das wie in V 26 „vertauschen" bedeutet. Was V 23 τὴν δόξαν τοῦ ἀφθάρτου θεοῦ hieß, wird jetzt ἡ ἀλήθεια τοῦ θεοῦ genannt und entsprechend das ὁμοίωμα εἰκόνος φθαρτοῦ ἀνθρώπου – τὸ ψεῦδος. Die „Wahrheit Gottes" ist Gott in seiner Wahrheit, der Schöpfer in seiner offenbaren und gültigen Wirklichkeit, die sich in ihrer Schöpfungsherrlichkeit offenbart. Und „die Lüge", der falsche Gott, ist die als Gott verehrte Kreatur. Darauf führt V 25b, der die Weise solchen Vertauschens andeutet und dabei zugleich erläutert, was ἡ ἀλήθεια τοῦ θεοῦ und τὸ ψεῦδος meinen. Das καί am Anfang von V 25b ist explikativ. Sie, die Heiden, verehrten die Schöpfung an-

---

dern dabei auch der Weise, wie sie sich aufhalten, K. A. Bauer, Leiblichkeit, 141f; Käsemann, z. St.

stelle des Schöpfers und dienten ihr statt ihm religiös. Σεβάζεσθαι ist soviel wie σέβεσθαι (vgl. z. B. Arist 135; Apg 18, 13; 19, 27 σέβεσθαι) und meint „religiöse Verehrung erweisen". Λατρεύειν ist eigentlich dasselbe mit Betonung des Dienstes (vgl. Dn 6, 17; Mk 4, 10; Lk 4, 8 [= Dt 6, 13f]; 1, 74; Apg 7, 7 [= Ex 3, 12] u. a.). Vom Götzendienst wird es Apg 7, 42 (vgl. Ex 20, 5; 23, 24; Ez 20, 32; 1 Hen 99, 7 u. a. m.) gebraucht. Religiöse Verehrung und kultischer Dienst gelten τῇ κτίσει anstelle (παρά) [29] des κτίσας [30]. Jetzt wird deutlich, daß Götzendienst für Paulus religiöse Verehrung der Schöpfung als des Schöpfers ist und daß jene δόξα τοῦ ἀφθάρτου θεοῦ die in der Schöpfung vom Schöpfer her aufstrahlende und auf ihn verweisende Glorie ist. Deutlich wird auch das vom Herzen her die Wirklichkeit vereitelnde Denken. Solches μεταλλάσσειν, die Kreaturvergötterung, die zugleich Gott zu einer Kreatur macht, ist für Paulus etwas Abscheu Erregendes. Das Versagen des Lobpreises und des Dankes durch das Geschöpf macht er nicht nur nicht mit, sondern wehrt es leidenschaftlich ab. Und die Abwehr geschieht an unserer Stelle (V 25 c) darin, daß er in den Lobpreis des frommen Juden ausbricht [31]. Damit stellt er die Ehre des Schöpfers wieder her. So wie es 3 Esr 4, 40 heißt: „Gepriesen sei der Gott der Wahrheit", oder Pirke Aboth 6: „Gepriesen sei, der sie und ihre Lehre erwählt hat", so heißt es hier: „der da gepriesen ist in die Ewigkeiten [32]. Amen." Das ἀμήν zeigt, daß Paulus eine gottesdienstliche Eulogie verwendet, die von seiten der Gemeinde mit einer Akklamation bestätigt wird. Paulus hält sich sozusagen auch jetzt im Gottesdienst der Gemeinde auf (vgl. 9, 5; 11, 36; 2 Kor 11, 31. Vgl. die Briefeingänge 2 Kor 1, 3; Eph 1, 3; 1 Petr 1, 3).

VV 26–27 Der Gedankengang geht weiter. Das ἀτιμάζεσθαι τὰ σώματα αὐτῶν ἐν αὐτοῖς wird jetzt konkretisiert. Zunächst macht der Apostel in *V 26* in paralleler Formulierung zu V 24 darauf aufmerksam, daß Gott die Heiden wegen ihrer Kreaturvergötterung εἰς πάθη ἀτιμίας ausgeliefert hat. In πάθη ἀτιμίας ist ἀτιμίας gen. qual. [33]. Es ist soviel wie πάθη ἄτιμα. Nicht erst die Taten, sondern schon die sie hervorbringenden und bestimmenden πάθη sind pervertiert und entehrend. Die Perversion ist ins Blut gedrungen. Worin aber äußern sich die schändlichen Leidenschaften? Im perversen geschlechtlichen Verkehr von Frauen und Männern. Bezeichnend sind die Reihenfolge – an-

---

[29] παρά in diesem Sinn BLASS-DEBR, § 236, 3.

[30] ὁ κτίσας gehört zu den partizipialen Gottesaussagen und ist vielleicht „Nachwirkung des partizipialen Sprachgebrauchs der LXX", G. DELLING, Studien zum NT und hellenistischen Judentum (1970) 405. Vgl. auch die Formel: ὁ ποιήσας τὸν οὐρανὸν ἢ τὴν γῆν ἢ τὴν θάλασσαν: Ex 20, 11; Ps 145, 6; Dn 4, 37; 1 Hen 101, 8; JosAs 12, 11; Jos. c. Ap. 2, 121; TestHiob 2, 4; Apg 4, 24; 14, 15 (17, 24); Apk 10, 6; 14, 7.

[31] Sie hat also auch apotropäischen Sinn.

[32] Εἰς τοὺς αἰῶνας ist LXX-Formulierung für das hellenistische εἰς τὸν αἰῶνα. Gott ist gepriesen für alle Zeiten, die sich in die Ewigkeiten verlieren.

[33] Vgl. TestJos 7, 18: ὑποπίπτειν πάθει ἐπιθυμίας; 1 Thess 4, 5: ἐν πάθει ἐπιθυμίας; vgl. Kol 3, 5. Soweit πάθος Leidenschaft meint, ist es vorwiegend die geschlechtliche; vgl. BAUER WB 1195.

ders Mt 19, 4; Mk 10, 6 (= Gn 1, 27); Gal 3, 28 – und die Bezeichnungen ϑήλειαι und ἄρσένες, die das Geschlechtliche betonen (Käsemann). Die Frauen tauschen ihren natürlichen Geschlechtsverkehr mit einem widernatürlichen. Χρῆσις φυσική – ἡ παρὰ φύσιν ist hellenistisch, z. B. Diod. Sic. 32, 11, 1: παρὰ φύσιν ὁμιλία. Von den Männern aber heißt es V 27, daß sie ihre φυσικὴ χρῆσις τῆς θηλείας ließen und gegenseitig in Brunst entbrannten. ᾿Εξεκαύθησαν ist Aor. pass. von ἐκκαίω[34], „in Brand setzen“, „entfachen“, im Passiv „entbrennen“. ῎Ορεξις ist „das Verlangen“, „die Begierde“, „die Gier“, „die Brunst“, seit Plato, LXX; z. B. Lucian, Tyrr. 4: τὰς τῶν ἡδονῶν ὀρέξεις χαλιναγωγεῖν, oder Sir 23, 16: κοιλίας ὀρέξεις. Solch homosexuelles Verhalten ist ein τὴν ἀσχημοσύνην κατεργάζεσθαι wie natürlich, ohne daß es ausdrücklich erwähnt wird, das vorher erwähnte lesbische. Auch dieser Begriff ἀσχημοσύνη ist griechisch und jüdisch-hellenistisch, wie z. B. Epict., Diss. 2, 5, 23; Philo, Leg. alleg. II 17, XXXI 58; Jos. b XVI 223; OrSib V 389; Sir 26, 8; 30, 13 zeigen. Was es zur Folge hat, wird am Ende von V 27 noch erwähnt: sie erhalten den notwendigen Lohn für ihre Verirrung an sich selbst. ᾿Αντιμισθία ist Lohn, Vergeltung (vgl. 2 Kor 6, 13)[35]. Sie war notwendige Vergeltung, notwendig für jene πλάνη (vgl. 1 Thess 2, 3; 2 Thess 2, 11 u. a.), jenen Irrwahn der Erhebung des Geschöpfes zum Schöpfer[36]. Das δεῖ meint die göttliche Notwendigkeit wie z. B. auch 1 Kor 15, 53; 2 Kor 5, 10; Apg 1, 16; 3, 21; 4, 12 u. a. Es ist bemerkenswert, wie Paulus die genannten geschlechtlichen Perversitäten, die er als Charakteristikum der heidnischen Welt hervorhebt, beurteilt: 1) Solche Perversion der Triebe und des sexuellen Verhaltens ist Antwort des strafenden Gottes auf Selbst- und Weltvergötterung; 2) sie ist seine göttlich-notwendige Vergeltung; 3) diese vollzieht sich innerweltlich schon jetzt am Leib der Heiden. In solcher Verurteilung dieser Verirrung stimmt Paulus weithin mit der jüdischen und jüdischhellenistischen Polemik gegen die Heiden überein (vgl. z. B. EpJer 43; Weish 14, 12. 23 ff; Arist 152; OrSib III 184 ff 594 ff, V 386 ff; slavHen 10, 4–6). Gegen die gleichgeschlechtliche Sexualität haben sich aber auch gelegentlich hellenistische Schriftsteller gewendet, z. B. Musonius und Maximos Tyr., Or. 18, bzw. gegen ihre Verherrlichung oder Rechtfertigung, wie z. B. durch Petronius, Satyrikon. In der speziellen theologischen Begründung seiner Ablehnung der Perversion hat Paulus keinen Vorgänger.

V 28 Hier fällt zum drittenmal die Formulierung παρέδωκεν αὐτοὺς ὁ θεός, jetzt mit vorausgestellter Begründung, die auf V 21 zurückgreift und das, was hinter jenem Tausch von Gott und Welt steht, noch einmal und in neuer Formulierung aufgreift; jetzt auch so, daß die Taten, denen Gott die Heiden auslieferte, nicht mehr an einem oder dem charakteristischen Paradigma des heidnischen Verfalls dargestellt werden, sondern in vielfältigen

---

[34] So auch hellenistisch: Alciphr 3, 31, 1: ἐξεκαύθην εἰς ἔρωτα u. a. BAUER WB 478; auch Sir 16, 16 u. ö.

[35] ἀντιμισθίαν διδόναι τινι: 2 Clem 1, 3; 9, 7 u. a.

[36] KÄSEMANN (anders KUSS) bezieht πλάνη auf „die Ausschweifung“.

Einzelbeispielen der Zerstörung des sittlichen Lebens, die einem ἀδόκιμος νοῦς entspringen, dem Gott die Heiden preisgegeben hat. V 28 beginnt mit einem καθώς-Satz. An sich kann καθώς entweder „wie", „dementsprechend" oder „aufgrund von", „quoniam", „quippe", „siquidem" heißen. Hier ist wohl das letztere gemeint[37]. Es entspricht, wie gesagt, dem διὰ τοῦτο von V 26 und dem διότι von V 24. Δοκιμάζειν ist hier wohl (prüfen und) „eine Entscheidung treffen", wie z. B. auch 12, 2; 14, 22; 1 Kor 16, 3 (?); 2 Kor 8, 22. Die Heiden haben sich nicht dafür entschieden, Gott in ihrem Erkennen zu bewahren. Jetzt wird deutlich, daß die Verweigerung des Ansehens Gottes und des Dankes an den Schöpfer nicht ein Fatum war, sondern eine Entscheidung bzw. eine Prüfung und ein Entschluß. Es war eine wohlüberlegte Entscheidung gegen den Schöpfer bzw. gegen seine Anerkennung. Τὸν θεὸν ἔχειν ἐν ἐπιγνώσει ist gewiß soviel wie ἐπιγινώσκειν[38]. Aber vielleicht ist doch bewußt die andere Formulierung gewählt, um das Nichtverharren des Geschöpfes in der Erkenntnis des Schöpfers zu betonen. Ἐπίγνωσις ist nicht einfach soviel wie γνῶσις, sondern eine Erkenntnis, die zugleich Anerkennung bedeutet oder jedenfalls Erkenntnis im Sinn der Erfahrung, wie z. B. auch 3, 20; Kol 1, 9f; Phm 6; auch Röm 10, 2; Eph 1, 17; Kol 3, 10. Der Sache nach ist ἐν ἐπιγνώσει ἔχειν jenes γνῶναι, das sich im δοξάζειν und εὐχαριστεῖν aufhält bzw. in ihm durchhält. Diese Verweigerung der Anerkennung des Schöpfers und die damit gegebene Weltapotheose – denn Gott wird der Mensch nicht los und wenn er ihn nur in der Verkennung hat – ließ die Heiden einem ἀδόκιμος νοῦς von Gott ausgeliefert werden. Der nicht als Gott in Lobpreis und Dank anerkannte Gott beantwortete solches δοκιμάζειν mit der Preisgabe an den ἀδόκιμος νοῦς. Paulus gebraucht ein Wortspiel, das wir im Deutschen nicht entsprechend nachahmen können. Ἀδόκιμος selbst ist hier wohl im abgeschliffenen Sinn gebraucht, etwa als „untüchtig", „unbrauchbar" (vgl. 1 Kor 9, 27; 2 Kor 13, 5ff). Ihm entspringt dann das ποιεῖν τὰ μὴ καθήκοντα, wie mit einem stoischen Terminus formuliert wird. Τὸ καθῆκον ist officium und Bezeichnung des durch die Natur sittlich Gebotenen. Zu τὰ μὴ καθήκοντα vgl. Philo, De mut. nom. 42; 2 Makk 6, 4; 3 Makk 4, 16. Streng terminologisch hieße es in der Stoa freilich τὸ παρὰ τὸ καθῆκον[39]. Wir sehen, Paulus spricht traditionell und konventionell, sozusagen im Jargon der stoischen Popularphilosophie, die ja auch weithin die jüdisch-hellenistische Sprache und ihr Denken beeinflußt hat. Aber nun steht ja nicht allein diese Formel da, sondern sie wird im Folgenden expliziert. Aus dem unbrauchbaren Denken, in das die Nicht-Anerkennung des Schöpfers und seiner Wahrheit gestürzt hat, flutet als Wirkung und Dokument des göttlichen Zorngerichtes eine Fülle von zerstörenden Lastern und erfüllt das heidnische Dasein. Auch das wird in traditioneller Weise, nämlich in einem „Lasterkatalog", beschrieben, wie er im Corpus Paulinum oft anzutreffen ist

---

[37] Blass-Debr, § 453, 1f.
[38] Vgl. Thuk. II 65, 3: ἐν ὀργῇ ἔχειν = zornig sein.
[39] H. Schlier in: ThWb III 443.

(vgl. 13,13; 1 Kor 5,10f; 6,9f; 2 Kor 12,20f; Gal 5,19ff; Eph 4,31; 5,3–5; Kol 3,5.8; 1 Tim 1,9f; 2 Tim 3,2ff; Tit 3,3), in Variationen hellenistischer und jüdisch-hellenistischer, auch jüdischer Kataloge, freilich nicht so ausgedehnter Art, wie er sich hier findet[40].

Eine gewisse Einteilung kann man in den VV 29–31 vielleicht feststellen: V 29a werden Dispositionen des Lasters, V 29b Manifestationen, V 30f soziale Laster aufgezählt. Aber das ist recht vage. Deutlicher erkennbar sind gewisse formale Züge: mit πεπληρωμένους – der Akkusativ ist auf αὐτούς bezogen – werden vier Glieder mit Gleichlaut der Endsilbe verbunden, mit μεστούς fünf Glieder konkreter Laster, zum Schluß (V 31) vier Glieder mit α privativum. Aber mehr als unbewußte Rhetorisierung verrät das nicht. Im übrigen kann man noch wie in der popularphilosophischen Diatribe asyndetische Aufeinanderfolge der einzelnen Glieder[41] feststellen. Hier ist kaum etwas zu bemerken[42].

V 29 Zu ἀδικία vgl. 1,8, wo es freilich prinzipiell gebraucht ist, zu πονηρία[43] 1 Kor 5,8, zu κακία (malitia) 1 Kor 14,20; Eph 4,31, die alle schwer zu unterscheiden sind. Charakteristisch ist dagegen πλεονεξία (avaritia) in einem fundamentalen Sinn von Habgier, wie z.B. Eph 4,19; 5,3; Kol 3,5: ἥτις ἐστὶν εἰδωλολατρεία. Gott hat also die Heiden, die sich ihm versagten, in ihrem unbrauchbaren Denken in Ungerechtigkeit, Schlechtigkeit, Bosheit und Habgier gestürzt und ihr Leben damit erfüllt (πεπληρωμένους). Erfüllt (μεστούς) ist es damit von einzelnen, aber gehäuften Übeltaten und üblen Gesinnungen: Neid, Mord(-Gelüste?)[44], Streit(-Sucht), Hinterlist, Verschlagenheit (Tücke)[45]. Die Fortsetzung bringt eine lange Reihe von Trägern des Unrechts, im ganzen sind zwölf asyndetisch aneinandergereiht und meist paarweise geordnet, zuerst viermal zwei und dann vier.

V 30 ψιθυριστής (von ψιθυρίζειν = „zischen"), der Zuträger oder Ohrenbläser, κατάλαλος, der (öffentliche) Verleumder, der Übles redet[46], θεοστυγής, der Gott Verhaßte (Eurip., Tro. 1216), aber hier wohl eher: der Gott Hassende, wie PsClemHom 1,12: ἄδικοι καὶ θεοστυγεῖς; 1 Clem 35,5: θεοστυγία. Ὑβριστής, im Zusammenhang vielleicht auch in bezug auf Gott,

---

[40] In 1 Clem 35,5 ist er teilweise aufgenommen; vgl. LIETZMANN, Exkurs 35f.
[41] Zu den rhetorischen Elementen zuletzt E. KÄSEMANN, 45f.
[42] Zu Einzelheiten A. VÖGTLE, Die Tugend- und Lasterkataloge im NT (1936); S. WIBLING, Traditionsgeschichte (1959); E. KAMLAH, Katalogische Paränese (1964).
[43] Statt πονηρία lesen πορνεία D* G pc L 𝔐 vg sy^p, aber zu Unrecht, sozusagen gewohnheitsmäßig.
[44] φθόνος – φόνος ist eine Paronomasie.
[45] Κακοήθεια nicht im totalen Sinn wie Aristoteles, Rhet. 3,18 p. 1389b, 20f: τὸ ἐπὶ τὸ χεῖρον ὑπολαμβάνειν ἅπαντα, sondern eher wie Ammonius, p. 80 Valk: κακία κεκρυμμένη; vgl. auch 4 Makk 1,4; 3,4. Innerhalb eines Lasterkataloges im 43. Brief des Apollonius von Tyana (Philostrat I 354): φθόνου, κακοηθείας, μίσους, διαβολῆς, ἔχθρας; BAUER WB 784.
[46] κατάλαλος im NT nur hier. Vgl. 2 Kor 12,20 καταλαλιαί, ψιθυρισμοί; Weish 1,11; auch 1 Clem 30,3; 35,5: θεοστυγία. Zum Substantiv καταλαλιά vgl. Weish 1,11.

dann allgemeiner: der Frevler, sonst auch der Gewalttätige (vgl. 1 Tim 1, 13), bei Diod. Sic. 5, 55, 6 neben ὑπερήφανος wie hier. Aber hier gehört dieses als neues Paar wohl mit ἀλάζονες zusammen. Ὑπερήφανος: „stolz", „hochmütig" (vgl. Lk 1, 51), im Lasterkatalog auch 2 Tim 3, 2 neben ἀλάζονες, βλάσφημοί. Der Gegensatz ist ταπεινός (Jak 4, 6; 1 Petr 5, 5; Spr 3, 34 LXX), im übrigen auch bei Diod. Sic. wiederholt als den Göttern Verhaßte dargestellt, z. B. 13, 21, 4; 20, 13, 3; 23, 12, 1; 24, 9, 2. Ἀλάζων ist der Prahler, der miles gloriosus u. ä. (vgl. Weish 5, 8; 2 Tim 3, 2); ἀλαζονεία: Jak 4, 16; 1 Joh 2, 16. Ἐφευρεταὶ κακῶν sind entweder die, welche böse Dinge ersinnen, z. B. Antiochus Epiphanes in 2 Makk 7, 31: σὺ δὲ πάσης κακίας εὑρετὴς γενόμενος εἰς τοὺς Ἑβραίους[47] oder auch Leute, die Böses aufspüren oder es aufspüren lassen durch „Schnüffler". Γονεῦσιν ἀπειθεῖς wie Dt 21, 18; 2 Tim 3, 2: „den Eltern ungehorsam".

V 31 Dann folgen noch vier Adjektive mit α privativum: ἀσύνετος (vgl. Weish 1, 5; 11, 15; Sir 15, 7; TestLev 7, 2; Mt 15, 16; Mk 7, 18; Röm 1, 21), „unverständig", dabei auch Mängel in sittlicher Beziehung bezeichnend. Ἀσύνθετος, wieder Paronomasie, „bundesbrüchig", „treulos", „unbeständig" (vgl. Demosth. 19, 136; Is 3, 7.11 LXX)[48]; ἄστοργος, „lieblos" (vgl. 2 Tim 3, 3), seit Aeschines und bei Plutarch[49]. Endlich schließt die Gesamtreihe mit ἀνελεήμων, „erbarmungslos"; ebenfalls in einem Lasterkatalog Tit 1, 9 v. l.

Es folgt im ganzen noch ein Satz, der die Darstellung der Zorngerichtssituation der sich Gott verschließenden Menschheit beschließt und *V 32* zu Kap. 2 überleitet. Nach ihm ist ihre Verderbnis noch potenziert. Die erwähnten, mit einer Fülle von Lastern heimgesuchten Heiden werden noch einmal charakterisiert. Von ihnen wird jetzt gesagt, daß sie τὸ δικαίωμα τοῦ θεοῦ erkannt haben. Δικαίωμα ist hier die Rechtssatzung, die Rechtsforderung wie 7, 26; 8, 4[50], nicht aber wie 5, 18 die Rechttat. Gemeint ist aber nicht jene in einem allgemeinen, sondern in einem speziellen Sinn. Es ist eine bestimmte Rechtssatzung, die in dem Satz, der mit einem ὅτι epexeg. eingeleitet wird, näher gekennzeichnet ist. Die Heiden wissen um das δικαίωμα, daß solche Täter, wie sie aufgezählt werden, und andere, ähnliche, die nicht genannt werden – οἱ τοιαῦτα πράσσοντες –, tödliche Schuld auf sich laden und über sie von Gott Todesstrafe verhängt wird. Sie wissen, daß nach göttlicher Satzung solches Treiben die göttliche Todesstrafe auf sich zieht. Sie haben also als solche, die Gott mit der Welt und die Welt mit Gott vertauschten und daher von Gott einem verwerflichen Denken und Handeln preisgegeben wurden, doch noch ein Wissen um das letztlich Verderbliche ihres Tuns. Sie haben es nach 2, 14 f

---

[47] Vgl. auch PHILO, In Flacc. 20, von einigen mit Namen genannten antisemitischen Führern: φιλοπράγμοντες, κακοῦν εὑρεταί, ταραξιπόλιδες.
[48] Nach FRIDRICHSEN, 42 f: „eigenwillig, querköpfig".
[49] G 𝔄 pl lat vg fügen ἀσπόνδους ein.
[50] Vgl. SCHRENK in: ThWb II 225.

in ihrem Herzen und Gewissen, die ihnen das Todeswürdige ihres Treibens vorhalten. Solches Wissen im Gewissen impliziert natürlich auch das Bewußtsein einer Verantwortlichkeit gegenüber dem strafenden Gott, in diesem Sinn ein letztes Gottesbewußtsein. Aber dieses Wissen – das ist das andere – wird übertönt und verdrängt. Die Heiden fahren nicht nur ständig in ihrem Treiben fort, sondern geben auch denen, die solches tun, ihren Beifall. Συνευδοκοῦσιν mit Dativ der Person ist „zustimmen", „Beifall spenden" (vgl. 1 Clem 32, 6). Vergleichen kann man auch TestAs 6, 2: die διπρόσωποι werden zwiefältig bestraft: ὅτι καὶ πράσσουσι τὸν κακὸν καὶ συνευδοκοῦσι τοῖς πράσσουσιν[51]. Die Heiden handeln nicht nur gegen ihr warnendes Gewissen, sondern sie ermutigen andere Täter durch ihre Zustimmung, übertönen also durch ihren Beifall – auch außerhalb der Leidenschaft ihrer Tat – den Rest des fremden und eigenen Gewissens. Paulus nennt nichts Näheres, woran er bei dem Beifall denkt: philosophische Diskussion, Theater, Literatur, Zirkus, Gericht u. ä. Er spricht auch nicht davon, daß dieser Beifall von allen gespendet wird, wie auch 24ff und 29ff natürlich nicht jeden Heiden meinen. Aber was er sagt, ist ihm für die Heidenwelt charakteristisch. So ist der durch den Heiden vertretene Mensch, dem jetzt das Evangelium verkündet wird: er hat immer schon dem Schöpfer abgesagt, hat blind den Schöpfer und das Geschöpf vertauscht, ist von Gott an sich preisgegeben und erfährt so Gottes Zorngericht in der Perversion des Geschlechtlichen, in einer Flut von Lastern und einer Zustimmung zu ihnen trotz des Wissens um ihre Todesfolge. Im übrigen ist es bezeichnend, daß in der christlichen Ära in ähnlicher Situation mit Worten des Apostels aus Röm 1, 18ff geredet wird (vgl. Salvian, De gubernatione Dei VII 18).

b) 2, 1 – 3, 20 Gottes Gericht über die Juden

Man kann 2, 1 – 3, 20 als eine Einheit zusammensehen und dann etwa mit Lietzmann den Gedankengang im ganzen so formulieren: „Ohne das Evangelium offenbart sich nur der Zorn Gottes, sowohl über die Heiden (1, 18–32) wie über die Juden (2, 1–11). Denn auch die Heiden erfahren im gewissen Sinn Gottes Gesetz (2, 12–16), und die Juden, die es geschrieben besitzen, sind zwar stolz darauf, aber sie halten es nicht (2, 17–29). Trotzdem haben die Juden besondere Vorzüge (3, 1–2), und ihre Untreue hebt Gottes Verheißung an sie nicht auf (3, 3–8). Aber was die Sünde betrifft, so sind Juden und Heiden gleichermaßen schuldig (3, 9–20)." Doch bei solcher Darlegung des Gedankenganges wird die Intention der Einzelabschnitte zu sehr eingeebnet. Es bleibt das Unbeholfene der Gedankenführung, das wir bei Paulus immer wieder feststellen können, zu sehr verborgen. Zwar hat der Apostel seine Hauptthese, die er mit 1, 18 begann, durchaus im Auge behalten und

---

[51] Aber auch etwa SENECA, Ep. mor. 39, 16: turpia non solum delectant, sed etiam placent.

bringt sie in 3, 9 ausdrücklich noch einmal zur Sprache. Auch hält er in 2, 1 bis 3, 20 die Wendung zum Juden durch. Aber 2, 1 – 3, 20 läuft nicht so einheitlich wie 1, 18 – 1, 32. In diesem Abschnitt setzt der Apostel öfters von neuem an und trägt auch kleine, für den Zusammenhang nicht unbedingt notwendige Abschweifungen vor. So verläuft der Gedankengang des Abschnittes, wenn man ihn genau verfolgt, folgendermaßen: Auch der Mensch, der den anderen richtet, hat keine Entschuldigung bei Gott, da er dasselbe tut wie der, den er richtet, und in Gottes Gericht Juden und Heiden nach ihren Taten ohne Ansehen der Person gerichtet werden (2, 1–11). Nun folgt eine erste Abschweifung (2, 12–16), auch die Heiden haben ja ein Gesetz. Es ist ihnen in ihre Herzen geschrieben und durch das Gewissen vermittelt, was sich aus ihrem Tun ergibt. Der Jude (2, 17–29), der sich des Besitzes des Gesetzes rühmt und als sein Lehrer bei den Heiden auftritt, schändet den Namen Gottes, indem er es nicht erfüllt. Die Beschneidung nützt ihm dann nichts. Er ist in Wahrheit kein Jude und nicht beschnitten. Eine zweite Abschweifung bringt in 3, 1–8 diesen Gedanken vor: Der Vorzug des Juden ist der, daß ihm die Worte Gottes anvertraut sind (3, 1–2). Und die Treue Gottes zu Israel wird durch die Untreue der Juden nicht aufgehoben, sondern wenn der Jude gerichtet wird, so stellt sich nur heraus, daß Gott wahr ist und recht behält (3, 3–4). Aber wenn die Ungerechtigkeit, die gerichtet wird, *dem* dient, ist Gott dann mit seinem Gericht nicht ungerecht? Und wenn die Sünde nur Gott in seiner Gerechtigkeit verherrlicht werden läßt, wozu werde ich dann gerichtet? (3, 5–8). Der ganze Abschnitt 3, 1–8 enthält also ein Bündel von Nebengedanken, die Einwendungen gegen die paulinischen Thesen abwehren. 3, 9–20 endlich zieht die Summe aus dem im Ganzen Gesagten und läßt wieder deutlich erkennen, worum es dem Apostel geht, nämlich darzulegen, daß alle Menschen unter der Herrschaft der Sünde stehen und der ganze Kosmos vor Gott schuldig ist.

c) 2, 1–11 Der Maßstab des göttlichen Gerichtes

1 Darum hast du keine Entschuldigung, o Mensch, der du richtest, wer du auch sein magst. Denn worin du andere richtest, verurteilst du dich selber. 2 Wir wissen aber, daß Gottes Gericht der Wahrheit gemäß über die ergeht, die derartiges tun. 3 Meinst du etwa, o Mensch, der da richtet, die derlei Dinge tun, und tust dabei dasselbe, du werdest dem Gericht Gottes entrinnen? 4 Oder verachtest du den Reichtum seiner Güte, Geduld und Langmut und weißt nicht, daß Gottes Güte dich zur Umkehr treiben will? 5 Mit deiner Härte und in deinem Herzen, das nicht umkehren will, sammelst du dir selbst Zorn an auf den Tag des Zornes und der Offenbarung des gerechten Gerichtes Gottes. 6 Er wird einem jeden vergelten nach seinen Werken: 7 denen, die in der Geduld eines guten Werkes nach Herrlichkeit, Ehre und Unvergänglichkeit streben, ewiges Leben; 8 denen

*aber, die aus Eigensucht sich der Wahrheit widersetzen, der Ungerechtig-
keit aber gehorchen, Zorn und Grimm. 9 Bedrängnis und Angst über jede
Menschenseele, die das Böse tut, den Juden zuerst und auch den Griechen,
10 Herrlichkeit aber und Ehre und Frieden über jeden, der das Gute tut,
den Juden zuerst und auch den Griechen. 11 Denn bei Gott gibt es kein
Ansehen der Person.*

V 1 Paulus wendet sich im Diatribenstil dialogisch an einen fiktiven und
typischen Gesprächspartner. Mit einem etwas künstlichen Übergang und
einem abgeschliffenen διό[1] redet er ihn mit ὦ ἄνθρωπε an und erklärt ihm:
ἀναπολόγητος εἶ. Es verrät sofort, was weiterhin der Grundtenor der folgenden Aussagen ist: die Schuld der Menschen, die keine Entschuldigung haben[2].
Aber wer ist der Unentschuldbare? Πᾶς ὁ κρίνων. Das klingt zunächst etwas
rätselhaft. Κρίνειν ist „aburteilen", „verurteilen", „richten" wie 14,3f.10.
13(:14a).22; 1 Kor 4,5; 10,29; Kol 2,16. Angesprochen ist also einer, der
(andere) verurteilt. Und angesprochen ist πᾶς ὁ κρίνων. Das πᾶς zeigt, daß
gemeint ist: ὅστις ἂν ᾖ, wer du auch seist, also jeder Mensch, der sich zum
Richter über andere aufspielt. Mehr sagt Paulus zunächst nicht. Daß er den
Juden als Typos meint, erhellt sich erst allmählich. Nach Chrysostomus und
Theodoret denkt Paulus an weltliche Obrigkeiten und Richter, nach Origenes,
was sehr bezeichnend ist, an Bischöfe, Presbyter und Diakone. Der heutigen
Exegese ist es ziemlich einhellig klar[3], daß Paulus schon hier die Juden im
Auge hat, wie gesagt als Typos der neben den Heiden anderen Vertreter der
Menschheit. In 2,3ff wird der Jude unzweideutig charakterisiert, in V 9f
fällt sein Name zusammen mit dem der Griechen, in V 17ff wird er direkt angesprochen. Er übt das κρίνειν gegenüber dem Heiden aus. Er übt es leidenschaftlich aus, und man möchte sagen, teils mit einer gewissen Naivität, teils
mit großer Bewußtheit. Es ist die Naivität des an sich verhafteten Frommen,
etwa so wie der Verfasser von 4 Esr, der im Schmerz über das Geschick Israels
aufbegehrt und z. B. 3,22ff sagt: „Hat dich ein anderes Volk erkannt außer
Israel? Oder welche Stämme haben so deinen Bündnissen geglaubt wie die
Jakobs, deren Lohn nicht erschienen, deren Mühsal keine Frucht getragen?
Denn ich habe die Völker hin und her durchwandert und sie im Glück gesehen, obwohl sie deine Gebote vergessen haben. Nun aber wäge unsere
Sünden und die der Weltbewohner auf der Waage, daß sich zeige, wohin der

---

[1] Vgl. LIETZMANN, MICHEL, MOLLAND u. a. BULTMANN, Glossen, 200 meint, V 1 sei eine
frühe Randglosse, die ursprünglich die Konsequenz aus V 3 zog, dann aber an den Anfang
geriet. Das ist an sich möglich, aber außer einer besseren Ordnung, die man bei Paulus ja
nicht immer voraussetzen darf, gibt es keine Begründung dafür. KÄSEMANN stimmt BULT-
MANN zu.

[2] Niemand kann nach Paulus wie Weish 15,2 sprechen: καὶ γὰρ ἐὰν ἁμάρτωμεν, σοί
ἐσμεν, εἰδότες σου τὸ κράτος· οὐχ ἁμαρτησόμεθα δέ, εἰδότες, ὅτι σοὶ λελογίσμεθα κτλ.

[3] SANDAY-HEADLAM, LAGRANGE, LIETZMANN, DODD, ALTHAUS, NYGREN, HUBY, MICHEL,
KUSS u. a. Dagegen ZAHN, KÜHL, SCHLATTER, BARRETT, BRUCE, H. W. SCHMIDT, die die
Heiden nicht ausschließen, was in gewissem Sinn richtig ist. Zum Ganzen H. SCHLIER, Von
den Juden: Röm 2,1–29, in: Die Zeit der Kirche, 38–47.

Ausschlag des Balkens neige. Oder wann hätten die Bewohner der Welt nicht vor dir gesündigt, oder welches Geschlecht hätte so deine Gebote erfüllt? Einzelne zwar, mit Namen zu nennen, wirst du wohl finden, die deine Gebote halten, aber Völker findest du nicht." Und wer sollte dem Juden nicht recht geben? Aber nicht darum geht es Paulus bei πᾶς ὁ κρίνων, ob er mit seinem Urteil recht hat, sondern darum, daß solches Urteil nur möglich ist, weil er, der Jude, unkritisch in bezug auf sich selbst ist und seiner eigenen Sünden vergißt und diese Vergeßlichkeit das Verurteilen des anderen ermöglicht. Aber, meint der Apostel, das κρίνειν des anderen richtet sich nur gegen den κρίνων selbst (V 1b). Ἐν ᾧ ist entweder ἐν τούτῳ ὅτι, „damit, daß" du den anderen richtest, verurteilst du dich selbst, oder – aber das ist weniger wahrscheinlich, denn es wird gleich mit anderen Worten gesagt – es ist soviel wie ἐν τούτῳ ἐν ᾧ (vgl. 8, 3), „worin…" Doch inwiefern spricht der κρίνων τὸν ἕτερον sein eigenes Urteil und hat – darauf kommt es im Zusammenhang an – keine Entschuldigung? Insofern als gilt: „Denn du, der Verurteilende, tust dieselben Dinge" (V 1c). „Dieselben", τὰ αὐτά im Sinn von τὰ τοιαῦτα (VV 2.3), „solche Dinge". Eine Entschuldigung könnte es für ihn nur dann geben, wenn das Urteil Gottes parteiisch und ungerecht wäre.

V 2 „Aber wir wissen, daß das Urteil Gottes der Wahrheit gemäß über die, welche derlei tun, gefällt wird." Κατὰ ἀλήθειαν meint einmal: den Taten entsprechend und nicht im Ansehen der Person (vgl. 2, 11), und zweitens: es ergeht so, daß die Wahrheit, d. h. der Anspruch des Gerechten der Schöpfung, sich realisiert. Dieses „Wissen" – „das wissen wir" – ist das Wissen des Juden, der es mit großer Gewißheit sagt. So Rabbi Akiba nach Pirke Aboth 3, 16: „Das Gericht ist ein Gericht nach Wahrheit… Er richtet alles nach Wahrheit und Gerechtigkeit."[4] Oder 4 Esr 7, 34: „Mein Gericht allein wird bleiben, die Wahrheit bestehen, der Glaube triumphieren, der Lohn folgt nach, die Vergeltung erscheint…" Auch syrBar 85, 9: „Bevor nun das Gericht das Seine fordert und die Wahrheit das, was ihr zukommt, wollen wir uns vorbereiten…" Oder 1 QS IV 19f: „Zur bestimmten Zeit der Heimsuchung wird hervorgehen für immer die Wahrheit der Welt. Denn sie wälzte sich auf den Wegen der Gottlosigkeit unter der Herrschaft des Frevels bis zum Zeitpunkt des bestimmten Gerichts. Und dann wird Gott durch seine Wahrheit alle Werke des Menschen läutern…" Damask XX 28ff: „Wir haben gottlos gehandelt, wir und unsere Väter, da wir entgegen den Satzungen des Bundes gewandelt sind. Gerechtigkeit und Wahrheit sind deine Gerichte über uns." Vgl. 1QS X 20; 1QH I 26f, IV 19f, VI 9ff, IX 9f u. a. m. Doch wie kommt es, daß der moralische Kritiker den Unernst seiner Position nicht sieht und den Zwiespalt zwischen seinem moralischen Urteil und seinem Handeln nicht empfindet? In den beiden Fragen VV 3 und 4 deckt Paulus es auf.

V 3 Der κρίνων meint dem Gericht Gottes entgehen zu können. Λογίζεσθαι ist hier „meinen", „annehmen", „sich einbilden" u. ä. (vgl. 3, 28; 8, 18; Phil

---

[4] Strack-Billerbeck III 76.

3, 13 u. a.). „Mit λογίζεσθαι … hier ‚sich einbilden‘ … setzt der Angriff ein"
(Käsemann). Noch einmal heißt es allgemein: ὦ ἄνθρωπε ὁ κρίνων, und noch
also fällt der Name des Repräsentanten solchen κρίνειν nicht. Es wird nur
seine Heuchelei erwähnt: daß er nämlich ebendies tut (αὐτά) wie der, den er
verurteilt. Und es wird seine heimliche Selbsttäuschung als Grund angeführt.
Das σύ ist betont. Zu ἐκφεύγειν vom zukünftigen oder gegenwärtigen Gericht
Gottes bzw. seinen Plagen vgl. Lk 21, 36; 1 Thess 5, 3; Hebr 2, 3; 12, 25. In der
Tat träumt der κρίνων vom Entrinnen, jedenfalls in dem Sinn, daß die Privilegien Israels ihn schließlich retten werden. bSanh 10, 1: „Ganz Israel hat teil
an der zukünftigen Welt", kann auch im Sinn der Selbstsicherheit des einzelnen
verstanden werden. Und schließlich: von irgendeiner Ausnahme, die ihn vor
Gottes Gericht sichert, träumt jeder, der sich zum Richter über andere erhebt.
Es braucht ihm gar nicht bewußt zu werden.

V 4 Es gibt aber noch andere Gründe für den Zwiespalt zwischen dem Urteil über die anderen und dem eigenen Tun. Wir könnten sagen: das Mißverständnis über die Frist, die Gottes Geduld dem Menschen gewährt. Im einzelnen heißt das, daß der, von dem Paulus redet, Gottes χρηστότης, seine
Milde, Güte, Freundlichkeit, verachtet. Zu χρηστότης vgl. Ps 30, 20; Weish
12, 1; 15, 1 (?); Röm 11, 22, wo der Gegensatz Gottes ἀποτομία ist, Tit 3, 4,
wo χρηστότης neben φιλανθρωπία steht. Er verachtet Gottes ἀνοχή, das An-
und Zurückhalten seines Zornes (vgl. 3, 26, wo von dieser ἀνοχή als einer Zeit
die Rede ist)[5]. Er verachtet endlich auch Gottes μακροθυμία, seine Langmut
oder Großmut, sein geduldiges Ertragen u. ä. Von Gott wird sie noch 9, 22;
1 Petr 3, 20; 2 Petr 3, 15 erwähnt. Und er verachtet diese Weise und dieses Wesen Gottes in seinem Reichtum. Alle drei Substantive sind in hellenistischer
Genitivverbindung abhängig von τοῦ πλούτου, wie Paulus auch sonst (9, 23;
Eph 3, 16) von τὸ πλοῦτος τῆς δόξης αὐτοῦ oder (Eph 1, 7; 2, 7) von πλοῦτος
τῆς χάριτος αὐτοῦ spricht. Paulus hat πλοῦτος gewiß als umfassenden eschatologischen Terminus bereits in hellenistisch-jüdischem Sprachgebrauch vorgefunden[6]. Gott ist in allem reich. Er ist Fülle. Anzunehmen, daß Gott reich
an Güte, Geduld und Langmut ist, ist gewiß nicht unrecht. Und wenn es der
κρίνων tut, so denkt er richtig von Gott. Aber gleichwohl denkt er nicht recht
von diesem reichen Gott. Er weiß ja nicht und will nicht wissen, daß die Güte
oder Milde Gottes – τὸ χρηστόν ist ἡ χρηστότης[7] – auch und gerade zur Umkehr führen will. Ἄγει ist praes. de conatu[8]. Er übersieht also ihren eigentlichen Sinn. Μετάνοια (vom hebr. שׁוּב) kommt nur hier und 2 Kor 7, 9.10 bei

---

[5] Vgl. syrBar 21, 20, wo von solchen die Rede ist, für die Gottes Langmut Schwäche ist.
Vgl. 48, 29; auch 59, 16, wo Gott Moses u. a. zeigt „das Zurückhalten des Zornes und das
große Maß von Langmut und die Tatsache des Gerichts und die Wurzel der Weisheit und
den Reichtum der Einsicht und den Quell der Erkenntnis …" Vgl. auch SCHLIER in:
ThWb I 361 und STÄHLIN, ebd. V 433.
[6] R. RAHNENFÜHRER, Das Testament des Hiob und das NT, in: ZNW 62 (1971) 74
Anm. 21.
[7] WEISS in: ThWb IX 473ff.
[8] BAUER WB 1014.

Paulus vor, neben μετανοεῖν (2 Kor 12, 21). Es ist eine Wechselbeziehung: Wer nicht weiß (oder nicht wissen will), daß Gottes Güte und Langmut, das An-sich-Halten seines Zornes, ständiger Ruf zur Umkehr ist, wird sie geringschätzen. Und umgekehrt: Wer sie geringschätzt, wer sie „verachtet" und blind ist für die Güte Gottes, die alle Tage neu ist, wird nicht begreifen, daß die Zeit und das Leben Frist zur Umkehr sind. Aus solchem Grundverständnis kommt das κρίνειν τὸν ἕτερον und die überraschende Milde gegen sich selbst, die das eigene τοιαῦτα πράσσειν übersieht. Aber solches Selbstverständnis des moralischen Kritikers, der sich einbildet, für seine Person dem Gericht Gottes zu entgehen, und der die *Gnaden*frist des Lebens mißversteht, ist reine Illusion, ist eine böse Illusion, die meint, Gott, das Recht, die Wahrheit auf alle Fälle auf seiner Seite zu haben. Das hat auch das Judentum gelegentlich schon erkannt, wie z. B. Sir 5, 4 ff zeigt: „Sag nicht: Ich habe gesündigt, und was geschah mir? Denn der Herr ist langmütig. In bezug auf Sühne sei nicht ohne Bangen, derart, daß du Sünden auf Sünden häufen würdest. Und sag nicht: Sein Erbarmen ist groß, meine vielen Sünden wird er mir vergeben. Denn zugleich mit ihm läuft sein Zorn, und auf den Sünden ruht sein Grimm. Zögere nicht, dich an den Herrn zu wenden, und schieb es nicht auf von Tag zu Tag. Denn plötzlich wird der Zorn des Herrn hervorbrechen, und zur Zeit der Vergeltung wirst du umkommen." Vgl. auch Weish 11, 23. Aber es ist auch nach Paulus nicht so, daß die gütige Geduld Gottes die Sünden des κρίνων übersieht und ihn ebendeshalb in bezug auf das κρίνειν τὸν ἕτερον rechtfertigt, sondern die Zeit der Geduld Gottes ist für den, der sie nicht zur Umkehr benutzt, die Zeit, in der sich der Zorn Gottes zum Ausbruch über ihn sammelt. Das hebt Paulus in den VV 5 und 6 scharf hervor. Es sind Sätze der Anklage, Ironie und Drohung.

V 5 Es ist der alte prophetische Vorwurf der Verhärtung Israels, der hier wieder laut wird (vgl. Dt 9, 27; 31, 27)[9]. Hinter der Verkennung und Verachtung der Güte Gottes, die Zeit zur Umkehr gewährt, und hinter der Weigerung des κρίνων, selbst umzukehren, dabei in hartem Urteil Umkehr von dem anderen zu fordern, wird „der harte Nacken" Israels[10] erkennbar, der sich nicht beugen will – hart gegen Gott und deshalb hart gegen den Nächsten, aber ach so empfindsam gegen sich selbst. Es ist die σκληροκαρδία von Dt 10, 16; Jer 4, 4 (Sir 16, 10); TestSim 6, 2; Mk 10, 5; 16, 14; Mt 19, 8 und die ἀμετανόητος καρδία, das Herz, das nicht zur Umkehr zu bewegen ist, das sich selbst aber für „bekehrt" hält. Aber wenn Gott Geduld mit ihm hat, wenn er ihm gegenüber in seinem Zorn an sich hält und er meint, das Richten des anderen fände Gottes Zustimmung, so täuscht er sich. Denn unterdessen sammelt sich in dieser Gnadenfrist „ein Schatz von Zorn", wie der paradoxe Ausdruck lautet, wenn man θησαυρίζειν prägnant nehmen darf[11]. Vielleicht meint es aber auch

---

[9] Vgl. auch BEHM in: ThWb IV 1004: Beispiele aus Qumran.
[10] Vgl. Apg 7, 51 (Dt 9, 13): σκληροτράχηλος.
[11] Sonst wird etwa von einem Schatz von guten Werken gesprochen, die bei Gott aufgesammelt sind, z. B. syrBar 14, 12. Vgl. STRACK-BILLERBECK I 429 ff; STÄHLIN in: ThWb V 439.

nur „versammeln", „anhäufen" wie z. B. Spr 1, 18 (κακά). Der Zorn Gottes wächst im Verborgenen. Um so schrecklicher tritt er zutage ἐν ἡμέρᾳ ὀργῆς [12]. Gemeint ist die ἡμέρα κυρίου ἀνίατος θυμοῦ καὶ ὀργῆς von Is 13, 6.9 u. ö.; Jer 1, 15.18; 2, 9 u. a.

V 6 Es ist das auch sonst bei Paulus erwähnte eschatologische Zorngericht (2, 8; 4, 15; 9, 22; 12, 10), das eine ἀποκάλυψις δικαιοκρισίας bringt. „Erst mit der Manifestation der δικαιοκρισία durchbricht eschatologische Klarheit das Zwielicht des Verhängnisses" (Käsemann) [13]. Die Gerechtigkeit des gerechten Gottes bricht dann aus, und sie wird auch den moralischen Kritiker samt seinen Illusionen erreichen. Denn es wird so sein, wie schon der Psalmist in Ps 62, 13 verkündete [14]. Das Kriterium werden für Gott in seinem Zorngericht „die Werke" sein. Weder das κρίνειν noch das, worauf der κρίνων mißverstehend vertraut, nämlich daß Gottes Güte ihn verschone, weil er als Glied des Volkes Israel zu ihm gehört, wird das göttliche Kriterium der ἔργα außer Kraft setzen. Diese sind an sich von den „Leistungen" nach jüdischem Verständnis unterschieden [15]. In den ἔργα vollendet sich jeweils die menschliche Existenz, so daß diese letztlich von daher zu beurteilen ist. Vgl. noch 1 Kor 3, 13ff; 2 Kor 5, 10; 11, 15; Gal 6, 7ff. Um das zu unterstreichen und der Aussage Gewicht zu geben, wird das Schriftwort, in dem Paulus die These formuliert hat, zweifach in einem Parallelismus, chiastisch und antithetisch, durch μέν und δέ eingeleitet, ausgebreitet (VV 7–8 und 9–10) und dann noch einmal kurz abschließend begründet.

V 7 Die ἔργα, die ζωὴν αἰώνιον als Lohn empfangen, sind die Werke derer, die in der Geduld eines guten Werkes δόξαν καὶ τιμὴν καὶ ἀφθαρσίαν suchen. Es sind also die Werke, in denen das ζητεῖν von eschatologischen Gütern wirksam ist. Δόξα als eschatologisches Heilsgut findet sich auch 5, 2; 8, 18.21; Eph 1, 6; Phil 3, 21; Kol 3, 4; 1 Thess 2, 12; 2 Thess 2, 14. Zu τιμή in diesem Sinn vgl. 1 Petr 1, 7; Apk 4, 9 und zu ἀφθαρσία Weish 2, 23; 1 Kor 15, 42.53.54. Zu ζητεῖν vgl. 1 Kor 7, 27b; 2 Kor 12, 14; Kol 3, 1: τὰ ἄνω ζητεῖν. Die erwähnten Heilsgüter sind etwas formelhaft ähnlich den Doxologien zusammengestellt (vgl. 1 Tim 1, 13; 1 Petr 1, 7; Apk 4, 9). Paulus gerät, wie so oft, gegen Ende seiner Ausführungen in rhythmischen Duktus (vgl. Röm 8, 31ff; 11, 33ff). Man achte auch auf den Chiasmus, die Prädikatslosigkeit und den Abschluß durch eine Art Sentenz in V 11. Noch eine zweite Charakterisierung derer, die „das ewige Leben" in Gottes Gericht empfangen, wird genannt: sie suchen die Heilsgüter καθ᾽ ὑπομονὴν ἀγαθοῦ ἔργου, also so, daß sie in Geduld das gute

---

[12] Ἐν ist hier wie sonst in der Koine = εἰς (= „für").

[13] Zu δικαιοκρισία vgl. Os 6, 5 (LXX); TestLev 3, 2; 15, 2; auch 2 Thess 1, 5 v. l.

[14] ψ 61, 13 (LXX): ὅτι τὸ κράτος τοῦ θεοῦ, καὶ σοί, κύριε, τὸ ἔλεος, ὅτι σὺ ἀποδώσεις ἑκάστῳ κατὰ τὰ ἔργα αὐτοῦ. Vgl. Spr 24, 12.

[15] KÄSEMANN spricht in diesem Zusammenhang davon, daß der Gerichtsgedanke *nicht* von dem Rechtfertigungsgedanken zu *trennen*, aber diesem auch nicht *überzuordnen* ist. Von daher wendet er sich u. a. mit Recht gegen das Verständnis unserer Sätze als hypothetischer, wie es z. B. LIETZMANN und SICKENBERGER verstehen.

Werk verrichten. 2 Kor 1, 6 ist von der ὑπομονὴ τῶν παθημάτων, von der Geduld im Leiden, 1 Thess 1, 3 von der ὑπομονὴ ἐλπίδος, von der Geduld in der
Hoffnung, die Rede. Entsprechend wird hier nicht gemeint sein: ausdauernd
gute Werke tun, sondern es wird von dem geduldigen, guten Werk, von dem
guten Werk, in dem die Geduld, die ja ein Zeichen und ein Ausweis der Hoffnung ist (vgl. Röm 5, 4), wirksam ist, gesprochen. Diejenigen, die auf die eschatologischen Güter in der Weise ausgerichtet sind und nach ihnen Verlangen
tragen, daß sie in Geduld, in der ja der Mensch hoffend von sich absieht, im
Gutestun verweilen, empfangen ζωὴν αἰώνιον, das im guten Werk Erstrebte.

V 8 Der Gegensatz wird nun zur Sprache gebracht. Auch er zeigt indirekt,
welches ein gutes Werk ist. Die Konstruktion wird verlassen. Zu ergänzen ist
ἔσται. Τοῖς δὲ ἐξ ἐριθείας meint diejenigen, welche von der ἐριθεία herkommen und von ihr bestimmt werden. Dabei ist ἐριθεία hier nicht wie
2 Kor 12, 20; Gal 5, 20; Phil 1, 17; 2, 3 „Streitsucht" (Lietzmann, Sickenberger), sondern allgemeiner „Selbstsucht" oder auch „Lohnsucht" (Althaus)[16], vielleicht aber auch Geltungsdrang. Das würde zur ὑπομονή und
zum ζητεῖν τὴν δόξαν ein passender Gegensatz sein. Die Lohn- oder Selbst-
süchtigen sind auch die ἀπειθοῦντες τῇ ἀληθείᾳ, πειθόμενοι δὲ τῇ ἀδικίᾳ.
Man erinnert sich an die Charakterisierung der Heiden in 1, 18, jedenfalls
sofern ἀλήθεια und ἀδικία einander entgegengesetzt sind, hier als die beiden Mächte, denen man sich unterwerfen oder nicht unterwerfen kann.
Die ἀλήθεια ist auch hier die unverstellte Wirklichkeit der Schöpfung,
sofern sie im Namen des Schöpfers Anspruch auf Gehorsam erhebt, welcher aber von den κρίνοντες, die dasselbe wie die Heiden tun, nicht getan wird.
Ἀπειθεῖν findet sich im Verhältnis zu Gott bei Paulus nur noch 10, 21 im Zitat, wo Israel λαὸς ἀπειθῶν καὶ ἀντιλέγων genannt wird, sonst häufig vom Ungehorsam gegen das Evangelium (11, 30ff; 15, 31; Eph 2, 2; 5, 6; vgl. auch den
Gegensatz πείθεσθαι τῇ ἀληθείᾳ Gal 5, 7: dem Evangelium, d. h. der in ihm
zu Wort kommenden Wahrheit, gehorchen). Paulus gebraucht also, wo es sich
um das τοιαῦτα πράσσειν der κρίνοντες handelt, Begriffe, die er sowohl zum
Anspruch des Evangeliums wie für das Verhältnis zum Schöpfungsanspruch
verwendet, ein Zeichen dafür, wie er das Moralische im Lichte des Evangeliums
und der Geschöpflichkeit sieht. Das κακὸν ἐργάζεσθαι, von dem V 8 spricht,
ist ἀδικία, sofern es den Anspruch der gültigen Wirklichkeit nicht hört, und
zwar gebannt durch die Selbst- oder Lohnsucht. Das ἐργάζεσθαι τὸ ἀγαθόν
(V 10) wäre danach das selbstlose, auf den Empfang der eschatologischen
Heilsgüter ausgerichtete und in diesem Sinn geduldige der geschöpflichen
Wirklichkeit Gehorchen. Man sieht: das Werk, nach dem einem jeden vergolten wird, ist nicht einfach das moralisch gute oder schlechte Handeln, sondern ist tiefer zu verstehen. Was aber wird den Lohnsüchtigen und der Wahrheit Ungehorsamen zuteil werden? Ὀργὴ καὶ θυμός, wie hier das zukünftige
Zorngericht Gottes plerophorisch umschrieben wird. Θυμός ist „Grimm",

---

[16] Behm in: ThWb II 657f: von ἐριθεύειν = „Lohnarbeiter sein", „sich wie ein Lohnarbeiter benehmen".

„Wut" u. ä. Erst in der LXX ist es mit ὀργή verbunden, und zwar meist so: θυμὸς τῆς ὀργῆς (Ex 32,12; Nm 12,9; 14,34; 25,4; 32,14; Dt 13,17; Is 7,4; 9,19; 42,25; Jer 4,26; 37,24 u. a.), selten wie Dt 29,24; Sir 36,6: ἔγειρον θυμὸν καὶ ἔκχεον ὀργήν (45, 18; Jer 7,20). In Ps 29, 6 heißt es: ὀργὴ ἐν τῷ θυμῷ αὐτοῦ. Im NT findet sich diese Kombination zur Bezeichnung des göttlichen Gerichtszornes nur noch zweimal, und zwar Apk 16,19; 19,15, aber auch 1 Clem 50,4. Es ist wohl eine jüdisch-apokalyptische Formulierung. In den VV 9 und 10 wird die Gesamtaussage der VV 7 und 8, die das Sätzchen V 6 entfaltet, noch einmal, diesmal in umgekehrter Reihenfolge, von Lohn und Strafe wiederholt. Es soll proklamiert und eingeprägt werden, was hier zu sagen ist. Dazu dient auch der Chiasmus.

V 9 Das göttliche Zorngericht wird jetzt mit θλῖψις καὶ στενοχωρία hinsichtlich seiner Auswirkung an den Menschen beschrieben. Die beiden Begriffe, die sich in der LXX Dt 28, 53.55.57; Is 8, 28; 30, 6, aber auch im Hellenistischen, z. B. Artem. 1, 68.82; 2, 3 u. ö.; Epict., Diss. 1, 25.26, finden[17] und die Angst erregende, atemberaubende Bedrängnis meinen, kehren 8, 35 als Widerfahrnisse in der Welt, d. h. in der eschatologischen Zeit, wieder (vgl. auch 2 Kor 4, 8; 6, 4). Θλῖψις[18] allein im Sinn der Bedrängnis ist bei Paulus ein diese Weltzeit, die vor dem Ende steht, häufig charakterisierendes Wort (vgl. 5, 3; 12, 12; 1 Kor 7, 28; 2 Kor 1, 8 [von einer einzelnen Bedrängnis, die Paulus an den Rand des Todes brachte]; 2, 4 u. a.; Eph 3, 13; Phil 1, 17; 4, 14; Kol 1, 24; 1 Thess 1, 6; 3, 3.7; 2 Thess 1, 4). Nur 2 Thess 1, 6 erscheint sie als das, was Gott im Gericht den Menschen bereitet. Ähnliches ist von στενοχωρία zu sagen, das freilich bei Paulus seltener ist. Es steigert das mit θλῖψις Gemeinte, wie 2 Kor 4, 8 die Verben zeigen. Es heißt „Enge", „Angst", z. B. 1 Makk 2, 53; 3 Makk 2, 10; auch 1 Hen 98, 10. Bedrängnis und Nicht-mehr-Atem-holen-Können ergreifen als Zorngericht Gottes „jeden Menschen"[19], „der Böses tut" (vgl. 13, 10). Sie treffen jeden einzelnen Täter und alle ohne Ausnahme, d. h. „Juden zuerst und auch Griechen". Der Ἰουδαῖος hat ja die λόγια τοῦ θεοῦ (3, 2) anvertraut bekommen und steht als von Gott als einziger unter den Menschen Gerufener unter größerer Verantwortung als alle anderen Völker. Natürlich werden nicht andere Maßstäbe ihm gegenüber bei dem Gericht Gottes angelegt. So kann es entsprechend im Blick auf die Gabe des Heils ebenso heißen: „dem Juden zuerst und dann dem Griechen" – *V 10.* Wieder werden die eschatologischen Güter wie in 2, 7 mit δόξα und τιμή bezeichnet. Diesmal als das, was den Gutes Tuenden zuteil wird, nachdem sie es „in der Geduld eines guten Werkes" erstrebt haben. Als dritte Heilsgabe wird jetzt εἰρήνη genannt. Nur hier kommt sie als Gabe des Gerichtes vor. Jetzt steht für den Empfänger der Dativ: παντὶ τῷ ἐργαζομένῳ τὸ ἀγαθόν.

---

[17] Bertram in: ThWb VII 604ff.
[18] Vgl. Lagrange; Schlier in: ThWb III 139ff.
[19] Πᾶσα ψυχὴ ἀνθρώπου ist semitische Formulierung und meint jeden einzelnen Menschen.

V 11 Es folgt der Schlußstrich, der zugleich die δικαιοκρισία τοῦ θεοῦ erläutert und dem κρίνων τὸν ἕτερον, dem Juden als Typos, der doch dasselbe tut wie der Heide, die letzte Illusion nimmt. Zu προσωπολημψία, das als Substantiv erst bei Paulus vorkommt, aber im Zusammenhang mit Haustafeln auf vorpaulinische Tradition verweist [20], vgl. Eph 6, 9; Kol 3, 25; Jak 2, 1; Polyk 6, 1 [21]. Das Verb προσωπολημπτεῖν findet sich Jak 2, 9 und meint „die Person ansehen" im Sinn der parteiischen Parteinahme. Es ist von πρόσωπον λαμβάνειν gebildet, womit die LXX נָשָׂא פָנִים übersetzt (vgl. Sir 4, 22; 35, 13f; 1 Esr 4, 39). Im NT kommt es Lk 20, 21 und Gal 2, 6 im Sinn eines parteiischen Verhaltens vor. Die Stellen, die davon reden, daß Gott in seinem Gericht die Person nicht ansieht, also Röm 2, 11; Eph 6, 9; Kol 3, 25; Jak 2, 1; Polyk 6, 1, des weiteren bei seinem Handeln überhaupt (Apg 10, 34; Gal 2, 6), zeigen, daß Paulus dem κρίνειν τὸν ἕτερον zuletzt mit einem traditionellen Argument begegnet, das bis in das AT zurückreicht (Gn 30, 6; Dt 1, 17; 2 Chr 1, 10), mit einem Satz also, der theoretisch auch für den Juden unbestritten ist [22].

V 11 schließt, wie gesagt, 2, 1–10 ab. Aber es dient auch dazu, die folgenden Ausführungen einzuleiten, deren Sinn im Zusammenhang der ist, in einer kleinen Abschweifung und Rückkehr zur Reflexion über die Heiden deutlich zu machen, daß solches gerechte Gericht Gottes, das über jeden Menschen ergeht, auch möglich ist, da auch der Heide in einem bestimmten Sinn um Gottes Forderungen weiß. Jetzt geht es also nicht mehr darum, daß auch der Heide gerichtet wird, sondern – in einem leisen Übergang, der im Begriff ἀνόμως deutlich wird – darum, daß auch der Heide gerichtet werden kann. Indirekt bestätigt das die These, 1) daß das Gericht nur nach Werken geschieht und ohne Ansehen der Person und 2) daß alle, Juden und Heiden, Heiden und Juden, gerichtet werden. In 2, 17ff kehrt Paulus – und deshalb erweist sich 2, 12–16 in gewissem Sinn als Parenthese – zum Juden zurück, um ihm unter immer neuem Gesichtspunkt die Hauptthese des Kapitels entgegenzuhalten.

d) 2, 12–16 Das ins Herz geschriebene Gesetz der Heiden

12 Denn alle, die ohne Gesetz sündigten, werden auch ohne Gesetz zugrunde gehen, und alle, die unter dem Gesetz sündigten, werden durch das Gesetz gerichtet werden. 13 Denn nicht die Hörer des Gesetzes sind vor Gott ge-

---

[20] Lohse in: ThWb VI 780.

[21] Προσωπολήμπτης von Gott, Apg 10, 34.

[22] Aufschlußreich ist Jub 5, 15ff: „Was alle betrifft, den Großen richtet er gemäß seiner Größe und auch den Kleinen gemäß seiner Kleinheit, und jeden einzelnen gemäß seinem Wandel. Und er ist nicht einer, der die Person ansieht, und er ist nicht einer, der Geschenke nimmt, wenn er sagt: Ich will über jeden einzelnen Gericht halten. Wenn einer alles gibt, was auf der Erde ist, so nimmt er kein Geschenk und sieht die Person nicht an, und nichts nimmt er aus seiner Hand an. Denn er ist ein gerechter Richter." Vgl. 33, 18; syrBar 44, 4; auch TestHiob 43, 13: „Gerecht ist der Herr, und wahr sind seine Urteilssprüche. Bei ihm gibt es kein Ansehen der Person; er richtet alle." Vgl. E. Lohse in: ThWb VI 780.

*recht, sondern die Täter des Gesetzes werden gerechtgesprochen werden.
14 Wenn also Heiden, die das Gesetz nicht haben, von sich aus tun, was das
Gesetz will, sind sie, die das Gesetz nicht haben, sich selbst Gesetz. 15 Sie erweisen, daß das vom Gesetz geforderte Werk in ihre Herzen geschrieben ist,
wobei ihr Gewissen Zeugnis ablegt und ihre Gedanken sich gegenseitig ver-
klagen oder auch verteidigen – 16 an dem Tage, da Gott das Verborgene des
Menschen richten wird, nach meinem Evangelium.*

Zunächst macht Paulus in den VV 12f zwei grundsätzliche Aussagen: Alle
werden gerichtet, und nicht die Hörer, sondern die Täter des Gesetzes werden gerechtfertigt werden. Dabei werden in *V 12* wieder Heiden[1] und Juden
ins Auge gefaßt und der Satz von V 11 nochmals erläutert, jetzt in anderer
Weise als vorher. Daß diejenigen, οἵτινες ἀνόμως ἥμαρτον, zuerst und dann
allein genannt werden, daß also für Paulus wieder die Heiden vor Augen rük-
ken, deren Name dann in V 14 fällt, zeigt, daß er sich in gewissem Sinn über
2, 1–11 hinaus wieder zu denen zurückwendet, die ihn in 1, 18–32 beschäftig-
ten. Daß sie sündigen, wird wieder vorausgesetzt, wenn auch nicht mehr klar-
gemacht wird, inwiefern man das sagen kann. Sie sündigen ἀνόμως, was konkret „ohne Tora" meint, ohne das geschriebene und Israel übergebene Gesetz. So sind sie ja auch 1 Kor 9, 20f ἄνομοι genannt. Die Juden sind ihnen
gegenüber ὑπὸ νόμον (Gal 3, 23; 4, 4f. 21; 5, 18; Röm 6, 14) oder ἐκ νόμου
(4, 14.16 [Gal 3, 18]) oder wie hier und 3, 19 ἐν νόμῳ (vgl. Phil 3, 6). Sie
unterstehen dem Gesetz, verstehen und verhalten sich nach ihm, leben in seinem Machtbereich. Das Gesetz bestimmt sie als ihre Lebenssphäre. Gleichgültig aber, ob die einen kein Gesetz im Sinn der Tora haben oder ob der anderen Lebenskreis die Welt der Tora ist, beide werden das Gericht Gottes erfahren. Die einen so, daß sie, wenn sie sündigen, ohne Tora zugrunde gehen,
die anderen so, daß sie „durch die Tora gerichtet werden". Vielleicht differenziert Paulus terminologisch absichtlich so. Ἀπόλλυσθαι ist „verderben",
„zugrunde gehen", „untergehen" im absoluten Sinn wie 1 Kor 1, 18; 8, 11;
2 Kor 2, 15; 2 Thess 2, 10 u. a. Auch dieser absolute, zukünftige Untergang
ist natürlich ein Gericht Gottes im Sinn seiner endgültigen Strafentscheidung.
Aber es ist nicht ein κριθήσεσθαι im strengen Sinn, d. h. ein Gericht διὰ νόμου,
bei dem der νόμος als Kriterium für die Sünden eine Rolle spielt; so wie es
syrBar 48, 47 heißt: „Ob alledem bezichtigt sie (die Gottlosen) ihr Ende, und
dein Gesetz, das sie übertreten haben, straft sie an deinem Tage", oder 48, 27:
„Mein Gericht fordert das Seine, und mein Gesetz fordert sein Recht." Auch
Jub 5, 13: „Und das Gericht über alle ist angeordnet und auf die himmlischen
Tafeln geschrieben ohne Ungerechtigkeit, und über alle, die abweichen von
seinem Wege, der ihnen angeordnet ist, daß sie auf ihm wandeln." Die Juden

---

[1] R. WALKER, Die Heiden und das Gericht, in: EvTh 20 (1960) 302–314; O. KUSS, Die
Heiden und die Werke des Gesetzes (nach Röm 2, 14–16). Auslegung I 213–245; F. KUHN,
Römer 2, 14f und die Verheißung bei Jeremia 31, 31ff, in: ZNW 55 (1964) 243–261.

– ἐν νόμῳ – richtet der νόμος, der sie zum κρίνειν befähigt, den sie aber nicht tun. Untergang und Gericht werden also für die Gesetzlosen und die von und in dem Gesetz Lebenden die Zukunft sein.

V 13 Denn nun gilt der zweite, grundlegende Satz: Es kommt nicht auf das Hören, sondern auf das Tun des Gesetzes an. Die „Hörer", z. B. der sabbatlichen Vorlesung der Tora, oder auch die die Tora erforschenden Rabbinen und ihre Schüler sind als solche noch keine Täter. Paulus verwendet einen rabbinischen Grundsatz, wie er z. B. Pirke Aboth 1, 15 ausgesprochen wird: „Johannai (30 v. Chr.) pflegte zu sagen: ‚Mache dein Torastudium zu etwas Feststehendem, sprich wenig, aber tue viel.'" 3, 17: „Sein Sohn Simon pflegte zu sagen: ‚Ich wuchs unter den Weisen auf mein Leben lang und fand nichts Besseres unter den Menschen als Schweigen. Nicht das Forschen ist die Hauptsache, sondern das Tun'" (vgl. 3, 9)[2]. Also nicht solche Hörer sind δίκαιοι παρὰ θεῷ – παρά c. Dat. ist soviel wie ἐνώπιον θεοῦ oder ἐναντίον θεοῦ und weist auf die Gerichtssituation –, d. h. aber, sie werden nicht „gerechtfertigt" werden, sondern οἱ ποιηταὶ τοῦ νόμου δικαιωθήσονται. Zum erstenmal taucht δικαιοῦσθαι im Römerbrief auf. Nach dem Zusammenhang ist es ein Vorgang in der Gerichtssituation, und zwar der eschatologischen.

V 14 Nachdem Paulus so den Grundsatz des Gerichtes über die Heiden und Juden aufgestellt hat und die These der Gerechtsprechung allein der Täter des Gesetzes, kommt er darauf zu sprechen, warum auch auf die Heiden dieser Grundsatz angewendet werden kann. Gibt es denn dort, wo keine Tora ist, Verantwortung? Gilt nicht der Satz von 4, 15 und 5, 13 auch für sie? Gibt es denn auch für sie ein Tun des Gesetzes und überhaupt die Möglichkeit eines solchen Tuns? Sie haben doch nicht die Tora! Aber ist damit gesagt, daß sie überhaupt keine Forderung Gottes hören? Doch auch sie haben ein Gesetz Gottes und tun es unter Umständen. Ὅταν ist wohl „jedesmal wenn", „immer wenn", quando. Ἔθνη steht ohne Artikel. Also heißt der Satz: „immer, wenn Heiden tun". Es ist nicht an alle Heiden gedacht, aber es sind auch nicht nur einzelne Heiden hervorgehoben. Τὰ μὴ νόμον ἔχοντα zeigt deutlich, was mit ἀνόμως gemeint war. Aber haben Heiden auch nicht die Tora, so tun sie doch φύσει, was sie fordert. Φύσει ist hier „von selbst", „aus sich selbst" und in diesem Sinn „von Natur"[3]. Der Gegensatz wäre θέσει, eben durch den νόμος. Mit Recht plädiert Käsemann für „einen farblosen Gebrauch des φύσει" mit Hinweis auf

---

[2] STRACK-BILLERBECK III 84ff. Vgl. noch Jos. a XX 2,4: Rabbi Eleazar von Galiläa zum König Izahs (von Adiabene), als er ihn das Gesetz Mosis lesen sah: λανθάνεις ... ὦ βασιλεῦ τὰ μέγιστα τοὺς νόμους καὶ δι' αὐτῶν τὸν θεὸν ἀδικῶν. Οὐ γὰρ ἀναγινώσκειν σε δεῖ μόνον αὐτούς, ἀλλὰ καὶ πρότερον τὰ προστασσόμενα ποιεῖν ὑπ' αὐτῶν (die Beschneidung!). Man kann auch darauf hinweisen, daß der Begriff „Täter des Gesetzes" ein geläufiger jüdischer Ausdruck aus der Zeit der Chassidim ist. Vgl. 1 Makk 2,67: πάντας τοὺς ποιητὰς τοῦ νόμου; vgl. 13,48. Vor allem aber 1 QpHab 7,11; 8,1; 12,4f. Vgl. J. MAIER, Die Texte vom Roten Meer II 146. Im NT vgl. Jak 1,22f; 4,11. Nach Mt 23,3 würden die Pharisäer durch Röm 2,13 getroffen.
[3] Parallelen finden sich bei LIETZMANN; BORNKAMM, Gesetz; KLEINSCHMIDT in: ThWb IV 1025; POHLENZ, Stoa I 133 201ff, II 101.

den formalen Sinn von φύσει in Gal 2, 15; 4, 8; Eph 2, 3. Jedenfalls ist durch solche Formulierung die jüdische Vorstellung von „adamitischen" oder „noachitischen" Geboten und deren Erfüllung im einzelnen bei den Heiden ebenso abgewehrt wie ein „Naturrecht" in unserem Sinn. Τὰ τοῦ νόμου sind τὰ δικαιώματα τοῦ νόμου (2, 26), hier wohl bewußt allgemein formuliert und abgeschwächt. Die Heiden tun Dinge, wie sie das Gesetz fordert. Wenn also Heiden, die die Tora nicht haben, von selbst Dinge, wie sie die Tora fordert und die sie als solche nicht zu erkennen brauchen, tun, dann sind „diese" (und nicht etwa alle Heiden), und nun noch einmal: die die Tora nicht haben, sich selbst (ἑαυτοῖς) Tora. Heiden, die die Tora nicht haben, tun unter Umständen Dinge, die die Tora fordert, aus eigenem Antrieb, so daß sie auch Tora für andere werden. So wie das große Beispiel Abraham bei Philo, der seinen Traktat De Abrahamo folgendermaßen schließt: τοιοῦτος ὁ βίος τοῦ πρώτου καὶ ἀρχηγέτου τοῦ ἔθνους ἐστίν, ὡς μὲν ἔνιοι φήσουσιν, νόμιμος, ὡς δ᾽ ὁ παρ᾽ ἐμοῦ λόγος ἔδειξε, νόμος αὐτὸς ὢν καὶ θεσμὸς ἄγραφος (De Abr. 276)[4].

V 15   Dieses Sich-selbst-Gesetz-Sein der Heiden wird noch etwas erläutert und so vor Mißverständnissen bewahrt. Das φύσει... τὰ τοῦ νόμου ποιεῖν läßt sich als Wirkung und Zeichen verbleibender Geschöpflichkeit erklären. Οἵτινες ist wiederum leicht begründendes Relativum (vgl. 1, 25.32). Sie weisen auf, ἐνδείκνυνται (vgl. 9, 17.22; Eph 2, 7; Tit 2, 10 u. a.) im Präsens, also jetzt in ihrer Geschichte, und zwar in ihren Taten, τὸ ἔργον τοῦ νόμου, das vom Gesetz geforderte Werk, das sich in die ἔργα τοῦ νόμου entfaltet, als in ihre Herzen geschrieben. Sie haben also auch eine „Schrift" oder, vielleicht besser, eine „Inschrift", aber nun freilich nicht in einem Buch, sondern in ihrem Herzen[5]. „Sie haben etwas der γραφή Analoges und sind darauf ansprechbar wie die Juden auf die von ihnen empfangene Tora" (Käsemann). Auffallend ist in diesem Zusammenhang der Singular τὸ ἔργον τοῦ νόμου. Ist es, wie z. B. Lagrange, Schlatter, Asmussen u. a. annehmen, die jeweils vom Gesetz gemeinte konkrete Tat, oder ist es etwa *die* vom Gesetz geforderte Tat, nämlich die ἀγάπη (vgl. 13, 8 ff; Gal 5, 14)? Dann hätte der Heide die Summe des Gesetzes in sein Herz geschrieben. Man verweist für diese Formulierung vielfach auf Jer 31 (38), 33 LXX. Aber die Unterschiede zu 2, 15 machen diesen Bezug unwahrscheinlich: der Singular, der Bezug auf das geschöpfliche Dasein und nicht auf das eschatologische, auch daß es nicht um Israel geht, sondern um die Heiden. Der Terminologie nach kann man sich an Is 51, 7 erinnern: Ἀκούσατέ μου, οἱ εἰδότες κρίσιν, λαός μου, οὗ ὁ νόμος μου ἐν τῇ καρδίᾳ

---

[4] Vgl. Ps.-HERACLIUS, 7. Brief, 4. Kap.: „Ich aber war es und werde ein Gesetz sein für andere." (Vgl. auch Aristot., Polit. 3, 13; 1284, 13.)

[5] VAN DÜLMEN, Theologie des Gesetzes, 78 spricht von einem Gegensatz: direkte Offenbarung – naturhaftes Empfinden, welch letzteres gewiß nicht mit der Herzensschrift gemeint ist. P. FLÜCKIGER, Die Werke des Gesetzes bei den Heiden (Röm 2, 14 ff), in: ThZ 8 (1952) 17–42; G. BORNKAMM, Gesetz und Natur. Röm 2, 14–16. Studien zu Antike und Christentum: Gesammelte Aufsätze II (1959) 93–118; S. LYONNET, Lex naturalis et iustificatio Gentilium, in: Verb. Dom. 41 (1963) 238–242.

ὑμῶν, nur fehlt hier das γραπτόν[6]. Aber in welcher Weise wird das ins Herz geschriebene Werk lesbar? Darüber spricht der folgende Gen. abs., in dem aber nicht, wie manche Ausleger meinen, eine Dreiheit von Zeugen angeführt, sondern von *einem* Zeugen differenziert gesprochen wird. Das ergibt sich schon daraus, daß καρδία und συνείδησις für Paulus nach atl. Denken – das AT kennt den Begriff συνείδησις überhaupt nicht und setzt dafür καρδία (בֵל, לֵבָב) ein – eng beieinanderliegen[7]. Im NT erscheint συνείδησις dreißigmal, im Corpus Paulinum zweiundzwanzigmal, συνειδέναι im NT einmal, nämlich bei Paulus 1 Kor 4, 4. Dabei kann der Begriff „Gewissen" einen dreifachen Sinn haben, nämlich 1) das Wissen um sich selbst als einen absolut Geforderten bzw. das Wissen um sich selbst im Hören eines absoluten Anspruchs (z. B. 9,1; 13,5; 1 Kor 10,25ff; 2 Kor 1,12; 4,2); 2) als gutes oder böses, reines oder schlechtes Gewissen kommt der Begriff meist außerhalb der paulinischen Briefe vor (Apg 23,1; 1 Tim 1,5.19; 3,9; 2 Tim 1,3; Hebr 10,22; 13,18; 1 Petr 3,16.21 u. a.; vgl. aber auch 1 Kor 8,7.10.12); 3) als allgemeines Bewußtsein oder Wissen von, z. B. Hebr 10,2: ἁμαρτιῶν; 1 Petr 2,19: θεοῦ. Im Zusammenhang von 2,15 ist συνείδησις die Stimme, die das ins Herz Geschriebene, vom Gesetz Geforderte dem Menschen bezeugt. Συμμαρτυρεῖν bedeutet hier nicht „zusammen mit jemandem Zeugnis ablegen", sondern „jemandem Zeugnis geben" (vgl. 8,16). So ist es auch im absoluten Gebrauch ein verstärktes μαρτυρεῖν (vgl. 9,1). Es ist also nicht gemeint, daß das Gewissen zusammen mit dem Herzen Zeugnis ablegt. Das Herz ist der Ort, wohin die Forderung der Liebe eingeschrieben ist und wo sie zu lesen ist. Diese ins Herz geschriebene Forderung wird aber laut im Gewissen, das sie vermittelt. Das Gewissen liest sozusagen die Herzensinschrift und gibt sie dem Menschen kund, und zwar – das καί ist explikativ (Lagrange) – in der Weise, daß in der Reflexion des Gewissens Anklage und Verteidigung das Wort nehmen. Das Gewissen bringt sich und damit die im Herzen eingeschriebene Forderung des Gesetzes in den λογισμοί, den Gedanken, Erwägungen, Überlegungen (= διαλογισμοί, 1,21; 2,15c G), zur Sprache (vgl. Polyk 4,3 neben ἔννοιαι; 2 Kor 10,4 sensu malo, wie auch u. a. Spr 6,18; vgl. Weish 1,3.5; 11,15). Hier meinen sie etwa „Reflexionen", und zwar κατηγοροῦντες, die anklagen, beschuldigen, natürlich den, der sich dem ins Herz geschriebenen ἔργον νόμου versagt, aber auch ἀπολογούμενοι, die entschuldigen, verteidigen, Gründe für diesen Angeklagten vorbringen (vgl. Lk 12,11; 21,14; Apg 10,33; 24,10; 25,8; 26,1.24; 2 Kor 12,19). Es ist ein ständiges Gerichtsverfahren im Inneren des Menschen, eine reflektierende Diskussion – μεταξὺ ἀλλήλων – solcher das Zeugnis des Gewissens erwägender Gedanken untereinander und mit-

---

[6] Vgl. auch TestJud 20,3f (β A Sʳ): Καίγε τὰ τῆς ἀληθείας καὶ τὰ τῆς πλάνης γέγραπται ἐπὶ τὸ στῆθος τοῦ ἀνθρώπου· καὶ ἓν ἕκαστον αὐτῶν γνωρίζει ὁ Κύριος. καὶ οὐκ ἐστὶ καιρός, ἐν ᾧ δυνήσεται λαθεῖν ἀνθρώπων ἔργα, ὅτι ἐν στήθει ὀστέων αὐτοῦ ἐγγέγραπται ἐνώπιον Κυρίου. Der Text ist recht unsicher und undurchsichtig. Aber καρδία (στῆθος = בֵל, vgl. Ex 29,23.26) – γέγραπται – ἔργα stehen in Beziehung zueinander.
[7] Zum Begriff συνείδησις (τὸ συνειδός) vgl. den Exkurs bei Kuss I 76–82 (mit Literaturangabe). Dazu: B. Reiche, Syneidesis in Röm 2,15, in: ThZ 12 (1956) 157–161; J. Stelzenberger, Syneidesis im NT (1961).

einander im Menschen. In den sittlichen Reflexionen über das menschliche Tun spricht sich das Gewissen aus, das sozusagen auf die im Dunkel des Herzens eingegrabene Schrift Gottes blickt, sie erfaßt und weitergibt[8]. Dabei steht also auch der Heide, der die Forderung der λογισμοί aus seiner Geschöpflichkeit vernimmt, weil das Gewissen sie ihm bezeugt, unter Anklage und Verteidigung, also in ständigem Gerichtsverfahren.

Wie soll man dann aber im Zusammenhang *V 16* verstehen? Für sich genommen, spricht er von der ἡμέρα, dem eschatologischen Gerichtstag, an dem Gott das, was der Mensch in seinem Herzen verbirgt, aufdecken und richten wird. Offen bleibt, ob διὰ ᾽Ιησοῦ Χριστοῦ zu κρινεῖ oder zu κατὰ τὸ εὐαγγέλιόν μου gehört. Für sich genommen, kommt also die Aussage von V 16 in die Nähe von 1 Kor 4, 4; 2 Kor 5, 10. Diese Stellen sprechen auch für die Zusammengehörigkeit von διὰ ᾽Ιησοῦ Χριστοῦ und κρινεῖ. Anderseits wäre dann die Stellung am Ende des Satzes ungewöhnlich. Sie spricht eher für die Zusammengehörigkeit von διὰ ᾽Ιησοῦ Χριστοῦ mit κατὰ τὸ εὐαγγέλιόν μου. Es deutet an, daß Paulus in seinem Evangelium die Stimme Jesu Christi ist (vgl. 15, 18) und korrigiert etwas das „mein Evangelium", das sonst ja auch nur 16, 25; 2 Tim 2, 8; freilich der Sache nach z. B. auch 1 Kor 9, 16f; Gal 1, 11f vorkommt. Doch wie soll man V 16 in dem hiesigen Zusammenhang verstehen? Es ist mit dem präsentischen ἐνδείκνυνται nicht recht zu vereinbaren. Das ἐν τῇ ἡμέρα[9] ist eindeutig futurisch. Zur Not könnte man die Präsensform futurisch verstehen und die gesamte Aussage auf die ἡμέρα τοῦ θεοῦ beziehen. Aber findet die Aufdeckung des Herzens, die doch durch das Gewissen und die in ihm gegebenen sittlichen Reflexionen zur Sprache kommt, erst am eschatologischen Gerichtstag Gottes statt? Der Hinweis auf die Herzensschrift, deren Anspruch das Gewissen vermittelt, soll doch im Zusammenhang mit V 14 (οἴτινες) dessen Aussage begründen: die Heiden sind, wie ihr Tun erweist, sich selbst Gesetz, da ihnen das Gewissen die Herzensschrift bezeugt. So versucht man andere Auswege des Verständnisses. V 16 hat Anschluß an V 13, und die VV 14f sind Parenthese. Aber nach V 13 erwartet man nichts dergleichen mehr. Und wie soll man merken, daß V 14f Parenthese ist? Oder man stellt mit Sandy-Headlam, Kirk, Moffat, Dodd u. a. die Verse um: V 12.13.16.14.15. Aber abgesehen davon, daß es dafür keinerlei Textzeugen gibt, wird die Aussage des Ganzen recht eigentümlich. Auch ist nicht zu erklären, wie es zum heutigen Text gekommen sein soll. So werden denn die VV 14 und 15 von J. Weiß (Beiträge 218) als Glosse gestrichen, oder es wird ebenfalls mit Bultmann (Glossen 200f), Bornkamm (Gesetz 118) u. a. V 16 als Glosse gestrichen, wobei Bultmann sich vor allem auf die Schwierigkeit des Zu-

---

[8] An eine Gewissensprüfung ist nicht gedacht, wie sie etwa in pythagoreischen Kreisen geübt wurde und wie sie bei Seneca, De ira III 26,1 dem Philosophen Sextius für jeden Abend empfohlen wird: Quod hodie malum tuum sanasti? Cui vitio obstitisti? Qua parte melior es? Seneca, Ep. 28,10 rät: Ideo quantum potes, te ipsum coargue, inquire in te; accusatoris primum partibus fungere, deinde iudicis, novissime deprecatoris.

[9] Oder mit Lietzmann ἐν ἡμέρα ᾗ ... A sah bo hss. ᾽Εν ἡμέρα ὅτε (א 𝔖 D G pl lat) ist Korrektur nach ausgefallenem ᾗ.

sammenhanges und auf die Formulierung τὸ εὐαγγέλιόν μου (= 16, 25!) stützt, welch letzteres freilich, wie wir sahen, sehr prekär ist. Die brauchbarste Lösung scheint mir die von H. J. Holtzmann, Jülicher, Huby, Michel, Leenhardt, Kuss u. a. zu sein, die an eine kleine Pause vor V 16 denken und dann einen Zwischengedanken annehmen, der betont, daß sich das, was Paulus eben gesagt hat, am Tage des Gerichtes, der der Tag der Enthüllung der Herzen ist, offenbar machen wird. Prägnant fügt Lagrange ein: „on le verra"[10]. Das Faktum besteht jetzt: auch die Heiden haben ein Gesetz, das das ἔργον der Tora, die ἀγάπη, fordert. Aber es ist ein in die Herzen geschriebenes, das durch das Gewissen und die moralische Kontroverse untereinander bezeugt wird. Aufgewiesen und offenbar wird dieser Tatbestand, wie man sehen wird, erst an dem Tag, da Gott das, was der Mensch verbirgt, aufdecken und richten wird. Zu diesem Verständnis paßt auch der feierliche Schluß: Das, was Paulus in seinem Evangelium sagt, geschieht „durch Jesus Christus", der darin selbst das Wort nimmt.

Übersehen wir noch einmal kurz die VV 12–16. In ihnen hat sich Paulus in der Tat wieder zu Aussagen über die Heiden gewendet. Und er sagt über sie folgendes: 1) Sie haben nicht die Tora. 2) Trotzdem kommt es vor, daß Heiden von selbst das tun, was die Tora fordert. 3) Sie vernehmen einen Anruf aus ihrem Herzen und wissen sich von daher für das ἔργον νόμου, die ἀγάπη, gefordert. 4) Ihnen legt das Gewissen Zeugnis ab, als Stimme des Herzens, über ihr Tun, und sie stehen darüber in ständiger Kontroverse: sie klagen sich an, und sie verteidigen sich. 5) Aus alldem ergibt sich, daß auch sie nach ihrem Tun beurteilt werden können. 6) Ebendies wird am Tage des Gerichtes offenbar werden.

Mit 2, 17 kehrt Paulus wieder zum κρίνων τὸν ἕτερον zurück. Dieser übertritt das Gesetz, das ihm gegeben ist in der Tora und um das er weiß (2, 17–24). Aber dann hilft ihm auch die Beschneidung nichts, sowenig wie sein theoretisches Urteilen über den anderen nach dem Gesetz. Es kommt auf das Tun an, das allein den wahren Juden ausmacht (2, 25–29).

e) 2, 17–29 Das Gesetz und die Beschneidung

17 Wenn du dich einen „Juden" nennst und dich auf das Gesetz verläßt und dich Gottes rühmst 18 und „den Willen" kennst und prüfst, worauf es ankommt, unterwiesen aus dem Gesetz, 19 wenn du dir zutraust, ein Führer der Blinden zu sein, ein Licht derer, die in der Finsternis sitzen, 20 ein Erzieher der Unverständigen, ein Lehrer der Unmündigen, im Besitz der Verkörperung der Erkenntnis und Wahrheit im Gesetz — 21 der du

---

[10] Das läuft etwa auch auf das hinaus, was KÄSEMANN meint, der mit Recht in V 16 einen Schutz vor einem psychologischen Mißverständnis der Aussage von V 15 sieht. H. SAAKE, Echtheitskritische Überlegungen zur Interpretationshypothese von Röm II, 16, in: NTSt 19 (1973) 486–489, 487f weist nach, daß Paulus in Röm 2 „ausgiebig von dem Schema einer ‚eschatologischen Peripatie' Gebrauch macht".

*den anderen belehrst, dich selber belehrst du nicht? Der verkündet: Nicht
stehlen! Du stiehlst? 22 Der du sagst: Nicht ehebrechen! Du brichst die
Ehe? Der du die Götzen verabscheust, beraubst Tempel? 23 Der der du dich
des Gesetzes rühmst, entehrst Gott durch Übertretung des Gesetzes!
24 Denn wie geschrieben steht: Der Name Gottes wird um euretwillen
unter den Heiden gelästert.*

*25 Die Beschneidung nützt freilich, wenn du das Gesetz tust. Bist du
aber ein Übertreter des Gesetzes, so ist deine Beschneidung zur Unbeschnittenheit geworden. 26 Wenn nun der Unbeschnittene die Forderungen des
Gesetzes erfüllt, wird ihm da sein Unbeschnittensein nicht für Beschneidung
angerechnet werden? 27 Und richten wird der von Natur Unbeschnittene,
der das Gesetz befolgt, dich, der du trotz Buchstabe und Beschneidung ein
Übertreter des Gesetzes bist. 28 Denn nicht der Jude, der es nach außen
ist, ist Jude, auch nicht ist die sichtbare Beschneidung am Fleisch Beschneidung. 29 Vielmehr der ist Jude, der es im Verborgenen ist, und Beschneidung ist die des Herzens im Geist und nicht dem Buchstaben nach. Sein Lob
kommt nicht von Menschen, sondern von Gott.*

V 17 Der Gesprächspartner von 2,1–6 wird jetzt von neuem angesprochen,
nur daß ihn Paulus jetzt mit Namen nennt: σὺ ... Ἰουδαῖος, und ihm vorhält,
welche Vorzüge er in Anspruch nimmt. Diese Vorzüge bestreitet der Apostel
nicht und ironisiert sie auch nicht, sondern unterstreicht sie kräftig, indem er
jüdische Selbstcharakterisierungen sammelt und seinem Partner vorhält. Er
beginnt damit: „Wenn du dich einen Juden nennst…" Ἐπονομάζεσθαι med.
ist „nennen", „benennen". Vielleicht kann man es konkret dahin verstehen,
daß ihm gesagt wird, er gäbe sich den Beinamen Ἰουδαῖος, so wie in der Diaspora Ἰουδαῖος nicht selten zum Namen gesetzt wird, z. B. auf Grabsteinen
(CIG 9916.9926; CIJ 530.643)[1]. Etwas davon klingt Apg 18,2.24; 22,3 an.
Es ist für seinen Träger ein Ehrenname wie neben rabbinischen Äußerungen
auch Apk 2,9; 3,9 zeigen, wo der Seher in seiner Polemik von „den sogenannten Juden" spricht und damit die den Christen feindlichen meint. Ein
Beleg für diesen jüdischen Anspruch ist u. a. 4 Esr 6,55ff: „Dieses alles habe
ich vor dir, Herr, gesprochen, weil du gesagt hast, daß du um unseretwillen
diese erste Welt geschaffen hast, die übrigen Völker aber, die von Adam abstammen, hast du für nichts erklärt… Nun aber, Herr, jene Völker, die für
nichts geachtet sind, überwältigen und zertreten uns; wir aber, dein Volk, das
du deinen Erstgeborenen, deinen einzigen Sohn, deinen Anhänger und
Freund genannt hast, wir sind in ihre Hand gegeben. Wenn aber die Welt
unseretwegen geschaffen ist, warum haben wir nicht die Welt in Besitz? Wie
lange soll es so bleiben?" Vgl. auch syrBar 3,4–9. Der Jude, der in seinem
Namen einen Ehrennamen sieht, hat ja auch das Gesetz in Besitz, oder ge-

---

[1] Vgl. Kuhn; Gutbrod in: ThWb III 356ff; G. Bornkamm, Paulinische Anakoluthe, in:
Ende des Gesetzes, 76–92.

nauer: er stützt sich auf das Gesetz[2]. Ἐπαναπαύεσθαι ist „sich stützen", „sich ausruhen" im wörtlichen Sinn, z. B. 4 Kg 5,18; 7,2.17; Ez 29,7; 1 Makk 8,12; im übertragenen Sinn „sich verlassen auf", z. B. Mich 3,11: καὶ ἐπαναπαύσοντο ἐπὶ τὸν κύριον (vgl. 1 Hen 61,3: „damit sie [die Gerechten] sich für immer und ewig auf den Namen des Herrn der Geister stützen"). Aber auch im hellenistischen Bereich kommt es in diesem Sinn vor, z. B. Epict., Diss. 1,9.9. Das Gesetz ist dem Ἰουδαῖος eine verläßliche, feste Stütze seines Lebens. Im Besitz des Gesetzes ist aber dann auch Gott ihr „Ruhm": καὶ καυχᾶσαι ἐν θεῷ (vgl. Jer 9,23; PsSal 17,1). Καυχᾶσθαι ἐν wie ἐν θλίψεσιν (5,3); ἐν νόμῳ (Sir 39,8). Dabei ist καυχᾶσθαι nicht etwa nur „prahlen", sondern meint „sein Ansehen holen von", „sein Leben erbauen aus" und das kundgeben[3]. Es ist sozusagen das Vertrauen, das sich in das Rühmen begeben hat und sich im Lobpreisen äußert (vgl. Phil 3,9f; 2 Kor 10,7f; auch 2 Kor 1,12; 3,4). Ihr Jude-Sein, Das-Gesetz-Haben, Gott-zum-Ruhm-Haben und Lobpreisen, das charakterisiert sie nach ihrem eigenen Urteil und nach dem des Apostels. Auch bei solcher Kennzeichnung geht Paulus in den Spuren jüdischer Tradition. Um nur ein Beispiel zu nennen, sei syrBar 48,22ff zitiert: „Denn auf dich *vertrauen* wir, da *dein Gesetz* bei uns ist, und wir wissen, daß wir nicht fallen, solange wie wir an deinen Bundesvorschriften festhalten. Zu aller Zeit Heil uns, auch insofern, daß wir nicht unter die Völker gemischt worden sind. Denn wir alle sind *ein* Volk, das einen *berühmten Namen* trägt, die wir von Einem *ein* Gesetz empfangen haben. Und jenes *Gesetz*, das unter uns weilt, hilft uns, und die vortreffliche Weisheit, die in uns ist, wird uns *unterstützen*."

V 18 Die Charakterisierung geht weiter: εἰ γινώσκεις τὸ θέλημα. Θέλημα wird wie auch 1 Kor 16,12 absolut gebraucht. Es ist LXX-Übersetzung von רָצוֹן. Vgl. auch die jüdische Formel יְהִי רָצוֹן, aramäisch: אַוְעָא יְהַא, und etwa 1QS VIII 6: „wahrhafte Zeugen der Wahrheit für das Gericht und Erwählte des Willens" (רָצוֹן), IX 23: „der Wille ist gleich", IX 24: „Gottes Wille" u. ö. 1 QS V 1.8.10, VIII 6, IX 12ff.23.24 u. a. m. Die Juden kennen „den Willen" aus dem Gesetz, und sie verstehen ihn auch recht auszulegen. Das letztere wird mit δοκιμάζειν τὰ διαφέροντα wiedergegeben, wobei δοκιμάζειν hier „prüfen" und „unterscheiden" ist und τὰ διαφέροντα (vgl. Phil 1,10) „das, worauf es ankommt", „das Wesentliche" im Gegensatz zu ἀδιάφορα[4]. Gemeint ist in unserem Zusammenhang, daß sie bei der Erkenntnis und Durchführung des Willens Gottes recht zu differenzieren und ihn in rechter Weise konkret anzuwenden wissen. Sie sind ja κατηχούμενοι ἐκ τοῦ νόμου, wobei an „die festen katechetischen Überlieferungen des Judentums" (Käsemann) zu denken ist, deren Form und z.T. auch Inhalt vom Christentum übernommen wurden, wie der Gebrauch von κατηχεῖσθαι (Lk 1,4; Apg 18,25; 1 Kor

[2] Nicht, wie LAGRANGE übersetzte: „auf ein Gesetz".
[3] BULTMANN, in: ThWb VII 649; Theologie, 243.
[4] BAUER WB 378. So auch Pent. de rect. auditu 12, p. 43°; quomodo adul. 35, p. 73a u. a. (LIETZMANN).

14,19; Gal 6,6; 2 Clem 17,1) im Sinn von „unterrichtet", „unterwiesen werden" zeigt. Aber nicht nur daß er, der Jude, selbst im Besitz des Gesetzes und in der Erkenntnis des Willens Gottes, imstande ist, jeweils das Wesentliche prüfend festzustellen, er ist sich auch dessen bewußt und weiß sich als Führer und Erzieher der Völker. Das wird von Paulus in Formulierungen gesagt, die einem Judenmissionar aus dem Munde genommen oder einer jüdischen Proselytenschrift entnommen sein könnten[5].

V 19 „Du traust dir zu, Führer der Blinden zu sein." Von dieser jüdischen Führerschaft spricht z. B. Jos. c. Ap. II 41: „Ich möchte kühn behaupten, daß wir Juden in bezug auf das meiste und zugleich das Beste für die anderen Führer sind." Vgl. OrSib III 194f: „Dann wird das Volk des großen Gottes wieder stark sein, welches allen Sterblichen der Führer des Lebens sein wird", auch III 582f. Auch Philos De Abrahamo 19 (= 3) gehört hierher: „Das gottgeliebteste Volk hat ja das Priester- und Prophetenamt für das ganze Menschengeschlecht erhalten" (vgl. De vit. Mos. I 149), nicht weniger 1 Hen 105,1: „In jenen Tagen, spricht der Herr, sollen sie die Kinder der Erde (die Menschen) rufen und über die Weisheit derselben (der apokalyptischen Bücher) Zeugnis ablegen. Zeigt sie ihnen; denn ihr seid ihre Führer." Speziell zum Ausdruck „Führer der Blinden" kann man die Polemik gegen die Pharisäer (Mt 15,14; 23,16.24) anführen[6], die natürlich auf dem Anspruch eben der Pharisäer, Führer der Blinden zu sein, beruht. Aber auch an Is 42,6.7[7] kann man denken, wo von Israel als dem Gottesknecht nach der LXX gesagt ist: ἔδωκά σε εἰς τὸ φῶς ἐθνῶν, ἀνοῖξαι ὀφθαλμοὺς τυφλῶν ... καὶ ἐξ οἴκου φυλακῆς καθημένους ἐν σκότει (vgl. 49,6). Das erinnert auch schon an die folgende Charakterisierung der Juden: φῶς τῶν ἐν σκότει, die jetzt also von dem einzelnen in Anspruch genommen wird, was an Weish 18,4 anklingt, wo es heißt, daß „durch deine Söhne (die Juden) ἤμελλεν τὸ ἄφθαρτον νόμου φῶς τῷ αἰῶνι δίδοσθαι." In einer Segensformel sagt 1 QSb IV 27: „Er mache dich zum Heiligtum in seinem Volk und zur Leuchte ... für den Erdkreis durch Erkenntnis, und zu erleuchten das Angesicht vieler"; vgl. 1QH XVIII 29, IV 27, auch OrSib V 260ff: „Jerusalem, edles Licht und würdiger Reis"; TestLev 14,4; 18,3; 4,3: φῶς γνώσεως φωτιεῖς ἐν τῷ Ἰακώβ, καὶ ὡς ἥλιος ἔσῃ παντὶ σπέρματι Ἰσραήλ; TestBenj 11,2: ὁ ἀγαπητὸς κυρίου ... γνῶσιν καινὴν φωτίζων πάντα τὰ ἔθνη.

V 20 Der Jude ist aber nach Paulus als das Licht in der Finsternis der Welt durch das Gesetz auch παιδευτὴς ἀφρόνων, διδάσκαλος νηπίων, also Erzieher dem Proselyten gegenüber. Zu παιδευτής vgl. Hebr 12,9; Os 5,2; PsSal 8,29, freilich dort mehr im Sinn von „Zuchtmeister", hier dagegen von „Erzieher" wie Sir 37,19; 4 Makk 5,34, auch Philo, Omn. prob. liber 143 (= 7).

---

[5] CONZELMANN in: ThWb IX 237.
[6] KÄSEMANN meint freilich, daß die Erinnerung an Jesu Kampf mit dem Rabbinat und Pharisäismus (DODD, SCHLATTER, ALTHAUS u. a.) unnötig und deplaziert ist.
[7] Vgl. STRACK-BILLERBECK I 237; CONZELMANN in: ThWb IX 307–349, 337ff.

Ἄφρων wie 1 Kor 15, 36 „töricht", „unverständig", natürlich in bezug auf das Gesetz. Νήπιος ist „unreif", „unmündig", „einfältig", vom Christen 1 Kor 3, 1; Eph 4, 14 u. a. Vgl. zur jüdischen Tradition Philo, De Abr. 98 (= 19); De vit. Mos. 149; Jos. c. Ap. II 41; OrSib III 195 542f; 1QH II 9. Aber wiederum: diese Rolle des Blindenführers und Lichts für die Völker, des Welterziehers traut sich der Jude zu, weil er das Gesetz hat. Das wird wie in V 18b nochmals mit einem Partizipialsatz in V 20b hinzugefügt. Dabei wird der νόμος mit einem Wort bezeichnet, das geradezu der Titel einer Proselytenschrift sein könnte: ἡ μόρφωσις τῆς γνώσεως καὶ τῆς ἀληθείας, „Verkörperung" oder „Gestalt" (vgl. TestBenj 10, 1) der γνῶσις[8], die absolut gesetzt ist und die γνῶσις τοῦ θεοῦ meint, und der ἀλήθεια, die auch absolut steht wie jenes θέλημα von V 18[9]. Das Gesetz, das den Juden zum Welterzieher macht, die Tora, ist die ausgeprägte Gestalt der Wahrheit, die Wahrheit Gottes in Gestalt, und es ist zugleich der Zugang zur Wahrheit, weil es ihre Gnosis vermittelt. Der Satz endet hier. Er stellt ein Anakoluth dar, „das zum sprechenden Ausdruck für das Zusammenbrechen aller Vorzüge des Juden"[10] wird. Es folgen nun vier gleichgeformte Fragesätze. Auch sie gehören zum Stil der Diatribe. Der fünfte, der mit einem Relativsatz beginnt, faßt die vier anderen Sätze allgemein zusammen. Alle Sätze heben den Widerspruch zwischen dem, was der Jude lehrt, und dem, was er tut, hervor. Der Lehrmeister des Gesetzes tut es selber nicht. Das, was 2, 1ff allgemein ins Auge gefaßt war, wird jetzt an konkreten Beispielen aufgezeigt.

V 21 In der ersten Hälfte des Verses wird freilich noch allgemein formuliert: „Der du den anderen belehrst, dich selber belehrst du nicht?" Das war auch dem Juden schon hie und da bewußt. Pirke Aboth, R. Nath. 29: „Abba Schaul ben Nannos sagte: ,Du hast manchen Menschen, der sich selbst belehrt und nicht andere lehrt, andere lehrt und sich nicht selbst belehrt, der sich selbst und andere lehrt und weder sich selbst und andere lehrt.'" Vgl. auch Midr Ruth 1, 2 (124b) u. a.[11] In V 21b folgen drei Einzelbeispiele, die den Hiatus zwischen Theorie und Praxis konkret aufzeigen. Der διδάσκων wird jetzt ὁ κηρύσσων genannt, in welchem Wort bei Paulus das Moment der

---

[8] Zur γνῶσις vgl. 1QS III 1: „Unterweisung der Erkenntnis der gerechten Satzungen"; 1QS XI 3: „und durch seine Gerechtigkeit wird seine Sünde getilgt. Denn aus der Quelle seiner Erkenntnis hat er sein Licht eröffnet ..." Ferner Damask XVI 6; 1 QH I 35, X 27ff, XII 11ff.

[9] Vgl. den Schlußhymnus aus 1QS XI 15ff: „Gepriesen seist du, mein Gott, der du zur Erkenntnis auftust das Herz deines Knechtes. Leite durch Gerechtigkeit alle seine Werke, und richte den Sohn deiner Wahrheit auf, wie du Wohlgefallen hast an den Auserwählten der Menschheit, daß sie stehen vor dir auf ewig... Du hast alle Erkenntnis gelehrt, und alles, was geschehen ist, geschah durch deinen Willen."

[10] STRACK-BILLERBECK III 107.

[11] Charakteristisch ist, daß das ἱεροσυλεῖν in griechischen und hellenistisch-jüdischen Lasterkatalogen öfters auftaucht, wie z. B. Plato, Resp. IX 575b neben „stehlen", „einbrechen", „übervorteilen", „Kleider rauben" u. a.; vgl. Xen., Memor. I 2, 62; Ps.-Heraclius 7 neben „vergiften"; Philo, Conf. ling. 163 neben „stehlen", „ehebrechen", „morden"; CH XII 5 μοιχεῦσαι καὶ ἱεροσυλεῖν u. a. m. SCHRENK in: ThWb III 254–256.

öffentlichen Verkündigung eine Rolle spielt. Freilich muß man das Variieren der Verben auch hellenistischem Stilempfinden zugute halten (vgl. V 22 ὁ λέγων). Die Anklage ist hart. Der Jude verbietet nach Ex 20,15; Dt 5,19 u. a. das Stehlen und stiehlt.

V 22 Er verbietet den Ehebruch (nach Ex 20,14; Dt 5,18 u. a.) und bricht die Ehe. Und nun eigentümlich in dieser Reihe der dritte Widerspruch. Er verabscheut die Götzenbilder und entwendet aus Tempeln heilige Gegenstände. Βδελύσσομαι ist „Abscheu empfinden", „verabscheuen"; vgl. ἐβδελυγμένος, „abscheulich" (Apk 21,8). Vgl. LXX Gn 26,29; Lv 11,11.13 u. a.; 18,30; Spr 8,7; Job 15,15; 3 Makk 6,9; Jos. b 172; Jos. a XIV 45; aber auch Polyb. 33,18,10 u. a. Τὰ εἴδωλα sind wahrscheinlich die Götzenbilder wie Polyb. 30,25,13: θεῶν καὶ δαιμόνων εἴδωλα, in LXX Nm 25,2; 1 Makk 1,43; Is 30,22; 2 Chr 23,17; Tob 14,6; EpJer 73, im NT 1 Kor 12,2; Apg 7,41 (= Ps 115,4); Apk 9,20. Ἱεροσυλεῖν ist „Tempelraub begehen" wie auch συλᾶν τὰ ἱερά, τὸ ἱερόν Jos. a IV 207, VIII 258 u. a. Gemeint ist die Entwendung von heiligem Eigentum aus heiliger Stätte, in der Antike eines der schwersten Verbrechen. Es kann aber auch im weiteren Sinn jedes Sakraldelikt meinen, z. B. Philo, De spec. leg. III 83; De decal. 133 [12]. Im AT, z. B. Dt 7,23f, ist es die Besitznahme der Götterbilder Kanaans, die ein Greuel vor Gott sind und dem Bann verfallen. Jos. a 207 sagt allgemein: βλασφημείτω δὲ μηδεὶς θεούς, οὓς πόλεις ἄλλαι νομίζουσιν μηδὲ συλᾶν ἱερὰ ξενικά. Die rabbinische Praxis war gegenüber diesem Vergehen milder gestimmt [13]. Paulus erhebt also den bitteren Vorwurf, daß Juden gegen ihr eigenes atl. Verbot heidnische Tempel berauben, so wie es Apg 19,37 von seiten der Heiden als Möglichkeit vorausgesetzt wird, daß Paulus und seine Begleiter ἱερόσυλοι und βλασφημοῦντες seien. Dabei kann auch die weitere Bedeutung von sakrilegischem Handeln, z. B. von Hehlerei gestohlenen Tempelgutes, eine Rolle spielen.

V 23 Der aus einem Relativ- und einem Hauptsatz bestehende Vers ist wohl als Zusammenfassung zu verstehen. Er ist nicht mehr ein Fragesatz, sondern ein Behauptungssatz, dessen Inhalt dann durch ein ausdrücklich so bezeichnetes Schriftwort bestätigt wird. Jetzt wird der Jude als einer, der ἐν νόμῳ καυχᾶσαι, bezeichnet (vgl. V 17: ἐν θεῷ). Καυχᾶσθαι ist eine Steigerung gegenüber dem dortigen ἐπαναπαύεσθαι νόμῳ. Der, ist der Vorwurf, welcher sein Leben bekennend und preisend auf dem Gesetz aufbaut [14] und

---

[12] STRACK-BILLERBECK III 113ff.
[13] Zum Sich-des-Gesetzes-Rühmen vgl. Bar 3,37f; 4,1ff: „Er hat jeden Weg zur Weisheit erkundet, hat sie Jakob, seinem Knechte, verliehen und Ismael, seinem Liebling. Hierauf ist sie auf Erden erschienen und hat mit den Menschen verkehrt. 4,1. Sie ist ἡ βίβλος τῶν προσταγμάτων τοῦ θεοῦ καὶ ὁ νόμος ὁ ὑπάρχων εἰς τὸν αἰῶνα ... bekehre dich, Jakob, und ergreife sie, διόδευσον πρὸς τὴν λάμψιν κατέναντι τοῦ φωτὸς αὐτῆς μὴ δῷς ἑτέρῳ τὴν δόξαν σου noch dein Bestes einem fremden Volk. Μακάριοι ἐσμέν, Ἰσραήλ, ὅτι τὰ ἀρεστὰ τῷ θεῷ ἡμῶν γνωστά ἐστιν. Vgl. auch STRACK-BILLERBECK III 115f.
[14] Andere Beispiele: STRACK-BILLERBECK III 118.

sich damit von Gott und seinem Willen her versteht. übertritt das Gesetz und entehrt dadurch Gott. Das ist schon in der Schrift gesagt, wie Paulus zur Erhärtung seiner Anklage abschließend hinzufügt – *V 24*. Zitiert ist Is 52, 5: Τάδε λέγει ὁ κύριος· δι' ὑμᾶς [διὰ παντός] τὸ ὄνομά [μου] βλασφημεῖται ἐν ἔθνεσιν. Die LXX erweitert den hebräischen Text: „Immerfort und allezeit wird mein Name gelästert." Die Lästerung bezieht sich dort auf die Völker, die Israel knechten. Paulus interpretiert dies mit kleinen Korrekturen dahin, daß Israel selbst Gottes Namen lästert, und zwar durch Übertretung des Gesetzes, also z. B. im Sinn von Ez 36, 20, wo es von dem durch Gott zur Strafe zerstreuten Israel heißt: „Und sie gingen zu den Heidenvölkern. Wohin sie aber kamen, da befleckten sie meinen heiligen Namen, indem man von ihnen sagte: Das ist das Volk des Herrn, und doch mußten sie sein Land verlassen." Dazu vgl. die Auslegung Mekh Ex 15, 2 (44b): „Rabbi Schimeon ben El'azer (c. 190) sagte: ,Wenn die Israeliten Gottes Willen tun, dann wird sein Name verherrlicht in der Welt (s. Jos 5, 1; 2, 10f); wenn sie aber nicht seinen Willen tun, so wird sein Name gewissermaßen entheiligt in der Welt (s. Ez 36, 20. 23).'"[15] Jetzt muß Paulus dem Juden vorhalten, daß er, der mit Gott und seinem Willen so vertraut ist, der der Herold seines Gesetzes und so das Licht der Welt ist, der – vergessen wir den Zusammenhang mit 2, 1ff nicht! – der Richter der Heiden ist, daß er durch seine Übertretung des Gesetzes den Namen Gottes bei den Heiden auf diese Weise entheiligt.

Dann aber hilft dem Juden auch die Beschneidung nichts, die für ihn das Zeichen seiner Zugehörigkeit zum Bund Gottes ist, damit aber auch nach seinem Selbstverständnis das Unterpfand des Heils. Paulus legt das in den VV 25–29 dar, in denen er Satz für Satz diesem jüdischen Selbstverständnis widerspricht. Nach rabbinischer Überzeugung rettet die Beschneidung Israel in der messianischen Zeit, so wie es das Passahblut schon aus Ägypten gerettet hat (vgl. Pirqe R. Nath. 29 [14d] u. a.)[16]. Aber für Paulus ist diese Zentralüberzeugung des Juden abgetan. Περιτομή und ἀκροβυστία sind nicht die letzten und entscheidenden Kriterien für Heil und Unheil. Von da aus stellt er dann vielleicht in unbewußtem, jedenfalls in unausdrücklichem Zusammenhang mit der Problematik der Diaspora und ihren Gottesfürchtigen die Frage nach dem Nutzen der Beschneidung, die 3, 1 zu Wort kommt, hier aber schon vorausgesetzt ist. Ist dort gesagt, daß dem Juden als dem Beschnittenen die Gabe der λόγια τοῦ θεοῦ anvertraut worden ist (3, 2), und wird 4, 10f erklärt, daß die Beschneidung das Siegel auf die Glaubensgerechtigkeit Abrahams ist, so wird an unserer Stelle ihr „Nutzen" von der Erfüllung des Gesetzes abhängig gemacht.

V 25 Das γάρ leitet die Argumentation ein, daß die Beschneidung nur „nützt", wenn man das Gesetz tut. Wer das Gesetz übertritt – und es ist ja der vorher apostrophierte Jude –, ist so gut wie ein Heide. Περιτομή ist hier

---

[15] Weitere Beispiele: STRACK-BILLERBECK III 37–40; 1063–66.
[16] Vgl. ZAHN; BULTMANN, Theologie, 262.

der Status des Beschnittenseins wie in den VV 26.27.28; 3,1; 4,10a; 1 Kor
7,19; Gal 5,6, dagegen in Röm 3,30; 4, 9.12a; 15,8; Gal 2,7–9; Eph 2,11;
Kol 3,11 das abstractum pro concreto, also die Beschnittenen, die Judenschaft. Den Vollzug der Beschneidung meint Röm 4,11; Gal 5,11; Phil 3,5 (Kol
2,11). Ὠφελεῖν meint hier natürlich den Nutzen zum Heil (vgl. Gal 5,2;
auch Joh 6,63; Hebr 4,2; 13,9). Νόμον πράσσειν (D* lat φυλάσσειν) ist
die Übersetzung von עָשָׂה אֶת הַתּוֹרָה, z. B. Sifre Dt 32, 30. Nur also für den Täter
des Gesetzes hat die Beschneidung Rettungskraft. Der Jude, der das Gesetz
übertritt, kann sich nicht auf sie verlassen. Und das Halten des Gesetzes ist
durch nichts zu ersetzen. Ja die Übertretung des Gesetzes macht aus dem Zustand der Beschneidung einen solchen der „Vorhaut" (Apg 11,3; 1 Kor
7, 18f), der Unbeschnittenheit, mit anderen Worten: aus dem Juden einen
Heiden, besser: sie hat aus ihm schon einen gemacht. Zu ἀκροβυστία als
Zustand vgl. 4,11; Gal 5,6; 6,15, als abstractum pro concreto 2,26; 3,30;
4,9; Gal 2,7; Eph 2,11; Kol 3,11. Er ist dann kein Sohn Abrahams mehr,
kein Glied des Bundesvolkes mehr – eine radikale, für den Juden selbst ver-
abscheuungswürdige Konsequenz.

V 26 Aber man muß den Sachverhalt auch von einer anderen Seite betrachten: diejenigen Unbeschnittenen, die Heiden, die die Gesetzesforderungen
erfüllen, werden als Juden angesehen werden. Ἐάν ist Eventualis, nicht
Irrealis. Τὰ δικαιώματα τοῦ νόμου meinen die Rechtsforderungen des Gesetzes (vgl. Dt 30,16). Es ist zunächst immer noch der Heide, von dem das
ausgesagt wird. Λογίζεσθαι ist hier „buchen". Das Futur zielt auf das künftige
Gericht. Gott – vgl. das Passiv – wird die Heiden, die seine Forderungen
erfüllen, annehmen, als seien sie Glieder seines Volkes. Nochmals: Das Tun
des Gesetzes entscheidet. Und es wird so sein, daß die Heiden, die das Gesetz
erfüllen, die Juden richten werden, die es übertreten (V 27).

V 27 Unbewußt geht Paulus vom Heiden zum Heidenchristen über. Er sieht
den Heiden im Licht des Heidenchristen. Die Terminologie seiner Darlegungen wird auffallend „christlich". Vgl. schon τὰ δικαιώματα τοῦ νόμου
2,26 mit 8,4: τὸ δικαίωμα τοῦ νόμου, γράμμα – πνεῦμα 2, 29 mit 2 Kor 3, 6f;
2,27 mit 7,6[17]. Die Heiden, die es als Unbeschnittene ἐκ φύσεως, „von
Natur", sind, die aber, wie es jetzt gegenüber früherem πράσσειν, ποιεῖν,
φυλάσσειν heißt, τὴν ἀκροβυστίαν τὸν νόμον τελοῦσαν (vgl. Jak 2, 8), werden
den Juden, der samt „Buchstabe"[18], dem geschriebenen Gesetz, dem Gesetz-
buch, und Beschneidung παραβάτης τοῦ νόμου ist, richten. Sie werden die
Juden, die das Gesetz nicht halten, dadurch richten, daß sie, die Heiden
(-Christen), im Gericht angenommen werden. Die Juden werden an den

---

[17] γράμμα ist 1) die Tora als kodifiziertes Gesetz und 2) das kodifizierte Gesetz, das Eigenleistungen fordert und hervorbringt. So ist es von der γραφή unterschieden, die in sich stets
auch Verheißung ist.
[18] Διά mit Gen. vom begleitenden Umstand (LAGRANGE, LIETZMANN, MICHEL, KUSS;
BAUER WB 326 u. a.).

Heiden(-Christen) gemessen werden. An eine aktive Beteiligung dieser
Heiden braucht man nicht unbedingt zu denken, obwohl unsere Aussage an
eine solche über die ἅγιοι, die die Engel richten werden (1 Kor 6, 2f), erinnert. Einige Ausleger meinen, wir hätten hier ein Echo des Jesuswortes
Mt 12, 41 vor uns. Das ist kaum der Fall, wenn auch im weiteren Sinn eine
sachliche Übereinstimmung besteht, die aber nur eine bekannte rabbinische
Vorstellung aufnimmt [19].

VV 28–29 Aber warum ist es so, daß der Heide, der das Gesetz tut, den
Juden, der es nicht tut, sondern es nur besitzt und beschnitten ist, richten
wird? Die Antwort ist: weil nur der ein echter Ἰουδαῖος ist, der im Herzen
beschnitten ist. Der Begriff des Juden erfährt in den VV 28f einen völligen
Wandel. Zur Konstruktion des Satzes *V 28* ist zu bemerken, daß nach ἐν τῷ
φανερῷ ein Ἰουδαῖος zu ergänzen ist. Der Ἰουδαῖος im Text ist Prädikat.
Ebenso ist nach ἐν σαρκί ein περιτομή anzufügen. Dasselbe gilt für *V 29*. Der
Ἰουδαῖος ἐν τῷ φανερῷ ist der, der es „öffentlich", weil „fleischlich" ist,
sichtbar am Fleisch. Aber dieser äußerliche Jude ist nicht schon Jude, sondern
Jude ist der, der es ἐν τῷ κρυπτῷ ist, verborgen, unsichtbar, und der, wie
V 29 zeigt, „die Beschneidung des Herzens" hat, wie die atl. Wendung lautet,
die Paulus hier gebraucht. Vgl. Dt 10, 16: „Beschneidet also die Vorhaut
eures Herzens, und versteift nicht weiterhin euren Nacken"; ferner Lv 26, 41;
Dt 30, 6; Jer 4, 4; 6, 10; 9, 25; Ez 44, 7.9. Auch bei Philo ist davon öfters die
Rede, z. B. De migr. Abr. 16; De circumc. 1f u. a. Aus der Qumranliteratur
kann man 1 QpHab XI 13 erwähnen: „Denn er beschnitt die Vorhaut seines
Herzens nicht" (vgl. 1QS V 5 u. a.). Aber auch OdSal 11, 1–3 heißt es: „Mein
Herz war beschnitten, und seine Blüte erschien; die Gnade wuchs in ihm
und brachte Früchte dem Herrn. Denn der Höchste beschnitt mich durch den
heiligen Geist ... und so ward die Beschneidung mir zur Erlösung." Der
Ἰουδαῖος ist der Jude, der es im Verborgenen ist, das nur Gott sieht, der auf
das φυλάσσειν τὰ δικαιώματα τοῦ νόμου blickt. Er ist so verborgen, daß es
auch ein Heide, der das Gesetz erfüllt, sein kann. Die περιτομή, das ist die
schon vom Gesetz und den Propheten bezeugte Beschneidung des Herzens,
die in der Umkehr und im Halten der Gebote besteht und ebendeshalb auch
durch den Heiden vertreten werden kann. Sie besteht – ergänzt Paulus noch
und erreicht damit sein Ziel – in der περιτομὴ καρδίας ἐν πνεύματι οὐ γράμματι. Man kann damit Jub 1, 23f vergleichen, wo es heißt: „Und danach werden sie in aller Aufrichtigkeit mit ganzem Herzen und mit ganzer Seele zu
mir umkehren, und ich werde die Vorhaut ihres Herzens und die Vorhaut
des Herzens ihrer Nachkommen beschneiden und werde ihnen einen heiligen
Geist schaffen und sie rein machen, daß sie sich nicht mehr von mir wenden
von diesem Tage an bis in Ewigkeit. Und ihre Seele wird mir folgen und
meinem Gebot." Was hier als Verheißung für das gehorsame Israel gesehen
ist, bezieht Paulus auf den gegenwärtigen, das Gesetz erfüllenden Heiden
(-Christen). Man beachte den Gegensatz ἐν πνεύματι οὐ γράμματι, der sich

---

[19] Strack-Billerbeck III 124.

bei Paulus nur auf den Christen (Röm 7, 6; 2 Kor 3, 6) bezieht, wobei es der heilige Geist ist, der die Forderung des Gesetzes erfüllt (8, 4). Man könnte natürlich auch ohne Rekurs auf den Heidenchristen zurechtkommen, wenn nur ἐν πνεύματι dastünde. Aber dann müßte man, wie Kuß meint, den Begriff Geist „reduzieren". Und „Beschneidung im Geist will dann sagen: in der Ordnung des Geistes, nicht auch als bloße Erfüllung eines vom Gesetz geforderten Ritus", sagt Lagrange. „Als die innerliche Bewegung freudiger Hingabe im Gegensatz zu dem durch das geschriebene Gesetz von außen her erzwungenen Gehorsam", legt Althaus aus. Aber das alles ist unpaulinisch. So wird man auch V 29 auf den Heidenchristen zu beziehen haben, obwohl Paulus (2, 12–16) der Heide als solcher vor Augen stand. Von diesem wahren Ἰουδαῖος ist noch ein Letztes zu sagen: er ist der, dem Gott Lob zuteil werden läßt (V 29b). Es ist ein feierlicher Schlußsatz, der schon als solcher den Respekt des Apostels vor dem Juden, der in Wahrheit Jude ist, zeigt. Ihm wird nicht wie dem ἐν τῷ φανερῷ Ἰουδαῖος Lob von seiten der Menschen zuteil, sondern von Gott. Der Ausdruck erinnert an 1 Kor 4, 5. Aber man kann auch an Röm 4, 2 denken, wo indirekt gesagt wird, daß nur der Abraham des Glaubens Ruhm bei Gott findet. So legt sich auch von hier aus nahe, daß der Apostel schon in den Gegensatz Jude und Heidenchrist geraten ist.

Man sieht: Paulus konnte seinen Gedankengang im 2. Kapitel nicht recht durchhalten. Ausgegangen war er von der These, daß auch der Jude als solcher keine Entschuldigung vor Gott hat. Er, der die Tora besitzt, richtet zwar die anderen Menschen, aber er tut dasselbe wie sie. Gott aber richtet gerecht und ohne Ansehen der Person nach den Werken (2, 1–11). Nun kommt ein Zwischengedanke (2, 12–16): er kann auch den Heiden nach seinem Tun richten. Denn auch dieser hat ein Gesetz, freilich ein ins Herz geschriebenes und vom Gewissen bezeugtes. Und es kommt durchaus vor, daß er es tut. In 2, 17–29 kehrt Paulus wieder zum Juden zurück und erhebt heftige Anklage gegen ihn. Dieser rühmt sich des Besitzes des Gesetzes und hält sich für das Licht der Völker, aber wie Beispiele zeigen, er übertritt es und entehrt so den Namen Gottes unter den Heiden. Dann hilft ihm auch die Beschneidung nichts zum Heil. Er wird durch die Übertretung des Gesetzes zum Heiden, so wie dieser durch Erfüllung des Gesetzes zum wahren Juden. Denn Jude ist der, der im Herzen beschnitten ist durch den Geist. Er erfährt Gottes Lob.

Damit hat Paulus die vorchristliche, moralische Argumentation schon verlassen. Aber es ist noch nicht deutlich, von woher er urteilt. Nur im allgemeinen kann man sagen: von einer Position aus, die den Gegensatz von πνεῦμα und γράμμα kennt, so daß von V 25 ab der dem Juden entgegengesetzte Heide immer mehr der Heidenchrist ist. Auch in 3, 1–20 wird die Position noch nicht recht klar. Er wendet sich dort zwar zuerst (3, 1–8) gegen eine Reihe von Einwänden, die seine theologische Stellung betreffen, schließt aber dann mit dem ihn bisher im Grunde leitenden Gedanken: Juden und Griechen sind der Sünde unterworfen.

f) 3, 1–20 Der Vorrang der Juden schließt die Sündigkeit
der ganzen Welt nicht aus

*1 Was ist nun der Vorzug der Juden, oder was ist der Nutzen der Beschnei-
dung? 2 Vieles in jeder Hinsicht. Fürs erste sind ihnen die Worte anvertraut
worden. 3 Denn wie steht es? Wenn einige untreu wurden, sollte ihre Untreue die Treue Gottes zunichte machen? 4 O nein! Möge Gott sich vielmehr
als wahr erweisen, jeder Mensch aber als Lügner! So wie in der Schrift steht:
Damit du recht behältst mit deinen Worten und siegst, wenn man mit dir
rechtet. 5 Wenn aber unsere Ungerechtigkeit Gottes Gerechtigkeit erweist,
was besagt das? Ist Gott dann nicht ungerecht, wenn er das Zorngericht verhängt? Ich rede nach menschlichem Ermessen. 6 O nein! Wie könnte Gott
sonst die Welt richten? 7 Wenn jedoch die Wahrheit Gottes durch meine
Lüge zu überschwenglicher Herrlichkeit gelangt, warum werde ich dann
noch als Sünder gerichtet? 8 Gilt etwa das, was man uns lästerlich nachsagt
und uns von gewissen Leuten in den Mund gelegt wird: Laßt uns das Böse
tun, damit das Gute komme? Sie trifft zu Recht das Gericht!*

*9 Wie steht es also? Haben wir etwas voraus? Nicht absolut. Denn wir ha-
ben eben die Anklage erhoben, daß alle, Juden und Griechen, unter der
Macht der Sünde stehen, 10 wie es in der Schrift heißt:*

> *Keiner ist gerecht, auch nicht einer,*
> *11 niemand ist einsichtig,*
> *niemand, der Gott sucht.*
> *12 Alle sind abgewichen, insgesamt verkommen.*
> *Da ist keiner, der Gutes tut,*
> *auch nicht einer.*
> *13 Ein offenes Grab ist ihr Schlund,*
> *mit ihren Zungen betrogen sie.*
> *Schlangengift ist unter ihren Lippen.*
> *14 Ihr Mund strotzt von Fluch und Bitterkeit.*
> *15 Ihre Füße eilen, um Blut zu vergießen.*
> *16 Zerstörung und Elend sind auf ihren Wegen,*
> *17 und den Weg des Friedens kannten sie nicht.*
> *18 Da ist keine Gottesfurcht vor ihren Augen.*

*19 Wir wissen aber, was das Gesetz sagt, sagt es denen, die unter dem Gesetz
leben, damit jeder Mund gestopft und die ganze Welt vor Gott schuldig
werde. 20 Darum wird aus Gesetzeswerken kein Fleisch vor ihm gerecht.
Denn durch das Gesetz kommt es zur Erfahrung der Sünde.*

V 1 Kapitel 3 beginnt mit einer Doppelfrage im Diatribenstil, die Paulus sich
selbst stellt. Ihre Teile sind mit korrelativem ἤ verbunden wie 10, 6f; 11, 34. Sie
fragt einmal, welches τὸ περισσόν, also ἡ περισσεία im Sinn dessen, was der

Jude Besonderes voraushat, sei. Gemeint ist natürlich der heilsgeschichtliche Vorrang. Die zweite Frage ist spezieller die nach dem (Heils-)Nutzen der Beschneidung. Zu ἡ ὠφέλεια vgl. 2, 25 ὠφελεῖ. Wenn also die Übertretung des Gesetzes die Beschneidung zunichte macht und der die Forderung des Gesetzes erfüllende Heide den Juden, der es nicht erfüllt, richten wird, wenn überhaupt „Jude" der ist, der beschnittenen Herzens im Geist ist, gleichgültig, ob auch beschnitten am Fleisch, wo bleibt dann die Bedeutung der physischen Beschneidung, des Zeichens und Unterpfandes der Zugehörigkeit zum Volk Gottes? Wo bleibt überhaupt die Prärogative der Juden?

V 2   Die Antwort, die Paulus auf diese Fragen gibt, scheint sich zunächst auf beide zu beziehen: plerophorisch und mit einer gewissen beschwichtigenden Heftigkeit lautet sie: πολὺ κατὰ πάντα τρόπον, „viel" oder „groß in jeder Hinsicht"[1]. Aber die Antwort bezieht sich inhaltlich nur auf die erste, umfassendere Frage. Sie setzt mit einem πρῶτον μέν ein, aber es folgt kein δεύτερον. Paulus bricht vielmehr dieses Thema ab. 9, 4f zeigt, was er sonst noch vom περισσόν des Juden nennen könnte[2]. Jedenfalls ist der Vorzug des Juden die Gabe der λόγια τοῦ θεοῦ, also weder die Beschneidung am Fleisch noch die Gesetzesleistung. Ὅτι ist erklärend. Ἐπιστεύθησαν von πιστεύω meint „anvertrauen", „zu treuen Händen übergeben"[3] wie 1 Kor 9, 17 von der οἰκονομία des Apostels und 1 Thess 2, 4 vom Evangelium. Τὰ λόγια τοῦ θεοῦ sind konkret die Worte der Verheißung und des Gesetzes. Im Griechischen bezeichnet der Begriff den Gottesspruch des Orakels[4]. Für Paulus ist er wohl ein LXX-Begriff. Er kommt z.B. im Singular und Plural in Ps 118 vierundzwanzigmal vor, und zwar dort und an anderen Stellen im Wechsel mit τὰ δικαιώματα, κρίματα, μαρτυρίαι, ἐντολαί, λόγοι, νόμος u.a. Vgl. außer Ps 118, 11ff auch 103ff. 158ff, sonst Nm 24, 4.16; Dt 33, 9; auch Apg 7, 38; Hebr 5, 12. Darin besteht also der Vorrang der Juden, daß sie die Gottessprüche zu treuen Händen überkommen haben. Es ist ein ungeheurer und einzigartiger Vorzug. Aber er ist keine Garantie. Die λόγια τοῦ θεοῦ müssen ja gehört, bewahrt und getan werden. Weitere Gaben zählt Paulus, wie gesagt, hier nicht auf.

V 3   Er geht vielmehr mit einer neuen Verknüpfungsformel im Diatribenstil: τί γάρ (vgl. Phil 1, 18: „Denn wie steht es?"), auf einen Einwand ein, den ihm formal freilich nicht andere machen, sondern den er sich selbst stellt: Es gibt in Israel Untreue. Hebt diese die Treue Gottes nicht auf, seine Bundestreue und ihre Gaben? Τίνες sagt er jetzt, während er vorher allgemein von den Ἰουδαῖοι sprach. Später spricht er wieder davon, daß nur ein „Rest" Gott treu geblieben ist (9, 5). Vor Gottes Treue wird die Untreue der Juden zu der von wenigen, darf man vielleicht mit Michel sagen. Vielleicht hat aber auch Althaus recht, wenn er die Formulierung im Vorausblick auf 11, 25ff versteht. Gegenüber der

---

[1] Κατὰ πάντα τρόπον: Xen. an. 6,6.30 u.a. LXX: Nm 18,7; Arist 215; Philo, Opif. mundi 10; OrSib III 430 u.a.m. BAUER WB 1636f.
[2] Das γάρ ist wohl nicht ursprünglich. Es steht in א A 𝔐 pm entgegen B D* G al lat.
[3] KÄSEMANN meint (nach RANFT, Tradition, 195ff): im Sinn antiken Depositalrechts.
[4] BAUER WB 942.

eschatologischen Rettung von ganz Israel sind die jetzigen untreu Gewordenen nur „einige". Nach Käsemann ist das τίνες aus der Antithese zur neuen, durch den Glaubensgehorsam bestimmten Welt zu erklären. Wie dem auch sei: die Frage ist, ob das Aufsagen der Treue „einiger" nicht die Bundestreue Gottes beseitigt. Ἀπιστεῖν ist hier „treulos werden", „die Treue aufsagen" (vgl. 2 Tim 2, 13), ἀπιστία entsprechend die „Untreue" (vgl. Weish 14, 25). Und ἡ πίστις τοῦ θεοῦ ist ohne Zweifel Gottes Treue, die er in seinem Bund gewährt (vgl. Ps 32, 4; Os 2, 21 f). Καταργήσει ist wohl logisches Futur, und καταργεῖν entspricht dem aramäischen בטל Esr 4, 21.23; 5, 5; 6, 10 und ist im NT fast ein paulinisches Wort. Es kommt bei Paulus fünfundzwanzigmal vor, außerhalb des Corpus Paulinum nur noch Lk 13, 7; Hebr 2, 14. Es bedeutet „zunichte machen", „beseitigen", wie etwa Gal 3, 17 die Verheißung. Die Antwort auf die gestellte Frage ist zunächst μὴ γένοιτο, eine starke Verneinung, die auch in der kynisch-stoischen Diatribe gebraucht wird[5]. In unserem Brief finden wir es noch Röm 3, 3.6.31; 6, 2.15; 7, 7.13; 9, 14; 11, 1.11; 1 Kor 6, 15; Gal 2, 17; 3, 21. Die Bundestreue Gottes wird durch die Untreue oder Bundesbrüchigkeit der Juden nicht beseitigt. So ist der Zusammenhang der paulinischen Aussagen bisher folgender: Welches ist der Vorzug der Juden? Ihm sind die Gottessprüche anvertraut. Aber einige sind untreu geworden. Wird dadurch nicht die Bundestreue Gottes aufgehoben? Nein! Die λόγια τοῦ θεοῦ sind Israel übergeben. Und von daher bleibt die Bundestreue Gottes auch gegenüber den untreuen Juden bestehen. Gottes Treue ist nicht abhängig von der Treue seines Volkes.

V 4 Doch das μὴ γένοιτο ist nicht die einzige Antwort, die Paulus auf seine selbstgestellte Frage gibt. Nicht nur wird die Bundestreue Gottes durch menschliche Untreue nicht beseitigt und der Vorzug der Juden – die anvertrauten λόγια τοῦ θεοῦ – nicht abrogiert, sondern es ist auch so, wie in der Bitte ausgesprochen wird, die sich erfüllt: „Gott möge sich als wahr erweisen und jeder Mensch als Lügner." Die Untreue Israels hat auch einen positiven Sinn. Sie läßt mit der bleibenden Bundestreue Gottes auch die „Wahrheit", die gültige, offenbare Wirklichkeit Gottes Realität werden, und mit der menschlichen Untreue die „Lüge", die Lüge, d. i. seine fundamentale Unzuverlässigkeit[6]. Es sollen und werden – so ist das γινέσθω zu verstehen – sich Gott und der Mensch als die bezeugen, die sie sind. Das steht schon in der Schrift. Als Bestätigung seiner Aussage zieht Paulus Ps 50, 6 LXX heran, freilich nur Ps 50, 6 b. Er löst den Vers aus dem Zusammenhang des Bußgebetes, so daß man ihn nicht vom dortigen, sondern vom jetzigen Verständnis her interpretieren muß. Das ὅπως ἂν δικαιωθῇς muß dem γίνεσθαι ἀληθής entsprechen. Paulus steht in unserem Text allein Gott vor Augen, und so macht er im Grunde Aussagen über ihn. Diese gehen dahin, daß Gott in seiner Gerechtigkeit heraustritt und Sieger in dem Prozeß wird, den die Menschen ständig gegen ihn anstrengen. Δικαιοῦν

---

[5] Zum Beispiel Epict., Diss. 3, 8, 3: τίς οὖν οὐσία θεοῦ; σάρξ; μὴ γένοιτο. ἀγρός; μὴ γένοιτο· φήμη; μὴ γένοιτο. BULTMANN, Stil, 33.
[6] ψ 115, 2 (LXX).

ist als Begriff der Rechtssprache allgemein nach der LXX „jemanden durch richterliches Urteil für gerecht erklären", δικαιοῦσθαι meint „als gerecht aus dem Prozeß hervorgehen", „als gerecht vor den Augen aller dastehen", „durch den Urteilsspruch gerecht werden". Dieser Begriff ist hier auf Gott angewendet, der gerade durch die Untreue der Menschen [7] als Gerechter in seiner Gerechtigkeit, die seine Bundestreue ist, hervortritt und so in diesem Prozeß obsiegt [8]. Und eben dieses Hervortreten in seiner Gerechtigkeit ist die Weise der Offenbarung seiner Verläßlichkeit und also die Bewährung seiner πίστις. Δικαιωθῆναι ἐν τοῖς λόγοις σου ist im Zusammenhang „in der Gerechtigkeit der offenbaren Verläßlichkeit seiner Bundestreue hervortreten". Dem Juden sind die Bundesworte Gottes anvertraut worden, die den Bund begründen und dokumentieren. Seine Untreue, z. B. die Übertretung des Bundesgesetzes, hat Gottes Bundestreue nicht beseitigt. Vielmehr wird durch sie Gottes Treue offenbar, wie ja die Schrift sagt, daß er als Sieger im Prozeß und als der in seinen Worten Gerechte an den Tag treten wird. Insofern hat 3, 1–4 einen einheitlichen und geschlossenen Gedankengang, der sich freilich im gewissen Sinn von der Ausgangsfrage entfernt hat. Die Stichworte τὸ περισσὸν τοῦ Ἰουδαίου – τὰ λόγια τοῦ θεοῦ – ἡ πίστις τοῦ θεοῦ – ὁ θεὸς ἀληθής – ἐδικαιώθη ἐν τοῖς λόγοις σου – νικήσεις ἐν τῷ κρίνεσθαί σε zeigen deutlich den Zusammenhang. Beachtenswert ist nebenbei das Verständnis der menschlichen Geschichte als eines Prozesses, der nur dazu dient, daß Gottes Gerechtigkeit um so heller erstrahlt.

VV 5–6   An diese Ausführungen knüpft sich ein zweiter Einwand, den Paulus formal wiederum sich selbst macht, obwohl er ihn auch oft gehört haben mag. Es ist ein Einwand, der aus dem eben Gesagten falsche Konsequenzen zieht. Die Formulierung zeigt *V 5*, daß wir richtig ausgelegt haben. Das, was V 3 ἠπίστησαν hieß, wird jetzt ἡ ἀδικία ἡμῶν genannt. Aus τίνες ist dabei ἡμεῖς geworden, so daß „wir" alle mit einbezogen werden. Ferner ist ἡ πίστις τοῦ θεοῦ in der Tat θεοῦ δικαιοσύνη und diese damit die Gerechtigkeit, die in der Bundestreue Gottes besteht und ihn in ihrem Walten ἀληθής sein läßt. Und endlich ist das γίνεσθαι ἀληθής und das δικαιωθῆναι mit θεοῦ δικαιοσύνην συνιστάναι der Sache nach wiedergegeben. Συνιστάναι heißt „herausstellen", „erwirken", „erweisen" wie Röm 5, 8; 2 Kor 6, 4; 7, 11; Gal 2, 8. Paulus spricht also weiterhin von dem, was er in V 3 berührt hat, nämlich daß Gottes Bundestreue durch die Untreue „einiger" nicht nur nicht beseitigt, sondern ins helle Licht getreten ist, indem sie sich als unerschütterlich erwies. Er formuliert jetzt nur anders. Unsere Ungerechtigkeit bringt seine Gerechtigkeit an den Tag, wobei θεοῦ δικαιοσύνη eschatologisch und zugleich forensisch verstanden ist [9]. Dann fügt Paulus vor allem eine Frage an, die wieder eine ver-

---

[7] Im übrigen ist es bemerkenswert, daß Paulus, obwohl er den Juden als Prozeßgegner Gottes meint, vom „Menschen" spricht, was aber nur besagt, daß er ihn auch hier als Typus des Menschen versteht.

[8] Zu νικᾶν in diesem Sinn BAUER WB 1066.

[9] Vgl. G. BORNKAMM, Die Offenbarung des Zornes Gottes, in: Das Ende des Gesetzes (1958) 9–33, bes. 30f.

steckte, aber andersartige Anklage gegen Gott enthält. Wenn unsere Ungerechtigkeit Gottes Gerechtigkeit hervorruft, ist dann Gott nicht ungerecht, wenn er seinen Zorn (im eschatologischen Gericht) uns gegenüber walten läßt? Wenn das so ist, daß wir gleichsam Gott zum Erweis seiner Gerechtigkeit durch unsere Ungerechtigkeit herausfordern – τί οὖν ἐροῦμεν, „was soll man dann sagen?" Die Frage ist eine Wendung der Diatribe wie in 4, 1; 6, 1; 7, 7; 8, 31; 9, 14.30 [10]. Ist dann Gott nicht ungerecht, wenn er uns für unsere ἀδικία straft? Aber dieser menschlich-logische Schluß ist so absurd, daß Paulus 1) κατὰ ἄνθρωπον λέγω hinzufügt wie Gal 3, 15 (vgl. 1 Kor 9, 8; und Röm 6, 19: ἀνθρώπινον λέγω, „ich rede menschlich", „ich rede, wie man so redet" u. ä.), 2) wieder – V 6 – wie V 3 mit einem μὴ γένοιτο diese Logik abwehrt und 3) darauf hinweist, daß Gott ja den Kosmos richtet: „Denn wie sollte sonst" – ἐπεὶ πῶς, vgl. 11, 6.22, aber auch schon klassisch [11] – „Gott Weltenrichter sein können?" Also kurz: Gott ist nicht ungerecht. Er ist ja Weltenrichter (vgl. OrSib IV 184; 1 Kor 6, 2; Joh 3, 17; 12, 47), der, wir hörten es schon, „am Tag des Zornes und der Offenbarung des gerechten Gerichtes" (2, 5) „ohne Ansehen der Person" (2, 11) einem jeden nach seinen Werken vergilt. Dann ist es wohl auch nicht ungerecht, wenn er, obwohl unsere Ungerechtigkeit seine Gerechtigkeit, seine Bundestreue und Wahrheit herausstellt, seinen Gerichtszorn über die ergießt, die ἀδικία üben. Wir sehen, Paulus argumentiert nicht eigentlich von der Sache her, d. h. so, daß er die Schwäche der Schlußfolgerung erörtert, sondern weist die Frage ab mit dem Hinweis auf die Konsequenz der Schlußfolgerung, die von dem Fragenden wirklich nicht gezogen werden kann. Eine solche Schlußfolgerung, daß Gott ungerecht ist, weil er durch unsere Ungerechtigkeit in seiner Gerechtigkeit offenbar wird, ließe Gott nicht mehr Richter der Völker und Menschen sein. Zu beachten ist noch Folgendes: 1) θεοῦ δικαιοσύνη ist ohne Zweifel mit Käsemann, Stuhlmacher u. a. als Waltenlassen seiner Bundestreue und diese als Waltenlassen seiner Gerechtigkeit zu verstehen, in welchem Waltenlassen beider, die eins sind, mit dem einen jeweils das andere gesetzt und bewahrt wird. Θεοῦ δικαιοσύνη ist das Gerechte, das in der πίστις τοῦ θεοῦ, in der Bundestreue Gottes und ihrem Walten, erscheint und zur Geltung gebracht wird. Πίστις τοῦ θεοῦ aber ist die Treue Gottes, die sich in solcher Gerechtigkeit auswirkt. „Gerechtigkeit Gottes" – es ist das zweitemal, daß sie im Römerbrief auftaucht – konstituiert sich, indem und dadurch, daß Gott treu in seinem Bund ist, und umgekehrt erscheint seine Treue darin, daß Gott gerecht ist und seine Gerechtigkeit erweist. 2) Da solcher Gerechtigkeit der Bundestreue Gottes menschliche Ungerechtigkeit, die zugleich Untreue ist, nichts antun kann, es sei denn, sie in ihrem Walten nur zu erhärten, ist sie auch richterliche Gerechtigkeit und begegnet dem ἄδικος als ὀργή und enthüllt sich als Krisis des Kosmos. Ὀργή steht also nicht [12] im Gegensatz zur δικαιοσύνη θεοῦ. Diese wird vielmehr dem, der solcher Bundestreue der Ge-

---

[10] J. Jeremias, Zur Gedankenführung in den paulinischen Briefen, in: Studia Paulina (Haarlem 1953) 146–154, 146.

[11] Blass-Debr, § 456, 3.

[12] Wie Stuhlmacher, 85 behauptet.

rechtigkeit Gottes widerspricht, zur ὀργή. Sie ist sozusagen die Kehrseite der δικαιοσύνη θεοῦ, welche die Wahrheit seiner bleibenden Bundestreue ist. 3) Paulus hat hier bei der δικαιοσύνη θεοῦ keineswegs schon die in Christus erschienene und im Evangelium gegenwärtige Gerechtigkeit Gottes (vgl. 3,21ff; 1,17) als solche im Sinn, wie Kuss meint, sondern *die* δικαιοσύνη θεοῦ, wie sie von jüdischen Voraussetzungen her – diese aber im Licht des Evangeliums durchschaut – verstanden wird. Man muß den Gedankengang im ganzen beachten. Paulus argumentiert so: Der Jude hat einen Vorzug, die ihm anvertrauten Gottessprüche. Die sich darin erweisende Bundestreue Gottes ist durch jüdische Untreue nicht dahingefallen. Diese läßt sie erst in ihrer Wahrheit und Gerechtigkeit erscheinen. Dem widerspricht keineswegs, daß Gott den Ungerechten richtet. *Er* wird dadurch nicht ungerecht. Wie wäre er denn sonst der Weltenrichter?

V 7   Paulus erhebt hier eine neue Frage, die fragend eine neue Konsequenz dessen herausstellt, daß durch des Menschen ἀδικία oder, wie es jetzt heißt, ψεῦσμα Gottes Gerechtigkeit bzw. seine δόξα zur Geltung kommt. Die neue Formulierung ist bemerkenswert. In rhetorischem Übergang steht jetzt der Singular anstelle des bisherigen Plurals. Der einzelne tritt mehr hervor, obwohl auch er typisch gemeint ist. Die entscheidenden Substantive wechseln: τὸ ψεῦσμα tritt an die Stelle von ἡ ἀδικία bzw. ἡ ἀπιστία. Die Untreue gegenüber dem treuen Gott, die sich in der Ungerechtigkeit realisiert, ist zugleich „Lüge", und zwar im selben Sinn wie beim ψεύστης (V 4), also im Sinn der die gültige, offenbare Wirklichkeit niederhaltenden Unzuverlässigkeit. Ἡ ἀλήθεια τοῦ θεοῦ entspricht natürlich dem ἀληθής von V 4 und ist an die Stelle von θεοῦ δικαιοσύνη in V 5 und πίστις in V 3 getreten. Sie ist die unverstellte Wirklichkeit Gottes in der Gerechtigkeit seiner Bundestreue. Dabei muß man nur beachten, daß θεοῦ δικαιοσύνη den Sachverhalt hinsichtlich dessen meint, worin er besteht, im Erweis von Gerechtigkeit oder Gerechtheit, πίστις dagegen in Hinsicht darauf, daß er in einem Verhältnis zu Israel und den Juden geschieht, ἀλήθεια aber im Blick darauf, daß er sich in seinem Geschehen zugleich in seiner Gültigkeit offenbar und evident macht. Alle drei Begriffe haben also *einen* Sachverhalt vor Augen, der sich begrifflich aber nur jeweils von einer Seite her erfassen läßt. Dabei erinnern wir uns, daß 1,18 ἀδικία und ἀλήθεια auch schon miteinander wechselten. Nun erscheint in V 7 noch ein vierter Begriff: εἰς τὴν δόξαν αὐτοῦ. Er gehört einerseits mit ἡ ἀλήθεια τοῦ θεοῦ zusammen. Denn es ist gesagt, daß diese Wahrheit Gottes durch – ἐν ist instrumental – meine Lüge überreich zur δόξα τοῦ θεοῦ geworden ist. Περισσεύειν meint wie 5,15; 15,13; 1 Kor 15,58; 2 Kor 1,5; 3,9; 8,2 u. a. „reich sein", „Überfluß haben", „überströmen" u. ä. Δόξα ist also das machtvolle und erfüllte Aufgehen oder Aufstrahlen der Wahrheit Gottes. Diese ist es, die in Gottes Herrlichkeit erscheint. Anderseits gehören δόξα τοῦ θεοῦ und θεοῦ δικαιοσύνη zusammen. Denn wenn meine Lüge die Wahrheit Gottes überreich zu seiner Herrlichkeit aufgehen läßt, so ist das ja dasselbe, wie wenn unsere Ungerechtigkeit Gottes Gerechtigkeit erweist. Im übrigen wird dieser Zusammenhang auch in 3,21ff deutlich. Aber zurück zur Aussage des Satzes selbst: Wenn die

Wahrheit Gottes, welche ist die Gerechtigkeit seiner Bundestreue, zu und in Gottes δόξα aufleuchtet, und zwar durch die Lüge meiner ungerechten Treulosigkeit, warum werde ich dann noch als Sünder gerichtet?[13] Jetzt wird im Blick auf den Menschen argumentiert, der hier zum erstenmal als ἁμαρτωλός (vgl. 5, 8.19) bezeichnet ist.

V 8 Wird also auch hier wie 3, 5 ein kausaler Zusammenhang zwischen meiner Sünde und Gottes Treue-Erweis, Gerechtigkeit, Wahrheit und Herrlichkeit konstruiert und von daher Kritik an seinem richterlichen Verhalten begründet, so wird dieses Mißverständnis in einem vierten Satz unterstrichen, und zwar dadurch, daß die mißgünstige Konsequenz von Gegnern des Paulus in einer dem Apostel zugeschriebenen Ansicht dargelegt wird. Es gilt doch nicht (καὶ μή + ἔστιν ὅτι), was man uns lästerlich sagen läßt: „Laßt uns das Böse tun, damit das Gute komme." Jetzt wird erkennbar, aus welcher Gegend die angeführten Einwände von V 5b ab kommen: sie entspringen jüdischer, vielleicht auch judenchristlicher Polemik. Paulus wird nach seiner Aussage, die „lästerliche" – βλασφημεῖν ist persönlich konstruiert – Lehre vorgehalten, er fordere zur ἀδικία auf, zum ποιεῖν τὰ κακά, damit dadurch das Gute käme, eben jenes Walten der Gerechtigkeit Gottes, jener Erweis seiner Treue und Wahrheit, jenes Aufscheinen seiner Herrlichkeit. Es ist eine Karikatur des paulinischen Evangeliums von der χάρις, wie sie auch 6, 1ff.14ff; 7, 8ff auftauchen wird. Aber erst dort, erst nachdem von dem machtvollen Erscheinen der Gerechtigkeit Gottes in Jesus Christus die Rede war, argumentiert Paulus gegen sie. Hier schneidet er solches Gerede mit einem Fluch ab (V 8b). Dieser Verleumder κρίμα ἔνδικόν ἐστιν. Κρίμα ist wie 2, 2f; 1 Kor 11, 34; Apk 17, 1 Verurteilung, Verdammnis. Ἔνδικον ist „im Recht begründet", „rechtmäßig", „gerecht" (vgl. Hebr 2, 12). Die τινες – Paulus nennt keine Namen –, die lästerlichen Verleumder des Apostels, die ja, wie die vorigen Sätze zeigen, auch Gott lästern, Gott verdammt sie zu Recht. Vielleicht, daß diese τινες auch in Rom wirkten. Die dortige Gemeinde erfährt jedenfalls, wie der Apostel über solche Leute und solche Behauptungen denkt.

Paulus ist weit von seinem Ausgangsthema, Kap. 2, abgekommen. In den *VV 9ff* holt er sich wieder zum Thema zurück, erst zu 3, 1 und dann zu 2, 1ff bzw. auch 1, 18ff. Mit einem rhetorischen τί οὖν – „Wie steht es nun?" (vgl. 6, 15; 11, 7; 3, 3: τί γάρ) – stellt Paulus die Frage: προεχόμεθα? Προέχειν kann heißen: 1) „vorausein", „etwas voraushaben", „sich hervortun", „hervorragen", „einen Vorzug haben"[14] u. ä., ist aber im Medium nicht belegt, 2) med. „sich etwas zum Schutz vorhalten", „etwas vorschützen" u. ä. Aber letzteres gibt in unserem Zusammenhang nur mühsam einen Sinn, der außerdem verschieden ist, je nachdem, ob man die erste Person Pluralis auf die Juden oder auf Paulus bezieht. So ist m. E. die erstgenannte Bedeutung vorzuziehen, obwohl für diesen medialen Gebrauch bisher kein Beleg gefunden ist.

---

[13] Καί in laxer Stellung gehört zu κρίνομαι (LIETZMANN); vgl. 5,3 (8,11; 9,24 u.a.); 1 Thess 2,13; 3,5; im Sinn von 1 Kor 15,29: τί καὶ βαπτίζονται: „was überhaupt", „warum denn noch" werden sie getauft?   [14] Vgl. BAUER WB 1399f.

„Wir" sind dann die Juden, mit denen sich Paulus zusammenschließt. Die Antwort auf diese Frage: „Haben wir einen Vorzug?", ist zunächst auch nicht eindeutig. Das οὐ πάντως kann einmal „ganz und gar nicht", „auf keinen Fall" u. ä. heißen. Dann aber stünde die Aussage in striktem Gegensatz zu 3, 1f. So wird man die andere Möglichkeit vorziehen, nämlich: „nicht durchaus", „nicht in jeder Hinsicht" (Lagrange, Huby, Lietzmann), „nicht absolut" wie 1 Kor 15, 10. Röm 3, 2 wird dann eingeschränkt. Wir, die Juden, haben einen großen Vorzug (objektiver Art). Uns sind die λόγια τοῦ θεοῦ anvertraut worden. Aber dieser überwältigende Vorrang ist doch nur relativ durch unser Verhalten, unsere Untreue, von der wir schon gesprochen haben. Das γάρ zeigt, daß das οὐ πάντως durch das Folgende begründet bzw. erläutert wird. Προαιτιᾶσθαι ist soviel wie „vorher, früher die Anklage erheben", mit Acc. c. Infin. Das προ- meint natürlich das, was 1, 18–2, 29 gesagt war und jetzt summarisch zusammengefaßt wird: „Juden und Griechen, alle sind der Sünde unterworfen." Das πάντες betont, wie auch die folgenden Zitate zeigen, die Ausnahmslosigkeit dieser Unterwerfung unter die Sünde. Als Zusammenfassung von 1, 18 – 2, 29 müßte es eigentlich heißen „Griechen und Juden". Aber da das περισσόν des Juden auf alle Fälle gilt, wird die heilsgeschichtliche Formel „Juden und Griechen" beibehalten. Jetzt taucht zum erstenmal der Begriff ἡ ἁμαρτία auf – ohne Artikel wegen der Präposition – und sofort im Singular als Sündenmacht, wie dann 3, 20; 5, 12f; 6, 1f. 6f. 10ff. 16ff. 22 usw. Das ὑφ᾽ ἁμαρτίαν εἶναι entspricht der Sache nach etwa dem δοῦλοι ἁμαρτίας εἶναι von 6, 16. 17. 20 oder dem συνέκλεισεν ἡ γραφὴ τὰ πάντα ὑπὸ ἁμαρτίαν in Gal 3, 22. Das menschliche Dasein, so wie es vorkommt, ist von sich aus kein freies, sondern ein unterworfenes, und zwar unter anderem oder besser: vor allem unter die Sündenmacht, die sich nach 5, 12 im Sündigen aktualisiert, z. B. in all dem, worin es sich nach 1, 18ff und 2, 17ff konkret erweist. Die Tatsache selbst wird auch von den Rabbinen gelegentlich ausgesprochen, so z. B. bSanh 101a: „Der erkrankte Rabbi Elieser (90 n. Chr.) fragte den Rabbi Akiba: ‚Habe ich irgend etwas von der ganzen Tora unbeachtet gelassen?' Der sprach zu ihm: ‚Du hast uns gelehrt, Rabbi, daß kein Mensch auf Erden gerecht ist, daß er Gutes täte und nicht sündigte' (Prd 7, 20)." Aber abgesehen davon, daß es auch andersartige Äußerungen gibt, z. B. Weish 15, 2, ist die paulinische Formulierung grundsätzlicher, d. h., es wird die sündige Existenz als Aktualisierung eines sündigen Seins verstanden. Das wird in den folgenden Zitaten, die ja die summarische Behauptung des ὑφ᾽ ἁμαρτίαν εἶναι durch Hinweis auf einzelne Sünden bekräftigen, deutlich. Es sind bezeichnenderweise Schriftzitate, die, vorwiegend den Psalmen und einmal der Prophetie (Is 59, 7f) entnommen, zusammen so etwas wie einen urchristlichen Psalm – eine Gottesklage, sagt Michel mit Recht (vgl. auch Leenhardt) – darstellen und nicht etwa, wie Schlatter und Käsemann meinen, eine „Gerichtspredigt". Es mag sein, daß solche Zusammenstellung von Psalm- und Prophetenworten, z. T. wörtlich mit der LXX übereinstimmend, z. T. verändert und verkürzt, dem Apostel schon in der Form eines Florilegiums vorlag[15]. Jedenfalls geht

---

[15] H. VOLLMER, Die atl. Zitate bei Paulus (Freiburg i. Br. – Leipzig 1895) 40; P. VIEL-

Paulus, wo er sonst mehrere atl. Zitate anführt, anders vor (vgl. 9,21ff; 10,13ff; 11,8f). Die Kombination von Psalmen und einer Prophetenstelle ist formal und inhaltlich geordnet und gegliedert. Die VV 10–12 sind zwei Dreizeiler, 13–14 zwei Zweizeiler, 15–18 ein Dreizeiler und ein Einzeiler. Dabei enthält V 10 die These und ist V 18 ein umfassender Schluß. Dem Inhalt nach wird allgemein gesagt: 1) es ist keiner – vgl. das οὐκ ἔστιν fünfmal im Psalm und das entsprechende πάντες –, der Gott sucht und rechtschaffen ist; 2) aller Menschen Wort und 3) aller Menschen Wege sind verderblich. 4) So ist keiner voll Gottesfurcht. Auf Einzelheiten brauchen wir hier nicht einzugehen[16].

VV 10–18   Die These in *V 10* ist nicht von Paulus selbst gebildet. Vgl. 1QH IX 14f: „Keiner ist gerecht nach deinem Urteil und unschuldig in deinem Gericht"; auch 1QH IV 29f, VII 17, XII 31f. Δίκαιος fehlt in Ps 14,1–3. Aber für Paulus ist es gerade wichtig. Es ist für ihn die Summe des Ganzen. Keiner ist ein δίκαιος[17]. Und das schließt ein: keiner ist einsichtig, gar keiner, der nach Gott fragt – *V 11*. Die nach Gott fragende Einsicht machte ja gerecht. Aber – *V 12* – alle sind von Gott abgewichen, alle verdorben, da ist keiner, der das Gute tut, Rechtschaffenheit übt. Auch nicht einer. Das erweist sich darin, daß – Ps 5,10; 140,4; 10,7 – aus ihrem Mund nur Abscheuliches, Betrug, Giftiges, Fluch und Bitterkeit strömen – *VV 13–14*. „Wahrscheinlich scheint der jüdische Haß gegen das Evangelium im Blickfeld zu stehen" (Schlatter). Es erweist sich aber auch in ihrem gesamten Weg: Is 59,7f – *VV 15–17*. Ihr Weg ist der eines Kriegshaufens. Den Schluß und die Zusammenfassung – *V 18* – bildet Ps 36,2 fast wörtlich. In ihren Augen (LXX: in des Frevlers Augen: αὐτοῦ) gibt es keine Gottesfurcht.

V 19   Daß sich dies alles auf den Heiden bezieht, ist für den Juden selbstverständlich. Daß es aber auch auf den Juden zutrifft, wird dieser nicht anerkennen. Aber Paulus hat einen jüdischen Lehrsatz an der Hand, der das unzweifelhaft macht. Und die Juden kennen ihn: Οἴδαμεν..., wie 2,2; 8,22.28; 1 Kor 8,4; 2 Kor 5,1; 1 Tim 1,8; 1 Joh 3,2; 5,15ff. Es ist der Satz, daß der νόμος zu denen spricht, die in seinem Bereich leben. Ὁ νόμος ist hier ἡ γραφή (vgl. die Zitate 1 Kor 14,21)[18]. Die Schrift erhebt ihren Anspruch auf die, welche in ihrem Herrschaftsbereich leben (vgl. 2,13). Sie redet daher zu denen und von denen, die sie lesen oder hören. Damit ist aber, da man von den Heiden nicht zu reden braucht, die ganze Welt angeklagt. Sie kann den Mund nicht auftun (V 19b). Es wird wie in 3,9 das Resultat aus allem Gesagten gezogen. Ἵνα ist hier eher konsekutiv als final[19]. Jedem ist der Mund gestopft dadurch, daß die Schrift so zu den Juden und von ihnen redet. Zu

---

HAUER, Paulus und das AT, in: Studien zur Geschichte und Theologie der Reformation (Festschrift E. Bizer) (Neukirchen 1969) 33–62.
[16] Zum Verhältnis der Zitate zum hebräischen und griechischen Text des AT vgl. Kuss.
[17] Vgl. 1QH IX 14f: „Keiner ist gerecht nach deinem Urteil und unschuldig im Gericht"; 1QH XII 31f: „Du bist gerecht, und keiner besteht vor dir." Vgl. 1QH IV 29f, VII 17.
[18] Bei den Rabbinen STRACK-BILLERBECK III 462f.
[19] BLASS-DEBR, § 331,5; RADERMACHER², 191.

φράσσειν τὸ στόμα vgl. Ps 107, 42; Job 5, 16; 1 Makk 9, 55; OrSib VIII 420. Und es kann kein Mund mehr etwas sagen, weil alle Welt, „der ganze Kosmos" (der Menschen) ὑπόδικος[20], „haftbar", „schuldig", „straffällig", ist, und zwar Gott gegenüber. ῾Υπόδικος findet sich im NT nur hier.

V 20 Damit könnte Paulus seinen ersten größeren Abschnitt des Briefes beenden. Aber er fügt noch eine überraschende Begründung des V 19b und damit des ganzen Teiles von 1, 18 – 3, 19 hinzu. Sie taucht freilich hier nur auf und verschwindet sofort wieder, so daß sie, Späteres vorausnehmend, von hier aus kaum schon verständlich ist. Freilich ist die Hinzufügung von V 20 nicht einfach Ungeschicklichkeit oder auch Willkür, sondern sie dient der Einfügung von 1, 18 – 3, 19 in das eigentliche paulinische Evangelium und stellt diesen Abschnitt damit in das rechte Licht, gibt sozusagen den Schlüssel in die Hand, mit dem man auch ihn aufschließen kann und soll. Es ist im gewissen Sinn die Fortsetzung von 1, 17 und ermöglicht zugleich sozusagen als negative Basis die Aussagen von 3, 21ff.

V 20 begründet also die Feststellung, daß die ganze Welt, Juden und Heiden, in der Schuld Gottes steht. Διότι hat keineswegs die Ergänzung durch ein γέγραπται nötig, sondern bedeutet wie 1, 19; 8, 7; Gal 2, 16 v. l.; 1 Thess 2, 18: „denn (es ist so)": „aus Gesetzeswerken wird kein Fleisch vor ihm gerechtfertigt werden". Der Satz ist eine Anspielung auf Ps 142, 12 LXX, wo es heißt: „Gehe nicht ins Gericht mit deinem Knecht, ὅτι οὐ δικαιωθήσεται ἐνώπιόν σου πᾶς ζῶν. Paulus ändert also πᾶς ζῶν in die biblische Wendung πᾶσα σάρξ (כָּל בָּשָׂר) in Gn 6, 12; 1 Hen 81, 5, die der Charakterisierung des Kosmos, von dem die Rede ist, eher dient als das mißverständliche, für Paulus nur im positiven Sinn zu verstehende πᾶς ζῶν. Aber vor allem fügt er ἐξ ἔργων νόμου, also das Entscheidende der Aussage, hinzu. Dabei ist diese Wendung[21] natürlich im paulinischen Sinn zu verstehen, von dem wir freilich bisher noch nichts erfahren haben. Der Apostel knüpft mit ihm an einen jüdischen Begriff an. Ἔργα νόμου entspricht aramäisch עוּבְדֵי אוֹרָיְתָא, hebräisch מַעֲשֵׂי תוֹרָה, „Werke der Gebote", also konkrete Werke, die die Tora fordert und in denen sie erfüllt wird. Im syrBar 57, 2 heißen sie opera praeceptorum, in der rabbinischen Überlieferung manchmal auch מַעֲשִׂים. Die geläufige Bezeichnung ist מִצְוָה, „Gebotserfüllungen". Diesen von Gott geforderten Torawerken sind eigene, gewählte Werke entgegengesetzt, z. B. syrBar 48, 38. Diese sind „Werke des Gesetzes Beliars", denen das Gesetz des Herrn gegenübertritt. Sie sind nicht „gute Werke", מַעֲשִׂים טוֹבִים, wie „die Werke der Gebotserfüllung" (vgl. TestNaph 2). Die ἔργα νόμου können nach jüdischer Überzeugung getan werden. Aber nur bei den Gerechten überwiegen „das Gesetzeswerk" und das Verdienst die Sünde und die Schuld. Wenn nun Paulus sagt, daß aus den ἔργα νόμου kein Fleisch gerechtgesprochen – im Gericht Gottes – und also δίκαιος werden wird, dann meint er im Gegensatz zum jüdischen Verständnis, daß es nicht nur nicht aus den selbstgewählten Werken gerechtgesprochen wird, sondern auch

---

[20] Vgl. MAURER in: ThWb VIII 557f.
[21] BILLERBECK III 160ff, IV 559ff; BERTRAM in: ThWb II 642ff.

nicht aus den von der Tora geforderten. Auch der Gerechte im jüdischen Sinn, der einen Schatz von מִצְוֹת hat, wie er wähnt (vgl. syrBar 2,2; 14,12ff u. a.; 4 Esr 7,77; 8,33.36 u. a.; Pirke Aboth 6,9; PsSal 9,5), wird, meint Paulus, durch diese und von diesen her nicht gerecht[22]. Daß das für ihn eine entscheidende Aussage seines Evangeliums ist, zeigt sich daran, daß sie wiederholt in zentralen Zusammenhängen erscheint (3,28; Gal 2,16; 3,2,10). Dazu kommen natürlich alle Stellen, in denen dasselbe von den ἔργα allein gesagt wird, die dann jeweils die vom Gesetz geforderten und es erfüllenden Werke meinen (z.B. 3,27; 4,2.6; 9,12.32; 11,6; Eph 2,9), so wie anderseits vom νόμος allein gesprochen werden kann (vgl. 10,9; Gal 2,21; 3,11; 5,4; Phil 3,6.9). Die angeführten Aussagen können uns dann vorläufig und stichwortartig das nennen, was Paulus als Gegensatz im Auge hat, wodurch sich in der Tat die Rechtfertigung ereignet: 3,28 πίστει; Gal 2,16 διὰ πίστεως Ἰησοῦ Χριστοῦ; Gal 3,11f ἐκ πίστεως; Gal 3,2.5 ἐξ ἀκοῆς πίστεως. Doch dieser Gegensatz kommt an unserer Stelle noch nicht zur Sprache. Für unseren Zusammenhang genügt Paulus die Aussage, daß die gesamte Welt, auch die Juden, Gott gegenüber schuldig sind, weil von den Gesetzeswerken hier niemand gerechtfertigt wird. Die Aussage geht also über jene Nachweise, daß niemand faktisch das Gesetz tut, hinaus. Sie ist umfassend und grundsätzlich gemeint und weist auf eine andere, die eigentlich paulinische Dimension hin. Das ergibt sich auch aus dem Schlußsatz (V 20b): διὰ γὰρ νόμου ἐπίγνωσις ἁμαρτίας. V 20b begründet (γάρ!) die Aussage von V 20a, und zwar mit einem generellen Hinweis auf das eigentliche Verhältnis von Gesetz und Heil. Das Gesetz ist nur das Mittel, durch das es zur ἐπίγνωσις der Sünde kommt. Ἐπίγνωσις, das 1,28; 10,2; Phil 1,9; Phm 6 von γνῶσις nicht zu unterscheiden ist, meint hier und öfter eine praktische Erkenntnis oder auch eine Erfahrung[23]; so wahrscheinlich 1,28; Phm 6, wo mit der γνῶσις ein Anerkennen gemeint ist. Ἐπίγνωσις ἁμαρτίας ist in 3,20 wie Röm 7,7.8 oder 2 Kor 5,21 (vgl. Herm [m] 2,1; Herm [sim] 9,29,1) zu verstehen. Es meint also nicht, daß wir durch das Gesetz über das Bescheid bekommen können, was Sünde ist, sondern daß wir durch das Gesetz die Sünde erfahren. Diese Aussage liegt auf derselben Linie wie die von 4,15; 5,20; 7,8; Gal 3,19; 2 Kor 3,6ff. Das geht an unserer Stelle auch aus dem Zusammenhang hervor. Denn die Aussage, daß niemand aus Leistungen gegenüber dem Gesetz gerechtfertigt wird, wäre durch die Behauptung, das Gesetz lehre die Sünde bloß erkennen, nicht begründet. Dagegen hat es Sinn, zu sagen: Niemand wird durch Gesetzesleistungen gerechtfertigt. Das hat seinen Grund darin, daß das Gesetz das Gegenteil bewirkt. Es läßt die Sünde zur Erfahrung werden, es ruft die Sünde hervor. Wie das des näheren gemeint ist, wird sich im Lauf der Ausführungen des Briefes zeigen. Mit dieser überraschenden und noch dunklen Aussage ist der Abschnitt 1,18–3,19 abgeschlossen. Wie er von 1,16f her sein Licht empfängt, so nun auch von 3,20 her. Das enthebt 1,18–3,19 nicht seiner eigenen Wahrheit. Heiden und Juden sind unter der Sünde, wie die Tatsachen bezeugen. Aber dahinter steht noch mehr

[22] Das Futur ist hier wohl gnomisch; BULTMANN, Theologie, 274.
[23] BULTMANN in: ThWb I 706f; DERS., Theologie, 265.

und Grundlegendes. Sie können gar nicht δίχαιοι sein. Denn das Gesetz, welcher Art auch immer, provoziert die Sünde und nicht die Gerechtigkeit. Aus Leistungen wird niemand gerecht.

Damit ist mit 3, 20 auch der Übergang zu 3, 21ff gegeben und so das Tor zum eigentlichen Evangelium des Apostels geöffnet. Die Situation der Menschheit hat sich ja verändert. Es gibt nicht nur Gesetz und Sünde. Es gibt auch die durch Jesus Christus und in ihm geoffenbarte Gerechtigkeit Gottes, die im Glauben zugängig ist (3, 21–31). Daß die Gnade und der Glaube die Rechtfertigung bringen, dafür gibt es das große Beispiel Abraham, „unser aller Vater" (4, 1–25).

2. 3, 21–31 Die Offenbarung der Gerechtigkeit Gottes

21 Nun aber ist ohne Gesetz Gottes Gerechtigkeit offenbart worden, bezeugt von dem Gesetz und den Propheten, 22 Gerechtigkeit Gottes durch Glauben an Jesus Christus für alle, die glauben. Denn es ist kein Unterschied: 23 alle haben gesündigt und entbehren der Herrlichkeit Gottes. 24 Sie werden umsonst in seiner Gnade gerechtfertigt durch die Erlösung in Christus Jesus. 25 Ihn hat Gott öffentlich als Sühne aufgestellt, die kraft seines Blutes durch Glauben (ergriffen wird) zum Erweis seiner Gerechtigkeit, so, daß er die zuvor begangenen Sünden dahingehen ließ, 26 in der Zeit seiner Geduld, zum Erweis seiner Gerechtigkeit im jetzigen Augenblick, auf daß er gerecht sei und gerecht mache den, der aus dem Glauben an Jesus lebt.

27 Wo bleibt nun das Rühmen? Es ist ausgeschlossen. Durch welches Gesetz? Durch das der Werke? O nein, sondern durch das Gesetz des Glaubens. 28 Denn wir sind der Überzeugung, daß der Mensch aus Glauben gerechtfertigt wird ohne Werke des Gesetzes. 29 Oder ist Gott allein der Juden Gott und nicht auch der Heiden? Ja, auch der Heiden, 30 so gewiß es einen Gott gibt, der die Beschneidung aus Glauben und die Unbeschnittenheit durch Glauben rechtfertigen wird. 31 Schaffen wir also das Gesetz durch den Glauben ab? Nein! Wir richten vielmehr das Gesetz auf.

Innerhalb dieses Abschnittes, der den ersten Höhepunkt des Römerbriefes darstellt, weil er – nur durch 1, 17 und 3, 20 vorbereitet – die entscheidende Aussage des paulinischen Evangeliums über die in Jesus Christus offenbarte δικαιοσύνη θεοῦ bringt, lassen sich zwei Teile unterscheiden, die inhaltlich und formal verschiedenen Charakter haben. Inhaltlich wird dargelegt: 1) daß die Gerechtigkeit Gottes nun erschienen und dem Glauben zugängig ist (3, 21–26), 2) so daß die Rechtfertigung unter Ausschluß jeglichen Selbstruhmes nicht aus Leistungen, sondern aus Glauben allen offensteht, gerade dadurch aber das Gesetz in seinem wahren Sinn, d. h. als ursprüngliche Weisung Gottes, wieder aufgerichtet wird. Diese Darlegungen geschehen formal in der Weise, daß, wie man das genannt hat, in den VV 21–26 ein gewisser proklamatorischer Stil vorherrscht, der durch Betonung bzw. Wiederholung gewisser Grundbegriffe: δικαιοσύνη θεοῦ – δικαιοῦν – πίστις – πιστεύειν – ἀπολύτρωσις – ἱλαστήριον – εἰς ἔνδειξιν – πρὸς τὴν ἔνδειξιν, durch Häufung präpositionaler Wendungen: διά – ἐν – εἰς – πρός, und durch ein Zurücktreten von Verben und Adjektiven eine gewisse Feierlichkeit gewinnt. Dagegen sind die VV 27–31 wieder im Stil der Diatribe geschrieben als eine Auseinandersetzung mit einem fiktiven Gegner, in dem der Jude vor Augen steht, im dreimaligen Wechsel von Frage und Antwort, der zweimal auf eine paulinische Grundthese hinausläuft (VV 28–30), die dadurch um so eindrucksvoller wird.

V 21 Der Vers und damit der ganze Abschnitt beginnt mit einem betont vorangestellten νυνί, das durch ein δέ den vorigen Ausführungen entgegengestellt wird. Νυνί bzw. νῦν kann bei Paulus „logisch" oder auch „zeitlich" gemeint sein. Für das erstere vgl. z. B. 7, 17; 1 Kor 13, 3. Das temporal verstandene νυνί ist bei Paulus aber häufiger und hat, aufs Ganze gesehen, einen zweifachen heilsgeschichtlichen Sinn: einmal um das „jetzt" des Augenblickes des neuen, durch das Heilsgeschehen in Jesus Christus herbeigeführten Äons zu kennzeichnen, ein „jetzt", kann man sagen, das ὁ νῦν καιρός, die „Jetzt-Zeit", ist, die alle bisherigen Zeiten abgelöst hat (vgl. 3, 26; 8, 18; 11, 5; 2 Kor 8, 14). So ist das νῦν z. B. 1 Kor 15, 20; 2 Kor 6, 2; auch Eph 3, 5.10; Kol 1, 22.26; 2 Thess 2, 6; Röm 16, 26 zu verstehen. Zweitens meint das „jetzt" auch das Ereignis der Einbeziehung des Glaubenden in diese „Jetzt-Zeit", wie z. B. 6, 21.22; 7, 6; 8, 1; auch Eph 2, 13; 5, 8; Kol 3, 8. Zwischen beiden νῦν liegt das von 5, 9.11. An unserer Stelle ist natürlich das heilsgeschichtliche „jetzt" gemeint, das durch das heilsgeschichtliche Geschehen in Jesus Christus den neuen Äon anzeigt. Es ist mit ihm der Augenblick genannt, der auch anders als im hiesigen Zusammenhang charakterisiert werden kann, so z. B. Gal 4, 4 als Fülle der Zeit oder 2 Kor 5, 17 als Neuwerden bzw. Neugewordensein oder 1 Kor 10, 11 als Begegnung mit dem Ende der Äonen.

Aber was ist „jetzt" geschehen (V 21), so daß die alte Zeit zu Ende und alles neu geworden ist? Was ist jetzt geschehen, was im Gegensatz zu der in 1, 18 – 3, 19 dargelegten Zeit steht, in der der Zorn Gottes unter den Heiden wirksam war und sich über den Juden insgeheim sammelte? Jetzt ist die δικαιοσύνη θεοῦ erschienen. Zum drittenmal, nach 1, 17; 3, 5, taucht δικαιοσύνη θεοῦ auf, und diesmal nicht vorübergehend, sondern thematisch, wie sich schon daran zeigt, daß der Begriff in 3, 21–26 viermal vorkommt, so wie auch V 24 von den δικαιούμενοι und V 26 von Gott als dem δίκαιος καὶ δικαιῶν die Rede ist [1]. Jetzt wird ihre Erscheinung von verschiedenen Seiten ins

---

[1] Zu δικαιοσύνη θεοῦ vgl. die Literatur bei G. SCHRENK II 194; KÄSEMANN, 18 f; und vor allem die Kontroverse: P. STUHLMACHER, Die Gerechtigkeit Gottes bei Paulus (FRLANT 87, Göttingen 1963); E. KÄSEMANN, Zum Verständnis von Röm 3, 24–26, in: Exeget. Vers. u. Besinn. I 96–100; DERS., Gottesgerechtigkeit bei Paulus, in: ZThK 58 (1961) (= Exeget. Vers. u. Besinn. II, 1964, 181–193); DERS., Rechtfertigung und Heilsgeschichte im Röm, in: Paulin. Perspektiven, 108–139; R. BULTMANN, Δικαιοσύνη θεοῦ, in: JBL 83 (1964) 12–16; DERS., Theologie des NT (⁵1965) 271–285; CONZELMANN, Grundriß (1967) 237

Licht gerückt. In 1, 17 vermuteten wir schon, daß sie, die im Evangelium
gegenwärtig dem Glauben begegnet, so daß dieses eine „Macht Gottes" wird,
ein Geschehen meint, das selbstmächtig sich seine Macht im Evangelium verschafft. In 3, 3 ist δικαιοσύνη θεοῦ näher als das Geschehen der „Treue"
Gottes bezeichnet, welches Geschehen Gottes „Wahrheit" an den Tag treten
läßt (3, 4.7), also das Handeln des in seiner „Treue" seine „Wahrheit" erwei-
senden Gottes, durch das auch seine „Herrlichkeit" (3,7) erscheint. In 3, 21
wird davon gesprochen, daß sie, die Gerechtigkeit Gottes, jetzt offenbar geworden ist. Dabei wird sie wie in 1, 17; 3, 5, dann 3, 22 und nochmals 2 Kor
5, 21 ohne Artikel genannt, während dort, wo von ihr nicht im Nominativ, also
nicht als Subjekt, die Rede ist (wie 3, 25.26; 10, 3; vgl. Phil 3, 9), der Artikel
steht. Das dürfte ein Hinweis darauf sein, daß δικαιοσύνη θεοῦ ein von Paulus
übernommener Begriff ist, den er freilich nicht immer in seinem traditionellen
Sinn stehen läßt, wie z. B. 10, 3 zeigt[2]. Uns interessiert aber nur das paulinische Verständnis im hiesigen Kontext[3], das, um wenigstens soviel zu sagen,
gewissermaßen einen Durchbruch zum atl. Begriff darstellt. Wenn auch dort
in den älteren Schriften der Begriff der „Gerechtigkeit Gottes" (צדקת יהוה)
nicht geläufig ist (vgl. aber Dt 33, 21), so entwickelt er sich als Heilshandeln
Jahwes gegenüber seinem Volk zum Begriff der bleibenden Bundestreue
Jahwes, die sich in Deuterojesaja zu einem eschatologischen und universellen
entfaltet. Bei Paulus ist sie christologisch erfüllt gesehen. „Jetzt ist die Gerechtigkeit Gottes erschienen", nämlich in dem eschatologischen Heils- und
Gerichtshandeln Gottes in Jesus Christus. Φανεροῦν hat bei Paulus einen
zweifachen Sinn: 1) „bekannt machen", „ans Licht treten lassen", „sehen
lassen", „zeigen", also ein Offenbaren mit Betonung dessen, daß in diesem
Erscheinenlassen ein „vor Augen treten" vor sich geht (z. B. 1, 19.20, aber
auch 1 Kor 4, 5; 2 Kor 5, 10 u. a.); 2) „begegnen lassen" (in der Erscheinung).
In φανεροῦν ist also auch das Moment enthalten, daß das, was an den Tag
kommt und vor Augen tritt, darin auch wirksam wird (z. B. 1 Kor 12, 7, aber
auch 2 Kor 4, 2, besonders 2 Kor 2, 14). Diesen zweifachen Sinn in einem darf
man wohl auch bei dem πεφανέρωται an unserer Stelle annehmen, so daß
von der δικαιοσύνη θεοῦ gesagt ist, daß sie vor die Augen getreten und wirksam begegnet ist. Dabei ist auch das Perfekt zu beachten, welches darauf hinweist, daß es sich um ein einmaliges Geschehen handelt, das als solches in der
Gegenwart fortdauert und geschehen bleibt.

Diese Erscheinung einer uns begegnenden δικαιοσύνη θεοῦ, die Gott
– vgl. das Passiv – „jetzt" geschehen ließ, ereignete sich, wie durch die Voranstellung betont formuliert wird, χωρὶς νόμου. Das ist die dritte Charakteri-

bis 243. Ferner: W. H. CADMAN, Δικαιοσύνη in Roman 3, 21–26, in: StEv II, ed. F. L. Gross
(Berlin 1964) 532–534; J. CAMBIER, L'Évangile de Dieu I (1967) 66–146.
[2] Es wird das Fehlen des Artikels bei Übersetzungssemitismen sein; Röm 3, 26; 10, 3b ist
der Artikel ein auf die bekannte Sache verweisender anaphonischer; 10, 3a ist er bedingt
durch den Gegensatz; vgl. BLASS-DEBR, § 259; L. RADERMACHER[2], 116.
[3] Zur Vorgeschichte des Begriffs – das atl. Motiv der Gerechtigkeit Gottes, das Verständnis
der spätjüdischen Apokalyptik, der Gebrauch in der Qumranliteratur und bei den Rabbinen –
vgl. die klare und sorgfältige Untersuchung von K. KERTELGE, Rechtfertigung, bes. 15–28.

sierung in unserem Satz. Der νόμος ist natürlich der, von dem eben (3, 20) gesagt war, daß er die Sünde zur Erfahrung bringt. Und das χωρίς meint im Blick auf dieses Wirken des Gesetzes, daß die Gerechtigkeit Gottes ohne Mitwirkung, und in diesem Sinn ohne es heranzuziehen und zu beteiligen, geschehen ist. Genauer läßt sich hier nicht unterscheiden. „Abseits vom Gesetz", das sachlich auch in Frage käme, ist wohl zu schwach. Der Gegensatz zu χωρὶς νόμου ist ja ein διὰ νόμου. Und χωρὶς νόμου entspricht einem χωρὶς ἔργων νόμου (3, 28; 4, 6; Gal 2, 16; 3, 5). Das Gesetz hatte mit dem Erscheinen der Gerechtigkeit Gottes nichts zu tun, sofern es diese ja nicht hervorrief. Es hat als Heilsfaktor ausgespielt. In einem anderen Sinn besteht freilich ein Zusammenhang zwischen beiden. Die Gerechtigkeit Gottes, die da ohne Mitwirkung des Gesetzes jetzt offenbar geworden ist, ist schon „von Gesetz und Propheten", also von der Schrift und in erster Linie von der Tora, „bezeugt" worden. Sie hat Zusammenhang mit der Geschichte Israels, so daß sie nicht isoliert und überraschend als Heilsgeschehen in die Welt kam. „Gesetz und Propheten" ist ein Begriff aus der urchristlichen Tradition, der das AT meint (vgl. Mt 5, 17; 7, 12; 11, 13; 22, 40; Lk 16, 16; Apg 13, 15; 24, 14; 28, 23 [Joh 1, 45; Lk 24, 44]). Eine Dreiteilung durch hinzugefügtes ψαλμοί (vgl. Lk 24, 44) ist in der atl.-jüdischen Literatur selten. Die zweifache Bezeichnung ist freilich nicht erst durch die Christen geprägt, wie 4 Makk 18, 10 zeigt: ὃς ἐδίδασκεν ὑμᾶς ἔτι ὢν σὺν ὑμῖν τὸν νόμον καὶ τοὺς προφήτας (vgl. 2 Makk 15, 9; Sir prol. 8f). Gesetz und Propheten also waren schon Zeugen für die δικαιοσύνη θεοῦ. Μαρτυρεῖν[4] findet sich sonst nicht in bezug auf das AT bei Paulus, dagegen bei Joh 5, 39.46f; 1, 45 und Apg 10, 43; Lk 24, 27.45f. In bezug auf das Evangelium gebraucht es Paulus einmal: 1 Kor 15, 15. Es ist also kein spezifisch paulinischer Begriff. Woran der Apostel bei solchem Zeugnis des AT denkt, können etwa 10, 5ff; auch Kap. 4; Gal 3 und 4 u. ä. zeigen. Das AT, Tora und Propheten, sprach schon vorausweisend von der Gerechtigkeit Gottes und verhieß sie, die jetzt in Jesus Christus an den Tag getreten ist und im Evangelium verkündigt wird.

V 22 Doch welcher Art ist sie? Und wie ist sie gegeben? Das wird zunächst in diesem Vers klargestellt. Das δέ ist explikativ. Es deutet leicht einen Gegensatz an. Diese δικαιοσύνη θεοῦ ist eine besondere Gerechtigkeit Gottes". Und ihre Besonderheit liegt in der Weise, wie man ihrer teilhaftig wird. Sie ist δικαιοσύνη θεοῦ διὰ τῆς πίστεως Χριστοῦ[4a]. Der Genitiv ist gen. objectivus. Die Gerechtigkeit Gottes wird also durch den Glauben an Christus gegenwärtig bzw. zugängig (vgl. 3, 26; Gal 3, 14.20; 3, 22; Phil 3, 9; Eph 3, 17). Sie muß also, wie bald deutlich wird, etwas mit Christus zu tun haben. Fraglich ist, wie πίστις zu verstehen ist: als Glaube im Gegensatz zum νόμος, also im objektiven Sinn als der neue Heilsweg und das neue Heilsgut, als die Glaubensbotschaft[5], wie Gal 1, 23; 3, 23.25 oder auch Röm 3, 27 (νόμος πίστεως) oder

---

[4] In μαρτυρεῖν ist das Moment der öffentlichen Verkündigung enthalten.
[4a] Ἰησοῦ Χριστοῦ: ℵ G ℜ D^pl Cl; Ἰησοῦ: B Mcion.
[5] BULTMANN in: ThWb VI 214; KUSS, Exkurs, in: Glaube, 136; WILCKENS, Zu Röm 3, 21 bis 4, 25, in: EvTh 24 (1964) 586–610; G. KLEIN, Exegetische Probleme in Röm 3, 21 bis 4, 25. Rekonstruktion und Interpretation, 170–179.

10, 8 (ῥῆμα τῆς πίστεως), mit anderen Worten: als fides, quae creditur – oder wie bei Paulus häufiger als Glaubensvollzug, als fides, qua creditur. Man könnte freilich darauf hinweisen, daß der Glaubensvollzug in dem εἰς πάντας τοὺς πιστεύοντας genannt wird. Aber 1) ist διὰ πίστεως an anderen paulinischen Stellen auch im Sinn des Glaubensvollzuges zu verstehen (3, 25.28.30; Gal 3, 14; Eph 2, 8; 3, 17; 1 Thess 3, 2), und 2) ist εἰς πάντας τοὺς πιστεύοντας um des πάντες willen, das dem πάντες von πᾶν στόμα 3, 19 entspricht, hinzugefügt, wie die folgenden Ausführungen, die auf das πάντες und damit auf die Universalität des Heils zielen (3, 23.25 f.29.30), zeigen[6]. 3) Das πεφανέρωται δικαιοσύνη θεοῦ διὰ πίστεως entspricht dem ὃν προέθετο ὁ θεὸς ἱλαστήριον (V 25). Beidesmal ist ein Heilsgeschehen genannt, das durch den Glaubensvollzug oder auf dem Weg des Glaubens zugängig ist. Die Gerechtigkeit Gottes, um die es jetzt geht, auf die das AT schon hingewiesen hat, die jetzt aber erschienen ist, ist eine solche, die sich dem Glauben an Christus eröffnet, und zwar universal allen Glaubenden und ohne Zutun des Gesetzes.

VV 22 b–24 Daß diese Gerechtigkeit Gottes allen Glaubenden zugängig wird, entspricht nur der gegenwärtigen Situation der Menschheit, die, wie wir hörten, die Gerechtigkeit Gottes immer nur verdeckt (vgl. 1, 18). Die VV 22 b–23 begründen die Aussage von V 22 a. Sie entsprechen dem, was schon V 19 b und V 9 anders formuliert haben und dessen Nachweis die Ausführungen 1, 18 bis 3, 20 dienten. Jetzt heißt es: οὐ γάρ ἐστιν διαστολή· πάντες γὰρ ἥμαρτον. Διαστολή, ein griechisches Wort auf Inschriften, Papyri, auch in der LXX (vgl. 1 Kor 14, 7), meint „Unterschied“, „Unterscheidung“. Es haben alle gesündigt. Man kann keinen Unterschied machen, keine Unterscheidung treffen. Das πάντες ἥμαρτον – *V 23* – war der Sache nach schon 2, 12; 3, 9 erwähnt und kommt wieder 5, 12 f zur Sprache. Seine Folge oder Auswirkung wird hier darin gesehen, daß alle Menschen ὑστεροῦνται τῆς δόξης τοῦ θεοῦ. Das καί hat konsekutiven Sinn. Ὑστερεῖσθαι med. ist „Mangel haben an“, „entbehren“ wie 1 Kor 1, 7; 8, 8; 2 Kor 11, 9; Phil 4, 12. Der Gegensatz wäre περισσεύειν. Diese Folge oder Auswirkung bestimmt die Gegenwart der Menschen, in die hinein die Gerechtigkeit Gottes sich offenbarte. Dabei ist δόξα so zu verstehen, daß sie die Herrlichkeit ist, die die Menschen als Geschöpfe Gottes hatten, und nicht etwa die, welche sie haben werden, wie z. B. Kühl, Schlatter, Nygren, Althaus, Kuss meinen. Denn dann müßte aus dem ὑστερεῖσθαι ein „unfähig sein für“ werden. Sie haben alle gesündigt und sind dadurch in einen Zustand gekommen, der sie unfähig macht für die kommende Vollendungsherrlichkeit (welche bei den Glaubenden aber schon jetzt geheimnisvoll in ihren Anfängen vorhanden ist) (vgl. 2 Kor 3, 18). Aber abgesehen von der Bedeutung des Begriffes ὑστερεῖσθαι, wie sollte das Faktum, daß alle Menschen Tatsünden begehen, diese „unfähig“ machen für die künftige Herrlichkeit, die der Glaube vorausnimmt? Können sie nicht umkehren und zum Glauben kommen? Gemeint ist vielmehr, daß sie, die gesündigt haben (πάντες!), der δόξα des Geschöpfes entbehren. Von dieser bzw. von ihrem Verlust ist auch im jüdischen, rabbinischen und apokalyptischen Schrifttum die Rede.

---

[6] Vgl. εἰς πάντας καὶ ἐπὶ πάντας: 𝕭 D G 33 pm vg^cl.

So war Adam mit δόξα bekleidet. Diese δόξα war seine δικαιοσύνη, und sie verlor er durch seine Sünde. Überall, wo Sünde ist, wird diese δόξα vergehen, während die Gerechten sie empfangen, oder sie wird sich, wo sie vorhanden ist, im Gericht vermehren. Dafür seien einige Beispiele angeführt. VitAd 20f heißt es: „Und zur selben Stunde wurden mir die Augen aufgetan, und ich erkannte, daß ich entblößt war von der *Gerechtigkeit,* mit der ich bekleidet gewesen. Da weinte ich und sprach: Warum hast du mir das angetan, daß ich entfremdet war von meiner *Herrlichkeit,* mit der ich bekleidet war" (sagt Eva zur Schlange). Und Adam spricht zu Eva: „Du böses Weib, was hast du angerichtet? Entfremdet hast du mich von der Herrlichkeit Gottes!" Von der verlorenen Herrlichkeit Gottes spricht auch Bereschit Rabba 12, 36: „Adam verlor durch Sünde Herrlichkeit." Vgl. Pirke Aboth R EL 14 (7ᵈ, 7); Gn R 11 (8a) u. a.[7] Ein anderes Beispiel ist griechBar 4, 16: „So wisse denn nun, Baruch, daß gleich wie Adam durch dieses Gewächs (die Weinrebe) die Verdammnis davongetragen hat und der Herrlichkeit Gottes entkleidet wurde, so auch die jetzigen Menschen, wenn sie den Wein, der von ihm genommen wird, übermäßig trinken, schlimmer als Adam die Übertretung verüben und sich weit weg von der Herrlichkeit entfernen und sich selber ewigem Feuer überliefern" (vgl. syrBar 51, 1ff). In den Qumrantexten ist die adamitische δόξα der Gerechten gegenwärtig und zukünftig (vgl. 1QS IV 23; 1QH XVII 15; CD III 20). Aber auch Paulus selbst kennt, wie wir gesehen haben, den Zusammenhang von δόξα und Geschöpf (1, 23:20) und den Verlust dieser Herrlichkeit durch Adam (8, 17–22) sowie auch den Zusammenhang von θεοῦ δικαιοσύνη und δόξα (3, 5:7; 8, 30). Dieser zuletzt genannte Zusammenhang ist aber auch an unserer Stelle sichtbar. Denn *V 24* heißt es im sachlichen Gegensatz zu V 23: „die umsonst gerechtfertigt werden". Daß V 24 mit einem Partizip anknüpft, ist nicht ohne weiteres ein Hinweis darauf, daß es sich bei V 24 um einen einer Paulus vorliegenden Tradition entnommenen Satz handelt, der zitiert (und dabei ergänzt bzw. von Paulus korrigiert) wird, wie Bultmann, Käsemann, Kertelge u. a. meinen, sondern um eine bei Paulus auch sonst vorkommende Fortsetzung des Verbum finitum durch ein Partizip (vgl. 2 Kor 5, 6; 7, 5; 8, 18ff)[8].

Nun taucht δικαιοῦσθαι zum viertenmal auf (nach 2, 13; 3, 4.20). War vorher seine Bedeutung „gerecht gesprochen werden im Gericht" bzw. (3, 4) „als Gerechter im Prozeß hervorgehen", so wird man diesen Sinn hier nicht

[7] Vgl. Strack-Billerbeck IV 887 940f.
[8] Blass-Debr., § 488,1. Auch die anderen, von Bultmann, Theologie (⁵1965) 49, vorgebrachten, von Käsemann, Zum Verständnis von Röm 3, 24–26, in: ZNW 43 (1950/51) 150–154 (= Exeget. Vers. u. Besinn. I, 1960, 96–100) verstärkten Argumente – vgl. auch E. Lohse, Märtyrer und Gottesknecht (²1963) 149 Anm. 4; P. Stuhlmacher, Gerechtigkeit Gottes, 86–91; und Kertelge, Rechtfertigung, 53–62 – für eine in 3, 24–25 (26a) von Paulus aufgenommene „Formel" haben m. E. nicht das Gewicht, das man ihnen zuschreibt. Von allen Einzelheiten abgesehen, ist doch zu fragen: 1) Welcher Art ist die vermutete „Formel" oder „Tradition", und wo hat sie ihren Sitz? 2) Warum sollte Paulus sozusagen mitten im Satz in die Zitierung einer Formel verfallen? 3) Methodisch-grundsätzlich: Muß das Auftauchen eines von Paulus sonst nicht oder selten gebrauchten Begriffes (z. B. αἷμα, ἱλαστήριον, ἀπολύτρωσις u. a.) auf Übernahme einer Tradition weisen?

annehmen können, da es sich ja um eine konkrete Veränderung dessen handelt, der als Sünder der Herrlichkeit Gottes entbehrt. Unser Kontext zeigt, wie sich die Ausgangsbedeutung von δικαιοῦν gewandelt hat. Nach ihm ist δικαιοῦσθαι 1) Gegensatz zu ἁμαρτάνειν bzw. primär zu ὑστεροῦνται τῆς δόξης τοῦ θεοῦ. Also die δόξα Gottes wird wieder empfangen, wobei noch offenbleibt, was δόξα ist. Jedenfalls kommt im δικαιοῦσθαι die „Herrlichkeit" Gottes wieder über den, der gesündigt hat. 2) Δικαιοῦσθαι ist ein Geschehen, das dem Glaubenden begegnet (V 22). Von diesem war gesagt, daß er auf dem Weg des Glaubens die δικαιοσύνη θεοῦ empfängt. Das „gerecht gesprochen werden" ist also ein „im Glauben der Gerechtigkeit Gottes teilhaftig werden", ein Ereigniswerden dieser Gerechtigkeit Gottes für den Glaubenden. Ein δικαιούμενος, ein Gerechtgesprochener, ist einer, dem im Glauben die δικαιοσύνη θεοῦ von Gott aufgetan und zugekommen ist, jene δικαιοσύνη θεοῦ, die nach 3, 3 mit der πίστις τοῦ θεοῦ und nach 3, 4.7 mit seiner ἀλήθεια identisch ist. „Das Urteil Gottes hat schöpferische Kraft. Die Gerechtsprechung des Sünders hat nicht nur forensische, sondern als forensische ‚effektive' Bedeutung" (Kertelge, Rechtfertigung 123). 3) Das wird noch deutlicher durch das Folgende. Hier werden ja nähere Angaben gemacht über die Art und Weise, wie das δικαιοῦσθαι geschieht. Es geschieht zunächst δωρεάν, was hier „umsonst" im Sinn von „unentgeltlich", „geschenkweise" ist. Vgl. z. B. Ex 21,11: δωρεὰν ἄνευ ἀργυρίου; Mt 10,8; Apk 21,6; 22,17; bei Paulus (2 Kor 11,7; 2 Thess 3,8; Röm 5,17) wird von einer δωρεὰ τῆς δικαιοσύνης, die man empfängt, gesprochen (vgl. 5,15). Der Glaubende empfängt die δικαιοσύνη θεοῦ ohne Vorleistung. Die „umsonst" Empfangenden sind die, die sündigten und der δόξα θεοῦ entbehren. Aber die Gerechtigkeit Gottes bemächtigt sich ihrer als Gabe[9]. Dem δωρεάν entspricht τῇ αὐτοῦ χάριτι. Der Dativ zeigt an, als was sich die Gerechtigkeit Gottes vollzieht, nämlich als „Gnade" (vgl. 5, 15.20f; 6, 1.17; 7,25; 1 Kor 15,9f; Eph 2,5.8; Tit 3,7 [Hebr 2,9; 13,9]). Doch worin geschahen das „umsonst" und die „Gnade"? Διὰ τῆς ἀπολυτρώσεως τῆς ἐν Χριστῷ Ἰησοῦ. Ἡ ἀπολύτρωσις, als Wort auf Inschriften des 2./1. Jahrhunderts v. Chr. vorkommend (das Verb schon bei Plato, Demosthenes u. a.)[10], bezeichnet den Loskauf bzw. die Freilassung des Kriegsgefangenen, Sklaven, Verbrechers. Vgl. auch Arist 12, 35; Jos. a 12, 27; Philo, Omn. prob. liber 114. Aber es hat auch schon einen allgemeinen Sinn angenommen und bedeutet „Befreiung", „Erlösung" u. ä. überhaupt, z. B. Dn 4, 34. Dieser Sinn ist auch im NT maßgebend, so Hebr 11, 35 (von früheren Sünden), auch 9,15. Nach 1 Kor 1, 30 ist Christus unsere Befreiung geworden. In ihm haben wir nach Eph 1, 7; Kol 1, 14 „die Befreiung durch sein Blut". Als eschatologische Erlösung finden wir ἀπολύτρωσις 8, 23; Eph 4, 30 (Lk 21, 28). Als „Erlösung", die in Jesus Christus geschehen ist, versteht auch 3, 24 den Begriff. Ἀπολύτρωσις ist also kein „Rechtsterminus", auch nicht in seinem ursprünglichen Sinn. Er stammt auch nicht aus einer nicht-

---

[9] δωρεάν ist adverbial gebrauchter Akkusativ von δωρεά; BAUER WB 417. Vgl. χάρις . . . ἡ δωρεὰ ἐν χάριτι 5, 15 mit τῆς χάριτος καὶ τῆς δωρεᾶς 5, 17.
[10] BAUER WB 190f.

paulinischen, etwa judenchristlichen Tradition, sondern ist ein Begriff, den der Apostel im allgemeinen Sinn als einen ihm gewohnten gebraucht (vgl. 8, 23; 1 Kor 1, 30). Die Frage bleibt noch, wie das ἐν Χριστῷ Ἰησοῦ zu verstehen ist. Möglich ist ein instrumentaler Sinn (Michel). Doch nach 8, 38; Gal 3, 14 liegt näher „in" oder „mit" der Person Jesu Christi, der ja, wie wir hörten, nach 1 Kor 1, 30 unsere Erlösung *ist*. Kaum möglich ist die Auslegung von Kuss, daß die Erlösung dem einzelnen in Jesus Christus zugewendet wird: „Die Zuwendung der Erlösung an den Einzelnen …", die „im Bereich des Christus vor sich geht". Denn mit διὰ τῆς ἀπολυτρώσεως wird das τῇ χάριτι, also der Vollzug der Gnade Gottes, expliziert und diese ἀπολύτρωσις als Erlösungsgeschehen, das sich in und mit Jesus Christus vollzieht, in V 25 f näher bestimmt.

So ist bisher gesagt: alle, die gesündigt haben und ohne δόξα Gottes sind, werden gerechtfertigt, und zwar in der Weise, daß sich die Gerechtigkeit Gottes dem Glauben eröffnet, in der Weise, daß sich ohne Vorleistung des Menschen Gottes Gnade als in und mit Jesus Christus geschehene Erlösung vollzieht. Das δικαιοῦσθαι, das, wie wir sahen, ein Begriff im prozessualen und forensischen Vorgang ist, ist von der Sache her für Paulus eine effektive Gnadentat Gottes in der Gnadengeschichte Jesu Christi, die auf dem Weg des Glaubens vom Glaubenden erfahren wird. So ist es – summarisch gesagt – das Ereigniswerden der Gerechtigkeit Gottes in der Gnadengabe Jesu Christi, die sich dem Glauben eröffnet.

V 25 Mit einem Relativsatz knüpft Paulus an die eben gemachte Aussage an. Auch solche Verknüpfung ist nicht schon an sich, wie manche Ausleger meinen, ein Hinweis darauf, daß nun ein in der Überlieferung vorgegebener Satz von Paulus übernommen wird. Die Vertreter dieser Meinung weisen dafür auf 4, 25; Phil 2, 6; Kol 1, 3 u. ä. hin. Aber dort wird eine Übernahme formulierter Überlieferung durch Stil, Rhythmus, fremde Begriffe, Analogien bekräftigt. Das ist hier nicht der Fall. Jedenfalls steht nicht eine Homologie oder ein Hymnus im Hintergrund. So bleiben noch die Sprache bzw. die Begriffe, die etwa traditionell und nicht spezifisch paulinisch sind. Aber sie allein könnten nur die Übernahme von traditionellen Gedanken, nicht aber von vorpaulinischen Formulierungen verraten. Die VV 25 und 26 sind *ein* Satz, wobei V 25a den Hauptsatz darstellt, der durch zwei nicht ganz parallel gefügte finale Bestimmungen ergänzt wird: εἰς ἔνδειξιν (V 25b) und πρὸς τὴν ἔνδειξιν (V 26a), um in einen Konsekutivsatz zu münden (V 26b).

Zunächst wird in V 25a gesagt, daß Gott Christus Jesus als ἱλαστήριον aufgestellt hat, das durch Glauben erkannt und ergriffen wird. Das Relativum ὅν meint natürlich Christus Jesus[11]. Προτίθεσθαι kann hier nicht wie Röm 1, 13; Eph 1, 9 „sich vornehmen", „beschließen" u. ä. heißen, sondern muß eine der anderen Bedeutungen des griechisch-hellenistischen Sprachgebrauchs haben. Dort heißt προτίθεσθαι: a) „vor der Öffentlichkeit ausstellen", „aus-

---

[11] Vgl. auch πρόθεσις im Sinn von Vorsatz, Röm 8, 28; 9, 11; Eph 1, 11; 3, 11; 2 Tim 1, 9; 3, 10.

legen", z. B. Herodot XXXI 48: ποτήρια χρύσεα, vgl. Thuk. VII 34: τὰ ὅσσα προτίθεσθαι τῶν ἀπογενομένων πρότριτα σκηνὴν ποιήσαντες; b) „öffentlich anschlagen", „bekanntmachen", „vortragen" u. ä., z. B. UPZ 106, 20 (2 v. Chr.): ἐπ᾿ αὐτῆς τῆς οἰκίας προτίθεσθαι ἐν λευκώματι, vgl. P Oxy VIII 1100² (206 n. Chr.): διατάγματος προτεθέντος ὑπ᾿ αὐτοῦ ἐν τῇ λαμπροτάτῃ πόλει τῶν Ἀλεξανδρίων ἀντίγραφον; c) „öffentlich aufstellen", „aufrichten", z. B. IG IX (2) 1109, 35 (2 v. Chr.); d) „anbieten", „darbieten", „vorstrecken" u. ä., z. B. Syll 325 (= ³708), 15: τισὶν δὲ τῶν πολιτῶν ἐ[ις] λύτρα προτιθείς (scil. χρήματα) ἔδειξεν ἑαυτὸν πρὸς πᾶσαν ἀπάντησιν τῶν σωζομένων εὐομείλητον. In Frage kommt für unseren Zusammenhang weniger „öffentlich bekanntmachen" als „öffentlich aufstellen", „darstellen", „darbieten", also eine allgemeine Zwischenbedeutung von a), c) und d). Denn es ist jetzt nicht vom Evangelium die Rede (wie Gal 3, 1), sondern von dem im Evangelium vergegenwärtigten Geschehen. Dieses besteht darin, daß Gott Christus Jesus als ἱλαστήριον öffentlich aufrichtete, hinstellte, darstellte.

ʿΙλαστήριον finden wir im NT noch einmal, nämlich Hebr 9, 5 bei der Aufzählung der Gegenstände, die es im Allerheiligsten des Tempels gab. Mit ihm ist die Deckplatte der Bundeslade bezeichnet. Damit nimmt Hebr 9, 5 den LXX-Sprachgebrauch auf. In Ex 25, 17 wird die כַּפֹּרֶת, die dort zum erstenmal genannt wird, mit ἱλαστήριον ἐπίθεμα bezeichnet, dann aber überall nur mit ἱλαστήριον (Ex 25, 18ff; 31, 7; 35, 12 u. a.). Dieses ἱλαστήριον ist also das substantivierte Neutrum des Adjektivs ἱλαστήριος. כַּפֹּרֶת selbst ist einmal der Ort, über dem in einer Wolke Jahwe erscheint. Es wird mit Sündopferblut besprengt, das auf diese Weise der Gottheit so nahe wie möglich kommen soll (Lv 16, 14). Welche Bedeutung es hatte, geht daraus hervor, daß 1 Chr 28, 11 das Allerheiligste בֵּת הַכַּפֹּרֶת heißt. Philo nimmt den Begriff im technischen Sinn auf (De Cher. 25; De vit. Mos. II 25: ἐπίθεμα ὡσανεὶ σῶμα τὸ λεγόμενον ἐν ἱεροῖς βιβλίοις ἱλαστήριον; vgl. II 37). Er ist sich also bewußt, einen biblischen Begriff zu verwenden. Aber der Begriff ἱλαστήριον erschöpft sich innerhalb des jüdisch-hellenistischen Bereichs nicht mit der erwähnten Bedeutung. In der LXX ist ἱλαστήριον auch Übersetzung von עֲזָרָה, einem Bestandteil des ezechielischen Brandopferaltars, an den bei der Entsündigung und Entsühnung etwas von dem Sündopferblut getan wird (Ez 43, 14.17.20; ἱλαστήριον τὸ μέγα – τὸ μικρόν). Der Begriff haftet also nicht am materiellen Gegenstand, sondern daran, daß dieser ein Ort der Sühne ist. Symmachus nennt die Arche Noahs ein ἱλαστήριον (Gn 6, 16 [15]), und anderseits kennt z. B. Josephus ἱλαστήριον nicht als terminus technicus jener Bedeckung der Bundeslade, sondern spricht einmal (Jos. a XVI 182) von einem τοῦ δέους ἱλαστήριον μνῆμα, gebraucht also ἱλαστήριος adjektivisch, so wie auch 4 Makk 17, 21f: διὰ τοῦ ἱλαστηρίου θανάτου, „durch den Opfer- und Sühnetod". Die Bedeutung von ἱλαστήριον ist also nicht an die Kapporeth gebunden, und der Sinn dafür, daß ἱλαστήριος ein Adjektiv und ἱλαστήριον ein substantiviertes Neutrum ist, bleibt lebendig. Das entspricht auch dem griechisch-hellenistischen Sprachgebrauch, nach dem einerseits ἱλαστήριος Adjektiv ist in der Bedeutung von „versöhnend", „sühnend", z. B. P Faj, Grenfell-Hunt (1900), p. 3, 13 Nr. 337: ἱλαστηρίας θυσίας, anderseits das substantivierte Neutrum einen bestimmten Gegenstand meint, z. B. ein Weihegeschenk, wie auf einer Inschrift auf Kos (Paton-Hicks [1891], 81) zur Zeit des Augustus: ὁ δᾶμος ὑπὲρ τῆς τοῦ Αὐτοκράτορος Καίσαρος θεοῦ υἱοῦ Σεβαστοῦ σωτηρίας θεοῖς ἱλαστήριον, ebd. 347: Διὶ Σατράπῳ ἱλαστήριον, Dio Chrys., Or. 11, 121: ἱλαστήριον οἱ Ἀχαιοὶ τῇ Ἰλιάδι = ἀνάθημα κάλλιστον καὶ μέγιστον. Nach diesem Befund wird man m. E. ἱλαστήριον in Röm 3, 25 im allgemeinen Sinn von „Sühnemittel", vielleicht auch „Sühnemal", als „Sühnendes" u. ä. zu verstehen haben. Denn es kommen noch folgende Erwägungen hinzu: nicht nur daß, wie manche Ausleger mit Recht meinen, die Leser des Römerbriefes den Gebrauch von ἱλαστήριον im Sinn von Kapporeth kaum verstanden haben [12] – darum kümmert sich freilich Paulus auch sonst nicht immer –, sondern vor allem daß die Besonderheiten der konkreten Kapporeth in unserem Zusammenhang keine Rolle spielen, ja dem von Paulus Gesagten widersprechen, hält davon ab, ἱλαστήριον anders als im allgemeinen Sinn zu verstehen. Es fehlt die Bedeutung als Ort der Gegenwart Gottes, und es ist auch nicht von der Besprengung mit Blut die Rede, sondern vom Blutvergießen als dem Geschehen, in dem sich das προτίθεσθαι des ἱλαστήριον ereignete. Mit ἐν τῷ αἵματι ist der Tod Christi bzw. sein Sterben gemeint, so wie 5, 9: 10; 1 Kor 11, 25; Eph 1, 7; 2, 13; Kol 1, 20. Wenn man schon die כַּפֹּרֶת als Typus im Auge hat, dann wäre sie ein Typus des Kreuzes Christi, nicht seiner selbst. Die Kapporeth wurde im übrigen auch nicht aufgerichtet oder manifestiert.

Gesagt ist also: Alle, Juden und Heiden, haben gesündigt. Sie werden ohne Vorleistung von Gott gerechtgesprochen. Dieser Rechtsspruch aber geschieht so, daß im Walten der Gnade Gottes das Ereignis der Erlösung, die mit der Person Christi Jesu gegeben und durch Jesus Christus geschehen ist, sich einstellte. Ihn hat Gott in seinem Blutvergießen, in seinem blutigen Sterben am Kreuz, öffentlich als Sühne aufgerichtet und vor Augen gestellt, als Sühne dargeboten. Freilich als solches ἱλαστήριον erkennt und ergreift ihn nur der Glaube. Das hinter ἱλαστήριον eingefügte διὰ πίστεως, das A ausläßt, ist nicht zu übersehen. Es muß keineswegs paulinische Bearbeitung sein, sondern kann durchaus auch paulinische Verdeutlichung darstellen. Es sichert den Sachverhalt, daß, sosehr das προτίθεσθαι ἱλαστήριον ein geschichtliches Ereignis in der Öffentlichkeit des Kosmos ist, es nur „auf dem Weg des Glaubens" eingesehen und erfahren wird [13].

Wozu aber geschah dieses προέθετο ἱλαστήριον? Die Antwort auf diese Frage wird in den beiden ungefähr parallelen präpositionalen Finalbestimmungen εἰς ἔνδειξιν und πρὸς τὴν ἔνδειξιν gegeben. Sie ist freilich nicht ohne weiteres durchsichtig und deshalb in der Auslegung umstritten. Gehen wir Schritt um Schritt vor. Diese Aufrichtung Christi Jesu als Sühne geschah 1) zum Aufweis oder Erweis der Gerechtigkeit Gottes. Ἔνδειξις ist ohne Zweifel nicht, wie z. B. bei Plato, Leg. XII 960 B oder bei Philo, De opif. mundi 45.87, „Beweis" (τῷ λόγῳ!) oder auch „Nachweis", sondern, wie z. B. bei Aeschin., Or. c.

---

[12] KÜMMEL, Πάρεσις, 265.
[13] So und ähnlich BISPING, BARDENHEWER, DODD, LAGRANGE, LIETZMANN, MICHEL, KUSS u. a.

Ctesiph. 3, 219 (ed. Blaß S. 271), „Erweis", „Aufweis". Dieselbe Bedeutung finden wir auch 2 Kor 8, 24, wohl auch Phil 1, 28. Das wird vor allem durch den eindeutigen Gebrauch des Verbs ἐνδεικνύναι im selben Sinn (2, 15; 9, 17.22; 2 Kor 8, 24; Eph 2, 7; 1 Tim 1, 16 u. a.), der im übrigen auch schon griechisch ist (z. B. Thuk. IV 126: τὸ εὔψυχον ἐνδεικνύναι, „Mut erweisen"; Aristoph., Plutos 785: εὔνοιαν ἐνδεικνύναι, „Wohlgesinntheit"), erwiesen. Ebenso wird er in Papyri, dann in der LXX, auch TestZab 3, 8 u. a. gebraucht[14]. So ist an unserer Stelle gemeint, daß Gott Christus Jesus im Kosmos als Sühne(-Mal) aufrichtete oder als Sühne darbot, um seine δικαιοσύνη zu erweisen. Dabei liegt kein Grund vor, τὴν δικαιοσύνην αὐτοῦ anders zu verstehen als in 3, 21f oder 3, 5. Die Gerechtigkeit Gottes erschien, indem Gott sie in Jesus Christus erwies. Sie erschien aufgewiesen in Christi Jesu blutigem Tod am Kreuz und also – χωρὶς νόμου und für den Glauben. So weit ist alles klar. Aber nun kommt eine Schwierigkeit, die allerdings nicht übertrieben werden darf. Sie entzündet sich an den Fragen, 1) was πάρεσις bedeutet, 2) wie διά c. Acc. zu verstehen ist, 3) wohin ἐν τῇ ἀνοχῇ τοῦ θεοῦ sachlich gehört und welche Bedeutung es hat, 4) wie sich πρὸς τὴν ἔνδειξιν... zum Vorhergehenden verhält.

Zu 1): Πάρεσις findet sich nur hier im NT, in der LXX fehlt es ganz und ist auch im griechisch-hellenistischen Sprachgebrauch selten. Die paar Stellen, die Liddell-Scott und die Bultmann[15] anführen, sind in sich nicht eindeutig. Die Frage ist, ob πάρεσις „hingehen lassen" im Sinn von „vorbeigehen lassen" oder ob es „erlassen" und „vergeben" meint. Mit anderen Worten: ist πάρεσις[16] = ἄφεσις oder nicht? Wir können hier nicht die Einzelheiten diskutieren, meinen aber, daß mit πάρεσις mehr das Moment des Hingehenlassens, Laufenlassens u. ä. gegeben ist als das des Erlassens, wenn die Sache auch gelegentlich auf dasselbe hinausläuft[17]. Das Verb παριέναι ist häufiger, im NT erscheint es freilich nur Lk 11, 42; Hebr 12, 12, aber in wiederum anderem Sinn. Nur auf zwei Stellen außerhalb des NT kann man verweisen: a) Xen. Hipparchos 7, 10: τὰ οὖν τοιαῦτα ἁμαρτήματα οὐ χρὴ παριέναι ἀκόλαστα, meint wohl nicht „Verfehlungen erlassen", es steht ja ein ἀκόλαστα dabei, also eher „nicht ungestraft hingehen lassen". b) Jos. a XV 3, 2 (48): παρῆκεν δὲ τὴν ἁμαρτίαν (nämlich Herodes). Das könnte man so verstehen: er erließ ihnen das Vergehen. Aber wenn man den Kontext liest, sieht man, daß gemeint ist: „er sah es ihnen jetzt nach, um es später zu rächen. Er stellte sich im Augenblick nur so, als ob er Verzeihung gewährte. Dann aber heißt der Satz gerade nicht: er vergab ihnen das Vergehen, sondern: er ließ es ihnen im Augenblick hingehen. Vom Sprachgebrauch her wird sich zum mindesten in bezug auf πάρεσις keine Entscheidung treffen lassen, wenn auch m. E. πάρεσις eher im Sinn von „vorbei-", „dahingehen lassen" und nicht in dem von „erlassen", „vergeben" zu verstehen ist. Unsere Stelle würde dann vom Hingehenlassen der vorher oder

---

[14] W. G. KÜMMEL in: ZThK 49 (1952) 158 Anm. 5.
[15] ThWb I 508.
[16] BULTMANN, KÜMMEL, KÄSEMANN, STUHLMACHER u. a.
[17] So unterscheidet auch R. C. H. TREUCH, Synonyma des NT (Tübingen 1907) 69–74, beide Begriffe im angegebenen Sinn.

früher begangenen Sünden reden. Für Vergebung der ἁμαρτήματα gebrauchen im übrigen Mk 3, 28f; 1 Makk 13, 39 ἀφιέναι.

Zu 2): Διά c. Acc. heißt normalerweise „um willen" „wegen", gelegentlich geht es in „kraft" über oder auch in „durch jemandes Verdienst", „aufgrund von", nähert sich also einem „durch"[18]. Im NT ist diese Bedeutung eindeutig nur Joh 6, 57; Apk 12, 11; 13, 14. Sonst wird es mit „wegen", „dem entsprechend", „um willen" zu übersetzen sein, so wie m. E. bei Paulus immer (vgl. 2, 24; 4, 25; 15, 15; 1 Kor 11, 9; Gal 4, 13 u. a., auch 8, 20). Das legt nahe, wenn es auch kein stringenter Beweis ist, daß es auch an unserer Stelle so verstanden werden will.

Zu 3): Gehört ἐν τῇ ἀνοχῇ τοῦ θεοῦ zu πάρεσις oder zu τῶν προγεγονότων ἁμαρτιῶν? Käsemann meint jetzt[19], er sähe nicht mehr ein, „warum man die Wendung gegen Akzent und Stellung im Satz zu προγεγονότων ziehen soll". Anderseits bedarf, wenn irgend etwas in dieser Formulierung, das προ γε-γονότων eine nähere Erläuterung, die durch ἐν τῇ ἀνοχῇ τοῦ θεοῦ gegeben wird. Auch die Stellung am Ende der ersten Satzhälfte spricht m. E. für diese Zugehörigkeit. Aber was meint ἐν τῇ ἀνοχῇ θεοῦ? Ἀνοχή ist einmal „das Aufhalten", „der Aufschub", „die Frist", „die Pause" u. ä.; so z. B. 1 Makk 12, 25: οὐ . . . ἔδωκεν αὐτοῖς ἀνοχὴν τοῦ ἐμβατεῦσαι εἰς τὴν χώραν αὐτοῦ. Ἀνοχή ist aber dann auch „Zurückhaltung", „Nachsicht", z. B. Epict., Diss. 1, 29, 62: ἀνοχὴν ἔχω[20]. Diese Bedeutung gehört wohl mit der des Verbs ἀνέχομαι zusammen, das z. B. Is 64, 11; 42, 14 Gottes Ansichhalten meint, welcher Sinn leicht in den von Aushalten (die Menschen) übergeht (Is 63, 15; vgl. 2 Makk 9, 12; Eph 4, 2; Kol 3, 13). Ἀνοχή kommt im NT nur bei Paulus vor, und zwar außer an unserer Stelle noch 2, 14, wo es, wie wir sahen, zwischen χρηστότης und μακροθυμία Gottes steht, der Güte und Langmut Gottes, die dem Menschen Frist zur Umkehr gewährt. Mir scheint, man kann auch an unserer Stelle die ἀνοχή nur in diesem Zusammenhang sehen, und damit die πάρεσις, von der die Rede ist, in diesem Sinn, und die vorherigen Sünden als in der Zeit geschehen, die als ἀνοχή, als Ansichhalten Gottes, seiner ὀργή und δικαιοκρισία zu bezeichnen ist[21]. Und gerade von dieser ἀνοχή Gottes her wird es m. E. auch wahrscheinlich, daß πάρεσις das Hingehenlassen der früheren Sünden meint, das eben darin besteht, daß die getanen Sünden nicht erlassen, aber vorerst gütig vorbeigelassen werden, so daß Zeit zur Umkehr bleibt und, wenn man sie nicht als solche gebraucht, Zeit zur Ansammlung des Zornes Gottes für den eschatologischen Tag des Gerichtes.

Aber diese Zeit der πάρεσις ist jetzt zu Ende, da die δικαιοσύνη θεοῦ in Christus Jesus offenbart ist. Jetzt ist die Zeit der Entscheidung, auch wenn, ja gerade wenn das Erscheinen der Gerechtigkeit Gottes das Erscheinen seiner Gnade ist. Am Verhältnis zur Gnade wird auch das Gericht Gottes konkret.

---

[18] Vgl. LIETZMANN zu Röm 3, 25; W. BAUER zu Joh 6, 57.
[19] Zum Verständnis von Röm 3, 24–26, in: Exeget. Vers. u. Besinn. I (1960) 96–100, 98.
[20] BAUER WB 144; H. SCHLIER in: ThWb I.
[21] Ἐν τῇ ἀνοχῇ τοῦ θεοῦ ist formal jenem ἐν τῇ σοφίᾳ τοῦ θεοῦ von 1 Kor 1, 21 gleich, das „in der Zeit" oder auch „im Bereich", „im Raum" der Schöpfungsweisheit Gottes meint.

Das persönliche Verhältnis zur Gnade als Gnade ist der Glaube. Unser Satz (3, 25) ist also so zu verstehen: Gott hat ohne Zutun des Gesetzes, aber von der Schrift vorausgesagt, seine Gerechtigkeit, die seine Treue, Wahrheit und Glorie ist, im Kosmos manifest gemacht. Dieser trägt nicht mehr den Glanz der Schöpfung, sondern ist der Sünde unterworfen. Aber die Gerechtigkeit Gottes enthüllt sich als Gottes den Glaubenden rechtfertigende Gnade. Sie eröffnet sich darin, daß Gott Jesus Christus als Sühnemal aufrichtete, das der Glaube als solches erkennt und anerkennt. Damit ist das vorläufige Dahingehenlassen der Sünden zu Ende. Es ist nicht mehr die Zeit der Zurückhaltung Gottes, sondern die Zeit der Entscheidung.

V 26   Aber diese Zeit kann noch anders beschrieben werden. Der Vers, zu dem der Hinweis auf die ἀνοχὴ τοῦ θεοῦ formal schon gehört, ist noch nicht zu Ende. Es folgt noch ein ähnlicher Parallelsatz, der eine Ergänzung der Aussagen von V 25 ist. Sie dient der Hervorhebung eines im ersten Satz nicht deutlich zum Ausdruck gekommenen Gesichtspunktes. Deshalb wird vielleicht – neben der Variante πρός statt εἰς – bei ἔνδειξις der Artikel gesetzt: „zu dem Erweis…" Das Gewicht der Aussage ruht auf ἐν τῷ νῦν καιρῷ. Von ὁ νῦν καιρός, der auch manchmal (13, 11; 1 Kor 4, 5; 7, 29; Eph 5, 16; Kol 4, 5) ὁ καιρός schlechthin heißt, nach dem Zitat in 2 Kor 6, 2 καιρὸς εὐπρόσδεκτος, haben wir schon gesprochen. Gemeint ist jetzt im Zusammenhang dies: Gott hat Jesus Christus in seinem blutigen Kreuzestod öffentlich in der Welt zur Sühne hingestellt zum Erweis seiner Gerechtigkeit in der eschatologischen Jetzt-Zeit. Mit anderen Worten: πρὸς τὴν ἔνδειξιν will sicherstellen, was durch den Hinweis auf die πάρεσις dem Mißverständnis ausgesetzt war, nämlich daß es sich um den Erweis der Gerechtigkeit Gottes in der gerade alle πάρεσις beendenden jetzigen eschatologischen Zeit handelt. Aber das impliziert noch einen anderen Gedanken, der aber erst in dem Sätzchen mit dem konsekutiven, vielleicht auch finalen [22] εἰς τὸ εἶναι [23] zum Ausdruck kommt. Der Erweis der Gerechtigkeit Gottes enthält ein Zweifaches: daß Gott gerecht ist und gerecht macht. Es ist *eine* ἔνδειξις, die eschatologische Offenbarung der Gerechtigkeit Gottes in Jesus Christus, die seine Gnade ist. Aber sie läßt Gott als den Gerechten und Gerechtmachenden dastehen. Das δίκαιος… εἶναι bezieht sich darauf, daß Gott in seiner Geduld nicht gleichgültig gegenüber den früheren Sünden ist, sondern sie jetzt in der Erscheinung seiner Gerechtigkeit in Jesus Christus an dem, der in ihnen verharrt, richtet. Δίκαιος kommt in bezug auf Gott bei Paulus nur hier vor, muß und kann in seiner Bedeutung also vom Kontext her bestimmt werden. Seine πάρεσις und ἀνοχή treten in ihrer Vorläufigkeit an den Tag, weil jetzt – in seiner Gnade! – der gerechte Richter waltet. Aber der Aufweis seiner Gerechtigkeit, der ihn als gerecht erweist, hat noch eine andere Seite, eine solche, die die Gegenwart und die Zukunft betrifft. Er ist ja auch und vor allem der, der – aus Gnaden den Glaubenden – gerecht macht. Das war der Sache nach schon in V 24 gesagt. Das hervorzuheben ist aber auch das

---

[22] So KÄSEMANN.
[23] Vgl. zu solchem εἰς τὸ εἶναι Röm 1, 11.20; 4, 11.16.18 u. a.

Ziel des ganzen Abschnittes, das nur etwas durch den Gedanken, der V 25 dazwischenkam, verdeckt wurde, sich jetzt aber durchsetzt. V 26 kehrt am Ende zu V 22 zurück. Die Erscheinung der Gerechtigkeit Gottes in Jesus Christus läßt Gott den sein, der darin gerechtspricht, und zwar τὸν ἐκ πίστεως Ἰησοῦ. Die in Jesus Christus erschienene Gerechtigkeit Gottes wird als solche für den einzelnen Gläubigen gerecht machendes Ereignis. Hier wird der Glaubende ὁ ἐκ πίστεως Ἰησοῦ genannt. Εἶναι... ἐκ meint „von woher die Menschen leben und sich verstehen", „von woher sie in ihrem Lebensvollzug bestimmt sind" (vgl. 4, 12.16; Gal 3, 7.8.10 u. a.). In πίστις Ἰησοῦ ist Ἰησοῦ gen. obj. wie 3, 22; Gal 2, 14.20; 3, 22; Phil 3, 9. Auffallend ist, daß Ἰησοῦς allein steht. Bei Paulus findet es sich nur hier (vgl. höchstens Phm 5: πρὸς κύριον Ἰησοῦν). Sonst kommt es in übernommenen Formeln oder Traditionen vor (z. B. 1 Thess 1, 10; 4, 14; 1 Kor 12, 3) und öfter mit κύριος zusammen (vgl. 10, 9), aber auch dort, wo Jesus als der irdische betont werden soll (z. B. 2 Kor 4, 5 im Blick auf 4, 10.11.14; 2 Kor 11, 4; Gal 6, 17; Eph 4, 21). An unserer Stelle ist kein besonderer Grund sichtbar, warum Ἰησοῦς allein genannt wird. Jedenfalls kann man keinen Unterschied zu πίστις Ἰησοῦ Χριστοῦ (Gal 3, 22) oder zu πίστις Χριστοῦ Ἰησοῦ (Gal 2, 16) oder zu πίστις Χριστοῦ ebendort in 3, 22 erkennen.

In unserem Abschnitt (3, 21–26) liegt, wie wir schon sahen, das Gewicht der Aussage auf der proklamativen Verkündigung des Heilsgeschehens als solchen im Anschluß an die Darstellung der Weltsituation vor und ohne Jesus Christus. Freilich ist zugleich betont, daß dieses Heilsgeschehen, das in Christus Jesus in der Welt Ereignis wurde, nur im Glauben erkannt und erfahren wird. Und ebenso wird das im Glauben erfahrene Heilsgeschehen in Jesus Christus in seiner Wirkung dargestellt als jenes merkwürdige Gerechtsprechen, das ein Gerechtmachen ist, ohne daß dieses die Mitte der Aussage ist. Eine solche werden unter deutlicher Verschiebung des Gewichts der Aussage, die, wie schon erwähnt, sich auch im Stil dokumentiert, πίστις und δικαιοῦν auch im zweiten Teil des zentralen Abschnittes finden, in den VV 27–31. In ihm wird nach einer Seite hin eine Konsequenz aus dem Gesagten gezogen: Es gibt durch die Rechtfertigung aus Glauben, die aus dem Erscheinen der Gerechtigkeit Gottes fließt, kein menschliches „Rühmen" mehr. Der Glaube schließt es bei Juden und Heiden aus.

V 27 beginnt im Stil der Diatribe mit einer Frage, die selbst schon eine Antwort enthält. „Wo bleibt das Rühmen?"[24] Ἡ καύχησις ist[25] „das Rühmen", während τὸ καύχημα „den Ruhm als Grund des Rühmens" meint, wobei Paulus nicht immer scharf unterscheidet. So ist z. B. 2 Kor 1, 12 καύχησις = καύχημα, und umgekehrt ist 2 Kor 5, 12 καύχημα = καύχησις. Wir wollen hier den fast nur paulinischen Begriff καυχᾶσθαι – im NT sonst noch Jak 1, 9f; 4, 16; Hebr 3, 6 – noch nicht im einzelnen darlegen, sondern nur bemerken, daß καυχᾶσθαι und entsprechend die Substantive eine Grundweise des menschlichen Daseins bezeichnen, die mit „Vertrauen" fast synonym ist (vgl. Phil

---

[24] σου fügen G g d vg Ambr ZAHN hinzu, was aber zu schwach bezeugt ist.
[25] BULTMANN in: ThWb III 649.

3, 3f; 2 Kor 10, 7f (2); 2 Kor 1, 12; 3, 4). Wenn man sich einer Sache rühmt oder eines Menschen, so meint das, daß man ihm vertraut als dem, von dem man lebt und aus dem man sich „erbaut". In V 27 ist, wie der Zusammenhang mit Kap. 2 nahelegt, das Sichrühmen des Juden bzw. des Menschen unter dem Gesetz gemeint, der sein Ansehen aus seiner Leistung und aus der Beschneidung als göttlicher Garantie seiner Zugehörigkeit zu Gottes Volk holt, sich also an und aus Eigenem erbaut. Aber solches und anderes „Rühmen" ist jetzt ausgeschlossen. Ἐκκλείειν meint „ausschließen" im wörtlichen und übertragenen Sinn (vgl. Gal 4, 17). Der Eigenruhm und seine Selbsterbauung sind ausgeschlossen worden und stehen draußen, haben keinen Platz mehr im Heilsbereich. Gott hat sie ausgeschlossen. Die Frage geht weiter, zunächst überraschend, aber dann durch das Folgende verständlich.

In welcher Weise hat Gott das Rühmen ausgeschlossen? Durch ein Gesetz, das noch mehr fordert als die Tora, so daß es kaum zu leisten ist und Ruhm einbringt? Paulus hat V 28 den Gedanken im Sinn, der schon 3, 20 berührt wurde. Aber er spielt mit dem Begriff νόμος, der bei der Frage διὰ ποίου νόμου; τῶν ἔργων; noch das jüdische Gesetz meint, das Werke fordert, aber auch schon leise den allgemeinen Sinn von „Satzung", „Ordnung" u. ä. hat, den wir dann in 7, 21.23; 8, 2 kennenlernen. Bei der Antwort auf die gestellte Frage: „Nein! Sondern durch das Gesetz des Glaubens", tritt dieser formale Sinn von νόμος deutlich zutage, ohne seinen paradoxen Charakter zu verlieren. Νόμος πίστεως ist die neue Heilsordnung, das neue Heilsgesetz, das mit dem Glauben gekommen ist (vgl. Gal 3, 23.25), der selbst mit Christus kam. Der Glaube ist nun der Anspruch, unter dem die Welt steht. Er schließt das alte Gesetz, das „Werke" fordert und durch die Werke ein „Rühmen" provoziert, aus. Jetzt ist der Glaube als Heilsweg von Gott angeordnet und bestimmt sein Gesetz die Welt.

V 28 erhärtet diese Aussage. Er bezeugt des Apostels und zugleich der Christen Überzeugung[26]. Λογίζομαι steht wie 6, 11; 8, 18; 14, 14; 2 Kor 11, 5 im Sinn von „urteilend der Überzeugung sein"[27], wobei der Unterschied zu „annehmen", „meinen", „denken" u. ä. natürlich nicht scharf zu fassen ist (vgl. etwa auch 2, 3; Phil 3, 13). Diese Überzeugung, die Paulus sozusagen im Namen aller Christen oder auch im Namen des Glaubens ausspricht, ist wie ein Lehrsatz formuliert. Es ist ein Grundsatz und lautet: „Der Mensch wird durch Glauben gerechtfertigt ohne Gesetzeswerke." Das δικαιοῦσθαι ist präsentisch wie 3, 26 im Gegensatz zu dem futurischen von 3, 20. Ἄνθρωπος ohne Artikel wie 1 Kor 4, 1; 7, 1; 7, 7 meint „ein Mensch" im generellen Sinn, ist also soviel wie „man"[28]. Die Gerechtsprechung geschieht im Vollzug des Glaubens, was, wie

---

[26] Statt γάρ in ℵ A D* G Ψ 81 326 u. a. vg sy^p copt (sah bo) arm Orig lat Ambrstr u. a. lesen οὖν B C D^c k P 33 88 u. a., Ephr Thdt u. a.

[27] Heidland in: ThWb IV 290.

[28] Michel, Käsemann. G. Klein, Röm 4 und die Idee der Heilsgeschichte, in: Rekonstruktion und Interpretation (1969) 145–169, 149 meint, daß durch ἄνθρωπος die theologische Indifferenzierung von Juden und Heiden zum erstenmal auch ihren begrifflichen Ausdruck findet. Aber ob ἄνθρωπος so viel Gewicht hat?

jetzt ausdrücklich formuliert wird, χωρὶς ἔργων νόμου bedeutet. Der Glaube allein führt die wirksame Gerechtsprechung durch Gott herbei, die das Ereignis der Manifestation der gerecht machenden Gerechtigkeit Gottes in Jesus Christus voraussetzt und den Glaubenden in sich einbezieht. Die „Werke des Gesetzes", die gesetzlichen Eigenleistungen, haben keinen Anteil daran, sie bleiben abseits. Es entsprechen sich: νῦν χωρὶς νόμου δικαιοσύνη θεοῦ πεφανέρωται und δικαιοῦται πίστει ἄνθρωπος χωρὶς ἔργων νόμου. So hat also, wie Kuss mit Recht sagt, die Übersetzung Luthers: „allein durch Glauben", sachlich durchaus recht, nur daß man die Konfrontation, in der das gesagt ist, genau beachten muß. Diese ist aber – und hier hat Kuss m. E. nicht recht – nicht Glaube und Werke des mosaischen Gesetzes, so als ob es nur auf einen Gegensatz ankäme, der für die Christen historisch erledigt wäre und für die Heidenchristen überhaupt nicht gälte, sondern der entscheidende Sachverhalt ist der: allein durch Glaube und nicht durch jene Werke, die qualitativ „Gesetzeswerke" sind, also Werke, wie sie das Gesetz und seine Forderungen der verborgenen Selbstsucht jedes Menschen, der nicht glaubt, entlocken, Werke der Ungerechtigkeit und Werke der Selbstgerechtigkeit. Es sind für Paulus alle Werke, die nicht im Glauben an den vollzogen werden, der „uns Gerechtigkeit geworden ist" (1 Kor 1, 30), die Gesetzesleistungen des Menschen überhaupt, der ja so, wie er von Adam her vorkommt, von der Sünde in die gröbste und feinste Selbstsucht gebannt ist und nicht nur durch Übertretung des Gesetzes sündigt, sondern auch durch selbstgerechte Erfüllung. So wird der Mensch gerechtfertigt allein durch den Glauben und nicht durch die Werke, die auf den Anspruch des Gesetzes hin von dem an sich gebundenen Menschen getan werden, von dem, der sich „rühmt", sich also nicht nur an seinen eigenen Werken erbaut, sondern aus seinen eigenen Werken. Diesen gegenüber gibt es durchaus „Werke des Glaubens" (vgl. Gal 5, 6; 1 Thess 1, 3), also des Menschen, der, im Glauben von sich abgelöst, diese Werke, indem er sie empfängt, leistet. Es heißt also nicht, daß der Mensch allein durch den Glauben gerechtfertigt wird und nicht durch sein Handeln. Nicht das Tun als solches ist zur Rechtfertigung unbrauchbar, sondern eine bestimmte Art von Tun, die freilich jeder Mensch von seiner Herkunft mitbringt: das selbst-süchtige und eigengerechte Handeln, in dem die Selbsterbauung des „Rühmens" wirksam ist. Diese Problematik führt der Apostel hier nicht näher aus. Sie ist vielmehr aus seinen Gesamtaussagen über Glaube und Gesetz zu erkennen. Der Lehrsatz über Glaube und Gesetzeswerke ist vom Gesamtverständnis her zu verstehen. Der Römerbrief wird uns allmählich zu ihm hinführen.

In *V 29* sichert der Apostel den angeführten Lehrsatz gegen eine diesem widerstrebende jüdische Ansicht. Ist denn der Gott der δικαιοσύνη und des δικαιοῦν nicht nur der Juden Gott, der kraft der Tora auf die Rechtfertigung aus Werken nicht verzichten kann? Es ist das eine Ansicht, wie sie etwa Rabbi Schimᶜon ben Jochai (150 n. Chr.) ausgesprochen hat. Ex R 29, 4 (88d) heißt es: „Ich bin Jahwe, dein Gott, Ex 20, 2. R. Schimᶜon hat gesagt: Gott sprach zu den Israeliten: Gott bin ich über alle, die in die Welt kommen, aber meinen Namen habe ich nur mit euch vereint und heiße nicht der Gott der Völker der

Welt, sondern der Gott Israels." Gott ist also Schöpfer und Richter aller Menschen, aber nur Israels Bundesgott, der es liebt und zum Heil bestimmt hat. Freilich die Sicherung des Lehrsatzes bei Paulus an unserer Stelle geschieht im Grund nur durch eine Behauptung, die das auch von den Juden anerkannte und im täglichen Sch°ma ausgesprochene Bekenntnis zu dem *einen* Gott (vgl. Dt 6, 4) auch auf das Heilshandeln Gottes hin auslegt. V 29 stellt wieder eine zweigeteilte Frage samt einer eigenen Antwort, die dann in V 30 begründet wird.

V 30 Natürlich ist Gott auch der Heiden Gott, wenn anders – εἴπερ wie 8, 9.17; 1 Kor 15, 15; 2 Thess 1, 6; ἐπείπερ v. l. –, wie es der Fall ist, oder auch: so gewiß [29] es *einen* Gott gibt, der nun in dem Relativsatz als der, der jeden Menschen, Juden und Heiden, aus Glauben rechtfertigt, bezeichnet wird. Der Relativsatz V 30b hat einen gewissen Rhythmus und klingt wie ein Zitat. Er macht eine Aussage über diesen Gott, die das, was zu begründen wäre, wiederum nur behauptet und also den Lehrsatz von V 28 in anderer Weise wiederholt. Δικαιώσει ist wahrscheinlich logisches Futur (Kuss), doch, wenn Paulus einen christlich traditionellen Satz aufgenommen hat, eher eschatologisch zu verstehen. Περιτομή und ἀκροβυστία sind wieder die Beschnittenen und Unbeschnittenen, also Juden und Heiden in ihrer Gesamtheit, wie schon 2, 26 (27). Ἐκ πίστεως und διὰ τῆς πίστεως ist nur rhetorisch-stilistischer Wechsel (vgl. 3, 22.25: 24; Gal 2, 6, ähnlich wie 4, 11 f; 5, 10; 1 Kor 12, 8; 2 Kor 3, 11). Bald ist ἐκ πίστεως von allen Christen gesagt (5, 1; vgl. Gal 3, 24), bald von den Heidenchristen (Gal 3, 8), deren Rechtfertigung nach unserer Stelle διὰ τῆς πίστεως geschieht.

Aber wenn das so ist, wenn die Gerechtigkeit Gottes in Christus Jesus abseits vom Gesetz und ohne seine Mitwirkung erschienen ist (3, 21) und wenn die Rechtfertigung ohne Gesetzesleistungen allein durch den Glauben geschieht (3, 28.30), was ist es dann mit dem νόμος? „Beseitigen wir nun das Gesetz durch den Glauben?"

V 31 So sieht es jedenfalls aus, und so wird man es dem Apostel von jüdischer und vielleicht auch judenchristlicher Seite vorgeworfen haben. Man sieht aus dieser Schlußfrage, wie sehr sich Paulus der möglichen Konsequenzen seines Gesetzesverständnisses und also der Notwendigkeit zu differenzieren bewußt ist und sie seinen Lesern bewußt macht. Καταργεῖν ist wiederum wie 3, 9 „abtun", „abschaffen", „beseitigen" u. ä. Die gestellte Frage wird sofort mit einem μὴ γένοιτο beantwortet. Das Gesetz ist auch durch den in Christus Jesus eröffneten Heilsweg des Glaubens nicht abgeschafft, im Gegenteil: „Wir richten es auf." Ἱστάνειν, das betont an den Schluß gesetzt ist, ist eine Nebenform von ἵστημι, „stellen", „aufstellen", hier und 10, 3 (14, 4?) „aufrichten" [30]. Dafür spricht im Zusammenhang, daß nur so ein strik-

---

[29] BLASS-DEBR, § 454, 2; BAUER WB 436.
[30] Möglicherweise auch „aufrechterhalten", wie z. B. 1 Makk 2, 27, wo Mattatias in der Stadt ausruft: Πᾶς ὁ ζηλῶν τῷ νόμῳ καὶ ἱστῶν διαθήκην ἐξελθέτω ὀπίσω μου. Vgl. 4 Makk

ter Gegensatz zu καταργεῖν erreicht wird. Zudem ist der Satz eine echt paulinische paradoxe Aussage, die in seiner Gesetzestheologie begründet ist und
sich später in 8, 2 ff klärt. Das Gesetz richten die Christen auf, indem sie es im
Glauben an Jesus Christus, der Manifestation der Gerechtigkeit Gottes, abgelöst von sich selber, nicht mehr als Leistung, sondern in seinem ursprünglichen Sinn als Gabe des Willens und der Weisung Gottes erfüllen[31]. Die meisten
Kommentatoren legen anders aus, etwa so, daß νόμον ἱστάνομεν „wir halten
das Gesetz aufrecht", „wir behalten es bei" meine. Die nähere Erläuterung ist
dann meist recht allgemein. „Das Evangelium ist unzweifelhaft Gottes Wille
und damit nichts anderes als das eigentliche Ziel des atl. Gesetzes", sagt z. B.
Kuss. Oder: Paulus „hört im AT selbst die Stimme des Evangeliums (Röm
1, 3.17; 3, 21; 4, 9), er bejaht zudem den Willen Gottes, der vom Menschen
Gerechtigkeit verlangt (Röm 6, 13)", meint Michel. Aber ob der Sachverhalt,
daß man im Evangelium das eigentliche Ziel des atl. Gesetzes sieht, oder umgekehrt, daß man im AT die Stimme des Evangeliums hört, als ein ἱστάνομεν
νόμον bezeichnet werden kann, das διὰ τῆς πίστεως geschieht, ist doch sehr
zweifelhaft. Das gilt auch für die Art, wie z. B. Lietzmann V 31 b versteht: „Wir
richten es auf", im Sinn von: „Wir stellen seine bleibende Bedeutung fest durch
den Nachweis, daß das Gesetz selbst den Glauben predigt." Hier ist νόμος
nicht mehr τῶν ἔργων νόμος (3, 27f), sondern wie 3, 19 das AT. Und außerdem ist ἱστάνομεν νόμον, wozu doch immer διὰ τῆς πίστεως zu ergänzen ist,
in seinem Sinn erweicht. Bei solcher Auslegung gehörte V 31 als Übergang
oder Einleitung auch schon zu 4, 1ff. Aber 4, 1 beginnt mit einem τί οὖν
ἐροῦμεν, das wie in 6, 1; 7, 7; 8, 31; 9, 14.30 einen neuen Gedankengang und
damit einen neuen Abschnitt einleitet. So scheitert die genannte Auslegung
auch an diesem formalen Gesichtspunkt.

Übersehen wir kurz das bisher in unserem ersten Teil des Römerbriefes
Gesagte. Paulus spricht in V 16 f davon, daß er bereit ist, auch in Rom das Evangelium, das eine Macht Gottes ist, weil in ihm Gottes Gerechtigkeit begegnet,
zu verkündigen. Die Welt, d. h. Heiden und Juden, steht ja unter der Herrschaft
der Sünde. Denn ihr sie bestimmendes Prinzip ist das Gesetz, das die Menschen so, wie sie vorkommen, zur Sünde provoziert. Jetzt aber ist die Gerechtigkeit Gottes, die seine Treue, Wahrheit, Gnade und Herrlichkeit ist, in
Christus Jesus erschienen und als rechtfertigende Gerechtigkeit der Gnade
dem Glauben an Jesus Christus zugänglich. Gerechtfertigt wird der Mensch
nicht durch seine Leistungen dem Gesetz gegenüber, sondern aus diesem Glauben. Damit ist das Gesetz nicht beseitigt und abgetan, sondern im Gegenteil
aufgerichtet. Im Glauben ist der Mensch ja für das rechte Verständnis des
Gesetzes und seine Erfüllung frei geworden. Für ihn hat das Gesetz seinen

---

5, 25: καθιστάναι τὸν νόμον (von Gott gesagt: das Gesetz in seiner Gültigkeit aufrechterhalten).

[31] G. KLEIN, a. à. O. 164 ff, in Auseinandersetzung mit U. WILCKENS, Die Rechtfertigung
Abrahams nach Röm 4, in: Studien zur Theologie der atl. Überlieferungen. Festschrift für
G. v. Rad (Neukirchen 1961) 111–122, läßt 3, 31 b dahin verstehen, daß die Rechtfertigungs-
lehre die eigentliche Intention des Gesetzes zum Zuge bringe (S. 125).

ursprünglichen Sinn als die Gabe der Weisung Gottes und seine Kraft als heilsamer Wille Gottes wiedergewonnen.

Aber bei dem 3, 31 geäußerten Gedanken bleibt der Apostel nicht stehen. Sondern anknüpfend an das Stichwort καύχησις – καύχημα, erhärtet er den Lehrsatz 3, 28 am Beispiel Abrahams, der als unser aller Vater der Typus des im Glauben Gerechten ist.

3. 4, 1–25 Abraham unser aller Vater im Glauben

1 Was sagen wir nun, daß Abraham, unser Vorfahre dem Fleisch nach, gefunden hat? 2 Denn wenn Abraham aus Werken gerechtfertigt wurde, hat er Ruhm, aber nicht bei Gott. 3 Denn was sagt die Schrift! „Es glaubte aber Abraham Gott, und es wurde ihm als Gerechtigkeit angerechnet." 4 Dem, der arbeitet, wird der Lohn nicht aus Gnaden angerechnet, sondern weil man ihn schuldet. 5 Dem aber, der nicht Werke tut, doch an den glaubt, der den Gottlosen rechtfertigt, wird sein Glaube als Gerechtigkeit angerechnet, 6 wie auch David den Menschen seligpreist, dem Gott Gerechtigkeit ohne Werke zurechnet. 7 „Selig, deren Frevel vergeben und deren Sünden bedeckt wurden. 8 Selig der Mann, dem der Herr Sünde nimmermehr anrechnet."

9 Gilt nun diese Seligpreisung nur der Beschneidung oder auch der Unbeschnittenheit? Denn wir wiederholen: „Abraham wurde der Glaube zur Gerechtigkeit angerechnet." 10 Wie also wurde angerechnet? Im Stand der Beschnittenheit oder in dem der Unbeschnittenheit? 11 Das Zeichen der Beschneidung empfing er als Siegel der Glaubensgerechtigkeit in Unbeschnittenheit, damit er der Vater aller, die in der Unbeschnittenheit glauben, werde, so daß ihnen Gerechtigkeit angerechnet werde, 12 und der Vater der Beschneidung für die, die nicht nur beschnitten sind, sondern auch in den Spuren des Glaubens in der Unbeschnittenheit unseres Vaters Abraham gehen.

13 Denn nicht kraft des Gesetzes wurde die Verheißung Abrahm oder seinem Samen zuteil, er solle der Erbe der Welt sein, sondern um der Glaubensgerechtigkeit willen. 14 Sind nämlich diejenigen Erben, welche vom Gesetz leben, dann ist der Glaube entleert und die Verheißung zunichte. 15 Denn das Gesetz wirkt Zorn. Wo es aber kein Gesetz gibt, gibt es auch keine Übertretung. 16 Deshalb gilt: „aus Glauben", „damit auch aus Gnaden, damit die Verheißung für alle Nachkommenschaft gültig sei, nicht nur für die, die vom Gesetz leben, sondern auch für die aus dem Glauben Abrahams. Der ist unser aller Vater, 17 wie geschrieben steht: „Zum Vater vieler Völker habe ich dich gesetzt." Er glaubte an den Gott, der die

Toten lebendig macht und das Nichtseiende ruft, daß es sei. 18 Er glaubte gegen Hoffnung auf Hoffnung, daß er zum Vater vieler Völker werde nach dem Spruch: „So (zahlreich) wird deine Nachkommenschaft sein." 19 Ohne im Glauben schwach zu werden, bedachte er seinen Leib, der schon erstorben war – war er doch fast hundertjährig –, und Sarahs erstorbenen Mutterschoß. 20 Er zweifelte aber nicht ungläubig an Gottes Verheißung, sondern ward stark im Glauben, gab Gott die Ehre 21 und war völlig davon durchdrungen, daß er, was er verheißen hat, auch zu tun vermag. 22 Deshalb wurde es ihm zur Gerechtigkeit angerechnet. 23 Es steht aber nicht allein um seinetwillen in der Schrift: „Es wurde ihm angerechnet", 24 sondern auch um unseretwillen, denen es angerechnet werden soll, die wir an den glauben, der Jesus, unseren Herrn, von den Toten auferweckt hat. 25 Er wurde dahingegeben um unserer Übertretungen willen und auferweckt um unserer Rechtfertigung willen.

O. Michel hat dieses Kapitel mit Recht einen exegetischen Midrasch genannt. Und er hat auch mit Recht betont, daß es einen relativ ausführlichen Schriftbeweis zu den relativ kurzen, freilich entscheidenden Ausführungen von 3, 21–31 darstellt. Das liegt im Wesen der Aufgabe, die jener und dieser Abschnitt zu erfüllen haben: dort (3, 21–31) das Heilsereignis zu proklamieren und den dadurch und damit eröffneten Heilsweg des Glaubens in zwei Lehrsätzen (3, 28.30) in die Diskussion einzuführen. Hier in Kap. 4 dagegen soll der Schriftbeweis für diese Lehrsätze [1] gebracht und der Nachweis geführt werden, daß sie schon im AT enthalten sind, daß also das „aus Glauben gerechtfertigt werden" und „die Gerechtigkeit Gottes" sozusagen schon eine Vorgeschichte haben, die freilich nicht als historisch vorgängige zu verstehen ist, sondern kraft der alles umfassenden und bestimmenden Geschichtsmacht Gottes als Typos [2]. Paulus geht in diesem Kapitel relativ systematisch vor: 1) 4, 1–8 bringt er Torawort (4, 3 = Gn 15, 16) und Psalmwort (4, 7f = Ps 32, 1), die die These von der Rechtfertigung aus Glauben für Abraham und alle Glaubenden belegen. 2) 4, 9–17 weist er dann exegetisch nach, daß Abraham als der Vater aller Glaubenden aus Heiden und Juden anzusehen ist. Die Beschneidung ist nur das Siegel auf seine Glaubensgerechtigkeit, nicht ihre Voraussetzung (4, 9–12), die Verheißung an Abraham erging nicht aufgrund von Gesetzeswerken, sondern aufgrund von Glaubensgerechtigkeit (4, 13–17). 3) Dieser Glaube Abrahams, der Glaube an die Zusage Gottes

---

[1] Wie fern das hellenistisch-jüdische Abrahamsbild von dem paulinischen ist, zeigt H. MAYER, Aspekte des Abrahamsbildes in der hellenistisch-jüdischen Literatur, in: EvTh 32 (1972) 118–127. E. KÄSEMANN, Der Glaube Abrahams in Röm 4, in: Paulinische Perspektiven (1969) 140.

[2] Vgl. L. GOPPELT, Typos. Die typologische Deutung des AT im Neuen (Gütersloh 1939); DERS., Apokalyptik und Typologie bei Paulus, in: ThLZ 89 (1964) 321–344; DERS., Paulus und die Heilsgeschichte. Schlußfolgerungen aus Röm IV und 1 Kor 10, 1–13, in: NTSt 13 (1966) 31–42.

gegen allen Augenschein ist, ist Typos unseres Glaubens (4, 18–25), so wie Abraham Typos jedes Glaubenden ist.

V 1 ist in der Überlieferung und dann in seinem Sinn recht unsicher. 1) Das εὑρηκέναι fehlt in B (1799 πατέρα) Orig Ephr (Chrys[corr])[3]. 2) Es steht nach Ἀβραὰμ τὸν πατέρα ἡμῶν ℵ P 33 88 usw. sy[p(a)] Chrys Thdt u. a. 3) Es steht vor Ἀβραὰμ τὸν προπάτορα ἡμῶν: a) A C 81 230 2127 sy[pal] copt sah arm Cyrill Joh Damasc; b) vor Ἀβραὰμ τὸν πατέρα ἡμῶν ℵ[a] C[3] G Ψ[4]. Der Text 3a) verdient der Bezeugung nach den Vorzug. Freilich gewinnt er nur dann einen Sinn, wenn wir gegen die rhetorische Formel τί οὖν ἐροῦμεν das τί οὖν zu εὑρηκέναι ziehen und ἐροῦμεν isolieren: „Was nun, werden wir sagen, hat Abraham ... gefunden?"[5] Aber auch bei diesem Verständnis ist eine zweifache Möglichkeit gegeben, je nachdem, ob man das κατὰ σάρκα bezieht: a) auf τὸν προπάτορα ἡμῶν oder b) auf εὑρηκέναι. Doch das letztere bedürfte als Gegensatz ein κατὰ πνεῦμα, das aber vom ganzen Zusammenhang abführen würde. Aber auch, wie das eigentlich selbstverständlich ist, wenn das κατὰ σάρκα zu προπάτορα ἡμῶν gehört[6], bleibt die Frage recht unverständlich. Man hilft sich[7], indem man auf Gn 18,3 verweist, wo sich Abraham vor den drei Männern bei der Terebinthe von Mamre zur Erde neigt und sagt: „Κύριε, εἰ ἄρα εὗρον χάριν ἐναντίον σου, so gehe doch nicht an deinem Knecht vorbei." Danach wäre der Sinn der paulinischen Frage eine erwartete, aber nicht ausgesprochene Antwort: Abraham hat χάρις vor Gott gefunden[8]. Das ist freilich weit hergeholt, zumal da εὑρίσκειν χάριν (מָצָא חֵן) formelhafter Sprachgebrauch der LXX ist[9], der hier überdies nicht ausdrücklich zur Sprache kommt. Es ist verständlich, daß die Handschriften B usw. sich die Sache erleichtert und das εὑρηκέναι ausgelassen haben, welche Lesart Zahn, Kühl, Barth, Schlatter u. a. als ursprünglich beurteilen, so daß man so übersetzen muß: „Was sollen wir von Abraham, unserem irdischen Vorfahren, sagen?"[10] Dann ist „die Formulierung der Frage vom griechischen Sprachgefühl aus einwandfrei" (Schlatter), und V 2 schließt sich ohne Schwierigkeit an.

V 2 enthüllt dann das, was vom irdischen Abraham gesagt werden könnte oder sollte. „Wenn Abraham aus Werken gerechtfertigt wurde, hätte er (Grund zum) Ruhm, freilich nicht vor Gott."[11] Der Satz kann als Irrealis oder Realis

---

[3] So auch Zahn, Sanday-Headlam, Kühl, Schlatter, Barth.
[4] Vgl. Lietzmann.
[5] „Von was sagen wir, daß Abraham es gefunden hat?" (Schlatter.)
[6] Vgl. Zahn; Schrenk in: ThWb V 1000 Anm. 357; Dietzfelbinger, Paulus und das NT, in: Theologische Existenz heute 95 (1961) 18 ff.
[7] Michel, Bibel, 57; Jeremias, Gedankenführung, 47, 2.
[8] Zeller, 99 schlägt vor, die Frage in 4,1 dahin zu verstehen: Fand Abraham etwa δικαιοσύνην ἐξ ἔργων?
[9] Die Phrase findet sich auch im NT: Lk 1,30; Apg 7,46; 2 Tim 1,18; Hebr 4,16.
[10] προπάτωρ ist, wie V 12 zeigt, πατήρ im weiteren Sinn; vgl. Is 51,2. Die Kyniker nennen Diogenes ihren προπάτωρ.
[11] Γάρ ist verknüpfend, nicht begründend.

verstanden werden und nimmt als Konzession eine jüdische Überzeugung auf, etwa in dem Sinn: Wenn Abraham nämlich aus Gesetzesleistungen gerechtfertigt ist, wie ihr annehmt, oder gerechtfertigt worden wäre, wie ich sage, dann hat oder hätte er Grund zum Ruhm. Freilich – ist nun die sofortige paulinische Richtigstellung – „nicht bei Gott", sondern nur bei den Menschen. So könnte man also zur Not die VV 1–2 so verstehen: „Was sollen wir von Abraham, unserem irdischen Vorfahren, sagen? Wenn Abraham aus Leistungen gerechtfertigt worden ist, hat er (Grund zum) Ruhm, freilich nicht vor Gott. „Aber das εὑρηκέναι wird, wie gesagt, offensichtlich zur Erleichterung fortgelassen, so daß wir die komplizierte Konstruktion, die freilich die Sache nicht berührt, offenlassen müssen. Die Aussage von V 2 wendet sich gegen ein jüdisches Verständnis Abrahams, wie es sich noch in einigen apokalyptischen und rabbinischen Texten widerspiegelt. Um nur je ein Beispiel zu zitieren, führen wir zunächst Jub 23, 10 an: „Abraham war vollendet in allem seinem Tun gegenüber Gott und wohlgefällig in Gerechtigkeit alle Tage seines Lebens" (vgl. Jub 24, 11; auch Sir 44, 19ff) [12]. Das rabbinische Beispiel findet sich Joma 28b: „Rab hat gesagt: ‚Unser Vater Abraham hat die ganze Tora gehalten; denn es heißt: zum Lohn dafür...'" (Gn 26, 5). Dem setzt Paulus entgegen, daß Abraham keineswegs durch seine Leistungen Gottes Wohlgefallen gefunden hat. Sie hätten ihm nur Ruhm bei den Menschen eingetragen. Πρός ist לְמִי.

V 3 Wie Abrahams Gerechtigkeit zu verstehen ist, dafür ist die Schrift Zeuge. Mit γραφή ist zunächst die ganze Schrift gemeint, das AT (vgl. 9, 17; 10, 11) [13]. Zitiert aber wird fast wörtlich nach der LXX Gn 15, 3, wo sich das ἐπίστευσε auf die Zusage Gottes einer Nachkommenschaft Abrahams bezieht. Freilich wird das Zitat für den auch sonst bezeugten Gehorsam Abrahams stehen, nur daß eben dieser Satz die für Paulus wichtigen Begriffe πιστεύειν und δικαιοσύνη enthält. Natürlich kann man auch ihn im jüdischen Sinn auslegen. So wird seine Zitierung seinen Gegnern keinen großen Eindruck gemacht haben. Es kann ja auch der Glaube im Sinn eines Leistungswerkes verstanden werden und ist im Jüdischen so verstanden worden. Gewiß ist der Glaube in diesem Bereich auch als Bekenntnis zum Monotheismus und als die ihm entsprechende Lebensrichtung auf Gott hin, also vielfach als treibende Grundkraft des Lebens, begriffen worden. Aber auch als eine solche war er ein verdienstliches Werk wie andere auch (vgl. 4 Esr 9, 7; 13, 23; Mekh Ex 14, 15 [356]). Demgemäß ist auch die Auslegung von Gn 15, 6 in solchen Texten; so z. B. 1 Makk 2, 52 oder 2, 50–53 im Ganzen: „So eifert, Söhne, für das Gesetz! Setzt euer Leben für den Bund der Ahnen ein. Gedenkt der Taten, die eure Väter in ihrer Zeit vollbrachten. Reichlichen Ruhm und einen ewig währenden Namen erntet ihr dann! Hat sich Abraham nicht in der Prüfung bewährt, ward das ihm nicht zum Gerechtsein angerechnet?" Oder Mekh Ex 14, 15 (356): „Sch᷂maja (50 v. Chr.) sagte: (‚Gott sprach:) Der Glaube, mit welchem ihr

---

[12] Andere Beispiele Strack-Billerbeck III 186f.
[13] Schrenk in: ThWb I 753.

Vater Abraham an mich geglaubt hat, verdient es, daß ich ihnen das Meer spalte, wie es heißt: Und er glaubte an Jahwe, und ich rechnete es ihm als Gerechtigkeit (= Verdienst) an'", u. a. m. Im Grunde hat auch Philo kein anderes Verständnis, der Gn 15, 6 relativ häufig zitiert. Nur daß er den Glauben Abrahams wie überhaupt den Glauben psychologisch versteht und schließlich als ein Vertrauen zu Gott im Sinn „des Werkes einer großen, olympischen Vernunft" bestimmt, „die sich durch nichts mehr von dem, was wir haben, berücken läßt" (Quis rer. div. her. 6,18; vgl. De migr. Abr. 9; De Abr. 46; Leg. alleg. III 228 u. a.). Paulus aber versteht den Glauben Abrahams und den Glauben überhaupt unter anderem als einen Gegensatz zum Leisten, das, wie wir gleich sehen werden, durch das Gesetz herausgefordert wird. So durchbricht er dieses jüdische Verständnis und kehrt im gewissen Sinn zum atl. zurück, das den Glauben weder psychologisch zu erfassen sucht noch ihn als Werk oder als eine Gebotserfüllung versteht. Gn 15, 6 meint nach atl. Verständnis, daß Abraham auf das Wort Jahwes hin: „So wird deine Nachkommenschaft sein", „sich in Jahwe festmachte", Jahwes Zusage gehorsam annahm, seiner Verheißung vertraute und daß ebendies ihn im Urteil Gottes als jemand dastehen ließ, der das von Gott gesetzte Gemeinschaftsverhältnis, den Bund und die Gebote, bejaht, damit aber „gerecht" ist[14]. Wie Paulus das als Beleg für seine These von der Rechtfertigung aus Glauben angeführte Schriftwort verstanden wissen will, sagt er selbst in den VV 4–5 mit einer bildhaften Wendung, die freilich von der Sache her, die sie veranschaulichen soll, also von der Rechtfertigung aus Glauben, schon beeinflußt ist.

VV 4–5 Das Bild ist zunächst *(V 4)* dies: Wer arbeitet, dem wird nach Pflicht und Schuldigkeit und nicht als Geschenk der Lohn ausgezahlt. Wer arbeitet, verdient Lohn. Λογίζεσθαι ist hier „buchen", und zwar κατὰ ὀφείλημα und nicht κατὰ χάριν, welcher Gegensatz schon bei Thuk. II 20, 4[15] begegnet. Aber daß sich in dem ἐργάζεσθαι schon ein ἔργα νόμου ποιεῖν verbirgt und daß κατὰ χάριν schon die Gnade Gottes andeutet, zeigt *V 5*. Denn statt logisch, d. h. innerhalb des Bildes, fortzufahren: Wenn aber einer nicht arbeitet und doch Lohn empfängt, dann geschieht das aus Gnade, wird gesagt: „Wer aber nicht Werke tut, aber an den glaubt, der den Gottlosen gerecht macht, dem wird sein Glaube als Gerechtigkeit gebucht." Es wird die Bildrede gänzlich verlassen und zum gemeinten sachlichen Gegensatz von πίστις und ἔργα νόμου übergegangen. Der μὴ ἐργαζόμενος ist der, der nicht ἐξ ἔργων νόμου lebt, sondern glaubt. Und ihm wird *dieses* „nicht arbeiten", sondern „glauben" nun nicht zum „Lohn", aber εἰς δικαιοσύνην, zum „Gerechtsein", welches für Paulus in der Anerkennung der Gerechtigkeit Gottes, seiner Bundestreue in Jesus Christus besteht. Dabei ist dieses πιστεύειν in dem Maß von Paulus radikalisiert, daß es gemäß der Offenbarung der δικαιοσύνη θεοῦ,

---

[14] Vgl. G. v. Rad, Die Anrechnung des Glaubens zur Gerechtigkeit, in: ThLZ 76 (1951) 129–132 = Gesammelte Studien zum AT 1958, 130–135. K. Kertelge, Rechtfertigung (1967) 185–195.
[15] Hauck in: ThWb V 565.

welche seine χάρις ist, ein Glaube an den Gott ist, der den ἀσεβής gerecht macht. Es ist der Glaube – und Paulus sieht ihn auch im Glauben Abrahams gegeben –, der jene ἀσέβεια der Menschen zur Voraussetzung hat, von der 1, 18 die Rede war, und der sie – im Vollzug der Gnade Gottes – in Gottes Gerechtigkeit aufheben läßt. Dieser Glaube, der in die „Gerechtigkeit Gottes" einbezieht, schließt 1) die Anerkennung des eigenen ἀσεβής-Seins und 2) das Sich-anweisen-Lassen auf die χάρις Gottes ein[16]. Aber davon ist hier explizit nicht die Rede. Vielmehr hebt nach jüdischem Grundsatz, wonach zwei Zeugen für die Wahrheit einzutreten haben, und nach der גְּזֵרָה שָׁוָה, der 2. der sieben Auslegungsnormen Hillels, „die besagt, daß identische (oder gleichlautende) Wörter, die an zwei verschiedenen Schriftstellen vorkommen, sich gegenseitig erläutern"[17], wobei „neben der Tora die Propheten oder die Ketubim zu zitieren sind" (Michel, Käsemann), ein zweites Zitat, das als Psalmzitat dem Torazitat untergeordnet ist, hervor, daß solches δικαιοῦν τὸν ἀσεβῆ die Vergebung der Sünden einschließt. Das „Anrechnen der Gerechtigkeit", ohne daß ἔργα νόμου vorliegen, schließt dem ἀσεβής gegenüber die Vergebung der Sünden ein.

V 6 fügt sich mit einem καθάπερ καί = „wie auch" im begründenden Sinn, vgl. 2 Kor 1, 14; 1 Thess 3, 6.12; 4, 5, eng an das Vorige an. Der Inhalt des folgenden Zitats wird, ihm voraus, als ein μακαρισμός, ein Heilszuspruch, „ein Heil verkündender Ruf" (Schlatter), den David ausspricht, charakterisiert. Μακαρισμός, ein älteres griechisches Wort, ist in unserem Sprachbereich und hier in 4, 6.9 nicht ein Wunsch für das Wohl dessen, dem man es zuspricht, sondern eine Seligpreisung im Sinn eines Psalmanfangs: אַשְׁרֵי[18]. Es findet sich bei Paulus noch Gal 4, 6.

VV 7–8 Das Zitat selbst ist Ps 31, 1 f LXX entnommen, einem Dankpsalm, in dem der Fromme durch sein Leiden erkennt, daß er ein Sünder ist, seine Schuld bekennt und Rettung erfährt. Der Psalmvers wird wörtlich nach LXX zitiert. Daß Gott Übertretungen erläßt, was nur hier (also im Zitat) bei Paulus formuliert wird, daß er die Sünden bedeckt, daß er die Sünde nicht anrechnet, das ist in dem δικαιοῦν τὸν ἀσεβῆ und in dem λογίζεσθαι δικαιοσύνην χωρὶς ἔργων eingeschlossen. Es ist darin eingeschlossen – vergessen wir das nicht! –, weil der Erweis der Gerechtigkeit oder Bundestreue Gottes in der Aufrichtung des ἱλαστήριον in Jesus Christus, in seinem blutigen Sühnemal bestand, welche δικαιοσύνη θεοῦ, die χάρις ist, sich im δικαιοῦν, wir könnten sagen: im „Waltenlassen dieser Gerechtigkeit", auswirkt, und deshalb nicht ἐξ ἔργων νόμου dem gegenüber, der Gesetzesleistungen vorzu-

---

[16] Diese Formulierung δικαιῶν τὸν ἀσεβῆ in K 4 hat für Paulus nicht das Gewicht, das KÄSEMANN ihm zuschreibt, der von ihr aus die ganze Rechtfertigungslehre auf dieses eine Moment stützt. Schon 4, 17bff kommt hier anderes zur Sprache.

[17] JEREMIAS, Gedankenführung, 149ff.

[18] Es mit „wohl denn" zu übersetzen ist absurd, weil damit sein ihm eigentümlicher Sinn verfehlt wird.

weisen hat, sondern dem ἀσεβής gegenüber, der ἐκ πίστεως ᾽Ιησοῦ (3, 22) lebt, d. h. ein πιστεύων ἐπὶ τὸν δικαιοῦντα τὸν ἀσεβῆ ist (4, 5). Rechtfertigung des Gottlosen ist ein ihn aus Gnade Erfahrenlassen der Bundestreue Gottes, der sie im Sühnemal Jesus Christus öffentlich erwiesen hat. Sie hat als Kern die Vergebung der Sünde. Von diesem πιστεύειν, meint Paulus, ist die Rede, wenn Gn 15, 6 von Abraham sagt: „Es glaubte Abraham Gott...“, und ebendas ist das λογίζεσθαι αὐτῷ εἰς δικαιοσύνην. Deshalb hat Abraham ja auch keinen „Ruhm“ vor Gott, sosehr ihn die Menschen preisen. Es ist alles *Gottes* Ruhm. Es ist ja alles *Gottes Gnade.*

VV 9–17a Aber – und damit setzt sich Paulus zur weiteren Entfaltung[18a] seiner Ausführungen über Abraham mit einem dem Juden naheliegenden Einwand, den er sich im Sinn rabbinischer Argumentation und auch der Diatribe selbst vor seinen Lesern macht, auseinander – gilt denn jene Seligpreisung von Ps 31, 1 f nicht allein dem Juden? In der Weise legt doch z. B. Pᵉsiqta R 45 (185 b) den Sachverhalt aus. „Nur Israel vergibt er. Als David sah, wie Gott die Sünden der Israeliten vergibt und sich über sie erbarmt, fing er an, sie seligzupreisen und zu rühmen: Heil dem, dem die Übertretungen aufgehoben sind ...“ (Ps 31, 1)[19]. Paulus stellt die Frage in *V 9a* so: Gilt diese Seligpreisung (nur)[20] der Beschneidung oder auch der Unbeschnittenheit? Aber er beantwortet sie nicht, indem er auf den Psalm eingeht oder eine Erörterung über das Verständnis von Schriftstellen anstellt, analog etwa 3, 19, sondern indem er wieder auf die Abrahamserzählung zurückkommt, Gn 15, 6 wiederholt und von da aus den Einwand exegetisch aus den Angeln hebt. Zuerst (V 9b) zitiert er noch einmal Gn 15, 6. Λέγομεν kann man hier mit „wir – (Paulus) – wiederholen“ wiedergeben[21]. Unwillkürlich ist Paulus wieder in den lebhaften Stil von Frage und Antwort, also der Diatribe, aber auch rabbinischer Argumentation geraten, den er noch in *V 10* beibehält, dann freilich dem lehrhaften Stil wieder weichen läßt. So ganz – könnte man sagen – ist er nicht mehr Rabbi. Er ist auch eine Art Popularphilosoph. Aber wiederum argumentiert er nach rabbinischer Methode. Er interpretiert Ps 31, 1 f durch Gn 15, 6, wie er vorher umgekehrt Gn 15, 6 durch Ps 31, 1 f bestätigt und erklärt hat. Die Synagoge meinte, der Makarismus gelte nur Israel. Aber Paulus sagt dagegen, wenn man feststellen will, wem das οὐ μὴ λογίσηται von Ps 32, 1 gilt, muß man das λογίζεσθαι von Gn 15, 6 heranziehen. Und dieses gilt von Abraham, dem Heiden[22]. Das Zitat Gn 15, 6 ist dem Sinn nach wiederholt, und nun folgt die zweite Frage in *V 10a* nach dem πῶς, unter welchen Umständen der Glaube „angerechnet“ wurde. Sie wird in *V 10b* genauer gefaßt: „als er im Zustand der Beschneidung oder in dem der Unbeschnittenheit war?“ Ihr antwortet Paulus kurz und ohne Zweifel

---

[18a] U. Luz, Geschichtsverständnis, 173–186.

[19] Strack-Billerbeck III 202 f.

[20] Dᵍʳ vgᶜˡ fügen μόνον nach ἐπὶ τὴν περιτομήν ein, was gewiß sachgemäß ist, aber eine spätere Verstärkung.

[21] Käsemann: „Wir zitieren.“

[22] Paulus verwendet auch hier den rabbinischen Analogieschluß גְּזֵירָה שָׁוָה.

V 10c: nicht in dem der Beschneidung, sondern der Unbeschnittenheit. Diese seine Antwort entspricht in der Tat dem atl. Bericht, den die Synagoge dahin interpretiert, daß die Beschneidung Abrahams nach Gn 17, 10f 29 Jahre nach der Bundesschließung (Gn 15, 10) stattgefunden habe. Es ist klar: Abraham empfing die Gerechtigkeit aus Glauben als Unbeschnittener, als Heide. Also kann die Rechtfertigung Abrahams auch nicht aufgrund der Beschneidung erfolgt sein. Und wenn vom glaubenden und gerechtfertigten Abraham die Rede ist, kann dieser nicht nur der Vater Israels sein, sondern auch der Heiden.

Doch was ist es dann mit der Beschneidung? In 2, 25–29 hatte Paulus darauf hingewiesen, daß sie nicht die Werke ersetze. Hier erklärt er, daß sie nicht aufgrund der Werke von Gott gegeben sei, sondern aufgrund der im Glauben empfangenen Gerechtigkeit. Die Beschneidung war, *V 11*, das Siegel auf die Glaubensgerechtigkeit im Zustand der Unbeschnittenheit. Mit *V 11a* ist gesagt: 1) die περιτομή ist ein σημεῖον, ein Zeichen, vgl. Gn 17, 11 LXX: καὶ ἔσται ἐν σημείῳ διαθήκης, 2) als solches ist sie eine σφραγίς, wobei σφραγίς das „Siegel" im Sinn der Bekräftigung und Bestätigung der Glaubensgerechtigkeit meint, wie etwa 1 Kor 9, 2 [23]. Die Glaubensgerechtigkeit beruht also nicht auf dem Beschnittensein, sondern sie wird durch das Zeichen der Beschneidung nur bestätigt und bekräftigt. Sie hat also, wenigstens was Abraham betrifft, einen gewissen positiven Sinn, der freilich im paulinischen Zusammenhang nicht im geringsten betont wird. „Daß der Mensch Gott Glauben schuldet und Gott sich zum Glauben bekennt und dem Glaubenden sein Wohlgefallen gibt, das wird durch die Beschneidung zur unangreifbaren Wahrheit gemacht" (Schlatter). Was ergibt sich aber damit für unseren Zusammenhang? Das wird in VV 11b und 12 breit dargelegt. Auf die Aussage von *V 11b* kommt es vor allem an. Zweimal werden mit einem Infinitiv [24] εἰς τὸ εἶναι die Folgen des in V 11a erwähnten Sachverhalts verdeutlicht: 1a) daß (finaler Infinitiv) infolge der Glaubens- und nicht Beschneidungsgerechtigkeit Abrahams dieser zum Vater auch aller Glaubenden, die nicht beschnitten sind [25], wurde, also auch der Vater aller glaubenden Heiden, der Heidenchristen, ist; b) so daß (konsekutiver Infinitiv) ihnen, den ehemaligen Heiden, die jetzt glauben, die δικαιοσύνη von Gott zuteil wurde; 2) ergibt

---

[23] Die Bezeichnung der Beschneidung mit „Siegel", wie sie in den Targumen des 4. Jahrhunderts n. Chr. hie und da vorliegt – vgl. STRACK-BILLERBECK IV 32f; PFIZER in: ThWb VII 947 –, wird man hier noch nicht annehmen dürfen, wie auch die Bezeichnung der christlichen Taufe als σφραγίς Paulus hier nicht sozusagen im Gegensatz vorschwebt und die Beschneidung als Typos auf die Taufe von daher σφραγίς heißt. Denn erst Herm(s) 8, 6, 3; 9, 16, 3–5; 9, 17, 4; 2 Clem 7, 6; 8, 6; vgl. auch Barn 9, 2, heißt die Taufe σφραγίς. Freilich σφραγίζειν 2 Kor 5, 22; Eph 1, 13; 4, 30 wird man in Zusammenhang mit der Taufe bringen können. Und der Sache nach ist der Zusammenhang von Beschneidung und Taufe Kol 2, 11f sichtbar.

[24] Δι' ἀκροβυστίας meint wie Röm 2, 27 διὰ γράμματος καὶ περιτομῆς den begleitenden Umstand.

[25] KÜHL, KÄSEMANN; BULTMANN in: ThWb VI 207. Sie hat also, wenigstens was Abraham betrifft, einen gewissen positiven Sinn, der freilich im paulinischen Zusammenhang nicht im geringsten betont wird.

sich aber auch für die περιτόμη, die Beschnittenen, die Juden, daß Abraham auch ihr Vater ist, freilich für die, die nicht nur beschnitten sind, sondern gleich Abraham glauben. Das wird in *V 12* etwas umständlich dargelegt. In V 12b wird Paulus sogar mißverständlich. Der Artikel vor στοιχοῦσιν könnte zu der Annahme führen, es wären in V 12 zwei Gruppen von Juden gemeint. Aber natürlich ist das τοῖς nur eine Ungeschicklichkeit. Gemeint ist: Abraham ist auch der Vater der Beschneidung, der Juden, aber solcher, die nicht nur „von der Beschneidung" leben, d. h. der Juden κατὰ σάρκα, sondern gläubiger Juden, Judenchristen, Juden, die „unserem" Vater Abraham, des Paulus und der Christen Vater, in dem Glauben folgen, den er schon als Heide – im Zustand der Unbeschnittenheit – hatte. Zu στοιχεῖν τοῖς ἴχνεσιν vgl. περιπατεῖν τοῖς ἴχνεσιν in 2 Kor 12, 18, ἐπακολουθεῖν τοῖς ἴχνεσιν in 1 Petr 2, 21, πρὸς τὰ ἴχνη τινὸς εὑρεθῆναι in MartPol 22, 1; zu στοιχεῖν Gal 5, 25; Phil 3, 16. Gemeint ist: in den Spuren des Glaubens Abrahams gehen, sich ihm in seinem Glauben zu- und seinem Weg einordnen. „Was Abraham von Gott empfing, war seinem Glauben gegeben, und was er tat, war ihm durch seinen Glauben vorgeschrieben. Dadurch wurde er zum Vorbild und Führer seiner Söhne, die es dadurch werden, daß sie sich in die Reihe der Glaubenden stellen" (Schlatter). Das ist also erwiesen: wenn Abraham durch Glauben gerechtfertigt wurde, dann kann man nicht einwenden, daß das aufgrund der Beschneidung geschah, Abrahams Glaube und Rechtfertigung gingen dieser voraus.

Aber auch das Gesetz ist nicht die Grundlage der Rechtfertigung, wie 4, 13–17a ausführt. Das Gesetz hatte bei der Verheißung, in deren Annahme der Glaube Abrahams besteht, keine Rolle gespielt. *V 13a* enthält die These: „Denn die Verheißung wurde Abraham oder seinem Samen nicht durch das Gesetz zuteil." Das γάρ bezieht sich, wenn es nicht rein weiterführend ist, auf die vorige Gesamtaussage, daß Abraham Vater der Glaubenden ist, und also auf die entscheidende Aussage, daß es um Rechtfertigung aus Glauben geht. Διὰ νόμου steht ohne Artikel wegen der Präposition, nicht weil gemeint ist: durch ein Gesetz. Ἡ ἐπαγγελία ist bei Demosth., Inschr., Papyri, Philo u. a. häufig „die Ankündigung", in der späteren Gräzität vor allem: die Zusage, das Versprechen, die „Verheißung", z. B. Polyb. 143, 6; 713, 2 u. ö.; Diod. Sic. 15, 3; 416, 2 u. a.; Epict., Diss. 1, 4, 3; 1 Makk 10, 15; Philo, De mut. nom. 201; Jos. a V 30 f [26]. Sachlich ist von der Verheißung bzw. dem Verheißungsgut, das dem Gerechten zuteil wird, in der Apokalyptik die Rede, z. B. syrBar 14, 13; 51, 3; 57, 1 ff: „Danach siehst du helles Wasser; das ist das Hervorquellen Abrahams und seine Lebensgeschichte und die Ankunft seines Sohnes und seines Enkels und derer, die ihm gleichen. Denn zu jener Zeit war das Gesetz ungeschrieben bei ihnen allgemein bekannt, und die Werke der Gebote wurden damals vollbracht, und der Glaube an das zukünftige Gericht wurde damals geboren, und die Hoffnung, daß die Welt erneuert werden wird, wurde damals auferbaut, und die Verheißung des Lebens, das nachher kommt, wurde damals gepflanzt. Das ist das helle Wasser, das du gesehen hast" (vgl. 59, 2; 4 Esr 7, 119) [27]. Im NT ist ἐπαγγελία meist von der

---

[26] Vgl. Liddell-Scott s. v.; Bauer Wb 554f.

[27] Zur atl. Verheißungstradition vgl. J. G. Plöger, Zur atl. Verheißungstradition (Diss.

göttlichen Zusage gebraucht, z. B. Röm 9, 9; 15, 8; Gal 3, 17.18.29; Eph 6, 2; 2 Petr 3, 9, im Plural Röm 9, 4; 2 Kor 7, 1; Gal 3, 16; Hebr 7, 6; 8, 6; 11, 17 u. a. An unserer Stelle ist es sozusagen als LXX-Begriff ein biblisches Wort. Die ἐπαγγελία an Abraham besteht nach dem AT 1) in der Zusage Gottes, von Sara einen Sohn zu empfangen (Gn 15, 4; 17, 16.19); 2) in der Zusage des Besitzes Kanaans (Gn 12, 1.4; 13, 14.15.17; 15, 7.18–21; 17, 8); 3) in der Verheißung unzähliger Nachkommenschaft (Gn 12, 2; 13, 16; 15, 1 ff; 17, 5 f; 18, 18; 22, 17); 4) in der Verheißung des Segens für alle Völker der Erde (Gn 12, 2 f; 18, 18; 22, 18). Vielleicht, daß diese beiden letzten Verheißungen, die in den paulinischen Ausführungen Röm 4, 17.18 eine Rolle spielen [28], kombiniert mit der zweiten, die Brücke zur späteren Auslegung waren, wie wir sie Sir 44, 21 finden: „Daher versprach ihm Gott mit einem Schwur, durch seine Nachkommen die Völker zu segnen, sie zahlreich zu machen wie den Staub der Erde und wie die Sterne seine Nachkommen zu erhöhen, ihm Besitz zu verteilen von Meer zu Meer und vom Euphratstrom bis an die Grenzen der Erde." Diese Verheißung enthält schon messianische Züge, wie sie dann deutlich in Mekh Ex 14, 31 (40 b) in einem Ausspruch des Rabbi Nechemja (ca. 150 n. Chr.) auftauchen: „Und so findest du bei Abraham, daß er diese und die zukünftige Welt als Lohn des Glaubens in Besitz genommen hat, wie es heißt: Er glaubte [29] an Jahwe, und er rechnete es ihm zur Gerechtigkeit an." [30] Eine messianische Verheißung muß man auch in der paulinischen Formulierung mithören: τὸ κληρονόμον αὐτὸν εἶναι κόσμου. Diese ἐπαγγελία gilt nach Paulus Abraham ἢ τῷ σπέρματι αὐτοῦ. Dabei ist mit σπέρμα nicht wie Gal 3, 16 Christus gemeint, sondern es sind damit seine *Söhne im Glauben* bezeichnet, wie Röm 4, 14 sofort zeigt: die κληρονόμοι (vgl. Gal 3, 29). Das koordinierende oder kopulierende [31] ἢ (nicht καί) deutet an, daß zwischen Abraham und seinem Samen in bezug auf die ἐπαγγελία kein Unterschied besteht, daß sie und damit das „Erbe der Welt"-Sein beiden gilt. Aber eben diese Abraham und allen Glaubenden gegebene messianische Zusage wurde ihnen „nicht durch das Gesetz", sondern διὰ δικαιοσύνης πίστεως, durch die Gerechtigkeit, die sie sich im Glauben aneigneten, gegeben.

Diese These wird nun in den VV 14 f durch eine andere erläutert. Dabei begründet zugleich die Aussage von V 15 die von V 14. Zunächst *V 14:* Wenn das Gesetz Erbe sein ließe, wären der Glaube und die Verheißung bedeutungslos. Οἱ ἐκ νόμου, vgl. ὁ ἐκ πίστεως Ἰησοῦ 3, 26, sind die, deren Leben sich aus dem Gesetz auferbaut, durch das Gesetz oder, besser, vom Gesetz her bestimmt

---

Bonn 1965) 71ff; Cl. Westermann, Arten der Erzählung in der Genesis = Gesammelte Studien, ThB 24 (München 1964) 9–91. Zum Begriff ἐπαγγελία in seiner spezifisch paulinischen Eigenart vgl. den Exkurs „Zum Begriff ἐπαγγελία" in U. Luz, Das Geschichtsverständnis des Paulus, in: BEvTh 49 (München 1968) 66 ff.

[28] Aber man muß hier bedenken, daß bei Paulus, wie Ch. Dietzfelbinger, Paulus und das AT (1961) 17 f, hervorhebt, „der *Inhalt* der ἐπαγγελία an Bedeutung zurücktritt hinter dem Faktum der ἐπαγγελία an Abraham".

[29] Glaube ist auch hier Voraussetzung, aber als Verdienstleistung.

[30] Strack-Billerbeck III 200.

[31] Blass-Debr, § 446.

ist. Wenn das aus Leistungen sich aufbauende Dasein eschatologische Aussicht, also reelle Zukunft von Gott her hätte, dann wäre der Glaube „entleert". Κενοῦν kommt außer im Sondergebrauch Phil 2, 7 bei Paulus noch vor 1 Kor 9, 15; 2 Kor 9, 3: τὸ καύχημα κενοῦν = den Ruhm zunichte machen, und 1 Kor 1, 17: das Kreuz Christi zunichte machen, indem man es etwas sein läßt, was dialektisch erfaßbar und damit nicht mehr Kerygma ist, das den Glauben fordert. Κενοῦν meint also „entleeren" in dem Sinn, daß man etwas, hier: den Glauben, unwirksam und damit bedeutungslos macht. Er wäre, wenn die Leistung die eschatologische Aussicht brächte, ohne transzendente Kraft und deshalb unnütz und sinnlos. Wäre die Leistung des auf sich selbst stehenden und so dem νόμος gehorchenden Menschen für die Eröffnung der eschatologischen Zukunft maßgebend, wäre aber nicht nur der Weg des Glaubens eine Illusion, sondern es wäre auch die ἐπαγγελία zunichte gemacht. Inwiefern sagt *V 15*. Es gäbe dann nur das Zorngericht Gottes, da das Gesetz „Übertretung" provoziert. Κατεργάζεσθαι ist „etwas verschaffen" oder „bewirken", „entstehen lassen" wie Röm 2, 9; 7, 8.13.18 u. a. Der Sachverhalt wird durch Röm 7, 9 ff näher geklärt. Das Gesetz verschafft den Gerichtszorn Gottes. Warum? Die Antwort wird in 15b negativ gegeben: weil dort, wo kein Gesetz ist, es auch keine παράβασις gibt. Positiv heißt das: weil das Gesetz παράβασις hervorruft. Παράβασις und ὀργή gehören selbstverständlich zusammen, und νόμος und παράβασις sind eine selbstverständliche Folge (vgl. 3, 20). Παράβασις selbst ist im NT ein Wort im Corpus Paulinum (Röm 2, 23; 5, 14; Gal 3, 19; 1 Tim 2, 14 und Hebr 2, 2; 9, 15), kommt aber auch schon im hellenistischen Sprachgebrauch vor, aber nicht im paulinischen Zusammenhang mit νόμος [32]. Natürlich ist dieser Satz in seinen beiden Hälften für den Juden wieder eine Lästerung, so wie 4, 4 ff in jüdischen Ohren lästerlich klang. Ohne nähere Erläuterung, wie wir sie Röm 7, 7 ff finden, ist er aber auch für die Christen schockierend. Doch stützt er, wenigstens als negative These, die paulinische Grundüberzeugung von dem gerade durch das Gesetz und seinen Anspruch bzw. seine eigenmächtige Erfüllung der Sünde anheimgegebenen Dasein. Mit dem und durch das Gesetz gibt es keine „Verheißung" Gottes, deshalb auch nicht eine aus Leistungen und nicht im Glauben gewonnene Gerechtigkeit. Die Zusage, wenn man so sagen darf, des Gesetzes ist der Tod, weil sein Effekt ausnahmslos „Übertretung" ist. Deshalb waltete das Prinzip des Glaubens und d. h. der Gnade schon in der Zusage Gottes an Abraham, der glaubte und nicht das Gesetz zum Fundament seines Lebens und die von ihm herausgeforderten Leistungen zum Lebenselixier machte. Der Glaube ist notwendig. Denn die Gnade ist notwendig. Nur so bleibt die Verheißung für alle unerschütterlich.

Das wird etwas umständlich in *V 16* entwickelt. Zunächst sehr verkürzt in V 16a: „Deshalb aus Glauben, damit nach Gnade." Was zu ergänzen ist, ist nicht ganz deutlich. Vielleicht aus V 13: Deshalb erging die Verheißung aufgrund der Glaubensgerechtigkeit, damit sie nach Maßgabe der Gnade geschehe. Oder [33] aus V 14: Deshalb kommt, das Erbe aus Glauben, damit die Gnade herrsche. Aber wahrscheinlicher ist das Sätzchen aus sich allgemein

---

[32] Bauer Wb 1214.   [33] Vgl. Käsemann.

zu verstehen. Deshalb gilt: aus Glauben, damit (nämlich als Prinzip des göttlichen Handelns) gelte: Gnade. Nur dann kann die Verheißung Gottes an
Abraham ja auch allen zuteil werden, 4, 16b. Aber gerade darin erweist sich
das Gnadenprinzip, indem es Juden und Heiden, jeden, der aus dem Glauben
Abrahams lebt, erfaßt. Wenn die ἐπαγγελία παντὶ τῷ σπέρματι βεβαία ist –
was hier wohl sozusagen „rechtlich (für Paulus natürlich bundes-rechtlich)
gültig" und damit rechtlich gesichert und damit fest, zuverlässig, gewiß u. ä.
heißt –, dann bleibt das Gnadenprinzip walten [34]. Eben dieses Gnadenprinzip
soll verbürgt und wirksam bleiben und sich darin bewähren, daß die Verheißung
aller Nachkommenschaft Abrahams, nicht nur der aus dem Gesetz, sondern
auch der aus seinem Glauben lebenden, zuteil wird. Σπέρμα ist die Nachkommenschaft im natürlichen Sinn von Kind und Kindeskind, wie Röm 4, 18;
11, 1; 2 Kor 11, 22, aber auch wie hier und 4, 13; 9, 7 f. 29; Gal 3, 16.19.29 im
übertragenen übernatürlichen Sinn, also die Nachkommenschaft im Glauben,
wobei nur zu bedenken ist, daß für den glaubenden Juden beides zusammenfällt, was sich nicht immer ausdrücklich machen läßt, z. B. hier, wo παντὶ τῷ
σπέρματι die übernatürliche Nachkommenschaft des Glaubens meint, während bei dem οὐ τῷ ἐκ τοῦ νόμου μόνον zugleich der Jude als solcher *und* der
gläubige Jude ins Auge gefaßt sind. Immer wieder bricht bei Paulus gemäß
seinen universalen Maßstäben der Gedanke durch: Jude *und* Heide sind in das
Heil – hier in die Zusage Gottes – eingeschlossen (vgl. bisher 3, 22 ff. 29 f; 4, 11 f
und nun 4, 16 f). Um dieser Universalität des Heiles willen gibt es nur den Heilsweg des Glaubens.

Daß Abraham der Vater aller Glaubenden ist, nicht nur derer aus den Juden, sondern auch derer aus den Heiden, wird in *V 17 a* noch durch die Zitierung einer Schriftstelle bekräftigt, nämlich durch Gn 17, 5 LXX, die durch den
Gebrauch von גוים, das LXX mit ἔθνη übersetzt, vielleicht auch durch einen
schon im AT – wo es eine Deutung des Namens Abraham als „Vater einer
Menge von Völkern" gibt – universalen Sinn Paulus geeignet erschien, zumal
sie auch in der spätjüdischen Tradition universal ausgelegt wurde, z. B.
Sir 44, 19 f [35]. Zu der Aussage des Relativsatzes, mit dem V 16 schließt, gehört
der Konstruktion, aber zum Teil auch der Sache nach V 17b. Abraham ist unser
aller Vater „... vor dem Gott, an den er geglaubt hatte..." Κατέναντι οὗ ἐπίστευσεν θεοῦ ist Attraktion = κατέναντι τοῦ θεοῦ, vgl. 2 Kor 2, 17; 12, 19 =
לְפָנָי, ᾧ ἐπίστευσεν [36]. Die mit einem attrahierten Relativsatz angeschlossene
partizipiale Prädikation Gottes gehört zum Teil wohl auch noch zum Vorhergehenden, sofern durch sie angedeutet wird, welcher Gott es ist, der solche Zusage gibt und geben kann. Aber zum anderen Teil gehört 17b schon zur folgenden Charakterisierung des Glaubens Abrahams, die nun samt der Charakterisierung „unseres Glaubens" 4, 23 ff den letzten Abschnitt des Kapitels,
4, 17b–25, beherrscht.

---

[34] Zu βέβαιος vgl. SCHLIER in: ThWb I 604 ff.
[35] Rabbinische Beispiele bei STRACK-BILLERBECK III 211. Vgl. auch KÄSEMANN, Perspektiven, 156; CH. DIETZFELBINGER, Paulus und das AT, 9.
[36] BLASS-DEBR, § 294, 2.

Unser Glaube wird nämlich – durch *V 17b* – mit einem harten Übergang zuerst im Blick auf den, an den er glaubt, also im Blick auf den, von dem her er seine Realität hat und Stärke gewinnt, charakterisiert, dann aber, VV 18–22, im Blick auf das, was er in seinem Vollzug darstellt. Abraham glaubte an Gott, „der die Toten lebendig macht und das Nicht-Seiende ins Dasein ruft". Die Partizipialprädikation ist rhythmisch und homologetisch-liturgischer Art; vgl. den Partizipialparallelismus. Der Gedanke, daß Gott die Toten lebendig macht, findet sich schon im AT: Dt 32, 39; 1 Sm 2, 6: κύριος θανατοῖ καὶ ζῳογονεῖ, κατάγει εἰς ᾅδου καὶ ἀνάγει, 4 Kg 5, 7; Weish 16, 13: Σὺ γὰρ ζωῆς καὶ θανάτου ἐξουσίαν ἔχεις, καὶ κατάγεις εἰς πύλας ᾅδου καὶ ἀνάγεις, vgl. Tob 13, 2. Dann liturgisch in der zweiten Benediktion des Achtzehnbittengebets: „Gepriesen seist du, Jahwe, der lebendig macht die Toten" (vgl. 2 Kor 1, 9). Auch der zweite Gedanke betrifft die Wundermacht dieses Gottes, diesmal seine Schöpferkraft: καὶ καλοῦντος τὰ μὴ ὄντα ὡς ὄντα. Ὡς ὄντα ist vielleicht ein Vergleich: „wie das, was ist", wahrscheinlicher aber konsekutiv[37]: so daß das Nicht-Seiende zum Seienden wird, ins Sein kommt. Für dieses Verständnis spricht auch die Tradition. Zwar heißt es einmal gerade in bezug auf Abraham bei Philo, De migr. Abr. 9: „An eine gute Hoffnung sich klammernd – die ἐπαγγελία Gn 12, 1 – und …ohne Schwanken überzeugt, daß das noch nicht Vorhandene bereits vorhanden sei (ἤδη παρεῖναι τὰ μὴ παρόντα), hat sie (Abrahams Seele) wegen des unerschütterlichen Glaubens an den, der das Versprechen gegeben, vollkommenes Gut als Lohn gefunden", vgl. De Iosepho 22. Aber im Zusammenhang mit dem Lebendigmachen der Toten ist wohl eher mit der weitaus verbreiteteren Überlieferung an die creatio ex nihilo zu denken, wie sie ja auch schon dem καλεῖν als dem Ruf des Schöpfers (Is 48, 13; syrBar 21, 4) entspricht. Die Tradition dieses Gedankens ist im Jüdisch-Hellenistischen und später im jüdisch-hellenistischen frühen Christentum häufig zu finden. In einem Psalm auf den Schöpfer und Lenker der Geschichte heißt es syrBar 48, 8: „Und durch ein Wort rufst du ins Leben, was nicht da ist, und beherrschest, was noch nicht eingetreten ist, mit großer Kraft" (vgl. 21, 4). 2 Makk 7, 28 erklärt: ἀξιῶ σε, τέκνον, ἀναβλέψαντα εἰς τὸν οὐρανὸν καὶ τὴν γῆν, καὶ τὰ ἐν αὐτοῖς πάντα ἰδόντα γνῶναι, ὅτι οὐκ ἐξ ὄντων ἐποίησεν αὐτὰ ὁ θεὸς καὶ τὸ τῶν ἀνθρώπων γένος οὕτω γίνεται. Philo, De creat. princ. 7, sagt: τὰ γὰρ μὴ ὄντα ἐκάλεσεν εἰς τὸ εἶναι, vgl. De opif. mundi 81; De spec. leg. II 187; De migr. Abr. 183; Leg. alleg. III 10; De mut. nom. 46; Quis rer. div. her. 36. Aber auch bSanh 91a urteilt: „Das, was nicht war, ist ins Leben getreten, und das, was war, sollte nicht um so viel mehr wieder ins Leben treten können?" Aus dem frühen jüdisch-hellenistischen Christentum sei Herm (v) 1, 1, 6; Herm (m) 1, 1; 2 Clem 1, 8; ConstAp VIII 12, 7 erwähnt. Vgl. auch JosAs 8, 9: „Du höchster, starker Gott, der du das All belebst (ζωοποιήσας) und es aus dem Dunkel ins Licht rufst und aus dem Irrtum in die Wahrheit und aus dem Tod ins Leben." Der Glaube Abrahams richtete sich auf den Gott und hängte sich an den Gott, der aus dem Tod ins Leben erweckt und aus dem Nichts ins Sein ruft. Er vertraut dem allmächtigen Schöpfer- und Erlösergott,

---

[37] LIETZMANN, BARRETT, H. W. SCHMIDT, KÄSEMANN.

dem der Tod und das Nichts kein Hindernis für sein göttliches Handeln sind. Dabei muß man noch das Präsens der Partizipien beachten. Es ist der jederzeit in der Gegenwart allmächtig wirkende Gott.

V 18 Aber was bedeutet das für den glaubenden Abraham bzw. für die Weise seines Glaubens? In einer Paraphrase von Gn 15, 6 in V 18 wird dessen Eigenart kurz festgestellt, um dann im folgenden noch weiter charakterisiert zu werden. Von Abraham und seinem Glauben ist zu sagen, daß er παρ᾽ ἐλπίδα ἐπ᾽ ἐλπίδι ἐπίστευσεν. Παρ᾽ ἐλπίδα meint mit einem adversativen παρά, wie es sich auch Röm 1, 25; 11, 24; 16, 17; Gal 1, 8 findet, Abraham glaubte entgegen jeder Hoffnung in dem Sinn, daß nichts Irdisches Hoffnung erwecken konnte. Es gab „nur" die ἐπαγγελία Gottes, sein Wort, seine Zusage. Aber ebendas erweckte seine Glaubenshoffnung, so daß er ἐπ᾽ ἐλπίδι, aufgrund solcher Hoffnung, glaubt. Ἐπ᾽ ἐλπίδι ist schon im Griechischen formelhaft und kehrt Röm 5, 2; 8, 20; 1 Kor 9, 10 wieder. Ἐλπίς ist objektiv und subjektiv gemeint. Die Eigenart des Glaubens Abrahams ist die, daß er ohne Grund zur Hoffnung und also ohne Hoffnung doch Hoffnung durch Gottes Hoffnungswort gewann. Sein Glaube ist Hoffnung und gründet in ihr, die Gottes Zusage erweckte in aller Hoffnungslosigkeit seiner irdischen Situation. Und eben durch solchen Glauben wurde er gemäß der Schriftstelle (Gn 17, 5) „der Vater vieler Völker". Das εἰς τὸ γενέσθαι ist nicht Angabe des Inhalts seiner Hoffnung[38], sondern ein Konsekutiv, das die Folge aufzeigt. Dieser Glaube als Hoffnung gegen alle Hoffnung wird nun in den folgenden Sätzen weiterhin beschrieben. Vgl. die Verknüpfung mit καί, das sich auf ὅς V 18 bezieht.

Hauptverb ist in *V 19* der Sache nach das ἀσθενεῖν, das aber hier im Partizip steht. 𝔖 D G pm it vg^cl fügen οὐ vor κατενόησεν ein, was offensichtlich eine Erleichterung bedeutet, die es eher erlaubt, im vorangehenden Partizip einen Begründungssatz zu sehen, etwa in dem Sinn: „Denn da er nicht schwach wurde im Glauben, sah er nicht auf . . ." Aber οὐ ist relativ schlecht bezeugt. Gemeint ist in V 19a vielmehr: „Und ohne schwach zu werden im Glauben, betrachtete er seinen schon erstorbenen Leib . . ."[39] Κατανοεῖν ist „beschauen", „beobachten", „betrachten", „bedenken" u. ä. Τὸ ἑαυτοῦ σῶμα νενεκρωμένον ist „sein erstorbener Leib", dessen Zeugungskraft erloschen ist. Der Grund: er war „etwa hundert Jahre alt". Aber Abraham bedachte auch τὴν νέκρωσιν[40] des Mutterschoßes der Sarah. Auch im schon abgestorbenen Schoß der Sarah war kein Leben mehr zu erwecken. Die Angabe dessen, was Abraham bedachte, ist bemerkenswert ausführlich. Sie unterstreicht die, menschlich gesehen, vollkommene Hoffnungslosigkeit der Lage und deren strikten Widerspruch gegen die Verheißung. Sie betont mit anderen Worten, daß Abrahams Glaube rein auf der Hoffnung stand, die die Zusage Gottes erweckt. Sie läßt aber auch erkennen, daß dieser sein Glaube,

---

[38] Bultmann in: ThWb VI 207; Kuss.
[39] Vgl. vom Gestorbenen: νενεκρωμένον σῶμα auf einer Grabinschrift, JG III 2, Nr. 1355; τῇ πίστει ist Dativ der Beziehung; Blass-Debr, § 197.
[40] Vgl. Deissmann, Licht vom Osten, 76 Anm. 7.

und damit seine Hoffnung, nicht an der Wirklichkeit vorbeisah und die konkrete Situation nicht übersah. Es ist keine Hoffnung, die sich aus Träumen entfaltet. „Dadurch ist der Glaube von aller träumerischen Verhüllung der eigenen Ohnmacht getrennt" (Schlatter). Gerade in der Nüchternheit, die die menschlichen Fakten nicht übersieht, bewährt sich die Hoffnung, die gegen alle Hoffnung ist. Der Dativ τῇ πίστει ist, wie gesagt, ein Dativ der Beziehung, wie z. B. 1 Kor 14, 20; Phil 2, 17 [41]. Das ἀσθενεῖν τῇ πίστει hätte darin bestanden, daß die menschliche Aussichtslosigkeit Abraham überwältigt und er die Zusage Gottes für unmöglich gehalten hätte, für unvernünftig und „unrealistisch". Man kann auch sagen – und vielleicht denkt Paulus daran –, daß Abraham im Glauben schwach geworden wäre, wenn es bei dem Lachen geblieben wäre, von dem Gn 17, 17 berichtet: „Da fiel Abraham auf sein Angesicht nieder und lachte. Er dachte nämlich in seinem Herzen, soll etwa einem Hundertjährigen noch ein Sohn geboren werden, oder soll die neunzigjährige Sarah noch gebären?" Sein Glaube wäre schwach geworden, wenn er sich von der Lächerlichkeit der Situation hätte beeindrucken lassen. Aber eben das gehörte zum Glauben Abrahams, daß er die allem Sicht- und Berechenbaren widersprechende Zusage Gottes – dieses bloße Wort entgegen den sogenannten „Tatsachen" – angenommen hat. Das wird nun in V 20f noch dargelegt und so Abrahams Glaube weiterhin in seiner Eigenart gekennzeichnet.

V 20a bringt zunächst eine negative Formulierung: οὐ διεκρίθη. Διακρίνεσθαι med. ist „gegen sich streiten", „Bedenken tragen", „zweifeln", auch „unschlüssig, zwiespältig sein" u. ä. Es kommt nur im oder seit dem NT vor (Röm 14, 23; Mt 21, 21; Mk 11, 23; Lk 11, 38 D; Jak 1, 6; 2, 4; Jud 22; Apg 10, 20: voll Bedenken zaudern). Τῇ ἀπιστίᾳ meint wohl: „in der Weise, daß er nicht glaubte", „in der Weise des Unglaubens". Der Unglaube erzeugt und dokumentiert den Zweifel oder die Zwiespältigkeit im Blick auf (εἰς) die göttliche Verheißung. Aber Abraham war und blieb einfältig in seinem Glauben an die Wahrheit der Verheißung Gottes. Er hängte sich an die ἐπαγγελία und hörte nicht gleichzeitig auf den trostlosen Befund der „Tatsachen". Abraham wurde nicht ein δίψυχος (vgl. Jak 1, 8; 4, 8). Er wurde nicht zwiespältig. Sein Glaube überwand die Anfechtung der doch nicht zu leugnenden Tatsachen, ja noch mehr: sein Glaube gewann Kraft unter dieser Anfechtung, er, Abraham, ἐνεδυναμώθη τῇ πίστει. Ἐνδυναμοῦν ist „stark machen" (z. B. Phil 4, 13; 2 Tim 4, 17), im Passiv: „stark werden" (vgl. Eph 6, 10; 2 Tim 2, 1). Abraham wurde stark im Glauben. Er gab ja auch Gott die Ehre. „Der Widerspruch gegen die Glaubwürdigkeit Gottes ist die Verweigerung der Ehrung, die der Mensch ihm schuldet" (Schlatter). In der Kraft des Glaubens läßt er sich los – und zu ihm gehört ja auch seine Situation – und hört allein auf Gott und schenkt ihm darin sein Ansehen. Zu δόξαν τῷ θεῷ διδόναι vgl. Jos 7, 19; Ps 67, 35 LXX; 1 Esr 9, 8; 2 Chr 30, 8 u. ö., im NT: Lk 17, 18; Joh 9, 24; Apg 12, 23.

---

[41] Vgl. BLASS-DEBR, § 197. Er ist nicht ein Dativ „mit instrumentaler Kraft" (SCHLATTER), sondern „Dativ der näheren Bestimmung, während τῇ ἀπιστίᾳ in 20 kausativen Sinn hat" (KÜHL, KÄSEMANN). Ἐν fügen hinzu D* P G Orig, ZAHN u. a.

Das setzt aber voraus oder schließt ein, was *V 21* noch hinzufügt: die volle Überzeugung von der Macht Gottes, seine Verheißung zu erfüllen. Πληροφο-ρεῖσθαι ist hier „voll überzeugt sein", „ganz und gar durchdrungen sein" (vgl. Kol 4, 12) [42]. Das, wovon Abraham ganz und gar durchdrungen war, wird mit ὅτι . . . angegeben: daß Gott zu tun vermag, was er zugesagt hat. Das Passiv ἐπήγγελται verweist in sich auf Gott. Δυνατὸς καὶ ποιῆσαι ist nach Philo (De Abr. 32.46; De Iosepho 40; De somn. II 19; De spec. leg. I 4) Gottesprädikat. So ist der Glaube Abrahams 1) Glaube an die Verheißung Gottes, an sein verheißendes Wort; 2) Glaube an den totenerweckenden und das, was nicht ist, durch sein Wort ins Dasein rufenden Gott; 3) Glaube in der reinen Hoffnung, die nicht an der irdischen Wirklichkeit vorbeisieht, sie vielmehr un-befangen ins Auge faßt, aber sich nicht von ihr gegen die Zusage Gottes über-wältigen läßt; 4) Glaube Abrahams ist also in der Anfechtung bewährter und in ihr erstarkender Glaube; 5) er ist durchdrungen von Gottes Macht, sein Wort einzulösen; 6) im Grunde ist er „Gott die Ehre geben".

VV 22–25 Von solchem Glauben kann gesagt werden *(V 22)*, daß Gott ihn zur δικαιοσύνη anrechnet, daß er die δικαιοσύνη Gottes empfängt. Paulus kehrt damit zum entscheidenden Schriftzitat, 4, 3.9, am Schluß noch einmal zurück und läßt so erkennen, daß es sich bei seinen Ausführungen in der Tat um einen daran anknüpfenden Midrasch über Abraham und seinen Glauben zur Expli-kation unseres Glaubens handelt. Ebendies wird in der Ergänzung VV 23.24a hinzugefügt, die das Verhältnis des Glaubens Abrahams zu „unserem", der Christen, Glauben klarstellt. Gewiß hat die Schrift das, was Paulus eben noch einmal zitierte, von Abraham gesagt oder, wie man das δι᾽ αὐτόν entsprechend dem folgenden δι᾽ ἡμᾶς verstehen darf, „im Blick auf ihn" und in diesem Sinn: „um seinetwillen". Aber sie hat es nicht allein um seinetwillen, sondern auch um unsertwillen *(V 24)* gesagt. Die Schrift schreibt ja, wie Paulus später formu-lieren wird, im Grunde für uns (Röm 15, 4; vgl. 1 Kor 9, 8ff; 10, 11), die wir in der Endzeit, der Erfüllungs- und Enthüllungszeit leben und das eschatologi-sche Evangelium haben [43]. Wer aber sind die „wir", denen wie Abraham der Glaube zur Gerechtigkeit angerechnet werden wird? Das μέλλει bezieht sich wohl auf den eschatologischen Gerichtstag [44], der freilich für den Glaubenden sich vorläufig auch schon gegenwärtig ereignet. Wer die „wir" sind, wird in VV 24b.25 erläutert, und damit wird ein fundamentaler Unterschied zwischen Abrahams und unserem Glauben bei aller Gemeinsamkeit aufgezeigt.

V 24b Wir sind auch Glaubende wie Abraham; und das heißt, wir glauben auch an den Gott, „der die Toten lebendig macht" (4, 17). Aber wir glauben in dem

---

[42] Auch TestGad 2, 4: ἐπληροφορήθηκεν τῆς ἀναιρέσεως αὐτοῦ, wir waren davon erfüllt, ihn zu töten. Vgl. DELLING in: ThWb VI 308.
[43] „Gott selbst (ließ) diese atl. Entsprechung in der Geschichte geschehen und in der Schrift aufzeichnen", GOPPELT, Paulus und die Heilsgeschichte, in: NTSt 13 (1966) 33.
[44] „Futurisch-eschatologisch" (SCHLATTER); KÄSEMANN, MICHEL, BARRETT: „auf die Parusie bezogenes Futur". Andere meinen, μέλλει sei aus der Perspektive der Aufzeichnung der Schrift gesetzt oder – was gänzlich unwahrscheinlich ist – im Blick auf die noch zu Bekehrenden (ZAHN, KÜHL).

Sinn an diesen Gott, daß wir an den Gott glauben, der *Jesus Christus* von den Toten *erweckt hat.* Wir glauben, daß das Lebendigmachen der Toten an diesem Jesus Christus schon erwiesen ist und Gott sich als der aus dem Tode Erweckende an Jesus Christus schon bewährt hat. Mit anderen Worten: in unserem Glauben gewinnt jener Sieg Gottes über den Tod seine Konkretion und Erfüllung, gewissermaßen seinen Namen. Wir glauben an den in Jesus Christus enthüllten Sieg Gottes über den Tod, in dem er seine δύναμις konkret bestätigt hat. Die Zusage Gottes an Abraham ist *hier* eingelöst, und „unser" Glaube ergreift die im Ereignis der Auferweckung Jesu Christi von den Toten eingelöste Zusage. VV 24 b f ist dabei bezeichnenderweise nach Sätzen überlieferter Glaubenshomologie formuliert, wie sie Paulus auch sonst verwendet, z. B. 1, 3 f; 8, 11; 10, 9; 2 Kor 4, 14; 1 Thess 1, 10. Bemerkenswert ist die Würdebezeichnung τὸν κύριον ἡμῶν und Ἰησοῦς allein. Doch wer ist dieser „unser Herr Jesus"? Das wird mit einem Relativsatz im prädikativen Stil mit zwei einander zugeordneten Gliedern gesagt, deren Verben passiv formuliert sind und die zudem traditionelle Termini enthalten. Es sind also genug Hinweise dafür gegeben, daß es nicht, wie Kuss meint, „gänzlich unbeweisbar" ist, wenn man hier annimmt, daß Paulus eine kurze Homologie in den Sinn gekommen ist[45] oder daß er zumindest einer solchen entsprechend formuliert hat. Natürlich ist die Verteilung auf das zweifache Geschehen des παραδοθῆναι und ἐγερθῆναι, das die eine Tat Gottes ausmacht, die vorher mit ἐγείρειν Ἰησοῦν allein gekennzeichnet war, rhetorische Entfaltung. „Liturgisch" ist der Wechsel von Partizip und Relativum, der antithetische Parallelismus gleich langer Zeilen, die Voranstellung der Verben, die formale Entsprechung der beiden διά. Das παρεδόθη hat natürlich Bezug auf unsere δικαίωσις, wie umgekehrt das ἠγέρθη zu unseren παραπτώματα bzw. zur Vergebung unserer παραπτώματα. Die beiden διά haben, wie gesagt, formal wohl den gleichen Sinn. Nur ist gemeint: er wurde dahingegeben um unserer geschehenen Sünden willen – um sie zu sühnen; und er wurde auferweckt um unserer zukünftigen δικαίωσις willen – damit wir sie empfangen. Das erste διά hat also mehr kausalen, das zweite mehr finalen Sinn. Auffallend in der ersten Hälfte des Satzes, aber eben auf traditionelle Formulierung verweisend, ist das παρεδόθη. Im Passiv παρεδίδοτο kommt es bei Paulus nur noch in der Herrenmahlüberlieferung 1 Kor 11, 23 vor, aber sonst ist es im NT ein typisches Passionswort, bei Paulus vgl. Röm 8, 32; Gal 2, 20; Eph 5, 2. Die Formulierung an unserer Stelle klingt wie eine Anspielung auf den Gottesknecht Is 53, 12: ἀνθ᾽ ὧν παρεδόθη εἰς θάνατον ἡ ψυχὴ αὐτοῦ (vgl. 53, 6). Vielleicht ist die Homologie dort entstanden, wo die Gottes-Knecht-Theologie noch eine Rolle spielte. Auffallend in der zweiten Hälfte des Satzes ist δικαίωσις. Es kommt im NT nur noch einmal (Röm 5, 18) vor, ist aber ein griechisches Wort seit Thuk.; in der LXX findet es sich Lv 24, 22, Symm Ψ 34, 23. Es meint Röm 4, 25 den Vorgang des δικαιοῦν, die Rechtfertigung als Vollzug, in Röm 5, 18 dagegen das

---

[45] MICHEL, ALTHAUS, BARRETT, H. W. SCHMIDT; BULTMANN, Theologie, 85; W. POPKES, Christus Traditus, 190 ff 200 ff 208 ff; K. WENGST, Christologische Formeln und Lieder des Urchristentums (1972) 101–103.

Ergebnis der Rechtfertigung, das in der ζωή besteht. Die δικαίωσις in 4,25 ist die, welche gegenwärtig im δικαιοῦν ἐκ πίστεως Ἰησοῦ geschieht.

So ist das Ziel des ersten großen Abschnittes des Römerbriefs mit dieser traditionellen Formel, die wahrscheinlich im hellenistischen Judenchristentum zu Hause ist[46], erreicht und erwiesen, daß die zentralen Ausführungen von 3,21–31 von der Erscheinung der Gerechtigkeit Gottes in Jesus Christus und von der mit ihr wirksam gewordenen Rechtfertigung aus Glauben schon in der Schrift (des AT) bezeugt sind, und zwar an Abraham. Bei seiner Gerechtigkeit geht es um die Gerechtigkeit aus Glauben. Für sie ist keineswegs die Beschneidung von Bedeutung, die ja nur nachträglich ihr Siegel war, so daß Abraham Vater der glaubenden Juden *und* Heiden wurde. Auch das Gesetz tat nichts dazu. Die Verheißung Gottes hatte es mit der δικαιοσύνη πίστεως zu tun, der die χάρις entspricht, während das Gesetz nur Übertretung und Gottes Zorngericht hervorruft. Abraham, der auch von daher „unser aller Vater" war, glaubte gegen allen Augenschein und entgegen aller Hoffnung auf Hoffnung hin und gab so *Gott* die Ehre. Sein Glaube ist unser Glaube und seine Gerechtigkeit die unsere. Das will die Schrift an ihm zeigen. Nur daß sein allgemeiner Glaube an den die Toten lebendig machenden Gott abgelöst wurde durch unseren Glauben, der diesen Gott in der Auferweckung unseres Herrn Jesus von den Toten erfahren hat. Der Gott, an den wir glauben, hat die Allmacht seiner χάρις und δικαιοσύνη, an die Abraham hoffend glaubte und die er hoffend erfuhr, in Jesus Christus schon erwiesen.

II. 5,1–8,39 DIE GNADENGABEN DER GLAUBENSGERECHTIGKEIT

Wie wir bei der Übersicht über den Gedankengang des Römerbriefs sahen, setzt mit 5,1 ein neuer und in gewissem Sinn der wichtigste Teil des ganzen Briefes ein, der bis 8,39 reicht. Röm 1,18 – 3,20 und dann vor allem 3,21 bis 4,25 sind seine Voraussetzungen. Mitten in der Welt der sich Gott versagenden Heiden und der leistungssüchtigen und selbstgerechten Juden hat Gott seine δικαιοσύνη als die gerechte und gerecht machende Heilstat in dem sühnenden Jesus Christus geschehen lassen, so daß wir so wie „unser aller Vater" Abraham aus Glauben und nicht aufgrund von Gesetzesleistungen gerecht werden. Demgegenüber haben nun die Kap. 5–8 die Aufgabe, diese Verkündigung von der Rechtfertigung aus Glauben aufgrund der Heilstat Jesu Christi zu entfalten, und zwar in einer bestimmten Hinsicht, nämlich dahin, daß sie aufhellen, was das aus Glauben Gerechtfertigtwerden alles in sich schließt, m. a. W. das Geschehen des δικαιοῦσθαι ἐκ πίστεως hinsichtlich der damit gegebenen Gaben zu klären.

Schon rein terminologisch ist deutlich, daß das Thema des δικαιοῦσθαι ἐκ πίστεως als solches jetzt aufgegeben wird. Die mit ihm gegebenen Begriffe

---

[46] HAHN, Hoheitstitel, 62f; WENGST, Formeln, 51 94f.

kommen in unseren Kapiteln kaum mehr vor. Führen wir uns eine kleine Statistik vor Augen:

δικαιοσύνη θεοῦ kommt in den ersten vier Kapiteln sechsmal vor: 1,17; 3, 5.21.22.25.26, in Kap. 10 zweimal: 10,3 und in Kap. 5–8 keinmal; δικαιοῦν, δικαιοῦσθαι in Kap. 1–4 neunmal: 2,13; 3,4.20.24.26.28.30; 4, 2.5, in Kap. 5–8 viermal: 5,1.9 (6,7); 8,30.33, am Anfang und am Ende; δίκαιος in Kap. 1–4 viermal: 1,17; 2,13; 3,10.26, in Kap. 5–8: 5, 7.19 (7,12), also vom Menschen zweimal in Kap. 5; δικαίωσις je einmal in 4,25 und 5,18; δικαίωμα, das jedoch nicht ganz in diese Reihe gehört, findet sich in Kap. 1–4 zweimal: 1,32; 2,26, dagegen in Kap. 5–8 dreimal: 5,16.18; 8,4.

Der Befund weist deutlich darauf hin, daß in Kap. 5 das Thema noch nachklingt. In Kap. 8 taucht es in zusammenfassender und rückblickender Ausführung gelegentlich wieder auf. Dazwischen ist von anderem, das freilich mit dem in Kap. 1–4 Gesagten zusammenhängt, die Rede.

Das wird bestätigt von dem Vorkommen von πίστις und πιστεύειν.

Πίστις findet sich absolut gebraucht in Kap. 1–4 vierundzwanzigmal, und zwar ab 3,21 siebzehnmal: 1, 5.8.12.17 (2 ×); 3,3; 3,25.27.28.30 (2 ×).31; 4, 5.9.11.12.13.14.16 (2 ×).19.20, in Kap. 5–8 nur 5,1 und dann erst wieder 9,30.32; 10,6.8.17; 11,20; 12,3.6; 14,1.22.23, also in den Kapiteln über Israel und in der Paraklese im ganzen elfmal.

Πιστεύειν steht in Kap. 1–4 achtmal: 1,16; 3,22; 4,3.5.11.17.18.24, in Kap. 5–8, abgesehen von 6,8 keinmal, im übrigen Römerbrief erst wieder 9,33; 10,4.9.10.11.14 (2 ×); 13,11; 14,2; 15,13, also zehnmal. Natürlich ist das eine recht äußerliche und formale Statistik, aber sie kann als solche jedenfalls den Tatbestand nachweisen, daß in Kap. 5–8 Rechtfertigung und Glaube als solche nicht mehr das Thema sind.

Aber beginnt der zweite große Abschnitt des Römerbriefs nicht erst, wie manche Ausleger meinen, mit 5,12 oder gar mit 6,1? Was das letztere betrifft, so ist der Zusammenhang von 6,1ff mit 5,20f so eng, daß man Kap. 6 unmöglich davon trennen kann. Was das erstere betrifft, so muß man vor allem auf dreierlei achten: 1) Der Eingang von 5,1: δικαιωθέντες οὖν εκ πίστεως, ist klar als Folgerung aus dem 3,21ff und 4,1ff Gesagten formuliert. Und schloß 4,25 zur Charakterisierung des christlichen Glaubens in einem Anklang an eine Bekenntnisformel mit καὶ ἠγέρθη διὰ τὴν δικαίωσιν ἡμῶν, wodurch noch einmal das von 3,21 ab herrschende Stichwort des δικαιοῦσθαι auftaucht, so beginnt 5,1 mit δικαιωθέντες οὖν ἐκ πίστεως εἰρήνην ἔχομεν πρὸς τὸν θεόν. Der Satz blickt auf das Ereignis der Rechtfertigung aus Glauben zurück, stellt mit οὖν eine ausdrückliche Verbindung dazu her und zieht die Konsequenz daraus. 2) Der Stilwechsel zwischen 5,1ff und Kap. 4 ist auffällig. Jetzt, in 5,1ff, herrscht das „wir" vor innerhalb einer im ganzen gehobenen Verkündigungssprache. Die Sprache in Kap. 4 dagegen war im großen und ganzen belehrend und argumentierend. 3) 5,1ff erweist sich auch dadurch als ein Ganzes bis einschließlich Kap. 8, daß es mit einem Hinweis auf die eschatologische δόξα τοῦ θεοῦ (5,2) einsetzt und auf eine Erörterung dieser δόξα in 8,17–30 hinausläuft. Das wird kein Zufall sein.

1. 5,1–11 Die Hoffnung der aus Glauben Gerechtfertigten

1 Gerechtfertigt also aus Glauben, haben wir Frieden mit Gott durch unseren Herrn Jesus Christus, 2 durch den wir auch den Zugang [durch Glauben] zu diesem Gnadenstand erlangt haben, in dem wir stehen, und wir rühmen uns der Hoffnung auf die Herrlichkeit Gottes. 3 Nicht aber nur das. Wir rühmen uns auch der Drangsale. Wir wissen ja, daß die Bedrängnis Geduld bewirkt, 4 die Geduld aber Bewährung, die Bewährung Hoffnung. 5 Die Hoffnung aber läßt nicht zuschanden werden. Ist doch die Liebe Gottes ausgegossen in unsere Herzen durch den Heiligen Geist, der uns gegeben worden ist. 6 Denn als wir noch schwach waren, schon damals ist Christus für die Gottlosen gestorben. 7 Kaum wird einer für einen Gerechten sterben. Vielleicht wird einer eher für einen Guten zu sterben bereit sein. 8 Gott jedoch erweist seine Liebe zu uns darin, daß, als wir noch Sünder waren, Christus für uns gestorben ist. 9 Um wieviel mehr werden wir, durch dessen Blut jetzt gerechtfertigt, durch ihn gerettet werden vor dem Zorn. 10 Wenn wir nämlich als Feinde mit Gott durch den Tod seines Sohnes versöhnt wurden, um wieviel mehr werden wir als Versöhnte gerettet werden durch sein Leben. 11 Aber nicht nur das: Wir rühmen uns Gottes durch unseren Herrn Jesus Christus, durch den wir jetzt die Versöhnung empfangen haben.

Dieser erste Abschnitt ist in sich ein wenig gegliedert. Die entscheidende Aussage fällt 5,2b, das in 5,11 noch einmal in umfassender Formulierung anklingt. In 5,1–5a wird sie erläutert, in 5,5b–10 begründet und in 5,11 zum Abschluß gebracht.

V 1 War bisher, abgesehen von dem futurischen δικαιωθήσονται 2,13; 3,20, nur im zeitlosen Präsens oder gnomischen Futur allgemein und prinzipiell vom δικαιοῦσθαι die Rede gewesen, also davon, daß Gott den Menschen aus Glauben rechtfertigt (3,26.30; 4,5) bzw. daß der Mensch aus Glauben gerechtfertigt wird (3,24.28), und war bisher nur in bezug auf Abraham in einem Konditionalsatz von einem δικαιωθῆναι Abrahams die Rede, der, wenn er ἐξ ἔργων ἐδικαιώθη (4,2), Ruhm bei den Menschen, aber nicht bei Gott hätte, so sagt Paulus jetzt in 5,1 von „uns" – den Christen, mit denen er sich zusammenschließt –, daß „wir nun aus Glauben gerechtfertigt worden sind". Er weist also mit dem Aor. pass. δικαιωθέντες ... auf etwas hin, was „uns" widerfahren ist und was uns, die Christen, nun als unsere Erfahrung charakterisiert. Dieselbe Formulierung gebraucht er noch einmal in 5,9. Doch besteht ein Unterschied: Hier ist von einem δικαιωθέντες νῦν ἐν τῷ αἵματι αὐτοῦ, dort von δικαιωθέντες οὖν ἐκ πίστεως die Rede, d.h., in 5,9 wird gesagt, aufgrund welchen Geschehens wir „gerechtfertigt" worden sind: durch Jesu Christi „Blut", in 5,1: in welcher Weise die am Kreuz geschehene Rechtfertigung uns „gerechtfertigt hat": ἐκ πίστεως. Dasselbe Geschehen, das für die Christen als grundlegendes Geschehen in der Vergangenheit liegt, ist übrigens in 5,10 mit dem Aor. pass. κατηλλάγημεν und dem Part. Aor. pass. καταλλαγέντες bezeichnet. In 5,1 ist mit dem Aor. pass. offenbar ein bestimmter Augenblick der Vergangenheit im Leben der Christen gemeint. Es kann nach 1 Kor 6,11 kein Zweifel sein, welcher angedeutet ist. Es ist der, in dem sie „abgewaschen" wurden und so „geheiligt" und „gerechtfertigt" „im Namen unseres Herrn Jesus Christus und im Geist unseres Gottes", d. h., es ist an die Taufe gedacht. Von ihrem Datum an kann man sagen, daß die Christen aus Glauben gerechtfertigt sind. Dabei widerspricht natürlich das ἐκ πίστεως dieser Behauptung nicht. Denn die Taufe ist für Paulus die versiegelnde Eröffnung der Rechtfertigung aus Glauben bzw. des Gerechtfertigtseins aus Glauben. Sie setzt den Glauben als den Zugang zu der in Jesus Christus geoffenbarten Gerechtigkeit Gottes (3,21f) voraus, schließt ihn in ihren Vollzug ein und entläßt den Getauften in das Glaubensleben. Ἐκ πίστεως ist auch in 5,1 auf den Glaubensvollzug zu beziehen und nicht etwa auf die Glaubensverkündigung oder die fides quae creditur (H. W. Schmidt). Für Paulus ist die Taufe das Sakrament des Glaubens, sofern dieser sie fordert und zu ihr hinführt, sofern der Täufling sich ihr im Glauben unterzieht und den Glauben erweist und sofern sie den Getauften der Glaubensexistenz übergibt. Im postbaptismalen Glauben wird die aus Glauben und im Glauben in der Taufe fixierte Rechtfertigung durchgehalten und so der Glaubende, der in der Taufe gerechtfertigt ist, immer von neuem gerechtfertigt.

Wir sind also – meint Paulus – aus Glauben in der Taufe gerechtfertigt worden. Aber was ist uns damit widerfahren? Zunächst – und diese Antwort ist bezeichnend – „haben wir Frieden mit Gott" oder genauer: im Verhältnis zu Gott (πρός)[1]. Die bessere Lesart ist freilich statt ἔχομεν: ἔχωμεν. So lesen ℵ* A B* G D K 33 81 u. a. lat bo arm Mcion Tert Ambrosiaster Orig^lat sy^p Chrys Thdt, auch vg Pelag, ἔχομεν lesen ℵ^c B² G^gr P Ψ 0220^vid 88 104 u. a. sy^h sah vg^hrs Basilius Ephraem u. a. Aber hier haben wir ein Beispiel dafür, daß die Textkritik sich nicht allein auf den Textbefund stützen kann, sondern ausschlaggebend letztlich der Aussagezusammenhang ist. Und dieser fordert, selbst wenn der Urtext ἔχωμεν infolge eines Hörfehlers des Schreibers Tertius gelautet hätte[2], eindeutig den Indikativ und nicht den Kohortativ[3]. Denn Paulus mahnt und fordert hier nicht, wie auch der weitere Zusammenhang zeigt, sondern stellt fest, was „uns", den aus Glauben Gerechtfertigten, widerfahren ist und wird und in welcher neuen heilsamen Seinsweise wir uns jetzt befinden. Das ist außerdem im Grunde die Aussage des ganzen Teiles Kap. 5–8. Vgl. sogleich 5,2; 5,9f. Natürlich ist auch das καυχώμεθα 5,2f Indikativ und ebenso καυχώμενοι 5,11. Das erstere ist freilich vom Kohortativ der Form nach nicht zu unterscheiden. Das letztere ist aber Ersatz des Indikativs durch ein Partizip[4]. Doch abgesehen von diesen Erwägungen, wäre ἔχειν im Sinn von „gewinnen" nicht paulinisch, wohl aber εἰρήνην ἔχομεν, wie ἐλευθερίαν ἔχειν Gal 2,4, ἐλπίδα ἔχειν Röm 15,4 usw.

[1] BLASS-DEBR, § 239,5.   [2] FOERSTER in: ThWb II 414.
[3] Ἔχωμεν wollen LAGRANGE, SANDAY-HEADLAM, KUSS u. a. verstehen.
[4] BLASS-DEBR, § 468,7.

Dieser Friede, den wir als aus Glauben Gerechtfertigte „haben", kommt bei Paulus oft zur Sprache. Er ist der Friede, der Heilsfriede (vgl. Is 48, 18 u. a.), der von dem „Gott des Friedens" (Röm 15, 33; 16, 20; 1 Kor 14, 33; 2 Kor 13, 11; auch 1 Tim 1, 2 u. a.) kommt, mit dem „der Gott des Friedens" „erfüllt" (Röm 15, 13), den der κύριος τῆς εἰρήνης schenkt (2 Thess 3, 16). Nach Kol 1, 20 und Eph 2, 14ff ist er der, den Christus im Himmel und auf Erden am Kreuz gestiftet hat und den er – der selbst der Friede ist (Eph 2, 14) – als der Erhöhte verkündet (Eph 2, 17; vgl. 6, 15). Er ist auch der Friede, auf den der Geist sinnt (Röm 8, 6), zu dem Gott uns im Evangelium „gerufen" hat (1 Kor 7, 15). In *ihm* besteht unter anderem die βασιλεία τοῦ θεοῦ (Röm 14, 17), in ihm wird die Einheit des Leibes Christi, der Kirche, in der Einheit des Geistes bewahrt (Eph 4, 3). Er möge sich auf das „Israel Gottes", die Kirche, legen (Gal 6, 16; vgl. Eph 6, 23), er möge als der Friede Christi in den Herzen wohnen (Kol 3, 15), er wird als der unfaßliche, alles Begreifen übersteigende Friede „die Herzen in Jesus Christus bewahren" (Phil 4, 7), ihm mögen wir nachjagen, ihn zu gewinnen (Röm 14, 19). Er ist nach unserem Zusammenhang der Friede, der nach 5, 10 dadurch ausgebrochen ist, daß wir, „die Feinde Gottes", von ihm mit ihm „versöhnt" worden sind. Er ist die Friedensherrschaft, die durch Gott angebrochen ist. Er meint also nicht die „Ausgeglichenheit unseres Gemüts" (Kühl, Jülicher), auch nicht ein Gestimmtsein unseres Lebens, den Frieden des Herzens, wiewohl dieser unfaßliche, aber reale Gottesfriede, wie wir hörten, auch in unseren Herzen wohnen und von daher sich ausbreiten kann und soll (Phil 4, 7; Kol 3, 15). Und er meint primär auch nicht unser friedliches Verhalten, obwohl er sich auch in ihm ausweisen wird (1 Kor 7, 15; Eph 4, 3). Er ist primär der Friede Gottes als der Friede, in dem wir stehen, der Friedensstand, der uns trägt, dessen wir als aus Glauben Gerechtfertigte teilhaftig geworden sind. Und so ist er der Friede, der von Gott in Christus Jesus durch den Geist über uns kommt, auch der Friede πρὸς τὸν θεόν, wobei, wie gesagt, das πρός das Verhältnis zu Gott anzeigt, also der Friede mit Gott. Und dieser Friede, das ist in unserem Satz betont, ist Friede mit Gott διὰ τοῦ κυρίου ἡμῶν Ἰησοῦ Χριστοῦ. Das zielt nicht auf die durch das ἱλαστήριον . . . ἐν τῷ αἵματι αὐτοῦ (3, 25) geschehene Stiftung des Friedens, sondern im Zusammenhang mit ἔχομεν darauf, daß dieser, der ihn gestiftet hat, ihn nun auch weitervermittelt. Das heißt für Paulus: indem er den Frieden durch den ihn eröffnenden Geist im Evangelium des Friedens uns zuweht (vgl. Röm 8, 6; 1 Kor 7, 15; Eph 2, 17ff; 6, 15). Paulus vergißt bei entscheidenden Aussagen nie dieses διὰ τοῦ κυρίου ἡμῶν Ἰησοῦ Χριστοῦ. Denn er ist völlig davon durchdrungen, daß wir das Heil und das heile Leben nicht nur jenem einmaligen Geschehen der Sendung, des Kreuzes und der Auferstehung Jesu Christi verdanken, sondern auch einem ständig gegenwärtigen Wirken eben dieses auferstandenen und erhöhten Jesus Christus (in der Kraft des ihn vergegenwärtigenden Geistes)[5].

---

[5] Vgl. I. HERMANN, Kyrios und Pneuma, 1097; W. THÜSING, Per Christum in Deum (1965) 183ff.

V 2 Eben dieser Jesus Christus, der uns, den aus Glauben Gerechtfertigten, als der erhöhte gegenwärtige Herr den Frieden mit Gott schenkt, ist es nun auch, der uns den Zugang zur Gnade, in der wir stehen, öffnet (V 2). Προσαγωγή ist der Zutritt oder Zugang im intransitiven und kultischen Sinn wie Eph 2, 18; 3, 12. Durch ihn ist mit anderen Worten die χάρις, in der wir stehen, aufgetan und zugängig. Die beiden Perfekte ἐσχήκαμεν und ἑστήκαμεν sind wohl echte Perfekte, die die Dauer des Geschehenen ausdrücken: Wir haben durch ihn den Zugang zur Gnade gewonnen und haben ihn. Zu ἐσχήκαμεν vgl. 2 Kor 1, 9; 7, 5. Diesen Zugang, den wir haben, ist der Zugang zu der χάρις, in die wir zu stehen gekommen sind und in der wir stehen. Es ist die χάρις, die als Gnadenmacht zugleich Gnadendimension ist. Sie ist der Friede, von dem 5, 1 die Rede war, nur dieser jetzt unter dem Gesichtspunkt, daß er die reine unverdiente Zuneigung Gottes, seine reine Gabe, die wir empfangen, darstellt. Auch von dieser χάρις, in der wir stehen, spricht Paulus in mannigfacher Weise. Wir sind in diese χάρις von Gott „gerufen" (Gal 1, 6). Wir haben sie „empfangen" (Röm 5, 17; vgl. 2 Kor 6, 1; Phil 1, 7). Sie herrscht über uns, und wir unterstehen ihr (Röm 6, 14f). Sie muß freilich (in der Freiheit des Glaubens) festgehalten werden, denn man kann aus ihr fallen (Gal 5, 4), wenn man sein Leben wieder auf Leistungen stellt. Sie kann und muß fruchtbar gemacht werden, durch ihre Bewährung im unerschütterlichen und wahren Dienst des Evangeliums (2 Kor 6, 1 ff). Dabei muß man bedenken: die χάρις, die uns durch den Herrn Jesus Christus aufgetan ist und in deren Bereich wir als aus Glauben Gerechtfertigte stehen, ist wie die δικαιοσύνη θεοῦ die Gnade des Gnadenerweises oder der Gnadengeschichte Gottes in Jesus Christus (vgl. Röm 8, 32; Gal 2, 20f, vor allem aber Röm 5, 15b.17). Die Gnade Gottes, die in Jesus Christus (und in seinem δικαίωμα und seiner ὑπακοή, Röm 5, 18f) auf alle übergeströmt ist, ist die, deren Überfluß man empfangen kann. Sie als solche ist die Macht, die nun herrscht (Röm 5, 20f). Man muß diese Zusammenhänge beachten, um zu ahnen, was Paulus unter χάρις versteht. Sie ist die Tat Gottes in Jesus Christus, die in ihrer Gnade überströmend zur Herrschaft kam und der wir unterstehen als der uns, den aus Glauben Gerechtfertigten, zugewendeten und umfangenden Gnaden-Macht. Zu erwähnen ist wieder, daß diese Gnadenmacht und Gnadendimension durch den gegenwärtigen Herrn Jesus Christus für uns offensteht, so daß wir in ihr „stehen" können, und auch: daß das τῇ πίστει, im Vollzug des Glaubens, geschieht. Τῇ πίστει ist im Text freilich nicht gesichert. Es fehlt in B D G 0220 it[d.e.f.g] sah aeth Orig Ephraem. Lietzmann meint, anders als etwa Kühl, Dodd u. a., es sei dieses Fehlen eine der unberechtigten Eigenheiten, die ein dem Orig und B vorliegender ägyptischer Text gelegentlich mit lateinischen Zeugen gemeinsam hat. Es gehöre also zum ursprünglichen Text. Aber selbst wenn das nicht der Fall wäre, wofür man doch auch gute Gründe anführen kann[6], ist es eine richtige Interpretation und eine sachgemäße Verdeutlichung der Weise, wie wir durch den κύριος den Zugang zu der Gnadendimension, in der wir stehen, erreichen und bewahren.

---

[6] Vgl. KÄSEMANN: „Das Stichwort der beiden letzten Kapitel wird betont wiederholt."

Von dem aus Glauben Gerechtfertigten ist aber noch ein anderes zu sagen. Der Hauptsatz in 5,2b fährt nämlich fort: καὶ καυχώμεθα ἐπ᾽ ἐλπίδι τῆς δόξης τοῦ θεοῦ. Das bedeutet eine Steigerung gegenüber den bisherigen Aussagen und wirft noch ein neues Licht auf die aus Glauben Gerechtfertigten. Sie haben nicht nur Frieden mit Gott, sie sind nicht nur von der Gnade umfangen, sondern sie „rühmen sich" aufgrund der Hoffnung auf die Herrlichkeit Gottes. Die Formulierung ist umständlich. In ihr ist ein Dreifaches enthalten: 1) sie rühmen sich; 2) als Hoffende; 3) der Herrlichkeit Gottes, wobei die Hoffnung der Gegenstand ihres Sichrühmens ist und die ἐλπίς anzeigt, in welcher Weise und auf welchem Grund sich das Sichrühmen vollzieht.

Καυχᾶσθαι ist bei Paulus, „gut semitisch" (Käsemann), ein fundamentaler Begriff. Er meint ein vertieftes Vertrauen, zu dem der Mensch sich freudig erhebt und das sich im Bekennen und Lobpreisen äußert. Καυχᾶσθαι ist nämlich, fern dem griechischen und gelegentlich noch LXX-Gebrauch, wo es mehr das äußere Sichrühmen im Sinn des Prahlens meint, bei Paulus mit πεποιθέναι parallel gesetzt; so z. B. Phil 3,3f; 2 Kor 10,7f; auch 2 Kor 1,12; 3,4; in LXX z. B. ψ 48,7. Das Rühmen – kann man sagen – ist die Weise, in die sich das Vertrauen niederlegt. In ihm erbaut sich das Dasein aus einem Grund, sei es aus dem eigenen: ἐν σαρκί (Phil 3,4; Gal 6,13), κατὰ σάρκα (2 Kor 11,18), ἐν ἀνθρώποις (1 Kor 3,21), sei es ἐν Χριστῷ Ἰησοῦ (Phil 3,3) oder ἐν κυρίῳ (1 Kor 1,31; 2 Kor 10,17) oder ἐν (τῷ) θεῷ (Röm 2,17; 5,11). Das erstgenannte καυχᾶσθαι könnte man Selbst-erbauung nennen. Sie ist bei Paulus auch als φυσιοῦσθαι, „sich aufblähen", bezeichnet. So ist z. B. das καυχᾶσθαι ἐν ἀνθρώποις 1 Kor 3,21 nichts anderes als das εἷς ὑπὲρ τοῦ ἑνὸς φυσιοῦσθαι κατὰ ἑτέρου 1 Kor 4,6. Das, was wirklich „erbaut", das Dasein aufbaut, ist die ἀγάπη. So kann Paulus sagen: ἡ ἀγάπη οὐ φυσιοῦται (1 Kor 13,4) und ἡ γνῶσις φυσιοῖ, ἡ δὲ ἀγάπη οἰκοδομεῖ (1 Kor 8,1); und zwar erbaut die Liebe, weil in ihr der Mensch die Selbst-erbauung (aus den eigenen Vorzügen, Leistungen, Anerkennungen u. a.) preisgibt und im Lieben des Nächsten und in der Liebe zu Gott sein selbstisches Selbst preisgibt. Καυχᾶσθαι stellt aber auch in gewissem Sinn eine Festigung und Intensivierung des Vertrauens dar. Das wird durch die parallele Aussage von Röm 2,17: ἐπαναπαύειν νόμῳ, und 2,23a: καυχᾶσθαι ἐν νόμῳ deutlich. Im „Ruhm", den sich einer aus dem Gesetz (und den Gesetzesleistungen) holt, stützt und verläßt sich einer vor sich selbst oder vor anderen auf das Gesetz, ist dieses sein Fundament. Das Rühmen ist ein einläßliches Vertrauen. Dort, wo der Mensch sich Gottes oder des Herrn „rühmt" (vgl. 1 Kor 1,31; 2 Kor 10,17; Phil 3,3; auch Gal 6,13; 2 Kor 11,30; 12,9), ist mit καυχᾶσθαι das Moment der Freude und des Jubels verbunden. Rühmen erhält so etwas wie den Sinn des freudigen Bekennens. Rühmen wird zur dankenden und preisenden Kundgabe. So rühmen sich im AT die Kultgemeinde oder die einzelnen Frommen der helfenden Taten Gottes, z. B. Dt 33,29; 1 Chr 16,27f; 29,11; Ps 88,17f; Jer 17,14. In der LXX findet sich daher καυχᾶσθαι öfter mit ἀγαλλιᾶσθαι und εὐφραίνεσθαι zusammen[7]. Solches Rühmen findet in der eschatologischen Heilszeit endgültig

---

[7] Um nur zwei Beispiele auszuführen: (Siehe Fortsetzung der Anmerkung auf Seite 144.)

seine Erfüllung und ist eines ihrer Kennzeichen (vgl. Zach 10, 12; ψ 149, 5; 1 Chr 16, 33 ff).

In solchem fundamentalen Sinn eines tiefen Vertrauens und darin einer Lebenserbauung, die unter Umständen durchbricht zum jubelnden Gewißwerden, ist wohl auch hier in 5, 2 das καυχώμεθα gemeint. Das aber, worauf sich solches Rühmen stützt und was es trägt, ist mit ἐπ' ἐλπίδι τῆς δόξης τοῦ θεοῦ genannt, wodurch zugleich Grund und Gegenstand des Ruhmes angegeben werden[8]. In V 3 wird beides mit ἐν konstruiert, wobei das erstere dem LXX-Sprachgebrauch entspricht, das letztere die übliche Präposition bei Paulus ist, z. B. 1 Kor 1, 31; 2 Kor 10, 15; 12, 9. Zu ἐπ' ἐλπίδι vgl. Röm 4, 18; 8, 20; 1 Kor 9, 10. Das Leben des aus Glauben Gerechtfertigten ist also nicht nur ein Weilen im gnädig geschenkten Frieden Gottes, sondern auch ein lobpreisendes Sichrühmen aufgrund der Hoffnung auf Gottes Herrlichkeit. Es vollzieht sich auch als ein hoffendes Vertrauen oder ein vertrauendes Hoffen auf die künftige δόξα τοῦ θεοῦ, die doch schon über den aus Glauben Gerechtfertigten hereingebrochen ist (vgl. Röm 8, 30)[9]. Von ihr her lebt der Hoffende und Preisende. Und man könnte die beiden Aussagen „Wir haben Frieden mit Gott" und „Wir rühmen uns aufgrund der Hoffnung auf die Herrlichkeit Gottes" dahin zusammensehen, daß der Friede mit Gott, den wir als aus Glauben Gerechtfertigte haben, der Friede – aus Gnaden! – derer ist, die als Hoffende von der zukünftig-gegenwärtigen Herrlichkeit Gottes her und auf sie hin leben. Frieden haben mit Gott in dem Gnadenstand des aus Glauben Gerechtfertigten ist immer zugleich Hoffnung haben, nicht auf eine innerweltliche Zukunft, auch nicht auf eine allgemeine transzendente Zukunft überhaupt, sondern auf die, mit der die Herrlichkeit Gottes hereinbricht. Es ist – um mit Phil 4, 7 zu reden – ein Friede, der über alle Vernunft hinausgeht und also innerweltlich nicht zu erfassen und zu erfahren ist.

Daß das christliche Dasein der Stand der Hoffnung ist, sagt der Apostel im übrigen vielfach und mit mannigfachen Akzenten. Wir führen nur einige charakteristische Aussagen an[10]. Die den Geist haben, sind τῇ ἐλπίδι gerettet worden (Röm 8, 24), vermöge der Hoffnung gerettet worden. Er fordert sie auf, τῇ ἐλπίδι χαίρειν (Röm 12, 12) „in Hoffnung sich zu freuen". Er bittet „den

---

ψ 5, 12 f: καὶ εὐφρανθήτωσαν πάντες οἱ ἐλπίζοντες ἐπί σε·
εἰς αἰῶνα ἀγαλλιάσονται, καὶ κατασκηνώσεις ἐν αὐτοῖς,
καὶ καυχήσονται ἐν σοὶ πάντες οἱ ἀγαπῶντες τὸ ὄνομά σου.
13: ὅτι σὺ εὐλογήσεις δίκαιον·
κύριε, ὡς ὅπλῳ εὐδοκίας ἐστεφάνωσας ἡμᾶς.
ψ 31, 11: Εὐφράνθητε ἐπὶ κύριον ἢ ἀγαλλιᾶσθε, δίκαιοι,
καὶ καυχᾶσθε, πάντες οἱ εὐθεῖς τῇ καρδίᾳ.

[8] Vgl. BLASS-DEBR, §§ 196 325.

[9] „Die δόξα τοῦ θεοῦ ist die Vollendung der bereits geschenkten Gerechtigkeit und wird in dieser derart antizipiert, daß ‚Hoffnung' zugleich auf ausstehende Vollendung wartet und ihrer doch über der empfangenen Gabe gewiß ist. Ἐλπίς meint nicht mehr griechisch den Ausblick auf möglicherweise Zufallendes, sondern auf bereits Verbürgtes" (KÄSEMANN).

[10] Vgl. H. SCHLIER, Δόξα bei Paulus als heilsgeschichtlicher Begriff. Stud. Paul. Congr. Intern. Cath. 1961 (AnBib 17/18) I (Rom 1963) 45–56.

Gott der Hoffnung, daß er sie mit jeglicher Freude und jeglichem Frieden im Glauben erfülle, damit sie in der Macht des Geistes in Hoffnung überströmen" (Röm 15, 13). Nach Gal 5, 5 ist die erwartete Hoffnung δικαιοσύνη genannt, so wie Röm 5, 2 ἡ δόξα τοῦ θεοῦ. Beide gehören zusammen, ja beide sind eins, freilich unter verschiedenen Gesichtspunkten. Die δόξα ist die göttliche Macht und der Glanz der eschatologischen Gerechtigkeit, die als „Gnade" zum ewigen Leben herrschen wird (Röm 5, 21). Die διακονία τῆς δικαιοσύνης des Apostels, die διακονία τοῦ πνεύματος ist, περισσεύει... δόξῃ, sagt Paulus 2 Kor 3, 9. Der Apostel unterscheidet auch bei dem Begriff δόξα zwischen der gegenwärtigen und zukünftigen, zwischen der, in der wir wieder stehen, und der, die wir erwarten. Er unterscheidet, aber er trennt sie nicht. Denn die, in der wir jetzt stehen, ist keine andere als die, welche auf uns zukommt. Wir stehen in der vorausgeschickten δόξα. Der Jesus, den die Mächte der Welt gekreuzigt haben, ist der κύριος τῆς δόξης (1 Kor 2, 8). Und die δόξα τοῦ Χριστοῦ leuchtet im Evangelium auf (2 Kor 4, 4). Durch dasselbe werden wir in die δόξα „gerufen" (1 Thess 2, 12), sehen sie und werden von δόξα zu δόξα, werden als die, welche sie im Evangelium sehen, in die himmlische δόξα verwandelt (2 Kor 3, 18). So hat uns Gott schon in die δόξα gestellt (Röm 8, 30). In welche? In eben die, die „sich künftig über uns offenbaren wird" (Röm 8, 18), in deren Freiheit die Kinder Gottes stehen (Röm 8, 21), nach der alles verlangt und auf die alles wartet (Röm 8, 17ff), die nach Kol 3, 4 mit Christus erscheinen wird und dann unsere περιποίησις, unser Besitz, sein wird (2 Thess 2, 14). Diese künftige δόξα, welche die aus Glauben Gerechtfertigten schon gegenwärtig haben, erhoffen sie zugleich, und so vollziehen sie ihr Leben in der Hoffnung auf den unsagbaren Glanz der Herrlichkeit Gottes, der mit Christus im Evangelium sich schon gegenwärtig öffnet und den aus Glauben Gerechtfertigten einen Rühmenden sein läßt.

So mag nach Röm 5, 1–2 deutlich sein: Die Rechtfertigung unserer Existenz aus Glauben, deren Entscheidung in der Taufe fällt und die ein im Glauben Einbezogenwerden und Sicheinlassen in die Geschichte der „Gerechtigkeit Gottes" in Jesus Christus ist, diese Rechtfertigung unserer Existenz durch Gott gewährt uns den Frieden mit Gott, läßt uns in der Gnade Gottes stehen und sie uns in der Hoffnung auf die Herrlichkeit Gottes rühmend vollziehen. Wir sehen: in diesen fünf Zeilen der Sätze 5, 1 f sind fast alle Grundbegriffe der paulinischen Theologie versammelt: δικαιοῦσθαι (δικαιοσύνη) – εἰρήνη (καταλλαγή) – χάρις – δόξα – πίστις – ἐλπίς – καυχᾶσθαι, und auch das grammatisch und sachlich verknüpfende διὰ τοῦ κυρίου ἡμῶν Ἰησοῦ Χριστοῦ. Die Aussage, daß wir als die aus Glauben Gerechtfertigten Frieden mit Gott, Gnade empfangen und ein Leben führen, das sich in der Hoffnung auf die Herrlichkeit Gottes „rühmend" oder vertrauend vollzieht, könnte mißverstanden werden. Sie könnte, allzu weit von den irdischen Realitäten entfernt, ja diese vergessend, allzu triumphal klingen. Sie könnte die Illusion erwecken, daß das Eschaton schon gegenwärtig ist.

V 3   So fügt Paulus mit einer das vorhergehende Verb auslassenden Verknüpfungsformel: οὐ μόνον δέ, ἀλλά (wir rühmen uns aber nicht allein..., son-

dern[11]; vgl. Röm 5,11; 8,23; 9,10; 2 Kor 8,19), ein zweites καυχώμεθα an,
das in paradoxer Weise die θλίψεις des irdischen Lebens betrifft, freilich als
solche, die letztlich die Hoffnung stärken, also der Sache nach letztlich in jenem ersten καυχώμεθα mit enthalten sind. Das καί ist wie öfters bei Paulus
verstellt (vgl. Röm 8,11.24; 9,24; 15,14.19; 2 Kor 6,1; 1 Thess 2,13).
Es gehört an unserer Stelle vor ἐν ταῖς θλίψεσιν. Wir rühmen uns also nicht
nur als auf die künftige δόξα Hoffende, sondern wir rühmen uns auch der
(gegenwärtigen) Bedrängnisse. Das ἐν bedeutet nicht die Situation, in der wir
uns rühmen: „in den Bedrängnissen"[12] – das gäbe keinen Gegensatz –, „sondern" das, dessen wir uns rühmen, wie etwa Röm 2,17.23. Und das
καυχώμεθα erweist hier noch deutlicher als in 5,2 seinen fundamentalen Sinn.
Auch aus den Bedrängnissen, die uns widerfahren, erbauen wir freudig preisend unser Leben. Eben dieses „Rühmen" erweist auch die Echtheit von jenem. Denn in solchem „Rühmen", das in paradoxer Weise das Unheil als Heil,
den Abbruch des Lebens als Aufbruch, den Abgrund als Begründung, das ir-
disch-hoffnungslose Leben als Hoffnung versteht, ist das alles erfassende Vertrauen erwiesen und die Hoffnung erhärtet. Paulus bringt im übrigen selbst
zwei Beispiele solchen paradoxen Sichrühmens, nämlich in 2 Kor 1,8ff und
12,6ff. Dabei faßt er den Begriff θλῖψις sehr weit und charakteristisch[13]. Es
ist folgendes zu beachten: 1) Θλῖψις steht neben στενοχωρία (Röm 2,9;
8,35; 2 Kor 6,4), Drangsal, Enge, Angst. Einmal freilich ist στενοχωρία mehr
als θλῖψις, 2 Kor 4,8: ἐν παντὶ θλιβόμενοι ἀλλ' οὐ στενοχωρούμενοι (erdrückt). Auch neben ἀνάγκη (1 Thess 3,7; vgl. 2 Kor 6,4; 12,10) und neben
διωγμός (Röm 8,35; 2 Kor 4,8f; 2 Thess 1,4) erscheint es. 2) Θλῖψις meint
aber nicht nur äußere Bedrängnisse. So entspricht ihr 2 Kor 2,4 die συνοχὴ
καρδίας. Zu πᾶσα θλῖψις von 2 Kor 1,4; 7,4; 1 Thess 3,7 und zum ἐν παντὶ
θλιβόμενοι (2 Kor 4,8; 7,5; auch 2 Kor 1,5f; Kol 1,24) gehören auch innere
Bedrängnisse und Leiden. Solches Leid, solche Bekümmernis, Trauer sind
Phil 1,17; 2 Kor 7,5 gemeint. So kann der Gegensatz zu θλῖψις nach 2 Kor 7,5
ἄνεσις lauten (vgl. 2 Thess 1,7), Erholen, Aufatmen, Stille u. a. 3) Meist ist
θλῖψις (θλίβεσθαι) für Paulus die Bedrängnis um Christi und des Glaubens
willen, z. B. 1 Thess 1,6; 3,3.7; 2 Thess 1,4.6; 2 Kor 1,8; 6,4; aber auch die
Strafe im Gericht Gottes (Röm 2,9; 2 Kor 4,17; 8,13) wird so genannt oder auch
die Leiden, die die Gemeinden dem Apostel bereiten (2 Kor 2,4; Phil 1,17).
Θλῖψις schließt aber auch allgemeine Nöte und Bedrängnisse des irdischen
Lebens ein, so wahrscheinlich Röm 12,12; 1 Kor 7,28; 2 Kor 1,4; 4,17; 8,2
und auch unsere Stelle Röm 5,3. Es sind Teile der Leidensgeschicke dieser oder
jener Art. Konkret werden sie Röm 8,35 aufgezählt und ebenso – ohne daß
der Begriff fällt – in dem großen Leidensbrief 2 Kor 4,8ff; 6,4ff; 11,23ff, aber
auch 1 Kor 4,11–13. 4) Die θλῖψις ist für den Apostel nichts Zufälliges, sondern Notwendiges. Er ist mit dem apokalyptischen Judentum der Überzeu-

---

[11] Vgl. BLASS-DEBR., § 479, 1; WINER, § 545. Sie ist „gut griechisch" (LIETZMANN), aber
auch semitisch (DELITZSCH, Römerbrief, 81).
[12] Anders ZAHN, DODD, MICHEL (?).
[13] Vgl. SCHLIER in: ThWb III 139ff.

gung, daß sie Zeichen der Endzeit sind. Da diese aber für Paulus mit Jesus Christus angebrochen ist, kann man nichts anderes erwarten. Der Christ teilt mit Christus in allen seinen Bedrängnissen „die Leiden Christi" (2 Kor 1, 3 ff). Er schöpft sie als die eschatologischen Leiden Christi aus (Kol 1, 24). Paulus ist also weit entfernt von jenem seltsamen humanitären Glauben, daß die Leiden mehr und mehr verschwinden. Im Gegenteil: die Zukunft bis zum Ende ist mehr und mehr von ihnen erfüllt (vgl. 1 Kor 7, 26.28; 1 Thess 3, 2 ff; 2 Thess 1, 3 ff). Und in solchem eschatologischen Leiden setzt der Apostel um Jesu willen das Sterben Jesu für die ἐκκλησία fort (2 Kor 4, 7 ff; Kol 1, 24). 5) Das gemeinsam Bedrängende und die eigentliche δύναμις der θλῖψις ist der Tod, wie 2 Kor 1, 8 f; 4, 10 ff; 11, 23; Röm 8, 35 f. Von ihrer Todesmitte her wird die θλῖψις zur ständigen Versuchung, ist also keineswegs für den natürlichen Menschen als das zu sehen, woraus man das Leben erbaut und die Hoffnung auf die Herrlichkeit Gottes bewährt, sondern als die tödliche Erschütterung der Existenz und des Glaubens (1 Thess 3, 2 ff). Solche Versuchung kann man nur im Durchhalten der Hoffnung, auf die sie trifft, bestehen, welche die gegenwärtige, lebenslange Bedrängnis zu einem „bißchen" augenblicklicher Trübsal macht und vor der kommenden δόξα dahinschwinden läßt. Ein Kommentar zu unserer Stelle Röm 5, 3, daß wir uns auch der Bedrängnisse rühmen, ist 2 Kor 4, 16–18.

Der aus Glauben Gerechtfertigte rühmt sich also nicht nur der Hoffnung auf die künftige Herrlichkeit Gottes, sondern, wie es zunächst paradoxerweise heißt, auch der Bedrängnisse. In welchem Sinn ist solches „Rühmen" möglich? Das legt eine mit dem Partizip εἰδότες eingeleitete Klimax in der Art eines rabbinischen Kettenschlusses dar[14]. Vielleicht ist εἰδέναι, ähnlich wie Röm 7, 7; 2 Kor 5, 11; Eph 1, 18, im Sinn von „erfahren" zu verstehen: „Wir rühmen uns auch der Bedrängnisse, da wir aus der Erfahrung wissen." Die θλῖψις hat ja keineswegs bei allen Menschen und in allen Fällen dieselbe Wirkung. Es kommt durchaus auf ihre Interpretation an, die sich dann in einem bestimmten Verhalten zu ihr ausweist bzw. auswirkt. „Wir" – die aus Glauben Gerechtfertigten und so im Frieden mit Gott Lebenden, in der Gnade Weilenden, der künftigen δόξα voll Hoffnung rühmend uns Anvertrauenden –, wir wissen aus Erfahrung, daß sie – eben vom Glauben und von der Hoffnung her verstanden – ὑπομονὴν κατεργάζεται. Κατεργάζεσθαι ist „erzwingen", „verschaffen", „hervorbringen" u. ä., so wie wir schon Röm 4, 15 hörten, daß das Gesetz ὀργὴν κατεργάζεται, ferner Röm 7, 8.13; 2 Kor 4, 17; 7, 10b; 9, 11[15]. Die im Glauben (der Gerechtfertigten) im Licht der Hoffnung auf die Herrlichkeit Gottes entgegengenommene Drangsal erzeugt ὑπομονή. Ὑπομονή (ὑπομένειν) ist ein bei Paulus relativ häufiges Wort, z. B. Röm 12, 12; 1 Kor 13, 7; 2 Kor 1, 6; 6, 4; 12, 12; Kol 1, 11; 2 Tim 2, 10.12. Mit näherem Objekt oder Angabe der Umstände kann von der ὑπομονὴ ... παθημάτων (2 Kor 1, 6) oder von der ὑπομονὴ ... ἐν πᾶσιν τοῖς διωγμοῖς ὑμῶν καὶ ταῖς θλίψεσιν, αἷς ἀνέχεσθε (2 Thess 1, 4) oder von

---

[14] Vgl. STRACK-BILLERBECK III 222.
[15] Vgl. auch TestJos 10,1: ὁρᾶτε οὖν τέκνα μου, πόσα κατεργάζεται ἡ ὑπομονὴ καὶ ἡ προσευχὴ μετὰ νηστείαις.

τῇ θλίψει ὑπομένειν (Röm 12, 12) die Rede sein. Anderseits kommt auch ὑπομονὴ ἔργου ἀγαθοῦ (Röm 2, 7) vor, wobei der Genitiv gen. subj. ist. Ὑπομονή ist die Geduld, Ausdauer, Standhaftigkeit, Tragkraft u. ä. So auch V 3b/4. Sie ist auch sonst öfters und in verschiedener Weise mit der ἐλπίς verbunden. Gott ist nach Röm 15, 5 ὁ θεὸς τῆς ὑπομονῆς, der Gott, der geduldig Geduld und Trost gewährt, nach Röm 15, 13 aber heißt er auch ὁ θεὸς τῆς ἐλπίδος, der Gott, der Hoffnung ist und schenkt. Er verleiht Hoffnung und dadurch Geduld, Geduld und darin Bewahrung der Hoffnung. In Röm 12, 12 steht, wie wir schon hörten, die Mahnung: τῇ ἐλπίδι χαίροντες, und daneben: τῇ θλίψει ὑπομένοντες. Die freudige Hoffnung läßt die Geduld in der Bedrängnis erwecken. Vgl. auch Röm 15, 4. Es ist eine echte Hoffnung, die nicht sieht, sondern eben „hofft“, und zwar so, daß sie in Geduld wartet (Röm 8, 24f). Auch nach 1 Thess 1, 3 ist ὑπομονή mit der ἐλπίς eng verbunden. So wie der Glaube sich als solcher im ἔργον (im Missionswerk) erweist und die ἀγάπη mühevoll ist, so stellt sich die Hoffnung in der Geduld dar. So kann sich der im Glauben Gerechtfertigte, der sich der Hoffnung rühmt, auch der Bedrängnisse rühmen, da diese in ihm – nicht in jedermann – Geduld erzeugen und also die Frucht der Hoffnung, die zur Hoffnung führt.

Das letztere wird in V 4 dadurch zum Ausdruck gebracht, daß noch ein Zwischenglied eingeführt wird: diese Geduld, die, wenn man so sagen darf, bewährende und bewahrende Auskunft der Hoffnung, bewirkt δοκιμή. Sie läßt erprobt werden. Sie macht erfahren und bewährt inmitten und im Erdulden der Bedrängnisse und festigt so die Hoffnung. Δοκιμή ist ein im Hellenistischen seltenes Wort und nicht von δόκιμος abzuleiten, sondern eine Rückbildung von δοκιμάζειν [16] im Sinn von erproben. Es kommt im NT nur bei Paulus vor und meist im Sinn von Bewährung (2 Kor 2, 9; 9, 13; Phil 2, 22), einmal fast im Sinn von Bewährung, die einen Beweis darstellt: 2 Kor 13, 3. In 2 Kor 8, 2 ist von ἐν πολλῇ δοκιμῇ θλίψεως, von „reicher Bewährung in Bedrängnis“, die Rede, die im übrigen in der Freude einfältiger Freigebigkeit gesehen wird. Die Geduld, die der Hoffnung entspringt und sie ausweist, ruft erfahrene Bewährung hervor. Damit ist sie auf dem Weg der Hoffnung, d. h., in ihr, die kraft der Hoffnung entsteht und den Hoffenden und Geduldigen sich bewähren läßt, erwacht dadurch jeweils neue und stärkere Hoffnung. Es ist nicht so, wie Kuss sagt: „Und aus der freudigen Gewißheit, sich bewährt zu haben, entspringt neue Hoffnung.“ Paulus reflektiert nicht auf die subjektiven Empfindungen, die die bestandene Erprobung hervorruft, und er schreibt diesen hier wie sonst gewiß nicht die Fähigkeit zu, „Hoffnung“ (auf Gottes Herrlichkeit!) zu erwecken, gar noch in geistlichem Stolz; außerdem liegt ihm hier wie sonst psychologische Erwägung fern. Er sagt eindeutig, daß die δοκιμή Hoffnung wirkt, so wie die ὑπομονή δοκιμήν und so wie die θλῖψις dem Hoffenden Geduld. Die Bewährung der Geduld der Hoffnung in den Bedrängnissen des Lebens führt zur neuen Hoffnung. Und so ist es verständlich, daß die aus Glauben Gerechtfertigten sich auch der Bedrängnisse „rühmen“ können, auch aus

---

[16] BLASS-DEBR, § 110, 2, Anhang.

ihnen Erbauung des Lebens gewinnen. Aufgang und Untergang des Lebens stärken sie.

Und – ist der Fortgang des Gedankens in *V 5* – diese Hoffnung, die für den Hoffenden auch durch Bedrängnisse nicht zerstört, sondern gefördert wird, läßt uns nicht scheitern. Der Satz klingt für sich allein wie eine Weisheitssentenz. Er ist bei Nestle als Zitat gedruckt, ist aber nur eine Anlehnung an Formulierungen in den Psalmen [17]. Καταισχύνειν als solches steht neben „beschämen" bzw. im Passiv „beschämt werden" oder auch „sich schämen", z.B. 1 Kor 1, 27; 11, 22; 2 Kor 7, 14; 9, 4. Es heißt auch „Schande bringen" (1 Kor 11, 4f), „zuschanden machen" bzw. im Passiv „zuschanden werden", wie an unserer Stelle und Röm 9, 33; 10, 11 (Zitat); 2 Kor 10, 8 (Simplex wie Phil 1, 20) [18]. Gedacht ist an das Gericht, ob man καταισχύνει oder καταισχυνεῖ liest. Diese Hoffnung der aus Glauben Gerechtfertigten auf die δόξα Gottes macht nicht zuschanden, läßt den Hoffenden nicht in Schande dastehen, so daß er, könnte man mit apokalyptischem Begriff fortfahren, keine Parrhesie vor Gott hat, seine Augen nicht zu Gott zu erheben und nicht mit ihm zu reden vermag.

Aber warum läßt uns die Hoffnung, in der wir stehen und die sogar durch die Bedrängnisse über Geduld und Bewährung nur immer stärker und tiefer wird, nicht in Schanden dastehen? Die Antwort, die man erwartet, wäre die: weil sie erfüllt wird, weil sie, um mit 1 Kor 13, 13 zu reden, in dem, was sie ist, „bleibt". Aber die Antwort ist ausführlicher und sozusagen indirekter, schon im Blick auf den folgenden Gedanken der unbegreiflichen und unvergleichlichen Hingabe Jesu Christi formuliert. Die Begründung lautet zunächst in V 5b: „weil die Liebe Gottes in unsere Herzen ausgegossen ist durch den Heiligen Geist, der uns gegeben wurde". Es ist also davon die Rede, daß der Heilige Geist uns gegeben worden ist. Wieder ist in dem τοῦ δοθέντος ἡμῖν ein Aor. pass., der wahrscheinlich auch primär die Taufe im Auge hat als den fixierbaren entscheidenden Augenblick der Konversion, des Gläubigwerdens und von daher des „in Christus Seins". Aber natürlich ist auch des weiteren an alle anderen Weisen der Gabe des Heiligen Geistes zu denken. Eine sachliche Erläuterung unserer Aussage ist etwa 2 Kor 1, 21f; vgl. 2 Kor 5, 5. Aber auch auf 1 Kor 12, 13; Gal 3, 3; Eph 1, 13; 4, 30 kann man verweisen. Daß wir den Geist auch je und je in der Gegenwart empfangen, läßt z. B. Gal 3, 2.5 erkennen, wo gesagt

---

[17] So heißt es z.B. ψ 21, 5 LXX: 5 ἐπὶ σοὶ ἤλπισαν οἱ πατέρες ἡμῶν,
ἤλπισαν, καὶ ἐρρύσω αὐτούς·
6 πρὸς σὲ ἐκέκραξαν καὶ ἐσώθησαν
ἐπὶ σοὶ ἤλπισαν καὶ οὐ κατῃσχύνθεσαν,

oder ψ 24, 3.20 3 καὶ γὰρ πάντες οἱ ὑπομένοντές σε οὐ μὴ καταισχυνθῶσιν,
αἰσχυνθήτωσαν πάντες οἱ ἀνομοῦντες διὰ κενῆς...
20 φύλαξον τὴν ψυχήν μου καὶ ῥῦσαί με·
μὴ καταισχυνθείην, ὅτι ἤλπισα ἐπί σε.

Vgl. ψ 118, 31.
[18] Bultmann in: ThWb I 189.

wird, daß er ἐξ ἀκοῆς πίστεως kommt (vgl. Gal 3, 14 und die Ausführungen in
1 Kor 2,12ff; 2 Kor 11,4 oder 1 Kor 12,1ff u. a.). Von einem διδόναι τὸ
πνεῦμα αὐτοῦ (scil. θεοῦ) im Präsens ist 1 Thess 4, 8 die Rede (vgl. 1 Kor 2, 4).
Und daß die Christen, denen von Gott der Geist in der Taufe gegeben worden
ist und die ihn weiterhin im Hören des Evangeliums empfangen, „im Geist"
sind (also wie in der χάρις), in der Dimension und dem Wirkungsbereich des
Geistes, sagt Paulus Röm 8, 9. In solcher Weise – kann auch gesagt werden –
„haben wir den Geist" (Röm 8, 23). Aber dem Apostel geht es im Zusammenhang von Röm 5, 5b nicht primär um die Gabe des Geistes als solche, sondern
darum, daß durch ihn – er nennt ihn auch betont wie Röm 9, 1; 14,17; 15,13.16;
1 Kor 6, 19: 12, 3; 2 Kor 6, 6 u. a. πνεῦμα ἅγιον – „die Liebe Gottes in unseren Herzen ausgegossen ist", und das – vergessen wir es nicht! – als Begründung dafür, daß die Hoffnung nicht zuschanden macht. Der Heilige Geist, der
uns gegeben worden ist, läßt die Liebe Gottes in unsere Herzen einströmen.
Sie ist durch den Heiligen Geist in unseren Herzen „ausgegossen", und ebendies läßt unsere Hoffnung auf die Herrlichkeit Gottes auch in den Bedrängnissen des Lebens nicht zunichte werden. Die Verwendung des Wortes ἐκκέχυται
(Perf. des Geschehens mit fortdauernder Wirkung) ist bezeichnend. Ἐκχύειν
(ἐκχύννειν) wird sowohl in der LXX wie im NT mehrfach vom Geist gesagt:
Ez 39, 29 hebr., aber sonst in der LXX z. B. Zach 12, 10: καὶ ἐκχεῶ... πνεῦμα
χάριτος καὶ οἰκτιρμοῦ. Im NT kommen Apg 2, 17f (= Joel 2,28f); 2,33;
10, 45; Tit 3, 6 in Frage. Neben dem Ausgießen des Geistes ist nun aber gerade
im AT (LXX) vom Ausgießen anderer Gaben Gottes die Rede: der χάρις
ψ 44,3, der σοφία Sir 1,9, τὸ ἔλεος αὐτοῦ Sir 18,11, τὴν εὐλογίαν Mal 3,10,
ἡ δόξα μου Klgl 2,11; häufig freilich auch ὀργή und θυμός u.ä., z. B. ψ 68,25;
78,6; Sir 16,11 u.a.; Os 5,10: ἐπ᾽ αὐτοὺς ἐκχεῶ ὡς ὕδωρ τὸ ὅρμημά μου,
u. a. m. Und so ist bei Paulus die ἀγάπη τοῦ θεοῦ ausgegossen, die dann in den
VV 6–8 näher beschrieben wird. Röm 8,35 ist von der ἀγάπη τοῦ Χριστοῦ
die Rede (vgl. 2 Kor 5, 14; Eph 3, 19), Röm 8, 39 von der ἀγάπη τοῦ θεοῦ ἡ ἐν
Χριστῷ Ἰησοῦ τῷ κυρίῳ ἡμῶν. Endlich taucht Röm 15,30 die ἀγάπη τοῦ
πνεύματος auf. Diese Liebe Gottes ist es auch, von der es dann Eph 2, 4 heißt:
ὁ δὲ θεὸς πλούσιος ὢν ἐν ἐλέει, διὰ τὴν πολλὴν ἀγάπην αὐτοῦ, ἣν ἠγάπησαν
ἡμᾶς. Es ist *Gottes* Liebe in Jesus Christus durch den Heiligen Geist zu uns.
Und solche ἀγάπη τοῦ θεοῦ wurde durch den Geist ἐν ταῖς καρδίαις ἡμῶν
ausgegossen. Sie ergreift den Menschen von der innersten Mitte seiner Person
her, die nur Gott und dem Geist durchschaubar ist, in der aber die eigentlichen
Gedanken und Entscheidungen der menschlichen Geschichte oft gegen ihre
Vorstellungen fallen (vgl. zu Röm 1, 21). In dieses Zentrum der menschlichen
Existenz ist die Liebe Gottes durch den Heiligen Geist eingefallen, so daß sie es
nun bestimmt. Und ebendas läßt die Hoffnung, aus der unser Leben sich erbaut
und die durch den Abbruch unseres Lebens nur um so stärker wird, nicht illu-
sorisch sein. Von der Liebe Gottes, durch den Geist, der sie in unser Herz schüt-
tet, im Kern der Person ergriffen und besessen, ist für den aus Glauben Gerechtfertigten die Hoffnung, in der er sein Leben führt und die, auch und gerade in Bedrängnissen, stark wird, die Hoffnung, die auf die δόξα τοῦ θεοῦ hin-
aussieht, eine untrügliche und reale. Diese Liebe Gottes ist auch die, der uns

kein Geschick und keine Macht der Welt entreißen kann. Paulus denkt und formuliert auch hier objektiv. Er meint nicht, wie vielfach ausgelegt wird, daß das Wissen oder die Gewißheit von der Liebe Gottes, die der Heilige Geist in unsere Herzen gelegt hat, die Hoffnung gewiß sein läßt. Er meint auch nicht (mit Kuss), daß die Hoffnung deshalb nicht täuscht, weil „der von Gott gegebene Geist – in unseren Herzen – eine Überfülle von Gewißheit, von Gott geliebt zu sein", wirkt. Nicht weil wir der Liebe Gottes durch den Heiligen Geist gewiß sind, sondern weil *Gott* sich durch den Heiligen Geist unser in Liebe vergewissert – kurz gesagt: durch den Heiligen Geist in seiner Liebe hält –, kommt das, was wir hoffen, seine δόξα, über uns.

So ist bis jetzt in Kap. 5 gesagt: Wir sind aus Glauben gerechtfertigt worden (in der Taufe). Daher haben wir Frieden mit Gott durch unseren Herrn Jesus Christus. Durch ihn stehen wir auch in der Gnadendimension. Ein solches Leben lebt vertrauend in und aus der Hoffnung auf die künftige Herrlichkeit Gottes. Die Bedrängnisse, die der irdischen Hoffnung Abbruch tun, werden durch die Geduld und Bewährung der Hoffnung auf die Herrlichkeit Gottes paradoxerweise zu neuer Hoffnung, die nicht täuschende Illusion, sondern Realität ist, verwandelt. Denn sie hat eine überwältigende Garantie: die Liebe Gottes, die durch den Heiligen Geist das Zentrum unseres Lebens, unser Herz, erfüllt, die mächtiger ist als jedes Geschick und alle irdische Macht (Röm 8, 35 ff. 39 ff) und von Gott her unzertrennlich mit uns verbunden. Aber von welcher ἀγάπη τοῦ θεοῦ ist die Rede? Das wird in den VV 6–11 dargelegt: es ist die erstaunliche Liebe Gottes in dem für Gottes Feinde gestorbenen Jesus Christus, die jene Zukunft des Heils den Gerechtfertigten und Versöhnten eröffnen wird. So „rühmen" wir uns Gottes selbst durch unseren Herrn Jesus Christus, der uns die Versöhnung gewährte. V 11 greift auf 5, 2b zurück.

V 6 ist textlich unsicher. Das hängt wohl mit der Schwerfälligkeit der paulinischen Ausführungen zusammen, die in V 6 und V 7 die eigentliche Aussage erst vorbereiten, die dann in V 8 fällt [19]. An sich könnte V 8 der Sache nach unmittelbar an V 5 anknüpfen, freilich fiele dann ein für Paulus wichtiger Gesichtspunkt fort: die Unvergleichlichkeit, die Jesu Tod anhaftet, und also die Unvergleichbarkeit der Liebe Gottes.

Der Textbefund in V 6 ist folgender [20]: 1) ἔτι γάρ א A D* C K P sy^h min Orig

---

[19] Zu den VV 6–8 vgl. G. BORNKAMM, Paulinische Anakoluthe, in: Das Ende des Gesetzes (München 1952) 78–80.

[20] M. THRALL, Greek Particles in the NT. Linguistic and Exegetical Studies (Leiden 1962) 83 ff, legt die Varianten folgendermaßen vor:

ἔτι γάρ (+ ἔτι post ἀσθενῶν) א A C D* sy^h min.

ἔτι D^c ω Chrys al.

εἰς τί γάρ D^c G lat Iren^lat Ambrstr

εἰ γάρ 201 Isid Isid Pel Aug

εἰ γὰρ ἔτι sy^pal

εἰ γὰρ ὅτι copt^sah

εἰ γὰρ ὅτι copt^bo

εἰ δέ sy^pal

Als ursprünglichen Text nimmt sie εἴ γε B an und übersetzt S. 90: „At any rate if Christ died on behalf of the ungodly – as we are convinced he did."

Mcion Chrys Thdt, dabei lassen K P Orig min Chrys Thdt das zweite ἔτι nach ἀσθενῶν fort, was offenbar eine Erleichterung ist; 2) εἰς τί γάρ D^b G lat Iren^{lat} Ambrstr (ut quid enim) d; 3) εἴ γε B sah (= wenn anders, insofern als V 6 noch zu V 5 gezogen wird); 4) εἰ γάρ bo Ambrstr Aug vg IsidPel (Ep. II 117) sy^p, teilweise auch mit Weglassung des zweiten ἔτι. Der Satz wäre dann ein Anakoluth. Nach dem Textbefund, aber auch nach dem sachlichen Zusammenhang, ist die Lesart ἔτι γάρ die wahrscheinlichste, die anderen sind Versuche zu glätten. Der Zusammenhang von V 5 und V 6 ist danach dieser: Die Hoffnung läßt nicht zuschanden werden. Denn die Liebe Gottes besitzt unser Herz durch den Heiligen Geist. Ebendas ist ja geschehen, als wir noch „Schwache“ waren, noch zu der Zeit ist Christus für die Gottlosen (die wir waren) gestorben. Mit anderen Worten: das ἔτι ὄντων ἡμῶν ἀσθενῶν wird durch das ἔτι κατὰ καιρὸν ὑπὲρ ἀσεβῶν aufgenommen. Dabei gehört das κατὰ καιρόν entweder zu ἀπέθανεν, also: „noch zu dem (von Gott festgesetzten) Zeitpunkt starb er für die Gottlosen“, was innerhalb des Zusammenhanges unmotiviert ist und wobei das Eigentliche, nämlich: zu dem „von Gott festgesetzten Zeitpunkt“, nicht dasteht (anders Michel, Leenhardt, vgl. Ridderbos), oder das κατὰ καιρόνgehört zu ὄντων ἡμῶν ἀσθενῶν und dient der Unterstreichung des ἔτι ὄντων ἡμῶν ἀσθενῶν: „als wir noch schwach waren, noch zu der Zeit, noch damals ist Christus für die Gottlosen gestorben“. Das ist freilich kein glatter Satz. Aber das ist nichts Seltenes, wenn Paulus argumentiert, wie u. a. das Folgende bald zeigen wird. Noch eine dritte Möglichkeit ist zu erwägen, nämlich ἔτι κατὰ καιρόν zu ὑπὲρ ἀσεβῶν zu ziehen: „für die zu diesem Zeitpunkt Gottlosen“. Aber sollte man dann nicht – denn Paulus ist wohl oft unbeholfen in der Gedankenführung, aber nicht eigentlich in der Grammatik – erwarten: ἔτι ὑπὲρ τῶν κατὰ καιρὸν ἀσεβῶν? Mir scheint danach die als zweite erwogene Möglichkeit die wahrscheinlichste zu sein. Jedenfalls will der Apostel den ehemaligen Zustand derer, für die Christus gestorben ist, als „noch“ – „zu der Zeit“ für „schwach“ erklären und sie als ἀσεβεῖς charakterisieren und damit Jesu Sterben für sie als etwas Außerordentliches hervorheben, das keinerlei moralische Disposition bei denen voraussetzt, „für die“, und das heißt primär: „denen zugute“, er starb. Es waren ἀσθενεῖς, ἀσεβεῖς, ἁμαρτωλοί (V 8), ἐχθροί (Gottes) (V 10). Ἀσθενής, das in sehr verschiedenem Sinn bei Paulus vorkommen kann: körperlich schwach, hinfällig, beschränkt, schwach im Glauben, in der Erkenntnis u. a., ist hier nichts anderes als die anderen Kennzeichnungen. Ἀσεβής ist ein Charakteristikum des vorchristlichen Daseins, vgl. Röm 4, 5; 1 Tim 1, 9 neben ἁμαρτωλοί, auch Röm 1, 18. Es ist nicht die Gottlosigkeit im Sinn der ἀθεότης gemeint (vgl. Eph 2, 12), sondern im Sinn des Widerspruchs gegen Gottes Willen. Daher die Wiederaufnahme durch ἁμαρτωλοί, welche die Menschen von ihrer gemeinsamen Vergangenheit her waren (vgl. Röm 3, 7; Gal 2, 17; 1 Tim 1, 9.15). Als ἁμαρτωλοί waren sie aber auch ἐχθροί, nämlich Feinde Gottes (vgl. Röm 8, 7). Ἐχθροί hat – anders als Röm 11, 28 – einen aktiven Sinn. Für diese also ist Christus gestorben, und darin hat er die Liebe Gottes erwiesen, die in unseren Herzen ist und die uns die Hoffnung auf die Herrlichkeit Gottes garantiert. Zur Bezeichnung des Sterbens Jesu Christi steht noch

oft die summarische und traditionelle Wendung ἀποθνῄσκειν ὑπέρ (vgl.
Röm 14,15; 1 Kor 8,11; 15,3; 2 Kor 5,14f; 1 Thess 5,10), im selben Sinn
auch ἀποθνῄσκειν allein wie Röm 8,34; 14,9; Gal 2,21; 1 Thess 4,14. Das
ὑπὲρ ἡμῶν hat, wie wir schon sagten, bei Paulus den primären Sinn von „uns
zugute" (vgl. Röm 8,31.34; 1 Kor 11,24; Gal 2,20 [vgl. 1,4]; auch
2 Kor 5,21; Gal 3,13). Sekundär mag „an unserer Stelle" gelegentlich mitzuhören sein, weil eben „uns zugute"[21]. Aber „jedenfalls ohne uns" (Käsemann) ist der Sache nach zuwenig. Den „Schwachen" oder in Sünden Elenden,
denen, die sich gegen Gott auflehnten, den Menschen, wie sie ihrer Herkunft
nach in der damaligen Gegenwart (und ohne Glauben in der heutigen) waren,
ihnen zuliebe ist Christus gestorben. Welch seltsame einzige Liebe Gottes
und welch seltsamer einziger Tod Christi!

Das wird nun noch in *V 7* betont. Μόλις ist „schwerlich" oder „kaum"[22].
Ὑπὲρ δικαίου … ὑπὲρ … τοῦ ἀγαθοῦ ist maskulinisch zu verstehen[23], nicht
neutrisch[24]. Denn wenn auch sonst bei Paulus ἀγαθός nicht zur Charakterisierung von Personen vorkommt, so ist es an unserer Stelle durch den Zusammenhang mit ἀσθενής, ἀσεβής und dann ἁμαρτωλός, ἐχθρός begründet.
Dabei kann man keinen Unterschied zwischen dem δίκαιος und dem ἀγαθός
machen. Der Sinn der Aussage ist also nicht der, daß man für einen Guten
eher stirbt als für einen Gerechten. Das wäre schwer zu begründen und führt
zu Künstlichkeiten wie z. B. bei Zahn, für den der „Gute" ein naher Ver-
wandter oder Freund ist. Aber abgesehen davon, zeigt der Artikel von ἀγαθός,
daß nicht ein einzelner, sondern ein Typus gemeint ist[25]. Wahrscheinlich korrigiert V 7 b den Satz von 7a und limitiert ihn. Christus ist für die Gottlosen gestorben. Das ist seltsam, ja staunenswert. Denn kaum stirbt einer für einen
gerechten Menschen. Oder positiv und besser gesagt: vielleicht nimmt es einer
auf sich, für einen guten Menschen zu sterben. Christus ist aber für Sünder
und Gottlose gestorben. So ist Christi Sterben ohne jegliche Analogie. Von
unseren menschlichen Verhältnissen her kann man es nicht einsichtig machen,
ist es absurd.

V 8 Der nächste Satz ist dann um so gewichtiger und macht die V 5 erwähnte
ἀγάπη τοῦ θεοῦ noch deutlicher. Es ist eine Art wiederholende Zusammenfassung des Gedankens. Die Stellung von ὁ θεός ist in den Texten verschieden: 1) B Ephraem arm –; 2) sah am Anfang des Satzes; 3) vor εἰς ἡμᾶς
D G L lat syʰ vg min Mcion Chrys Basilius; 4) nach εἰς ἡμᾶς א A C bo K P min
syᵖ Orig. Diese letzte Stellung, die am besten bezeugt ist, ist wahrscheinlich die
ursprüngliche. Sie setzt das Subjekt wirkungsvoll an den Schluß des Satzes.
Paulus hat nicht vergessen, daß er von *Gottes* Liebe sprechen will, welche sich

---

[21] Umgekehrt z. B. G. DELLING, Der Tod Jesu in der Verkündigung, in: Apophoreta.
Festschrift für Ernst Haenchen (Berlin 1964) 85–96, 87f.
[22] BAUER WB 1042.
[23] GUTJAHR, MICHEL, RIDDERBOS u. a.
[24] SANDAY-HEADLAM.
[25] Vgl. MOULE, Idiom Book, 111.

gerade im Sterben Jesu Christi als solche erweist. Von Gott ist dann auch still-
schweigend in V 9, ausdrücklich in V 10 und betont in V 11 die Rede. Im
Deutschen ziehen wir natürlich das Subjekt vor: „Gott aber erweist seine
Liebe zu uns darin, daß Christus Jesus, als wir noch Sünder waren, für uns gestorben ist." Συνίστημι (daneben συνιστάνω) ist „darlegen", „darstellen",
„herausstellen", „erweisen", wie Röm 3, 5 oder (mit doppeltem Objekt)
2 Kor 6, 4; Gal 2, 18 [26]. Εἰς ἡμᾶς meint entweder die Richtung und das Ziel
der Liebe Gottes, gehört also mit συνίστησι zusammen oder, was wahrscheinlicher ist, zu τὴν ἑαυτοῦ ἀγάπην, die dadurch näher bezeichnet wird. Sie ist
seine Liebe zu uns, die er erweist. Von der Liebe der Menschen spricht Paulus
auch als von ἡ ἀγάπη εἴς τινα: 2 Kor 2, 8; Kol 1, 4; 1 Thess 3, 12. Wichtiger
ist, daß er im Zusammenhang das Praesens ἵστησι gebraucht. Nach ἐκκέχυται
(V 5) und den Ausführungen von V 6 und 8b erwartet man eher einen Aorist.
Aber Paulus will offenbar das einmalige Geschehen des Sterbens Christi für
uns als einen immer gegenwärtigen Erweis seiner allzeitigen Liebe zu uns darstellen. Sie ruht ja auch in unseren Herzen und erhebt ihren Zuspruch und
Anspruch an uns ständig im Evangelium und wird immer wieder im Herrenmahl geschenkt. Seine immerwährende Liebe zu uns *ist* die Liebe dieses Geschehens, des Sterbens Jesu für uns Sünder. Das ὅτι in V 8 b ist epexegetisch.
Das ἔτι ἁμαρτωλῶν ὄντων ἡμῶν hebt noch einmal das Erstaunliche und Singuläre dieses Sterbens Christi hervor. Die Liebe Gottes zu uns ist die Liebe zu
zu den Sündern. So ist klar, daß die Hoffnung auf die δόξα τοῦ θεοῦ, in der der
aus Glauben Gerechtfertigte sein Leben rühmend vollzieht und die durch die
Bedrängnisse über Geduld und Bewährung sich nur festigt, den Hoffenden
nicht zuschanden macht, sondern seine Erwartung erfüllt. Er ist ja, obwohl
Sünder, von der Liebe Gottes getragen, von jener Liebe, die anders als die
menschliche vorbehaltlos sich in Jesus Christus opferte.

VV 9–10 Ist das aber geschehen und uns widerfahren, dann steht die endgültige Rettung der aus Glauben Gerechtfertigten, der Hoffenden (!), nicht
aus. Dann werden wir gerettet werden, ist der Inhalt von V 9 und V 10. Das
wird in zwei Parallelsätzen zum Ausdruck gebracht, die beide den aus dem
Rabbinischen bekannten Schluß a minori ad maius (קַל וְחֹמֶר = Leichtes und
Schweres) zu Hilfe nehmen [27]. „Um wieviel mehr oder eher werden wir..."
(V 9). Gemeint ist: nun erst recht, da V 8 gilt, werden wir als die jetzt Gerechtfertigten ... durch ihn gerettet werden vor dem Zorn. Alles, was uns widerfahren ist, wird von neuem wie 5, 1 mit δικαιωθέντες wiedergegeben. Das νῦν
bezieht sich auf die gegenwärtige Situation eben der Rechtfertigung, die ἐν τῷ
αἵματι αὐτοῦ geschehen ist [28]. Jesu Christi „Blut"(-vergießen) ist der Grund

---

[26] KARSCH in: ThWb VII 836.
[27] Vgl. STRACK-BILLERBECK III 223ff. Vgl. CH. MAURER, Der Schluß „a minore ad majus"
als Elemente der paulinischen Theologie, in: ThLZ 85 (1960) 149–152; H. MÜLLER, Der
Qal-Wachomer-Schluß bei Paulus, in: ZNW 58 (1967) 73–92.
[28] BARRETT verweist auf die Möglichkeit, daß das ἐν ein Hebraismus ist (= בְּ) im Sinn von
„auf Kosten von". Aber die häufige Verbindung von δικαιοῦσθαι, δικαιοσύνη mit ἐν (vgl.

solcher jetzt wirksamen Rechtfertigung. Αἷμα ist in solchem Zusammenhang eine traditionelle Chiffre für das Sterben Jesu Christi am Kreuz wie bei Paulus auch Röm 3, 25; 1 Kor 11, 25.27 (in der Herrenmahlparadosis); Eph 1,7; 2,13; Kol 1,20; auch Apg 20,28 und Hebr ö. In dem Parallelsatz V 10 steht für ἐν τῷ αἵματι αὐτοῦ ein διὰ τοῦ θανάτου τοῦ υἱοῦ αὐτοῦ. Erweist Gott seine Liebe zu uns gegenwärtig durch das vollzogene Sterben Christi für uns Sünder, so werden wir, jetzt gerechtfertigt, im Glauben durch die Taufe oder durch die Taufe im Glauben, kraft des vergossenen Blutes Jesu Christi, erst recht durch ihn gerettet werden vor dem vernichtenden Zorngericht. Das endgültige Heil wird hier als σωθήσεσθαι ... ἀπὸ τῆς ὀργῆς bezeichnet. Auch sonst formuliert Paulus so oder ähnlich (vgl. Röm 10, 9.13; 11, 26; 1 Kor 3, 15; 5, 5 u. a.), oder er spricht von der eschatologischen σωτηρία, wie z.B. Röm 1, 16; 13, 11; 1 Thess 5, 8f. An unserer Stelle wird noch hinzugefügt, wovor er gerettet werden wird: vor dem eschatologischen Zorngericht Gottes. Ἡ ὀργή, in diesem Sinn absolut gebraucht, findet sich auch Röm 2, 5; 1 Thess 1, 10; 5, 9. Solche Rettung vor dem Gericht Gottes meint also nicht, daß der aus Glauben Gerechtfertigte sich nicht mehr zu verantworten habe. Dagegen spricht ja auch ausdrücklich Röm 14, 10; 2 Kor 5, 10; auch 1 Kor 3, 14f. Aber es meint, daß von den aus Glauben Gerechtfertigten „durch ihn", durch Jesus Christus, der Zorn Gottes abgewendet werden kann. „Durch ihn" meint den „bei der Parusie wirkenden Christus, der uns in sein Auferstehungsleben einbezieht, indem er uns von den Toten auferweckt, und der dadurch sein jetziges, Leben spendendes Pneuma-Wirken an uns zur Vollendung bringt" (Thüsing, a.a.O. 206). Es wäre auch an Röm 6, 5; 8, 21 u. a. zu denken, vielleicht aber, noch näherliegend – das eine schließt das andere nicht aus –, an Röm 8, 34, das ja gewiß nicht nur auf das irdische Leben Jesu zu beziehen ist. *V 10* wiederholt die Aussagen von V 9 mit anderer Begrifflichkeit, die ebenso objektiv das vergangene und zukünftige Geschehen beschreibt und dabei das „erst recht" oder „um wieviel eher" hervorhebt. V 10 erläutert deshalb V 9, wie auch das nicht eigentlich begründende, sondern erklärende γάρ zeigt: „wenn wir nämlich ..." Jetzt werden die aus Glauben Gerechtfertigten hinsichtlich ihrer Vergangenheit als ἐχθροὶ ὄντες charakterisiert, das uns widerfahrene Heilsgeschehen als ein κατηλλάγημεν τῷ θεῷ διὰ τοῦ θανάτου τοῦ υἱοῦ αὐτοῦ bzw. die, denen es widerfahren ist, kurz mit Part. Aor. pass. als καταλλαγέντες. Es sind also in den VV 9 und 10 bemerkenswerte parallele Aussagen, die einander erläutern: gerechtfertigt – versöhnt; durch das Blut Christi – durch den Tod seines Sohnes werden wir gerettet werden. Nur wird in V 10, teils um noch einmal das Erstaunliche dieses Geschehens hervorzuheben, teils um das καταλλάσσειν Gottes zu verdeutlichen, das ἐχθροὶ ὄντες, das einen aktiven Sinn hat wie ἔχθρα in 8, 7[29], hinzugefügt. Der Dativ τῷ θεῷ bezeichnet natürlich den, mit dem wir versöhnt wurden. Das Passiv weist auf Gott als den Versöhnenden hin. Eine Erläuterung unserer Aussage ist 2 Kor 5, 18ff. Καταλ-

---

G. Schmitz, Die Opferanschauung des späten Judentums und die Opferaussagen des NT, 1921, 224) lassen eher an das ἐν instrumentale denken.

[29] Zahn, Kühl, H. W. Schmidt, Käsemann.

λάσσειν, von Gott ausgesagt, meint sein in Jesus Christus versöhnendes Handeln, nicht etwa seine Gesinnungsänderung. Daher ist καταλλάσσεσθαι, von uns ausgesagt, auch nicht unsere Gesinnungsänderung, sondern das in die Versöhnung des versöhnenden Handelns Gottes Aufgenommenwerden der jetzt im Stande der Versöhnung Lebenden, so wie 5, 1 im Stande des Friedens mit Gott sein. Es geht um die geschehene und jetzt wirksame Erneuerung der Existenz, die sowohl mit δικαιωθῆναι wie mit καταλλαγῆναι beschrieben werden kann[30]. Sind wir also durch den Tod Jesu Christi aus dem Zustand der Feindschaft gegen Gott in den des Friedens mit ihm eingetreten, dann werden wir erst recht ewig gerettet werden. Paulus fügt diesem Gedanken in V 10 noch zweierlei hinzu, wodurch die formale Parallele zu V 8 etwas gestört wird. Einmal wiederholt er im Part. Aor. pass. καταλλαγέντες das κατηλλάγημεν von V 10a und unterstreicht es dadurch. Und zweitens variiert er: wir sind mit Gott versöhnt διὰ τοῦ θανάτου τοῦ υἱοῦ αὐτοῦ – wir werden gerettet werden ἐν τῇ ζωῇ αὐτοῦ. Die Varianten διά und ἔν, aber auch θάνατος – ζωή haben wohl keine sachliche Bedeutung, sondern sind rhetorischer Art, zu letzterer vgl. Röm 4, 25. Mit ἐν τῇ ζωῇ αὐτοῦ ist nicht das ἠγερθῆναι oder ζωοποιεῖσθαι Christi gemeint, sondern seine gegenwärtige ζωή als des von den Toten Erweckten und Lebendiggemachten, der ja z. B. Röm 5, 17b selbst als der genannt ist, durch den wir im Leben herrschen, hier aber unter dem Zwang des rhetorischen Gegensatzes durch den Hinweis auf seine wirksame ζωή ersetzt wird. Man kann im Blick auf V 9f sagen: die aus Glauben Gerechtfertigten – in Christi Jesu Blut – werden erst recht vor dem Zorngericht Gottes gerettet werden. Die durch den Tod Jesu Christi mit Gott Versöhnten werden erst recht durch Jesu Christi Leben gerettet werden. Also ἡ ὀργή und ἡ ζωή stehen sich gegenüber. Voraussetzung aber ist dies: ,,Er ist in Person das nicht mehr rückgängig zu machende ,Für uns' Gottes..." (Käsemann).

V 11 Damit ist der Gedankengang, der im weiteren Sinn noch zur Begründung von 5,5a gehört, abgeschlossen. Aber Paulus beendet den Abschnitt noch nicht. Er hat jenes καυχᾶσθαι, in dem sich das Leben des aus Glauben Gerechtfertigten vollzieht (5, 2–5), immer noch im Sinn und kehrt in V 11 noch einmal zu ihm als zur Gegenwart zurück. Zum zweitenmal taucht auch das οὐ μόνον δέ von V 3 auf. Dabei ist es schwierig, zu entscheiden, welches Verb bei οὐ μόνον δέ hier zu ergänzen ist und also wie die Anknüpfung gemeint ist. Gewiß nicht so, wie Lietzmann sagt: ,,Wir haben nicht nur das negative Gefühl der beseitigten Schuld, sondern können uns positiv Gottes rühmen ... mit mehr Recht als der Jude, 2, 17." Weder ein Gefühl noch negativ–positiv, noch der Jude kommen in Frage. Eher möglich ist eine Auslegung, die ein οὐ μόνον δὲ καταλλαγέντες σωθησόμεθα ergänzt und dann fortfährt: ἀλλὰ καὶ καυχώμενοι ἐν τῷ θεῷ (sondern als solche, die sich Gottes rühmen). Dann wären καταλλαγέντες und καυχώμενοι Charakterisierungen der Christen,

---

[30] Vgl. SCHLATTER, NYGREN, BARRETT, KUSS, KÄSEMANN u. a. R. BULTMANN, Adam und Christus nach Röm 5, in: ZNW 50 (1959) 145–160. Zur Versöhnungsterminologie vgl. auch Eph 2, 16; Kol 1, 20.

und die entscheidende Aussage bliebe σωθησόμεθα. Aber was soll diese Nebeneinanderstellung: „versöhnt und sich Gottes rühmend" „werden wir gerettet werden"? Die Parallelität dieses καυχώμενοι mit jenem in V 2b und V 3 wäre dann auch völlig aufgegeben. So scheint es mir wahrscheinlicher – aber letztlich bleibt es fraglich –, das οὐ μόνον δέ, ἀλλὰ καὶ καυχώμενοι auf die gesamten Aussagen von V 5b ab zu beziehen und in diesem Abschluß eine etwas gewaltsame Rückwendung zu jenen beiden καυχώμεθα zu sehen, wobei das Partizip καυχώμενοι in V 11 ein Verbum fin. vertritt und ebenfalls indikativisch[31] ist, wie das bei Paulus auch sonst vorkommt (vgl. Röm 12, 3ff). Wir rühmen uns nicht nur der Hoffnung auf die künftige Herrlichkeit Gottes und nicht nur der Bedrängnisse, die dem Hoffenden die Hoffnung immer wieder festigen, sondern wir rühmen uns auch – und fast kann man sagen: erst recht – Gottes, der solche Hoffnung auf seine δόξα in seiner in Christus erwiesenen Liebe uns unerschütterlich aufgetan hat. Nicht nur daß wir so durch Jesus Christus als Gerechtfertigte und Versöhnte gerettet werden durch den Tod und das Leben Christi, wir vertrauen auch (jetzt schon) unser Leben freudig Gott an. Hier bei dem dritten καυχώμεθα hat im Verb die Bedeutung „bekennen" oder „preisen" fast das Übergewicht erhalten. Nicht nur alles, was wir über Christus Jesus und Gottes Liebe, die unser künftiges Heil garantieren, gesagt haben, läßt unseren Lebensruhm der Hoffnung triumphieren, sondern wir rühmen uns auch Gottes selbst, und zwar διὰ τοῦ κυρίου ἡμῶν Ἰησοῦ Χριστοῦ. Solches διά... taucht auch sonst gelegentlich auf: beim Gebet und Dank (vgl. Röm 1,8; 7, 25a; Kol 3, 17 u. a.). Und wie streng das διὰ ... Ἰησοῦ Χριστοῦ gemeint ist, kann uns 2 Kor 1, 20 zeigen: wenn wir uns Gottes rühmen, rühmt Jesus Christus. Gerade dieser Satz verrät auch, daß wir es mit einem „Rühmen" der Gemeinde, also auch mit einem gottesdienstlichen Lobpreisen zu tun haben. Dieser Jesus Christus, der im Grunde unser καυχᾶσθαι vollzieht, wenn wir uns unseres Gottes rühmen, wird zum Schluß noch einmal dahin charakterisiert, daß wir „durch ihn jetzt die Versöhnung empfangen haben". Das νῦν ist nochmals hervorgehoben (vgl. V 9), und diesmal im Zusammenhang mit ἐλάβομεν. Gedacht ist also nicht an ihn als den, der die Versöhnung mit Gott durch seinen Tod gestiftet hat, wie V 10, sondern an den, der sie uns jetzt zuwendet bzw. den aus Glauben Gerechtfertigten eröffnet hat. Er, der versöhnende Versöhner, der uns jetzt als der Erhöhte die Versöhnung gewährt, ist auch der, durch den wir unser Leben in der Hoffnung auf seine Herrlichkeit entgegen allen Trübsalen, ja durch alle Bedrängnisse „rühmend" erbauen.

Damit ist dieser erste, gewichtige Abschnitt des zweiten Teiles des Römerbriefes zu Ende. Die Hörer in der Gemeinde zu Rom wissen jetzt schon etwas von dem, was ihnen als den aus Glauben Gerechtfertigten zuteil geworden ist. Im Zentrum des Ganzen steht die Hoffnung auf die künftige Herrlichkeit Gottes, die kraft der Liebe Gottes in Jesus Christus begründet ist und begründet wird. Diese ist als die Liebe Gottes in der Hingabe Jesu Christi für die Gottlosen absolut und garantiert die Erfüllung der Hoffnung auf den über uns schon angebrochenen Machtglanz Gottes.

---

[31] Kohortativisch meint KUSS.

12 Darum (gilt): Wie durch einen Menschen die Sünde in die Welt kam und durch die Sünde der Tod und so der Tod zu allen Menschen hindurchdrang, weil alle sündigten – 13 Denn bis zum Gesetz war Sünde bereits in der Welt, Sünde aber wird nicht gebucht, wo kein Gesetz ist. 14 Doch herrschte der Tod von Adam bis Moses auch über die, welche nicht gleich der Übertretung Adams gesündigt hatten. Das ist das verweisende Gegenbild des kommenden (Menschen). 15 Aber nicht wie mit dem Fall verhält es sich mit dem Gnadenwerk. Denn wenn durch den Fall des Einen die Vielen starben, um wieviel mehr strömte die Gnade Gottes und die Gabe, die mit der Gnadentat des einen Menschen Jesus Christus gewährt ist, auf die vielen über. 16 Und nicht entsprach der Sünde des einen die Gabe. Denn das Gericht führte von einem her zur Verdammnis, das Gnadenwerk aber von vielen Übertretungen her zur Rechtfertigung. 17 Denn wenn durch die eine Übertretung der Tod durch den Einen zur Herrschaft kam, werden um so eher diejenigen, welche den Überfluß der Gnade und der Gabe der Gerechtigkeit empfangen, im Leben herrschen durch den einen Jesus Christus. 18 Also: Wie es durch Übertretung des Einen für alle Menschen zur Verdammnis kam, so kam es durch des Einen Rechttat für alle Menschen zur Rechtfertigung, die Leben ist. 19 Denn wie durch den Ungehorsam des einen Menschen die Vielen zu Sündern gemacht wurden, so werden auch durch den Gehorsam des Einen die Vielen zu Gerechten gemacht werden. 20 Das Gesetz aber hat sich dazwischengedrängt, damit sich die Übertretung mehre. Wo aber die Sünde sich mehrte, da strömte die Gnade über und über, 21 damit, wie die Sünde im Tode herrschte, so auch die Gnade kraft der Gerechtigkeit zum ewigen Leben herrsche durch Jesus Christus, unsern Herrn.

Schon ein aufmerksames Durchlesen dieses zweiten Teiles von Kap. 5 zeigt, daß wir es in ihm mit einer ganz anderen Art der Darlegung zu tun haben als in 5, 1–11. Paulus fährt nicht fort, das, was uns, den aus Glauben Gerechtfertigten, widerfahren ist, und den Lebensvollzug, der dadurch bestimmt ist, zu entfalten. Das geschieht erst wieder in 6, 1 ff. Vielmehr sieht er auf die Geschichte der Menschheit als ganze, an der als ihm vorausliegende jeder einzelne Mensch teilhat und die er mitvollzieht. Diese Menschheitsgeschichte als das dem einzelnen Menschen zum Mitvollzug Vorgegebene ist einerseits durch Adam bestimmt, anderseits durch Christus und deren jeweiliges Geschick und jeweilige Tat. Es gibt für Paulus keinen Menschen und kein menschliches Dasein, das nicht, freilich in verschiedenem Sinn, von dieser mitgebrachten Herkunft geprägt ist.

Daß diese Aussagen eine ganz andere Struktur haben als die von 5, 1–11 ergibt sich aber nicht nur aus dem angedeuteten Inhalt, sondern auch im Zusammenhang mit ihm aus ihrer literarischen Art und ihrem Stil. Paulus geht vom „Wir"-Stil ab und läßt auch das Verkündigungspathos beiseite, legt dafür lehrhaft dar, deduziert und argumentiert. Er tut es mühsam Schritt vor Schritt, dazwischen u. U. abirrend, neue Anläufe nehmend. Bis er das Ziel der ihm vor Augen stehenden Aussage erreicht, nämlich VV 18ff, fügt er manche ihm notwendig erscheinende Nebengedanken ein (VV 13f. 20). So läßt sich auch kaum eine Gliederung des Gedankengangs erkennen. In gewissem Sinn gehören die VV 12–14. 15–17. 18–21 zusammen, aber man wagt den Abschnitten kaum eine Überschrift zu geben. Wir folgen daher dem Gedankengang im einzelnen[1].

V 12 Schon gleich die ersten Worte sind in ihrem Sinn heftig umstritten. Wie soll man διὰ τοῦτο verstehen, und worauf soll es sich beziehen? Auf 5, 11b oder 5, 1–11 oder gar 1, 17 – 5, 11? Es gibt bei strengem Gebrauch von „deshalb" kaum einen Sinn. Vgl. z. B. nur einen Bezug auf 5, 11b, der ja am nächsten läge: Durch Christus haben wir jetzt die Versöhnung empfangen. Deshalb kam es durch Adams Ungehorsam zur Verurteilung vieler, durch Christi Gehorsam dazu, daß viele gerecht wurden. Ebensowenig brauchbar ist ein Bezug auf 5, 1–11: Als aus Glauben Gerechtfertigte haben wir Frieden mit Gott und leben in der Hoffnung auf die Herrlichkeit Gottes, die uns nicht zuschanden macht. Deshalb: Wie durch einen Menschen die Sündenmacht in die Welt kam ... usw. Nicht anders ist es, wenn wir διὰ τοῦτο auf alles bisher Dargelegte beziehen. So wird man es mit Zahn, Lagrange, Lietzmann als eine unprägnante Übergangspartikel ansehen, ähnlich dem διό in Röm 2, 1; 15, 22. Sie ist nicht begründend, sondern fortführend, etwa in dem Sinn: man muß ja bedenken: ... Damit ist auch die Möglichkeit offen, 5, 12ff als Voraussetzung für 5, 1ff zu verstehen, wie es der Sache nach gefordert ist. Kaum wird man annehmen dürfen, daß im Diktat unwillkürlich falsche Partikel in den Mund geraten, weil ursprünglich ein anderer Gedanke vor Augen stand als der, der dann ausgeführt wurde. Das zweite, was in unserem Satz schon äußerlich auffällt, ist, daß er nach dem διὰ τοῦτο mit einem ὥσπερ beginnt, das, wie das ὡς bzw. ὥσπερ in den VV 18. 19 ein οὕτως erwarten läßt, aber keines bringt. Es ist also mit anderen Worten so, daß der erste, relativ lange[2] und jedenfalls gewichtige Satz ein Anakoluth ist. Das zeigt ebenfalls, daß Paulus die Aussage, die ihm vor Augen steht, durch andere Gedanken durchkreuzt. Wir müssen das Anakoluth zunächst als Hauptsatz verstehen. Seine Aussagen sind folgende: 1) Durch *einen* Menschen ist die Sünde in die Welt gekommen. Der εἷς ἄνθρωπος ist, wie V 14 zeigt, Ἀδάμ als τύπος τοῦ μέλλοντος. Er wird V 19 noch einmal als

---

[1] Vgl. dazu die Kontroverse K. BARTH, Christus und Adam nach Röm 5. Ein Beitrag zur Frage nach dem Menschen und der Menschheit, in: ThSt[B]55 (1952); R. BULTMANN, Adam und Christus nach Röm 5, in: ZNW 50 (1959) 145–165 (= Exegetica 1967, 424 bis 444); E. BRANDENBURGER, Adam und Christus. Exegetisch-religionsgeschichtliche Untersuchung zu Röm 5, 12–21 (1 Kor 15) (Neukirchen 1962); E. JÜNGEL, Das Gesetz zwischen Adam und Christus. Eine theologische Studie zu Röm 5, 12–21, in: ZThK 60 (1963) 44–74.
[2] KÄSEMANN meint, daß das Anakoluth bis V 17 reicht, was sich aber kaum rechtfertigen läßt.

„der eine Mensch" erwähnt, als ὁ εἷς in den VV 15.16.17.18. Dadurch wird schon angedeutet, daß es sich bei dem εἷς ἄνθρωπος nicht nur um einen beliebigen einzelnen Menschen handelt, sondern sozusagen um den „Urmenschen"[3], der alle folgenden Einzelmenschen schicksalhaft bestimmt, d. h. ihr wesentliches Geschick ist. In welcher Weise durch ihn „die Sünde in die Welt kam", wird hier nicht gesagt. Aber V 14 wird von der παράβασις (der Übertretung) Adams, in VV 15.17.18 von seinem παράπτωμα (seinem Fehltritt oder Fall), in V 19 von seiner παρακοή (seinem Ungehorsam) und V 16 von seinem ἁμαρτάνω gesprochen. Die Sünde ist durch den einen Menschen auf die Weise in die Welt gekommen, daß dieser „Eine" ein Gebot übertrat, einen Fehltritt machte, ungehorsam war, kurz „sündigte". Ἡ ἁμαρτία ist dabei die Sündenmacht, wie 5, 21 nahelegt. Und diese Sündenmacht ist mit der Sünde des einen Menschen „in alle Menschen" eingedrungen, hat sich also der Menschenwelt als ganzer bemächtigt. Die Sündenmacht, die den Menschen überwältigte, wird in den Sünden jedes Menschen akut. Diese Sünde als Sündenmacht ist auch in 6, 1ff.12.14 usw.; 7, 8. 9 u. a. gemeint (vgl. auch 1 Kor 15, 56). Es ist also mit unserem Satz V 5,12 a nicht gesagt: Adam hat gesündigt, und so ist mit seiner individuellen Sünde die Sünde in die Welt gekommen, sondern es ist gemeint: Durch die Übertretung, Verfehlung, den Ungehorsam Adams, „des einen Menschen", kam das Sündenwesen, das nun in der Menschheit herrscht und sie in jedem einzelnen beherrscht, in die Welt. Er hat durch seine Sünde ihre gemeinsame Sündenart angefangen. Er, und zwar er als der Urheber der Sündenmacht, ist ja die bestimmende Herkunft jedes Menschen. Damit ist für Paulus aber ein zweites zu sagen (V 12bc): καὶ διὰ τῆς ἁμαρτίας ὁ θάνατος (scil. εἰς τὸν κόσμον εἰσῆλθεν). Durch das Sündenwesen, das vom Sündigen Adams herkommt, ist zugleich „der Tod" – und auch hier können wir sagen: das Todeswesen – in die Welt gekommen. Es ist „die Todesmacht", wie 5, 14.17; 7, 5; 1 Kor 15, 21.22.26 (vgl. 24!); 1 Kor 15, 54bf; 2 Kor 4, 12, vor allem aber 1 Kor 3, 22; Röm 8, 38f. Es ist der Tod als kosmische Macht. Und dieses Todeswesen konkretisiert sich nicht nur jeweils in den Formen physisch-psychisch-geistiger Zerstörungen, letztlich im irdischen Sterben und Verwesen, sondern ὁ θάνατος ist als solcher die Auswirkung und der Ausweis des 5, 16–18 erwähnten Vernichtungsurteils Gottes (κατάκριμα) (vgl. κρίμα Röm 2, 2), die Manifestation von Gottes ὀργή (vgl. Röm 2, 5.8; 3, 5; 5, 9; Eph 5, 6; Kol 3, 6; 1 Thess 1, 10; 5, 9). Er ist θάνατος im Sinne der ἀπώλεια und des ἀπόλλυσθαι (vgl. Röm 9, 22; Phil 1, 28; 3, 19; Röm 2, 12; 1 Kor 1, 18; 8, 11; 15, 18; 2 Kor 2, 15; 4, 9), eines Verderbens und Untergangs schlechthin, die aus dem Zorn Gottes strömen. Da von Adam her ein jeder Mensch sündigt, muß auch ein jeder sterben; aber da das Sterben eine Auswirkung des Zornes Gottes ist, ist dieser Tod zu Ende, wo kein Zorn Gottes mehr waltet. So ist der Tod, dem wir alle unterworfen sind, teils Schicksal (von Adam her), teils Schuld, sofern und soweit der Mensch den Zorn Gottes durch sein Han-

---

[3] Zum religionsgeschichtlichen Hintergrund vgl. Brandenburger, a. a. O. 68ff, bes. 135 bis 139.

deln provoziert. Der Zusammenhang von Sünde und Tod ist nach Paulus auch sonst eng. Die Sünde bringt nicht nur den Tod als Strafe (Röm 1, 32) oder als Lohn (ὀψώνια; Röm 6, 23) ein, das von ihr beherrschte „Fleisch" trachtet (φρονεῖ, „sinnt", „denkt") auch nach dem Tod (Röm 8, 6). Es hat ein perverses Verlangen nach dem Tod. Der Tod ist das τέλος der Sünde (Röm 6, 21), ihre Intention zu ihm hin. Sie spielt ihm in die Hände (Röm 7, 5). Sie treibt als ein κέντρον den Tod an (1 Kor 15, 56). Sie – das ist vielleicht die umfassendste und prägnanteste Formulierung – „herrscht im Tod" (Röm 5, 21). Mit anderen Worten: der Tod ist die Herrschaftsform und Herrschaftsweise der Sünde. Das Sündenwesen, das das Todeswesen in die Menschheit strömen läßt, übt seine Macht in eben diesem Todeswesen aus. Mit jenem wird dieses für die Toten aufgehoben. Wenn aber der Tod (und die Sünde) in den Kosmos eingedrungen ist, so heißt das, daß er alle Menschen erreichte: καὶ οὕτως εἰς πάντας ἀνθρώπους ὁ θάνατος διῆλθεν. Διέρχεσθαι ist „gelangen zu", „etwas erreichen", z. B. Mk 4, 35: das jenseitige Ufer (vgl. Lk 8, 22; Apg 18, 27). Kaum ist dabei der Gedanke, daß das Todeswesen sozusagen die Reihe der Menschengeschlechter durchwandelte, mitgedacht. Vielmehr wird betont, daß sich das Eindringen der Todesmacht in den Kosmos so vollzog, daß sie ausnahmslos über alle Menschen herrschte, Geschlecht um Geschlecht, daß sie sich ohne Unterschied aller Menschen bemächtigte, und dies als Auswirkung und Ausweis der Sündenmacht, die mit der Verfehlung Adams in die Welt kam. Vgl. auch 1 Kor 15, 21 f: ἐν τῷ Ἀδὰμ πάντες ἀποθνήσκουσιν.

Aber wenn das gilt, ist dann die Sünde im Sinn der Sündenmacht für die Nachfahren Adams nicht einfach ein Verhängnis? Wird dann nicht die adamitische Menschheit durch ihre gemeinsame ursprüngliche Vergangenheit schicksalshaft zur Sünde bestimmt? Haben die Menschen sozusagen persönlich nichts mit der Sünde zu tun, sondern diese nur mit ihnen? Immerhin ist es mit dem alle Menschen ergreifenden Todeswesen doch so, daß es von seiten der Menschen im Sterben bestanden werden muß. Wie ist es mit der Sünde, die ja erst das Todeswesen auslöste? Diese Frage bewegte offenbar Paulus, als er in V 12d noch hinzufügte: ἐφ᾽ ᾧ πάντες ἥμαρτον, und zwar als Nachsatz zu 5, 12c bzw. 5, 12b. So wird also die Tatsache, daß das Sündenwesen (samt seiner Todesmacht) in die Welt gekommen ist, zweifach begründet: 1) δι᾽ ἑνὸς ἀνθρώπου, durch Adam und seinen Ungehorsam (5, 12a), und 2) ἐφ᾽ ᾧ πάντες ἥμαρτον (5, 12d). Ἁμαρτάνειν ist ohne Zweifel bei Paulus das Sündigen im Sinn des Sündenvollzuges des einzelnen Menschen, z. B. Röm 2, 12; 3, 23: πάντες ... ἥμαρτον, aber auch gleich Röm 5, 14.16; 6, 15; 1 Kor 6, 18 u. a. Es an unserer Stelle mit Lagrange u. a. mit „Erbsünde haben" zu übersetzen und also plusquamperfektisch zu verstehen, ist durch nichts gefordert und erlaubt. Aber was heißt ἐφ᾽ ᾧ?[4] Seine Bedeutung ist wegen der dogmatischen Belastung unseres Abschnittes sehr umstritten: 1) ἐφ᾽ = ἐν und ᾧ = masc. lateinisch: in quo, dabei wird es teilweise bezogen auf per unum hominem (Ambrstr, Augustinus, Sedulius, Fulgentius u. a.[5]). Aber ἐφ᾽ ᾧ ist nicht gleich

---

[4] Zur Geschichte der Auslegung J. FREUNDORFER, Erbsünde und Erbtod, §§ 5–8.
[5] HUBY-LYONNET, 190 Anm. 2.

ἐν ᾧ, und vor allem ist das ἐφ᾽ ᾧ zu weit von dem εἷς ἄνθρωπος entfernt. So wird es aber auch teilweise bezogen auf θάνατος[6]. Dann würde ἐφ᾽ ᾧ „aufgrund welches Todes" bedeuten oder auch „durch welchen Tod". Das wäre kein unmöglicher, aber kein paulinischer Gedanke, nämlich daß das Sündigen auf dem Grund der Todesverfallenheit des Menschen geschieht. Der „Tod" könnte dann ja auch nur das irdische Sterben sein[7]. Derselbe Gedanken ergäbe sich, wenn man 2) das ἐφ᾽ ᾧ neutrisch verstände: „aufgrund wovon", „unter welchen Umständen" – so etwa Zahn. Aber 3) ist ἐφ᾽ ᾧ aller Wahrscheinlichkeit nach nicht relativisch, sondern konjunktional im Sinn von ἐπὶ τούτῳ ὅτι[8], „daraufhin, daß alle sündigten", also „weil alle sündigten", zu verstehen, so wie es im übrigen auch sonst gebraucht wird, z. B. 2 Kor 5,4; Phil 3,12 (4,10) (Bardenhewer, Huby, Käsemann u. a.). Dann hieße der Satz: „wie durch einen Menschen die Sünde in die Welt kam und durch die Sünde der Tod und so der Tod zu allen Menschen hindurchdrang, weil alle sündigten". Ihm darf man dann freilich nicht wie eine Reihe von Exegeten von Cornelius a Lapide bis zu Bardenhewer und Freundorfer ein ἐν ᾽Αδάμ hinzufügen, so daß das ἁμαρτάνειν wieder meinte: „Erbsünde haben". Natürlich fand dieses ἥμαρτον „in Adam" statt, sofern es als einzelnes in der umfassenden Dimension der Menschheit sich vollzog, und d. h. *des* Menschen, den wir als einzelne in unserer Existenz ausprägen. Aber es fand eben *als* ἁμαρτάνειν der πάντες statt, nicht als Vollzug des adamitischen Schicksals, sondern als ihre jeweilige einzelne Entscheidung *für die Sünde* im Sündigen. Wenn man 5,12d so verstehen muß, dann ist im ganzen folgendes gesagt: 1) Durch einen Menschen, den alle umfassenden „Urmenschen", Adam, und seinen Ungehorsam trat die Sündenmacht in die Welt ein; 2) mit ihr und durch sie, ja in ihr die Todesmacht, die alle Menschen erreichte; 3) und zwar in der Weise, daß alle sündigten. Damit sagt Paulus aber über das Eindringen des Todeswesens in die Menschheit ein Zweifaches: Dieses Eindringen des Todeswesens, in dem die Sünde ihre Herrschaft ausübt (5,21), hat einmal seinen Grund in dem durch Adam ausgebrochenen Sündenwesen und zweitens in dem Sündigen aller Menschen. Aber ist das nicht ein Widerspruch? Man hat die Aussage oft als solchen empfunden und versuchte ihn mannigfach abzuschwächen, z. B. wie Lietzmann, für den V 12d ein „mehr störender als fördernder Nebengedanke" ist, oder Kuss: Paulus bringt den ihm vorschwebenden Gedanken „zunächst noch nicht zu der erwünschten Klarheit". Für Bultmann[9] ist V 5,12d „eigentlich überflüssig" u. a. m. Aber ist er wirklich überflüssig, ist er nicht geradezu notwendig, um den Sachverhalt sachgemäß wiederzugeben? Paulus versucht keinen Ausgleich. Aber indem er 5,12d etwas nachträglich hinzufügt und dadurch, wie wir sehen werden, sogar zu einer Erläuterung gezwungen wird, die nicht im Zuge des Haupt-

---

[6] Zahn, Nygren; Cerfaux, Christus, 149.
[7] Vielleicht ist Hebr 2,15 so gemeint.
[8] Blass-Debr, § 294, 4
[9] A. a. O. 157 bzw. 433.

gedankens liegt, fordert er den Hörer zum mindesten auf, sich über das von Paulus gemeinte Phänomen Gedanken zu machen. Aus dem noch hinzugefügten Sätzchen 5,12d wird nämlich deutlich, daß die Sündenmacht, die durch den einen Menschen in die Welt kam, immer in der Weise herrschte, daß die in sie gebannten Menschen sich in ihren Sündentaten für das von Adam her überkommene Sündenwesen auch selbst entschieden haben. So war das Sündenwesen, das von der alle Menschen umfassenden Vergangenheit her dem Menschen zukam, konkret, indem er es in seinem Sündigen vollzog[10]. Mit anderen Worten: Durch dieses Nebeneinanderstellen der beiden Aussagen über die Sünde bzw. den in der Welt herrschenden Tod, also durch die Aussagen in 5,12a + d, durch die Hinzufügung jenes „eigentlich überflüssigen" Sätzchens 5,12d, wird das Wesen der Sünde erst vollständig umschrieben: als Sündenmacht existiert sie im Sündigen. Umgekehrt ist Sündigen immer ein Eingehen auf die Sündenmacht. Das in die Welt von Anfang der Geschichte an eingedrungene Sündenwesen ist nicht eine Idee oder eine Hypostase, sondern es *ist* im Vollzug konkreten Sündigens. Umgekehrt: Der Sündenvollzug ist nicht eine allein auf sich stehende, in eine heile Welt je und je einbrechende Entscheidung des einzelnen Menschen, sondern in dessen Entscheidung liegt immer ein Sicheinlassen auf das Sündenwesen, das dieses existent werden läßt. Sündigen ist: das Sündenwesen im Sündenvollzug heraustreten lassen. Nur bei solchem Verständnis und also nur in der Kombination von 5,12a *und* 5,12d ist die Sünde einerseits nicht nur ein Verhängnis der geschichtlichen Welt und anderseits nicht nur ein jeweiliges Produkt des jeweiligen Menschen. Wäre sie nur eine schicksalhafte Verfassung, käme Paulus den Aussagen mancher Qumrantexte oder auch gnostischen Vorstellungen nahe. Wäre aber nur vom ἁμαρτάνειν und nicht von der ἁμαρτία als Macht die Rede, also davon, daß es das Unheil nur in der aktuellen Sünde gibt, dann würde Paulus in Richtung auf einen jüdischen (oder z.T. auch heidnischen) Moralismus denken, dogmengeschichtlich als christlicher Moralismus mit „Pelagianismus" bezeichnet. Formal wäre in beiden Fällen übersehen, daß Existenz immer ein aus der Zukunft geborenes Verhalten zur bestimmenden Vergangenheit in der Gegenwart ist.

Die Unbeholfenheit in der Formulierung und das unausgeglichene Nebeneinander der beiden Aussagen über die Sünde und das Sündigen, das, wie wir gesehen haben, sachlich ein Ineinander ist – anders als etwa syrBar 54,15f –, hängen natürlich auch damit zusammen, daß Paulus im Hauptgedanken nicht eigentlich von der Sünde, sondern vom Tod reden will, diesen Tod, die Todesmacht in der Welt, nicht anders verstehen kann als das Todeswesen der Sünde.

---

[10] Vgl. E. Brandenburger, a.a.O. 118: „Paulus sieht also einerseits die den Menschen von vornherein umschließende Mächtigkeit. Es liegt ihm aber anderseits daran, das Sein des einzelnen vor Gott nicht durch eine ihn vorgängig bestimmende ἀνάγκη festgelegt zu sehen. Das gleichwohl immer schon bestimmende, unentrinnbare Verfallensein aller unter Sünde und Tod ist also als Ergebnis einer nun einmal geschichtlich so und nicht anders gewordenen Tatsächlichkeit, nicht aber einer verhängnisvollen Notwendigkeit zu verstehen." Auch Jüngel, a.a.O. 51: „Ohne diesen begründenden Zusatz wäre das mit Adam für alle inaugurierte Todesgeschick als Schicksal verstanden."

Auch der Tod ist, und eigentlich viel deutlicher als die Sünde, ein Geschick, das jeweils im Sterben bestanden werden muß.

Paulus bricht nach V 12 den Satz ab und läßt dem ὥσπερ kein οὕτως folgen. Offenbar ist ihm ein οὕτως-Satz noch nicht genügend vorbereitet und vielen Mißverständnissen ausgesetzt. An sich könnte der οὕτως-Satz dem ὥσπερ-Satz entsprechend nur lauten: so ist (oder wird) durch einen Menschen die Gerechtigkeit Gottes in die Welt gekommen (oder kommen) (vgl. 3, 21) und durch die Gerechtigkeit Gottes das Leben (vgl. 5, 21). Hier wäre freilich die Parallele zu Ende. Denn ein „weil alle Gerechtigkeit übten" könnte nicht ohne Mißverständnisse gesagt werden. Aber auch ohne genaue Entsprechung, die an sich ja nicht gefordert ist, wäre der Satz in einem anderen Sinn mißverständlich. Wohl sind Sünde und Gerechtigkeit, Tod und Leben die entscheidenden gegensätzlichen Mächte, die einerseits die Vergangenheit der Menschen und von ihr her die Gegenwart bzw. die Zukunft bestimmen. Aber bestand Christi Tat wirklich nur in einer Ablösung und einem Ausgleich der Vergangenheit, in einer Kompensation des Gewesenen? Gewiß nicht! Hier muß – jedenfalls zuerst – etwas ganz anderes gesagt werden als ein ὥσπερ – οὕτως. Hier muß man zuerst und vor allem von einem οὐχ ὡς – οὕτως und einem πολλῷ μᾶλλον reden, was Paulus dann ja auch in den VV 15–17 eindringlich tut. Danach kann seine Aussage in ein dreifaches ὥσπερ – οὕτως einmünden.

Aber Paulus beginnt noch nicht sofort mit der Aussage von V 15ff. Zwischen den VV 12 und 15 stehen die Sätze VV 13.14, die einen freilich notwendigen Nebengedanken ausführen. Sie unterstreichen in bestimmter Hinsicht die Aussage von V 12 und verteidigen ihre Richtigkeit gegenüber einem möglichen Einwand, den man gegen den Konjunktionalsatz V 12d vorbringen könnte und der etwa dahin geht: Wie kann denn durch den einen Menschen (Adam) Sünde und Tod in die Welt gekommen sein, und zwar so, daß in der konkreten Einzelsünde der Menschen diese Sünde (samt ihrem Tod) aktuell wird; wie ist das möglich, da es doch von Adam bis Moses *kein Gesetz gab* und man von Sündigen doch nur reden kann, wo es das Gesetz gibt (vgl. 4, 15)? Paulus macht dieser von jüdischen Voraussetzungen verständliche Einwand offenbar zu schaffen. Es ist das dritte Mal, daß der νόμος in einem Nebengedanken gleichsam „dazwischen hineinkam", und zwar jedesmal im besonderen Verhältnis zur Sünde (vgl. 3, 20; 4, 15b und jetzt 5, 13f, später 5, 20;7, 5). Aber erst in dem großen Exkurs 7, 7–25 wird dieses Verhältnis thematisch aufgegriffen. Hier, in 5, 13f, wird es nur kurz behandelt und dann fallengelassen. Die Universalität der Sünde könnte ja bedroht sein, wenn man daran denkt, daß Sünde im eigentlichen Sinn nur dort ist, wo das Gesetz ist. Und das Gesetz, die Tora, gab es doch bis Moses nicht. Aber, sagt Paulus, es gab durchaus „Sünde" (ohne Artikel!), auch bis zum Erscheinen des Gesetzes oder (V 14) ἀπὸ ᾿Αδὰμ μέχρι Μωϋσῆς, in der Welt *(V 13 a)*. Es ist dies im übrigen für Paulus ein bestimmter Abschnitt der Menschheitsgeschichte. *Ein* Unterschied freilich besteht: Sünde wird nicht „gebucht" und also ausdrücklich gemacht, wo kein νόμος ist. ᾿Ελλογεῖν[11] ist ein Begriff der hellenistischen Geschäftssprache und heißt:

---

[11] Vgl. G. Friedrich, ἁμαρτία οὐκ ἐλλογεῖται Röm 5, 13, in: ThLZ 77 (1952) 504ff.

„aufs Konto setzen" (vgl. Phm 18), „auf die Rechnung schreiben", „ankreiden" (Käsemann). Er ist hier von einem spezifischen jüdischen Vorstellungshintergrund her zu verstehen: Dort kann die Tätigkeit des „Verbuchens" von Verdienst oder Übertretung als ein Eintragen in himmlische Bücher bezeichnet werden, z. B. TestBenj 11, 4; syrBar 24, 1; Herm (v) I 2, 1, als ἀναγρά-φεσθαι, wie der Ausdruck lautet. Es kann aber auch eine bestimmte Tat mit einer anderen, deren Buchungswert bekannt ist, verglichen werden[12]. Aber nicht selten geht es auch allgemein darum, daß eine bestimmte Tat als Verdienst oder Übertretung in Rechnung gestellt wird[13]. Eine Verbindung von beidem findet sich z. B. Jub 30, 17, wo es von den beiden Jakobssöhnen heißt, daß ihre Taten ihnen „zur Gerechtigkeit angerechnet und aufgeschrieben wurden". Mit anderen Worten: Wenn Paulus hier davon spricht, Sünde hat es durchaus auch bis zur Ankunft der Moses-Tora gegeben, sie wird aber vor dieser nicht „gebucht", also in ihrer Größe und in ihrer Qualität nicht in die himmlischen Bücher eingeschrieben, dann meint er nicht, daß es sich bei der Sünde derer, die vor Moses lebten, um eine solche handelt, die nicht „persönlich" oder nicht „aktiv" oder nicht „bewußt" geschehen ist und die daher eine mildere Strafe oder gar keine Strafe empfängt, wie man vielfach auslegt, sondern daß sie, da sie nicht in Rechnung gestellt wurde und werden konnte – in dem genannten spezifischen Sinn –, nicht eine παράβασις τοῦ νόμου heißen und als solche geltend gemacht werden kann. Erst der νόμος kann Sünde als solche qualifizieren. Sünde gab es schon vor Moses – und sachlich heißt das zugleich: außerhalb der Herrschaft der Tora –, aber durch den νόμος als solche erkannte und qualifizierte gab es noch nicht.

Das wird durch *V 14* bestätigt. Es herrschte ja auch der Tod schon über die, die nicht wie Adam in der Weise der Übertretung des Gesetzes gesündigt haben[14]. Denn auch die „ungebuchte" Sünde ist Sünde, und Sünde strahlt den Tod aus. Dieser kümmert sich nicht um das ἐλλογεῖν der Sünde und ist als solcher ein Erweis ihres allzeitigen Waltens. Ob die Sünde „gebucht" wird und als παράβασις getan oder als solche nicht fixiert wird, besagt nichts über ihr Vorhandensein. Auch über die μὴ ἁμαρτήσαντες ἐπὶ τῷ ὁμοιώματι τῆς παραβάσεως Ἀδάμ, die also nicht „gleich" Adam auf ein ausdrückliches Gebot hin sündigten, herrscht der Tod. So muß es zwischen Adam und Moses Sünde gegeben haben. Ἀλλά ist wie auch sonst öfters „gleichwohl", „trotzdem" oder beim Übergang das einfache „doch" (vgl. Röm 10,18f, auch Lk 22,36; Joh 4,23 u. a.). Ὁμοίωμα meint hier „Gleichheit", „Ähnlichkeit", also ἐπὶ τῷ ὁμοιώματι … in der der Übertretung Adams ähnlichen Weise[15]. Adam sündigte auf ein Gebot hin in der Weise einer ausdrück-

---

[12] STRACK-BILLERBECK III 121 ff.
[13] BRANDENBURGER, a. a. O. 197 ff.
[14] Zur Sünde Adams und ihrer Bedeutung für die Menschheit vgl. STRACK-BILLERBECK III 227 ff; P. VOLZ, Eschatologie 7. 189 300 ff; A. MARMORSTEIN, Paulus und die Rabbinen, in: ZNW 30 (1931) 271–285.
[15] Vgl. BAUER WB 1123f; LIETZMANN, MICHEL. Dagegen KÄSEMANN.

lichen παράβασις, die Menschen nach ihm bis zu Moses aber nicht analog. Aber auch sie sündigten. Und so herrschte auch über sie der Tod, der ja διὰ τῆς ἁμαρτίας ’Αδάμ in die Welt gekommen ist. Damit hat Paulus seine Aussage von 5,12a + d erwiesen, d. h. gegen einen spezifischen Einwand gefestigt. Sünde und Tod sind allumfassende Phänomene in der Welt vor Christus. Da sie von Adam also, „dem einen Menschen", herkommen, ist dieser „eine" ein τύπος jenes anderen, der hier ὁ μέλλων heißt und, was hier noch nicht gesagt wird, δικαιοσύνη und ζωή für alle, die sich auf ihn einlassen, bringt. Τύπος [16], das im Griechischen der „Schlag", das „Prägende" und das „Geprägte", also der durch den Schlag hervorgerufene „Eindruck", aber auch das „Geformte", die „Gestalt", das „Abbild", auch das „Muster" und „Vorbild" u. a. heißen kann, ist bei Paulus öfters außer in den Bedeutungen „Vorbild", „Beispiel" (Phil 3,17; 1 Thess 1,7; 2 Thess 3,9; vgl. 1 Tim 4,12; Tit 2,7) und „Form", „Gestalt" (Röm 6,17) im Zusammenhang mit der alttestamentlichen Typologie, wie wir sie z. B. 1 Kor 10,6.11 erwähnt finden, gebraucht. Hierher gehört auch unsere Stelle, obwohl es sich nicht um ein typologisches Geschehen, sondern um eine typologische Gestalt handelt. Adam ist der τύπος auf Christus, in seiner (heilsgeschichtlichen) Person das auf ihn hinweisende „Urbild" als Gegenbild. Wenn Christus ὁ μέλλων genannt wird, so muß offenbleiben, ob das substantivisch (etwa wie ὁ ἐρχόμενος Mt 11,3; Hebr 10,37 = Hab 2,3) oder, was näher liegt, adjektivisch gemeint ist: ὁ μέλλων ’Αδάμ, so wie ὁ δεύτερος ἄνθρωπος 1 Kor 15,47 oder besser: ὁ ἔσχατος ’Αδάμ 1 Kor 15,45. Der Anfang der universalen Herrschaft von Sünde und Tod in Adam weist auf deren Ende im eschatologischen Adam, in Christus, hin[17].

So weit ist Paulus also in seinen Darlegungen im neuen Abschnitt 5,12–21 bis jetzt gekommen, daß er unter Abbruch des Satzes, der mit ὥσπερ begann, dem aber kein οὕτως entsprach, und unter Einschaltung der Abwehr des Gedankens, der sich mit dem Problem der Zeit zwischen Adam und Moses hinsichtlich von Sünde und Tod beschäftigt, im Blick auf Adam und seine universale Wirkung und Bedeutung nun von dem reden kann, der τύπος des zukünftigen Adam ist. Aber warum schreibt Paulus zuerst das Anakoluth (5,12), legt dann eine für seine Argumentation freilich notwendige Abgrenzung und Sicherstellung seiner Aussage ein (5,13f), kehrt darauf etwas überraschend und gerade noch angeheftet mit dem Relativsatz ὅς ἐστιν τύπος τοῦ μέλλοντος (5,14b) zum Gedanken des ὥσπερ – οὕτως zurück, fährt aber dann doch nicht – noch nicht – mit einem ὥσπερ – οὕτως fort? Offenbar will er noch etwas anderes sicherstellen und einprägen: die Überlegenheit, ja Unvergleichlichkeit der Gaben, die der zukünftige Adam, Christus, bringt, gegenüber dem Unheil, das Adam über die Menschen brachte. Der zukünftige Adam ist nicht die Kompensation des ersten Adam und dessen, was dieser brachte, sondern unvergleichlich und unerschöpflich mehr. Wenn das gesagt ist – eben

---

[16] Zur vielfältigen Bedeutung dieses Begriffes vgl. BAUER WB 1642.
[17] Zur Frage des Verhältnisses von Apokalyptik und Typologie vgl. H. GOPPELT, Apokalyptik, 321–344.

in 5,15–17 –, dann kann das ὥσπερ – οὕτως unmißverständlich dargelegt werden (5,18–21)[18].

Dabei wird von der Überlegenheit des Geschehens und der Gabe Christi in formaler Hinsicht eigentümlich gesprochen: 1) Die Sätze sind formal einander nicht gleich. V 15 und V 16 bestehen je aus einer Behauptung: 15a und 16a, und einer jeweiligen Begründung: 15b und 16b (γάρ). In V 17 dagegen ist die Behauptung nicht ausgesprochen, sondern wird nur eine Begründung (γάρ) gegeben, die sich aber auf die Behauptung von V 16 bezieht. Diese wird also zweifach begründet. 2) Auch in anderer Hinsicht sind die Sätze formal nicht in gleicher Weise gefügt. Zwar beruhen alle Aussagen von VV 15.16.17 auf dem Schluß a minori ad maius, besser: auf dem rabbinischen Qal-Vachomer-Schluß, den wir aus 5,9.10 kennen. Aber nur die VV 15 und 17 bringen ihn im hiesigen Zusammenhang mit πολλῷ μᾶλλον zum Ausdruck, V 16 enthält ihn nur implizit, und zwar liegt bei Paulus dieser Schluß, dessen Ziel es ist, festzustellen, um wieviel mehr etwas gilt und vor allem um wieviel gewisser etwas gilt, in seiner komplizierteren Form vor. Für die einfache Form kann man als Beispiel Pᵉsiqta 99a anführen: „Schön ist das Schweigen für die Gelehrten, um wieviel mehr für die Einfältigen." Für die kompliziertere Form seien zwei Beispiele genannt, die sich auch inhaltlich mit unserer paulinischen berühren, ohne dasselbe zu sagen. Sifre Lv 5,17 (120a) heißt es: „R. Josa (um 150) sagte: Wenn Du den Lohn der Gerechten in der Zukunft lernen willst, so geh und lerne ihn vom ersten Menschen; ihm war nur *ein* Gebot befohlen als Verbot, und er übertrat es. Sieh, wie viele Todesfälle sind als Strafe über ihn und seine Geschlechter und die Geschlechter seiner Geschlechter bis ans Ende seiner Geschlechter verhängt worden! Und wie? Welches Maß ist größer? Ist das Maß der (göttlichen) Güte größer oder das Maß der Strafen? Sage: das Maß der Güte. Wenn nun beim Maß der Strafen, das geringer ist, wer weiß wie viele Todesfälle über ihn und seine Geschlechter und die Geschlechter seiner Geschlechter bis ans Ende aller Geschlechter als Strafe verhängt worden sind – um wieviel mehr gilt dann von dem, der sich zurückhält vom Piggul (Opfergenuß über die erlaubte Zeit hinaus) und (dem verbotenen Genuß) von Opferresten und der am Versöhnungstag fastet, daß er für sich und seine Geschlechter und die Geschlechter seiner Geschlechter bis ans Ende aller Geschlechter Verdienst erwirbt."[19] Als zweites Beispiel sei 4 Esr 4,30f angeführt: „Ein Körnchen bösen Samens war im Anfang in Adams Herz gesät, doch welche Frucht der Sünde hat das bis jetzt getragen und wird weitertragen, bis die Ernte kommt. Ermiß also selber: wenn schon ein Körnchen bösen Samens solche Frucht der Sünde getragen hat – wenn einst Ähren des Guten gesät werden ohne Zahl, welche große Ernte werden die geben! …" Man sieht: Bei dieser Form des Qal-Vachomer-Schlusses handelt es sich nicht *nur* darum, daß gesagt wird: erst recht, um wieviel mehr, um wieviel besser, sondern auch darum, daß sich dieser Schluß mit dem vorausgegebenen und als selbstver-

---

[18] Vgl. L. GOPPELT, a.a.O. 330: „Typ und Antityp sind formal durch eine Entsprechung verbunden, die eine Steigerung einschließt." Zu Röm 5,15.17 H. MÜLLER, a.a.O. 80ff.
[19] STRACK-BILLERBECK III 230; vgl. 223–228.

ständliche Voraussetzung verstandenen Gedanken an die Überlegenheit des Maßes des Guten, der göttlichen Güte, gegenüber dem Maß der Strafen verbindet, so wie auch Röm 5,15–17. Für die einfachere Form vgl. Röm 5,8f.10, aber auch 11,12.24; 2 Kor 3,8.11 u. a. im NT. 3) Ein Drittes aber ist zum Formalen im voraus zu bemerken: Trotz der formalen Unausgeglichenheit und Traditionsabhängigkeit der paulinischen Sätze geht der Gang ihres Gedankens in sachlichem Fortschritt weiter, und zwar – um es vorläufig so zu sagen – in folgender Weise: die Unvergleichlichkeit des Gnadengeschenkes Jesu Christi für alle (V 15), das unvergleichliche Kommen des Gnadengeschehens durch einen für alle (V 16), die Unvergleichlichkeit der Gnadengabe und des Gnadengeschickes für die Glaubenden (V 17).

Die These des Apostels wird mit einem adversativen ἀλλά in *V 15* an den vorhergehenden Relativsatz V 14b angeschlossen und zu der darin enthaltenen Behauptung in scharfen Gegensatz gestellt. Wenn Adam der τύπος τοῦ μέλλοντος ist, müßte jetzt eigentlich ein dem ὥσπερ in V 12 entsprechendes οὕτως folgen. Aber es stellt sich ein οὐχ ὡς – οὕτως ein. Adams Sünde wird jetzt mit τὸ παράπτωμα bezeichnet. Der Begriff sieht sie unter dem Gesichtspunkt des Fehltrittes oder der Verfehlung. Außer in Röm 5,15.17.18.20; 11,11.12, wo es als kollektiver Singular zu verstehen ist, erscheint der Begriff bei Paulus im Plural (Röm 4,25; 5,16; 2 Kor 5,19; Eph 1,7; 2,1.5; Kol 2,13 a b). Er steht in 5,15.17.18 von der einen Verfehlung Adams und ist dem in V 16 erwähnten ἁμαρτάνειν bzw. der παρακοή von V 19 und der παράβασις von V 14 gleich. Ihm entspricht das nicht adäquate τὸ χάρισμα, das wahrscheinlich doch im üblichen Sinn als Gnadengabe zu verstehen ist und nicht als Gnadentat, wie es auch im Hellenistischen, wo es freilich selten vorkommt, in LXX Sir 7,33 v. l.; 38,30 v. l., vor allem bei Paulus selbst (Röm 5,16; 6,23; 11,29; vgl. Röm 1,11; 2 Kor 1,11) die Gabe bezeichnet. Auch der spezielle Sinn des „Charisma" (Röm 12,6; 1 Kor 1,7; 7,7; 12,4.9.28.30.31) weist natürlich auf diese Bedeutung hin. Man will χάρισμα öfters mit Gnadentat wiedergeben, weil sich sonst die antithetischen Begriffe παράπτωμα – χάρισμα in unserem Satz nicht genau entsprechen. Aber abgesehen davon, daß das auch im folgenden nicht der Fall ist, so schließe Paulus, wie Bultmann (a.a.O. 156) sagt, die Konsequenz des παράπτωμα und die Voraussetzung von χάρισμα hier mit ein. Er hat „die Einheit von Tat und Wirkung" (Brandenburger, Adam und Christus 220) von vornherein im Sinn. Vielleicht ist aber χάρισμα auch als rhetorische Antithese zu παράπτωμα (wie δικαίωμα V 18) anstelle von χάρις gewählt, die die Gnadengabe als Gnadenakt in einem bezeichnen kann (Barrett). Der erste Adam ist der τύπος des eschatologischen Adam. Aber das meint nicht: Wie der Fehltritt, so die Gnadengabe. Das wird V 15b, der sich mit γάρ anschließt, begründet. Dabei ist der Gedanke der Überlegenheit der göttlichen Gnade gegenüber der göttlichen Strafe als Voraussetzung der Begründung impliziert. Von der Art dieser Überlegenheit der Gabe Gottes ist dann in *einer* Hinsicht in V 16 die Rede. In unserem Satz V 15b wird nur gesagt: Es gilt nicht „Wie die Übertretung, so die Gabe", weil die Gnade der Strafe überlegen ist und *also*, wenn durch des Einen Fehltritt „die Vielen" starben, die Gnade Gottes um so gewisser und eher oder erst recht zu den Vielen oder über die Vielen gekommen ist. Im Vordersatz von V 15 b wird gegenüber V 12 b c nichts Neues gesagt. Es wird wieder die Folge des παράπτωμα des Einen, freilich in anderer Formulierung, genannt. Der Gegensatz dazu ist wiederum nicht rein gefaßt: τὸ ... παρά- πτωμα – ἡ χάρις καὶ ἡ δωρεά. Beidesmal ist in dem zuletzt Genannten wohl die Gnadengabe gemeint. Ist aber nur ein plerophorischer Ausdruck gewählt? Doch es ist auch möglich, daß mit ἡ χάρις τοῦ θεοῦ die Gnadentat und mit ἡ δωρεὰ ἐν χάριτι die Gabe, die in der Gnadentat, in der des einen Menschen Jesus Christus, besteht, gemeint ist. Vielleicht wird zuerst Gottes Gnadengabe dem Vergehen Adams umfassend gegenübergestellt und dann gesagt, worin sie besteht, in dem – ein seltsamer Ausdruck – εἷς ἄνθρωπος Ἰησοῦς Χριστός. Dabei wird man aber Stellen wie 2 Kor 8, 9 zu bedenken haben und natürlich die Gabe, die in der Gnade der Person Jesu Christi besteht, nicht von der Gabe, die in der Gnade der Geschichte „des einen Menschen" Jesus Christus besteht, trennen wollen. Auch οἱ πολλοὶ ἀπέθανον – ἡ χάρις ... εἰς πολλοὺς ἐπερίσ- σευσεν ist kein reiner Gegensatz. Dieser müßte lauten: πολλῷ μᾶλλον οἱ πολλοὶ τῇ χάριτι τοῦ θεοῦ ... τὴν ζωὴν ἔλαβον oder auch ἔζησαν. Aber Paulus spricht von der Sache her, deren Unvergleichlichkeit auf der Seite des Heils die Gnaden*gabe* Gottes (und also auch sein Gnaden*handeln*) dem allgemeinmenschlichen Geschick des ἀποθανεῖν entgegensetzt. Dabei sind οἱ πολλοί im Sinn des hebräischen Sprachgebrauchs (vgl. Dt 12, 13; Is 53, 11f [= 53, 6 πάντες]) πάντες (רַבִּים = die nicht zu zählenden vielen)[20]. Vgl. οἱ πολλοί 15b = πάντες ἄνθρωποι 12cd und 18ab; 19ab; auch 1 Kor 15, 22ab. Aufmerksamkeit verdient noch das ἐπερίσσευσεν. Περισσεύειν, das Paulus liebt, hat im transitiven und intransitiven Gebrauch den Sinn von „überfließen", „überströmen (lassen)" in einem Überreichtum. So ist also die entscheidende Aussage bisher diese: Wenn Adam der Hinweis auf Christus ist, so ist damit nicht eine Äquivalenz seines Fehltrittes und der Gnadengabe Gottes angezeigt, sondern Gottes Handeln ist immer ein Mehr (πολλῷ μᾶλλον), und seine Gnadengabe, und zwar (καί epexeg.) die Gabe in dem einen Menschen Jesus Christus, ist überreich zu allen oder über alle gekommen. Das, was in Jesus Christus, dem eschatologischen Adam, geschehen ist, gleicht nicht nur aus, es übertrifft und ist unvergleichlich und überschwenglich. Diesen Überreichtum kann Paulus im übrigen noch in anderen Zusammenhängen und in anderen Formulierungen hervorheben, wie z. B. 2 Kor 3, 9f und Phil 3, 7ff zeigen.

Nach dieser ersten Begründung des οὐχ ὡς – οὕτως schließt sich in *V 16* eine zweite an. Sie nennt im Unterschied zur Begründung von V 15b, die ja eigent- lich nur eine Behauptung ist, in 16b einen einsichtigen Grund. V 16 knüpft zuerst mit einem καί an V 15 an, und zwar in der Weise einer äußerst knapp – ohne Verb und Hilfsverb – formulierten These und ohne ein dem οὐχ ὡς entsprechendes ὡς. Wörtlich übersetzt, heißt es: „Und nicht wie durch einen,

---

[20] Jeremias in: ThWb VI 536ff.

der gesündigt hat, die Gabe." Es ist klar, daß hier Ergänzungen nötig sind. Zum Beispiel gibt Bultmann (a. a. O. 152) den Satz so wieder: „Und nicht wie das παράπτωμα, das durch einen, der sündigte, geschah, war das δώρημα. Oder Brandenburger formuliert (a. a. O. 224): „Und nicht wie durch den Einen, der sündigte, (das Gewirkte kam) – (so kam auch) die Gabe." Einfacher, aber dann auch weniger verständlich, kann man sagen: „Und nicht entspricht der Sünde des Einen die Gabe." Freilich, wenn man den Zusammenhang mit dem Folgenden in V 16b beachtet, wird der Sinn ohne weiteres klar. Gemeint ist: die Gabe kam nicht der Sünde entsprechend, sondern deren Folgen weit überbietend zur Geltung[21]. In V 16a werden also wiederum die beiden Geschehnisse, der Fehltritt Adams, sein „Sündigen", wie es jetzt heißt, und die Gabe, die mit dem einen Jesus Christus gegeben ist, einander gegenübergestellt, und zwar so, daß von vornherein das Unvergleichliche der letzteren hervorgehoben wird. Denn wie ist es mit dem ἁμαρτάνειν Adams einerseits und dem δώρημα Jesu Christi anderseits? V 16b antwortet auf diese Frage mit einem antithetischen Satzgebilde, das stark rhetorischen Charakter hat. Das Adamsgeschehen war dieses: im Gerichtsurteil kam es aufgrund (der Übertretung) des Einen zur Verurteilung. Τὸ κρίμα ist das richterliche Urteil, die richterliche Entscheidung. Es wird hier offensichtlich von κατάκριμα unterschieden, was Verdammnis bedeutet, wie Röm 8, 1. Dabei ist für die beiden Seiten des Satzes je ein Verb zu ergänzen. Entgegen dem, daß es bei Adam (ἐξ ἑνός) zur Verdammnis kam – zu ergänzen: ἐγένετο –, war das Christusgeschehen dieses: die Gnade kam aufgrund vieler Übertretungen und führte zur Gerechtsprechung. Hier ist der Sache nach etwa ἐδόθη zu ergänzen. Auch in diesem Satz ist die Antithese etwas verschoben: statt κρίμα müßte eigentlich παράπτωμα stehen, genaugenommen dann aber auch statt χάρισμα etwa ἡ ὑπακοή oder ἡ δικαιοσύνη. Aber diese Forderung wäre pedantisch, zumal in den VV 15.16.17 der Tat Adams (und hier in V 16 also ihrer Folge) gegenüber noch nicht die Tat Jesu Christi, sondern erst die Gabe Gottes – natürlich diese als Tat Jesu Christi – betont werden soll. Erst VV 18.19 ist auch auf dieser Seite von δικαίωμα und der ὑπακοή die Rede. Entscheidend ist aber in V 16 die Gegenüberstellung von ἐξ ἑνός und ἐκ πολλῶν παραπτωμάτων, wobei man es in Kauf nehmen muß, daß nach VV 16a und 17a auch hier (und also immer) in V 16b ἐξ ἑνός maskulinisch zu nehmen ist[22] und bei dem Gegensatz zu ἐκ πολλῶν παραπτωμάτων sich eine neue Inkonzinnität einfindet. Warum ist also die Gabe der Sünde des Einen nicht entsprechend? Weil der Weg, auf dem es einerseits εἰς κατάκριμα kam, anderseits εἰς δικαίωμα, zum „Gnadenwerk" (Käsemann) – δικαίωσις (V 18), aus rhetorischen Gründen dem κατάκριμα (παράπτωμα, χάρισμα, κρίμα, δώρημα) angeglichen –, ein unvergleichlicher ist. Der Weg, das bedeutet: der Ausgangspunkt (ἐκ), der eine Adam, der aufgrund seiner Sünde sein Todesurteil empfängt, und die vielen Übertretungen seiner Nachkommen, die

---

[21] Die Erleichterung der Lesart ἁμαρτήματος statt ἁμαρτήσαντος in D G pc it vg[cl] sy[s] zeigt einerseits die Schwierigkeit des Sätzchens, anderseits die der interpretierenden Abschreiber: „Und nicht wie bei der einen (oder: des Einen) Sünde war die Gabe."
[22] Vgl. SCHLATTER, MICHEL, BARRETT, KUSS, RIDDERBOS; KÄSEMANN.

durch ihn ausgelöst wurden, und es bedeutet das Ziel und Ergebnis: κατά-κριμα – δικαίωμα. Bei dem einen setzt die Unheilswirkung ein und ergreift alle Menschen – die Gnade hingegen nimmt ihren Ausgangspunkt gerade bei den „Vielen" (= allen). Die Gnade ist also eine unendlich viel breitere Reaktion. Das bedeutet aber sachlich: „Die Gnade stand vor einer vergleichsweise unendlich viel schwierigeren Aufgabe..." V 16b will „insgesamt die unvergleichlich größere Macht des Gnadengeschehens herausstellen, die es vom Ursprung seines Heilshandelns an erweist..." (Brandenburger, Adam und Christus 226). Δικαίωμα als das, wohin von den vielen Übertretungen her das χάρισμα Gottes, sein χάρις-Handeln in Jesus Christus, führte, ist wahrscheinlich im Sinn der δικαίωσις ζωῆς von V 18 zu verstehen, wie übrigens auch D*L*vg ein ζωῆς ergänzen. Dann ist aber jene zukünftige, eschatologische Gerechtsprechung oder Rechtfertigung gemeint, die freilich dem Glauben schon jetzt in der Gegenwart im voraus zugängig ist und von ihm ergriffen wird (vgl. Röm 5, 1). Das also ist die Überlegenheit nicht nur, sondern die Unvergleichlichkeit des anderen Adam Jesus Christus, daß es durch ihn zur künftigen Gerechtsprechung kommt, und zwar als Antwort auf die vielen Übertretungen, die geschehen, während die Verurteilung aufgrund des einen Menschen geschah (und seines einen Fehltrittes). Die Gnadengabe Gottes hat sich sozusagen einer Flut von Fehltritten der Menschheit entgegengeworfen und sie im Meer der Rechtfertigung versinken lassen. Beim κατάκριμα (= θάνατος) war es der regelmäßige Weg der Vergeltung: das Urteil Gottes, das den Einen und seine eine Tat betraf, war entsprechend ein κατάκριμα.

V 17 bringt formal einen Parallelsatz zu V 15b und in gewissem Sinn auch zu V 16b. Aber es fehlt der Vordersatz, die These. Deshalb wird man ihn als neue Begründung und neues Ergebnis von 15a bzw. 16a zu verstehen haben, also der festgestellten Ungleichheit des Adam-Christus-Geschehens. Sein Bezug zu 16a wird durch die betonte Wiederaufnahme des εἷς (τῷ τοῦ ἑνὸς παραπτώματι – διὰ τοῦ ἑνός) sichergestellt, dem freilich jetzt kein πάντες entspricht, und zwar aus sachlichen Gründen. Der Bezug von V 17 auf V 15b wird sichtbar durch die Wiederholung des πολλῷ μᾶλλον und der Betonung der Unvergleichlichkeit des Heilsgeschehens gegenüber dem Todesgeschehen Adams. In V 17b wird freilich diese Unvergleichlichkeit nicht mehr unter Betonung der allen Menschen zugekommenen Gabe Gottes zum Ausdruck gebracht, sondern im Blick auf die Annahme der περισσεία der Gnade durch die Gläubigen. Und ebendarin ist der Fortschritt des Gedankenganges von V 15 zu V 17 über V 16 sichtbar. V 17a kommt der Formulierung von V 12bc wieder nahe. Auch dort (12a) war der εἷς ἄνθρωπος Adam betont in den Gegensatz zum anderen εἷς ἄνθρωπος Christus gestellt. Die Nähe zu 12bc zeigt sich um so mehr darin, als gesagt wird: durch diesen einen ὁ θάνατος ἐβασίλευσεν, also die Todesmacht und -herrschaft erwähnt wird. Dabei ist aus διὰ τῆς ἁμαρτίας ὁ θάνατος ein τῷ τοῦ ἑνὸς παραπτώματι ὁ θάνατος ἐβασίλευσεν geworden. Freilich auch in 15b hieß es τῷ τοῦ ἑνὸς παραπτώματι οἱ πολλοὶ ἀπέθανον. Die Herrschaft der Todesmacht weist sich im Sterben „aller" aus. Nachdem also in einer Variation von 12bc und 15b in V 17 das adamitische Geschehen beschrieben ist, kommt in 17b wieder das Christusgeschehen zur Sprache. Aber jetzt, wie wir schon vorläufig sagten, nicht mehr im Blick auf die Menschheit, sondern auf die Gläubigen. Denn sie sind gemeint, wenn in 17b von denen die Rede ist, die den Überfluß von Gnade empfangen und dadurch das ewige Leben. Daß die χάρις τοῦ θεοῦ... übergeströmt ist (ἐπερίσσευσεν), war V 15b gesagt. Jetzt wird davon gesprochen, daß „um so mehr οἱ τὴν περισσείαν τῆς χάριτος... λαμβάνοντες ἐν ζωῇ βασιλεύσουσιν". Zur περισσεία τῆς χάριτος... vgl. 2 Kor 8, 2: ἡ περισσεία τῆς χαρᾶς; 10, 15 (vg abundantia). Wir werden auf die Überfülle, den Überfluß, man könnte sagen: den Exzeß der Gnade aufmerksam gemacht. Auch jetzt ist wieder plerophorisch formuliert: τὴν περισσείαν τῆς χάριτος καὶ τῆς δωρεᾶς τῆς δικαιοσύνης. Jetzt wird sichtbar: die Gabe, die in der Gnade des einen Menschen Jesus Christus besteht, ist die Gabe der δικαιοσύνη. Mit anderen Worten: Gnade ist die Gabe der Gerechtigkeit Gottes in Jesus Christus, sie ist die Gabe der in Jesus Christus erschienenen Gerechtigkeit Gottes (vgl. Röm 3, 21), man kann auch sagen: sie ist die in Jesus Christus vollzogene und offenbar gewordene Gerechtigkeit Gottes als Gabe, als Geschenk. Dabei darf man nicht vergessen, daß die δικαιοσύνη θεοῦ für Paulus nach Ausweis von Röm 3, 1 ff mit der πίστις, der ἀλήθεια und der δόξα zusammengehört und sich in den λόγια τοῦ θεοῦ ausspricht. Die Gnade, die in Jesus Christus erwiesene Gerechtigkeit Gottes, ist seine Bundestreue, in der seine Wahrheit in seinem und ihrem Glanz aufscheint. Und sie kann man als δωρεά „empfangen", wobei das betonte λαμβάνειν in der Taufe und im Glauben geschieht. Sie, die im Glauben die unerschöpfliche Gabe der Gerechtigkeit oder die überströmende Gnade „empfangen", werden „im Leben herrschen". Jetzt ist nicht mehr von einem βασιλεύειν der ζωή, entsprechend dem βασιλεύειν der Todesmacht (5, 14) oder der χάρις (5, 21; vgl. Röm 6, 15 ff), die Rede. Die ζωή herrscht in der Weise, daß diejenigen, welche im Glauben (und in der Taufe) die Gnade empfangen, selbst als „Lebendige" „herrschen" werden. Die Unvergleichlichkeit und Überfülle der Gnade wird sich darin erweisen, daß ihre Empfänger in königlicher Freiheit des wahren Lebens herrschen werden (vgl. Röm 8, 21). Von solchem βασιλεύειν ist auch 1 Kor 4, 8; vgl. Röm 6, 12 f; 2 Tim 2, 12 (συμβασιλεύειν), auch Apk 20, 4 die Rede. Die Wendung ἐν ζωῇ βασιλεύσουσιν ist eschatologisch zu verstehen. Sie steht in einer Linie mit dem σωθησόμεθα von 5, 9 f. Das in Christus geschehene Überströmen der Gnade auf alle Menschen realisiert sich für die, welche sie im Glauben empfangen, gegenwärtig so, daß ihnen die endgültige Zukunft als Freiheit und Herrschaft des Lebens offensteht; das aber nicht aus eigener Kraft, sondern wie Röm 5, 11: διὰ τοῦ ἑνὸς Ἰησοῦ Χριστοῦ, oder 5, 21: διὰ Ἰησοῦ Χριστοῦ τοῦ κυρίου ἡμῶν. Dieses zukünftige Leben und in ihm Herrschen wird durch Jesus Christus gewirkt, der immer „der Eine" auch in dem Sinn ist, daß er vergangen, zukünftig und gegenwärtig ist und Adam entgegen die Freiheit des wahren Lebens, das Leben der wahren Freiheit geschenkt hat, schenkt und schenken wird.

Damit ist der Abschnitt 5, 15–17 abgeschlossen und der Gedanke der Unvergleichlichkeit des Christusgeschehens zur Sprache gebracht. Und jetzt erst, aber jetzt um so klarer und sicherer, kann der Gedanke, der dem Apostel von 5, 12 an vor Augen stand, durchgeführt und sozusagen das Anakoluth von V 12 vollendet, das οὕτως zum ὥσπερ gesprochen werden. Denn jetzt ist nach der Überzeugung des Apostels kein Mißverständnis mehr möglich, als sei Gottes Gabe in Jesus Christus nur eine Kompensation des Mangels und ein Ausgleich des Unheils, das von Adam her die adamitische Welt beherrscht. Jetzt ist keine Gefahr mehr, daß bei der Gegenüberstellung von Adam und Christus und derer, die nur von Adam her leben, und anderseits derer, die im Glauben leben, vergessen werden könnte, daß das, was Christus Jesus „gab", also Gottes Gnade, die seine Gerechtigkeit ist, wesensmäßig περισσεία, Überfluß, Überfülle, Unerhörtes, Unerschöpfliches und damit Unvergleichliches ist.

Die Sätze in *VV 18.19* zeigen, abgesehen von dem einleitenden ἄρα οὖν (V 18) und dem begründenden γάρ (V 19), eine genaue Parallelität bei höchster sachlicher Antithetik. Dabei ist zu beachten, „daß die Entsprechung in der Terminologie der Rechtfertigungslehre durchgeführt wird"[23]. Sie erweisen schon dadurch sprachlich, daß die Durchführung des ὥσπερ – οὕτως nun in vollem Gang ist. Das ἄρα deutet eine Folgerung aus dem Vorhergehenden an. Das οὖν bezeichnet wie auch sonst „nach Zwischenbemerkungen die Rückkehr zum Hauptthema"[24], und d. h. im Zusammenhang: zu 5, 12 a–c. Es nimmt den dort begonnenen, aber abgebrochenen Hauptgedanken auf: „in diesem Sinn also sagen wir" (Lietzmann) oder auch „also (gilt)" (Käsemann). Die Satzkonstruktion von V 18 ist verkürzt. Es fehlt das Verb. Aber sonst ist die Aussage klar. Und V 18 zeigt, wie V 19, daß der Sachverhalt, daß Adam der τύπος τοῦ μέλλοντος ist, sich nicht nur auf die beiderseitigen Personen als solche, sondern auch auf ihr Handeln und dessen Wirkung bezieht. Wieder wird von δι᾽ ἑνὸς παραπτώματος gesprochen. Dabei ist hier fraglich, ob ἑνός attributiv – weil ohne Artikel[25] – und also neutrisch oder substantivisch und also maskulinisch zu verstehen ist[26]. Für das letztere spräche die Parallele V 19: τοῦ ἑνὸς ἀνθρώπου – τοῦ ἑνός. Die Aussage entspricht der von V 16b, nur ist sie jetzt korrekter formuliert: παράπτωμα ist statt τὸ κρίμα als das genannt, was das κατάκριμα einbrachte. In der zweiten Satzhälfte von V 18 interessiert τὸ δικαίωμα, was in Röm 1, 32; 2, 26; 8, 4 die Rechtfertigung, in 5, 16 die Rechtfertigung im Sinn des rechtfertigenden Spruches des Richters heißt. Hier ist von keinem von beidem die Rede, sondern δικαίωμα meint in Parallele zu ὑπακοή in V 19 die Recht-Tat, wie z. B. auch in LXX 3 Kg 3, 28; Bar 2, 19, aber auch schon im Griechischen[27]. Damit wird nun nicht Gottes gnädige Gabe in Jesus Christus, sondern Jesu Christi „gerechte Tat" Adam und seinem Fehltritt entgegengesetzt. Welches die Recht-Tat Jesu Christi ist, wird nicht weiter erörtert. Es wird aber deutlich, daß sie das Zentrum der Gnadengabe seiner Person ist. Sie führte, wie wiederum erwähnt wird (vgl. VV 5, 12cd.18a; 1 Kor

[23] JÜNGEL, a. a. O. 66.
[24] BLASS-DEBR, § 451, 1.
[25] SANDAY-HEADLAM, KÜHL, SCHLATTER, ALTHAUS; BULTMANN, a. a. O.; H. W. SCHMIDT u. a.
[26] Vgl. ℵ* pc + ἀνθρώπου.
[27] BAUER WB 392.

15,21 [= οἱ πολλοί Röm 5,15bc.19ab]), für alle Menschen, also für den Kosmos, εἰς δικαίωσιν ζωῆς. Paulus will nicht vergessen lassen, daß es sich beiderseits um ein universales Geschehen handelt, wenn auch die Erfahrung der δικαίωσις ζωῆς allein den Glaubenden vorbehalten ist. Δικαίωσις ist die Rechtfertigung im Sinn rechtfertigenden Handelns als auch seines Ergebnisses, wie Röm 4,25 und an unserer Stelle. Sie ist das δικαίωμα von V 16, welches aber schon in anderem Sinn in unserem Satz gebraucht war. Die sachliche Parallele ist das δίκαιοι κατασταθήσονται οἱ πολλοί in V 19b. Der Genitiv ζωῆς ist entweder gen. epexeg.: eine Rechtfertigung, die Leben ist, oder – aber das ist sachlich kaum unterschieden – ein Genetiv der Richtung oder des Zweckes[28]: eine Rechtfertigung, die das Leben zur Folge hat bzw. erschließt. Es ist die δικαίωσις, die Leben in sich schließt und eröffnet. Dabei ist an die eschatologische δικαίωσις gedacht, die aber, wie wir schon hörten, als solche jetzt schon im Glauben „empfangen" werden kann. Diese Recht-Tat Jesu Christi hat allen Menschen durch ihren Vollzug eine Zukunft eröffnet, in der sie gerechtfertigt sind und Leben haben werden, eine Zukunft, die aber im Glauben schon gegenwärtig ist.

Der Parallelsatz V 19 begründet V 18 nicht ausdrücklich, aber er erläutert ihn durch neue Formulierungen. Das γάρ ist zugleich ein fortführendes, wie bei Paulus oft. Jetzt in V 19 wird das παράπτωμα Adams παρακοή genannt[29], Ungehorsam (vgl. 2 Kor 10,6), neben παράβασις Hebr 2,2. Und jetzt wird die Folge dieser παρακοή dahin bezeichnet, daß alle („die Vielen") Menschen zu Sündern wurden. Καθιστάναι τινά τι ist: „jemanden zu etwas machen", „einsetzen", „bestellen" u. ä., im Passiv: „zu etwas gemacht werden" oder einfach „werden"[30]. Das, was 12a so hieß: daß durch einen Menschen die Sündenmacht in die Welt eindrang, und 12d durch den Hinweis, daß alle gesündigt haben (vgl. 5,14), betont wird, wird jetzt dahin formuliert, daß durch den Ungehorsam des einen Menschen die Vielen zu Sündern wurden. Damit ist der Gedankengang des Apostels wieder zur ἁμαρτία und ihrer Herrschaft unter den Nachkommen Adams zurückgekehrt. V 19b wird als Effekt der Tat Christi wieder die δικαίωσις genannt, und zwar in der Form, daß durch den Gehorsam des Einen die Vielen zu Gerechten gemacht wurden. Dieses δίκαιοι κατασταθήσονται οἱ πολλοί kann – in der Parallele zu 19a: ἁμαρτωλοὶ κατεστάθησαν οἱ πολλοί – natürlich nicht heißen, daß „die Vielen" (juridisch) als δίκαιοι angesehen werden oder für gerecht erklärt werden, für welchen Sprachgebrauch es hellenistische Parallelen (auch 3 Makk 1,2; 3,5) gibt[31]. Denn die adamitischen Sünder wurden durch die Tat Adams ja auch nicht zu Sündern erklärt, sondern wurden Sünder. So werden „die Vielen", also die Menschen insgesamt, durch Christi Gehorsam nicht zu Gerechten erklärt, sondern Gerechte werden[32]. Dies natürlich nur, wenn der Mensch zu den λαμβάνοντες

---

[28] Blass-Debr, § 166.
[29] Vgl. παρακούειν Mt 18,17; Mk 5,36; 2 Clem 3,4; 6,7; 15,5; Herm (v) 4,2.6.
[30] Bauer Wb 771; Oepke in: ThWb III 447ff.
[31] O. Michel z. St.
[32] Lietzmann, Kuss, H. W. Schmidt; Bultmann, a. a. O.; Käsemann, Bauer Wb 771; Oepke in: ThWb III 477ff.

von V 17b gehört. Die Tat Christi erstreckt sich ihrer Intention nach auf alle Menschen bzw. kommt allen Menschen zugute als gratia praeveniens, als die allen eröffnete χάρις. Daran ändert auch nichts die Tatsache, daß sich nicht alle auf sie einlassen. Wer sich auf sie als die Voraussetzung des jetzigen und zukünftigen Lebens einläßt, „wird gerecht", nicht so, daß δίκαιος als seine Eigenschaft verstanden wird, sondern so, daß der Gehorsam Christi, *seine* Gerechtigkeit, sie δίκαιοι sein läßt, die δικαιοσύνη θεοῦ, die im Gehorsam Jesu Christi waltet, sie in sich einbezieht. Das erfüllt sich im eschatologischen Status. Denn das Futur κατασταθήσονται, das an sich, wie Zahn sagt, „Ausdruck eines logischen Postulates" sein könnte [33], scheint mir bezeichnenderweise mit Lietzmann, Schlatter, Kuss, Ridderbos, Thüsing, Schrenk, ThWb II 193 u. a. eschatologisches Futur zu sein [34], also auf das zu verweisen, was in anderer Formulierung 5, 9f., 17b und 18b gesagt wird. Aber natürlich ist dieses „Gerecht-gemacht-Werden" durch Christi Gehorsam im δικαιοῦσθαι ἐκ πίστεως immer schon vorausgenommen bzw. als gegenwärtige Rechtfertigung, die, wie hier besonders deutlich ist, Gerecht-Machung ist und die mit der „Gerechtigkeit Gottes" in Jesus Christus über die Welt gekommen ist, gegenwärtig da, Zukünftiges eröffnend. Zu den Zukunftsaussagen vgl. noch Röm 2, 13; Gal 5, 5. Bedeutsam ist, daß Christi Tat, die V 18 δικαίωμα genannt war, jetzt ἡ ὑπακοὴ τοῦ ἑνός heißt. Paulus kann das Werk Christi unter verschiedenen Aspekten interpretieren. In unserem Brief charakterisierte er es bereits 3, 25; 4, 24b.25; 5, 6.8.9.10, also – summarisch gesagt – als Sühnegeschehen und unter dem Gesichtspunkt des ὑπέρ, also des Gottesknechtes. Dies hat Bezug zum neuen Gottesvolk, das daraus erwächst. An unserer Stelle wird seine ὑπακοή, und nun als die des zweiten und eschatologischen Adam, die alle Menschen erreicht, als das Heilsgeschehen, das die neue, eschatologische *Menschheit* heraufführt, betont. Das geschieht, wenn man von der zweifelhaften Stelle Röm 6, 16 absehen darf, bei Paulus noch einmal und dort eingebettet in den Gedanken der Selbstentäußerung, Menschwerdung und Erniedrigung und im Zusammenhang mit der ihnen folgenden Erhöhung zum Kyrios in dem von Paulus übernommenen und interpretierten Hymnus (Phil 2, 5f) [35]. Die ὑπακοή Christi ist danach eine solche dessen, der ὑπήκοος μέχρι θανάτου war, und also ein äußerster Gehorsam, ein Gehorsam schlechthin, und so im Zusammenhang mit der Hingabe „für uns" und der Sühne für uns „Schwache", „Gottlose", „Sünder", „Feinde" (vgl. 5, 8ff) angedeutet. Radikaler Gehorsam Jesu Christi ist selbst-lose Hingabe uns, den Sündern von Adam her, zugute. Die Tat des zweiten, des letzten Adam, durch die das aus dem Ungehorsam des ersten Adam resultierende Sünden- und Todeswesen dieses Kosmos, das im

---

[33] Vgl. HOFMANN, SANDAY-HEADLAM, KÜHL, LAGRANGE, HUBY-LYONNET; BULTMANN, Theologie, 274; LOHSE, Märtyrer, 159 Anm. 3.
[34] Vermittelnd SICKENBERGER, DODD, LEENHARDT, temporal, aber auf die Gegenwart bezogen, weil noch nicht abgeschlossen, etwa BISPING, LAGRANGE, SANDAY-HEADLAM; vgl. THÜSING.
[35] Vgl. Hebr 5, 8, aber auch Röm 8, 3 und Gal 4, 4f, wo freilich die Menschwerdung im Vordergrund steht.

Sündigen und Erleiden des Todes aktualisiert wird, aufgehoben wird und die unvergleichliche, überfließende Gnade und Gabe Gottes über die Menschen gekommen ist und ihre Herrschaft angetreten hat, ist jener letzte Gehorsam gegen Gott in Jesu Christi „Blut", der das δικαίωμα, die Recht-Tat, darstellt und eben als solches zugleich Hingabe für uns und „Sühne" ist. Durch diesen Gehorsam, der die Gnadengabe Gottes ist und zum universalen δικαίωμα, zum δίκαιοι κατασταθήσεσθαι, zur δικαίωσις ζωῆς, zum ἐν ζωῇ βασιλεύειν führt bzw., vom Gehorsamsgeschehen Jesu Christi her gesehen, geführt hat, durch diesen „Gehorsam" ist die Wende der Äonen eingetreten. Das, woraufhin die Menschen nun leben können (und sollen), ist das von Jesus Christus angebotene und in der Hingabe für uns bereits realisierte Leben, das Gottes χάρις als Gottes δωρεά und Gottes Gerechtigkeit gewährt. Nach dieser in der Geschichte geschichtlich vollzogenen Wende von der Herrschaft der Sünden- und Todesmacht in Adam zur Herrschaft der überschwenglichen Gnaden- und Lebensmacht in Christus Jesus ist es irreal, noch auf den adamitischen Äon und die adamitische Existenz zu setzen und nicht auf das in Jesus Christus vorgegebene und alle Zukunft wie auch schon alle Gegenwart bestimmende Heil im Gehorsam Jesu Christi. Es ist irreal, weil es nicht mehr der Grundlage der Weltgeschichte entspricht und nicht mehr den rechten Weg einschlägt, den Weg des Glaubens, der allein rechtfertigt.

Mit V 19 ist die Antithese, die Paulus seit 5, 12 vorschwebt und die er nach zwei Sicherungen des Sachverhalts gegenüber Mißverständnissen in VV 18.19 klar darlegen konnte, abgeschlossen. Nun aber wendet er sich noch einmal und überraschend dem νόμος zu bzw. seiner Funktion und Bedeutung in diesem Adam-Christus-Geschehen, in dieser durch den ersten und letzten Adam bestimmten Weltgeschichte. Schon in 5, 13f tauchte er auf, wie wir sahen; dort, um die Allgemeinheit der Sünde in der adamitischen Welt betonen zu helfen, sofern behauptet wurde, daß es auch bis zu seinem Erscheinen, d. h. von Adam bis Moses, Sünde und Tod in der Welt gegeben hat, freilich die erstere nicht in der spezifischen Form, wie sie der Jude kennt, als verbuchte und verrechnete. Mit 5, 13f stand 4, 15 in äußerem Zusammenhang, wo im Blick auf die an Abraham ergangene Verheißung davon die Rede war, daß solche Verheißung sich nicht aus dem Gesetz herleitete, sondern aus Abrahams Glaubensgerechtigkeit. Das Gesetz bringt nur Zorn, weil es ohne Gesetz keine παράβασις gibt. Man sieht: diese Aussage ist radikaler als die von 5, 13f. Sie hat den νόμος als die Provokation der Übertretungen vor Augen, nicht mehr nur als das, was die Sünde als zu buchende und verrechenbare charakterisiert. Die Aussage steht auch wiederum im Zusammenhang mit dem Kontext zur Verdeutlichung der ἐπαγγελία und der πίστις Abrahams. Aber anderseits ist sie nur ein Zwischengedanke, der nicht fortgeführt wird. Vor 4, 13–15 tauchte der νόμος in seinem Verhältnis zur Sünde in 3, 20 auf. Hier bleibt es bei einer Bemerkung, die gewissermaßen summarisch dem großen Abschnitt 1, 18 – 3, 19 nachträglich die Perspektive gibt und der Vorbereitung von 3, 21ff dient.

Auch an unserer Stelle, *5, 20,* wird der νόμος in seinem Verhältnis zur Sünde in *dem* Sinn beiläufig erwähnt, daß das Folgende (6, 1ff) den Gedanken nicht fortführt. Thematisch ist ja erst 7, 1ff; 7, 7ff von ihm in seinem Verhältnis zur Sünde die Rede. Aber in 5, 20f steht er nicht wie 5, 13f nur recht zufällig und anmerkungsweise. Denn wir müssen 5, 20a mit 5, 20b und 5, 21 zusammenlesen. Der zunächst parenthetisch erscheinende Satz wird sofort in eine Gedankenkette eingebaut, die durch das zweimalige ἵνα schon formal angedeutet ist. So verdeutlicht einmal die Erwähnung des νόμος die zweite Hälfte von V 16b. Die πολλὰ παραπτώματα gibt es durch das Walten des νόμος. Aber das ist nur seine direkte Wirkung. Seine indirekte, verborgene und bei allem Fluch, der er ist (Gal 3, 13), heilsgeschichtliche Wirkung ist die, welche mit V 20b angedeutet wird. Er trägt bei zum Übermaß der χάρις, zu ihrer περισσεία. Denn je mehr er die Sünde mehrt, desto mehr ὑπερπερισσεύει die χάρις und errichtet anstelle der Todesmacht die Herrschaft der Gnade. Vom Gesetz wird in V 20a zunächst gesagt: παρεισῆλθεν: es kam daneben oder dazwischen hinein, vielleicht wie Gal 2, 4 mit einem abwertenden Ton[36]. Es ist ein Faktor der Geschichte. Es ist nicht, wie die Rabbinen behaupten, eines der sieben Dinge, die vor der Welt geschaffen sind. Es ist auch nicht wie z. B. in Aboth 6, 11 Schöpfungsmittler (als die Weisheit Gottes). Es ist auch nicht „ewig"[37]. Es ist nicht einmal, wie wir sahen (5, 13f), die alle adamitische Geschichte bestimmende Größe. Es gibt es erst seit Moses, und es ist also, wenn man so sagen darf, eine zeitgeschichtliche Größe. Aber es hatte seine ihm von Gott gestellte Aufgabe. Es sollte durch seine Dazwischenkunft πλεονάζειν τὸ παράπτωμα. Πλεονάζειν intr. ist „sich mehren", „zunehmen", „wachsen"; vgl. von der χάρις Röm 6, 1; 2 Kor 4, 15; von der Frucht Phil 4, 17; von der ἀγάπη 1 Thess 3, 12; 2 Thess 1, 3. Dieses „Mehrwerden" des παράπτωμα (Adams) ist ein Entfalten und Sichvermehren in den παραπτώματα seiner Nachkommen. Statt τὸ παράπτωμα kann dann in V 20b vom πλεονάζειν der ἁμαρτία die Rede sein. In welcher Weise das durch den νόμος geschieht, wird in Röm 7, 7ff ausgeführt. Doch was hatte das πλεονάζειν des παράπτωμα für eine Folge: das ὑπερεπερίσσευσεν ἡ χάρις. Es ist bezeichnend, 1) daß wieder vom περισσεύειν der χάρις die Rede ist und nicht etwa vom πλεονάζειν (etwa ὑπερεπλεόνασεν wie 1 Tim 1, 14) und 2) daß περισσεύειν nicht genügt, sondern wie 2 Kor 7, 4 vom ὑπερπερισσεύειν die Rede ist. Die Gnade ist dort, wo die Herrschaft der Sünde sich durch das Gesetz entfaltet hat und mächtiger geworden ist, über die Maßen, überreichlich, überschwenglich übergeströmt[38]. Das Gesetz hat letzten Endes seinen Effekt nur scheinbar erreicht. Die Gnade bewältigt auch die vermehrte Sünde, die das Gesetz hervortrieb. Was war also mit der Zwischenrolle des Gesetzes von Gott gewollt?

V 21 sagt es und erfaßt damit abschließend noch einmal im Blick auf die Äonenwende die neue Situation, die Christussituation anstelle der Adamssituation,

---

[36] Anders ZAHN, KÄSEMANN.
[37] STRACK-BILLERBECK I 245 ff.
[38] Vgl. das superabundans in 4 Esr 4, 50; HAUCK in: ThWb VI 59.

zusammen. Jetzt taucht deshalb – auch im Unterschied zu dem οὖ δέ von V 20 b – das ὥσπερ – οὕτως innerhalb des zweiten Final- oder Konsekutivsatzes (Käsemann) auf. V 21 a bringt 5, 12 a–c; 5, 14.15 a.16 b.17 a.18 a auf einen kurzen Nenner. Das Sündenwesen, das sich jeweils im sündigen Handeln konkretisiert und dokumentiert, übte seine Herrschaft ἐν τῷ θανάτῳ (= διὰ τοῦ θανάτου, vgl. διὰ δικαιοσύνης 21b aus. Der Tod im Sinn des Todeswesens oder der Todesmacht ist das Mittel, durch das die Sündenmacht herrscht, oder auch die Weise, wie sie herrscht[39]. Aber das ist die, von der Äonenwende her gesehen, vergangene Menschheitssituation. Jetzt ist die überströmende Gnade hereingebrochen, die Sünde und Tod überwältigt hat. Diese herrscht nun, und zwar, wie die näheren Bestimmungen lauten: 1) διὰ δικαιοσύνης, durch die nun in Jesus Christus erschienene und waltende δικαιοσύνη θεοῦ, die in die Gerechtigkeit seiner Gnade einbeziehende Gerechtigkeit der Bundestreue Gottes (vgl. 3, 21f; 5, 17). Das gerechte Handeln Gottes, das in Jesus Christus den Glaubenden rechtfertigt und gerecht macht und δικαίωσις als unsere Zukunft eröffnet hat, ist die Weise, wie die Gnade ihre Herrschaft ausübt; 2) sie herrscht jetzt διὰ δικαιοσύνης εἰς ζωὴν αἰώνιον: auf dem Wege jener rechtfertigenden Gerechtigkeit Gottes hin und hinein in das ewige Leben, das ja als Ziel und Zukunft nun offensteht. Die Herrschaft der Sünde hat auch ein Ziel und eine Zukunft. Aber diese Zukunft ist keine Zukunft, sondern ein Untergang: der Tod. Die Herrschaft der jetzt in Jesus Christus zur Herrschaft gekommenen Gnadengerechtigkeit eröffnet die ζωὴ αἰώνιος; 3) mit einem neuen feierlichen Schluß: διὰ Ἰησοῦ Χριστοῦ τοῦ κυρίου ἡμῶν, wird die Herrschaft der Gnade noch einmal hinsichtlich ihrer zentralen Wirklichkeit gekennzeichnet. Wir hörten im Zusammenhang schon, a) sie ist gegeben und besteht „in dem einen Menschen Jesus Christus" (5, 15); b) durch sein δικαίωμα kam es zur δικαίωσις und damit zur ζωή (5, 18), und durch seine ὑπακοή werden alle δίκαιοι werden (5, 19); c) diejenigen, welche die Gabe der Gerechtigkeit empfangen, werden im Leben herrschen durch den einen Jesus Christus (in seinem Wirken als Erhöhter und in seiner Parusie); d) so herrscht die Gnade auch jetzt durch die Gerechtigkeit (Gottes) zum ewigen Leben durch den erhöhten Jesus Christus, „unseren Herrn". Wir könnten sachlich hinzufügen: in der Kraft des Geistes, der Glauben wirkt und so uns in die δικαιοσύνη oder χάρις als Gerechtfertigte einbezieht.

---

[39] LIETZMANN, KUSS, BARRETT, MICHEL; BRANDENBURGER, Adam u. a.; KÄSEMANN meint: „es bezeichnet den Bereich". Doch was heißt das?

Adam bei Paulus

Wir haben bei unseren Ausführungen nur gelegentlich erörtert, wie der Apostel Adam versteht. Da das für die Frage nach der Sünde von großer Bedeutung ist, müssen wir versuchen, näher darauf einzugehen. Wir führen uns dazu außer Röm 5,12ff 1) 1 Kor 15,20–22; 2) 1 Kor 15,44b–49 zur Ergänzung vor Augen.

Was ist aufgrund unserer drei Texte über „Adam" gesagt?

A) 1. Adam ist „ein Mensch" (1 Kor 15,21). Er ist aber „der erste Mensch" (1 Kor 15,47), „der erste Mensch Adam" (1 Kor 15,45). Er ist also einer aus der Reihe der geschichtlichen Menschen, und zwar der erste, der, mit dem diese Reihe beginnt.

2. Er ist aber als „ein Mensch" und als „der erste Mensch" nicht *nur* irgendein Mensch, der erste, dem nun ein zweiter, dritter, vierter usw. folgt, sondern er ist „der erste Mensch", dem, obwohl ein geschichtlicher Mensch wie die anderen auch, nur „der zweite Mensch" gegenübersteht (1 Kor 15,47), der „der letzte Adam" ist (1 Kor 15,45). Es gibt in dem Sinn, wie es den Menschen Adam gibt, der der erste von allen Menschen ist, nur noch „den zweiten Menschen", der „der letzte Adam" oder auch, nach Röm 5,14b, „der zukünftige", „der kommende" ist. Dieser ist natürlich „der eine Mensch Jesus Christus" (Röm 5,15), „der eine Jesus Christus" (Röm 15,17), „Jesus Christus, unser Herr" (Röm 5,21), „Christus" (1 Kor 15,20.22). Schon diese Gegenüberstellung deutet an, daß Adam als „der erste Mensch" nicht nur durch sein Erster-Sein aus den übrigen herausgehoben ist, also nicht nur durch sein Anfang-der-Reihe-der-Menschen-Sein, sondern auch dadurch, daß es ihm gegenüber nur noch die eschatologische Erscheinung Jesu Christi gibt.

3. So ist Adam, ein Mensch, der erste Mensch, dem gegenüber es nur noch den zweiten und letzten gibt, „der eine Mensch" (Röm 5,12.19a) oder „der Eine" (Röm 5,15b; 5,16ab.17a [zweimal].18ab), dem „der eine Mensch Jesus Christus" (Röm 5,15b), „der eine Jesus Christus" (Röm 5,17b), „der Eine" (Röm 5,18b.19b) gegenübersteht. Das hebt die Singularität und damit die Bedeutung des Adam auch terminologisch hervor.

4. Diese wird – das sei vorläufig erst allgemein hervorgehoben – noch verstärkt, wenn wir zweierlei beachten: a) den strikten Gegensatz beider. Adam ist ja nach Gn 2,7 zur ψυχὴ ζῶσα geworden, was Paulus entgegen Gn 2,7 negativ interpretiert. Adam ist bloße ψυχή oder bloßes ψυχικόν (15,46). Das ist soviel wie ἐκ γῆς χοϊκός (1 Kor 15,47). Er ist χοϊκός (1 Kor 15,48f). Ihm steht der „zweite Mensch" Christus gegenüber, „der letzte Adam", der (durch die Auferstehung) πνεῦμα ζωοποιοῦν (1 Kor 15,45) geworden ist. Er vertritt τὸ πνευματικόν (1 Kor 15,46). Er ist ἐξ οὐρανοῦ (1 Kor 15,47) oder ὁ ἐπουράνιος (1 Kor 15,48f). b) Gleichwohl ist dieser erste Adam τύπος τοῦ μέλλοντος (Röm 5,14), „Typos" des Künftigen, entspricht ihm

also jedenfalls in formaler Hinsicht; inwiefern, wird sich noch zeigen. Aber Adam ist keinesfalls nur ein Mensch unter anderen, der erste aller Menschen.

B) „Der eine Mensch" heißt Adam wie Christus in Relation zu „allen Menschen" (Röm 5,12cd.18a) bzw. zu „den Vielen" (Röm 5,15b.19a), entsprechend Christus (Röm 5,15c.18b.19b). Dieser Bezug besteht, was Adam betrifft, darin, daß alle Menschen als seine Nachkommen durch ihn, d. h. durch seine Tat, mitbetroffen wurden, sofern durch ihn die Sündenmacht und Todesmacht in die Welt kamen, und zwar so, daß alle Menschen zu Sündern wurden (Röm 5,19) und sündigten bzw. den Tod erfuhren und starben. Das heißt aber, daß Adam die alle Menschen gemeinsam bestimmende Herkunft, das Woher der in der Welt waltenden und in der Existenz des einzelnen vollzogenen Sündenmacht und ihres Todes ist. Hier ist von Bedeutung, daß weder über die Person Adams, abgesehen von seiner die Welt durchdringenden Sündentat und ihrer Todesmacht, reflektiert wird noch darauf, in welcher Weise dieses Bestimmtsein jedes Menschen durch die gemeinsame Herkunft von Adam kontinuierlich ist – so ist nicht etwa von Vererbung durch die Erzeugung die Rede –, sondern es ist nur das Faktum dieser Bestimmtheit durch die Herkunft von „dem ersten Menschen", Adam, festgestellt. Die Sünde kommt immer von der Sünde des Menschen her, der Tod immer aus dem Tod, und dies bis in den Anfang der Menschheit zurück.

C) Aber es gibt noch andere Aussagen über das Verhältnis des einen und ersten Menschen Adam zu allen anderen Menschen und damit indirekt darüber, wie Paulus Adam versteht. Sie müssen mit Röm 5,12 ff zusammengesehen werden. Es sind drei:

1) Alle Menschen teilen die irdische Beschaffenheit mit Adam. Sie sind hinsichtlich ihrer irdischen Eigenart und im Blick auf ihre irdische Seinsart wie Adam, und er ist wie sie; mit anderen Worten: sie sind seinesgleichen, und er ist ihresgleichen (1 Kor 15,47f).

2) Sie sind es in der Weise, wie 1 Kor 15,49 erkennen läßt... Sie tragen als die einzelnen „die Eikon" Adams. Eἰκών ist wörtlich übersetzt die „Gestalt", aber in dem Sinn, daß in ihr das Wesen zum Ausdruck kommt (vgl. z. B. Röm 8,29; 2 Kor 3,18). Eikon ist die Erscheinung des Wesens, so daß 1 Kor 15,49 gemeint ist: in seinem irdischen Dasein oder so, wie der Mensch vor-kommt, prägen und tragen wir das Wesen, die Wesenserscheinung Adams aus. Wir repräsentieren jeweils den ersten Menschen, von dem wir herkommen und der uns als unsere Herkunft in unserem Vorkommen bestimmt, wir vergegenwärtigen als seinesgleichen sein Wesen. Wir wiederholen in unserer Existenz Adam, den ersten Menschen, in seiner Wesenserscheinung, abgesehen davon, daß er immer das uns bestimmende Herkommen des Menschen ist. Wir sind also nicht nur von ihm her bestimmt, wir sind auch nicht nur seinesgleichen, sondern wir – alle Menschen, wie sie von ihm her bestimmt als seinesgleichen vorkommen – tragen die Erscheinung seines Wesens aus. Er, von dem der Mensch herkommt, kommt mit uns vor. Der einzelne Mensch stellt in seiner Existenz nie nur sich selbst dar, sondern immer auch *den* Menschen, der als seine Herkunft ihn bestimmt und den er als seinesgleichen vertritt.

3) Eine dritte Aussage ist ebenso bedeutsam. Sie ist 1 Kor 15,22 ent-

halten... Adam ist also nicht nur unsere uns bestimmende Herkunft, er ist als solcher nicht nur unseresgleichen, er ist auch nicht nur der, dessen Wesensart wir jeweils repräsentieren, sondern auch der, „in dem wir sterben", d. h. formalisiert: *in* dem wir jeweils als einzelne existieren. Wir leben (oder sterben) als solche, die ihn als unsere uns bestimmende gemeinsame Herkunft als seinesgleichen in seiner Wesenserscheinung vor-kommen lassen, auch immer in seiner Dimension, in dem durch ihn bestimmten Raum seiner Möglichkeiten und in dem von ihm gewährten Horizont. Der Mensch kommt über Adam nicht hinaus, er tritt in seiner Existenz immer nur zu seiner Herkunft, zu seinesgleichen, zu der Wesenserscheinung, die er ausprägt, heraus. Wenn wir uns das alles vor Augen halten, was Paulus über Adam sagt, nämlich: 1) er ist ein irdischer Mensch; 2) er ist der erste Mensch; 3) er ist der eine Mensch, der allen Menschen gegenübersteht; 4) er, d. h. seine Sünde samt ihrem Tod, bestimmt alle Menschen zu Sündern und zum Sündigen samt dem Tod; 5) er ist also ihre sie bestimmende Herkunft; 6) er ist unseresgleichen und wir seinesgleichen; 7) alle Menschen tragen seine Wesensart vor, sie repräsentieren ihn und dokumentieren ihn bzw. seine Wesensgestalt; 8) sie kommen in ihm vor, indem sie ihn vorkommen lassen. Wenn wir das alles zusammensehen, dann erkennen wir, daß Paulus mit Adam *den Menschen*, das Mensch-Sein oder das *Wesen* des Menschen als Konkretum meint. Dieses ist die uns geschichtlich bestimmende gemeinsame Herkunft, es hat seine Repräsentanz jeweils in jedem Menschen, es ist der Raum seiner Möglichkeit, sein Horizont und seine Grenze, seine Dimension. Der jeweilige Mensch kommt geschichtlich vom Menschen her, er läßt den Menschen vor-kommen, er hält sich im Menschen als seinesgleichen auf. Ist das so, dann erhebt sich von unserem Text (Röm 5, 12 ff) her, die Frage: Was ist dann die Sünde bzw. die Sünde Adams?

1. Die Sünde Adams nach Paulus

1) Sünde wird in unserem Zusammenhang und auch sonst von Paulus als eine waltende Macht verstanden, so wie auch der Tod. Von beider βασιλεύειν, also von beider „Herrschaft", ist Röm 5, 14.17.21 die Rede, vom κυριεύειν der Sünde Röm 6, 14, davon, daß man der Sünde Sklavendienste leistet, Röm 6, 6.16 u. a. m. Der Tod wird Röm 8, 38 f neben andere „Mächte" gestellt und 1 Kor 15, 25 als „der letzte Feind", die äußerste Feindesmacht, bezeichnet (vgl. 1 Kor 15, 54 ff).

2) Dieses der einzelnen Sünde, dem Sündenvollzug des einzelnen Menschen, vorgegebene, sie übersteigende, alles durchherrschende Sündenwesen kam durch den einen Menschen, den ersten Menschen, Adam, in die Welt. Wir sehen nun, was das heißt: die Macht der Sünde (und des Todes) ist in der Welt durch und mit dem Menschen, der uns immer schon als unsere Herkunft bestimmt, den wir in unserem Menschsein seinesgleichen vorkommen lassen, der unsere Dimension, die Dimension unserer Existenz ist. Sie ist in der Welt durch das und mit dem geschichtlichen Dasein des Menschen, der wir sind.

Sie gehört zu seinem geschichtlichen Wesen und zum geschichtlichen Wesen des Kosmos. Sie gehört nicht zur Schöpfung und zu dem Menschen als Geschöpf. Doch wird darüber Röm 5,12ff nicht näher reflektiert. Es ist aber in dem „Kommen" enthalten. Wenn wir das 5,12 Gesagte festhalten, dann sehen wir, daß Paulus nicht einen Mythus der Genesis der Sünde vorträgt, der die Tatsache der Sünde „erklären" soll, sondern daß er nichts anderes behauptet, als daß die Sündenmacht und das Sündenwesen mit dem Menschenwesen, wie es in der Geschichte vorkommt, immer schon gegeben sind, und nichts anderes, als daß, wie der einzelne Mensch *den* Menschen darstellt, seine Sündentat die Sündenmacht, das Sündenwesen realisiert.

3) Wir sahen ja, daß jenes Sätzchen Röm 5,12d nicht „eigentlich überflüssig ist", sondern ein notwendiger „Zu-satz", der genau dem entspricht, daß alle Menschen *den* Menschen repräsentieren. Die Sündenmacht oder das Sündenwesen erscheint als solches und d. h. ja konkretisiert sich in den jeweiligen Sündentaten der Menschen. Diese wiederum repräsentieren jene. Sündigen ist immer die aus unserer Herkunft vorkommende Sünde vollziehen, d. h., ihr die tatkräftige Zustimmung geben.

4) Diese Sünde, die ihre Macht und ihr Wesen jeweils im Sündigen erfüllt, ist universal. Sie herrscht über alle Menschen von deren gemeinsamer Herkunft her, und kein Mensch ist ihr entnommen. Sie herrscht auch dort, wo es das sie provozierende Gesetz noch nicht gibt, wo man also von ihr als „Übertretung" nicht reden kann. Es gibt solche – und für Paulus sind es die Heiden –, die „ohne Gesetz sündigen" (Röm 2,12). Wie das gemeint ist, haben wir aus Röm 1,18ff gesehen. Sünde ist also nicht nur Übertretung des Gebotes Gottes im strengen Sinn, so gewiß diese zum vollen und ursprünglichen Sündenwesen, das sich in den Sünden entfaltet, gehört.

5) Auf dem Weg der Sünde kommt der Tod in die Welt, dem alle Menschen im Sterben verfallen. Er ist, wie wir sahen, die Todesmacht und das Todeswesen, das dem Zorn der Verdammnis Gottes entströmt und im Sterben innerhalb der Dimension des Menschen tödliche Erfahrung wird. Er waltet aber auch in aller Ver-wesung des Daseins, in aller φθορά (vgl. Röm 8,21; 1 Kor 15,42.50; auch Eph 4,22). Er ist nicht nur das der Sünde Zukommende und das von ihr Mit- und Eingebrachte. Sie treibt ihn nicht nur an. Der Tod ist auch schon der Gedanke und die Intention der Sünde, ja ihre verborgene Entelechie. Zugleich ist er die Form der Herrschaft der Sünde und der Ausweis der Sündigkeit der Sünde. Er ist das mit dem Menschen Vor-kommende und aus dem Menschsein auf ihn Zukommende, das alle Menschen vertreten müssen.

6) Dieser mit dem geschichtlichen Menschsein allen Menschen überkommenen und von allen übernommenen Sünde samt ihrem Tod steht die Charis Gottes gegenüber, die die endgültige und erschöpfende Erscheinung seiner „Gerechtigkeit", d. h. seiner Treue, Wahrheit und Herrlichkeit, ist. Diese Charis ist mit dem zweiten und letzten, dem einen himmlischen Menschen gegeben, mit Jesus Christus und seiner „Recht-Tat", seiner gehorsamen Hingabe für die Sünder und dem Tod Verfallenen an Gott. Wer diese Charis Gottes annimmt und empfängt und so von Jesus Christus herkommt, in ihm,

d. h. von ihm bestimmt, in seiner Dimension vor-kommt, seine Eikon trägt, seine Wesensart darstellt, wird seiner von der Sünde beherrschten Vergangenheit, die sich im Sündigen ausweist, entnommen und nicht mehr Sünder, sondern Gerechtfertigter sein. Diese Annahme der Gabe Gottes im Empfangen, dieses Empfangen in der Annahme geschieht im sich Gott hingebenden Glauben, aus dem die Hoffnung sich erhebt und der in der Liebe wirksam ist. Durch Jesus Christus allein wird Adam, der Mensch, den jeder Mensch vertritt, zerbrochen. Im Glauben an ihn (samt Hoffnung und Liebe) fällt das Todeswesen der Sündenmacht dahin.

2. Der religionsgeschichtliche Vorstellungshintergrund

A) Gn 2f redet im Zusammenhang von Gn 2–11 vom Anfang der Manifestation der Sünde, die sich mit der Ausbreitung des Menschengeschlechtes vollzieht: Kain, Lamech, Engelehen, Turmbau in Babylon. Als ausführlich berichteter Anfang soll sie wohl auch das Wesen der Sünde darstellen samt ihren Folgen: die Mühseligkeiten und der Ausschluß vom möglichen Leben. Daß die Sünde Adams und Evas Ursache der Sünden der Nachkommen ist, wird selbst implizit nicht gesagt. Es wird Gn 2–11 nur die schon in der Urgeschichte der Menschheit faktisch herrschende Sünde dargelegt, die sie zum Untergang bestimmt: Gn 6, 5f. 12f. Auch von ihrer Universalität in dem Sinn, daß jeder sündigt, wird nicht gesprochen (vgl. z. B. Noah, Gn 6, 8; in P 6, 9).

Das letztere klingt eher Job 14, 4 an: „Wer bringt (weiß) einen Reinen von Unreinen? Nicht einen!" Gemeint ist: Aus dem Bereich der Unreinheit (טֻמְאָה) geht kein Reiner hervor. Es gibt keine Ausnahme. Die über die eigene Entscheidung hinausgehende und über die eigene Person hinausreichende Sünde wird Ps 51, 7 erwähnt: „Siehe, ich bin in Schuld geboren (gekreißt) worden, und in Verfehlung hat mich meine Mutter empfangen." Die Sünde des Ichs reicht bis in den Augenblick seines Eintritts in die Welt zurück (vgl. von den Gottlosen Ps 58, 4), und auch seine Mutter lebte in Verfehlung, dürfte wohl der Sinn dieses Satzes sein. Bemerkenswert im ganzen ist, daß die beiden genannten Stellen im AT singulär sind und man entgegengesetzte anführen könnte: Ps 18, 24; Job 33, 9; 2 Sm 22, 24 (vgl. Job 4, 17ff). Vor allem aber ist zu bedenken, daß keinerlei Zusammenhang mit Gn 3 angedeutet ist.

Dieses geschieht aber an zwei Stellen der Weisheitsliteratur: 1) Weish 2, 23f: „Gott hat den Menschen zur Unvergänglichkeit geschaffen und ihn zum Abbild seines eigensten Wesens gemacht. Aber durch den Neid des Teufels kam der Tod in die Welt (θάνατος εἰσῆλθεν εἰς τὸν κόσμον), und es erfahren ihn die, welche jenem angehören." Das ist eine ätiologische Interpretation von Gn 3. Die Sünde ist impliziert; sie ist durch den Teufel veranlaßt. Von ihrer Übertragung ist jedoch nicht die Rede, sondern ihre Folge und Strafe, der Tod, werden genannt.

2) Innerhalb eines Abschnittes über die Bosheit der Frau heißt es Sir 25, 24: „Von einer Frau nahm die Sünde den Anfang, und ihretwegen sterben alle."

Hier ist zwar von der ἁμαρτία, der Sünde, die Rede, und als ihre Folge wird das Sterben aller genannt. Aber einmal ist von Eva gesprochen und nicht von Adam, und zweitens ist diese nur als der Anfang der Sündengeschichte der Menschheit gesehen. Von einer Weitergabe und einem Weiterwirken der Sünde steht nichts da. Außerdem ist Sir 15,12 ausdrücklich gesagt: „Es müßte ja nicht sein, daß es Sünder gibt", und noch deutlicher Sir 15,14f: „Am Anfang schuf der Herr den Menschen und übergab ihn seinem eigenen Wollen. 15 Du kannst, wenn du gewillt bist, die Gebote halten, nur Treue braucht es, seinen Willen zu erfüllen."

Die Problematik des Zusammenhangs Adams bzw. Evas mit der Sünde und dem Tod aller Menschen taucht für uns in den apokalyptischen jüdischen Schriften des 1. Jahrhunderts n. Chr. auf. Wir können den Sachverhalt hier nicht entfalten, sondern nennen nur einige charakteristische *Beispiele*[1]. 1) VitAd (ApkMos). ApkMos 10: „Weh mir! Weh mir! Komm' ich zum Auferstehungstag, dann fluchen alle Sünder mir und sagen: Eva hat Gottes Gebot nicht gehalten." ApkMos 32: „(Eva) Gesündigt habe ich, Gott, gesündigt, Vater des Alls, gesündigt an dir ... gesündigt, Herr, viel gesündigt, καὶ πᾶσα ἁμαρτία δι' ἐμοῦ γέγονεν ἐν τῇ κρίσει." Entsprechend heißt es VitAd 44: „Und es sprach Adam zu Eva: ‚Was hast du getan! Du hast über uns gebracht große Plage, Vergehen und Sünde über unser ganzes Geschlecht ... die von uns erstehen, werden uns verfluchen und sagen: Alle Übel haben unsere Eltern über uns gebracht, die von Anbeginn waren.'" 2) 4 Esr 8,17: „Darum will ich anheben, vor dir für mich und sie zu beten; denn ich sehe uns alle, die wir auf Erden leben, tief in Sünden ..." Ebd. 35: „Denn in Wahrheit ist niemand von den Weibgeborenen, der nicht gesündigt hat, niemand der Lebenden, der nicht gefehlt" (vgl. 3,35; 7,68). 4 Esr 3,21: „Denn um seines bösen Herzens willen geriet der erste Adam (!) in Sünde und Schuld, und ebenso alle, die von ihm geboren sind. So war die Krankheit dauernd: das Gesetz war zwar im Herzen des Volkes, aber zusammen mit dem schlimmen Keim (yezer ha-ra). So schwand, was gut ist, aber das Böse blieb." Ebd. 26: „Und alle handelten wie Adam in allem und alle seine Nachkommen, denn sie hatten ja selber das böse Herz." 4 Esr 4,30: „Ein Körnchen bösen Samens war von Anfang ja in Adams Herz gesät. Doch welche Sündenfrucht hat es bis jetzt getragen und wird es noch weiter tragen, bis daß die Dreschzeit kommt." 4 Esr 7,116ff: „Ich antwortete und sprach: Dies bleibt mein erstes und mein letztes Wort: Besser wäre es, die Erde hätte Adam nie hervorgebracht oder sie hätte ihn wenigstens von der Sünde ferngehalten. Denn was hilft es uns allen, daß wir jetzt in Trübsal leben müssen und nach dem Tode noch auf Strafe zu warten haben? Ach Adam, was hast du getan! Als *du* sündigtest, kam dein Fall nicht nur auf dich, sondern auch auf deine Nachkommen. Denn was hilft es uns, daß uns die Ewigkeit versprochen ist, wenn wir Werke des Todes getan haben?" Nach diesen Aussagen ist also 1) die Allgemeinheit des Sündigens stark betont; 2) das Sündigen als ein Verhängnis, von Adam (und Eva) über die Menschheit gebracht, verstanden; 3) der „böse Keim"

---

[1] STRACK-BILLERBECK III 226ff.

oder „Sinn" (3, 22; 4, 28 ff; 7, 92; 8, 53 u. a.), der Adam und seinen Nachkommen das Verderben und in die Sünde bringt, anerschaffen. Aber nun ist zu beachten, daß in diesem dialogischen Buch es für den Verfasser auch Ausnahmen aus der allgemeinen Sündigkeit gibt. Man beachte 3, 35 f: „Oder wann hätten die Bewohner der Welt vor dir nicht gesündigt, oder welches Geschlecht hätte so deine Gebote erfüllt? Einzelne zwar, mit Namen zu nennen, wirst du wohl finden, die deine Gebote gehalten, Völker aber findest du nicht." So bringt die künftige Welt immerhin „wenigen" Erquickung (vielen aber Pein) (4 Esr 7, 47.48.139 u. a.). Esra selbst gehört nicht zu den Sündern, sondern zu den Gerechten (7, 76; 8, 47), auch seine „Brüder" (8, 51 bis 62) und „seinesgleichen" (8, 62; vgl. 14, 49). Ein anderes ist noch bedeutsamer. Die, die in der Nachfolge Adams sündigten, taten das aus freiem Entschluß. „So forsche nicht weiter nach der großen Zahl derer, die ins Verderben gehen; denn sie haben aus eigenem freiem Entschluß den Höchsten verachtet, sein Gesetz verworfen, seine Wege verlassen..." (8, 55f). Die Menschen können durch das Gesetz das ewige Leben gewinnen (14, 23.30). Denn – und das ist das dritte – die eigentliche Verbindung der Menschen mit Adam bestand darin, daß in beider Herzen der yezer ha-ra, „der böse Keim" oder „böse Sinn", gesät ist bzw. jedem „anerschaffen" ist, zugleich aber das Gesetz, so daß jeder wie Adam zu kämpfen hat, wobei freilich die meisten seiner Nachkommen wie er selbst der Verführung des bösen Triebes unterliegen, ihnen das „böse Herz" erwuchs. Ein paar Beispiele mögen das noch verdeutlichen. 3, 21 ff haben wir schon zitiert. 4, 28 f: „Denn gesät ist das Böse, wonach du mich fragst, und noch ist seine Ernte nicht erschienen." „Ehe das Gesäte also noch nicht geerntet ist und die Stätte der bösen Saat nicht verschwunden, kann der Acker, da das Gute gesät ist, nicht erscheinen", und 9, 31: „Heute säe ich mein Gesetz in euer Herz, das wird in euch Frucht bringen..." Dieses Gesetz aber bleibt, mögen wir auch unserer Sünden wegen verlorengehen. Und so ist „die erste Freude" derer, die „des Höchsten Wege bewahrt haben", daß sie in schwerem Streit gekämpft haben, „den ihnen anerschaffenen bösen Sinn zu besiegen, daß er sie nicht vom Leben zum Tod führe" (7, 92). In dieselbe Reihe wie 4 Esr und VitAd gehört auch die sogenannte syrische Baruchapokalypse. Auch nach ihr ist die Folge der Sünde Adams der Tod und die Mühsal des Lebens. „Denn als Adam gesündigt hatte und der Tod über die, die von ihm abstammen würden, verhängt war..." (23, 4). Oder: „Denn weil nach seiner Übertretung der vorzeitige Tod eintrat, so war die Trauer dem Namen nach bekannt, und die Trübsal bereitete sich vor, und der Schmerz wurde geschaffen, und die Mühsal wurde fertig gemacht, und die Prahlerei fing an, sich einzustellen" (56, 6). Besonders deutlich ist 48, 42f: „Da antwortete ich und sprach: Oh! Was hast du, Adam, allen denen getan, die von dir abstammen? Was soll zu der ersten Eva gesagt werden, daß sie der Schlange gehorcht hat, so daß die ganze große Menge dem Verderben anheimfiel und Unzählige sind, die das Feuer frißt?" Die Sünde Adams und Evas hat Elend und Tod der Menschen zur Folge. Aber in welchem Sinn? Weil von diesem Anfang her die Menge gesündigt hatte. Das letztere wird nun gerade in der syrischen Apokalypse des Baruch entschieden ausgesprochen, so z. B. 54,15: „Denn wenn Adam zuerst gesündigt und über alle den vorzeitigen Tod gebracht hat, so hat doch auch von denen, die von ihm abstammen, jeder einzelne sich selbst die zukünftige Pein zugezogen, und jeder einzelne hat wiederum die zukünftige Herrlichkeit erwählt." 54,19: „Adam ist also einzig und allein für sich selbst die Veranlassung; wir alle aber sind ein jeder für sich selbst zum Adam geworden" (vgl. auch 18,1f; 19,1ff; 51,15ff u. a.). Übersieht man diese und andere Stellen, so ergibt sich – um noch einmal zusammenzufassen –, 1) daß in diesem apokalyptischen Judentum die Überzeugung von der überwiegenden Sündhaftigkeit der Nachkommen allgemein war. Es gibt freilich auch wenige Ausnahmen derer, die nicht sündigen. Weiterhin ergibt sich, 2) daß vom ursächlichen Zusammenhang zwischen der Verfehlung Adams (und Evas) und den Übeln und dem (vorzeitigen) Tod seiner Nachkommen die Rede ist, *gelegentlich* auch (VitAd bzw. ApkMos) auch davon, daß Eva die Sünde über die Nachkommen gebracht hat! Doch wird nicht deutlich, in welcher Weise. 3) Es scheint, daß ein maßgeblicher Gesichtspunkt der ist, daß sich sozusagen in jedem Menschen das Herz Adams und Evas vorfindet, dem der mächtige yezer ha-ra anerschaffen ist, der allermeist im Kampf mit dem Gesetz den Sieg davonträgt (vgl. z. B. 4 Esr 3,21). 4) Damit stimmt überein, daß neben dem Verhängnis, das Adam und Eva über ihre Nachkommen gebracht haben, die Notwendigkeit und die Möglichkeit eigener Entscheidung bzw. ihre Tatsächlichkeit betont wird.

In der rabbinischen Literatur der ersten drei Jahrhunderte n. Chr. gibt es Spuren einer Auffassung, nach der Adam seine Gottebenbildlichkeit nicht nur für sich, sondern auch für seine Nachkommen durch seine Sünde verloren hat. Es ist sein Lichtglanz (δόξα), der ein Abglanz der göttlichen Doxa war, der ihm nach seinem Sündenfall von Gott entzogen wurde. Am Sinai wurde dieser Glanz aufs neue den Israeliten verliehen, aber wegen der nachfolgenden Sünde mit dem Goldenen Kalb nur vorübergehend. Erst in der messianischen Zeit wird er dauernd wiederkehren. Dann werden die Gerechten leuchten wie die Sterne[2]. Auch an Jeb 103b; AZ 22b; Schab 146a kann man erinnern. „So sagte R. Jochanan: Als die Schlange der Eva beiwohnte, brachte sie ihr eine Befleckung (oder Unreinigkeit לוּחֲמָא) bei. Bei den Israeliten, die am Berg Sinai standen, verlor sich die Befleckung; bei den Heiden, die nicht am Berg Sinai standen, verlor sich die Befleckung nicht." Freilich mit „Befleckung" ist nur speziell der Hang zu widernatürlicher Unzucht gemeint. Aber das sind Aussagen am Rand. Fast durchweg teilen die Rabbinen die Vorstellung vom anerschaffenen yezer ha-ra, der grundsätzlich zu überwinden ist, und zwar kraft der Tora, die Gott dazu gegeben hat. „Wenn du willst, so kannst du (scil. wenn du dich mit der Tora beschäftigst) über ihn (den yezer ha-ra) herrschen" (Sifre Dt 45 zu 11,18)[3]. Adam (bzw. Eva) sind nur die Anfänger der Sünde.

B) In unserem Text (Röm 5,1ff) ist aber nicht nur von der Sünde und dem Tod, die durch Adam in die Welt kamen, die Rede, sondern auch von Adam, der der Typos des Zukünftigen ist, sofern dem „ersten Adam" „der eine

[2] STRACK-BILLERBECK IV 887.
[3] STRACK-BILLERBECK III 130.

Adam bei Paulus

Mensch Jesus Christus" entspricht. Deutlicher wird, wie wir sahen, diese Gegenüberstellung des ersten und zweiten Adam dann in 1 Kor 15, 20 ff. 45 ff. Gibt es auch dafür im Jüdischen vorbereitende Vorstellungen? Im Blick auf die rabbinischen und apokalyptischen Texte, etwa auch auf Weisheitstexte, ist die Antwort ein uneingeschränktes Nein. Auch findet sich in den erwähnten Schriften nicht einmal in bezug auf Adam allein die bei dieser Gegenüberstellung mitgegebene Vorstellung von einem Adam, der seine Nachkommen in sich schließt und sie sein Geschick teilen läßt. Die Vorstellung vom Geschick eines Stammes, das durch seinen Stammvater zum Guten oder Schlechten bestimmt wird, also die Theorie von corporate personality[4], reicht hier nicht aus. Selbst in einer so weitgehenden Aussage wie Jub 22, 20 f: „All sein Same ist zur Ausrottung von der Erde bestimmt. Denn in der Sünde Hams hat sich Kanaan vergangen, und all sein Same wird ausgerottet werden von der Erde und alle seine Nachkommen, und kein (Abkömmling) von ihm wird gerettet werden am Tage des Gerichts", ist nicht an ein Vorhandensein der Nachkommen *im* Stammvater gedacht, sondern nur an das gleiche spätere Handeln und Schicksal der Nachkommen. Auch Hebr 7, 9 gehört hier nicht her. Vgl. „sozusagen"; außerdem geht es nur um einen einzelnen Nachkommen. Aber auch die rabbinische Vorstellung von Adam als „guf" (Behältnis) ist keine Parallele zu den paulinischen Vorstellungen. Die Vorstellung vom „guf" ist nicht nur spät aufgekommen und bezeugt, sie redet a) im übrigen von einem Insein der „Seelen" im Körper des Adam, auch nur an wenigen Stellen; b) dieses Insein bezieht sich auf das ferne Einst, die Urzeit; c) von einem Bestimmtsein der Seelen durch ihr Sein in Adam ist nicht die Rede.

Aber es gibt einen allerdings schwer faßbaren Vorstellungshintergrund zu den paulinischen Ausführungen über Adam in einem anderen Bereich. Dieser erhellt sich etwas, wenn wir bei den Ausführungen des Apostels in 1 Kor 15 folgendes beachten: Paulus wendet sich offensichtlich gegen eine von den korinthischen Enthusiasten vertretene Adamvorstellung. Diese kannte einen himmlischen Adam und einen irdischen, und zwar in dieser Reihenfolge. Der irdische wird im Anschluß an Gn 2, 7 ψυχὴ ζῶσα genannt oder ψυχικόν, aber nicht im Sinn der Genesis als „lebendes Wesen", sondern im abwertenden Sinn, nämlich: *nur* psychisch, nicht pneumatisch. Die Menschen sind mit ihm wesenseins, teilen seine Wesensgestalt, erleiden in ihm (Präsens!) ihr Geschick. Diese fragmentarischen Züge lassen sich nun aus ein paar allerdings unbestimmt zu datierenden jüdisch-gnostischen Traditionen ein wenig erhellen. Ich lege nur ein Beispiel vor, das relativ alt (vorchristlich) und deutlich ist: den Kern der sogenannten Naassenerpredigt (Hippol V 6–11). Danach ist Adamas primär der ursprüngliche himmlische Mensch, der „oben", der „große", „schönste", „selige", „vollkommene Mensch". *Er* ist der ἀρχάνθρωπος. Ebendieser ist in die Tiefe gefallen und dort gefangen, der sich jetzt im „irdischen Gebilde" (im Leib) und im „vielfach gespaltenen Geschlecht der sterblichen Menschen" befindet, im Todesreich. Er ist τὸ πλάσμα χοϊκόν oder πήλινον bzw. ψυχικόν. Er ist identisch mit „allen". „In allen ist der mann-

---

[4] Vgl. dazu KÄSEMANN, 134.

187

weibliche Mensch", eben der himmlische, der gefallen ist. „Wir, die Pneumatiker, kamen von oben, vom Adamas hinunterströmend." In diesem Todesbereich „ruft und schreit" der herabgekommene Anthropos zum himmlischen (der er selbst ist!) um Errettung. Die Zusage ergeht – in alttestamentlichen Zitaten – an den „Sohn" *oder* „die Söhne", weil er ja in allen und mit allen identisch ist. Im ἄνοδος oder in der ἀναγέννησις gibt es keine Rettung des im Irdischen Gefangenen, der ja der Himmlische ist. Im Aufstieg oder in der Wiedergeburt wird der gefallene Anthropos wieder „pneumatisch". Wir haben im ganzen etwas schematisiert. Aber unter mannigfachen Verdeckungen und vielen Variationen findet sich das Schema auch bei Zosimos, im sogenannten Poimandres des Corpus Hermeticum, im Apokryphon Johannis, in einem „jüdischen" Gebet, das in doppelter Rezension in den Zauberpapyri enthalten ist und das E. Peterson analysiert hat, u. a. m.

Übersieht man dieses Schema und die Fragmente der korinthischen Anschauungen, so stellen sich letztere gleichsam als Teileelemente jenes mythischen Schemas dar. Deutlich wird für uns aber vor allem die Korrektur, die Paulus anbringt, oder besser: die souveräne Antithese, die der Apostel mit den Begriffen und Vorstellungen eines Adam-Anthropos-Mythus aufstellt: 1) Vor dem himmlischen ist der irdische Adam, der „psychische", eben der Adam der Genesis, der erste Mensch. Der Mensch, könnten wir auch sagen, ist kein „himmlisches" oder „pneumatisches" Wesen, sondern ein irdisches. Er ist kein gefallenes oder verführtes himmlisches Wesen, das nun gefangen ist und sich nun nach seinem eigentlichen und ursprünglichen Wesen sehnt. Der Mensch, meint Paulus, ist der irdisch-konkrete Adam. 2) „In ihm", gleich ihm, ihn jeweils austragend sind die Menschen, sind alle Menschen. Sie teilen von ihm her sein Geschick, Generation um Generation: „In Adam *sterben* alle" (1 Kor 15, 21). Sie teilen von ihm her sein Todesgeschick, sie erleiden es. 3) Aber dies ist nur die Folge dessen, was im Schema des Mythos kaum zur Geltung kommt, was aber für Paulus von entscheidender Bedeutung ist: sie leben wie und in und als Adam unter der Herrschaft des Todes, *weil* unter der Herrschaft des mit Adam ausgebrochenen Sündenwesens. Das kommt nicht gegenüber den Korinthern, sondern Röm 5, 12ff zur Sprache. Damit wird, so seltsam es klingt, das Moment der Verantwortlichkeit als Grundzug des adamitischen Wesens hervorgehoben. Sagt man „Sünde" und spricht man davon, daß das Sündenwesen oder die Sündenmacht durch Adam in die Welt gekommen ist, so ist das adamitische Dasein nicht einfach Todesverhängnis als blindes Schicksal eines gefallenen himmlischen Menschen, sondern eigene Entscheidung sowohl des Menschen, von dem ich herkomme, als auch meiner selbst. Es ist dann ja selbstsüchtige Zustimmung zu meiner Herkunft, die mir eben diese immer schon anbietend gebot. Für die Gnostiker aller Zeiten ist das Dasein ein Verhängnis durch ein Verhängnis. Für den Christen ist es immer neuer Vollzug geschehener Sünde, immer neues Übernehmen der mit dem Menschen aufgerichteten Sündenherrschaft. 4) Die Entwurzelung gnostischer Sentimentalität vom gefallenen himmlischen Menschen, der nach sich Sehnsucht hat und (durch Gnosis) wieder zu sich kommt, geschieht aber vor allem dadurch, daß für Paulus nicht nur der erste Adam der irdische ist, sondern auch der zweite nicht mit dem ersten identisch, daß der „himmlische Adam" *Jesus Christus* ist, also gerade nicht derselbe wie der Mensch, nur in einem anderen Seinsmodus. Er ist ein ganz anderer, obwohl er „der Mensch Jesus Christus" ist. Er ist der „eschatos Adam", in dem Gott seine Gerechtigkeit und d. h. seine Gnade eröffnet hat, und an der der Glaube teilhat, der solches Heilsgeschehen annimmt. Damit aber entreißt Paulus den Gnostikern auch die Meinung, Errettung wäre Hinkehr und Rückkehr des Menschen zu sich selbst (durch Aufklärung über sein Wesen). Rettung aber geschieht durch das Sichüberlassen dem zum Leben erweckenden zweiten, anderen, letzten Adam.

So können wir zusammenfassen:

1. Adam ist nach Röm 5, 12ff; 1 Kor 15, 21f; 1 Kor 15, 44b–49 der eine Mensch, dem Jesus Christus als der zweite gegenübersteht. Er ist „der erste Mensch", der als solcher auf „den zweiten" verweist (Typos). Er stellt also die Herkunft des Menschen, wie er vor-kommt, dar, der in Jesus Christus eine neue Herkunft empfängt. Er stellt den Menschen als seine Herkunft dar, die er ständig als ihm vorgegebene und auf ihn Anspruch erhebende mitbringt. Paulus ist bei seinen Aussagen über Adam in keinem Sinn an der Frage eines Monogenismus interessiert, sondern an der ganz anderen, ob die Menschen, wie sie vorkommen, immer schon eine gemeinsame Vergangenheit als einheitliches Geschick vorkommen lassen.

2. Diese Frage bejaht er. Die Sünde Adams und der durch sie sich einstellende Tod kommen mit den Menschen aus ihrer Herkunft und mit ihrer Vergangenheit vor. Sie sind durch ihre gemeinsame Herkunft jeweils schon bestimmt, und zwar so, daß sie seinesgleichen sind und ihn repräsentieren. Sie sind von ihrer geschichtlichen Herkunft her Menschen und teilen die menschliche Seinsweise. (Paulinisch gesprochen: sie sind so wie der erste Mensch, und sie tragen die Eikon des Irdischen.) Die durch ihn in die Geschichte gekommene Sündenmacht aktualisieren sie in ihrem Sündigen.

3. Adam ist aber auch als die gemeinsame Herkunft, die in den Menschen vergegenwärtigt wird, die Dimension, in der sich die Menschen als Menschen aufhalten und die sie von sich aus nie übersteigen können, solange und soweit sie Menschen sind. „In Adam sterben alle." Das Menschsein, aus dem er kommt, das er repräsentiert, ist auch der Bereich, in dem er lebt. Er kommt darüber nicht hinaus, in ihm ist er bei sich, ist er Mensch.

Nimmt man alles zusammen, so kann man vielleicht sagen: Adam ist für den Apostel Paulus der Mensch hinsichtlich seiner einen, gemeinsamen Herkunft, die ihn immer schon bestimmt, die er jeweils in seinem Leben austrägt, in der er sich unentrinnbar aufhält. Adam ist das menschliche Dasein in seiner Konkretion, aus dem der Mensch kommt, das er vollzieht und in dem er verweilt.

3. 6, 1–14 Die Befreiung von der Sündenmacht in der Taufe

1 Was sollen wir nun sagen? Sollen wir bei der Sünde bleiben, damit sich die Gnade mehre? 2 Nein! Wie sollen wir, die wir der Sünde gestorben sind, noch in ihr leben? 3 Oder wißt ihr nicht, daß wir, die wir auf Christus Jesus getauft wurden, auf seinen Tod getauft wurden? 4 Wir wurden ja durch die Taufe auf seinen Tod mit ihm zusammen begraben, damit auch wir, wie Christus auferweckt wurde von den Toten durch die Herrlichkeit des Vaters, in einem neuen Leben wandeln. 5 Denn wenn wir mit seinem Todesabbild geeint wurden, werden wir auch seiner Auferstehung zugehören. 6 Dies wissen wir: unser alter Mensch wurde mitgekreuzigt, damit der Leib der Sünde abgetan würde, so daß wir nicht mehr Sklaven der Sünde seien. 7 Denn wer gestorben ist, ist von der Sünde frei. 8 Sind wir aber mit Christus gestorben, so werden wir, wie wir glauben, mit ihm leben. 9 Wissen wir doch, daß Christus, von den Toten erweckt, nicht mehr stirbt. Der Tod hat keine Gewalt mehr über ihn. 10 Denn mit seinem Tod ist er der Sünde ein für allemal gestorben, sein Leben aber lebt er Gott. 11 So bedenkt doch auch ihr, daß ihr tot seid für die Sünde, Gott aber lebt in Christus Jesus.

12 Es herrsche nicht die Sünde in eurem sterblichen Leib, so daß ihr seinen Begierden gehorcht, 13 stellt auch eure Glieder nicht als Waffen für das Unrecht zur Verfügung, sondern stellt euch Gott zur Verfügung als die, welche aus den Toten zum Leben kamen, und eure Glieder als Waffen für die Gerechtigkeit. 14 Denn die Sünde wird über euch nicht herrschen. Ihr steht ja nicht unter dem Gesetz, sondern unter der Gnade.

V 1 Mit einem rhetorischen τί οὖν ἐροῦμεν, das Paulus auch sonst schon zur Einleitung von Kap. 4, 1 (vgl. 3, 5) gebraucht hat, wird Kap. 6 mit Kap. 5 verknüpft. Es führt eine Erörterung ein, die sich mit einem Einwand gegen die paulinische Aussage beschäftigt. Dieser Einwand ist in V 1 entweder im direkten Zitat gebracht: „Laßt uns bei der Sünde bleiben, damit die Gnade zunehme!“ oder wird – was wahrscheinlicher ist – von Paulus aufgenommen und indirekt wiedergegeben: „Sollen wir bei der Sünde bleiben...?“ Jedenfalls knüpft V 1b an 5, 20b an und verkehrt diese Aussage. Es wird sich wahrscheinlich, wie auch 3, 8 erkennen läßt, um einen gegnerischen Einwand[1] gegen die paulinische Rechtfertigungs- und Gnadenlehre handeln. In 3, 8 erklärt Paulus ja ausdrücklich, daß man ihm solche verfälschte Aussage nachgesagt und damit ihn gelästert habe. Die Gegner, die wohl in jüdischen Kreisen zu suchen sind, erweisen sich mit ihrem Einwand nicht nur voll Ingrimm gegen die Gnadenlehre des Apostels, sondern auch als recht geschickt in ihrer Polemik. Man braucht an 5, 20b nur eine kleine Korrektur vorzunehmen, um den Sinn der paulini-

---

[1] So auch KÄSEMANN, aber schon KÜHL u. a.

schen Aussage zu verdrehen. Paulus sagt 5,20b: οὗ δὲ ἐπλεόνασεν ἡ ἁμαρτία, ὑπερεπερίσσευσεν ἡ χάρις. Seine Gegner machen aus dem οὗ δὲ ein ὅτι δὲ…
Mit anderen Worten: Paulus stellt objektiv das heilsgeschichtliche und sachliche Aufeinanderbezogensein von Gnade und Sünde fest. Im Strom der Gnade versank und versinkt die Menge der Sünde. Seine Gegner machen daraus ein ursächliches Verhältnis der Sündenmenge und der Gnadenmenge: weil die Sünde so zahlreich wurde, mehrte sich auch die Gnade, und zogen daraus die praktische Konsequenz: Mehre die Sünde, so mehrst du die Gnade! Ob vielleicht nicht für solches boshaftes Mißverständnis auch in paulinischen Gemeinden (und vielleicht auch in der römischen Gemeinde) ein Anhalt vorhanden war, den Paulus hier aufgreift, um ausführlich darauf Antwort zu geben? Wir wissen von späteren gnostischen Kreisen, die dieselbe Parole ausgaben und praktizierten. Freilich nach unserem Brief hat man keine Andeutung solcher Gedanken und Praxis[2]. Gefragt ist also: „Sollen wir bei der Sünde bleiben, damit die Gnade sich mehre?" Ἡ ἁμαρτία ist natürlich jene Sündenmacht und jenes Sündenwesen, von dem Kap. 5 spricht. Das ἐπιμένειν τῇ ἁμαρτίᾳ geschieht natürlich im Vollzug der Sünde, im ἁμαρτάνειν. Vgl. zu ἐπιμένειν cum Dat. Röm 11,22: τῇ χρηστότητι, 11,23: τῇ ἀπιστίᾳ, Phil 1,24; Kol 1,23: τῇ πίστει. Man „bleibt" bei der Sündenmacht, wenn man auf sie im Sündigen eingeht und also sich auf die adamitische Vergangenheit, auf sein Herkommen konkret einläßt. Die Antwort, die Paulus auf diese Frage gibt, ist sehr bezeichnend.

V 2 Zuerst wieder ein entschiedenes μὴ γένοιτο, wie es sich allein in unserem Brief siebenmal findet[3]. Dann als Begründung dieses „Nein" eine Erklärung, daß wir der Sünde gestorben sind, also ein Hinweis auf ein Geschehen, das uns widerfahren ist. Die Antwort des Apostels besteht also nicht darin, daß er sachliche Argumente vorbringt: weder in der Weise, daß die Verkehrung des eigenen Satzes vom Verhältnis der Gnade und der Sünde gekennzeichnet und zugleich zurechtgerückt wird, noch so, daß die theologischen Sachverhalte, die mit χάρις – δικαιοσύνη gemeint sind, erläutert werden, sondern so, daß er 1) eine Behauptung aufstellt, die natürlich nur im Glauben einzusehen ist: daß „wir", die Christen – Paulus kennt hierin keine Ausnahme –, „gestorben" sind, und zwar τῇ ἁμαρτίᾳ, bei der wir angeblich „bleiben" wollen und sollen; 2) aber eine Folgerung zieht, daß wir als für sie Tote nicht mehr „in ihr leben", also nicht mehr „bei ihr bleiben" können. Dabei wird der als Begründung des emphatischen μὴ γένοιτο dienende Relativsatz betont vorangestellt: οἵτινες (quippe qui begründend), um das umstürzende Ereignis und das Absurde jener gegnerischen Behauptung sofort deutlich werden zu lassen. Die gegnerische Frage ist nicht nur böswillig, sondern auch unsinnig. Sie übersieht und versteht nicht, wer „wir" als Christen sind, genauer: daß sich unser jetziges Dasein von dem vorchristlichen wie Leben und Tod unterscheidet. Es hält sich in einer anderen Dimension auf, nicht mehr in der der Sündenmacht (ἐν αὐτῇ). Für die Sünde, ihr und ihrem mächtigen Zugriff gegenüber sind wir „Tote". Wie sol-

---

[2] Röm 11,17ff; 12,3ff haben nichts damit zu tun (gegen MICHEL).
[3] Vgl. BLASS-DEBR, 384; 440,2.

len *Tote* in ihr *leben?* Wo sollen Tote anders bleiben als im Tod? Doch wann und auf welche Weise ist solches der Sündenmacht Gestorbensein geschehen? Die Antwort auf diese Frage gibt Paulus in den nächsten Sätzen.

Zunächst in *V 3.* Er appelliert zwar z. B. auch 7, 1 an das Wissen der römischen Christen, natürlich an das Glaubenswissen: nämlich daß das Der-Sünde-gestorben-Sein in der Taufe geschehen ist. Freilich wieweit ein solcher rhetorischer Appell an die Erkenntnis der Leser, den Paulus auch in anderer Formulierung erhebt, nämlich etwa mit οὐκ οἴδατε (Röm 6, 16; 11, 2; 1 Kor 3, 16; 5, 6; 6, 2.3.9.15.16.19; 9, 13.24), ein Wissen tatsächlich voraussetzt oder nur mehr oder weniger einen pädagogischen Sinn hat, die Hörer zum Wissen zu ermahnen, ist schwer zu sagen. Jedenfalls ist es so: ὅσοι (= πάντες, οἵ ...)[4] ἐβαπτίσθημεν εἰς Χριστὸν Ἰησοῦν, εἰς τὸν θάνατον αὐτοῦ ἐβαπτίσθημεν. Βαπτίζειν ist hier wie sonst bei Paulus schon terminus technicus für das Spenden der Taufe (vgl. 1 Kor 1, 13.14.17; 10, 2; 12, 13; 15, 29; Gal 3, 27) entsprechend dem allgemeinen Sprachgebrauch der Urkirche. Und gerade einer fremden Gemeinde gegenüber ist kaum darüber hinaus an den ursprünglichen Sinn des „Eintauchens" gedacht[5]. Dann muß man βαπτίζειν εἰς Χριστὸν Ἰησοῦν mit „auf Christus Jesus taufen" übersetzen. Der Ausdruck wäre dann eine Abkürzung des εἰς τὸ ὄνομα τοῦ κυρίου Ἰησοῦ o. ä. (vgl. Apg 8, 16; 18, 5; Mt 28, 19), welche Wendung ja auch Paulus kennt, wie 1 Kor 1, 13 verrät, während er 1 Kor 10, 2 sagt: πάντες εἰς Μωϋσῆν ἐβαπτίσαντο, also entsprechend einem βαπτίζειν εἰς Χριστόν formuliert. Taufen auf den Namen Christi Jesu und Taufen auf Christus Jesus ist dasselbe. Βαπτίζειν εἰς Χριστὸν Ἰησοῦν meint dann die in der Taufe und durch die Taufe geschehende Übereignung des Täuflings an Christus Jesus[6]. Denn die Formel εἰς τὸ ὄνομα, die in der hellenistischen Rechts- und Geschäftssprache nachgewiesen ist[7], etwa zusammen mit διαγράφειν (aufs Konto überschreiben), ist der Ausdruck rechtlicher Übereignung an die betreffende Person. Das βαπτίζειν εἰς Χριστὸν Ἰησοῦν kann aber auch (mit Käsemann) meinen, daß wie nach 2 Kor 1, 21; Gal 3, 27 der Getaufte „in den neuen Adam integriert wird", was freilich nicht auf „Teilhabe am Regnum Christi" hinausläuft, sondern auf das Einbezogenwerden in Christi Schutz und Herrschaft. Steht so der Sinn von βαπτίζειν εἰς Χριστὸν Ἰησοῦν relativ fest, dann wird auch das εἰς τὸν θάνατον βαπτίζειν im selben Sinn der Übergabe und Übereignung an Christi Tod und der Aufnahme in seinen Tod gemeint sein. Jedenfalls wird die häufige Wiedergabe mit „in seinen Tod hineingetaucht sein" aus Gründen des paulinischen und z. T. hellenistischen Sprachgebrauchs dem Sachverhalt nicht gerecht.

So ist bis jetzt in 6, 1 ff gesagt: Sollen wir bei der Sünde bleiben und sündigen, damit die Gnade sich mehre? Nein! Wir sind ja dem Sündenwesen gestorben.

---

[4] Blass-Debr, § 304.
[5] E. Stommel, Das Abbild seines Todes und der Taufritus, in: RQ 50 (1955) II 4.
[6] Vgl. hierzu und überhaupt zu 6, 1–11 R. Schnackenburg, Das Heilsgeschehen bei der Taufe nach dem Apostel Paulus (= MüThSt I 1, München 1950, 15 ff).
[7] Bauer WB 1134.

Inwiefern? Als wir in der Taufe Jesus Christus übereignet wurden oder als wir durch die Taufe effektiv Christus eingegliedert wurden, sind wir seinem Tod übereignet oder in seinen Tod einbezogen und aufgenommen worden. Was aber ergibt sich daraus als Folgerung?

Nach *V 4* vorläufig gesagt: ein Mit-ihm-zusammen-begraben-worden-Sein und in einem bestimmten Sinn die Teilhabe an Christi Auferstehung. Das οὖν (V 4) steht im Sinn einer Satzfortsetzung und einer Folgerung. Das ἀποθανεῖν, das durch die Übereignung an Christi Tod „in der Taufe auf seinen Tod" geschah, schließt ein συνταφῆναι mit Christus ein. Es kann, wie 6, 8 zeigt, in ἀπεθά-νομεν σὺν Χριστῷ enthalten sein. Anderseits ist es der Abschluß und das Ergebnis des ἀποθανεῖν nach antikem (und nicht nur antikem) Empfinden, für das „der Vorgang des Sterbens... erst durch die Bestattung ganz abgeschlossen ist"[8]. Paulus hätte aber wahrscheinlich kaum συνετάφημεν statt συναπ-εθάνομεν gesagt oder es dem erwähnten „auf Christi Tod getauft werden" noch hinzugefügt, wenn ihm nicht das ἐτάφη aus der Gemeindehomologie vor Augen gestanden hätte (vgl. 1 Kor 15, 3f; Kol 2, 12). Begraben (mit Christus) sind wir aber, wie noch einmal wiederholt wird, διὰ τοῦ βαπτίσματος εἰς τὸν θάνατον, was doch wohl als ein Ausdruck zusammengehört[9]. Freilich wäre es korrekter, wie Kuß meint, διὰ τοῦ βαπτίσματος τοῦ εἰς τὸν θάνατον αὐτοῦ zu sagen. Aber solche Korrektheit ist selbst im klassischen Griechisch nicht immer üblich. Auch läßt βάπτισμα als substantiviertes Verb solche Verbindung ohne Wiederholung des Artikels zu. Die Taufe, die uns mit Christi Tod einigt, mit Christus sterben läßt, vereinigt uns auch mit ihm im Grab.

Aber nun folgt erst der entscheidende Gedanke im Zusammenhang des Ganzen. Die Taufe, die dem Tod und dem Grab Christi übereignet und also an Christi Geschick Anteil gibt, hat, wie der Tod Christi selbst, noch eine andere Seite. Sie hat noch ein anderes, von Gott gewolltes Ziel und Ergebnis, dessen Verwirklichung ebenfalls, ja erst recht das Bleiben bei der Sünde – um die Gnade zu mehren – unmöglich macht: den Vollzug ἐν καινότητι ζωῆς, der der Auferweckung Jesu Christi entspricht (V 4b). Das ἵνα ist final. Der Finalsatz wird durch ein neues ὥσπερ – οὕτως gegliedert. Es werden dabei nicht zwei Ereignisse einander gegenübergestellt, sondern die Auferweckung Jesu Christi von den Toten und der mit der Taufe von Gott beabsichtigte und geforderte neue Lebenswandel des Christen, d. h. des Getauften. In dem ὥσπερ-Satz ist davon die Rede, daß Christus von den Toten auferweckt wurde. Die im Hintergrund stehende Bekenntnisformel wird noch sichtbarer: ἀπέθανεν – ἐτάφη – ἠγέρθη. Nach Röm 8, 34 und 2 Kor 5, 15 (vgl. 1 Thess 4, 14, mit ἀνέστη) gibt es sie auch zweigliedrig. Hier fügt Paulus zu dem ἠγέρθη noch hinzu, in welcher Weise bzw. wodurch sie geschah: διὰ τῆς δόξης τοῦ πατρός, das nur bei einigen

---

[8] E. STOMMEL, a. a. O. I 7, II 9.
[9] BLASS-DEBR, §§ 269 272. K. RADERMACHER, 117. KÜHL, H. W. SCHMIDT, KÄSEMANN; auch R. SCHNACKENBURG, Das Heilsgeschehen bei der Taufe, 30. Anders G. BORNKAMM, Taufe und neues Leben bei Paulus, in: Das Ende des Gesetzes (1952) 34–50.38 Anm. 6; KUSS, Tauflehre, 124 Anm. 5.

Altlateinern (m Iren Tert) fehlt. Dabei ist zweierlei auffallend: 1) Vom „Vater" wird ohne weitere Bestimmung gesprochen, was vielleicht auf einen vorpaulinischen Gebrauch verweist; 2) δόξα steht hier anstelle von δύναμις (vgl. 2 Kor 13, 4; auch Eph 1, 19f), was zu erkennen gibt, daß der „Glanz" und die „Macht" Gottes eins sind. Das also ist an dem gestorbenen und begrabenen Christus geschehen. Aber was ist an uns, den Getauften und also Mitgestorbenen und Mitbegrabenen, geschehen? Ein Mit-auferweckt-worden-Sein? Ja und nein. Wenn ein Mit-auferweckt-worden-Sein gemeint wäre, so müßte der οὕτως-Satz präzise lauten: οὕτως καὶ ἡμεῖς συνηγέρθημεν oder ähnlich. Er müßte dann etwa wie Kol 2, 12 und 3, 1.3 (vgl. Eph 2, 5f) formuliert sein. Aber das ist nicht der Fall, sondern er wird in Ausführungen beendet, die sich auf unser περιπατεῖν beziehen, und zwar in Vollendung des ἵνα-Satzes mit conj. Aor. = praesens, wodurch sie einen verborgenen imperativischen Sinn erhalten. Περιπατεῖν im übertragenen Sinn auch bei Epict., Diss. 1, 18, 20 und in LXX 4 Kg 20, 3; Spr 8, 20; Prd 11, 9; im NT allein von Paulus gebrauchtes Wort, das den Vollzug des Lebens, den „Wandel" im übertragenen Sinn meint (vgl. Röm 8, 4; 13, 13; 14, 15; 1 Kor 3, 3 u. ö.). Wir sind also, meint Paulus, in der Taufe mit Christus gestorben und begraben worden, damit auch wir – nun nicht: mit ihm zusammen auferweckt würden, sondern: unser Leben in rechter, seiner Auferweckung angemessener Weise führen mögen. Aber ist dann gar nicht von unserer Auferweckung von den Toten die Rede? Doch! Abgesehen davon, daß sie im Finalsatz impliziert ist, ist sie auch in der Formulierung ἐν καινότητι ζωῆς ausgesprochen. Diese ist nämlich die Voraussetzung, unter der wir jetzt solches περιπατεῖν vermögen und also auch sollen. Und sie, diese „Neuheit des Lebens", ist durch die Taufe bewirkt und in der Auferweckung Jesu Christi begründet. Sie ist die καινότης πνεύματος (Röm 7, 6), das vom Geist eben in der Taufe geschaffene neue Sein, in dem wir als Getaufte leben und deshalb auch leben sollen. Wir sind ja auch in der Taufe kraft des Glaubens ἐν Χριστῷ und so καινὴ κτίσις (2 Kor 5, 17; Gal 6, 15), „neue Schöpfung", wobei der eschatologische Sinn von καινός und καινότης nicht zu übersehen ist (vgl. 1 Kor 11, 25; 2 Kor 3, 6; Eph 2, 15; 4, 24; Röm 7, 6). Diese neue Dimension des „neuen", eschatologischen Lebens ist durch die Taufe im Glauben unser Lebensraum geworden, den wir ausschreiten sollen, also unsere neue Lebensmöglichkeit, die wir realisieren sollen. Ihr gemäß, die uns durch die Auferweckung Jesu Christi eröffnet worden ist, sollen wir „wandeln", sie sollen wir in unserer Existenz ausweisen. Sie können wir nicht durch unser περιπατεῖν schaffen. Sie ist den Getauften kraft der Auferstehung Jesu Christi aufgetan. Aber wir müssen sie in unserem Lebensvollzug verifizieren. Durch solchen angedeuteten Imperativ wird das Nein als Antwort auf die Frage „Sollen wir bei der Sünde bleiben?" aufs neue begründet. Nein: denn wir sind in der Taufe mit Christus der Sünde gestorben. Und nein: denn uns ist in der Taufe die καινότης ζωῆς eröffnet worden, und zwar dazu, daß wir unser Leben ihr entsprechend vollziehen. Also nein: denn die Taufe fordert uns von dem durch sie kraft der Auferstehung Christi bewirkten neuen, eschatologischen Sein her zur neuen Existenz auf (vgl. Eph 2, 10).

V 5 Aber in welchem Sinn ist uns die καινότης ζωῆς aufgetan, so daß wir in ihr unser Leben führen können und sollen? Das wird noch in V 5 geklärt. Insofern also – wenn wir es verkürzt sagen –, als wir durch die Taufe der künftigen Auferstehung teilhaftig werden, uns also die Aussicht auf die Auferstehung freigegeben ist. V 5 begründet (γάρ) also primär das ἐν καινότητι ζωῆς περιπατεῖν, im weiteren Sinn die Gesamtaussage von V 4. Dabei ist die neue Formulierung der beiden Seiten des Geschehens in der Taufe zu beachten. Was V 5a betrifft, so knüpft er an V 3 an. Der gesamte Ausdruck in V 5a meint auch nichts anderes der Sache nach, präzisiert aber noch dieses Geschehen der Taufe auf den Tod Christi. Σύμφυτοι γεγόναμεν ist ein Verbaladjektiv mit Hilfsverb. Σύμφυτος ist „zusammengewachsen", aber schon im Hellenistischen im abgeschliffenen und allgemeinen Sinn, so daß keine Rede davon sein kann, daß es nur die Verbindung von Gleichartigem bezeichnen kann und deshalb zu dem σύν ein αὐτῷ (Χριστῷ) zu ergänzen wäre. Die Beispiele bei Liddell-Scott (seit Plato, Aristoteles) lassen die allgemeine Bedeutung „zusammengefügt", „verbunden", „geeint" u. ä. erkennen. Also: wir sind Zusammengewachsene = Geeinte geworden, und zwar (Perfekt!) in einem einmaligen Geschehen mit fortdauernder Wirkung. Und das σύν bezieht sich eindeutig auf τῷ ὁμοιώματι τοῦ θανάτου αὐτοῦ. Ὁμοίωμα ist das „Bild" und „Abbild", wie Röm 1, 23 und 5, 14 zeigten. An den beiden christologischen Stellen (Röm 8, 3; Phil 2, 7) tritt sein Sinn noch deutlicher heraus. Ὁμοίωμα σαρκὸς ἁμαρτίας (Röm 8, 3) meint Jesu „Fleisch", das das von sündigen Menschen ist und doch nicht selbst Sündenfleisch. Das „Abbild" ist das Abgebildete und ist es doch nicht. Christus ist als ἐν ὁμοιώματι ἀνθρώπων γενόμενος Mensch und ist es doch nicht; er ist σχήματι εὑρεθεὶς ὡς ἄνθρωπος (Phil 2, 7). Von diesen Aussagen aus ist auch das ὁμοίωμα an unserer Stelle zu verstehen: das ὁμοίωμα τοῦ θανάτου αὐτοῦ ist Christi Tod und doch nicht dieser als solcher. Und mit diesem ὁμοίωμα, mit seinem Tod und doch nicht mit diesem, sind wir in der Taufe geeint worden. Aber was ist dann das ὁμοίωμα τοῦ θανάτου αὐτοῦ? Die sogenannte Mysterientheologie Odo Casels[10], die vor allem dann von V. Warnach[11] vertreten wurde, behauptete, daß das ὁμοίωμα τοῦ θανάτου αὐτοῦ, mit dem wir in der Taufe geeint worden sind, der Taufritus als simulamen des Sterbens und Auferstehens des Herrn unser Mitsterben und Mitauferstehen bewirke. Aber abgesehen davon, daß wir sonst in der Urkirche keinen Beleg dafür haben, daß der Taufritus des Untertauchens und Auftauchens als ein Abbild von Christi Geschick angesehen worden ist, ist die Formulierung mit σύμφυτοι γεγόναμεν τῷ ὁμοιώματι τοῦ θανάτου αὐτοῦ für diesen Tatbestand unmöglich. Es müßte zum mindesten doch heißen, daß wir mit Christus durch die Taufe als simulamen seines Todes geeint worden sind. Aber wie wir schon sagten: gerade das αὐτῷ bzw. Χριστῷ fehlt. Doch in einem anderen Sinn hat die Mysterientheologie recht. Paulus will nichts anderes sagen, als daß wir mit Christi Tod geeint worden sind. Aber mit wel-

---

[10] Zum Beispiel JLW 6 (1926) 113–204, 8 (1928) 145–224; Das christliche Kultmysterium (⁴1960). Eine exegetische Auseinandersetzung mit ihr z. B. bei Kuss, a.a.O. 136ff.
[11] Zum Beispiel Röm 6, in: ALW 3 (1953) 284–366; Röm 6 in: ALW 5 (1958) 274–332.

chem Tod? Mit dem, der in der Taufe präsent ist. Der Apostel will mit der Betonung des ὁμοίωμα des Todes Christi vermeiden, daß man den Tod Christi, mit dem wir geeint worden sind, sozusagen nur als den historischen Tod auf Golgotha und so als den vergangenen versteht. Aber es ist der im Vollzug der Taufe gegenwärtige Tod, also nicht der im Taufritus abgebildete, wohl aber im Taufvollzug präsente Tod. Mit diesem sind wir geeint worden.

Aber dieser Vordersatz von V 5 hat im Zusammenhang nicht eigentlich das Gewicht. Entscheidend als Begründung der καινότης ζωῆς von V 4b ist der Hauptsatz: καὶ τῆς ἀναστάσεως ἐσόμεθα. Er ist nicht ganz klar. Manche Exegeten meinen, er sei eine Verkürzung von: ἀλλὰ καὶ τῷ ὁμοιώματι τῆς ἀναστάσεως σύμφυτοι ἐσόμεθα. Das Futur müsse dann als „logisches" betrachtet werden. Der Sinn des Satzes wäre demnach etwa dieser: Wenn wir mit dem Abbild seines Todes geeint worden sind, so ergibt sich daraus, daß wir auch mit dem Abbild seiner Auferstehung geeint werden. Aber solche Verkürzung dieser Aussage von V 5b ist doch recht zweifelhaft, zumal da sich der Satz wörtlich verstehen läßt. Τῆς ἀναστάσεως ist Genitiv der Zugehörigkeit, und ἐσόμεθα ist zeitliches Futur, das auf das eschatologische Ereignis der einstigen Zugehörigkeit der Getauften zur Auferstehung verweist, mit anderen Worten: auf ihre zukünftige Auferstehung, die in der „Neuheit des Lebens", die die Taufe und in ihr das Mitsterben mit Christus eröffnet haben, vorgegeben ist. So wird V 5 ja auch erst eigentlich eine Begründung der Aussage von V 4, speziell des ἐν καινότητι ζωῆς. In der Taufe ist dann folgendes geschehen: 1) daß wir mit dem Tode Christi, wie er in ihr gegenwärtig ist, „geeint" sind; 2) daß wir dadurch der künftigen Auferstehung von den Toten zugeeignet worden sind; 3) dies aber in der Weise, daß diese künftige Auferstehung von den Toten als unsere Zukunft die neue Dimension der ζωή jetzt schon aufgetan hat und unseren Lebensvollzug bestimmt. So kann Paulus einerseits V 8 von einem συζήσομεν, andererseits von einem ζῆν τῷ θεῷ ἐν Χριστῷ Ἰησοῦ (V 11) und einem ἐκ νεκρῶν ζῶντες (V 13) sprechen.

Hat der Apostel so die Frage „Sollen wir bei der Sünde bleiben, damit sich die Gnade mehre?" mit einem begründeten Nein, einem Hinweis auf die durch die Taufe bewirkte neue Grundsituation des Christen beantwortet, so könnte er jetzt eigentlich mit dem in V 11 Gesagten fortfahren, d. h. mit der Aufforderung, sich als der Sünde durch den Tod Entnommene und für Gott in Christus Jesus Lebende zu verstehen.

V 6 Aber Paulus hat offenbar das Empfinden, das, was er gesagt hat, genüge nicht. Die neue Situation muß noch von einer anderen Seite her beleuchtet werden. Wir können daraus ersehen, wie gewichtig sie ihm ist. Auch diese neue Aussage ist den römischen Christen seiner Meinung nach bekannt, oder soll es jedenfalls sein (V 6). Das Partizip γινώσκοντες ersetzt einen Indikativ [12], der zugleich imperativische Bedeutung hat: „das wißt ihr, das sollt

---

[12] BLASS-DEBR, § 468; J. H. MOULTON, Einleitung in das Griechisch des NT (Heidelberg 1911) 352–356.

ihr jedenfalls wissen..." Das „Wissen" ist natürlich das des verstehenden Glaubens oder eines Glaubens, der zur Erkenntnis gereift ist. Was wissen sie oder sollen sie wissen? Wiederum kommt zuerst das „Negative" des Taufgeschehens zur Sprache: unser alter Mensch ist mit Christus zusammen gekreuzigt. Die Aussage steht neben der von V 2: wir sind der Sünde gestorben, V 3: wir sind dem Tode Christi übereignet worden, und V 5: wir sind mit seinem Tod geeint worden. Jetzt in V 6 ist sie konkreter formuliert. Ὁ παλαιὸς ἡμῶν ἄνθρωπος ist nicht ein Teil von uns, sondern sind wir in einer bestimmten Hinsicht, nämlich „wir" vor der Taufe und also „wir" hinsichtlich unserer adamitischen Herkunft und Vergangenheit, „wir" als „alter Mensch", gesehen von dem neuen Menschen her. „Unser alter Mensch" sind wir, so wie wir waren, bevor sich für uns in der Taufe die Auferstehung mit Christus als unsere Zukunft eröffnete und so unser Leben neu wurde. Dieser „unser alter Mensch" συνεσταυρώθη, natürlich σὺν Χριστῷ wie συνετάφημεν (V 4) und ἀπεθάνομεν σὺν Χριστῷ (V 8) und συζήσομεν αὐτῷ (V 8). Unser Geschick ist in der Taufe in das seine einbezogen und eingegangen kraft dessen, daß Christus es schon am Kreuz an sich gebunden und in sich aufgenommen hat und dies in der Taufe präsent wird. Wie verschieden Paulus den Sachverhalt formulieren kann, zeigt auch Gal 2, 19: Χριστῷ συνεσταύρωμαι (vgl. Gal 6, 14 [5, 24]).

Was aber ist durch solche Kreuzigung erreicht worden, bzw. was war das Ziel? Darauf antwortet in chiastischer Stellung des Verbs der Finalsatz V 6b, der zugleich die Folge des Geschehens zum Ausdruck bringt. Mit Christus Jesus in der Taufe gekreuzigt werden hat zum Ziel und zur Folge einmal die Beseitigung des „Leibes der Sünde" und zweitens die Aufhebung der Knechtschaft unter der Sünde. Τὸ σῶμα τῆς ἁμαρτίας ist der von der Sündenmacht beherrschte Leib, die von dem Sündenwesen durchherrschte leibliche Wirklichkeit des „alten Menschen". Sie ist nach Röm 7, 24 τὸ σῶμα τοῦ θανάτου, nach Kol 2, 11: τὸ σῶμα τῆς σαρκός, der Leib, der dem Tod, weil in ihm der Mensch sich selbst verfallen ist. Dabei ist τὸ σῶμα nach Paulus [13] 1) das, was den Menschen als Person konstituiert: auch die auferstandenen Toten kommen in einem „Leib" (1 Kor 15, 35 ff); 2) das, was die menschliche Person in der Weise konstituiert, daß der Mensch nicht nur einen Leib hat, sondern auch „Leib" ist (vgl. z. B. Röm 6, 12 f; 12, 1 f); σῶμα ist also der leibhaftige Mensch; 3) der Mensch ist aber „Leib" in der Weise, daß er durch seinen Leib ein Verhältnis zu sich hat, sich zum Objekt seines Tuns machen kann und sich als Objekt eines Erleidens erfährt (vgl. 1 Kor 9, 27; 13, 3; Phil 1, 20 und Röm 6, 12: 8, 13: der Leib vollbringt Taten; die Taten kann der Mensch „töten"). Mit anderen Worten: der Leib ist der Mensch in seiner ihm entzogenen und doch verfügbaren leiblichen Wirklichkeit. Und dieser „Leib", der ein „Leib der Sünde" ist, die leibliche Wirklichkeit des Menschen, die von der Sünde bestimmt ist, meint, ist als solcher in der Taufe „vernichtet" worden. Καταργεῖν, ein, wie wir hörten, bei Paulus häufiger Begriff (vgl. Röm 3, 3.31; 4, 14 in verschiedenen Zusammenhängen wie auch 7, 2.6;

---

[13] Vgl. K. A. Bauer, Leiblichkeit, 152.

1 Kor 1, 28; 2, 6; 6, 13 u. a. m.), wird oft im Sinn eines eschatologischen Be-
seitigens und Vernichtens gebraucht und meint nicht nur etwa „in seiner
Aktivität niederhalten", „lahmlegen" u. ä., sondern „zerstören": ut destru-
atur corpus peccati, übersetzt die Vulgata. Indem also unser alter Mensch in
der Taufe mit Christus zusammen gekreuzigt worden ist, ist seine der Sünde
und dem Tod verfallene leibliche Wirklichkeit, ist er in dieser seiner leiblichen
Wirklichkeit beseitigt, vernichtet, abgetan. Und das, was wir als Getaufte
jetzt noch „haben" oder eigentlich „sind", unsere jetzige leibliche Wirklichkeit, ist, paulinisch gesprochen, der nur mehr versuchliche und sterbliche
(vgl. Röm 6, 12; 8, 11; 1 Kor 15, 53f; 2 Kor 4, 11; 5, 4) Leib und als solcher
„der Leib der Niedrigkeit" im Gegensatz zum himmlischen, verborgenen „Leib
der Herrlichkeit" (Phil 3, 21). Obwohl wir in diesem Leib den „Geist" haben
(Röm 8, 3ff. 23; 1 Kor 6, 19) und obwohl er dadurch für die künftige Auferstehung offen ist (Röm 8, 11), verlangen wir danach, daß er „erlöst" wird
(Röm 8, 23). Worin wir als Getaufte leben, was wir als Getaufte, deren Vergangenheit in den Tod Christi gegeben ist, noch sind, das ist der für die Sünde
noch anfällige (Röm 6, 12!) und der noch hinfällige, aber kraft des durch die
Taufe im Glauben in ihm wohnenden Auferstehungsgeistes der Sünde und
dem Tod nicht mehr ausgelieferte Leib. Ebendas wird in unserem Zusammenhang durch den Infinitiv τοῦ μηκέτι δουλεύειν ἡμᾶς τῇ ἁμαρτίᾳ (6, 6) sichergestellt, in dem sich Paulus von der Aussage über das Sein des Christen zur Aussage über sein Tun wendet. Der finale bzw. quasi-finale Infinitiv ist grammatisch als epexegetisch zu verstehen [14]. Der Leib der Sünde ist in der Taufe vernichtet worden und der Getaufte damit der Notwendigkeit zu sündigen entho-
ben. Er ist nicht mehr ihr Sklave. Er *kann nicht* sündigen. Er untersteht jetzt
einer anderen „Macht", der er sich ergeben kann und soll, nämlich Christus.

Diese Befreiung wird in *V 7* veranschaulicht bzw. bekräftigt. Der Satz klingt
wie eine allgemeine Sentenz. Vielleicht hat Paulus ihn in Anlehnung an ähnliche jüdische Aussagen gebildet oder ihn auch übernommen. So erinnert man
an bSchab 151b: „Sobald der Mensch gestorben ist, ist er frei von den Geboten Gottes", oder Sifre Num 112 zu 15, 31: „Alle, die sterben, erlangen
durch den Tod Sühne." [15] Man kann auch 1 Petr 4, 1 vergleichen: ὁ παθὼν
σαρκὶ πέπαυται ἁμαρτίας. In V 7 hat δικαιοῦσθαι einen anderen Sinn als
sonst bei Paulus, was wahrscheinlich darauf hinweist, daß Paulus einen traditionellen Satz übernimmt. Es ist hier soviel wie „befreit werden" (vgl. Sir
26, 29; TestSim 6, 1; Apg 13, 38f; Herm [v] III 9, 1, aber auch Poim § 9 und
Inschriften [16]). Paulinisch ist freilich: ἀπὸ τῆς ἁμαρτίας, die Befreiung von
der Sündenmacht, die durch das Sterben geschieht und also auch durch das
„Sterben" in der Taufe. Wir sehen: Paulus hat in der Tat in V 6 nur wiederholt, was er schon in VV 2a und 3–5 in verschiedenen Formulierungen ausgeführt hatte. Aber dadurch, daß er den Sachverhalt in neuen Wendungen

---

[14] MOULTON, 345.
[15] K. G. KUHN, Röm 6, 7, in: ZNW 30 (1931) 305–310.
[16] Vgl. LIETZMANN.

wiederholt, hat er jenes „Nein" auf die Frage „Sollen wir bei der Sünde bleiben?" durch einen Hinweis auf die Unmöglichkeit solchen Bleibens bestätigt und bekräftigt. Doch ist er noch nicht zu Ende. Er will wiederum die negative Seite des Vorganges im Taufgeschehen nicht allein stehenlassen, sondern rückt auch die positive wieder ins Licht. Und es ist bedeutsam, daß das wieder in einem Ausblick auf das uns eröffnete zukünftige Leben geschieht (VV 8–10), das nun als ein künftiges συζῆν Χριστῷ charakterisiert wird.

V 8–10 V 8 faßt zunächst das in V 6 Gesagte in fast der gleichen wie der früheren Terminologie zusammen. Es ist die einfachste und klarste Formulierung überhaupt. Dabei ist zu beachten, daß das πιστεύομεν ὅτι nicht meint: „Wenn wir mit Christus zusammen gestorben sind, dann glauben wir..." Es will nicht unseren Glauben als Ergebnis des Mit-Christus-Gestorbenseins hinstellen, sondern V 8 ist in seiner Aussage der von V 5 parallel: „Wenn wir mit Christus gestorben sind, werden wir auch – so glauben wir – mit ihm zusammen leben." Πιστεύομεν ὅτι ist also als Parenthese zu verstehen und in diesem Sinn ein kurzer Hinweis, daß es sich, wie bei ähnlichen Aussagen, um Glaubensaussagen handelt, so wie etwa das γινώσκειν V 6 oder das εἰδότες V 9 (vgl. auch Röm 13, 11; 1 Kor 2, 2; 2 Kor 4, 14; Eph 1, 18; 5, 5) ein Wissen des Glaubens meinten. Konkret denkt Paulus wahrscheinlich an eine formulierte Tradition, von der wir auch eine Spur in 2 Tim 2, 11 erhalten haben, vielleicht an ein Fragment eines kleinen Hymnus. Das συζήσομεν αὐτῷ ist wiederum nicht nur „logisches" Futur, sondern temporales. Das geht 1) aus dem sonstigen eschatologischen Sinn der Wendungen mit σὺν Χριστῷ (Ἰησοῦ) hervor (vgl. Röm 8, 32b; 2 Kor 4, 14; 13, 4; Phil 1, 23; 1 Thess 4, 14.17; 5, 10; Kol 2, 13; 3, 3)[17] und 2) aus der Fortsetzung des Satzes selbst, die das bleibende ζῆν Christi, von dem unser zukünftiges Leben abhängt, weil es ja eines σὺν Χριστῷ ist, betont (VV 9f). Diese von uns im Glauben erkannten Tatsachen erhärten die Zuversicht auf unser Mit-Christus-Leben. Der Glaube weiß ja, daß Christus als der von den Toten Erweckte der Macht des Todes entronnen ist. Das wird in *V 9* zweifach ausgedrückt: οὐκέτι ἀποθνήσκει – θάνατος αὐτοῦ οὐκέτι κυριεύει. Vom κυριεύειν der ἁμαρτία ist in V 14 die Rede, von dem des νόμος Röm 7, 1. Θάνατος, ἁμαρτία, νόμος sind „Mächte", in deren Gewalt die Menschen sind. Christus, der von den Toten Erweckte, ist der Macht des Todes entronnen und, wie Röm 14, 9 sagt, selbst nun (für immer) Herr über Lebende und Tote. Der Glaube aber weiß auch, daß Christi „Leben" im ζῆν τῷ θεῷ besteht. Das ist in der Antithese im *V 10* zum Ausdruck gebracht. Diese ist von der Homologie der Gemeinde mitgeformt: gestorben – lebendig geworden (vgl. Röm 14, 9; 1 Thess 4, 14; 5, 10 u. a.). Das Sterben Christi in 10a wird noch zweifach charakterisiert, nämlich einmal durch τῇ ἁμαρτίᾳ. Er starb „der Sünde" „zuungunsten der Sündenmacht"[18] in dem Sinn, daß er ihr alle Macht über die Menschen nahm, da er durch deren Sünde „zur

---

[17] E. Lohmeyer, Σὺν Χριστῷ, in: Festgabe für A. Deißmann (1927) 218–287.
[18] Thüsing, Per Christum in Deum, 72.

Sünde" gemacht worden war, von ihr bedeckt (vgl. 2 Kor 5, 21). Die andere
Ergänzung des ἀποθανεῖν Christi ist: ἀπέθανεν ἐφάπαξ – ein für allemal[19].
Sein Tod war ein einmaliges, einziges, unrevidierbares, endgültiges Geschehen, das sich als solches nicht wiederholt, wohl aber wiederholt repräsentiert werden kann. Doch von letzterem spricht Paulus nicht, wenn es auch,
wie 1 Kor 11, 26 zeigt, in seinem Gesichtskreis lag. Eben dieses ein für allemal geschehene, unwiederholbare Ereignis seines Sterbens wird im kultischen
„Handeln" „proklamiert", d. h. in seinem rechtswirksamen Anspruch gegen-
wärtiggesetzt. Das „ein für allemal gestorben sein" führte – durch die Auferweckung von den Toten – zum ζῆν, und zwar zu einem „Leben", das nach
wie vor und nun erst recht ein ζῆν τῷ θεῷ ist, ein Leben für Gott und darin
auch ein Leben für uns. Ὃ δὲ ζῇ ist ebenfalls ein τὴν ζωήν, ἣν ζῇ. Der Dativ
τῷ θεῷ ist Dat. commodi. Durch ihn wird das willige Hingeordnetsein auf
Gott und Hingegebensein an Gott, mit dem eine Ewigkeit seiner Liebe zu
uns und seines Eintretens für uns (Röm 8, 34) gegeben ist, zum Ausdruck gebracht.

V 11 Was ergibt sich aber aus dem allem für die angeredeten Christen?
Paulus meint (V 11) ein bestimmtes Urteil, das sie über sich fällen, eine bestimmte Überzeugung, die sie von sich gewinnen, ein bestimmtes Selbstverständnis, das sie sich aneignen sollen. Zu diesem λογίζεσθαι vgl. Röm 3, 28;
8, 18; 1 Kor 4, 1; 2 Kor 3, 5; 11, 5; Phil 3, 1 u. a. Es ist nicht – das muß
man zur Verhütung eines Mißverständnisses sagen – „ansehen, als ob…",
sondern „ansehen als solche, die…" In der Reflexion des λογίζεσθαι enthüllt sich ein ihnen bisher verborgener Sachverhalt: daß sie „tot sind für die
Sünde, Leben aber haben für Gott in Jesus Christus". Jetzt wird das Mit-
Christus-in-der-Taufe-Gestorbensein hinsichtlich seines Ergebnisses νεκρὸς
εἶναι τῇ ἁμαρτίᾳ genannt. Und wenn es von Christus hieß: τῇ ἁμαρτίᾳ
ἀπέθανεν (V 10), so kann es *deshalb* von den Christen, den Getauften,
heißen: νεκροί εἰσιν τῇ ἁμαρτίᾳ. Es hatte ja auch von ihnen geheißen:
ἀπεθάνομεν τῇ ἁμαρτίᾳ (V 2; vgl. VV 6, 6.7). Dem Totsein für die Sünde
entspricht – denn wiederum wird der negativen Feststellung die positive
entgegengesetzt – das ζῶντες (εἶναι) τῷ θεῷ ἐν Χριστῷ Ἰησοῦ. Hier wird
klar, daß das ἐν καινότητι ζωῆς περιπατεῖν, das auf der Eröffnung künftiger
Teilnahme an der Auferstehung Jesu Christi beruht (V 5) oder auf der Zukunft eines mit ihm Zusammenlebens (V 8), von *daher* als ein schon gegenwärtiges „Leben für Gott" bezeichnet werden kann. Das Leben mit Christus
zusammen (V 8) steht den Christen von ihrem neuen Ursprung in der Taufe
her offen. Damit können und sollen sie Gott leben (und nicht mehr sich
selbst). Damit leben sie von ihrer ihnen eröffneten Zukunft her in der Gegenwart schon für Gott und sollen sich so verstehen. Das menschliche Dasein ist
immer charakterisiert und qualifiziert durch seine Zukunft. Diese kann seine
adamitische Vergangenheit sein, an die er sich hängt, und ist es beim Ungetauften. Sie ist aber durch die Taufe und Einbeziehung in Christus Jesus

---

[19] Stählin in: ThWb I 382 f.

Gott. In seinem Handeln und Denken, in seinem περιπατεῖν und φρονεῖν
erweist er dann, woraufhin er lebt: entweder auf die Zukunft hin, die keine
ist, sondern nur aus Vergangenheit, die ihm von Adam her eröffnet ist und
die notwendig innerweltlich und innerexistentiell ist, oder er lebt auf die Zukunft hin oder auch von der Zukunft her, der er als der Zukunft Jesu Christi
in der Taufe übergeben worden ist und die im Glauben offenbleibt. Und auf
diese fremde Zukunft hin leben heißt dann ζῶντες εἶναι τῷ θεῷ ἐν Χριστῷ
Ἰησοῦ [20], es heißt für Gott dasein im Herrschaftsbereich der Person Christi
Jesu, in den wir durch die Taufe aufgenommen und eingetreten sind. Der
Getaufte lebt in dieser „Dimension" von einem neuen Ursprung her (vgl.
Röm 8,1 [12,5]; 1 Kor 1,2.30 [15,22]; 2 Kor 5,14; Gal 3,23ff; 5,6 u. a.).
Er lebt nicht mehr von seinem alten bisherigen Ursprung (von Adam) her,
in dem er vielmehr stirbt (vgl. 1 Kor 15,22), er lebt nicht mehr ἐν σαρκί (Röm
7,5; 8,8f [Eph 2,3; Kol 2,11]), im Eigenen, nicht mehr ἐν κόσμῳ (Kol
2,20), in der verschlossenen Dimension der Welt und ihrer Mächte, sondern
ἐν Χριστῷ Ἰησοῦ, in dem und durch den er in seinem Sein und seiner Existenz offen ist für Gott und also im Leben. Dieses ζῆν τῷ θεῷ ἐν Χριστῷ
Ἰησοῦ ist für Paulus noch kein συζῆν Χριστῷ. Aber es ist der dieser Zukunft
entsprechende, weil auf sie hin geschehende und von ihr her bestimmte, diese
Zukunft in dieser Weise vorausnehmende Lebensvollzug. Die Christen müssen die Überzeugung gewinnen, daß dieser der ihre ist.

Wir sehen: Paulus begründet das emphatische „Nein" auf die Frage seiner
mißgünstig verfälschten Gnadenlehre damit, daß er darauf hinweist, daß wir
gar nicht mehr bei der Sündenmacht verharren können, gesehen von der verborgenen, aber realen Wirklichkeit her, die uns in der Taufe eröffnet ist und
im Glauben bewahrt wird. Wir sind getauft, d. h., wir sind in das Geschick
des Todes Jesu Christi mit einbezogen. Das heißt aber: *wir* sind (mit ihm)
gestorben und begraben. Die Sünde kann sich jetzt begraben lassen, könnte
man sagen. Uns ist damit aber auch das künftige Leben mit Christus aufgetan,
und zwar so, daß wir auf dieses hin jetzt schon im neuen Leben (vom neuen
Ursprung her) wandeln können und wandeln sollen. Was wir waren, der
Sünden- und Todesmacht Verfallene, ist abgetan. Was wir sein werden, mit
Christus Lebende, ist aufgetan. So sind wir schon jetzt von dorther dorthin
Lebende. Bei der Sünde zu bleiben wäre ein Widerspruch gegen unsere
Wirklichkeit als Getaufte, gegen unser neues Sein und unsere neue Existenz.
Es wäre ein Anachronismus.

Aber nicht nur sollen wir als Getaufte ein neues Selbstverständnis – eben
dieses neuen Lebens – gewinnen, sondern auch in diesem neuen Selbstverständnis die praktischen oder auch sachgemäßen Konsequenzen ziehen. Die
Sündenmacht samt ihrem Tod sind als die beherrschenden Mächte zerbrochen
und als Zwingherren ohnmächtig geworden, sie sollen auch ohnmächtig
bleiben. Die Taufe ist nun zugleich der Anspruch, sich auf das Zerbrochensein
der Sündenmacht im Glauben tätig einzulassen. Das fügt Paulus in den VV
12–14 dem Vorigen noch an.

---

[20] ℵ C 𝔐 pl vg^cl bo sy^p Chrys u. a.

VV 12–14 Wir als die Befreiten sollen den alten Zwingherren nicht wieder zur Herrschaft verhelfen. Dazu mahnt der Apostel in den *VV 12–13* in zwei negativen und zwei positiven Sätzen, denen sich in *V 14* eine Verheißung anschließt, die zugleich den Übergang zum nächsten Abschnitt darstellt[21]. Wir haben nicht mehr, wie wir schon hörten, „den Leib der Sünde" und „den Leib des Todes", sind also nicht mehr diesen Mächten leibhaftig verfallen. Aber wir haben noch das ϑνητὸν σῶμα und den versuchlichen Leib. Für das letztere hat Paulus freilich kein entsprechendes Adjektiv. Und dem sterblichen und versuchlichen Leib gegenüber gilt es nun und vermögen wir auch die eigene Entscheidung einzusetzen, die natürlich eine solche des Glaubens ist. So sagt Paulus V 12: „Es herrsche nun die Sünde nicht in eurem sterblichen Leib, so daß ihr seinen Begehrungen gehorcht." Die Sündenmacht kann nur herrschen, wenn man ihr gehorcht. Und ihr gehorchen heißt den ἐπιϑυμίαι des Leibes gehorchen, seinen „Begierden", in denen wir auf uns selbst aus sind[22]. Jedenfalls geht es um ein βασιλεύειν und ein ὑπακούειν. Der Infinitiv mit εἰς τό (zu ergänzen ist das ὑμᾶς) zeigt weniger die Folge als die Weise an, wie die Sündenmacht ihre Herrschaft ausübt. Αἱ ἐπιϑυμίαι αὐτοῦ sind sozusagen die Basis der Sündenherrschaft in uns, den Sterblichen. *Sie* sind also in der Taufe nicht „gestorben". Das σῶμα, dessen Begierden sie sind, ist noch nicht vernichtet, wenn es auch τὸ ϑνητὸν σῶμα ist. Und es lebt noch in seinen ἐπιϑυμίαι. Dieser Begriff ist hier nicht im „neutralen" oder, besser, formalen Sinn gebraucht, also etwa im Sinn von „Intention", wie das ἐπιϑυμεῖν in Gal 5,17 (vgl. Phil 1,23; 1 Thess 2,17), sondern meist und im Plural bei Paulus immer im Sinn eines selbst-süchtigen Begehrens, also als ἐπιϑυμία κακή, wie Kol 3,5 einmal formuliert (vgl. Röm 1,24; 7,7f; 13,14; Gal 5,16.24; Eph 2,3; 4,22; 1 Thess 4,5). Sie gehören, wie Eph 4,22 zeigt, zum „alten Menschen" und sind sein Verderben. In den ἐπιϑυμίαι meldet sich sozusagen die Vergangenheit des Getauften wieder zu Wort. Wenn die Christen auch durch die Taufe kraft des neugeschenkten Ursprungs „ursprünglich" neu geworden sind, so muß doch dieses neue Sein in seiner Neuheit jeden Augenblick existentiell ergriffen und durchgehalten werden. Aber eben diesem selbst-süchtigen Auf-sich-Aussein, das mit dem leiblichen Dasein, das versuchlich und sterblich ist, vorgegeben ist, soll der Getaufte sich nicht wieder unterwerfen. Denn „gehorcht" er hier, d. h. seiner Selbstsucht – Paulus kann auch sagen: ἐπιϑυμίαν σαρκὸς τελεῖ (Gal 5,16) –, und tötet er nicht die πράξεις τοῦ σώματος (Röm 8,13), dann ergreifen Sünde und Tod wieder ihre Macht.

Die negative Mahnung von V 12 wird in *V 13* durch eine zweite erläutert. Dabei werden andere Formulierungen gebraucht, nämlich daß „ihr eure Glieder nicht als Waffen für das Unrecht der Sünde zur Verfügung stellen sollt". Παριστάνειν ist „zur Verfügung" oder „bereitstellen", auch „dar-

---

[21] KÄSEMANN, der wie LAGRANGE, K. BARTH, KUSS u. a. die VV 12–14 zum nächsten Abschnitt zieht, übersieht die notwendige Zusammengehörigkeit von Indikativ VV 1–11 und Imperativ VV 12–14 sowie die variierende Entsprechung von 6,1 und 6,15.

[22] 𝔓⁴⁶ D G it Iren Tat lesen statt ταῖς ἐπιϑυμίαις αὐτοῦ: αὐτῇ, was offensichtlich eine Erleichterung ist.

bieten", „dar-" und „vorstellen", „präsentieren" u. ä. Hier wie Röm 6, 16.19;
12, 1 (wo es vielleicht an die Opfersprache anklingt) ist natürlich „zur Verfügung stellen" gemeint[23]. Τὰ μέλη ὑμῶν sind die Glieder unseres Leibes, in
denen wir als Menschen existieren, als das, womit wir handeln (vgl. Röm
3, 10–18), und von hier aus in Kol 3, 5 die Handlungen selbst. Sie sind also
ich selbst als jeweils so oder so Handelnder[24]. In ihnen stelle ich mich zur
Verfügung, wie denn auch τὰ μέλη ὑμῶν V 13a mit ἑαυτούς V 13b wechselt.
Den leiblichen Begierden gehorchen, d. h., mich in meinem Handeln und in
dem, was dem Handeln dient, in meinen Gliedern, der Sünde zur Verfügung
stellen, und zwar als den ὅπλα ἀδικίας. Ὅπλα sind Werkzeuge und Waffen.
Bei Paulus ist hier und sonst das letztere gemeint (vgl. Röm 13, 12; 2 Kor 6, 7;
10, 4). Auch der hiesige Zusammenhang verweist auf diese Bedeutung, sofern
die Sünde ihre Herrschaft natürlich mit Waffen und nicht mit Werkzeugen
erringt[25]. Die Genitive ἀδικίας bzw. δικαιοσύνης sind unsicher zu bestimmen (vgl. auch 2 Kor 6, 7: τῆς δικαιοσύνης, Röm 13, 12: τοῦ φωτός). Sie
werden gewöhnlich als gen. qual. bezeichnet, die – auf hebräischem Sprachgebrauch beruhend – eine nähere Bestimmung der Art (hier: der Waffen)
anzeigen, also Adjektive ersetzen[26]. Aber davon ist kaum zu unterscheiden:
Waffen, die die Gerechtigkeit bzw. Ungerechtigkeit erkämpfen, Gerechtigkeit bzw. Ungerechtigkeit durchsetzen u. ä. Sie gewinnen ihre Qualität, z. B.
als Waffen des Unrechts, dadurch, daß sie diesem dienen und der Sünde zur
Verfügung gestellt werden. Gesagt ist also in der negativen Formulierung
(V 13a): man soll die Sünde nicht zur Herrschaft kommen lassen, indem man
den selbst-süchtigen Begierden des Leibes nachgibt und seine Glieder der
Sünde als solche zur Verfügung stellt, die die ἀδικία durchsetzen.

Aber Paulus formuliert in V 13b den Sachverhalt auch positiv. Dabei ist
zu beachten: 1) „Der Imper. Praes. ..., der auf das Ende der aus der Vergangenheit her nachwirkenden Hörigkeit der Sündenmacht gegenüber drängt,
wird in V 13b vom Imper. Aor. abgelöst, der zu alsbaldigem Einsatz des
Getauften für Gott mahnt."[27] 2) Jetzt heißt es, wie wir schon erwähnten,
παραστήσατε ἑαυτούς. Wir sind in unseren tätigen Gliedern. 3) Der Gegensatz zu τῇ ἁμαρτίᾳ ist τῷ θεῷ, so daß die Sündenmacht so etwas wie ein Ge-
genspieler Gottes ist, fast so etwas wie der Teufel. 4) Das Sich-Gott-zur-
Verfügung-Stellen entspricht nur dem, daß wir ἐκ νεκρῶν ζῶντες sind. Noch
einmal wird der Getaufte an das erinnert, was er jetzt ist, und demnach, was
an ihm Heilsames geschehen ist. Ὡσεί mit Partizip ist soviel wie „im Gedenken
daran, daß ..."[28] Es ist nicht nur eine Vergleichspartikel: „wie solche,

---

[23] HORST in: ThWb IV 566; REICKE in: ThWb V 839.
[24] Mit ihnen sind also nicht nur die Sünden verbunden, wie man nach ED. SCHWEIZER, Die
Sünde in den Gliedern, in: Abraham unser Vater. Festschrift für O. Michel (1963) 437ff,
annehmen könnte.
[25] Vgl. KÄSEMANN, 167: wie in 13, 13; 2 Kor 6, 7; 10, 4 taucht das Motiv der militia Christi
auf. Vgl. auch KUSS, LEENHARDT; THÜSING, Per Christum, 93.
[26] Genitiv der Eigenschaft, BLASS-DEBR, § 165.
[27] K. A. BAUER, a. a. O. 155 mit Berufung auf BLASS-DEBR, §§ 335 357.
[28] BLASS-DEBR, § 425, 13.

die …", erst recht zeigt es nicht eine Fiktion an: „als ob ihr wäret", sondern
es weist auf einen Tatbestand hin, der eine Begründung einleitet[29]: im Sinne
von „als solche, die …" Nur ist darin zugleich ein Appell eingeschlossen, sich
dieser Tatsache auch bewußt zu sein. Sie sollen sich Gott zur Verfügung
stellen und nicht der Sünde, im Bewußtsein, daß sie Lebende aus den Toten
sind, daß sie, wie V 4 sagt, ἐν καινότητι ζωῆς leben. Ebendas verpflichtet sie,
sich Gott zur Verfügung zu halten, weil eben dieser Tatbestand das Leben für
Gott ermöglicht. 5) Wieder folgt eine zweite Formulierung, die die Antithese
zu V 13a ist. Ihre Glieder sollen Waffen sein, die, von der Gerechtigkeit geführt, Gerechtigkeit erkämpfen, und zwar τῷ θεῷ, wie zum zweitenmal im
Gegensatz zur ἁμαρτία gesagt wird. Denn die Sünde, die zu sündigen nötigte,
ist ihrer absoluten Herrschaft über euch beraubt. Es herrscht ja jetzt auch
nicht mehr – das Gesetz, das sie provoziert und entfaltet. Es herrscht die
χάρις, die euch die Gerechtigkeit Christi zukommen läßt, so daß ihr sie nur
im Glauben ergreifen müßt. Das ist der Sinn von V 14, der freilich, wie man
sieht, nur aus dem Gesamtzusammenhang der paulinischen Gedanken gewonnen wird. V 14 ist mit γάρ an das Vorige angeknüpft und begründet es, und
zwar in dem Sinn, daß er die Möglichkeit aufzeigt, sich Gott zur Verfügung
zu stellen, die jetzt gegeben ist. Die Sünde hat ausgespielt: ὑμῶν οὐ κυριεύει,
so wie der Tod (V 9). In Röm 7,1 ist κυριεύειν vom νόμος gesagt, Röm 14,9
vom κύριος, 2 Kor 1,24 vom Apostel, der nicht Herr über den Glauben der
Gläubigen ist und sein will. Bei der Begründung dieser These V 14a kommt
Paulus nicht mehr auf das in VV 1–11 Ausgeführte zu sprechen, sondern
– wieder überraschend – auf den νόμος, diesmal im Gegensatz zur χάρις
(V 14b). Mit seiner positiven Aussage: „Ihr seid unter der χάρις", ist eine
Erinnerung an die Ausführungen von Röm 5,12ff gegeben, also an die Heils-
wende und neue Heilssituation, die durch die Gabe der Gnaden- oder Ge-
rechtigkeitstat Christi eingetreten ist. Aber der Gegensatz zur jetzigen Herrschaft der χάρις ist nicht mehr wie Röm 5,21 die ἁμαρτία, sondern der νόμος.
Er taucht hier neben 3,20; 4,15; 5,13.20 zum fünftenmal auf und wiederum
nur beiläufig. Der νόμος im Gegensatz zur χάρις und innerhalb einer Begründung dafür, daß die Sünde nicht mehr absolute Macht ist, ist selbst als
Macht gesehen, die vor Christus herrschte und die die Sünde bewirkte. Wo
dieser νόμος herrscht, da ist jeder Widerstand gegen die Sünde aussichtslos.
Er treibt sie hervor (vgl. Röm 3,20; 4,15; 5,20). Aber jetzt herrscht die
χάρις, und die Christen unterstehen nicht mehr dem Gesetz der Leistungen,
sondern dem Gesetz der Gabe Christi, die auch Gott zur Verfügung hält, die
Sünde nicht mehr mehrt, sondern ihre Ohnmacht, Abdankung, Entthronung
erweist. Wir sehen, daß wieder die paulinische Problematik des Gesetzes im
Hintergrund steht. Aber noch wird sie nicht ausgeführt, sondern nur angedeutet.

Die Aussagen von 6,1–14 sind also, kurz zusammengefaßt, diese: Wenn
die Sünde die Gnade zur Folge hat – je mehr Sünde, desto mehr Gnade –,
sollen wir dann nicht kräftig weitersündigen? Nein! Denn wir sind in der

---

[29] KÜHL, MICHEL, KUSS, RIDDERBOS, KÄSEMANN.

Taufe als die, die wir waren, in den Tod und das Grab Christi aufgenommen, und uns ist in ihr entsprechend und kraft der Auferweckung Christi ein neues (eschatologisches) Leben aufgetan, das uns für sich verpflichtet. Die Auferstehung ist uns als unsere Zukunft eröffnet und in diesem Sinn schon jetzt an uns geschehen. Wir sind nicht mehr die, die wir waren: die der Sünde und dem Tod Verfallenen, sondern haben mit der Kreuzigung des „alten Menschen" einen neuen Ursprung und Anfang erhalten, weil eine neue Zukunft, das „mit Christus leben", welcher, einmal der Sünde gestorben, nicht mehr stirbt, sondern Gott lebt. *So* sollen wir uns verstehen: als für die Sünde Tote und für Gott in Christus Jesus Lebende. Und *so* sollen wir die Macht der aus unserer Vergangenheit her wirkenden Sünde nicht wieder durch unsere Selbstsucht aufrichten, sondern uns Gott in unseren Taten leibhaftig zur Verfügung stellen. Das ist jetzt möglich, da nicht mehr, als die Triebkraft der Sünde, das Gesetz herrscht, sondern die – Gnade, in die wir ja auch durch die Taufe gestellt wurden.

4. 6,15–23 Befreit zum Gehorsam

15 Wie verhält es sich nun? Dürfen wir sündigen, weil wir nicht unter dem Gesetz, sondern unter der Gnade stehen? Nein! 16 Wißt ihr nicht, daß ihr Sklaven dessen seid, dem ihr gehorsam sein müßt, dem, dem ihr euch als Sklaven gehorsam zur Verfügung stellt, entweder der Sünde zum Tod oder des Gehorsams zur Gerechtigkeit? 17 Gott aber sei Dank, daß ihr der Sünde Sklaven wart, jedoch von Herzen gehorsam geworden seid der Lehrgestalt, der ihr übergeben wurdet. 18 Befreit von der Sündenmacht, seid ihr Sklaven der Gerechtigkeit geworden. 19 Ich rede in Menschenweise um der Ohnmacht eures Fleisches willen. Denn wie ihr eure Glieder sklavisch der Unreinheit und Gesetzlosigkeit für die Gesetzlosigkeit hingabt, so stellt jetzt eure Glieder dienstbar der Gerechtigkeit zur Heiligkeit zur Verfügung. 20 Denn als ihr Sklaven der Sünde wart, wart ihr, was die Gerechtigkeit betrifft, frei. 21 Welche Frucht hattet ihr nun damals? Solche, deren ihr euch jetzt schämt; denn ihr Ziel und Ende war der Tod. 22 Jetzt aber, da ihr, von der Sünde befreit, Gott dienstbar geworden seid, habt ihr eure Frucht zur Heiligkeit, als Ziel und Ergebnis das ewige Leben. 23 Denn der Sold der Sünde ist der Tod, die Gnadengabe Gottes aber das ewige Leben in Christus Jesus, unserem Herrn.

VV 15–16 Der V 14b, der eine Begründung des vorher Gesagten darstellt, wird nun auch Ausgangspunkt und Basis einer neuen Gedankenentwicklung. Das geschieht so, daß Paulus das ἐστε... ὑπὸ χάριν als Stichwort aufgreift und daran den alten Einwand von 6,1 in neuer Formulierung hängt. Das οὐκ... ὑπὸ νόμον spielt dabei in der folgenden Antwort auf V 15 explizit keine Rolle. Die folgende Antwort auf die Frage von V 15 wiederholt außer dem ebenso energischen μὴ γένοιτο die Hinweise von 6, 2–14 nur zum Teil. Es ist gewiß in den passiven Formulierungen παρεδόθητε (V 17b), ἐλευθε-ρωθέντες – ἐδουλώθητε (V 18.22) an das gedacht, was in der Taufe dem Täufling widerfuhr. Aber abgesehen davon, daß jetzt als die herrschenden Begriffe ἐλευθεροῦν und δουλοῦν gebraucht werden, um das Taufgeschehen bzw. die Taufwirkung zu charakterisieren, stehen diese Passiva innerhalb von Ausführungen, die das Taufgeschehen auch als Entscheidung dar-stellen. Das beginnt V 16 mit παριστάνετε ἑαυτοὺς δούλους εἰς ὑπακοήν... ὑπακούετε und setzt sich in V 17b in dem ὑπηκούσατε fort. Wir können als Getaufte auch eigentlich deshalb nicht sündigen, weil wir uns in der Taufe ein für allemal für den Gehorsam entschieden haben. Beides, was uns in der Taufe widerfahren ist *und* daß wir uns für den Gehorsam ent-schieden haben, verpflichtet uns, nicht mehr zu sündigen. Jetzt noch sündi-gen hieße persönlich zu der Vergangenheit zurückkehren, der wir ent-rissen worden sind, *und* es hieße die eigene Glaubensentscheidung, die im Zusammenhang mit der Taufe gegeben ist, und die dadurch gewonnene neue Bindung wieder rückgängig machen. Das einleitende τί οὖν in V 15 entspricht dem τί οὖν ἐροῦμεν von 6,1. Es ist ebenfalls eine Diatribe-Wendung. Zu ergänzen ist: „Was nun – läßt sich daraus folgern?" Oder einfacher: „Was folgt nun daraus?" Eine Möglichkeit ist diese: „Sollen wir sündigen, weil wir nicht unter dem Gesetz, sondern unter der Gnade stehen?" Aber das ist keine Möglichkeit, wie wiederum mit einem μὴ γένοιτο energisch bestritten wird. V 16 entfaltet dieses Nein mit einer Frage, die zugleich ein Appell an das „Wissen" der römischen Christen ist – οὐκ οἴδατε ὅτι –, mit einem gleichnis-haften Hinweis auf allgemeinmenschlich-rechtliche Verhältnisse: der Sklave muß dem, dem er gehört, gehorchen. In der Satzkonstruktion wiederholt das zweite ᾧ das erste und stellt eine leichte Korrektur dar: „Wem ihr euch als Sklaven zur Verfügung stellt zum Gehorsam, dessen Sklaven seid ihr, Sklaven dessen, meine ich, dem ihr gehorcht." Die Korrektur erfolgt, weil Paulus das Gleichnis von dem Vorgang des Christwerdens und Christseins her konstruiert hat und nun mit etwas Mühe den Anschluß an diese Konstruktion findet. Ist schon, sowohl vom römischen wie vom jüdischen Recht her gesehen, von einem παριστάνειν ἑαυτοὺς δούλους kaum die Rede – Lietzmann, der auf E. Meyer, Ursprung und Anfänge des Christentums III 472 Anm., verweist, denkt daran, daß in der Kaiserzeit manche freiwillig Sklaven wurden, um versorgt zu sein –, so weist doch auch die Formulierung, die Paulus im Gleich-nis verwendet, παριστάνειν ἑαυτούς (vgl. V 13 [19]), ὑπακούειν (vgl. V 12) und überhaupt die besondere Betonung der ὑπακοή im Zusammenhang, dar-auf hin, daß der Apostel, wie so oft, den Vergleich von dem her, was er an-deuten soll, verdirbt. Das wird in V 16b evident. Denn dem εἰς θάνατον – εἰς δικαιοσύνην kann nichts im allgemeinen Sklavenverhältnis entsprechen, sondern es ist nur vom paulinischen Verständnis der Sünde bzw. des Gehor-sams her zu verstehen (vgl. 5,12.14.21 u. a.; 6,22.23). Auffällig ist, daß als die Herren der δοῦλοι hier einerseits die ἁμαρτία (εἰς θάνατον), andererseits die ὑπακοή (εἰς δικαιοσύνην) angegeben wird. Man erwartet als Antithese δικαιοσύνη (εἰς ζωήν). Aber ζωή ist die δικαιοσύνη, wie z. B. Röm 5,18 zeigt, wo von der διχαίωσις ζωῆς die Rede ist. Wie ist ὑπαχοή in diesem Fall zu verstehen? Wahrscheinlich im Sinn von πίστις, wie etwa Röm 1, 5 von der ὑπαχοὴ πίστεως gesprochen wird (vgl. 15,18; 16,19.26; 2 Kor 10,5f) und ὑπαχούειν der Sache nach bei Paulus öfters πιστεύειν ist (vgl. Röm 6,17; 10,16; 2 Thess 1,8 [3, 14]). Man kann also Sklaven des Glaubensgehorsams als pointierten Gegensatz zu Sklaven der Sünde verstehen. Entweder gehört man der Sünde, die den Tod mit sich führt, oder dem Glaubensgehorsam, der für die διχαιοσύνη offen ist. Aber seltsam ist die Formulierung doch. Denn der Glaube ist sonst nicht eine der Sündenmacht entgegenstehende und formal entsprechende Größe. So kann man erwägen, ob mit ὑπαχοή nicht der Gehorsam Christi gemeint ist, von dem Röm 5,19b und Phil 2,8 die Rede ist. Dann wäre δοῦλος εἶναι ὑπαχοῆς nicht wie im ersten Fall eine Tautologie. Anderseits wäre auch dann der Gegensatz von ὑπαχοή und ἁμαρτία merkwürdig.

Wie dem auch sei, im ganzen ist der Gedanke des Apostels deutlich. Wenn man unter (!) der Gnade steht, kann man nicht sagen, laßt uns sündigen. Denn – wie man weiß – ein Sklave ist seinem Herrn zum Gehorsam verpflichtet. Das gilt auch dort, wo man sich als Sklave dem Gehorsam (des Glaubens oder Christi) zur Verfügung gestellt hat.

VV 17–18 Und – geht der Gedankengang nun weiter – ihr habt das ja getan, ihr seid in den Gehorsam gegen den τύπος διδαχῆς eingetreten (V 17). Freilich so einlinig ist V 17 nicht formuliert, sondern in ihm kreuzt sich diese Aussage mit einer andern, nämlich der: Und ihr wart Sklaven der Sünde, seid aber von der Sünde befreit und Sklaven der Gerechtigkeit geworden (V 18). Zu V 17 beachte man: a) Der Dank gilt Gott. Die entscheidende Wende ist Gott zu verdanken. Solches χάρις δὲ τῷ θεῷ findet sich bei Paulus öfters, wenn er auf eine Wende, und was mit ihr zusammenhängt, blickt (vgl. Röm 7,25; 1 Kor 15,57; 2 Kor 2,14; 8,16; 9,14). Er spricht im Stil des Dankgebets (Michel). Er dankt und stellt nicht nur fest, und dankend und nicht nur konstatierend redet er von dem umstürzenden Ereignis. b) Dieser Dank an Gott gilt dem Ereignis, das negativ einfach, positiv aber zweifach, nämlich aktivisch und passivisch, formuliert wird. Nehmen wir nach der gemeinsamen negativen Aussage ἦτε δοῦλοι τῆς ἁμαρτίας erst die passivische Aussage voraus, die im Bild bleibt und in sich den negativen und positiven Vorgang erwähnt: ἐλευθερωθέντες δέ... (V 18). Natürlich ist mit diesem ἐλευθερωθέντες δὲ ἀπὸ τῆς ἁμαρτίας, also mit dem Befreiungsgeschehen, sachlich das gemeint, was Röm 6,2 als ἀπεθάνομεν τῇ ἁμαρτίᾳ bezeichnet wurde, oder das, was in 6,6 die Vernichtung des Leibes der Sünde und das Gekreuzigtwerden des alten Menschen, 6,7 διχαιοῦσθαι ἀπὸ τῆς ἁμαρτίας genannt wird und dessen Ergebnis in dem νεχροὶ εἶναι τῇ ἁμαρτίᾳ (Röm 6,11) zusammengefaßt wird. Diese dem Getauften geschehene Befreiung von der Sündenmacht war ein Sterben, und jenes Der-Sünde-Sterben war eine Befreiung. Das ἐδουλώθητε τῇ διχαιοσύνῃ meint seinerseits das Geschehen, in dem den Getauften die χαινότης ζωῆς aufgetan wurde (Röm 6,4) und sie ζῶντες τῷ θεῷ ἐν Χριστῷ Ἰησοῦ (Röm 6,11) wurden. Und eben dieses „neue Leben" – das wird nun ausgesprochen – ist eine neue Bindung. Die Neuheit des Lebens, die, wie wir hörten, ein „in diesem neuen Leben Wandeln" fordert, ist zugleich das Leben der in der Taufe an die Gerechtigkeit Gebundenen, das Leben derer, die durch die Taufe der Gerechtigkeit als Sklaven übergeben wurden. Δουλοῦν meint „zum Sklaven machen" (vgl. z. B. 1 Kor 9, 19), im Passiv „zum Sklaven gemacht werden", wie etwa Röm 6, 22; 1 Kor 7, 15; Gal 4, 3; Tit 2, 3. Τῇ δικαιοσύνῃ V 18 entspricht dem τῷ θεῷ 6, 22. Τῷ θεῷ aber ist regelmäßiger Dativ zur Angabe dessen, dem man versklavt ist, z. B. Tit 2, 3: τῷ οἴνῳ [1]. Für Paulus ist also das menschliche Leben immer einer Macht unterworfen und von ihr beansprucht. Entweder ist es ἡ ἁμαρτία oder ἡ δικαιοσύνη. Seine Freiheit, die ihm freilich erst im Glauben durch die Taufe eröffnet ist, besteht darin, sich als Getaufter in den Gehorsam begeben zu können. Und eben diese Freiheit der Entscheidung oder die Entscheidung dieser Freiheit ist χάρις, die man Gott verdankt. Soweit ist der Inhalt von VV 17 und 18 klar.

Aber nun schiebt sich noch in V 17 nach der Aussage „Ihr wart Sklaven der Sünde", und auf sie bezogen, eine andere Aussage ein, die nicht davon spricht, was in der Taufe an den Täuflingen geschehen ist, sondern davon, was sie vollzogen, als mit ihnen die Befreiung geschah. So muß man m. E. formal das Nebeneinander einer aktiven und einer passiven Formulierung bezeichnen: ὑπηκούσατε – παρεδόθητε. Ὑπηκούσατε ist Aor. ingr.: sie sind in den Gehorsam eingetreten, sie sind gehorsam geworden. Sie waren Sklaven der Sünde, aber (δέ!) sie haben eine Entscheidung gefällt, sie sind in ein anderes Gehorsamsverhältnis eingetreten. Und dieses ὑπακοῦσαι geschah ἐκ καρδίας, also nach Paulus in der unzugängig tiefen Mitte der Person.-Der Ausdruck ἐκ καρδίας findet sich im NT nur noch 1 Petr 1, 22 in bezug auf das ἀγαπᾶν ἀλλήλους, aber ähnlich als ἐξ ὅλης (τῆς) καρδίας (σου) Mk 12, 30.33; Lk 10, 27; Apg 8, 37 v. l. oder ἐκ καθαρᾶς καρδίας 1 Tim 1, 5; 2 Tim 2, 22. Die Sache findet sich aber auch bei Paulus, sofern er in Röm 10, 9 das πιστεύειν als einen Vollzug des Herzens (ἐν τῇ καρδίᾳ σου) bezeichnet, vgl. Röm 10, 10: καρδίᾳ πιστεύεται εἰς δικαιοσύνην. Das ὑπακούειν und die ὑπακοὴ εἰς δικαιοσύνην ist also der gehorsame Glaube, der „im Herzen", „mit dem Herzen", „aus dem Herzen" geschieht.

Doch wem gilt dieses ὑπακοῦσαι, wodurch wir der Herrschaft der Sünde entnommen werden? Die Antwort enthält V 17b: εἰς ὃν παρεδόθητε τύπον διδαχῆς. Das ist ein neuer, überraschender Gegensatz zu dem δοῦλοι τῆς ἁμαρτίας εἶναι. Die Formulierung ist wahrscheinlich [2] so aufzulösen: τῷ τύπῳ διδαχῆς, εἰς ὃν παρεδόθητε. Der Dativ ὑπακοῦσαι τῷ τύπῳ entspricht dann

---

[1] Vgl. Vita Apollonii Philostratis 2, 36: ὑπὸ τὸν οἶνον so wie Gal 4, 3 ὑπὸ τὰ στοιχεῖα.

[2] Andere Ausleger verstehen so: ὑπηκούσατε εἰς τὸν τύπον διδαχῆς, ὃν παρεδόθητε. Dabei wird ὃν παρεδόθητε eventuell persönlich konstruiert, also ὃς παρεδόθη ὑμῖν wie Tit 1, 3: ὃ ἐπιστεύθην ἐγώ; vgl. auch 1 Thess 2, 4; Gal 2, 7; 1 Kor 9, 17; auch Röm 3, 2. Aber es ist sehr fraglich, ob παραδοθῆναι wie πιστευθῆναι persönlich konstruiert werden kann, und ebenso, ob ὑπακούειν εἰς soviel wie „im Hinblick" oder „in Rücksicht auf" heißen kann, während ein Dativ gang und gäbe ist. Vgl. ZAHN; BLASS-DEBR, § 294, 5; BÜCHSEL in: ThWb II 173; I. KÜRZINGER, τύπος διδαχῆς und der Sinn von Röm 6, 7f, in: Bib 39 (1958) 156–176, 170f.

etwa dem von Röm 10, 16: ὑπακούειν τῷ εὐαγγελίῳ (vgl. 2 Thess 1, 8). Aber was ist τύπος διδαχῆς? Von den vielen Bedeutungen von τύπος kommen in unserem Zusammenhang nur drei in Frage: 1) Τύπος ist Form, Gestalt, τύπος διδαχῆς die Lehrform im Sinn einer Lehre, die in einer bestimmten Form vorliegt, wobei vielleicht auch das Moment, daß τύπος u. a. Muster oder Modell ist, mit eine Rolle spielt. Konkret wäre an die διδαχή in der Form eines Taufsymbols oder auch an eine katechismusartige Formung der Lehre in tradierten Überlieferungen (vgl. 1 Kor 11, 23; 15, 1 ff) zu denken[3]. 2) Τύπος kann auch „Inhalt" bedeuten, z. B. 3 Makk 3, 30: τῆς ἐπιστολῆς τύπος, Arist. 34; Apg 23, 25; auch Jambl., Vit. Pythag. 35, 259: τῶν γεγραμμένων. Paulus meinte dann: „gehorsam geworden gegenüber dem Inhalt der Lehre, dem ihr übergeben worden seid". Dabei könnte man bei παραδιδόναι noch an eine spezielle Bedeutung denken, wie sie auf einer Inschrift der Nabatäerzeit aus dem Ostjordanland erscheint[4], nämlich παρεδόθην εἰς μάθησιν τέχνης: ich wurde in die Handwerkslehre gegeben[5], also an unserer Stelle: ich wurde dem, was die Lehre lehrt, zur Lehre übergeben. 3) Τύπος kann auch eine besondere Ausprägung der Lehre, einen „Lehrtypus" meinen (vgl. Jambl., Vit. Pythag. 23, 105: τύπος τῆς διδασκαλίας). Aber es ist doch wohl deutlich, daß die dritte und zweite Bedeutung in unserem Zusammenhang wenig Sinn haben[6]. Welcher besonderen Lehrausprägung wurden die Getauften in Rom anvertraut? Und warum sollte betont werden: dem Inhalt der Lehre, statt einfach: der Lehre? So verdient die erstgenannte Bedeutung m. E. den Vorzug. Sie paßt am besten zur Situation der Taufe, die Paulus vor Augen steht, bei der nun in der Tat eine Übergabe an ein Taufbekenntnis stattfand, und zwar in der Weise, daß dieses dem Täufling in der Form einer ὁμολογία mitgeteilt wurde[7]. Das ὑπηκούσατε . . . ἐκ καρδίας erinnert stark an Röm 10, 9 f, wo πιστεύειν und ὁμολογεῖν zusammenstehen.

Man ist natürlich auf die Seltsamkeit der Begriffe und die Eigentümlichkeit der Einfügung von 6, 17b zwischen V 17a und 18 aufmerksam geworden. So hat Bultmann[8] daraus geschlossen, daß 17b eine spätere Glosse sei. Seine Hauptgründe sind: 1) unpaulinische Terminologie: ἐκ καρδίας – τύπος διδαχῆς; 2) ohne 17b ist der Satz 17a + 18 ein wohlgebauter Zweizeiler. Dagegen ist aber einzuwenden: 1) Ἐκ καρδίας kommt, wie wir sahen, nur noch einmal im NT vor und Varianten sehr selten, so daß sein sonstiges Fehlen bei Paulus kein Gewicht hat, zumal ihm die Sache nicht fremd ist. Und τύπος διδαχῆς kommt im NT sonst überhaupt nicht mehr vor, auch nicht in anderer

---

[3] „So etwas wie ein Credo beim Taufvorgang", KÄSEMANN. Vgl. SANDAY-HEADLAM, KUSS, RIDDERBOS; BORNKAMM, Taufe und neues Leben bei Paulus, in: Das Ende des Gesetzes (²1958) 34–50.58.

[4] Vgl. A. FRIDRICHSEN, Exegetisches zum NT, in: ConiNeot 7 (Lund 1942) 4–8.

[5] BAUER WB 1220.

[6] Ebensowenig wie etwa „das Christentum" im allgemeinen (LIETZMANN) oder die „moralische Unterweisung" (LAGRANGE, HUBY-LYONNET).

[7] E. NORDEN, Agnostos Theos (1913) 270 f.

[8] ThLZ 72 (1947) 193–198; vgl. auch E. FUCHS, Freiheit, 44; LEENHARDT; dagegen KUSS, GOPPELT in: ThWb VII 251; KÄSEMANN.

urchristlicher Literatur, so daß das sonstige Fehlen bei Paulus auch nichts bedeutet. 2) Was die Form des Satzes betrifft, so liegt in der Tat Unbeholfenheit vor: das ὑπηκούσατε δέ stößt sich mit ἐλευθερωθέντες δέ. Aber gerade in unseren Kapiteln und überhaupt dort, wo Paulus argumentiert, ist Unbeholfenheit nichts Außergewöhnliches. Und vor allem ist innerhalb unseres Zusammenhangs das Sätzchen 17b von der Sache her geradezu gefordert. In ihm allein wird ja ausgesagt, daß bei den Christen ein παριστάνειν ἑαυτοὺς δούλους εἰς ὑπακοήν schon im Ursprung stattgefunden hat, wird also die von Paulus im Zusammenhang ins Auge gefaßte andere Seite des Taufgeschehens, nämlich der dort geleistete Glaubensgehorsam, erwähnt. Es müßte schon ein sehr aufmerksamer Glossator gewesen sein, der nachträglich der Intention des Apostels in unserem Abschnitt zu Hilfe kam, und nicht ein „stupider", wie Bultmann ihn nennt.

V 19–20 Aber genug! Paulus, der Gott dafür dankt, daß sich die römischen Christen in der Taufe für den Gehorsam dem Evangelium gegenüber entschieden haben und daß sie von der Sündenmacht befreit worden sind, damit aber zu Sklaven der Gerechtigkeit gemacht wurden, empfindet die Formulierung ἐδουλώθητε τῇ δικαιοσύνῃ [9] als unsachgemäß. So entschuldigt er sich gewissermaßen in V 19a, indem er betont, er rede „menschlich" „wegen der Schwäche" ihres Fleisches (vgl. 3, 5). Das ἀνθρώπινον λέγω meint hier etwa: ich verwende ein Bild als Beispiel aus dem Menschenleben [10], ich gebrauche eine Analogie aus menschlichen Verhältnissen. Διὰ τὴν ἀσθένειαν τῆς σαρκὸς ὑμῶν begründet solche Redeweise mit der menschlichen (fleischlichen) Begrenztheit und Beschränktheit des Verständnisses, das den Sachverhalt nicht anders zu erfassen vermag als in so unzulänglichen Kategorien wie hier: „Sklaven der Gerechtigkeit". In dieser Bedeutung – sozusagen in der Beschränktheit der Sprache im tieferen Sinn – kommt ἀσθένεια noch Röm 8, 26 vor. Die Entschuldigung für seine Formulierung betrifft nicht die Begriffe δουλοῦν, δοῦλος, δουλεύειν als solche. Paulus spricht ja auch sonst vom Christen als dem δοῦλος Χριστοῦ (1 Kor 7, 22) oder von sich, dem Apostel, als δοῦλος Χριστοῦ Ἰησοῦ (Röm 1, 1; Phil 1, 1; Gal 1, 10 u. a.) und gebraucht zur Kennzeichnung des christlichen Lebens δουλεύειν (Röm 7, 6; 12, 11; 16, 18 [Χριστῷ]; 1 Thess 1, 9 [θεῷ...]). Er meint in unserem Zusammenhang offenbar das ἐδουλώθητε τῇ δικαιοσύνῃ. Diese „Sklaverei" ist ja Freiheit, Freiheit „der Gerechtigkeit" und damit auch Freiheit „zur Gerechtigkeit", nämlich Freiheit in der Liebe und zur Liebe, unter der Voraussetzung der Freiheit vom Gesetz (vgl. Röm 8, 2ff; 2 Kor 3, 17; Gal 5, 1.13; auch 1 Kor 7, 23).

Die Erklärung des Apostels in V 19a bezieht sich zunächst auf das eben Gesagte. Sie bezieht sich aber auch auf das Folgende, in dem Paulus fast unbemerkt zum Imperativ zurückkehrt, nun – nach einer Anlaufzeit wie in 5, 12ff – in relativ deutlich gegliederten, regelmäßigen Sätzen. V 19b ist mit

---

[9] Δικαιοσύνη in VV 16.18.19 ist dieselbe wie in 10, 3; MICHEL: „Die Gerechtigkeit, die der Christ im Glauben empfängt, ist gleichzeitig die Gerechtigkeit, in deren Dienst er gestellt ist, aber auch das Ziel, zu dem er gerufen ist."
[10] Vgl. ähnlich, aber im Sinn unterschiedliche Wendungen Röm 3, 5; Gal 3, 15; 1 Kor 9, 8.

einem ὥσπερ – οὕτως antithetisch aufgebaut und, abgesehen von einer Kleinigkeit, bis in die einzelnen Satzglieder hinein parallel. Ebenso laufen die VV 20–22 in einen ziemlich durchgeführten Parallelismus aus. VV 20–22 begründen dabei den Imperativ von 19b. Die Antithese in V 23 begründet und unterstreicht den jeweiligen Schluß von V 21 und V 22.

Das γάρ in V 19b hat entweder den allgemeinen Sinn eines Satzanschlußpartikels, etwa im Sinn von: „man kann ja so sagen". Aber eher ist es erläuternd und begründend auf V 18 bezogen. Vor der Taufe war es so, daß die Menschen (einschließlich der Angeredeten) sich in ihren Gliedern und somit in ihren Taten der ἀκαθαρσία und ἀνομία „dienstbar", „untertänig" zur Verfügung stellten. Δοῦλα ist Adjektiv und verstärkt hier das παρεστήσατε. Der Artikel vor ἀκαθαρσία und ἀνομία meint entweder: die bekannte ἀκαθαρσία bzw. ἀνομία oder wie bei ἡ ἁμαρτία die Macht der ἀκαθαρσία und ἀνομία. Ἀκαθαρσία selbst, das in den sogenannten Lasterkatalogen etwa neben πορνεία erscheint (Gal 5, 19; Eph 5, 3; Kol 3, 5; auch 2 Kor 12, 21), ist „Unreinheit" jeder Art (vgl. Eph 4, 19; 5, 3: ἀκαθαρσία πᾶσα) und schließt auch die unreine Gesinnung ein (vgl. 1 Thess 2, 3; Barn 10, 8). Sie ist als geschlechtliche Unreinheit nach Röm 1, 24 ein Charakteristikum der heidnischen Welt. Gott hat die Christen nicht in sie gerufen (1 Thess 4, 7). Ἀνομία wechselt Röm 4, 7 (= ψ 82, 1 LXX) im Plural mit ἁμαρτία und ist 2 Kor 6, 14 Gegensatz zu δικαιοσύνη. 2 Thess 2, 3 ist von dem Antichristen als ὁ ἄνθρωπος τῆς ἀνομίας (v. l. ἁμαρτίας) und 2, 7 vom μυστήριον... τῆς ἀνομίας die Rede (vgl. Tit 2, 14; auch 1 Joh 3, 4). Sie ist ein Kennzeichen des Abfalls der eschatologischen Zeit, sowohl als Widersetzlichkeit gegen Gottes Gebot wie als Ungebundenheit, die sich ihr Gebot selbst diktiert. Stellt man sich dieser ἀνομία zur Verfügung, so erreicht man sie auch, was durch εἰς ἀνομίαν angedeutet wird. Aber diesem alten Dienst gegenüber, der ein Residuum aus der heidnischen Zeit und freilich auch schon eine Vorausnahme der Zeit, die dem Ende zugeht, ist, gilt es sich jetzt der Gerechtigkeit, die in die Heiligung zielt, zur Verfügung zu stellen (V 19c). Das νῦν ist stark betont. Es ist die Zeit, die für den einzelnen durch die Taufe herbeigeführt ist, in der der Getaufte steht, die selbst in der eschatologischen Wende gründet. Er steht ja für Paulus in einer anderen, neuen Zeit als der Ungetaufte. In den VV 21f wird es erläutert. Dort ist es einem τότε entgegengesetzt und eindeutig auf die Taufe als auf den Wendepunkt im Leben des einzelnen oder, besser, des Lebens des einzelnen bezogen, der der eschatologischen Wende entspricht. Dieser wird durch die Taufe in das „jetzt" der mit dem Erscheinen der Gerechtigkeit Gottes in Jesus Christus angebrochenen Endzeit (vgl. Röm 3, 21) aufgenommen. *Jetzt* leistet einen anderen Dienst! Jetzt stellt euch und euere Glieder der δικαιοσύνη zur Verfügung, dessen gewiß, daß ihr ja ἐδουλώθητε τῇ δικαιοσύνῃ (6, 18) und δουλωθέντες τῷ θεῷ (6, 22) und zum Gehorsam gekommen seid. Auch hier wird der Artikel „die Gerechtigkeit" als bestimmende Macht bezeichnen. Sie ist, was man nicht vergessen darf, die mit Jesus Christus erschienene gerechtmachende Gerechtigkeit Gottes (vgl. 5, 17.18.21), in die der Glaubende eingeht und so gerecht wird, wenn er sich – im Glauben! – ihr zur Verfügung stellt. Er gelangt εἰς ἁγιασμόν. Ἁγιασμός kann bei Paulus „Heiligung" (1 Thess 4, 3.4.17; 2 Thess 2, 13 [1 Tim 2, 15?])

und „Heiligkeit" bedeuten (1 Kor 1, 30), wohl auch hier als Ergebnis dessen, daß man sich Gott zur Verfügung gestellt hat [11] und in der Heiligung zur Verfügung stellt. Dieser Imperativ von V 19c wird nun in den VV 20–22 näher begründet, und zwar im Blick auf das „einst" und „jetzt".

V 20 Als Sklaven der Sünde wart ihr „frei" in bezug auf die δικαιοσύνη. Τῇ δικαιοσύνῃ ist Dativ der Beziehung. Fast klingt das ἐλεύθεροι ἦτε τῇ δικαιοσύνῃ ironisch. Denn „frei" in bezug auf die Gerechtigkeit sein ist keine Freiheit, sondern Sklaverei. Was aber brachte diese „Freiheit", die doch Sklaverei in der Sünde ist, ein? Die Antwort gibt V 21, der aus zwei bzw. drei kleinen Sätzen mit Frage und Antwort besteht und nicht etwa nur aus einem. Die Frucht der damaligen Sklaverei in der Sünde und Freiheit von der Gerechtigkeit sind solche Dinge, deren ihr euch jetzt schämt. Zu ἐφ' οἷς ist ein τοιαῦτα zu ergänzen. Sonst steht bei ἐπαισχύνομαι das Objekt gewöhnlich im Akkusativ [12]. Aber Bauer Wb 558 vermerkt Is 1, 29 v. l. mit ἐπί τινι einer Sache. Καρπός hat im übertragenen Sinn sonst bei Paulus nur eine positive Bedeutung (vgl. V 22; Phil 1, 11; Gal 5, 22; Eph 5, 9). Die Ausnahme an unserer Stelle ist durch den parallelen Gegensatz in V 22 diktiert. Das Produkt der sogenannten Freiheit waren jedenfalls Dinge, deren sich die Christen jetzt, da ihr νοῦς erneuert ist (Röm 12, 2) und sie ein neues Verständnis des Willens Gottes gewonnen haben (vgl. Eph 4, 23; Kol 1, 9f; Phil 1, 9ff), schämen [13]. Doch warum schämen sie sich jetzt solcher Dinge, die ihnen ihre „Freiheit" bescherte? Die Antwort ist (V 21b) kurz gegeben: ihr τέλος ist der Tod. Das ist nicht ganz eindeutig. Entweder soll gesagt werden: diese Dinge enden mit dem Tod im Sinn des κατάκριμα (Röm 5, 16.18; 8, 1) oder als ἀπώλεια (Röm 2, 12; 9, 22; Phil 1, 28; 3, 19). Dann müßte man verstehen: die Christen erröten jetzt über diese Dinge, da sie an die Schande des Gerichts bei der Parusie denken. Dafür könnte Gal 5, 19ff sprechen. Oder es ist gemeint, der Tod ist das (verborgene) Ziel solcher Dinge, auf das diese ausgerichtet sind, ähnlich wie Röm 8, 6 vom φρόνημα τῆς σαρκός redet, das der Tod ist. Dann hätte das „sich dieser Dinge schämen" den Sinn eines, wenn man so sagen darf, metaphysischen Ekels vor dieser Todesfrucht, der sie jetzt als Christen packt. Das war also die Vergangenheit im Licht der Gegenwart. Doch wie ist die Gegenwart? Das sagt V 22.

V 22 Der Satz ist dem von V 21 nicht ganz parallel gebildet. Der Fragesatz fällt fort. Auch wird „die Frucht" nicht dadurch charakterisiert, daß der Christen jetziges Urteil darüber erwähnt wird, sondern dadurch, daß das Ziel und Ergebnis ihrer Frucht mit εἰς ἁγιασμόν angegeben wird. Jetzt haben sie die echte Freiheit, und nun sind sie im rechten Dienst, nämlich als Sklaven Gottes, und so haben sie ihre „Frucht", die auf die Heiligkeit ausgerichtet ist und in sie führt. Gal 5, 22 zählt solche Frucht (καρπός im Singular) als „Frucht des Geistes" auf. Sie wird hervorgetrieben und reift, wenn man sich in den πράξεις

---

[11] Vgl. Sanday-Headlam, Kühl, Lagrange, Sickenberger u. a.
[12] Blass-Debr, § 149.
[13] Eph 5, 8ff bietet einen Kommentar zu unserer Stelle.

vom Geist führen läßt (Röm 8, 13 bf). Und von dieser Frucht ist zu sagen, daß sie den Christen ζωὴ αἰώνιος einbringt. Jetzt ist nicht mehr vom τέλος der „Frucht", sondern derer die Rede, die sie εἰς ἁγιασμόν haben. Ihnen stellt sich – unter der Frucht – die ζωὴ αἰώνιος ein. Ihnen wächst unter der Heiligkeit das ewige Leben zu. Der Akkusativ ζωὴν αἰώνιον ist ebenfalls von ἔχετε abhängig. Sie haben als Ziel und Ergebnis „ewiges Leben".

V 23 begründet V 21c und V 22c. Er ist ein allgemeiner Satz, der noch einmal den für Kap. 6 so wichtigen Zusammenhang von Sünde und Tod und Gottes Gabe und Leben aufweist. Dabei ist auch der Gegensatz, der von der Sache her kein strikter sein kann, sehr bezeichnend. Es heißt nicht: der Sold der Sünde ist der Tod, der Sold der Gerechtigkeit (oder Heiligkeit) ist das Leben, sondern: der Sold der Sünde ist der Tod – die Gabe Gottes aber ist das ewige Leben in Christus Jesus, unserem Herrn. Τὰ ὀψώνια (vgl. Lk 3, 14; 1 Kor 9, 7) ist die „Löhnung", die „Remuneration" des Soldaten[14]. Als „Entgelt" kommt es 2 Kor 11, 8 vor. Die Sünde also zahlt den Tod als Sold an ihre Soldaten (6, 13!) aus. Gott aber gibt als Gnadengeschenk das ewige Leben in Christus Jesus, unserem Herrn. Nicht die Gerechtigkeit oder Heiligkeit also zahlen aus, obwohl man auch das in einem bestimmten Sinn sagen könnte, sondern *Gott* zahlt aus. Und er zahlt nicht einen Sold oder Lohn aus, sondern er *schenkt*. Χάρισμα kann einen etwa beim Regierungsantritt eines neuen Herrschers ausgezahlten außerordentlichen Gnadensold meinen, das donativum[15]. Aber wenn Paulus daran denkt, so gewiß nicht ohne damit das zu verbinden, was für ihn χάρισμα in Röm 5, 15.16 bedeutete: die Gnadengabe in der Gnadentat Gottes in Jesus Christus. Dieses donativum Gottes – seine freie Gnadengabe – ζωὴ αἰώνιος (vgl. Röm 5, 17.18.22), und zwar ἐν Χριστῷ Ἰησοῦ τῷ κυρίῳ ἡμῶν. Das wird wieder wie 6, 11; 5, 11.21 an den Schluß gestellt und so lebhaft eingeprägt, daß man die ζωὴ αἰώνιος, die Gnadengabe Gottes ist, in und mit dem erhöhten Herrn empfängt. Dieses donativum, das dem Dienst und der Frucht der Gerechtigkeit und Heiligkeit zukommt, ist reines Geschenk und wird als ewiges Leben in und mit dem gewährt, in dessen Herrschaftsbereich wir im Glauben durch die Taufe stehen.

Der zweite Teil des Kap. 6 (6, 15–23) sieht also ebenfalls wie der erste auf die Taufe. Er beginnt mit einer ähnlichen Frage wie der erste Teil (6, 1–14). Auch er beantwortet sie mit dem Hinweis auf die Vergangenheit und die Gegenwart, die beim Getauften sich wie Tod und Leben gegenüberstehen. Aber Paulus verwendet jetzt eine andere Begrifflichkeit: δουλοῦν – ἐλευθεροῦν, betont dabei stark den jetzigen Stand des Christen. Er hebt auch die bei der Taufe gefallene Entscheidung des Täuflings hervor und geht in der Mitte seiner Ausführungen zur Mahnung über (V 19 bc). Im ganzen wiederholt er aber den Grundgedanken, daß wir nicht mehr bei der Sünde bleiben können, weil wir von der neuen Erfahrung her, die auch eine neue Entscheidung impliziert, von ihr gelöst sind und uns gelöst haben, in ein neues Sein und eine neue Existenz eingetreten sind.

---

[14] Heidland in: ThWb V 592.
[15] Zahn, Gutjahr, Michel u. a.; Pauly-Wissowa V 1533.

5. 7, 1–6 Die Freiheit vom Gesetz

1 Oder wißt ihr nicht, Brüder – ich rede doch zu solchen, die das Gesetz kennen –, daß das Gesetz über den Menschen, nur solange er am Leben ist, Gewalt hat? 2 Denn die verheiratete Frau ist durch das Gesetz an den Mann gebunden, solange er lebt. Stirbt der Mann, so ist sie frei von dem Gesetz, das sie an den Mann bindet. 3 Bei Lebzeiten also des Mannes wird sie Ehebrecherin genannt, wenn sie sich einem anderen Manne hingibt. Wenn aber der Mann gestorben ist, ist sie vom Gesetz frei, also nicht Ehebrecherin, wenn sie einem anderen Mann gehört. 4 So seid auch ihr, meine Brüder, dem Gesetz durch den Leib Christi getötet, daß ihr einem andern gehört, dem, der von den Toten auferweckt ist, damit wir Gott Frucht bringen. 5 Denn als wir noch im Fleisch waren, wirkten die sündigen Leidenschaften, durch das Gesetz hervorgerufen, in unseren Gliedern, so daß wir dem Tode Frucht brachten. 6 Jetzt aber sind wir, vom Gesetz weg vernichtet, dem gestorben, in dem wir gefangenlagen, so daß wir im neuen Wesen des Geistes dienen und nicht im alten des Buchstabens.

Von Kap. 5 an war bisher ausgeführt: Als aus Glauben Gerechtfertigte rühmen wir uns der Hoffnung auf die künftige Herrlichkeit (5, 1–11). Ist doch durch das δικαίωμα Christi, des zweiten Adam, die χάρις und ζωή über die Welt gekommen (5, 12–21). Wir haben (in der Taufe) diese χάρις empfangen und sind damit der Sündenmacht entrissen, was uns verpflichtet, uns nicht mehr ihr, sondern der Gerechtigkeit Gottes zur Verfügung zu stellen (6, 1–14). So sind wir in der Freiheit von der Sündenmacht, die uns Taufe und Gehorsam schenkten, solche, die Gott leben, d. h. die Gnadengabe Gottes, das ewige Leben in Christus Jesus, unserem Herrn, empfangen haben (6, 15–23). Wir sind aber auch, fährt Paulus in 7, 1–6 fort, vom Gesetz befreit worden, das die Sünde provoziert und entfaltet (7, 7–25). Damit kommt Paulus, nach den kurzen Anspielungen über das Verhältnis von Gesetz und Sünde in Röm 3, 20; 4, 14 f; 5, 13.20, ausdrücklich und thematisch auf dieses Verhältnis zu sprechen.

V 1 Der neue Gedanke ist in V 1 mit einem der Diatribe entnommenen ἢ ἀγνοεῖτε an das Vorhergehende angeknüpft. Wir kennen es schon aus 6, 3, aber hier ist eindeutiger gemeint, daß die Angesprochenen in der Tat wissen, sie, das sind die seit 1, 13 zum erstenmal wieder apostrophierten ἀδελφοί, deren Kennzeichnung sich dann rasch in 7, 4 wiederholt. Es zeigt das Beteiligtsein und das gerade in diesem Punkt eindringliche Redenwollen des Apostels an. Wie sehr er sie für seinen Gedanken gewinnen will, zeigt aber auch die captatio benevolentiae in der Parenthese: γινώσκουσιν γὰρ (!) νόμον λαλῶ. Sie werden also – und das ermöglicht oder zum mindesten erleichtert seine Frage – solche genannt, die „das Gesetz kennen". Doch welcher νόμος ist

gemeint? Einige Ausleger[1] meinen das römische Gesetz, und man sagt etwa
so: „Mit fast humanistisch klingender Berufung auf die juristische Bildung
der durch ‚das römische Recht' weltbekannten Römer ruft er sie selber zu
Zeugen dafür an, daß ein Mensch immer nur bei Lebzeiten unter dem Gesetz
steht" (Jülicher). Freilich die kleinen Leute in der christlichen Gemeinde
Roms als iurisprudentes zu bezeichnen wäre doch wohl übertrieben. Eher
ist wohl mit νόμος wie allermeist bei Paulus das mosaische Gesetz gemeint[2].
Dafür spricht einmal, daß die Aussage „Das Gesetz ist Herr über den
Menschen, solange er lebt" besser auf das mosaische Gesetz paßt (Michel),
und zweitens, daß Paulus sonst mit der Bedeutung des Begriffes νόμος in
V 4ff wechseln müßte. Ob speziell das jüdische Ehegesetz gemeint ist, muß
offenbleiben. Wahrscheinlicher ist, daß der Apostel das mosaische Gesetz
als das im allgemeinen den römischen Christen bekannte[3] vor Augen hat.
Doch was wissen sie, wenn sie das Gesetz kennen? Die Antwort wird in dem
ὅτι-Satz gegeben, der selbst wie eine Rechtsregel klingt, die freilich so, wie
sie formuliert ist, im AT nicht vorkommt, aber in der rabbinischen Überlieferung durchaus anerkannt ist. So erklärt – um ein Beispiel zu nennen –
Pᵉsiqta 200b Job 3,19 „Der Knecht ist frei von seinem Herrn" (nämlich
durch seinen Tod) folgendermaßen: „‚Der Knecht frei von seinem Herrn',
das geht auf die Israeliten; denn wenn ein Mensch gestorben ist, ist er frei
von den Gebotserfüllungen."[4] Diesen Rechtsgrundsatz, daß das Gesetz nur
zu Lebzeiten Herr über den Menschen ist – κυριεύει vgl. Röm 6,9.14;
14,9 = שלט – und über den Menschen gebietet, kennt ihr doch, meint Paulus,
zu den römischen Christen gewendet.

Aber was ist daraus zu folgern? Man erwartet, sofern man überhaupt
erwägt, daß Paulus jetzt vom bisherigen Zusammenhang her über das Gesetz
reden will, das ihn im Hintergrund schon lange beschäftigt, etwa eine Aussage wie die: „Ihr aber seid gestorben" (vgl. 6,7), so gilt für euch das Gesetz
nicht mehr.

V 2 Aber Paulus erläutert das κυριεύειν des Gesetzes zunächst so, daß er
den allgemeinen Rechtsgrundsatz auf das Eherecht spezialisiert und ihm
dabei eine unerwartete Wendung gibt, V 2. Er interpretiert die lebensläng-
liche Bindung durch das Gesetz im Blick auf die verheiratete Frau. Diese ist
durch das Gesetz an ihren Mann, solange er lebt, gebunden. Wenn er aber
stirbt, ist sie von dem Gesetz, das sie an ihn bindet, frei. Ὕπανδρος ist hellenistisch „verheiratet", z. B. Polyb. 10,26,3; Aelian 3,42 p. 77,3 u. a.; aber
auch LXX Nm 5,20.29; Spr 6,24.29; Sir 9,9; 41,23. Zu καταργεῖσθαι ἀπό
vgl. Röm 7,6; Gal 5,4 im Sinn von „vernichtet werden weg von", „los-

---

[1] Vgl. B. Weiss, Kühl, Lagrange, Sickenberger u. a.
[2] Cornely, Zahn, Bardenhewer, Schlatter, Lietzmann, Althaus, Michel, Kuss, H. W. Schmidt, Schmithals u. a.
[3] Sanday-Headlam, Michel, H. W. Schmidt u. a. Anders Käsemann: „Die gesetzlich geregelte Ordnung" (wie Bultmann, Theologie, 260).
[4] Strack-Billerbeck III 234; vgl. NTSt 8 (1962) 272f.

kommen", „freikommen" u. ä. Ὁ νόμος τοῦ ἀνδρός meint das Gesetz,
durch das die Frau an den Mann gebunden ist. Genauer wäre vielleicht mit
B. Weiß ὁ νόμος ὁ περὶ τοῦ ἀνδρός zu sagen. Die Spezialisierung des Satzes
1b in V 2 ist nicht ganz logisch. Man erwartet eigentlich die Aussage: „Denn
die verheiratete Frau ist durch das Gesetz an den Mann gebunden, solange
sie lebt. Ist sie aber gestorben, so ist sie vom Gesetz, das sie an den Mann
bindet, frei." Aber was sollte das besagen? Man könnte ja als Auflösung des
Gleichnisses erwarten: So seid auch ihr – als die Gestorbenen – frei vom
Gesetz. Das entspräche Röm 6,7. Aber Paulus hat offenbar schon einen zweiten Gedanken im Sinn, und so wendet er sich auch schon mit dem Vergleich
zu ihm und verdirbt das Bild.

VV 3–4 Dieser andere Gedanke tritt in *V 3* schon deutlicher hervor, in
dem die Folgerung aus V 2 (ἄρα οὖν) gezogen wird. Das Freisein vom Gesetz
wird dahin ausgelegt, daß es Freiheit zu neuer Bindung ist. Χρηματίζειν ist
hier natürlich nicht „Geschäfte führen" und dazu „eine Weisung erteilen",
sondern „einen Namen führen", „genannt werden", „heißen" [5]. Ἐλευθέρα
ἀπὸ τοῦ νόμου steht anstelle eines gen. separ. [6] War im Gleichnis gesagt, daß
die Frau, wenn sie nach dem Tod ihres Mannes einem anderen gehört, nicht
Ehebrecherin genannt wird, wie wenn sie zu seinen Lebzeiten sich einem
anderen zuwendet, so bringt *V 4* sofort die Anwendung des Beispiels und
macht deutlich, worauf Paulus hinauswill und woran ihm, wie auch die neue
Anrede mit ἀδελφοί zeigt, offenbar viel liegt. Sie, die römischen Christen,
sind dem Gesetz gestorben, an das sie gebunden waren, und können nun
einem anderen, nämlich dem von den Toten auferweckten Christus, gehören.
Der mit dem etwas verbogenen Beispiel aus dem Rechtsleben veranschaulichte
Sachverhalt wird klar und ohne Gleichnis dargelegt. Dabei wird er keineswegs
in allen Einzelheiten mit dem Gleichnis in V 2 und V 3 in Übereinstimmung
gebracht. Für den Apostel wesentlich (Kuß) ist allein die Betonung der durch
den Tod gewonnenen Freiheit, die die neue Bindung möglich macht. „Die
Brüder", die Glaubenden und Getauften, sind dem Gesetz gestorben, um
dadurch Christus zu gehören. Das, was in der Taufe geschah, kann also auch
ἀθανατώθητε τῷ νόμῳ genannt werden, d. i. durch Tod vom Gesetz frei geworden [7]. Es steht anstelle eines ἀπεθάνετε (vgl. 6,2.5.6.8; 7,6), verweist
aber unwillkürlich durch die passive Formulierung auf das aktive Wirken der
Taufaktion. Es fand ein „Töten" statt, welches, wie V 6 zeigen wird, eine Befreiung (κατηργήθημεν) ist. Es ist ein und dasselbe Geschehen, welches der
Sünde sterben und dem Gesetz getötet werden ließ (vgl. 6,2.6.10.11). Das
ὑπὸ νόμον εἶναι (vgl. 6, 14) ist damit zu Ende. Inwiefern das „der Sünde sterben" und das „dem Gesetz getötet werden" in dem einen Geschehen der

---

[5] Moulton, 265; Bauer Wb 1751; dazu Michel.
[6] Blass-Debr, § 182,3.
[7] Vgl. dazu rabbinische Aussagen bei W. Dietzfelbinger, Unter Toten frei geworden, in:
NT 5 (1962) 272f. Ob für Paulus ψ 87, 16 im Hintergrund stand, ist doch sehr fraglich.

Taufe stattfinden kann, also wie sich νόμος und ἁμαρτία zueinander verhalten, wird noch nicht gesagt. Dagegen wird das ἐθανατώθητε τῷ νόμῳ noch erläutert durch das διὰ τοῦ σώματος τοῦ Χριστοῦ. Das weist auf den für uns in den Tod gegebenen Leib Christi hin[8], dessen Sterben unser Sterben in der Taufe ermöglichte und bewirkte, wenn wir, wie wir hörten, auf diesen Tod getauft oder mit seinem „Abbild", mit dem Tod Christi, sofern er in der Taufe gegenwärtig ist, geeint worden sind, mit anderen Worten: „sakramental" in Christi Geschichte einbezogen worden sind. Διὰ τοῦ σώματος τοῦ Χριστοῦ meint also nicht: ihr seid dem Gesetz getötet worden dadurch, daß ihr in den Leib Christi, die ἐκκλησία, aufgenommen worden seid[9]. Abgesehen davon, daß das ein völlig singulärer Gedanke bei Paulus wäre, müßte es doch wohl εἰς τὸ σῶμα τοῦ Χριστοῦ bzw. ἐν τῷ σώματι τοῦ Χριστοῦ heißen. Wir sind nicht dadurch, daß wir in den Leib Christi, die Kirche, aufgenommen wurden, dem Gesetz getötet worden, sondern umgekehrt: als dem Gesetz durch die Taufe Getötete sind wir in den Leib Christi eingegangen (vgl. 1 Kor 12,13). Erwägen könnte man höchstens, ob mit der Formulierung „durch den Leib Christi" nicht der in der Taufe als ὁμοίωμα gegenwärtige Tod Christi, sondern der Tod Christi als solcher, d. h. auf Golgotha, gemeint ist und er also nur als Grund der Möglichkeit gesehen ist, in der Taufe als mit ihm Geeinte „durch ihn" getötet zu werden. Σῶμα ist dann vom Leib Christi am Kreuz wie nur noch Eph 2,16; Kol 1, 22 verstanden. Dieses „dem Gesetz getötet werden" in der Taufe hat jedenfalls zur Folge, daß der Getaufte „einem anderen" gehört. Εἰς τό c. Inf. ist konsekutiv zu verstehen[10]. Der „andere" ist der von den Toten erweckte Christus am Kreuz, von dem es 6, 10 hieß, daß er „Gott lebt". Christus zu eigen sein, das setzt uns aber instand und hat zum Ziel, und so hat das „durch Christi Leib dem Gesetz getötet sein" zum Ziel: ἵνα καρποφορήσωμεν τῷ θεῷ. Paulus spricht jetzt wieder von „uns". Das „dem Gesetz gestorben" und „von ihm frei sein" geschah nicht, damit wir, der Herrschaft des Gesetzes entronnen, uns nun selbst gehören und uns „Früchte" (in den ἐπιθυμίαι τοῦ σώματος Röm 6,12), deren wir uns jetzt ja „schämen" (Röm 6, 21), bringen, sondern damit wir Christus gehören und Gott Frucht bringen. Zu diesem καρποφορεῖν im übertragenen Sinn vgl. Kol 1,10: ἐν παντὶ ἔργῳ ἀγαθῷ καρποφοροῦντες. Der Finalsatz ist natürlich auch wieder zugleich ein indirekter Imperativ, der selbst nicht mehr zu Wort kommt. Denn die nächsten Sätze in *V 5f* haben eine andere Aufgabe. Sie sollen begründen, warum ein solches „Gott Frucht bringen" erst jetzt, erst bei dem, der dem Gesetz getötet und dem Herrn Jesus Christus zu eigen ist, möglich wird. Sie begründen das aber, indem sie noch einmal die alte und die neue Seinsweise einander gegenüberstellen. Sie nehmen damit einerseits die Darlegungen von 7,7–25, anderseits die von 8,1–11 kurz voraus.

---

[8] Bultmann, Theologie, 149; Schweizer in: ThWb VII 1064; Käsemann.
[9] So z. B. Barrett.
[10] Blass-Debr, § 402,2.

V 5 wirft noch einmal einen Blick auf die alte Seinsweise, die in der Taufe vergangen ist, und verwendet dabei zum Teil neue Formulierungen. Das alte, vergangene Sein wird jetzt als εἶναι ἐν σαρκί bestimmt[11]. Das meint natürlich nicht das irdische Sein als solches wie z. B. Gal 2, 20; 2 Kor 10, 3; Phil 1, 22, sondern dieses, sofern es ein εἶναι κατὰ σάρκα oder ein περιπατεῖν κατὰ σάρκα war (vgl. Röm 8, 4f. 8. 13; 2 Kor 10, 2f) oder ein ζῆν κατὰ σάρκα, also ein von der σάρξ, unserem selbst-süchtigen alten Dasein, bestimmtes Sein und Wandeln. Von den Gläubigen und Getauften heißt es deshalb Röm 8, 9, daß sie οὐκ ἔστε ἐν σαρκὶ, ἀλλὰ ἐν πνεύματι. Das ἐν σαρκὶ εἶναι an unserer Stelle in V 5 wird aber noch näher charakterisiert, nämlich dahin, daß damals „die sündigen Leidenschaften in unseren Gliedern am Werk waren". Πάθημα ist hier soviel wie πάθος, bei Paulus nur hier und Gal 5, 24 im Plural und sensu malo zu finden. Das letztere ist hier durch die Qualifizierung τῶν ἁμαρτιῶν deutlich, wobei αἱ ἁμαρτίαι im Plural wie Röm 4, 7; 11, 27; 1 Kor 15, 3. 17; Gal 1, 4; Eph 2, 1; 1 Thess 2, 16 die konkreten Einzelsünden meint. Die παθήματα τῶν ἁμαρτιῶν entsprechen den ἐπιθυμίαι in 6, 12; freilich haben diese einen mehr aktiven Sinn. Die sündigen Leidenschaften sind „in unseren Gliedern" am Werk, also in unseren Taten. Ἐνεργεῖσθαι med. intr. heißt „sich wirksam erweisen", „sich auswirken", „am Werk sein" wie etwa 2 Kor 1, 6; 4, 12; Gal 5, 6; Eph 3, 20; Kol 1, 29; 1 Thess 2, 13; 2 Thess 2, 7. Die παθήματα τῶν ἁμαρτιῶν werden aber auch noch dahin charakterisiert – und das läßt erkennen, wie Paulus bei seiner Gesetzes-Sünden-Problematik geblieben ist –, daß sie τὰ διὰ τοῦ νόμου sind, also solche, die durch das Gesetz hervorgerufen werden (vgl. Röm 3, 20; 7, 7ff). Nach 1 Kor 15, 56 ist es ja auch die δύναμις τῆς ἁμαρτίας, die Macht, die sich in der Sünde auswirkt. Aber auch an unserer Stelle ist das Verhältnis von Gesetz und Sünde nur eben berührt. Es wird jedoch bald zur Sprache kommen.

V 6 Was aber ist die Folge solcher Wirksamkeit der durch das Gesetz provozierten Leidenschaften der Sünden? Ein καρποφορῆσαι τῷ θανάτῳ. Εἰς τό c. Indic. ist konsekutiv zu verstehen[12]. Die Sünde, die das Gesetz bewirkt, bringt den Tod ein, so wie die Freiheit vom Gesetz *Gott* Frucht bringt (7, 4). Νυνὶ δέ, „jetzt aber", jetzt in der Heilsgegenwart, in die uns die Taufe versetzt hat, hat sich unser Leben völlig verändert, und zwar negativ *(V 6a)* und positiv *(V 6b)*. Das κατήργηται ἀπὸ τοῦ νόμου von 7, 2 wird wieder aufgenommen (vgl. auch 6, 6), jetzt in 1. Pers. Plur. des Aorist Passivi. Jetzt sind wir vom Gesetz fort vernichtet, von ihm gelöst und befreit. In welcher Weise? Ἀποθανόντες, also wieder intransitiv formuliert wie 6, 2. 8. Ἐν ᾧ = τῷ νόμῳ, ἐν ᾧ[13] und nicht etwa neutrisch: τούτῳ, ἐν ᾧ...[14], und dann auf den Inhalt

---

[11] Vgl. Kuss, Käsemann; Bultmann, Theologie, 232ff; Brandenburger, Fleisch und Geist, 42ff.
[12] Lagrange, Michel, Kuss, H. W. Schmidt u. a.
[13] Schlatter, Kuss, Gaugler, Ridderbos, Käsemann u. a.
[14] Zahn, Lagrange, Kühl u. a.

von V 5 zu beziehen. Das κατειχόμεϑα paßt besser zu ὁ νόμος und in den ganzen Zusammenhang, der ja schildern soll, daß und wie wir aus dem Gefängnis des Gesetzes befreit wurden. Κατέχειν ist „festhalten", z. B. ἐν φυλακῇ bei Diod. Sic. 1265, 9; Diog 6, 7 [15]. Es steht die Situation von Gal 3, 23 vor Augen. Wir sind in der Taufe aus dem Gefängnis des Gesetzes befreit worden. Wir sind ihm weggestorben. Das Gefängnis ist leer. Was aber war die Folge dieses Ereignisses? Das wird in *V 6b* positiv so ausgedrückt: daß wir ἐν καινότητι πνεύματος καὶ οὐ παλαιότητι γράμματος dienen. Ὥστε mit Inf. bzw. Acc. c. Inf. wie 1 Kor 13, 2 bzw. Röm 15, 19; 1 Kor 5, 1 meint: derart, in der Weise, daß… Das δουλεύειν bezeichnet in seinem absoluten Gebrauch (vgl. Röm 14, 18) das, was in Röm 6, 4 περιπατεῖν genannt war, also den christlichen Lebensvollzug. Es hat mit der Befreiung aus dem Gefängnis des Gesetzes kein Ende. Das Leben ist ein ständiges „Dienen". Nur vollzieht sich dieses δουλεύειν jetzt „in der Neuheit des Geistes" und nicht mehr „im alten Buchstaben". Die καινότης, in der wir als Getaufte leben und leben sollen (vgl. Röm 6, 4), eröffnet und hält uns offen τὸ πνεῦμα. Das πνεῦμα macht sie uns zugänglich (im Glauben und in der Taufe) und hält uns in ihr fest. Diese vom Geist bewirkte und bewahrte Neuheit, in der wir den Dienst unseres Lebens jetzt vollziehen, steht im strikten Gegensatz zur παλαιότης γράμματος, die früher unsere Lebensdimension war. Alles vorchristliche Dasein ist „alt" und jetzt „veraltet", und zwar im absoluten Sinn. Das „neue" Dasein wird nicht mehr überholt, es veraltet nicht mehr. Es gilt 2 Kor 5, 17: ὥστε εἴ τις ἐν Χριστῷ, καινὴ κτίσις · τὰ ἀρχαῖα παρῆλθεν, ἰδοὺ γέγονεν καινά. Das neue Dasein, das der Geist schafft, ist das eschatologische. Das veraltete und vergangene war beherrscht vom γράμμα. Das ist nichts anderes als der νόμος, der unser Gefängnis war. Der Gegensatz πνεῦμα – γράμμα taucht schon Röm 2, 29 auf. Er wird vor allem in 2 Kor 3, 6ff zur Sprache gebracht. Hier wird deutlich, daß es sich nicht um den idealistischen Gegensatz von „Geist und Buchstabe" handelt, sondern um den Gegensatz des tötenden und verdammenden (weil immer die Sünde provozierenden) Gesetzes zum lebendigmachenden Geist, der „die Gerechtigkeit" schenkt. Für Paulus ist „die Antithese von Buchstabe und Geist mit der von Fleisch und Geist identisch" (Käsemann). „Der Dienst", in dem der Getaufte steht, gilt daher „dem Neuen", und das ist „der Geist". Er hat mit „dem Alten", dem „Buchstaben", d. h. dem Gesetz und dessen Dienst, nichts mehr zu tun.

Der Gedankengang von 7, 1–6, der so Gewichtiges entfaltet, ist, kurz zusammengefaßt, dieser: Das Gesetz, Brüder, gebietet, wie ihr wißt, nur über den lebenden Menschen. Das Gesetz z. B., das die Frau an den Mann bindet, hat Gesetzeskraft nur, solange der Mann lebt. Nach seinem Tod kann sie, ohne Ehebrecherin zu heißen, einem anderen gehören. Ihr, meine Brüder, seid für das Gesetz tot und gehört nun dem von den Toten erweckten Christus an. So können wir Gott Frucht bringen. Ehemals, im alten Dasein, „im Fleisch", brachten die Leidenschaften der Sünde, die das Gesetz

---

[15] Bauer WB 836.

hervorrief, dem Tod Frucht. Aber „der Buchstabe", das Gesetz, hält uns nicht mehr gefangen. Wir sind ihm abgestorben und leben im eschatologisch neuen Dasein des Geistes.

6. 7, 7–13 Das Gesetz und die Sünde

7,7 Was sollen wir nun sagen? Ist das Gesetz Sünde? Nein! Doch hätte ich die Sünde nicht kennengelernt, wenn nicht durch das Gesetz. Denn ich hätte die Begierde nicht erfahren, wenn das Gesetz nicht gesagt hätte: Du sollst nicht begehren! 8 Die Sünde aber nahm durch das Gebot die Gelegenheit wahr und erregte in mir alles Begehren. Denn ohne Gesetz ist die Sünde tot. 9 Ich war aber einst ohne Gesetz lebendig. Als aber das Gebot kam, wurde die Sünde lebendig. 10 Ich dagegen starb, und es erwies sich mir: das Gebot, das zum Leben gegeben war, eben dieses führte zum Tod. 11 Denn die Sünde nahm die Gelegenheit wahr, täuschte mich durch das Gebot und tötete mich dadurch. 12 So ist das Gesetz heilig und das Gebot heilig, gerecht und gut. 13 Wurde also mir das Gute zum Tod? Nein! Sondern die Sünde bewirkte mir, damit sie als Sünde in Erscheinung träte, durch das Gute den Tod – damit die Sünde im Übermaß sündig würde durch das Gebot.

In Röm 7, 1–6 war Paulus zu einem neuen Thema übergegangen. Als aus Glauben Gerechtfertigte (Röm 5, 1) leben wir nicht nur aufgrund der Gehorsamstat Jesu Christi (Röm 5, 12–21) in der Hoffnung auf die künftige δόξα Gottes (Röm 5, 1–11), sind wir auch nicht nur (in der Taufe) der Herrschaft des Sündenwesens entrissen und in den Gehorsam eingetreten, so daß wir uns nicht mehr der Sünde zur Verfügung stellen (Röm 6, 1–23), sondern wir sind auch dem Gesetz gestorben, so daß wir Gott Frucht bringen können (Röm 7, 1–6). Aber – so erhebt sich die Frage – ist die Nebeneinanderordnung der Aussage von Röm 6: Wir sind der Sünde gestorben, und Röm 7, 1–6: Wir sind dem Gesetz gestorben, nicht sehr seltsam? Kann denn wirklich der Vorgang, durch den wir von der Sündenmacht befreit sind, auch eine Befreiung von der Gesetzesmacht sein und umgekehrt? Das klingt ja so, als ob Sünde und Gesetz eng zusammengehörten oder gar identisch wären! Dieser Eindruck wird noch verstärkt, wenn wir an die beiläufigen Formulierungen denken, in denen das Verhältnis von Sünde und Gesetz wenigstens berührt wird: Röm 3, 20; 4, 15; 5, 20; 7, 5. Kurz gesagt, ist die Frage die: Wenn das Gesetz die Sünde hervorruft, ist dann nicht das Gesetz selbst Sünde? Die Antwort geben zunächst VV 7, 7–13.

Der Satz in *V* 7 beginnt mit einer rhetorischen Einleitung: Τί οὖν ἐροῦμεν, mit der auch sonst längere Erörterungen im Diatribenstil eröffnet werden (vgl. Röm 4, 1; 6, 1 [15]; 8, 31; 9, 14.30). Die Frage selbst wird äußerst knapp gestellt. Es sind drei Worte: ὁ νόμος ἁμαρτία; wobei natürlich ein ἐστίν zu ergänzen ist. Die Antwort ist, wie bei den Fragen in Röm 3, 4.5 f.31; 6, 2.15; 7, 13; 9, 14; 11, 1.11; Gal 2, 17; 3, 21; 1 Kor 6, 15, ein eindeutiges, energisches μὴ γένοιτο. Doch begnügt sich Paulus hier wie an anderen Stellen mit diesem „Nein" nicht, sondern fügt eine Begründung an; hier in dem Sinn, daß dieses „Nein" sofort etwas eingeschränkt und dadurch die Antwort auf die Frage schon näher präzisiert wird. Das Verhältnis von Gesetz und Sünde ist gewiß nicht das einer Identität. Das Gesetz ist nicht Sünde. Aber es ist auch nicht so, daß beide nichts miteinander zu tun hätten. Beide haben schon etwas miteinander zu tun, ja es besteht ein enger Zusammenhang zwischen beiden. Das Gesetz ist nicht Sünde. Wohl aber – ἀλλά im einschränkenden Sinn, der etwas zugibt (Kümmel, anders Käsemann) – ist es so: „Ich hätte die Sünde nicht kennengelernt außer durch das Gesetz." Der Satz entspricht dem von 3, 20. Das γνῶναι τὴν ἁμαρτίαν (vgl. 3, 20: ἐπίγνωσις) meint hier „erkennen" im Sinn von „erfahren", also praktisch „kennenlernen" entsprechend 2 Kor 5, 21, so wie das folgende εἰδέναι dem von 2 Kor 5, 11. Das geht aus 7, 8 und 9 deutlich hervor. Gemeint ist also nicht, daß das „Ich", von dem Paulus spricht, durch das Gesetz über die Sünde Bescheid bekommen hat und es sich der Sünde bewußt geworden ist, sondern daß es durch das Gesetz zum Sündigen gekommen ist. Wer das Subjekt von οὐκ ἔγνων ist, bleibt zunächst im dunkeln. Immerhin läßt sich sagen: 1) Die allgemeinen Formulierungen von 3, 20; 4, 15; 5, 20 (7, 5), die auf eine allgemeine Erfahrung der Menschen zielen, sprechen von vornherein an unserer Stelle für ein generelles und nicht für ein individuelles oder gar autobiographisches „Ich". 2) Dafür, daß Paulus in solcher Stilform reden kann, sind Röm 3, 7; 1 Kor 6, 12.15; 10, 29f; 13, 1ff.11; 14, 11.14f; Gal 2, 18ff Belege. Außerdem gibt es reichliche Belege aus hellenistischer und jüdisch-hellenistischer Literatur [1]. 3) Dieses „Ich", der Mensch als solcher und natürlich auch Paulus als Mensch, redet von einer Vergangenheit. Er blickt also auf ein Phänomen seiner Vergangenheit, die ja eine gemeinsame des Menschen ist. Der Aorist hält durch bis V 13. So meint der Apostel: das Gesetz ist nicht Sünde. Aber es ließ mich (= jeden Menschen), wenn man auf die Vergangenheit blicke, die Sünde erfahren.

Das wird nun in *V 7b* dahin erläutert bzw. damit begründet, daß auf das jeweilige Entstehen der ἐπιθυμία rekurriert wird. Ἐπιθυμία ist auch hier, was Gal 5, 16 ἐπιθυμία σαρκός genannt wird: das selbst-süchtige Begehren. Hier ist sie mit der ἁμαρτία unmittelbar verbunden. Diese ist mit ihr und das Begehren mit der Sünde gegeben. Vgl. 7b: τὴν ἁμαρτίαν γνῶναι entspricht V 8 dem κατεργάζεσθαι ἐπιθυμίαν. Diese ἐπιθυμία, in der die Sünde wirksam ist, hat der „Ich", der hier spricht, auf den Einspruch des Gesetzes gegen das ἐπιθυμεῖν: οὐκ ἐπιθυμήσεις, kennengelernt. Jetzt steht ἐπιθυμία für jenes ἁμαρτίαν γνῶναι in 7a. Es war schon 2 Kor 5, 21, wie wir hörten, gebraucht. Der

---

[1] Kümmel, Römer 7, 126ff.

Einspruch des Gesetzes wird nicht in diesem oder jenem Gebot gesehen, sondern summarisch als der Grundwille und die Grundfunktion des Gesetzes hervorgehoben: οὐκ ἐπιθυμήσεις, wozu Ex 20, 17 LXX: οὐκ ἐπιθυμήσεις τὴν γυναῖκα τοῦ πλησίου, οὐκ ἐπιθυμήσεις τὴν οἰκίαν τοῦ πλησίου σου ... κτλ., zu vergleichen ist (vgl. Dt 5, 21). Es charakterisiert für Paulus den gesamten νόμος, womit er eine jüdische These aufnimmt, die 4 Makk 2, 6 so erscheint: ὅτε μὴ ἐπιθυμεῖν εἴρηκεν ἡμᾶς ὁ νόμος[2]. Aber die ἐπιθυμία wird auch z. B. VitAd 19; Philo, De decal. 142.150.173 als Anfang einer Sünde beschrieben (vgl. Joh 1, 15). Doch meint sie bei Paulus nicht nur den Anfang, sondern auch die innere Form des Sündenwesens (vgl. 1 Kor 10, 5 ff). Das Gesetz rief das εἰδέναι τὴν ἐπιθυμίαν hervor; damit aber das γνῶναι τὴν ἁμαρτίαν. Dabei muß man auch hier bedenken, daß Paulus nicht sagen will: „Das Gesetz stellt ihn vor Gottes Willen, und in diesem Moment spürt der Mensch, daß sich in ihm gegen diesen Gotteswillen Widerstand regt" (Kuss). Ob er es „spürt" oder nicht, ist ziemlich gleichgültig, entscheidend ist, daß sich sein Widerstand erhebt. Es ist auch nicht gemeint: „An dem Widerstand, der sich in dem Gesetz der schweifenden Begierde entgegenstellt, gelangt der Mensch zum Bewußtsein, daß er ‚begehrt‘, d. h. nach Tatsünde hungrig ist" (Kuss). Oft gelangt er gar nicht zum Bewußtsein, aber faktisch begehrt er. Und auf das Faktische, d. h. den faktisch provozierenden Charakter des οὐκ ἐπιθυμήσεις, sieht der Apostel. Es ist nicht die Rede von einem „spüren" oder „zum Bewußtsein kommen" seines Widerstandes gegen das Gesetz, sondern davon, daß die ἐπιθυμία gerade dadurch, daß sich das Gesetz gegen sie wendet, ausgelöst wird, daß der Mensch durch das Gesetz, das das selbstsüchtige Begehren nicht will, zum selbst-süchtigen Begehren erweckt wird.

Doch wie kann das geschehen? Paulus entwickelt den Sachverhalt in zwei miteinander verbundenen kleinen Abschnitten, VV 8–10 und V 11. Es lag nicht am Gesetz selbst; es lag an der Sündenmacht, die das Gesetz dem Menschen in solcher Weise begegnen läßt, daß es Sünde bzw. begehrendes Aussein auf sich selbst hervorruft; daß sich die Sünde durch das Gesetz entfaltet.

V 8 spricht wieder von ἡ ἁμαρτία, jener Sündenmacht, die durch Adam und seinen Ungehorsam als die jeden Menschen von seiner Vergangenheit her bestimmende Macht in die Welt kam, aber durch Christi Gehorsam für alle, die die Gabe *seiner* Gerechtigkeit annehmen und durch die Taufe in seinen Tod und seine Auferstehung hineingenommen sind, als Macht überwunden ist. Mit anderen Worten: es ist ἡ ἁμαρτία von Kap. 5/6. Von ihr wird gesagt: ἀφορμὴν δὲ λαβοῦσα ἡ ἁμαρτία, wobei ἀφορμή „Gelegenheit" ist (vgl. 2 Kor 11, 12), ἀφορμὴν διδόναι 2 Kor 5, 12 „Gelegenheit geben" wie 1 Tim 5, 14 (vgl. Gal 5, 13). Ἀφορμὴν λαμβάνειν ist hellenistischer Ausdruck (Polyb., Dionys. Hal.), auch „die Gelegenheit ergreifen" (Philo, In Flacc. 47)[3], nicht aber „Anstoß empfangen". Dann aber gehört διὰ τῆς ἐντολῆς zu κατειργάσατο, nicht zu ἀφορμὴν λαβοῦσα. Es müßte sonst ja

---

[2] Büchsel in: ThWb III 171.
[3] Bauer WB 253.

auch der Genitiv dessen stehen, der die Gelegenheit gibt, wie Lk 11,54 D u. a.
oder ἐκ τῆς ἐντολῆς heißen wie Polyb. 3,32,7. Die Sündenmacht nahm die
Gelegenheit wahr oder ergriff sie und brachte in mir πᾶσαν ἐπιθυμίαν hervor.
Κατεργάζεσθαι ist hier anders als Röm 1,27; 2,9; 7,17f.20; 15,18; 2 Kor
12,12; Eph 6,13, wo es „tun" oder „vollbringen" heißt, „hervorbringen",
„schaffen", „zeugen", so wie z.B. auch Philo, De plant. 50; TestJos 10,1;
Röm 4,15; 5,3; 7,13.15; 2 Kor 4,17; 7,10. Die Sündenmacht brachte διὰ
τῆς ἐντολῆς ... ἐν ἐμοὶ πᾶσαν ἐπιθυμίαν hervor. Ἡ ἐντολή ist hier mit ὁ
νόμος identisch und meint nicht das Einzelgebot gegenüber dem Gesamt-
gesetz, sondern das Gesetz hinsichtlich seines gebietenden Charakters (vgl.
Röm 7,8a/b; 9a/b.10; 11/12)[4]. Zu achten ist auch auf die Formulierung
πᾶσαν ἐπιθυμίαν, wie jetzt gegenüber 7,7c betont wird. Damit ist nicht nur
jenes verschiedene ἐπιθυμεῖν gemeint, das Ex 20,17; Dt 2,21 aufgezählt
wird, nicht nur jenes verschiedene Einzelbegehren, das sich in der Übertretung des Gesetzes darstellt, sondern vor allem auch jene ἐπιθυμία, die in
den ἔργα νόμου, den Gesetzeserfüllungen als Gesetzesleistungen, wirksam
ist, die nicht rechtfertigen (Röm 3,20.27f; 4,6; 9,12.16; 11,6; Gal 2,16;
3,10 [vgl. Gal 3,6; 4,29]) und die sich für Paulus im καυχᾶσθαι äußern, sei
es der moralischen Leistungen (Röm 3,27; Eph 2,9) oder der Gnosis (1 Kor
4,7) oder anderer Vorzüge (1 Kor 1,29; 2 Kor 5,12; Gal 6,13), oder auch
im φυσιοῦσθαι (1 Kor 4,6.18.19; 5,2; 8,1; 13,4 [Kol 2,18]). Es ist ja Übertretung *und* eine bestimmte Weise der Erfüllung des Gesetzes, ein Aussein
auf sich selbst, was sich eben im sich selbst rühmenden, sich selbst aus sich
erbauenden, sich selbst erhöhenden Tun des Gesetzes, im „Gesetzeswerk"
vollzieht. Und dieses Begehren jeglicher Art, das – könnten wir kurz sagen –
in der Un-gerechtigkeit und in der Selbst-gerechtigkeit enthalten ist, rief
also die ihre Gelegenheit wahrnehmende Sünde durch das Gebot ἐν ἐμοί
hervor, *in* dem das Geschehen seiner Vergangenheit jetzt reflektierenden
Menschen, für den Paulus spricht. Dieses Geschehen ist die Geschichte
Adams, den jeder Mensch in seiner Existenz im Nachvollzug der Sünde präsent macht (vgl. 1 Kor 15,21f.48f), die jeder Mensch wieder-holt aufgrund
der Sünde Adams. Und so kann der Vorgang jenes Mißverständnisses und
Mißbrauches des Gesetzes durch die sich mittels des Gesetzes entfaltende
Sündenmacht an Adams Beispiel noch verdeutlicht werden. Das geschieht
zunächst in den VV 9 und 10. Hier ist nicht von den „sonnigen, seligen Kind-
heitstagen" des Paulus oder eines anderen Juden der Herkunft nach, den
„Tagen des kindlichen Unbewußtseins", da er aufwuchs in Gottesfurcht und
Frömmigkeit", die Rede, wie O. Holtzmann, A. Deißmann, Gutjahr, Cornely,
Dodd, Sanday-Headlam, Taylor u. a. meinen, so als ob hier eine persönliche
Konfession des Apostels vorläge. Und χωρὶς νόμου ist nach jüdischer Über-
zeugung auch diese Zeit nicht, sondern nur ohne Verantwortung ihm gegen-
über[5]. Die Formulierung weist vielmehr auf die Genesiserzählung und auf
Adam, dessen Geschichte freilich nach wie vor die Geschichte jedes Men-

---

[4] KÜMMEL, Röm 7, passim; SCHRENK in: ThWb II 547; anders KÄSEMANN.
[5] Die Gegenargumente bei BORNKAMM, a.a.O. 58.

schen vorprägt und von ihr ausgeprägt wird, in diesem Sinn als immer wiederholte gegenwärtig ist. So gilt der Sachverhalt in *V 8b*, wonach χωρὶς ...
νόμου ἁμαρτία νεϰρά, wobei νεϰρά wie Röm 4, 15 „unwirksam", „ohne
Kraft" (vgl. Jak 2, 17.26), ohne δύναμις (vgl. 1 Kor 15, 56b) meint. Dabei
ist nicht etwa mit G(K) d vg sy[s] ἦν zu ergänzen, sondern, da es die grundlegende Prämisse der folgenden Darlegung ist, ein ἐστίν.

V 9 bringt eine Situationsangabe, die den ἐγώ betrifft: er „lebte" „einmal"
ohne Gesetz. Das ἔζων ist prägnant zu nehmen, da es in gewissem Gegensatz zu ἀπέθανον in V 10 steht, also etwa so wie Röm 1, 17 (Hab 2, 4);
6, 11.13; 8, 13b; 1 Thess 5, 10; Gal 2, 19.20; 3, 11 (Hab 4); 5, 25; Phil 1, 21,
nur daß an unserer Stelle natürlich nicht das (künftige oder gegenwärtige)
Leben in Christus gemeint ist, sondern ein „außerhalb des Gesetzes", das
„einstmals" war. Es wird nicht näher bestimmt, aber das Folgende deutet an,
daß es den Zustand des Menschen im Paradies meint (Gn 2, 7–16, Jülicher)[6],
mit anderen Worten: des Adam[7]. Man kann dagegen nicht einwenden, daß
damals die Sünde doch nicht wirksam war, ja überhaupt noch nicht existierte.
Denn V 8b ist nicht Zustandsschilderung, sondern, wie wir gesehen haben,
Grundsatzäußerung. Nur im Blick auf Adam und mit ihm auf das geschöpfliche Leben kann man vom ἐλθεῖν des Gebotes und damit im Zusammenhang vom ἀναζῆν der Sünde und vom Sterben des Sünders reden. Paulus
denkt an Gn 2, 16f: ϰαὶ ἐνετείλατο ϰύριος ὁ θεὸς τῷ 'Αδὰμ λέγων ... ἀπὸ
δὲ τοῦ ξύλου τοῦ γινώσϰειν ϰαλὸν ϰαὶ πονηρόν, οὐ φάγεσθε ἀπ' αὐτοῦ. ᾗ
δὲ ἂν ἡμέρᾳ φάγητε ἀπ' αὐτοῦ, θανάτῳ ἀποθανεῖσθε. Eben dieses Gebot,
darin aber die ἐντολή überhaupt, brachte die Sünde – für Paulus aber in ihrem
umfassenden Sinn – zum Leben. 'Αναζῆν ist nicht „wiederaufleben", sondern
hat, wie z. B. auch ἀναβλέπειν (= sehen), inchoativen Sinn: „zum Leben
kommen".

V 10 Die Folge aber war: ἐγὼ δὲ ἀπέθανον. Die Sünde hat ja, wie wir
hörten, als τέλος und als ὀψώνια den Tod vor Gott bei sich (Röm 6, 21.23,
auch 6, 16). Sie herrscht im Tode (Röm 5, 21), sie ist das ϰέντρον des Todes,
das, was ihn antreibt (1 Kor 15, 56a). So entsprechen sich: die Sünde ist tot
– der Mensch lebt, die Sünde lebt – der Mensch ist tot. Vom einen zum anderen aber führt das Gesetz bzw. die Begegnung mit dem Gesetz, durch das
die Sündenmacht zur Erscheinung und zur Konkretion in dem selbstsüchtigen
Begehren kommt. So läßt sich als Resultat feststellen, und zwar für jeden
Menschen aufgrund seiner adamitischen Geschichte: das Gebot, das zum
Leben gegeben ist, eben dieses hat sich zum Tod erwiesen *(V 10b)*. Καί ist
gleich „und so" und leitet eine Folge ein. Εὑρέθη (vgl. 1 Kor 4, 2; 15, 15;
2 Kor 5, 3; Gal 2, 17; Phil 2, 7, auch Mt 1, 18; Lk 17, 18; Apg 5, 39 u. a.)

---

[6] Vgl. auch LIETZMANN, LAGRANGE, HUBY, MICHEL; BAUER WB 665 u. a. m. Anders BORN-
KAMM, Sünde, 58f.

[7] „Nur an Adam ließ sich demonstrieren, was es um das Werk des Gesetzes als Stachel der
Sünde ist, und jüdische Tradition bot die Mittel dazu", KÄSEMANN.

hat den Sinn des hebräischen נִמְצָא „erscheinen", „in Erscheinung treten", „sich herausstellen als", „sich zeigen", „sich erweisen", „erkennbar, ‚erfunden' werden". Das Gebot ὁ εἰς ζωήν (+ οὖσα) stellte sich für mich heraus εἰς θάνατον. Die Paradoxie wird durch das αὕτη – „eben dieses!" – verstärkt betont: das Gesetz, das seinem Wesensursprung, seinem Sinn und Willen nach εἰς ζωήν ist; es ist ja in sich, seiner Wesensherkunft oder seinem Herkunftswesen nach die Tora, die Unterweisung, die den Leben gewährenden Willen Gottes enthält. Seine Intention, und d. h. ja Gottes Intention, ist das Leben des Menschen, das sich im Anspruch der Weisung eröffnet, so wie sie auch die δικαιοσύνη und die ἀγάπη ist (vgl. Röm 9, 31; Gal 5, 14 und Röm 13, 8–10). An ihm hängt deshalb das Leben des Menschen. Es ist, von daher gesehen, nicht falsch, was von „Mose" Röm 10, 5 zitiert wird. Das Gesetz ist die Stimme der δικαιοσύνη. Aber eben dieses Gesetz hat sich im faktischen Vollzug des menschlichen Daseins, das das adamitische ist, in seiner Auswirkung gewandelt und hat sich entgegen seiner ursprünglichen Intention als Todesgesetz erwiesen. Es geriet – über seinem Vollzug – in die Machtherrschaft der Sünde, die seine Forderung dazu benutzte, um ihren Grundzug zu erwecken, die ἐπιθυμία, das Aussein des Menschen auf sich selbst in Ungerechtigkeit und Selbstgerechtigkeit. Das Gesetz ist nicht Sünde. Aber es ist zum Instrument der Sünde geworden, damit aber auch des Todes. Anders ausgedrückt: das Gesetz ist seiner Wesensherkunft nach nicht Sünde. Es ist in seinen konkreten Weisungen Gerechtigkeits- und Lebensgesetz. Aber es wird im geschichtlichen Leben des Menschen im Wirkungsbereich der Sündenmacht deren Werkzeug, das Mittel, durch das die Sünde die Sünde hervorruft.

Doch wie kommt es, daß die Sünde den Menschen durch das Mittel des Gesetzes in Begehren und Sünde stürzen und so töten kann? Wird der Mensch durch die Sünde einfach vergewaltigt? Nein, zur Macht der Sünde gehört nicht nur die Macht, sich im Sündigen des Menschen zu entfalten und ihn zu töten, sondern auch die, zu täuschen, zu betrügen. Das Gesetz ermächtigt die Sünde zur Sünde, indem es und weil es zugleich den Menschen („mich") täuscht. Sünde schließt immer Selbsttäuschung ein. Das Gesetz läßt, wenn es die Selbst-sucht provoziert, immer zugleich einem durch die Sünde Getäuschten begegnen. Es ruft die Illusion der Ungerechtigkeit und Selbstgerechtigkeit hervor, die meint, sich so oder so das Leben verschaffen zu können.

Auch in *V 11* taucht in der Formulierung[8] wieder ein Anklang an die Genesiserzählung auf, wodurch der von jedem Menschen erfahrene Vorgang der Sache nach ein dem Menschen als solchem widerfahrenes Geschehen ist, und zwar nicht als ein psychologischer, wohl aber als ein existentialer Vorgang. Vgl. Gn 3, 13b: ἡ ὄφις – sagt Eva – ἠπάτησέν με καὶ ἔφαγον, vgl. 2 Kor 11, 3: ὁ

---

[8] Nebenbei: das δι᾽ αὐτῆς ἀπέκτεινεν bestätigt, daß διὰ τῆς ἐντολῆς zu ἐξηπάτησέν με gehört und also auch V 8 zu κατειργάσατο. Vgl. KÄSEMANN gegen KÜHL, H. W. SCHMIDT; BORNKAMM, Sünde, 56 Anm. 11.

ὄφις ἐξηπάτησεν Εὔαν, 1 Tim 2, 14: ἡ δὲ γυνὴ ἐξαπατηθεῖσα. Das Gebot erscheint ja als sündenerweckendes in der Interpretation der Schlange oder des
Satans, so wie es als in der Geschichte wirkendes (Gal 3, 19f) Gebot in der
Interpretation der Weltmächte auftritt. Aus diesem Gebot, das in der Macht
der Sünde dem Menschen die Selbstsucht erweckt – entgegen seinem Auftrag
und Willen –, ergeht immer die Stimme der umfassend verkörperten Selbstsucht. Für Paulus stellt es sich an unserer Stelle in seiner Grundtendenz (οὐκ
ἐπιθυμήσεις!) durch die täuschende Interpretation der Sündenmacht als
Weckruf der ἐπιθυμία dar[9]. In welchem Sinn aber von dieser ἀπάτη τῆς
ἁμαρτίας hier, in Röm 7, 11, die Rede ist, läßt sich nur aus dem Zusammenhang der paulinischen Aussagen vermuten. Die Sünde spiegelt dem Menschen
in, mit und unter dem Anruf des Gesetzes vor, daß *er* durch Übertretung oder
(gegen den Juden gewendet) durch formale Erfüllung des Gesetzes, durch Gesetzes*leistung* das Leben gewönne. Der Mensch sündigt immer 1) in der Weise,
daß er meint, wenn er das Gesetz nicht befolge, so läge darin – in der ἀδικία –
seine Lebenserfüllung, oder 2) in der Weise, daß er meint, wenn er das Gebotene als Eigenleistung erfülle und damit zu seiner Selbstbehauptung leiste,
also wenn er – paulinisch gesprochen (Röm 10, 3; Phil 3, 9) – die ἰδία
δικαιοσύνη suche, die Eigen- oder Selbstgerechtigkeit, gewänne er „Ruhm“
oder „Ansehen“ bei Gott, also das Leben.

V 12 Doch was ergibt sich aus diesen Ausführungen über „Gesetz und
Sünde“? Jetzt kann die Frage von V 7 in einem Satz beantwortet werden, der
eine Schlußfolgerung (ὥστε) aus dem Vorigen zieht: V 12. Daher muß man sagen: „Das Gesetz ist heilig, und das Gebot ist heilig, gerecht und gut.“ Dem
μέν entspricht kein δέ. Aber auch so ist die Aussage verständlich. Das Gesetz
als solches, seiner Herkunft und seinem Wesen nach, ist nicht Sünde. Es ist
„heilig“. Es ist Gott zugehörig und, der Welt entnommen, unantastbar, hat
teil an Gottes Heiligkeit, ist sein heiliger Wille. In 7, 16 heißt es dafür καλός
(vgl. 1 Tim 1, 8). Das wird in V 12 b variiert, wiederholt und so bekräftigt: und
die ἐντολή ist ἁγία – δικαία – ἀγαθή, was kaum voneinander unterschieden
ist, wie es denn auch in V 13 in einem τὸ . . . ἀγαθόν zusammengefaßt wird. Das
Gebot ist ἅγιος, weil göttlich, δίκαιος: Gottes Gerechtigkeit entsprechend und
sie als Gabe fordernd (vgl. z. B. Röm 3, 21; 9, 31: ὁ νόμος δικαιοσύνης; 10, 5;
Phil 3, 6.9), ἀγαθός: weil es den Willen Gottes enthält, der gut ist (vgl. Röm
2, 10; 12, 2.9.21; 13, 3f; 15, 2; 16, 19 u. a.), „gut“, weil er das Leben bringt und
will (vgl. Röm 10, 5; Gal 3, 12[10]).

---

[9] Hebr 3, 13f ist von der ἀπάτη τῆς ἁμαρτίας ausdrücklich die Rede.
[10] Insofern teilt Paulus noch den jüdischen Glauben, der ja oft das Gesetz als das Gute bezeichnet, freilich von seiner Mißhandlung durch die Selbstsucht erregende Sünde nichts
weiß. Vgl. Strack-Billerbeck I 809 zu Mt 19, 17. Dazu etwa 4 Esr 9, 36f: „Wir, die wir
das Gesetz empfangen, müssen wegen unserer Sünden verlorengehen samt unserem Herzen, in das es getan ist; das Gesetz aber geht nicht verloren, sondern bleibt in seiner Herrlichkeit.“ Von dieser δόξα des Gesetzes, die freilich für ihn vergänglich ist und unvergleichlich geringer als die δόξα des Evangeliums, weil die Sünde durch das Gesetz den Tod bereitet, spricht Paulus 2 Kor 3, 7ff.

„Ist das Gesetz Sünde?" war die Ausgangsfrage. „Nein!" „Das Gebot ist heilig, gerecht und gut", ist die Antwort. Dazwischen liegt die Erläuterung: Die Sünde aber mißbraucht das Gesetz zum Mittel der Selbstentfaltung in dem eigensüchtigen Begehren des von ihr getäuschten Menschen. Aber die Frage wird in V 13 noch weitergeführt und verschärft sich darin. In V 14 schließt sich ein Übergangssatz an, der selbst wiederum in den VV 15–25 erläutert wird.

Die Frage in *V 13* verschärft sich, wie gesagt. Hieß es V 7ff: Ist das Gesetz Sünde? Nein, es ist gut. Nun gut, könnte man sagen, aber ist dann nicht eben das Gute – nun nicht Sünde, aber ϑάνατος, Tod? Besser formuliert: „Ist mir dann nicht das Gute zum Tod geworden?", zu dem Tod, der ja die Frucht und die Macht der Sünde darstellt? Anders ausgedrückt: Die Sünde tötete mich, den Menschen, durch das Gesetz. Das Gesetz ist aber das gute Gesetz Gottes. Tötete mich dann aber nicht das Gute? Aber auch auf diese Frage antwortet der Apostel sofort mit einem energischen „Nein" und begründet es wieder. Jetzt freilich nicht so, daß er die Aussage über das Verhältnis von Gesetz und Sünde wiederholt, sondern die Bedeutung des Vorgangs für die Sünde hervorhebt und so die Sünde und die Sündenmacht in ihrem furchtbaren Wesen aufdeckt und bloßstellt und indem er das auch hier nicht fehlende verborgene Walten Gottes enthüllt. Zunächst erfolgt eine Zurechtstellung: Nicht das Gute ist mir zum Tod geworden, sondern – ἡ ἁμαρτία. Dann folgen zwei finale ἵνα-Sätze, die die Bedeutung dieses Geschehens für die ἁμαρτία selbst angeben und dabei enthüllen, daß selbst bei diesem furchtbaren Geschehen und bei diesem ausschließlichen Mißbrauch des guten Gesetzes Gottes eine heilsame Absicht Gottes waltet. Die Sünde tötet den Menschen durch das heilige Gesetz, damit 1) φανῇ ἁμαρτία, die Sünde an den Tag trete, das Phänomen der Sünde sichtbar werde, und negativ: damit sie nicht in ihrer Furchtbarkeit verborgen bleibe und so übersehen werde; damit sie mit anderen Worten sich aktualisiere und expektoriere, und zwar als solche, die durch das Gute (das Gesetz) den Tod verschaffe. Nicht das Gute ist mein Tod, aber die Sünde bereitet ihn mir durch das Gute. Die Sünde mißbraucht das Gute, d. h. das Gesetz, zum Tode, enthüllt sich aber darin nun selbst, eben als Sünde. 2) Dies geschieht aber, damit sie ihre Qualität als καϑ᾽ ὑπερβολὴν ἁμαρτωλός erweise. Zu καϑ᾽ ὑπερβολήν, „über jegliches Maß", „überschwenglich" u. a., vgl. 1 Kor 12, 31; 2 Kor 1, 8; 4, 7.17; Gal 1, 13. Durch das Gebot, das die ἐπιϑυμία hervorruft, bewirkt und erlangt sie ihre volle Sündhaftigkeit, ihre volle Sündenqualität, die den tödlichen Abgrund in sich birgt. Indem sie durch das heilige, gerechte und gute Gesetz Gottes, das dem Menschen ursprünglich das Leben anweist, faktisch und d. h. geschichtlich aber den Tod besorgt, tritt sie selbst in Erscheinung und vollendet die Sündenqualität. In dem von ihr durch das Gesetz bewirkten Tod wird sie, die darin zu sich kommt, in ihrem Wesen offenbar.

7. 7,14–25 Die Situation des unter die Sünde verkauften Menschen

14 Wir wissen doch, daß das Gesetz geisterfüllt ist. Ich aber bin fleischlich, unter die Sündenmacht verkauft. 15 Denn was ich vollbringe, erkenne ich nicht. Denn nicht was ich will, tue ich, sondern ich tue, was ich hasse. 16 Wenn ich nun aber gerade das, was ich nicht will, tue, gestehe ich dem Gesetz zu, daß es gut ist. 17 Dann aber wirke nicht ich es mehr, sondern die in mir wohnende Sünde. 18 Denn ich weiß, daß in mir, das meint: in meinem Fleisch, Gutes nicht wohnt. Liegt mir nämlich das Wollen nahe, so nicht das Wirken des Guten. 19 Denn nicht das Gute, das ich will, tue ich, sondern das Böse, das ich nicht will, ebendas tue ich. 20 Wenn ich aber gerade das tue, was ich nicht will, dann wirke nicht mehr ich es, sondern die in mir wohnende Sünde. 21 Ich entdecke also das Gesetz: mir, der das Gute tun will, kommt das Böse zur Hand. 22 Denn ich stimme dem Gesetz mit Freuden zu meinem inwendigen Menschen nach. 23 Ich erblicke aber ein anderes Gesetz in meinen Gliedern, das dem Gesetz meiner Vernunft widerstreitet und mich im Gesetz der Sünde gefangennimmt, das in meinen Gliedern herrscht. 24 Ich unseliger Mensch, wer wird mich diesem Todesleib entreißen? 25 Dank sei Gott durch Jesus Christus, unseren Herrn. So diene ich also mit meiner Vernunft dem Gesetz Gottes, mit dem Fleisch dem Gesetz der Sünde.

In V 14 schließt Paulus weniger den Gedankengang von Röm 7, 7–13 ab, als daß er vielmehr den des letzten Abschnittes unseres Kapitels 7, 14–25 einleitet, der nicht mehr soteriologisch, sondern anthropologisch ausgerichtet ist. Es folgen im wesentlichen nicht mehr Aussagen über das Gesetz, die Sünde und den Tod, sondern über die Eigenart des Menschen, der der Sünde unterworfen ist. Man könnte sagen, 7, 14–25 enthält eine Existentialanalyse des Menschen, wie er vorkommt.

Denn jetzt wird die Auswirkung des durch die Sündenmacht mißbrauchten Gesetzes im Spiegel konkreten menschlichen Existenzvollzuges aufgezeigt. Hinweis darauf ist von vornherein zweierlei: 1) daß von V 14b ab nicht mehr im Präteritum, sondern im Präsens gesprochen wird; man vergleiche οὐκ ἔγνων – οὐκ ᾔδειν – κατειργάσατο – ἔζων – ἀνέζησεν – ἀπέθανον – εὑρέθη – ἐξηπάτησεν – ἀπέκτεινεν in 7, 7–13[1] mit den von 14b ab gebrauchten Praesentia: εἰμί – κατεργάζομαι – οὐ γινώσκω – πράσσω – μισῶ κτλ.; 2) daß in 7, 7–13 nur einmal davon die Rede ist, daß die Sündenmacht durch das Gesetz das selbstsüchtige Begehren ἐν ἐμοί hervorgerufen hat (V 8) und also nur einmal ausdrücklich gemacht wird, daß es sich bei diesem Geschehen um einen Vorgang handelt, der sich nur „im Innern", d. h. als Weise des Menschen zu sein, auswirkt und dokumentiert. In 7, 14ff häufen sich aber solche entsprechenden Formulierungen, V 17 ἡ ἐνοικοῦσα ἐν ἐμοὶ ἁμαρτία – V 18 οἰκεῖ ἐν

---

[1] Das einzige Präsens ist die in 8b zu ergänzende Kopula ἐστίν.

ἐμοί – V 20 ἡ οἰκοῦσα ἐν ἐμοὶ ἁμαρτία – V 22 κατὰ τὸν ἔσω ἄνθρωπον – V 23 ἐν τοῖς μέλεσίν μου (zweimal). Die Sündenmacht, die durch das Gesetz provoziert und konkretisiert wird, bestimmt die menschliche Seinsweise in ihrer existentialen Struktur.

V 14 wird wieder mit einem οἴδαμεν eingeleitet (vgl. Röm 2,2; 3,19; 8,22.28; 1 Kor 8,1.4; 2 Kor 5,1.16). Es ist ein „Wissen", das Paulus mit allen Christen teilt und dessen Inhalt die vorige Behauptung begründet. Nicht das Gute, das Gesetz, verschafft uns den Tod, sondern die Sünde. Wir wissen ja, daß das Gesetz πνευματικός ist, ich – der Mensch, wie er vorkommt – aber σάρκινος. Der νόμος wird erneut gekennzeichnet: er ist πνευματικός, vom πνεῦμα gewirkt, πνεῦμα enthaltend, πνεῦμα wirkend [2]. Mit anderen Worten: das Gesetz ist ein pneumatisches Wort, ein Wort, vom Geist getrieben. Πνευματικός kommt in diesem Sinn sonst nicht vom Gesetz vor, wohl aber vom χάρισμα (vgl. Röm 1, 11 πνευματικὸν χάρισμα), vom apostolischen Wort sowie von den ᾠδαὶ πνευματικαί (Eph 5, 19; Kol 3, 16), den Hymnen, die der Geist eingibt und weitergibt, oder allgemein von τὰ πνευματικά, Geistesgaben, Charismen (vgl. Röm 15, 27; 1 Kor 2, 13; 9, 11 [12, 1; 14, 1]); ein sehr starker Ausdruck für den νόμος, den Paulus sonst – allgemein gesagt – für das Wort oder die Machttat des Geistes verwendet. Die Tora ist also an sich, d. h. ihrem Ursprung und Wesen nach und damit auch ihrer Wirkung nach von Gottes Geist durchdrungen und getragen. Ebendeshalb ist sie auch heilig, gerecht und gut. Aber freilich: der Mensch, dem die Tora begegnet, ist σάρκινος. Von daher widerfährt ihm durch das Gesetz nicht mehr τὸ πνεῦμα. Σάρκινος meint „fleischlich", eine Sache aus Fleisch, so wie δερμάτινος Mk 1, 6; Mt 3, 4: aus Leder, ἀκάνθινος Mk 15, 17; Joh 19, 5 aus Dornen u. ä. An sich ist σάρκινος neutral, im Sinn von „irdisch", „menschlich" (vgl. 2 Kor 3, 3; Hebr 7, 16). Aber 1 Kor 3, 1 ff zeigt, daß es im Gegensatz zu πνευματικός soviel wie σαρκικός sein kann (vgl. 2 Kor 1, 12; 10, 3f [1 Petr 2, 11]), also „fleischern" im abwertenden Sinn. Freilich kann auch σαρκικός einen neutralen Sinn haben: Röm 15, 27; 1 Kor 9, 11. Daß σάρκινος an unserer Stelle den Sinn von „dem Fleisch verfallen" und damit „der Welt verfallen" hat [3], zeigt die Erläuterung: πεπραμένος ὑπὸ τὴν ἁμαρτίαν. Πιπράσκειν, „verkaufen", mit Akk. der Sache etwa bei Mt 13, 46; 18, 25; Mk 14, 5; Apg 2, 45; 4, 34 u. a., mit Akk. der Person Mt 18, 25 und so auch hier, aber auch LXX 3 Kg 20, 25; 4 Kg 17, 17; 1 Makk 1, 15. Vielleicht ist mit Schlatter auf das ὑπὸ τὴν ἁμαρτίαν Gewicht zu legen, so daß auch durch diese Formulierung die Sündenmacht als Herrin des Menschen, der ihr recht- und machtlos ausgeliefert ist, erscheint. Vgl. Gal 3, 23: ὑπὸ νόμον ἐφρουρούμεθα, Gal 3, 25: ὑπὸ παιδαγωγόν. Das ἐγώ im übrigen „meint den Menschen im Schatten Adams" (Käsemann) und nicht den angefochtenen Christen [4], freilich gesehen im Licht des Evangeliums. So ist klar,

---

[2] Insofern auch mit ἐπουράνιος identisch (KÄSEMANN).
[3] SCHWEIZER in: ThWb VII 145.
[4] So heute fast allgemein, z. B. W. G. KÜMMEL, Röm 7 und die Bekehrung des Paulus (1929); R. BULTMANN, Röm 7 und die Anthropologie des Paulus, in: Imago Dei. Festschrift

wie der Gedankengang im Sinn des Apostels verläuft: Das Gesetz ist nicht Sünde. Es selbst und als solches ist heilig, gerecht und gut und mit Geist erfüllt. Aber es ist in der Hand der Sünde Mittel der Sünde geworden. Es beansprucht ja den Menschen, der „fleischlich" ist und an die Sünde verkauft; der also ihr Sklave ist.

Worin erweist sich das aber? Das wird in den *VV 15–25* näher dargelegt. Summarisch kann man im voraus so zusammenfassen: Es erweist sich darin, daß der Mensch in seinem geschichtlichen Vorkommen, in seinem konkreten Lebensvollzug ständig sein geschöpfliches Wesen bestreitet und nicht auf seine eigentliche, d. h. geschöpfliche Intention eingeht, sondern auf die der herrschenden Sünde. In diesen überaus dialektischen Darlegungen kommt es entscheidend darauf an, daß man den Gang des Gedankens genau verfolgt. So richten wir unser Augenmerk vor allem darauf.

V 15–17 Die VV 15ff begründen V 14b. *V 15* schließt mit einem γάρ an V 14 an. Vorangestellt ist in V 15a die Aussage, daß „ich nicht weiß, was ich (mir) verschaffe". Es ist wieder von einem κατεργάζεσθαι wie in 7, 8 die Rede. Jetzt aber ist es der Mensch, der „Ich", der κατεργάζεται. Dieses „verschaffen", „hervorbringen" wird dann im folgenden noch öfters erwähnt (VV 17.18.20) und wechselt mit ποιεῖν (πράσσειν) (V 17: VV 16/15; 18b: 19; 20). Als Objekt hat es V 18 (21) τὸ καλόν (ἀγαθόν) bzw. τὸ κακόν (= τὸ αὐτό V 20). Es handelt sich also um ein κατεργάζεσθαι, das sich im ποιεῖν (πράσσειν) vollzieht und das ein „Gutes" oder ein „Böses" sein kann. In V 15 bleibt noch ungenannt, was es ist. Von ihm wird nur – als Beweis dafür, daß ich „unter die Sünde verkauft bin" – gesagt, daß „ich es nicht erkenne", wobei hier anders als 7, 7 γινώσκειν soviel ist wie „erkennen", „wissen". Was ich hervorbringe, darüber bin ich im unklaren. Es ist das οὐ γινώσκειν wohl als Folge jenes ἐξαπατᾶν der Sünde (V 11) zu verstehen. Daß der Mensch aber nicht weiß, was er hervorbringt, ergibt sich daraus (V 15b), daß er nicht das tut, was er will, sondern das, was er „haßt". Sein Handeln verrät, daß der Mensch nicht weiß, was er hervorbringt. Er handelt – und zwar als der Mensch, wie er vorkommt – in einem bestimmten, noch nicht geklärten Sinn „unwissend", ohne eigentliche Erkenntnis dessen, was er treibt. Der Satz meint nicht, wie Lietzmann u. a. auslegen: „Ich handle geradezu unbegreiflich", sondern er meint prägnant: in seinem Handeln verrät sich ein unwissendes Handeln, unwissend nämlich um das, was er sich mit seinem Handeln jeweils verschafft. *Denn (V 16)* er tut nicht, was er will, sondern er tut, was er „haßt", also was er nicht will. Wenn er täte, was er wollte, wüßte er auch, was er sich verschaffte. Daß er aber das tut, was er haßt, zeigt, daß er nicht weiß, was er sich verschafft, und zwar in einem fundamentalen Sinn nicht weiß. Dabei ist noch zu beachten: 1) Das θέλειν ist einem μισεῖν entgegengesetzt; es nähert sich also dem Sinn von „lieben". 2) Das Subjekt von θέλω ist dasselbe wie das von μισῶ, nämlich „ich",

---

für G. Krüger (1932) 53–62, in: Exegetica 1967, 198–209; G. Bornkamm, Sünde, Gesetz und Tod, in: Das Ende des Gesetzes I, 51–69; K. Kertelge, Paulinische Anthropologie nach Röm 7, in: ZNW 62 (1971) 105–114.

der ich handle oder tue. Es handelt sich also nicht sozusagen um verschiedene Schichten des Menschen, eine höhere und eine niedere o. ä., sondern jeweils um das eine gesamte „Ich". Welches das ist, wird ein wenig durch V 16 aufgehellt. Der Ton liegt auf ὃ οὐ θέλω, und das Argument ist folgendes: Mein Nicht-wollen dessen, was ich doch tue, verrät, daß ich – als der Nicht-*wollende* – dem Gesetz als dem guten zustimme. Der Mensch, der gegen den Willen des eigenen Ich handelt, erweist, daß er in diesem Willen das Gute, „das Schöne" (καλός) des Gesetzes anerkennt. Es gibt also einen Menschen, der dem Gesetz zustimmt. Aber dieser wird sozusagen durch den, der da handelt, immer überstimmt. Die Zustimmung zum guten Gesetz wird immer überspielt durch das Handeln, das es übertritt. Dann aber muß man sagen, daß nicht mehr ich, sondern die in mir wohnende Sünde das Böse mich tun läßt, *V 17*. Νυνὶ δέ ist logisch und folgernd zu verstehen. Der Handelnde ist, wenn er gegen *das* „Ich" handelt, das dem Gesetz zustimmt, gar nicht mehr ¦„ich", sondern die Sündenmacht, die dieses gegen den Willen des anderen Ich handelnde, es bestimmende Ich bestimmt. Nun ist wenigstens angedeutet, wer das „Ich" ist: das πράσσει oder ποιεῖ oder ἐργάζεται. Es ist der unter die Sünde verkaufte Mensch, also der, den die Sünde durch das Gesetz zur ἐπιθυμία, zum Aussein auf sich selbst, provoziert und der σάρκινος ist. Es ist also der Mensch, wie er in der Geschichte von Adam her vor-kommt, der Sünde rätselhaft und schicksalhaft versklavt.

Wer aber ist dann jenes andere „Ich", das dem Gesetz zustimmt und dessen dem Gesetz zustimmender Wille nicht zustande kommt? Wer ist es, wenn es, wie wir gesehen haben, nicht ein „Teil" des Menschen ist, etwa ein besseres oder auch höheres Ich, sondern ebenfalls ich ganz und ich selbst? Paulus sagt es nicht, aber wir können es folgern, wenn wir noch eine zweite Frage stellen und beantworten. Was ist das, was ich nicht will oder hasse und doch tue und was ich mir unwissend „verschaffe", und was ist das, was ich will, womit ich das Gesetz als καλός anerkenne und das ich nie in der „Praxis" realisiere, mir also auch nie verschaffe? Wir könnten antworten – und VV 18 f wird es bestätigen –: das Böse bzw. das Gute. Aber was ist das Gute, das ich „will", aber nie realisiere, und was ist das Böse, das ich hasse und immer realisiere, das die Sünde ständig realisiert? Nun im bisher (7, 7–13) Gesagten war es so bezeichnet: es ist einerseits die ζωή, andererseits der θάνατος. Vom νόμος, dem ich als dem καλὸς νόμος zustimme, wenn ich *gegen* das, was ich „will', handle, war V 10 gesagt, daß er ἡ ἐντολὴ ἡ εἰς ζωήν ist, daß er also Leben anweist. Was *ich will,* der ich dem Gesetz zustimme, ist also das Gute, das das Leben ist, das eigentliche Leben, das das Gute ist. Die Intention dieses Ich geht auf das Leben, das das Gebot seinem ursprünglichen Wesen nach mir im Guten an- und zuweist. Aber diese Intention dieses „Ich" erfüllt sich nicht, erfülle *ich* nicht, sondern ich tue das Böse und besorge mir den Tod, oder eigentlich ist es die Sünde, die ihn mir besorgt. So war ja auch V 13 b gesagt. Nun kann aber auch verständlicher werden, wer der eine und wer der andere Ich ist, die beide den einen und ganzen Menschen meinen: es ist einerseits der Mensch als Geschöpf, der geschöpfliche Mensch als solcher. Er will das Leben, auf das das Gebot zielt, das Gute, das sich als Anspruch ihm eröffnet, so daß *er* in seinem Wollen mit dem Gebot konform geht. Aber er realisiert es und damit sein Leben nie. Denn das andere Ich, das an sich dasselbe ist, aber in der Hand der Sünde, besorgt sich mit dem Bösen, das es tut, den Tod. Dieses Ich ist der geschichtliche Mensch, das Geschöpf, wie es im geschichtlichen Menschen seit Adam und von Adam her vor-kommt. Dieser bestreitet in seinem Tun und nicht wissend, *was* er tut – nämlich sich den Tod heimbringend –, seine Geschöpflichkeit und desavouiert als der geschichtliche Mensch (in der Hand der Sündenmacht) seinen geschöpflichen Willen zum Leben. Man kann kurz sagen: Ich will das Leben, ich will nicht den Tod. Aber ich verschaffe mir nicht das Leben, sondern den Tod. Der das Leben will, ist der Mensch als Geschöpf, der sich den Tod verschafft, ist der geschichtliche Mensch, wie er in der Hand der Sünde vor-kommt. Es handelt sich also in den paulinischen Ausführungen keineswegs um die Darstellung eines psychologischen Konflikts zwischen Wollen und Tun des empirischen Menschen als solchen, bei dem gegenüber der praktischen Übertretung des Gesetzes die theoretische Billigung immer den kürzeren zöge, wie viele Ausleger, zuletzt noch Kuss, meinen. Dabei zieht man [5] Ovid, Metam. VII 19f, heran: „Sed gravat invitam nova vis, aliudque cupido. Mens aliud suadet: video meliora proboque, deteriora sequor." So auszulegen, müßte neben der Beobachtung, daß es bei Paulus beidesmal ἐγώ heißt und jeweils der ganze Mensch gemeint ist, auch dies warnen, daß es beim Apostel nicht um meliora – deteriora geht, sondern um κακόν – ἀγαθόν, θάνατος – ζωή. Aber auch 1QS XI 7ff ist nicht mit Röm 7, 14ff zu vergleichen. Es heißt dort: „Welche Gott erwählt hat, denen hat er sie (die Stätte der Herrlichkeit) zu ewigem Besitz gegeben, und Anteil hat er ihnen gegeben am Los der Heiligen... Doch ich gehöre zur ruchlosen Menschheit, zur Menge des frevelnden Fleisches. Meine Sünden, meine Übertretungen... gehören zur Menge... derer, die in Finsternis wandeln." Es handelt sich auch hier nicht um einen Konflikt innerhalb des empirischen Menschen, sondern um den Konflikt dieses Menschen als des der Sünde Ausgelieferten mit dem transempirischen des Geschöpfes. Man kann auch sagen: es handelt sich um den Konflikt des geschichtlichen Menschen *mit sich selbst als Geschöpf*.

Doch fahren wir zuerst im Text fort. *VV 18–20* wiederholen eigentlich noch einmal die VV 15–17 (vgl. V 17 fin. und V 20 fin.). *V 18a* begründet (γάρ) den vorigen, ist aber selbst die Grundlage für das Folgende. Nun wird schon etwas deutlicher, wer der „Ich" ist, der das tut, was er *nicht* will: der Ich, der σάρξ ist. In mir, und also – τοῦτ᾽ ἔστιν erklärt, aber grenzt nicht ein [6] – in mir als σάρξ, wohnt nichts Gutes. Σάρξ ist dabei auch hier nicht nur das anfällige und hinfällige, sondern das der Sünde verfallene, weil von Gott abgefallene Dasein des Menschen, das er aus seiner Vergangenheit mitbringt. Dieser Tatbestand von V 18a geht aus dem hervor, was V 18b sagt: Das Wollen liegt mir zur Hand, das

[5] Lietzmann, Huby, Dodd, Käsemann.
[6] So auch Barth, Leenhardt, Michel, Ridderbos u.a. Anders Zahn, Sanday-Headlam, Kühl, Jülicher, Huby, Pallis, Lietzmann, Schlatter, Althaus, H. W. Schmidt u.a.

Vollbringen des Guten aber nicht. Das gehört mit V 19 a zusammen. *V 19 a* ist aber Wiederholung der Aussage von V 15 b, nur daß das, was ich will und nicht tue, und das, was ich nicht will und tue, jetzt genannt wird: ἀγαθόν–κακόν. Was erweist aber dieser Tatbestand von V 19 a? Das, was in V 18 b ausgeführt ist. Es bleibt immer in einem bestimmten Sinn beim θέλειν. Von ihm ist gesagt: τὸ ... θέλειν παράκειταί μοι. Παράκειμαι ist „bereitliegen“, „zur Hand sein“ u. ä. [7] Eben als Geschöpf will der Mensch ja das Gute, auf das hin das Gesetz ihn anspricht. Aber zum Gutestun kommt es nicht. Ich tue als der empirische Mensch immer wieder das, was ich als Geschöpf nicht will. Dann aber ist klar: nicht ich bin der Handelnde, sondern die in mir wohnende Sünde, *V 20.* Es wird V 17 b wiederholt: „Ich“, das wäre das Geschöpf – aber das ist ja unter die Sünde verkauft (V 14 b); diese nötigt es, das zu tun, was es (als Geschöpf) nicht will. Sie bewirkt, daß es nur bei einem θέλειν des Guten bleibt und nie zu einem κατεργάζεσθαι gelangt, also nicht zu einer Realisierung des Geschöpfseins in der Geschichte.

VV 21–25   War in den VV 18–20 der Tatbestand des Zwiespaltes nicht innerhalb des empirischen Menschen als solchen, sondern innerhalb des geschichtlichen Menschen, der seine Intention als Geschöpf (ἡ ζωή – τὸ ἀγαθόν) nie konkretisiert, zum zweitenmal und die VV 15–17 variierend und verdeutlichend dargelegt, so geschieht es zum drittenmal in den VV 21–25. Diesmal in fast neuer Formulierung, die mehr auf den Ausgangspunkt, die Frage nach dem Verhältnis von Sünde und Gesetz, zurücklenkt und sozusagen das Ergebnis der Analyse des menschlichen Daseins darbietet: εὑρίσκω ἄρα τὸν νόμον ..., *V 21.* Εὑρίσκειν ist „ermitteln“, „entdecken“ (vgl. Weish 3, 5; Dn Θ 1, 20; Barn 9, 5 u. a.). Paulus hat, wie er sagt, ein „Gesetz“ entdeckt, besser: eine Gesetzmäßigkeit, eine Regel. Sie wird jetzt so formuliert: daß ich das Gute will und mir das Böse zur Hand kommt. Unter der Hand meiner Existenz stellt sich das Böse ein, d. h. aber, was VV 22 f ausführen: einerseits eine Zustimmung zum Gesetz Gottes, anderseits ein Widerstreit gegen solches Gesetz. Hieß es V 16: σύμφημι τῷ νόμῳ ὅτι καλός, so heißt es jetzt in *V 22:* συνήδομαι ...τῷ νόμῳ τοῦ θεοῦ, was hier wohl bedeutet: „Ich stimme dem Gesetz (dem Willen Gottes) mit Freuden zu.“ Ich? Ja – jetzt wird es wieder etwas deutlicher –: ich in einer bestimmten Hinsicht, nämlich: κατὰ τὸν ἔσω ἄνθρωπον [8]. Wer aber ist das hier? Im Zusammenhang ist nur der Gegensatz zu τὰ μέλη μου (V 23) erkennbar, die ja den Menschen, sofern er handelt und ein leiblicher Mensch ist (V 24), meinen. Es ist also ὁ ἔσω ἄνθρωπος, der nicht in seinen μέλη und im σῶμα erscheinende, vielmehr der verborgene, inwendige Mensch. Aber in welchem Sinn? Der Begriff taucht auch sonst bei Paulus auf: 2 Kor 4, 16; Eph 3, 16; dort im Sinne des „inwendigen“ Menschen, des im Gegensatz zu ὁ ἔξω ἄνθρωπος in der Taufe durch den Geist geschaffenen und sich täglich erneuernden Menschen, der καινὴ κτίσις (2 Kor 5, 17; vgl. Eph 2, 9 f). Formal

---

[7] Büchsel in: ThWb III 656.
[8] Zur religionsgeschichtlichen Herkunft des Begriffes vgl. Jervell, Imago, 58 ff; Eltester, Eikon, 43 ff.

gesehen, ist er auch dabei nicht ein Teil des Menschen, sein Inneres, sondern der Mensch in einer bestimmten Hinsicht. Hier, in V 22, ist es aber nicht der neue Mensch, sondern der ursprüngliche, der Mensch als Geschöpf. Er, der „das Gute" will, der auch das Gesetz für „gut" erklärt, stimmt dem Gesetz in seinen Weisungen zu und hat Freude am Gesetz. Aber er stellt fest, V 23, daß er von einem anderen Gesetz beherrscht wird. Er erblickt in „seinen Gliedern", sie (und ihre Taten) bestimmend, ein anderes Gesetz, das dem seines νοῦς, wie jetzt statt ἔσω ἄνθρωπος gesagt wird, widerstreitet, d. h. dem Gesetz, das er in ursprünglichem Vernehmen vernimmt und von dem sein verborgenes θέλειν geleitet ist. Νοῦς ist hier die Kraft ursprünglichen Vernehmens, von dem Röm 1, 20 die Rede war. Es ist „das andere Gesetz", die andere Gesetzmäßigkeit, die ihn gefangennimmt und -hält in dem Gesetz, das von der Sünde beherrscht wird und mir in der Interpretation der Sünde begegnet und eben die Sünde erfahren und sich entfalten läßt, von dem Röm 7, 7ff die Rede war. Dieses Gesetz ist dem in seiner ursprünglichen geschöpflichen Intention als Gottes Weisung vernommenen Gesetz völlig entgegengesetzt. Man beachte, wie in den VV 21 ff ὁ νόμος formal sehr verschieden verstanden ist, wie variabel der Begriff also für Paulus ist: 1) V 21 ist Gesetz im Sinn der Regel, der Gesetzmäßigkeit gebraucht; 2) V 22 ist ὁ νόμος die Weisung Gottes, so wie V 23 die Weisung meines ursprünglichen Denkens; 3) V 23 ist der ἕτερος νόμος der Zwang, der die „Glieder" beherrscht; 4) V 23 ist ὁ νόμος τῆς ἁμαρτίας das von der Sünde beherrschte und die Sünde erzeugende Gesetz, als das die Tora in der Hand der Sünde begegnet. Zweimal ist also νόμος die Regel, der Regelzwang und ebensooft die Weisung. Aber man beachte auch die Schärfe der paulinischen Aussage: auf der einen Seite ist der ἔσω ἄνθρωπος, das Geschöpf, das dem Gesetz Gottes freudige Zustimmung gibt und es als Gesetz Gottes wahrnimmt, auf der anderen Seite steht der Mensch in seinen „Gliedern", der leiblich-geschichtliche Mensch, der in der Gefangenschaft des ihn beherrschenden, von der Sünde bestimmten und Sünde provozierenden Gesetzes liegt. Das ist das Ergebnis der Analyse des menschlichen Daseins. Von daher ist verständlich, daß es in bezug auf den Menschen diese furchtbare Gesetzmäßigkeit gibt: ursprünglich, als Geschöpf, will er das Gute, aber unter der Hand seiner Existenz kommt immer nur das Böse zutage. Mit anderen Worten: der geschichtliche Mensch steht ständig im Widerstreit zu seiner Geschöpflichkeit. Und nicht nur dies. Der Mensch in seiner geschichtlichen Existenz verfehlt ständig seine Geschöpflichkeit. Er ist in das Gesetz der Sünde gebunden, d. h., die Sünde läßt ihm das Gesetz Gottes, das er als Geschöpf wohl wahrnimmt und liebt, immer als solches begegnen, durch das nur die Sünde und der Tod erfahren wird. Sie läßt ihn das Gesetz verstehen und tun als eines, das sein Aus-sein auf sich selbst, seine ἐπιθυμία und jegliche ἐπιθυμία erweckt und zur Ungerechtigkeit und Selbstgerechtigkeit führt. Dazu kommt, daß er nicht einmal um diese seine Situation weiß, daß er sich im Widerstreit gegen sich selbst den Tod holt. Aus dieser Gefängnissituation kann er sich nicht selbst befreien.

Und unter der von sich aus nicht aufhebbaren Situation, im Bann eines solchen Lebens, das nichts anderes als Bestreitung seiner ursprünglichen Existenz ist, kann er nur rufen, V 24: „Ich unseliger Mensch, wer wird mich befreien aus die-

sem Leib des Todes?!" Ταλαίπωρος ist „geschlagen", „unglücklich", „elend",
„unselig"[9] u. ä und steht z. B. Apk 3, 17 neben ἐλεεινός. Ῥύεσθαι ist hellenistisch[10], bei Philo, in LXX u. a. „retten", „erretten" (mit Gen. ἀπὸ und ἐκ, woraus); bei Paulus vgl. Röm 15, 31; 2 Thess 3, 2 (ἀπὸ); 2 Kor 1, 10; Kol 1, 13;
1 Thess 1, 10 (ἐκ). Nach Röm 11, 26 ist es soviel wie σώζειν. Die Stellung des
τούτου in V 24 ist nicht ganz sicher: entweder gehört es zu θανάτου oder zu
σώματος. Wahrscheinlich ist das letztere der Fall. Denn τοῦ θανάτου läßt
schwerlich ein οὗτος zu, nachdem er doch vorher nicht charakterisiert war[11].
Und gesprochen ist die Klage ja im Blick auf „diesen Leib", der eben als das leib-
hafte Dasein, in dem der Mensch sich selbst in seiner Geschöpflichkeit bestreitet, dargestellt wurde. Aber wenn auch der Mensch, der sich – natürlich im Lichte
Christi – analysiert im Blick auf dieses seine Geschöpflichkeit ständig wider-
legende Dasein, nichts anderes kann als diese Klage erheben, wenn das allein der
Effekt solcher Daseinsanalyse sein kann, so *ist* er doch jetzt nicht mehr dieser
Mensch, sondern der, der ἐν καινότητι πνεύματος καὶ οὐ παλαιότητι γράμματος
lebt und dient (vgl. 7, 6).

So kann er ja auch auf seinen Klageruf sich die Antwort geben,
V 25a: χάρις δὲ τῷ θεῷ διὰ Ἰησοῦ Χριστοῦ τοῦ κυρίου ἡμῶν. Gott hat
gehandelt. Er hat gerettet, er hat uns aus einer, menschlich gesehen, aus-
sichtslosen Lage befreit. Er tat es „durch unseren Herrn Jesus Christus". So
ergeht der Dank auch durch diesen. Er eigentlich sagt Dank. Welch tiefer Dank
das ist, kann man ermessen, wenn man die Tiefe der Verstrickung des geschichtlichen Daseins des Menschen erwägt, wie sie sich im Lichte Jesu Christi als die
immer gegenwärtige Vergangenheit offenbart und eben dargelegt wurde.
V 25b ist wahrscheinlich eine Glosse[12], in der ein Glossator für sich den Schluß
aus dem vorher Dargelegten gezogen hat. Der Satz hinkt nach[13]. Er enthält
eine andere Terminologie: νοῦς ist jetzt unpaulinisch „die Vernunft" und
steht als solche der σάρξ gegenüber. Νοῦς und σάρξ dienen also jetzt einem
anthropologischen Dualismus. Auch δουλεύειν νόμῳ ist bei Paulus singulär.

---

[9] Vgl. z. B. Epict., Diss. 1, 3, 5: τί γὰρ εἰμί; ταλαίπωρον ἀνθρωπάριον.
[10] BAUER WB 1462.
[11] Vgl. H. HOMMEL, a. a. O. 95 f. Anders z. B. K. A. BAUER, a. a. O. 160.
[12] BULTMANN, Glossen, 199; FUCHS, Freiheit, 82 f; BAUER, Leiblichkeit, 159; vgl. auch
SCHWEIZER in: ThWb VII 135; BORNKAMM, Sünde, 66; KUSS: „wahrscheinlicher".
[13] J. KÜRZINGER, Der Schlüssel zum Verständnis von Röm 7, in: BZ N.F. 7 (1963) 220–274,
will 7, 25b als „einleitend oder überleitend" zu 8, 1–4 verstehen. Aber das hilft angesichts
der anderen genannten Einwände gegen diesen Vers auch nichts. Bemerkenswert ist die
Auslegungsgeschichte von Röm 7, 25b bei den KVV durch W. KEUCK, Dienst des Geistes
und des Fleisches, in: TThGu 141 (1961) 257–280. Aber das Verständnis, das Didymus von
Alexandrien anbietet, 7, 25b als Frage zu begreifen, scheitert ebenfalls an den erwähnten
anderen Argumenten, abgesehen von einer Logik des (nach KEUCK) neuen Abschnittes
7, 25 – 8, 11 (bzw. 8, 4). Zu den verschiedenen Auslegungen von 7, 25a – 8, 1 vgl. HENNING
PAULSEN, Überlieferung und Auslegung in Röm 8 (1974) 23 ff.

8. 8, 1–11 Die Gabe des Geistes

1 Es gibt also für die in Christus Jesus keine Verdammnis mehr. 2 Denn das Gesetz des Lebensgeistes in Christus Jesus hat dich vom Gesetz der Sünde und des Todes befreit. 3 Denn was das Gesetz nicht vermochte, worin es schwach war durch das Fleisch – Gott sandte seinen Sohn in der Gestalt des Fleisches der Sünde und der Sünde wegen und verdammte die Sünde im Fleisch, 4 damit der Rechtsanspruch des Gesetzes durch uns erfüllt werde, die wir nicht nach Maßgabe des Fleisches, sondern des Geistes wandeln. 5 Denn die dem Fleisch gemäß sind, richten sich aus auf das Fleischliche, für die der Geist maßgebend ist, auf Geistliches. 6 Denn des Fleisches Trachten ist der Tod, das Trachten des Geistes ist Leben und Friede. 7 Denn des Fleisches Trachten ist Feindschaft gegen Gott, es gehorcht ja nicht dem Gesetz Gottes, es vermag es auch nicht. 8 Die aber, welche im Fleisch sind, können Gott nicht gefallen. 9 Ihr aber seid nicht im Fleisch, sondern im Geist, wenn anders der Geist Gottes in euch wohnt. Wenn einer aber den Geist Christi nicht hat, der gehört ihm nicht. 10 Wenn aber Christus in euch ist, dann ist der Leib tot um der Sünde willen, der Geist jedoch Leben um der Gerechtigkeit willen. 11 Wenn aber der Geist dessen, der Jesus von den Toten erweckt hat, in euch wohnt, wird der, der Christus von den Toten erweckt hat, auch eure sterblichen Leiber durch seinen in euch wohnenden Geist lebendig machen.

O. Kuss hat recht, wenn er sagt: „Das 8. Kapitel ist vollkommen vom Gedanken ‚Pneuma' beherrscht." Das ist sozusagen schon rein statistisch erkennbar. Der Begriff erscheint in 8, 1–30 neunzehnmal in relevantem Sinn, während er in Kap. 1–7 im ganzen nur viermal und in Kap. 9–16 nur siebenmal vorkommt. so ist zum mindesten die Überschrift über 8, 1–17 gerechtfertigt, aber auch die Ausführungen in 8, 18–30 lassen erkennen, daß trotz anderer Ausrichtung die Erinnerung an das πνεῦμα nicht fallengelassen ist. 8, 31–39 dagegen ist wohl als Abschluß des gesamten zweiten Teiles unseres Briefes zu verstehen. Schon durch diese Ortsbestimmung des 8. Kapitels im Ganzen des Briefes und durch solche freilich notgedrungen schematische Gliederung des Kapitels selbst wird in etwa die Schwierigkeit, aber auch das Gewicht und die Macht seiner Aussage, die in gewissem Sinn einen „Höhepunkt" und ein einheitliches „Gegenüber" zu Röm 7 darstellt, wie P. von Osten-Sacken, Römer 8, sorgfältig ausführt, deutlich.

8, 1 läßt sich durchaus im Anschluß an 7, 25a verstehen, so daß man nicht eine Glosse[1] annehmen und auch nicht eine Umstellung von 8, 1 und 8, 2[2]

---

[1] BULTMANN, Glossen, 199f; KÄSEMANN.
[2] MICHEL.

vornehmen muß. Es ist ein bei Paulus auch sonst vorkommender, etwas abrupter neuer Ansatz, der einen nicht gerade geschickten Übergang zu neuen Ausführungen, eine etwas gewaltsame Einleitung zu der Darlegung des neuen, dem Apostel vorschwebenden Gesichtspunktes darstellt. Man muß ja auch bedenken, daß die gesamten Ausführungen von 7, 7–25a so etwas wie einen Exkurs darstellen, der in V 24 mit einer rhetorischen Frage als Klage des adamitischen Menschen und V 25a mit einem Dankesausruf des Christen endet. Der Sache nach hängt unser Abschnitt (8, 1–17) mit 7, 1–6 zusammen und ist in gewissem Sinn dessen Fortsetzung: Ihr seid dem Gesetz durch den Leib Christi (am Kreuz, vermittelt durch die Taufe) getötet worden – das Gesetz des Geistes hat euch vom Sünden- und Todesgesetz befreit.

In *V 1* wendet sich also Paulus etwas mühsam zu seinem beabsichtigten neuen Gedanken. Er stellt dazu zunächst fest, daß es jetzt für diejenigen, die in Christus Jesus sind, keine Verdammnis mehr gibt. Ἄρα ist von Paulus klassisch als zweites Wort gesetzt im Sinn von „also" oder „folglich" u. ä.[3] Es läßt die Aussage in einer nicht betonten, sondern leichten Weise als Folgerung aus dem Vorhergehenden erscheinen; primär natürlich aus dem, was mit dem Dankesausruf gesagt ist, oder noch eher aus dem, was 7, 6 vor dem Exkurs 7, 7–25 gesagt war, des weiteren aber daraus, was ab 3, 21ff oder jedenfalls ab 5, 1ff über die neue Situation der Menschheit und das neue Sein der Christen (ἐν Χριστῷ Ἰησοῦ!) bemerkt war, und zwar als Entfaltung der in Jesus Christus erschienenen Gerechtigkeit Gottes, die durch den Glauben zugängig und in der Taufe fixiert wurde. So verstanden, umfaßt das νῦν an unserer Stelle ein Zweifaches: 1) Es ist das „jetzt" im Sinn von 3, 21; 5, 9. 11, also jetzt im Sinn der Weltzeit, die durch Jesu Christi Kreuz und Auferstehung neu konstituiert ist, und 2) „jetzt" im Sinn von 6, 21; 7, 6 u. a., da der einzelne Mensch in Glaube und Taufe in dieses neue Sein einbezogen ist, da er ἐν Χριστῷ Ἰησοῦ ist. In seinem Herrschafts- und Heilsbereich gibt es „jetzt" kein κατάκριμα mehr. Κατάκριμα, das im NT nur noch Röm 5, 16. 18 vorkommt, ist die Verurteilung im Gericht, hier das Todesurteil. Es kommt nicht mehr in Frage. Das οὐδέν ist betont vorangestellt. Es hebt die Unmöglichkeit eines solchen Gerichtsurteils für die Christen hervor.

V 2   Sieht so V 1 nach rückwärts und zieht er aus dem Gesagten eine summarische Folgerung, so kann er auch nach vorwärts blicken und von dorther in neuer Weise begründet werden. Das geschieht in V 2, mit dem als einer Begründung von V 1 der neue Gedanke ausgesprochen ist, der nun auch eine andere Explikation der in Röm 5–7 ins Auge gefaßten darstellt. Es gibt keine Verdammnis für die, welche in Christus Jesus leben; denn der Geist hat uns von Sünde und Tod frei gemacht. Freilich, so kurz sagt es der Apostel nicht, und so verkürzt und undifferenziert meint er es auch nicht. Als Objekt sagt Paulus, jetzt jeden Angesprochenen ins Auge fassend: σέ, dich. So wird man wohl mit א B G 1739 sy[p] Tert Ambrstr Ephraem u. a. zu lesen haben und nicht

---

[3] Vgl. Blass-Debr, § 451, 2.

das an sich auch gut bezeugte μέ (A C ℜ D pl lat vg sah sy^h copt goth u. a.), das wahrscheinlich eine unwillkürliche Angleichung an 7, 24b ist. Das σέ ist eine rhetorische Variante des späteren ἡμῖν V 4 und ὑμεῖς – ὑμῖν in V 9. Es läßt erkennen, daß das Geschehen für jeden von uns und für jeden von euch akut ist. Es zeigt auch, daß Paulus zur Verkündigung übergegangen ist, die freilich erst in V 9 deutlich als solche an den Tag tritt[4]. Aber dann differenziert Paulus vor allem auch das Subjekt, dem er die Befreiung zuschreibt, und entsprechend das, woraus die Befreiung geschah. Bei dem ersteren präzisiert er sorgfältig. Was das letztere betrifft, das, woraus wir befreit wurden, so ist es mit ὁ νόμος τῆς ἁμαρτίας καὶ τοῦ θανάτου bezeichnet. Was damit gemeint ist, erhellt 7, 23, wo gesagt ist, daß „das Gesetz der Sünde, das in meinen Gliedern ist, mich gefangenhält", und wo mit νόμος τῆς ἁμαρτίας – welcher natürlich auch ὁ νόμος τοῦ θανάτου ist – die Notwendigkeit, sündigen zu müssen, die Ordnung, in die die Sünde den Menschen bannt, gemeint ist.

„Gesetz der Sünde" ist hier nicht das Gesetz im Blick darauf, daß es durch seine Forderung Sünden provoziert, also das 7, 7ff erwähnte Gesetz, sondern die „Ordnung", die durch die beiden Mächte, die Sünde und den Tod, aufgerichtet ist. Aus dieser unerbittlichen Gesetzmäßigkeit des Sündigenmüssens und Zugrunde-gehen-Müssens, die eine von der Sünden- und Todesmacht erzwungene „Ordnung" ist, sind wir befreit[5]. Wir können im Blick auf 7, 23 auch sagen: Der unerbittlichen, uns in unseren „Gliedern" und also in unseren Taten bestimmenden Satzung, in unserer geschichtlichen Existenz unsere Geschöpflichkeit bestreiten zu müssen, sind wir entrissen. Wodurch oder durch wen? Paulus hätte einfach formulieren können: durch den Geist. Aber er formuliert prägnanter: ὁ ... νόμος τοῦ πνεύματος τῆς ζωῆς ἐν Χριστῷ Ἰησοῦ. Gewiß τὸ πνεῦμα, das πνεῦμα τοῦ θεοῦ (VV 9 a. 14), das das πνεῦμα τοῦ Χριστοῦ ist (V 9b; vgl. 10a), hat uns der durch die Sünde und den Tod bestimmten „Ordnung" entnommen. Aber gewiß hat es auch ὁ νόμος τοῦ πνεύματος, die neue „Ordnung" oder „Satzung", die eine im Geist wirksame ist, die sich der Geist gesetzt hat, als die sich der Geist setzt, getan[6]. Es liegt hier derselbe Begriff von νόμος vor, den wir aus Röm 3, 27 kennen. Wir können ihn ruhig mit „Gesetz" übersetzen, müssen nur bedenken, daß damit ein herrschendes Gesetz gemeint ist, dessen Herrschaft eine in einem neuen Anspruch erfüllte und in einem neuen Weg realisierte und zu realisierende Ordnung darstellt, die mit dem Glauben, der „gekommen" ist (Gal 3, 23. 25), gesetzt ist. Diese neue „Ordnung", die der Geist wirkt, hat jene andere, das Gesetz der Sünde und des Todes, abgelöst und abgetan. Es sind, wenn man so sagen darf, zwei einander entgegengesetzte Welten mit je ihrem Gesetz und ihrer bestimmenden Regel. Und indem die neue herrschende Regel des Geistes die allein maßgebende geworden ist, ist auch der einzelne – „wir", also auch

---

[4] Vgl. E. Fuchs, 84: „σέ ist gegenüber μέ die richtige Lesart, „weil jetzt die Verkündigung selbst das Wort nimmt".

[5] Vgl. E. Fuchs, 84.

[6] Käsemann: „Das Gesetz des Geistes ist nichts anderes als der Geist selbst nach seiner Herrschaftsfunktion im Bereich Christi."

„du" – von dem alten „Gesetz" frei geworden. Daß dies – der neue Anspruch – die neue Weltregel geworden ist, hat sich an „dir", dem einzelnen,
der angeredet ist und es hören soll, erwiesen. Dieses πνεῦμα, dessen νόμος
jetzt maßgebend ist und befreiend wirkt, wird dann noch τὸ πνεῦμα τῆς ζωῆς
genannt. Der Genitiv zeigt das an, was der befreiende Geist gewährt, wir
können auch sagen: als was sich der Geist eröffnet. Das Verhältnis von πνεῦμα
und ζωή wird bei Paulus des öfteren berührt. Πνεῦμα und ζωή können
füreinander eintreten (vgl. 6, 4 mit 7, 6). Nach Röm 8, 6 ist ζωή (neben
εἰρήνη) τὸ φρόνημα τοῦ πνεύματος, das, wonach der Geist sinnt, wonach er
trachtet, was sein Gedanke ist. Nach 8, 11 ist τὸ πνεῦμα das, was unsere sterblichen Leiber lebendig macht, die Leben schaffende Macht. Nach 1 Kor 15, 45
ist der „letzte Adam", Christus, εἰς πνεῦμα ζωοποιοῦν geworden. Nach Gal
6, 7 ist das Leben die Frucht des Geistes, und diese wird dem reifen, der sich
dem Geist anvertraut. Auf die ζωή ausgerichtet, schafft der Geist das Leben
und gewährt es. Der Geist des Lebens ist der das Leben wollende, schaffende
und erschließende Geist. Nicht ganz sicher ist, wohin das dritte Kennzeichen:
ἐν Χριστῷ Ἰησοῦ, zu stellen ist. Möglich ist, daß es zu τῆς ζωῆς gehört. Dann
ist gemeint, es ist der Geist des Lebens, das in, mit, durch Christus Jesus gegeben ist. Zum Zusammenhang von Ἰησοῦς Χριστός und ἡ ζωή kann man
z. B. Röm 5, 18.21 und vor allem Röm 6, 23 anführen. Möglich ist auch, daß
ἐν Χριστῷ Ἰησοῦ allein zu ἠλευθέρωσέν σε gehört. Dafür spricht die Stellung
beider Begriffe bzw. von ἐν Χριστῷ Ἰησοῦ. Wahrscheinlicher ist die dritte
Möglichkeit: daß ἐν Χριστῷ Ἰησοῦ zum ganzen Begriff, also zu ὁ νόμος τοῦ
πνεύματος τῆς ζωῆς gehört. Dieses Gesetz, das der Geist des Lebens gebracht hat, ist mit und in Christus Jesus gegeben und wirksam, im Herrschaftsbereich der Person Jesus Christus, das der Geist aufgerichtet hat. Dieses Verständnis würde auch den Zusammenhang von Röm 8, 1 und 8, 2 deutlicher
zeigen. Es gibt jetzt keine Verdammnis mehr für die, welche in Christus Jesus
sind. Denn das Gesetz, das im Machtbereich Jesu Christi herrschend ist, das
das Gesetz des Geistes ist, mit dem sich das Leben auftut, hat „dich" befreit
von jenem Sünden- und Todesgesetz, das in der Welt und in uns herrschte.
Es gibt bei Paulus noch andere Aussagen, die die unsere ergänzen und erläutern können. So nicht nur Röm 6, 18.22, sondern etwa auch Gal 5, 1.13.
Sieht man sie mit unserer Stelle zusammen, so ergibt sich: 1) daß im Gesetz
des Geistes, das nun herrscht, der befreiende Jesus Christus wirkt, und zwar
in der Weise des Rufes, den das Evangelium ergehen läßt, und der Taufe,
welche beide in der Kraft des Geistes geschehen, und 2) daß die Freiheit, die
in der Kraft des Geistes durch Christus mittels Evangelium und Taufe bewirkt
wird, eine solche ist, die aus der Sünden- und Todesordnung befreit, die mit
der Macht der Sünde gesetzt ist und vom gesetzlichen Gesetz erhalten und
immer wieder erneuert wird. Es ist zugleich eine Freiheit, die sich im Gehorsam gegen Gott und seine Gerechtigkeit realisiert.

V 3 Aber auch in unserem Zusammenhang von Röm 8 kommt Paulus auf
einige der sonst erwähnten Gesichtspunkte zu sprechen. Zunächst weist er in
V 3 auf das Geschehen hin, das jener Befreiung durch das Gesetz des Geistes

so zugrunde liegt, daß es sich in diesem Geist des Lebens erschließt. Es ist das Heilsgeschehen in dem „Sohn", in Christus. Mit einem γάρ knüpft V 3 an V 2 an, so daß wir hintereinander die Aussagen haben: Jetzt gibt es keine Verdammnis mehr für die, welche in Christus Jesus sind. *Denn* der Geist hat uns aus der Sünden- und Todesordnung befreit. *Denn* – Gott hat seinen Sohn zur Verdammung der Sünde ins Fleisch gesandt. V 3 ist dabei vor lauter Bestreben, möglichst alles und genau zu sagen, recht unverständlich geworden. V 3 a b steht als absoluter Nominativ oder auch Akkusativ oder als vorangestellte Satzapposition[7] der Hauptaussage in V 3 c: ὁ θεὸς ... κατέκρινεν, voraus. Man kann das τὸ ... ἀδύνατον τοῦ νόμου nicht als Anakoluth verstehen und den Satz dahin enden lassen: „das hat Gott nun durch die Macht des Geistes bei uns verwirklicht" (Käsemann). Es hat durchaus seine Fortsetzung in V 3 c. Das vorausgestellte ὁ θεός betont den absoluten Gegensatz zwischen νόμος und Gott bzw. πνεῦμα. Es leitet die entscheidende Aussage ein. Diese ist selbst wieder äußerst gefüllt, sofern ihr ein Satz im Partizip Aorist eingefügt ist, dessen Aussage τὸν ἑαυτοῦ υἱὸν πέμψας durch zwei nähere Bestimmungen ergänzt wird: ἐν ὁμοιώματι σαρκὸς ἁμαρτίας und καὶ περὶ ἁμαρτίας, welch letztere in einigen Handschriften (110 pc) aufgrund eines Homoioteleuton fehlt, was aber nichts bedeutet. Nehmen wir erst die Hauptaussage vor aus: 1) Gott verurteilte die Sünde im Fleisch. Jenes κατάκριμα derer, die in Jesus Christus sind, findet nicht statt, weil Gott dieses κατακρίνειν vollzogen hat, nämlich der Sünde im Fleisch. 2) Ἡ ἁμαρτία ist wie 8, 2 und von 5, 12 ab wiederholt die Sünde als die mit Adams Sünde in die Menschheit eingedrungene und dort in der Weise herrschende Sündenmacht, daß sie in den Sünden oder im Sündigen der Menschen vollzogen wird. 3) Die Verdammung dieser Sündenmacht durch Gott geschah ἐν τῇ σαρκί, an dem Ort also, wo sie herrscht. Sie wurde getroffen, wo sie ihren Sitz hat: im sich und ihr verfallenen, fleischlichen Dasein[8]. Diese σάρξ ist ebenfalls als „Macht", die zugleich eine Dimension der leibhaftigen Existenz ist, verstanden. Sie ist eine Wirklichkeit, in der sich der Mensch, wie er vorkommt, aufhält (vgl. 8, 8f; 7, 5). Sie beansprucht ihn, oder in ihr beansprucht er sich (Röm 8, 12; vgl. Gal 5, 13), sie ist „aus auf" (Gal 5, 17), hat παθήματα und ἐπιθυμίαι (Gal 5, 16.24), hat Verlangen nach Erfüllung ihrer ἐπιθυμία (5, 16; Eph 2, 3), verlangt auch πρόνοια (Röm 13, 14) und Vertrauen (Phil 3, 3f). Der Mensch sät auf sie und erwartet von ihr Frucht (Gal 6, 8). Er geht auf sie ein und richtet sich nach ihr, sie ist das „wonach" (κατά) seines Seins und seines Denkens und Handelns (Röm 8, 4.5), seines γινώσκειν (2 Kor 5, 16), καταβουλεύεσθαι (2 Kor 1, 17), allgemeiner: seines στρατεύεσθαι (2 Kor 10, 3), περιπατεῖν (2 Kor 10, 2; vgl. Gal 3, 3), ζῆν (Röm 8, 13). Sie hat ἔργα (Gal 5, 19). Ihr Anspruch und Begehren, ihre Intention und ihr Transzendieren geht auf sich selbst, ist auf Selbsterfüllung gerichtet, ist also Bewegung und Vollzug der Selbst-sucht, sei es solche der Sinnlichkeit (Gal 5, 13f.19–21; Röm 7, 5; 8, 13; 1 Kor 3, 3 u. a.), die sich in Ungerechtigkeit jeder Art erweist, sei es solche ἐπιθυμία, die in

---

[7] Vgl. Blass-Debr, § 480, 6.
[8] Es ist schwer zu sagen bzw. fast unmöglich mit einem Begriffe zu fassen, was σάρξ ist.

Geistigem besteht, z. B. und vor allem in der Erfüllung des Gesetzes in Leistungen, die uns vor Gott sichern oder fördern sollen durch ἰδία δικαιοσύνη (Röm 10, 3; Phil 3, 3ff), oder auch im Selbstvertrauen auf die Herkunft aus dem Volk Gottes (Phil 3, 3ff), im „Rühmen" und in der Selbsterbauung aus der σοφία und aus Charismen (z. B. 1 Kor 1, 26; 2 Kor 11, 18; 12, 1; 10, 12.18 u. a.). Als solche σάρξ ist sie auf den Tod aus, ihr Sinnen und Trachten geht auf den Tod aus (Röm 8, 6). Ist sie doch in alldem ἔχθρα εἰς θεόν, gottfeindlich und aufsässig gegen seine Weisung. Dieser σάρξ bedient sich in allem die Sünde. In ihr, d. h. sie beherrschend, hält sich die Sünde auf. Und diese Sündenmacht, die sich das „Fleisch" als Aufenthalts- und Wirkungsstätte eingeräumt hat, hat Gott jetzt zum Tod verurteilt. Das ist das erste, was von diesem Heilsgeschehen zu sagen ist. Solche Verurteilung der im Fleisch der Welt hausenden Sündenmacht, die denen, die in Christus Jesus sind, ihre Verdammnis erspart, geschah so, daß Gott seinen Sohn ins Fleisch sandte. Das Partizip Aorist πέμψας beschreibt hier – wie im übrigen ursprünglich überhaupt – nicht Vorzeitigkeit, sondern die Weise des Vollzuges[9]. Gott verurteilte die Sünde im Fleisch, „indem er" oder „in der Weise, daß er" seinen eigenen Sohn sandte. Ὁ υἱὸς αὐτοῦ ist soviel wie ὁ ἴδιος υἱός 8, 32. Vielleicht benutzt Paulus zur Beschreibung des Geschehens eine traditionelle Wendung, die ähnlich Gal 4, 4 auftaucht, aber auch johanneisch ist (vgl. Joh 3, 16; 1 Joh 4, 9). Dabei denkt er wohl nicht nur an die Inkarnation, sondern auch an deren Ziel und Enthüllung am Kreuz und in der Auferstehung. Die Inkarnation wird durch das πέμπειν ἐν ὁμοιώματι σαρκὸς ἁμαρτίας umschrieben. Ὁμοίωμα betont hier wie ja schon Röm 5, 14; 6, 5, daß eine Identität bei Nichtidentität gemeint ist, konkret also hier, daß Gott seinen Sohn in das Sündenfleisch sandte, das bei dem Sohn kein Sündenfleisch war (vgl. Phil 2, 7: ἐν ὁμοιώματι ἀνθρώπων); nach 2 Kor 5, 21 kannte der Sohn ja die ἁμαρτία nicht aus eigener Erfahrung. Πέμψας ... ἐν σαρκὶ ἁμαρτίας hätte mißverstanden werden können. Daß Paulus auch das Ziel und die Enthüllung dieser Sendung des eigenen Sohnes ins Fleisch im Auge hat, läßt die Hinzufügung von καὶ περὶ ἁμαρτίας vermuten[10]. Die Sendung geschah „betreffs der Sündenmacht" und natürlich nach Paulus, um sie zu beseitigen (vgl. Gal 1, 4). Das aber geschah am Kreuz und in der Auferstehung (vgl. zur Sache z. B. Röm 6, 10; 1 Kor 15, 3; 2 Kor 5, 21)[11].

Aber mit den beiden Aussagen unseres Satzes, 1) daß Gott die Sündenmacht, die im Fleisch wirksam ist, zum Tode verurteilte und 2) daß diese Verurteilung durch das Geschehen der Sendung des eigenen Sohnes ins Fleisch – in dieses Sündenfleisch, das bei ihm kein *Sündenfleisch* ist – sich vollzog, die sich am Kreuz und in der Auferstehung von den Toten vollendet, ist die Gesamtaussage, die überdies noch V 4 umfaßt, noch nicht

---

[9] Blass-Debr, § 339, 1.
[10] „Die knappe Wendung an unserer Stelle dürfen wir von dem Ganzen der paulinischen Lehre her ausdeuten." „Paulus denkt an Christi Tod" (Althaus).
[11] E. Schweizer in: ThWb VIII 386; Riesenfeld in: ThWb VI 155; Käsemann möchte das περὶ ἁμαρτίας besser im technischen Sinne von „Sühnopfer" (Lv 16; Hebr 10, 6.8; 13, 11) verstehen, was als Bezeichnung durchaus möglich ist.

erschöpft. In der vorangestellten Satzapposition, also in V 3ab, ist die Entmächtigung der Sündenmacht durch Gottes Handeln im Sohn der Ohnmacht des Gesetzes entgegengestellt. Tò ἀδύνατον ist entweder aktiv im Sinn von „das Unvermögende", „das Ohnmächtige" des Gesetzes[12] zu verstehen oder eher passiv: was dem Gesetz zu tun unmöglich war[13], Gott hat es vermocht. Doch läuft, wie Kuss mit Recht sagt, beides auf dasselbe hinaus. Das ἀδύνατον wird noch einmal unterstrichen und vor Mißverständnissen bewahrt durch die Fortsetzung: ἐν ᾧ ἠσθένει διὰ τῆς σαρκός. Ἐν ᾧ meint entweder „worin" (Lietzmann, Käsemann) oder ist soviel wie ἐν τούτῳ ὅτι, „weil" oder „sofern" (Lagrange u. a.). Ἀσθενεῖν (und ἀσθένεια) kommt bei Paulus in verschiedenem Sinn vor, z. B. von körperlicher Schwäche (2 Kor 11, 29 u. a.), allgemein: des Menschlichen, Irdischen – der Gegensatz ist δύναμις, δυνατεῖν (1 Kor 15, 43; 2 Kor 13, 3. 9) –, der Schwäche der Erkenntnis (Röm 6, 19), moralischer Schwäche (Röm 5, 6), Schwäche des Glaubens (Röm 4, 19; 14, 1f; 1 Kor 8, 11), des Gewissens (1 Kor 8, 12). An unserer Stelle ist von der Schwäche des Gesetzes die Rede, das nicht imstande war, die Sündenmacht zu vernichten. Aber das Gesetz war nicht aus sich „schwach", sondern διὰ τῆς σαρκός. Dieses ist vielleicht wie 7, 10; 2 Kor 9, 13 im Sinn von διὰ τὴν σάρκα zu verstehen, „wegen des Fleisches"[14], also kausal. Aber das ist nicht unbedingt nötig. Das Fleisch als das, was von der Sünde beherrscht wird, macht das Gesetz so „schwach", weil es dieses als Antrieb der Selbstsucht jeder Art versteht (vgl. Röm 7, 7ff; auch 3, 20b; 4, 15; 5, 20; 7, 4; aber auch Gal 2, 16; 3, 2; 3, 11; 3, 21ff). Die „Schwäche", die das Gesetz nicht nur nicht Heil, sondern Fluch hervorbringen läßt, verdankt es der σάρξ, dem Fleischeswesen der Menschen, das durch die Sünde beherrscht wird. Das Gesetz ruft – selbst heilig, gerecht und gut – durch das Fleisch[15] in einer fundamentalen Täuschung die Eigen-sucht und Selbst-erbauung in ἀδικία oder ἰδία δικαιοσύνη hervor.

Damit wären VV 1–3 ein wenig aus dem Zusammenhang des Römerbriefes ausgelegt. Im ganzen sagt Paulus Folgendes: Die unter der Herrschaft Christi stehen, haben kein Todesurteil zu erwarten. Das neue „Gesetz des Geistes", das das eschatologische Leben erschließt, diese neue Geistesordnung, die in Christus Jesus herrscht, hat sie von der Sünden- und Todesmacht befreit. Gott hat eingegriffen. Er hat das getan, wozu das mosaische Gesetz als Fixierung und Repräsentation der lebengewährenden Forderung Gottes, des hervorrufenden Anspruchs Gottes überhaupt, nicht imstande war, nicht an sich selbst, sondern durch das selbstsüchtige Fleischeswesen. Dieses verhört und verkehrt jeden Anspruch Gottes und bringt nur die Sündenmacht, die es beherrscht, in ständigem Ungerechten oder Selbstgerechten zutage. Gott aber hat, anders als das in der geschichtlichen Wirklichkeit des Menschen, in seiner Fleischessphäre ohnmächtige Gesetz, die Sündenmacht, die in der Fleischesmacht dieses Äons haust und sie beherrscht, zu Tode gebracht. Das geschah

---

[12] Vgl. H. W. Schmidt.
[13] Bauer WB 37; Zahn, Lagrange, Leenhardt.
[14] Lietzmann, kuss; Bauer WB 1475.
[15] Das Fleisch paralysiert das Gesetz; vgl. Barrett.

so, daß er seinen eigenen Sohn Jesus Christus als fleischlichen Menschen in die Welt sandte (und ans Kreuz zur Auferstehung). Eben diese Tat Gottes in Jesus Christus ist die Grundlage und Voraussetzung für die Befreiung, die der Leben schenkende Geist, dessen Gesetz jetzt im Herrschaftsbereich Jesu Christi herrscht, dem einzelnen gewährt hat: die Befreiung von der Sünden- und Todesordnung des Fleisches. In welcher Weise, wird nicht gesagt. Paulus läßt nur durch die Zusammenordnung von V 2 und V 3 vermuten, daß sich in dem Wirken des Geistes jenes Handeln Gottes zur Erfahrung bringt.

V 4 Diese Vermutung wird bestärkt, wenn wir noch auf den nächsten Vers blicken, der in einem Finalsatz das uns betreffende Ziel des Handelns Gottes in Jesus Christus angibt. Gott hat durch seinen Sohn die Sündenmacht ver-dammt, damit das Gerechte, das das Gesetz fordert (δικαίωμα), durch uns getan werden kann, damit also durch uns der gerechte Wille Gottes erfüllt werde, an dem ja unser Leben hängt[16]. Die Sündenmacht ist durch diesen Eingriff Gottes in Jesus Christus zerbrochen. Und die Absicht Gottes dabei war die, daß nun sein Wille – der Rechtsanspruch seiner Gerechtigkeit – wieder getan werde. Ἐν ἡμῖν: „durch uns", vielleicht auch „bei uns" oder „unter uns", was dann das „durch uns" impliziert; jedenfalls kaum „in uns" (Fuchs 91), wenn dieses nicht „durch uns" zugleich meint. Es hätte dann im Auge, daß wir jetzt durch den Geist im Glauben und also frei von der Selbst-bezogenheit auf uns, frei zur alleinigen Bezogenheit auf Gott das Gesetz tun bzw. tun wollen[17]. Die ἡμεῖς sind natürlich die οἱ ἐν Χριστῷ Ἰησοῦ von V 1. Aber jetzt werden sie durch ihr Grundverhalten gekennzeichnet: τοῖς ... περιπατοῦσιν... Περιπατεῖν ist, wie gesagt, ein häufiges paulinisches Wort für den Lebensvollzug (vgl. Röm 6, 4; 13, 13 u. a. m.). Es kann seine Anweisung von der σάρξ annehmen. Dann geht es um ein περιπατεῖν κατὰ σάρκα (nach Maß-gabe des Fleisches). Das Fleisch ist dann das, wonach der Lebenswandel aus-gerichtet ist. Die ἡμεῖς aber sind wir, die ihr Leben nicht nach dem Zuspruch und Anspruch des Fleisches richten, sondern das πνεῦμα maßgebend sein lassen. Damit „wir", die wir uns nach dem πνεῦμα richten, die Forderung des Gesetzes erfüllen, hat Gott durch seinen Sohn die Sündenmacht zur Ohn-macht verdammt. Offensichtlich hat das πνεῦμα, nach dem wir wandeln, diese Tat Gottes offenbar und gegenwärtig gemacht. Gott hat die Sünde durch Christus Jesus entmächtigt. Er tat das, damit seine gerechte Forderung in der Welt von uns erfüllt werde. Das setzt voraus, daß wir unser Leben von dieser Tat Gottes her verstehen und erfüllen. Wie können wir aber unser Leben von dieser Tat Gottes in Jesus Christus her verstehen und vollziehen? Dadurch,

---

[16] „Das Fleisch ließ das Gesetz scheitern, der Geist bringt es zur Erfüllung. So ist bei Pau-lus der Geist nicht nur des Gesetzes Widerspiel (7,6) und Ende, sondern eben als solches des Gesetzes Erfüllung" (ALTHAUS).

[17] Wenn KÄSEMANN das „in uns" betont und damit die Gemeinde und ihre Glieder als „Raum" des Wirkens Christi gekennzeichnet sieht, so übersieht er, daß das ἡμῖν durch das περιπατεῖν κατά charakterisiert wird, das darauf verweist, daß die Erfüllung des Rechts-anspruchs des Gesetzes durch einen dem Geist entsprechenden, also vom Geist zugesagten Lebensvollzug geschieht.

daß der Geist – ihr Geist, könnte man fast sagen – sie uns eröffnet. Auf solche Weise: Entmächtigung der Sündenmacht in Christus Jesus – Präsenz dieser Tat im Geist – Vollzug des Lebens nach dem Geist, geschieht also das, was in V 2 als Befreiung durch den Anspruch des Geistes bezeichnet ist.

Die *VV 5–8* begründen[18] die Aussage von V 4 in der Weise, daß sie den darin enthaltenen Imperativ durch den Hinweis verstärken, 1) welches die jeweiligen Tendenzen der σάρξ und damit der σάρξ-Hörigen und des πνεῦμα und der ihm Folgenden sind und 2) wie ausschließlich der Gegensatz von σάρξ und πνεῦμα ist. *V 5* ist zunächst wiederum in seiner genauen Formulierung zu beachten. Jetzt formuliert Paulus: οἱ κατὰ σάρκα ὄντες statt περιπατοῦντες. Er faßt „uns" also jetzt in unserem Sein ins Auge. Die οἱ κατὰ σάρκα ὄντες sind wohl die Ungetauften. Von ihnen aber ist, was ihren Lebensvollzug betrifft, zu sagen: τὰ τῆς σαρκὸς φρονοῦσιν. Die σάρξ, die das Sein charakterisiert, wir können auch sagen: das Sein, das durch die σάρξ charakterisiert ist, ist immer in Bewegung, ist immer aus auf etwas – auf ihre Dinge. Φρονεῖν[19] ist 1) „denken", „urteilen" (vgl. Röm 12,3; 1 Kor 13,11; Phil 1,7); 2) „den Sinn richten auf", „trachten nach", „bedacht sein auf" (vgl. Röm 12,16b; 14,6; Gal 5,10; Phil 3,19; Kol 3,2); 3) „die Partei jemandes ergreifen", „auf jemandes Seite stehen" o.ä. (vgl. Mt 16,23 = Mk 8,33; aber auch Diod. Sic. 13,48,4,7: ἐφρόνουν τὰ Λακεδαιμονίων; JosAnt XIV 450: οἱ τὰ Ἡρώδου φρονοῦντες; 1 Makk 10,20: φρονεῖν τὰ ἡμῶν καὶ συντηρεῖν φιλίας πρὸς ἡμᾶς). In diesem dreifachen Sinn, der nicht immer genau zu unterscheiden ist, wird man das φρονεῖν wahrscheinlich auch an unserer Stelle zu verstehen haben. Ist das Fleisch das, auf das der Mensch seinsmäßig ausgerichtet ist, so läßt es ihn auch für seine Angelegenheiten Partei nehmen, sein Streben teilen, das Sein bedenken. Das erweist sich ja auch darin – kann man im Blick auf Gal 5,19ff ergänzen –, daß die Seinen τὰ ἔργα τῆς σαρκὸς ποιοῦσιν, also seine Praxis vertreten. Entsprechendes gilt aber auch von den κατὰ πνεῦμα ὄντες, also von den οἱ ἐν Χριστῷ Ἰησοῦ (8,1), die in ihrem Sein (seit der Taufe) auf das πνεῦμα ausgerichtet sind. *Sie* nehmen Partei für das πνεῦμα und seine Gaben, was sich in der „Frucht" des Geistes zeigt, von der etwa Gal 5,22f redet. Ist es aber so, daß die, welche von der σάρξ bestimmt sind, ihre Sache vertreten und die, die vom Geist leben, seine Sache betreiben, dann haben beide ein absolut entgegengesetztes Ziel und Ergebnis: *V 6*. Das φρόνημα des Fleisches ist ja der Tod, das φρόνημα des Geistes Leben und Friede. Φρόνημα, das nur hier im NT vorkommt[20], ist das Aus-sein auf. Die σάρξ geht auf den Tod aus.

---

[18] V 5 knüpft mit γάρ an V 4 an. Γάρ kommt in unserem Zusammenhang schon dreimal vor und folgt dann noch zweimal, V 6.7b. Dann folgen Verknüpfungen mit δέ, vier- bzw. fünfmal. Diese Häufung der Konjunktionspartikel läßt vermuten, daß sie nicht immer in voller Ausprägung zu verstehen sind, γάρ also nicht immer einen präzis begründenden und δέ nicht immer einen präzis adversativen Sinn, sondern u. U. einen allgemein verknüpfenden haben. Hier freilich ist γάρ ohne Zweifel begründend zu verstehen.

[19] BAUER WB 1712f.

[20] Aber z. B. Jos. b I 204, II 358: φρόνημα ἐλευθερίου = Trachten und Sinnen nach Freiheit.

Wer auf sie ausgerichtet ist und ihre Partei nimmt (φρονεῖ), läßt sich auf dieses φρόνημα, also auf die Intention und Tendenz des Fleisches, den Tod, ein. Intention und Tendenz des Geistes, fast könnte man sagen: sein „Wille", sind ζωή (vgl. 8,2) und εἰρήνη (vgl. 5,1 und 14,17). Damit ist des Geistes Wille Gottes Wille, der, wie Paulus oft betont, ὁ θεὸς τῆς εἰρήνης ist (Röm 15,33; 1 Kor 14,33; 2 Kor 13,11; Phil 4,9; 1 Thess 5,23). Die εἰρήνη stellt seine Herrschaft dar (Röm 14,17), in sie ruft er (1 Kor 7,15), sie schenkt er (2 Thess 3,16), welche εἰρήνη nach Kol 3,15 ἡ εἰρήνη τοῦ Χριστοῦ, nach Eph 2,14 Christus Jesus selbst ist, der sie schafft und verkündigt (Eph 2,15.17). Es ist die unbegreifliche εἰρήνη von Phil 4,7. Lassen die, welche auf den Geist ausgerichtet sind, sich auf den Geist ein, so öffnen sich ihnen das Leben und der Friede des Heils, auf die der Geist ja aus ist und die er gewährt. Aber warum oder auch inwiefern[21] ist denn das „Streben" der σάρξ θάνατος? Weil oder insofern, sagt Paulus *V 7*, weil das Fleisch und sein Streben Gott feindlich sind. Ἔχθρα ist die „Feindschaft" (vgl. Eph 2,14.16; Jak 4,4) im aktiven Sinn. Sie richtet sich als Feindseligkeit „gegen Gott". Sie ist nicht nur Gott feindlich, sondern aktive Feindschaft gegen Gott. Ihre Intention ist tödlich, weil sie die eines Feindes und einer Feindschaft gegen Gott ist. Das aber hängt damit zusammen und ist daran erkennbar, daß sie Gott nicht gehorcht, ja nicht gehorchen kann (V 7b). Das γάρ ist explikativ: „Denn es ist so…" Das Fleisch ordnet sich Gott nicht unter, unterwirft sich ihm nicht[22], stellt sich nicht unter sein Gesetz, in dem ja der Leben schenkende Wille Gottes waltet. Es widersteht ihm vielmehr. Und nicht nur das, sondern οὐδὲ γὰρ δύναται. Es unterwirft sich dem Gesetz Gottes nicht, weil es das „auch nicht"[23] vermag. Es ist also nicht nur faktisch ungehorsam, wie Paulus Röm 1,18 – 3,20 von Heiden und Juden nachgewiesen hat, sondern seinem Wesen nach als von der Sündenmacht bestimmtes Fleisch, als, wie Paulus Röm 7,14 sagt, „unter die Sünde verkauftes Fleisch" Adams. Und so muß man mit *V 8* sagen, daß, „die im Fleisch sind", „Gott nicht gefallen können". Das sind natürlich die κατὰ σάρκα ὄντες von V 5, die τὰ τῆς σαρκὸς φρονοῦσιν und κατὰ σάρκα περιπατοῦσιν (V 4). Wer aber „im Fleisch", also in seiner Macht und seinem Bann ist, kann „Gott nicht gefallen". Ἀρέσκειν θεῷ (vgl. 1 Thess 2,15; 4,1; auch 1 Kor 7,32) ist „das Wohlgefallen Gottes erwecken" bzw. „finden". Wer „im Fleisch" lebt, kann Gottes Wohlgefallen nicht erregen. Das aber ist der Tod.

V 9 „Ihr aber seid nicht im Fleisch, sondern im Geist", mit dieser Feststellung, die einen ermunternden Zuspruch darstellt, wendet sich Paulus zu seinen Lesern zurück und knüpft damit der Sache nach an die Aussage von V 2 an, freilich so, daß er das in den VV 5–8 Erörterte terminologisch und sachlich mit einbezieht. Paulus geht wieder zur Anrede über, nur daß er jetzt nicht σύ,

---

[21] Das διότι (= διὰ τοῦτο ὅτι) mit ὅτι wechselnd, vgl. Röm 1,19.21; 3,20 ist nicht immer präzis „weil"; vgl. BLASS-DEBR, §§ 294, 4; 456, 1.
[22] Ὑποτάσσεσθαι pass. im medialen Sinn wie Röm 13,1.5; 1 Kor 14,32.34; 16,16 u.a.
[23] BLASS-DEBR, § 452, 2.

sondern ὑμεῖς sagt, weil sein Wort, so gewiß es jeden einzelnen meint, alle angeht und von allen ausgesagt werden kann und muß. In dieser Anrede ruft er den Christen in der römischen Gemeinde ihr gegenüber dem Bisherigen eigentliches Sein in Erinnerung und sagt ihnen das, was sie sind. Dabei kommt die Dialektik ihres Seins terminologisch zur Geltung: ὑμεῖς οὐκ ἐστὲ ἐν σαρκί. Natürlich verweilen sie in einer Hinsicht durchaus ἐν σαρκί, nämlich insofern, als sie als irdische Menschen „im Fleisch" leben (vgl. Gal 2,20: ὁ δὲ νῦν ζῶ ἐν σαρκί, auch Phil 1,22). Aber gleichwohl gilt für sie, daß sie nicht mehr „im Fleisch" sind, wie es ja auch 7,5 hieß: ὅτε γὰρ ἦμεν ἐν σαρκί. Diese Seinsweise, da sie κατὰ σάρκα ὄντες und nach seiner Maßgabe ihr Leben vollziehen, ist vergangen. Sie sind jetzt – in ihrem irdischen Leben – ἐν πνεύματι, im Raum des Geistes, und zwar εἴπερ πνεῦμα θεοῦ οἰκεῖ ἐν ὑμῖν. Εἴπερ meint „wenn anders" und nimmt auf eine anderweitige Bedingung oder Tatsache Bezug (vgl. Röm 3,30; 8,17; 2 Thess 1,6) und hat dabei eine ausgesprochen kausale Nebenbedeutung[24]. Es ist nicht indirekt paränetisch, sondern es ist indikativisch gemeint: ihr seid im Geist, da ja der Geist in euch (allen durch die Taufe) wohnt. Die zweifache Formulierung ist bemerkenswert. Unser „im Geist sein" ist darin begründet, daß der Geist in uns ist. Der Geist hat sich unser bemächtigt und sich unser Dasein als seinen Wirkungsraum eingeräumt, wodurch wir in seinem Herrschaftsbereich leben. Die Weise unseres Seins ist jetzt dadurch „im Geist sein", daß der Geist sich uns als das eröffnet hat, worin er wirkt und was er bestimmt. Unser In-sein im Geist ist sein In-sein in uns und umgekehrt. Die Inständigkeit des Geistes in uns ist unsere in ihm. Paulus kann denselben Sachverhalt auch anders zum Ausdruck bringen. Er kann davon reden, daß Gott den Geist gesendet hat (Gal 4,6), daß er den Christen (in der Taufe) den Geist gegeben hat (in die Herzen) (2 Kor 1,22; 5,5), daß sie ihn empfangen haben (Röm 8,15; Gal 3,14; 1 Kor 2,11), daß sie mit ihm „getränkt" worden sind (1 Kor 12,13), mit ihm „versiegelt" worden sind (Eph 1,13; 4,30), daß sie ihn „haben" (Röm 8,9.23), daß sie mit ihm ihr neues Leben „begonnen" haben (Gal 3,3), daß wir nun πνεύματι ζῶμεν (Gal 5,25), so daß wir auch in ihm „wandeln sollen" (Gal 5,16) oder, wie Röm 8,14; Gal 5,18 sagen, uns vom Geist führen lassen sollen. Alle diese Aussagen erreichen aber nicht die umfassende Aussage unseres Satzes in Röm 8,9. Mit diesem Satz bzw. mit seiner zweiten Hälfte kann nur noch 1 Kor 6,19 (vgl. 2 Kor 6,16) verglichen werden, wo es heißt, daß τὸ σῶμα ὑμῶν ναὸς τοῦ ἐν ὑμῖν ἁγίου πνεύματός ἐστιν, οὗ ἔχετε ἀπὸ θεοῦ... Aber alle diese Aussagen deuten auch an, daß der Geist eine Gabe ist, die man empfängt, und zwar so, daß man sich ihr öffnet und anheimgibt.

Doch was bedeutet das, wenn von den Christen gesagt werden kann: Ihr seid im Geist, oder: Der Geist wohnt in euch? Davon reden die VV 9b–11 in verschiedener Weise. V 9b[25] formuliert merkwürdig negativ. Das hat viel-

---

[24] BLASS-DEBR, § 454, 2 Nachtrag.
[25] Inwiefern 9c/d ein Satz „heiligen Rechtes" sein soll, vgl. H. PAULSEN, Überlieferung und Auslegung in Röm 8 (1974) 76 182, ist nicht zu ersehen, zumal da der Verf. diese Behauptung nicht begründet.

leicht seinen Grund darin, daß der Satz eine Abwehrformel darstellt, die hier als Lehrsatz aufgegriffen wird (vgl. 1 Kor 16, 22). Positiv formuliert, heißt er: „Wenn einer den Geist Christi hat, der ist ihm zu eigen." Dabei wird deutlich: 1) Das πνεῦμα θεοῦ, das 8, 4 πνεῦμα allein heißt, wird nun πνεῦμα Χριστοῦ genannt. Der Geist Gottes ist der Geist Christi, nach 8, 2 das πνεῦμα ζωῆς ἐκ Χριστοῦ Ἰησοῦ. 2) „Im Geist sein", damit, daß der Geist in uns ist, heißt auch Christi Geist „haben". Man „hat" den Geist Gottes also in der Weise, daß sich der Geist Christi unsere Person und ihr Leben einräumt, uns zu seinem Herrschaftsbereich macht und wir in seinem Herrschaftsbereich stehen. Ihn „haben" ist soviel wie: von ihm erfüllt und bestimmt sein. 3) Vor allem aber ist bemerkenswert: im Geist sein, und zwar in der Weise, daß er in uns ist, und den Geist haben, das heißt: Christus gehören (vgl. zu Χριστοῦ εἶναι 1 Kor 1,12; 3,23; 15,23; 2 Kor 10,7; Gal 3,29; 5,24). In *seinem* Geist gehören wir Christus. Mit anderen Worten: In seinem Geist erschließt sich Christus selbst uns so, daß er von uns Besitz ergreift und wir sein eigen werden. Der Geist Christi, welcher der Geist Gottes ist, läßt uns Christus als unseren Herrn erfahren. Der Geist begegnet als die Macht der Selbsterschließung Christi für uns. Was aber ist damit, daß wir Christus durch seinen Geist gehören, geschehen? Das wird in den VV 10 und 11 entfaltet.

V 10 ist wiederum allgemein und lehrhaft gefaßt. Zunächst wird sichtbar, daß das Einwohnen des Geistes Gottes, „den Geist Christi haben" und „Christus gehören" auch so wiedergegeben werden kann, daß Χριστὸς ἐν ὑμῖν ist. Der Geist Gottes und Christi läßt Christus in uns sein und also uns von ihm bestimmt. Christus wohnt in uns, indem er sich durch den Geist eröffnet und unser bemächtigt. Auch von dem in uns wohnenden Christus spricht Paulus im übrigen öfters und in verschiedener Weise (vgl. etwa 2 Kor 13,5; Gal 2,20; Eph 3,17; auch 2 Kor 11,10; Kol 3,15). Wohnt Christus aber (durch den Geist) in uns, dann gilt Folgendes: 1) „Der Leib ist tot, sofern es die Sünde betrifft." τὸ σῶμα ist hier gleich ἡ σάρξ (vgl. 8, 13)[26]. Es ist τὸ σῶμα τῆς ἁμαρτίας (Röm 6, 6), τὸ σῶμα τοῦ θανάτου (7, 24), τὸ σῶμα τῆς σαρκός (Kol 2, 11). Wenn Christus durch den Geist in uns wohnt, so ist dieser Leib dem Tod ausgeliefert, ja tot (νεκρόν) durch die Taufe, die ihn abgetan hat[27]. 2) Das πνεῦμα aber ist „Leben"; es ist ja τὸ πνεῦμα τῆς ζωῆς ἐν Χριστῷ Ἰησοῦ (Röm 8, 2), und zwar „wegen der Gerechtigkeit". Διά ist entweder final zu verstehen: um Gerechtigkeit erstehen zu lassen, oder: im Hinblick auf die in ihm gegenwärtige Gerechtigkeit[28]. Die ζωή *ist* ja, wie wir 5, 18 fin. und 5, 21 fin. sahen, δικαίωσις, δικαιοσύνη. Fast könnte man sagen: Der Geist ist Leben und damit oder darin Gerechtigkeit. Unser Satz spricht also nicht von πνεῦμα im anthropologischen Sinn[29], sondern nach wie vor von dem „Geist", von dem bisher die Rede war[30]. Und er spricht genaugenommen auch nicht

[26] Vgl. Ridderbos; Bultmann, Theologie, 201; K. A. Bauer, Leiblichkeit, 162f.
[27] Leenhardt, Barrett, Kuss; Bultmann in: ThWb IV 898.
[28] Vgl. Käsemann.
[29] Anders Zahn, Godet, Lagrange, Sanday-Headlam, Gaugler.
[30] Vgl. Michel.

von unserem individuellen Leib, sondern vom Leib im Sinn der Leiblichkeit oder Fleischlichkeit überhaupt, die freilich in der individuellen Leiblichkeit existiert, in der auch wir Christen *waren* (Röm 6,6; 7,24) und die uns als unsere Vergangenheit immer wieder anficht (vgl. Röm 6,12f). Es geht in unserem Satz nicht etwa um den Gegensatz von Leib und Geist im idealistischen Sinn. Das widerspräche der sonstigen Terminologie des Apostels und der Gesamtsicht unseres Zusammenhangs, der Fleisch und jetzt Leib als Daseinsmächte versteht, die wohl in uns existent werden bzw. waren und mit unserer Fleischlichkeit und Leiblichkeit gegeben sind, aber nicht ohne weiteres mit ihr identisch sind, an denen wir, von ihnen beherrscht, in unserer Leiblichkeit bzw. Fleischlichkeit nur teilhaben. Auch πνεῦμα ist als die Macht Gottes die Kraft, die in uns ist, so daß wir durch sie beherrscht werden.

V 11 Erst hier fällt der Blick des Apostels auf unseren individuellen Leib. Aber er ist dann nicht mehr τὸ σῶμα τῆς ἁμαρτίας, sondern τὸ σῶμα θνητόν. Und es ist sehr charakteristisch, in welcher Weise. V 11 meint: Ist der Geist „Leben", dann wird sich das auch an uns erweisen, nämlich an unserer zukünftigen Auferweckung von den Toten. Beachten wir auch hier die genaue Formulierung: 1) Das πνεῦμα τοῦ θεοῦ, das ja das πνεῦμα Χριστοῦ ist, wird hier τὸ πνεῦμα τοῦ ἐγείραντος τὸν Ἰησοῦν ἐκ νεκρῶν genannt. Es wird als die Macht Gottes gekennzeichnet, die er in der Auferweckung Jesu Christi erwiesen hat. Es ist das in Jesus Christus Tote erweckende und Leben schaffende πνεῦμα. Und dieses hat sich unser bemächtigt, in ihm sind wir, in der Dimension seiner Macht. Nach diesem, das sich darin als τὸ πνεῦμα τῆς ζωῆς schon bewährt hat, vollziehen wir unser Leben, dieses lassen wir für unser Leben maßgebend sein. Und noch eines: Als das, das Jesus Christus von den Toten auferweckt hat, ist es der Geist Christi, d. h. der Geist, in dem Christus gegenwärtig und wirksam ist. Es ist die Macht der Selbsterschließung des kraft seiner von den Toten erweckten Herrn. 2) Er hat es mit unseren θνητὰ σώματα zu tun. Das ist nicht mehr τὸ σῶμα τοῦ θανάτου τούτου von Röm 7,24 oder τῆς ἁμαρτίας von Röm 6,6, also der der Sünde und dem Tod verfallene „Leib", sondern der diesen (durch die Taufe) kraft des innewohnenden Geistes entnommene, aber als solcher noch „sterbliche Leib", d. h., der dem Tod verfallen kann, unsere dem Tod nicht mehr ausgelieferte, aber immer noch von ihm bedrohte Leiblichkeit. Um sie bemüht sich noch der Auferweckungsgeist Gottes, der Geist Christi „in uns", der ζωή in der Weise der δικαιοσύνη schon gewährt hat. Ihm wird er – wenn er in uns bleibt und wir uns von ihm bestimmen lassen – auch das eschatologische Leben schenken. 3) Aber Paulus formuliert auch hier genauer: Gott ist es, der handelt, der Gott, der seine Leben schaffende Macht in *Christi* Auferweckung schon erwiesen hat; und der Gott, der in der Kraft des Geistes [31] als solcher „durch seinen in uns wohnenden Geist" nun auch unsere sterblichen Leiber, die er durch den Geist aus der Sünden- und

---

[31] Διά mit Akkusativ B 𝕭 D G al lat sy Iren^lat Orig. So Zahn, Kühl, Gutjahr; Schweizer in: ThWb VI 419 Anm. 591 gegen Sanday-Headlam, Lietzmann, Leenhardt. Vgl. die Übersicht bei Kuss. „Sachlich trägt es nichts aus" (Käsemann).

Todesmacht bereits befreit hat, „lebendig machen wird". Durch ihn, den Tote erweckenden Geist der Auferweckung Jesu Christi, haben wir also *alle* Hoffnung. Im Geist sein: das heißt auch und zuletzt in der durch ihn eröffneten Aussicht leben, der Zukunft des Heils zu-leben, die in der Macht des Geistes schon gegenwärtig sich als Auferweckung der Leiblichkeit von den Toten enthüllen wird. Um so dringender wird die bisher nur implizierte Mahnung, diesen Geist, in dem wir sind und der in uns ist, den wir von der Taufe her als Bestimmung unseres Seins haben, das κατά unseres Lebens sein zu lassen, das, wonach, von woher und woraufhin wir unser Leben vollziehen. Solche implizite Mahnung (V 4!) wird deshalb in 8, 12ff auch explizit.

9. 8,12–17 Der Geist der Kindschaft

12 Wir sind also, Brüder, nicht dem Fleisch verpflichtet, dem Fleisch gemäß zu leben. 13 Denn wenn ihr nach dem Fleisch lebt, müßt ihr sterben; wenn ihr aber durch den Geist die Taten des Leibes tötet, werdet ihr leben. 14 Denn welche sich vom Geist Gottes führen lassen, die sind Söhne Gottes. 15 Ihr habt ja nicht einen Sklavengeist empfangen, so daß ihr wieder Angst haben müßtet, sondern ihr habt den Geist der Sohnschaft empfangen, in welchem wir rufen: Abba, Vater! 16 Der Geist selbst bezeugt unserem Geist: Wir sind Kinder Gottes. 17 Wenn aber Kinder, dann auch Erben, Erben Gottes, Miterben Christi, wenn anders wir mitleiden, damit wir auch verherrlicht werden.

Diese Befreiung von der Sündenmacht in die Gerechtigkeit und aus der Todesmacht zum gegenwärtigen und zukünftigen Leben durch den Tote erweckenden Geist Gottes, der seine Macht an Jesus Christus erwiesen hat und sie nun an uns, die wir „in Jesus Christus sind", erweist, hat natürlich Konsequenzen für unsere Lebensführung. Diese neue Heilssituation stellt an uns grundlegende und radikale Anforderungen. Im Geist ist man nicht anders als so, daß er, der uns das Leben schenkt, in einem damit auf uns Anspruch erhebt. Das war indirekt schon in V 4 gesagt. Das wird jetzt in den VV 12–13 direkt ausgesprochen. Derselbe Sachverhalt wird im übrigen kurz und bündig in Gal 5, 25 so formuliert: εἰ ζῶμεν πνεύματι, πνεύματι καὶ στοιχῶμεν. In unseren Sätzen wird er breiter ausgeführt. Dadurch wird zugleich die Gabe des Geistes weiterhin charakterisiert.

V 12 zieht, wie das ἄρα οὖν zeigt, aus dem Vorhergehenden, d. h. wohl primär aus 8, 9–11 und dann des weiteren aus 8, 1–11, eine Folgerung. Wieder werden dabei wie 7, 1.4 die „Brüder" ausdrücklich angeredet, jetzt um den verpflichtenden Worten des Apostels, wie öfters dort, wo er mahnt (Röm 12, 1 [15, 30]; 16, 17; 1 Kor 1, 10f; 7, 24; 11, 33; 14, 20.39 u. a.), einen dringlicheren Charakter zu geben und durch sie auf ein gemeinsames Anliegen zu verweisen. Was ergibt sich, Brüder, aus dem, daß wir nicht mehr „im Fleisch", sondern „im

Geist" sind? Zunächst negativ formuliert: daß wir nicht mehr dem Fleisch schuldig oder verpflichtet sind. Das ὀφειλέται ἐσμέν steht betont voran. Wem wir nicht mehr Schuldner sind, wird mit dem Dativ (vgl. Röm 1,14) und mit dem Genitiv zur Angabe dessen, was man nicht mehr schuldig ist [1] (vgl. Gal 5,3), angegeben. Statt ὀφειλέται ἐσμέν könnte auch ὀφείλομεν stehen (vgl. Röm 15,1.27; 1 Kor 5,10 u. a.). Wir stehen nicht mehr in der Schuld des Fleisches und haben deshalb nicht mehr nach seiner Maßgabe unser Leben zu führen. Der Mensch, wie er (von Adam her) vor-kommt, stand in des selbstsüchtigen Daseins Schuld, und zwar in dem Sinn, daß er ihm unaufhörlich Schulden mit seinem Handeln bezahlen mußte. Er war genötigt und kam dieser Nötigung nach, sein Dasein sich selbst, seinem Fleisch, zu bezahlen. Das war im Grund eine Fiktion, die Fiktion des durch die Sünde getäuschten und so sich selbst, seinem Fleisch verfallenen Geschöpfs. Aber diese Fiktion war eine Realität. Jetzt – im Geist – ist sie zerbrochen. Wir sind zwar nicht aus jeder Schuld entlassen. Das menschliche Leben ist immer ein geschuldetes. Aber wir stehen jetzt in der Schuld des Geistes und damit in der Schuld Christi und Gottes. Wir stehen ja unter dem Gesetz des Geistes und des Lebens (Röm 8,2). Aber das sagt Paulus, nachdem er es in verschiedenen Formulierungen in Röm 8,1–11 ausgeführt hat, hier nicht mehr, sondern er erhärtet den Imperativ von V 12 durch den Hinweis auf die Folgen einerseits der weiteren Anerkennung des Schuldverhältnisses der σάρξ, anderseits des neuen Schuldverhältnisses: des Geistes.

Denn, heißt es in *V 13*, ein weiteres Leben nach dem Fleisch bringt den Tod, ein das Fleisch tötendes Wirkenlassen des Geistes schenkt das Leben. Ist das Leben im Begriff, die σάρξ, also das selbstsüchtige Dasein, maßgebend sein zu lassen, so stirbt es im Sinn von: so verfällt es dem Tod. Μέλλετε ist soviel wie „ihr müßt" (sterben) [2]. Das φρόνημα τῆς σαρκός ist ja, wie wir hörten, θάνατος (vgl. 8,6). Das Fleisch reißt den, der sich nach ihm richtet, in den Tod hinein. Der Gegensatz in 13b verheißt dem das Leben, der im Geist die Taten des Leibes tötet. Σῶμα steht wieder für σάρξ [3]. Das κατὰ σάρκα ζῆν ist jetzt durch πράξεις τοῦ σώματος wiedergegeben. Maßgebend ist das Fleisch also in den πράξεις, den Handlungen, Taten, Werken des sich selber lebenden leiblichen Daseins (vgl. Kol 3,9). Der Gegensatz zu κατὰ σάρκα ζῆν oder πράξεις τοῦ σώματος ποιεῖν oder auch τῆς σαρκὸς πρόνοιαν ποιεῖσθαι εἰς ἐπιθυμίαν (Röm 13,14) ist hier τὰς πράξεις... θανατοῦν. Mit diesem θανατοῦν ist Aktivität und Radikalität der Forderung angezeigt. Eine der Sache nach ähnliche, aber anders formulierte Aufforderung ergeht Kol 3,5f: Νεκρώσατε οὖν τὰ

---

[1] BLASS-DEBR, § 400, 2.   [2] BAUER WB 991; MICHEL.
[3] Vgl. τῆς σαρκός D G latt Iren^lat Orig. K. A. BAUER, Leiblichkeit, 168f bestreitet die In-einssetzung von σῶμα und σάρξ, die BULTMANN (NT, 197f) behauptet, und meint, daß die πράξεις τοῦ σώματος „die Taten jenes Leibes (sind), welcher – weil ἐν σαρκὶ lebend – noch immer den Anfechtungen der σάρξ ausgesetzt ist und so der Mahnung bedarf, solcher Versuchung kraft des πνεῦμα zu wehren. Aber die πράξεις τοῦ σώματος sind als solche doch diejenigen, in denen der Getaufte den Anfechtungen der σάρξ wieder *erlegen* und nicht nur von ihnen bedroht ist.

μέλη, τὰ ἐπὶ τῆς γῆς... V 13b darf nicht im Sinn leiblicher Aszese verstanden werden, obwohl diese unter Umständen dem, was hier gemeint ist, dienen kann. Paulus hat Umfassenderes und Grundlegenderes im Auge, nämlich das Unterbinden alles selbstsüchtigen Handelns, das die Herrschaft der Sünde (und damit des Todes) festigt (vgl. 6, 12); ein Neinsagen zu aller Selbst-sucht dieses Lebens im Leib, die aber nicht nur, wie z. B. Michel noch auslegt, „das natürliche und triebhafte Sein des Menschen" meint. Dieses Töten geschieht „durch den Geist". Erst dadurch erhält es seine Qualität und Kraft. Erst dadurch wird es nicht selbst wiederum ein κατὰ σάρκα ζῆν, d. h. eines der ἔργα νόμου. Gewiß ist es eine Entscheidung des Menschen. Aber es ist eine solche, die auf den Zuspruch und Anspruch des Geistes hin geschieht, der den Menschen von sich selbst ablöst, so daß er selbst-los das Nein zu den „Taten des Leibes" sagen kann. „Am Geist selbst, am Geist allein soll das Fleisch sterben" (Barth). Nur so, als Hingabe an den Geist, der mir, dem Glaubenden, die für mich geschehene Hingabe Christi eröffnet und mich dadurch freigibt und frei macht von dem Zwang, mich zu wollen, freigibt in den Dank, nur so ist das Besiegen der selbstsüchtigen Taten reine Erfüllung des Willens Gottes. Und nur so hat es die Verheißung: ζήσεσθε. Diese ζωή ist ja immer etwas Gewährtes und als solches Ergriffenes, Gewährtes und Ergriffenes zugleich. Sie ist immer ein Empfangenes. Die Leistung, und sei es die sittlich höchste, die in sich steht und nicht πνεύματι geschieht, ist ein tödliches Unternehmen.

So ist der Gedankengang des Apostels bisher dieser: In 8, 9–11 war gesagt: Ihr seid im Geist und damit (jetzt und zukünftig) im Leben. Also, Brüder, fährt 8, 12–13 fort, müßt ihr euch nicht eurem alten selbst-süchtigen Wesen verpflichtet wissen, sondern ihr müßt euch im Geist gegen alle selbst-süchtige Praxis entscheiden. Das erstere führt nur zum Tod. Das letztere gewährt das Leben, das eben vom Geist dargeboten und in der durch ihn freien Entscheidung ergriffen wird.

VV 14–17 Doch was wird das Leben derer sein, die im Geist die Taten des Leibes töten? Darauf antworten VV 14–17. *V 14* beginnt mit einer objektiven Belehrung in der 3. Person: „Denn welche sich vom Geist führen lassen[4], die sind Söhne Gottes." Ὅσοι sind πάντες, οἵ wie Gal 6, 12; Phil 4, 8. Jetzt werden die, welche „im Geist die Taten des Leibes töten", mit πνεύματι θεοῦ ἄγονται umschrieben. Es sind die, die der Geist an die Hand nimmt, die ihrerseits sich durch den Geist geleiten lassen. Dieselbe Zweiheit in der Einheit von Aktiv und Passiv finden wir Gal 5, 16 und 5, 18: πνεύματι περιπατεῖτε καὶ ἐπιθυμίαν σαρκὸς οὐ τελέσητε und εἰ... πνεύματι ἄγεσθε... Das Handeln des Christen ist immer Führung durch den Geist und Entscheidung zugleich. Es ist Entscheidung im Geist. Als solches πνεῦμα, das uns „führt", wenn wir uns ihm hingeben, und so uns die selbst-süchtigen Taten töten läßt, „wohnt" es in uns und stellt die Dimension dar, in der wir jetzt (als Getaufte) sind. Im Geist sein

---

[4] KÄSEMANN meint im Blick auf 1 Kor 12, 2, ἄγεσθαι stamme „aus enthusiastischer Sprache". Aber wie steht es Gal 5, 18, das parallele Aussage zu Gal 5, 16 πνεύματι περιπατεῖν ist?

heißt immer auch von ihm angegangen sein, sich von ihm führen lassen. Aber das ist nur eine Erkenntnis, die man nebenbei aus V 14a im Verhältnis zu V 13b gewinnt. Unser Satz (V 14) will eigentlich das ζήσεσθε erläutern. Er tut es damit, daß er von denjenigen, die sich vom Geist „führen" lassen, sagt, daß sie υἱοὶ θεοῦ sind, womit V 16 τέχνα θεοῦ wechselt. Υἱὸς τοῦ θεοῦ, auf die Christen bezogen, findet sich auch Röm 8, 19, entsprechend υἱοθεσία V 15; 8, 23; Gal 4, 5; Eph 1, 5 zum Teil im eschatologischen Sinn. Aber diese sich künftig offenbarende „Sohnschaft" hat sich schon im Glauben und in der Taufe eröffnet (Gal 3, 26). Denn „den Söhnen" hat Gott den Geist seines Sohnes „in die Herzen gegeben" (Gal 4, 6), der sie, wenn sie sich von ihm bestimmen lassen, sich selbst und anderen als Söhne Gottes erweist, wie an unserer Stelle (Röm 8, 14ff) deutlich wird. So gibt es in bezug auf die Gläubigen ein dreifaches „Sohn Gottes sein" oder, besser, das „Sohn Gottes sein" der Gläubigen in dreifacher Weise: 1) das in der Taufe im Glauben eröffnete (Gal 3, 26; 4, 6); 2) das unter Führung des Geistes existentiell realisierte (Röm 8, 14); 3) das eschatologisch offenbare und endgültige (Röm 8, 19.23). Man könnte im Blick auf Röm 8, 29; Eph 1, 5 als viertes noch hinzufügen: das „zum Sohn Gottes vorbestimmt sein".

Worin erweist sich das in der Hingabe an den Geist existentielle „Sohn Gottes sein", mit dem – vergessen wir es nicht – die künftige ζωή im voraus gegeben ist? Darin, daß die Christen „Abba, Vater" rufen (V 15). Wieder geht Paulus zur Anrede über (2. Person Plur.) und danach zu einer Art Bekenntnis (1. Person Plur., auch V 16f). *V 15* ist mit V 14 durch ein γάρ verbunden. Es meint wohl, davon, daß alle, die sich vom Geist führen lassen, Söhne Gottes sind, kann man deshalb reden, weil dieser Geist ein Geist des vertrauensvollen Anrufes Gottes, des Vaters, ist. Er ist das als der, der uns die Kindschaft Gottes selbst bezeugt (V 16).

Diese Begründung dafür, daß alle, die sich dem Geist öffnen und sich auf den Geist verlassen, Kinder Gottes sind – sie rufen ja Gott als den Vater an –, wird in V 15f ausführlich dargelegt. Zunächst in V 15a negativ: sie haben nicht einen Sklavengeist empfangen. Πνεῦμα δουλείας ist der Geist, den der Sklave hat und den die Sklaverei bewirkt und der sie charakterisiert. Sonst wäre es ja „wiederum" ein πνεῦμα εἰς φόβον, ein Geist, der ihnen wiederum φόβος bereitet. Φόβος ist fundamental zu verstehen. Es meint nicht ein Bestimmtes, wovor sie sich fürchten, also Furcht, sondern es meint Angst, die mit der Situation der δουλεία, die Paulus ja Kap. 6 und 7 beschrieben hat, gegeben ist: die Situation des Gesetzes, der Sünde und des Todes bzw. die mit dieser Sklavensituation gegebene Grundstimmung der Angst. Unter der damaligen Herrschaft der Sünde, die dem Menschen keine andere Aussicht bot als sich selbst – die Sünde im Sündigen – und damit keine andere Zukunft als den Tod, gab es nichts anderes als Angst, selbst da natürlich, wo diese Angst abgefangen oder übertönt wurde, also z. B. wo sie philosophisch entschärft oder im Genuß erstickt wurde oder im Heroismus erstarrte oder auch im Kult des Jungseins zugedeckt wurde[5]. Für die Situation unter dem Gesetz, d. h. ja der Eigenleistung,

---

[5] Vgl. BULTMANN in: ThWb VI 223; BALZ in: ThWb IX 210.

gilt dasselbe. Auch sie ist ja die Situation des δουλεύειν und der δουλεία (vgl. Röm 7, 6 fin.; Gal 4, 24; 5, 1), weil das Gesetz, wie wir hörten, in der Hand der Sünde nur Sünde und Tod erzeugt. In dieser Situation der Herrschaft des Gesetzes und der dadurch gegebenen Eigenleistung, die Sünde und Tod in sich birgt, erhob sich ja auch der Kosmos als übermächtig fordernder, z. B. in seinen Gestirnen. Die δουλεία war, wie Gal 4, 1 ff. 8 ff sehen läßt: ὑπὸ τὰ στοιχεῖα τοῦ κόσμου... δεδουλωμένοι (Gal 4, 3), und ihre Situation war die: τότε... οὐκ εἰδότες θεὸν ἐδουλεύσατε τοῖς φύσει μὴ οὖσιν θεοῖς (Gal 4, 8). Aber eben dieser Aufstand der Welt und ihrer elementaren Mächte, der jeden Zugang zu dem Gott, der Gott ist, versperrte und das Leben tödlich bedrohte, erregte durch und in solcher Sklaverei φόβος, Angst, erfüllte mit dem „Geist der Angst", inspirierte das menschliche Dasein mit ihr.

Aber das alles gilt ja nicht mehr für „die Söhne Gottes". Sie haben die Todesangst – denn in der Angst meldet sich der Tod – überwunden, die Grundstimmung des menschlichen Daseins. Denn, formuliert nun Paulus positiv (V 15b), sie haben „den Geist der Sohnschaft empfangen". Υἱοθεσία ist „Sohnschaft", genauer Adoption[6] als Rechtsakt, die rechtliche Annahme an Sohnes Statt. Der Begriff ist im Jüdischen nicht bekannt, Paulus entnimmt ihn hellenistischen Verhältnissen. Röm 9, 4 ist von der Annahme Israels als Sohnes Gottes ([Ex 4, 22] Is 1, 2 u. a.) die Rede. Der Begriff υἱοθεσία selbst fehlt in der LXX. Als auf die Christen bezogen taucht er noch einmal Gal 4, 5 auf, wo er das Ziel der Sendung des Sohnes ist, der die unter dem Gesetz Lebenden loskauft, und Eph 1, 5, wo die υἱοθεσία des Christen ewige Bestimmung genannt wird. Letztlich ist sie wieder ein eschatologisches Phänomen. Wir sind ἀπεκδεχόμενοι υἱοθεσίαν, τὴν ἀπολύτρωσιν τοῦ σώματος ἡμῶν (Röm 8, 23). Ihren Geist, den Geist, der gegen uns andringt und mit dem sie uns durchdringt, der sie uns eröffnet, haben wir schon (in der Taufe)[7] empfangen. Und er stimmt nicht in die Angst, sondern er läßt uns vertrauensvoll zu Gott, dem Vater, rufen. Der Mensch muß angenommen sein als Sohn. Gott nimmt ihn an in seinem Sohn. Der Geist aber erschließt ihm diese seine Annahme als Sohn. Im Geist ergeht daher der „Schrei" Abba, Vater! Er verrät darin, was wir in ihm sind. Achten wir dabei noch auf Folgendes: 1) Κράζειν ist ein Wort für den Ruf der Inspiration. So z. B. schon LXX Ps 29, 2; 107, 13, speziell auch der prophetischen Inspiration. Im NT ist es die Inspiration der Dämonen oder der prophetischen Eingebung (vgl. Mk 3, 11; 5, 5.7; Apg 16, 17 und Mk 11, 9; Joh 1, 15; 7, 28.37; 12, 44; auch Röm 9, 27 [Is 22, 2f]). 2) „Wir" schreien im Geist der Sohnschaft (8, 15). Aber Gal 4, 6 „schreit" das πνεῦμα selbst in unserem Herzen. Wenn wir, die wir den Geist der Sohnschaft empfangen haben, „schreien", schreit der Geist selbst. Der Geist aber „schreit" in unseren Herzen, indem wir „rufen". Er ruft durch uns. Und wir in ihm. 3) Ἀββά ist ein aramäischer Ruf, eine Akklamation wie etwa auch Maranatha (1 Kor 16, 22; Did 10, 6) oder ἀμήν, ὡσαννά, ἀλληλουιά u. a. Er wird hier übersetzt (vgl. Lk 11, 2: πάτερ). Nach dem Sprachgebrauch der mischnischen und targumischen Zeit könnte es auch

---

[6] Anders ZAHN, KÄSEMANN.
[7] SCHWEIZER in: ThWb VIII 394 f.

ὁ πατὴρ ἡμῶν bedeuten (abbûn). Es ist nicht ein ängstliches Herbeirufen des abwesenden Gottes, sondern der vertrauensvolle Anruf des anwesenden Gottes [8], der „der Vater" schlechthin ist, zu dem wir ja nach Eph 2, 18 durch den Geist Zugang haben [9]. 4) Die aramäische Form und die 1. Person Plur. weisen wahrscheinlich auf einen kultischen Ruf. Der Geist läßt die Christen im Gottesdienst der Gemeinde [10] das „Abba, Vater", vom Geist getrieben, im Geist schreien.

So sehen wir: Die sich vom Geist führen lassen und ihr selbst-süchtiges Handeln unterbinden, werden leben. Sie sind ja Söhne Gottes und haben den Geist empfangen, der sie – die ehemaligen Sklaven voll Lebensangst – zu Söhnen Gottes macht voll Vertrauen, den Geist der Adoption durch Gott, den Vater. Sie rufen ja im Geist in der versammelten Gemeinde: „Abba, Vater".

Das heißt aber – so ist wohl der Anschluß von *V 16* zu verstehen –: Der Geist selbst bezeugt damit unserem Geist [11], daß wir Kinder Gottes sind. Sonst riefen wir nicht so. Die Christen sind also nicht nur Kinder Gottes durch den Geist, sondern sie wissen es auch aus dem Zeugnis dieses Geistes, durch den sie rufen. Συμμαρτυρεῖν τινι ist nicht „mit jemandem zusammen bezeugen", sondern „jemandem bezeugen" (vgl. Röm 9, 1 [2, 15]). Das Kompositum ersetzt in der Koine häufig das Simplex [12]. In welcher Weise Paulus sich dieses συμμαρτυρεῖν des Geistes vollzogen denkt, ist nicht sicher zu sagen. Wahrscheinlich meint er, daß das Abba-Rufen in der Gemeinde, das ja bezeugt, daß wir den Geist haben, zugleich der Ruf des Geistes ist, der uns seiner Gabe gewiß macht. Jedenfalls läßt uns der Geist nicht ohne Wissen und Gewißheit unserer Sohnschaft, die er uns in der Taufe eröffnet hat. Ebendas verrät das inspirierte Abba-Rufen, das zugleich ein Hinweis auf das Sohnsein ist, das sich als Gabe der Taufe realisiert, wenn wir uns vom Geist führen lassen. Der Taufgeist läßt uns „Sohn Gottes" sein. Überlassen wir uns ihm, der ja auch aus dem Evangelium weiter auf uns eindringt, so eignen wir uns dieses Sein im Geist in unserer Existenz an. Wir erweisen aber auch unser Sohnsein im Ruf des „Abba, Vater" in der versammelten Gemeinde. Dieser Ruf verrät zugleich den Zuspruch des Geistes an unseren Geist, der uns gewiß macht, daß wir „Kinder Gottes" [13] sind. Sind wir aber in unserer Hingabe an den Geist und nach dem Ausweis des „Abba, Vater", vom Geist selbst belehrt, „Söhne" oder „Kinder" Gottes, dann ist auch unsere Zukunft geborgen.

---

[8] SCHLATTER, MICHEL.
[9] Vgl. TestLev 17, 12: „Er spricht mit Gott so wie mit seinem Vater"; 1 QH IX 35: „Ja, du bist ein Vater für alle [Söhne] deiner Wahrheit…"
[10] ZAHN, KUSS; DELLING, Gottesdienst, 75; NIELEN, Gebet, 113.
[11] Das ist aber nicht, wie SCHWEIZER in: ThWb IV 434 und KÄSEMANN meinen, der dem einzelnen geschenkte und als solcher in ihm wohnende Geist. Warum soll der heilige Geist in uns erst durch das Zeugnis des heiligen Geistes in der Gemeinde von der Gotteskindschaft erfahren? Weiß er es nicht selbst? Vgl. LIETZMANN, ALTHAUS, KUSS u. a.
[12] STRATHMANN in: ThWb V 516; LEENHARDT, H. W. SCHMIDT, KUSS, KÄSEMANN.
[13] Υἱοί und τέκνα werden nach semitischem Sprachgebrauch wechselseitig verwendet (MICHEL). Vielleicht dient die Voranstellung des ἐσμέν (vgl. 1 Joh 3, 1) der Betonung: wir sind es tatsächlich (MICHEL).

V 17 Das war schon in dem ζήσεσθε von 8,13 gesagt, das wird jetzt noch einmal in anderer Formulierung ausdrücklich gemacht. Den „Kindern Gottes“, die wir sind, steht „das Erbesein“ schlechthin in Aussicht. Das Erbe, das die Kinder Gottes erben, ist nach 1 Kor 6,9.10; 15,50; Gal 5,21; Eph 5,5 die Anteilhabe an der βασιλεία θεοῦ, nach 1 Kor 15,50 die ἀφθαρσία, nach Röm 8,21 die ἐλευθερία τῆς δόξης τῶν τέκνων τοῦ θεοῦ (vgl. 8,18; Eph 1,18 u. a. m.). An unserer Stelle ist nicht davon die Rede, worin dieses Erbe besteht – in den eschatologischen Gütern –, sondern es ist betont, daß wir „Gottes Erben“ sind, Söhne, die Gott zu Erben einsetzt und damit συγκληρονόμοι Χριστοῦ, Erben, die mit Christus zusammen, mit dem sie ja auch zusammen leben werden (Röm 6,8), das Erbe teilen. Das entspricht aber nur dem, was auch Röm 8,29 oder Phil 3,21 oder 1 Kor 15,49 u. a. verheißen wird. Freilich, daß wir als „Söhne Gottes“ auch „Erben Gottes“ und „Miterben mit Christus“ werden, das setzt eines voraus, was auch faktisch gilt (V 17c): daß wir mit (Christus) leiden. Der εἴπερ-Satz erscheint etwas überraschend. Er ist im Zusammenhang ein nachträglicher Zusatz, der eine Erinnerung des Apostels an das enthält, was Vorbedingung des künftigen Erbes Gottes ist, eine nachträgliche Erinnerung, die die Aussage über die Erben vor Mißverständnissen bewahren soll. Zugleich freilich ist *17c* eine etwas gewaltsame Überleitung zu den Ausführungen, die die Unvergleichlichkeit des künftigen Erbes, das jetzt συνδοξασθῆναι heißt, darstellen wollen. Εἴπερ nimmt bei Paulus auch hier wie in 8,9 auf eine (andere) Bedingung Bezug, die Tatsache ist[14], hat also den Sinn von: „wenn anders, wie es der Fall ist, wir mit (ihm) leiden . . .“ (vgl. Röm 3,30; 8,9; 2 Thess 1,6 u. ö.). Wenn man V 17 so und nicht, was auch möglich wäre, als Bedingungssatz versteht, der selbst dann eine indirekte Mahnung ist, hat der abschließende Finalsatz, auf den es Paulus, um die Überleitung zu seiner Aussage von 8,18ff zu gewinnen, ankommt, ein größeres Gewicht. Paulus intendiert die Aussage: Wir sind Kinder Gottes, damit seine Erben und Christi Miterben und Teilhaber an seiner δόξα, und erinnert dabei an das zur δόξα gehörende Leiden wie in 5,2f (vgl. auch 2 Kor 4,16ff). Das συν bezeichnet auch jetzt beidesmal ein σὺν Χριστῷ. In 2 Tim 2,11 taucht im übrigen, wie wir schon sahen, ein ähnlicher Satz auf, und zwar in einem kleinen Bekenntnislied.

Beachten wir noch Folgendes: 1) Das Leiden der Christen verschiedenster Art steigert sich in der eschatologischen Zeit (vgl. τὰ παθήματα τοῦ νῦν καιροῦ V 18). Es ist immer Anteil am Geschick Jesu Christi, an seinem Tod, wie auch das συνδοξασθῆναι an seiner Erhöhung und Verherrlichung. Es ist alles von ihm schon erlitten worden, und alles steht schon bereit in ihm. Unser Leiden ist nie ein einsames. Christus hat immer vorgelitten, und unser Leiden ist sozusagen nur der Rest seines Leidens (vgl. Kol 1,24). 2) In diesem „mit Christus leiden“, in dem sich die künftige Anteilnahme an seiner Herrlichkeit eröffnet, realisieren die Christen ihre Taufe in existentieller Weise. Man braucht, um das zu erkennen – was Paulus hier freilich nicht reflektiert –, nur V 17c neben Röm 6,8 zu stellen. Das „mit Christus leiden“ ist als

---

[14] BLASS-DEBR, § 454, 2.

Existenzvollzug ein „Sterben" (vgl. 8, 36). 3) Wenn uns einerseits die tatkräftige (im Töten der Taten des Leibes!) Übergabe an den Geist und seine Führung, der wir uns anvertrauen, das Erbe eröffnet und wir anderseits im Mitleiden mit Christus die künftige Verherrlichung mit ihm aufgetan bekommen, dann ist anzunehmen, daß auch dieses Mitleiden in der Kraft des Geistes geschieht (vgl. 1 Thess 1, 6; 2 Thess 2, 14). 4) Beides, das Mitleiden mit Christus und das Töten der selbst-süchtigen Taten, ist eine Weise des durch den Glauben gerechtfertigten Lebens, das ja, wie Röm 5, 1f zeigt, als solches die Aussicht auf die künftige δόξα hat und aus dieser Hoffnung lebt. Die Rechtfertigung aus Glauben wird in solcher heiligenden Führung durch den Geist realisiert. Das wird von Paulus in Phil 3, 9ff ausdrücklich dargelegt.

Fassen wir die Aussagen der VV 8, 12–17 noch einmal kurz zusammen. Voraus ging die Behauptung: Ihr seid im Geist, und der Geist ist in euch. Euer Dasein ist jetzt bestimmt durch den Geist und erfüllt mit ihm. Daher, Brüder, sind wir nicht mehr verpflichtet, dem (selbst-süchtigen) Fleisch zu gehorchen, das uns den Tod bringt. Wir werden leben, wenn wir seine Taten töten und uns vom Geist führen lassen. Dann sind wir ja Söhne Gottes, wie uns der Geist in seinem vertrauensvollen Ruf zu Gott, dem Vater, bezeugt. Wenn wir aber Söhne Gottes sind, sind wir auch seine Erben, d. h. Miterben mit Christus. Dann erfahren wir die künftige Herrlichkeit mit ihm zusammen als solche, die jetzt mit ihm leiden.

10. 8, 18–30 Das Verlangen aller nach der Herrlichkeit

18 Denn ich bin überzeugt, daß die Leiden dieser Zeit nichts bedeuten im Vergleich mit der Herrlichkeit, die an uns offenbar werden soll. 19 Denn das sehnsüchtige Verlangen der Kreatur wartet auf die Offenbarung der Söhne Gottes. 20 Denn die Kreatur ist der Nichtigkeit unterworfen worden, nicht aus eigenem Willen, sondern durch den, der sie unterworfen hat – auf Hoffnung. 21 Es ist so: auch die Kreatur als solche wird befreit werden von der Knechtschaft der Verwesung zur Freiheit der Herrlichkeit der Kinder Gottes. 22 Wir wissen ja, daß die gesamte Schöpfung bis jetzt einmütig seufzt und in Wehen liegt. 23 Doch nicht nur das: auch wir selbst, die wir die Erstlingsgabe des Geistes haben, auch wir seufzen in unserem Herzen und erwarten die Sohnschaft, die Erlösung unseres Leibes. 24 Denn zur Hoffnung sind wir gerettet worden; Hoffnung aber, die man sieht, ist keine Hoffnung. Wie kann denn einer erhoffen, was er sieht? 25 Wenn wir aber auf das hoffen, was wir nicht sehen, warten wir in Geduld. 26 So nimmt sich auch der Geist unserer Schwachheit an. Denn wir wissen nicht, was wir beten sollen, wie es sich gebührt. Doch der Geist selber tritt für uns ein mit wortlosem Seufzen. 27 Der aber die Herzen erforscht, weiß, was das Anliegen des Geistes ist, daß er, wie Gott es will, für die Heiligen eintritt.

28 Wir wissen aber, daß Gott denen, die ihn lieben, alles zum Guten wirkt, denen, die nach seinem Ratschluß Gerufene sind. 29 Denn die er zuvor erkannt hat, die hat er auch zuvor dazu bestimmt, gleichförmig zu sein der Weise seines Sohnes, auf daß er der Erstgeborene unter vielen Brüdern sei. 30 Die er aber vorherbestimmte, die hat er auch gerufen, und die er gerufen hat, die hat er auch gerechtfertigt, die er aber gerechtfertigt hat, die hat er auch verherrlicht.

V 18 In Anknüpfung an den eben festgestellten Zusammenhang von Leiden und künftiger Glorie setzt der Apostel V 18 mit seinem feststellenden Urteil (λογίζομαι) und der Aussage ein, daß die Leiden der jetzigen Zeit nichts bedeuten[1] gegenüber der unvergleichlichen Herrlichkeit, die sich offenbaren wird. Die Gegenwart – und das ist für ihn die Zeit zwischen Jesu Christi Sterben und Auferstehen einerseits und seiner offenbaren Ankunft in Herrlichkeit – ist voller Leiden. Die Gegenwart ist die „Jetzt-Zeit" von Röm 3, 21.26; 5, 9.11; 6, 21; 7, 6 und weiter 11, 30.31; 13, 11 u. a. Sie ist der durch das Heilsgeschehen in Jesus Christus charakterisierte jetzige Äon (ὁ νῦν αἰών 1 Tim 6, 17; 2 Tim 4, 10; Tit 2, 12); dieser Äon, dem der αἰὼν μέλλων entgegengesetzt ist; der Äon, dem mit Christus das Ende begegnet ist (1 Kor 10, 11) und der, immer wieder vor dieses sein Ende im Evangelium gestellt, bis in die Tiefe seiner Selbstbehauptung aufgestört wird. Er ist voller Leiden, wie schon die jüdische Apokalyptik voraussagte[2]. Sie kumulieren und akzentuieren sich in dem, was Paulus „die Leiden Christi" nennt, die Leiden, die in Christus um Christi willen für Christus geschehen (vgl. 2 Kor 1, 5ff; 4, 11; Phil 1, 29; 3, 10; Kol 1, 24) und die vor allem der Apostel auszutragen hat (vgl. 1 Thess 1, 6; 3, 3ff; 2 Thess 1, 4). Aber sie umfassen auch all das Bedrängende und Schmerzliche, alles Schreckliche und Böse, mit dem sich wissend oder unwissend dieser Äon gegen sein Ende wehrt und es sich gerade dadurch vorbereitet (vgl. noch Röm 8, 35; 1 Kor 7, 26ff; 2 Kor 11, 23ff). Aber all dies, sagt Paulus, bedeutet nichts, ist nicht vergleichbar an Gewicht und Tiefe mit der Glorie des Eschaton, der Glorie Gottes in Jesus Christus, die auch die unsere sein wird. Gegenüber ihrem „überschwenglichen, ewigen Gewicht" sind alle Leiden, wie Paulus 2 Kor 4, 17 formuliert, „ein bißchen augenblickliche Bedrängnis". Diese Zukunft, die dem Glaubenden und Hoffenden offensteht, wird die Gegenwart also nicht nur ausgleichen, sie wird ihr Elend unvergleichlich überstrahlen. Dabei erläutert der Apostel hier wie überall nicht, was mit der δόξα gemeint ist. Er deutet nur an, daß sie „über

---

[1] Ἄξια und πρός ist rabbinische Schulsprache (BILLERBECK III) und meint: nicht von gleichem Gewicht wie...
[2] Vgl. z. B. 4 Esr 13,16–19: „Weh denen, die in jenen Tagen übrigbleiben werden..., weil sie große Gefahren und viele Drangsale (necessitates = ἀνάγκας) erleben werden, wie diese Gesichte zeigen." SyrBar 25,1ff: „Dies wird das Zeichen sein: wenn starrer Schrecken die Bewohner der Erde ergreifen wird, da werden sie fallen in viele Drangsale; auch werden sie fallen in gewaltige Peinigungen..." Vgl. auch Dn 10,1 Θ. Dazu SCHLIER in ThWb III 144f.

uns" oder „auf uns herab" (εἰς ἡμᾶς) kommt, um uns in sich aufzunehmen und verklärt oder verherrlicht sein zu lassen mit Christus in Gottes Herrlichkeit. Und er erwähnt, daß diese künftige δόξα „sich offenbaren" wird[3] und also nicht nur ein Rest der δόξα ist, die immer noch aus der Schöpfung strahlt, obwohl wir sie ständig verdecken, auch nicht nur eine δόξα darstellt, wie sie uns im Spiegel des Evangeliums als die Herrlichkeit Christi aufleuchtet, ergreift und wandelt (vgl. 2 Kor 3,8ff.18; 4,4.6; auch 1 Kor 2,16f). Sie wird in ihrem unerhörten und unvergleichlichen Geheimnis unverhüllt und endgültig zu unmittelbarer Erfahrung ausbrechen und sich unser bemächtigen. Sie ist die absolute Transzendenz, die also dann offenbares Ereignis wird. So ist δόξα für Paulus eigentlich mehr als ein Begriff, sie ist eine ursprüngliche Chiffre für jene Wirklichkeit Gottes, die in Jesus Christus uns als das Eschaton, als das „Unsichtbare", auf das wir „sehen", in sich aufnehmen und aufleben lassen wird. Mit ihr als der überwältigenden und erfüllenden Zukunft eröffnet sich als in der Kraft und Klarheit des Ansehens Gottes die Macht und der Glanz des in Freiheit, Frieden und Freude ausbrechenden Lebens. Es ist klar, daß gegenüber dieser eschatologischen „Erscheinung" das Leiden dieses Kosmos, sosehr es sich in der „Jetztzeit" in seiner Furchtbarkeit verschärft, nur ein „bißchen" ist.

Doch wie will man von solcher Herrlichkeit, von der Herrlichkeit solcher Herrlichkeit überhaupt wissen? Wer sagt uns von solcher Zukunft, was erweist uns solch Unerhörtes und Überschwengliches unserer Aussicht? Auf diese Frage hat Paulus an unserer Stelle eine zunächst seltsame Antwort. Er weist auf eine einfache, aber freilich nur dem, der sich ihr im Glauben und Hoffen öffnet, im Geist zugängige Tatsache hin: Alles wartet auf sie und verlangt nach ihr. Sie, diese Aussicht, diese δόξα, ist das, worauf das Seufzen der Kreatur (VV 19–22), der Christen, die den Geist haben (VV 23–25), ja des Geistes selbst (VV 26–27) geht. Wo Erwartung und Verlangen, Hoffnung und Sehnsucht sind, wo ein Über-sich-Hinausgehen und -Greifen und -Wollen, wie auch immer, geschieht, da ist, meint der Apostel, letztlich jenes gesucht, was δόξα heißt. Aber dies verrät zwar nicht, wie man vielfach auslegt (vgl. Estius, Cornely, H. W. Schmidt, Barrett, Kuss), die Gewißheit der künftig über uns hereinbrechenden δόξα, wohl aber ihre Überschwenglichkeit an Heil (vgl. Zahn, Schlatter, aber auch Ambrosiaster, Thomas u. a.). Von ihrer Gewißheit sprach Paulus Röm 5,5. Von ihrer Unvergleichlichkeit spricht er hier ausdrücklich, und nicht nur in V 18, sondern auch in den diesen Vers begründenden Ausführungen bis V 27.

Die Schöpfung – das ist das erste[4] – wartet voll Verlangen auf die δόξα (VV 19–22). Freilich, so sagt der Apostel nicht direkt, sondern variiert solche Behauptung mannigfach.

---

[3] Der Inf. Aor. hängt von μέλλουσα ab; vgl. Gal 3,23. BLASS-DEBR, § 474,5.
[4] Vgl. zum Folgenden H. SCHLIER, Das, worauf alles wartet. Eine Auslegung von Röm 8,18–30, in: Interpretation der Welt. Festschrift für R. Guardini zum 80. Geburtstag, hrsg. von H. KUHN u. a. (Würzburg 1965) 599–616. H. R. BALZ, Heilsvertrauen, 32ff.

V 19 „Denn das sehnsüchtige Verlangen der Kreatur wartet auf die Offenbarung der Söhne Gottes." Er blickt also auf die κτίσις. Es ist nicht ganz sicher, was er darunter an unserer Stelle versteht. Schon Augustinus erklärt: Hoc capitulum obscurum est, quia non satis apparet, quam nunc Apostolus vocat creaturam[5]. Der sonstige paulinische Sprachgebrauch meint sowohl den Vorgang der Schöpfung (Röm 1,20) wie allein die Menschenwelt (1, 15.23; vgl. καινὴ κτίσις 2 Kor 5,17; *Gal 6,15*), wie auch umfassend Menschen, Mächte und das Weltganze (Röm 8, 39 [1, 20]). So wird man zum Verständnis von Röm 8,18 auf den Kontext sehen müssen, der jedenfalls dies zeigt: 1) Paulus meint πᾶσα ἡ κτίσις (V 22). Er hat die der ματαιότης und φθορά unterworfene Gesamtschöpfung, also Menschen, sofern sie nicht das πνεῦμα haben, die belebte und unbelebte Natur, die Mächte und Gewalten, im Auge (vgl. auch Röm 1,20)). 2) Sie ist die um Adams willen in solche Knechtschaft geratene Schöpfung. 3) Ihre Befreiung hängt mit der der „Kinder Gottes" zusammen (V 21). 4) Sie ist jedenfalls die auf den Menschen bezogene und mit seinem Geschick verbundene Gesamtschöpfung[6]. So ist mit ihr wahrscheinlich die Natur und Geschichte, sofern sie geschaffen sind und nun die versehrte Welt des Menschen als gefallene Schöpfung darstellen, einschließlich der Mächte gemeint. Das würde mit dem apokalyptischen Begriff 4 Esr 7, 11f.23; syrBar 51, 12f; 32, 6 übereinstimmen. Von ihrer, der gefallenen Schöpfung insgesamt, ἀποκαραδοκία ist die Rede. Der Begriff ἀποκαραδοκία, der außerhalb der Briefe des Apostels nicht nachgewiesen ist, steht Phil 1, 20 neben ἐλπίς. Nur das Verb kommt im Hellenistischen vor[7] und bedeutet „heftig verlangen". „in unbestimmter Spannung sein", „sehnsüchtig erwarten". Vielleicht wollte Paulus im Blick auf das Gesamtgeschöpfliche den mehr personalen und sozusagen zuversichtlichen Begriff ἐλπίς hier vermeiden und zugleich das unbestimmt Verlangende des Hinausschauens und -strebens deutlicher zum Ausdruck bringen. In der Weise solchen Sichhinausstreckens steht die Kreatur in Erwartung, ja solches angespannte Verlangen über sich hinaus *ist* ihre Erwartung. Das ἀποδέχεσθαι ist von ihrer Sehnsucht wie von der der Christen gebraucht und kommt bei Paulus öfters im Sinn der eschatologischen Erwartung vor (vgl. 1 Kor 1,7; Gal 5,5; Phil 3, 20; vgl. auch Hebr 9, 28; 1 Petr 3, 20). Die Kreatur, alles Geschaffene, wie es vorkommt und sich in seiner Versehrung dem Glauben darbietet, in dem es sich wieder durchschaut, ist nicht völlig in sich verschlossen, weiß sich in ihrer Zeitlichkeit und Endlichkeit nicht erfüllt, sondern ist voll Unruhe und wartet auf ein anderes, das über sie hinausgeht. Dasein ist, von dorther gesehen, woher der Apostel blickt, immer ein, wenn man so sagen darf, im Grunde intentionales. Und seine Intention richtet sich auf – die δόξα. Diese entlockt dem kreatürlichen Dasein jenen Drang über sich hinaus. Aber dabei bleibt sozusagen die Struktur des Geschöpflichen, nämlich Geschaffenes für den

---

[5] Vgl. De octog. trib. quaest. 67,1.
[6] Vgl. auch KÄSEMANN.
[7] G. BERTRAM, Ἀποκαραδοκία, in: ZNW 49 (1958) 264–270, 266 verweist auf Aquila, der καραδοκία in Ps 38, 8 (LXX); Spr 10,28 (beide Male für תּוֹחֶלֶת) kennt, vielleicht aber paulinischem Einfluß unterliegt. H. R. BALZ, 37 Anm. 2.

Menschen zu sein, bewahrt und so die Kreatur – und, wie gesagt, auch das Kreatürliche im Menschen und die Menschen, sofern sie Kreatur sind, verlangend nach dem Menschen, genauer: nach der δόξα, die über ihn und um ihn und in ihm einmal von drüben, von der Zukunft her, ausbrechen wird und in die auch sie, die Kreatur, dann einbezogen wird. So wartet sie auf „die Offenbarung der Söhne Gottes". So trägt sie Verlangen nach dem endgültigen, offenbaren In-Erscheinung-Treten dessen, was die Christen im Glauben sind und alle Menschen sein können und sein sollen, das ist aber: in der Herrlichkeit stehen. Ἀποκάλυψις ist natürlich hier wie das Verb in V 18 die eschatologische Offenbarung, so wie 1 Kor 1,7; 2 Thess 1,7; vgl. Röm 2,5 (1 Kor 3,13); 1 Petr 1,7.13. Die Kreatur harrt in ihrem scheinbar in sich geschlossenen und unbeweglichen Dasein, in ihrer scheinbaren ontologischen Immanenz auf den „verklärten" Menschen, als dessen „Welt" auch sie „verklärt" werden wird.

Der „verklärte" Mensch, das ist aber der Mensch als der „Sohn Gottes", der der „Erbe Gottes" und Miterbe Jesu Christi ist. Damit ist dem Menschen eine unendliche Verantwortung auferlegt: die Erfüllung aller Sehnsucht der Erde und des Himmels zu werden, freilich nicht in dem Sinn, daß *er* sie etwa in dieses Über-sich-Hinaus „entwickelt", sondern in dem, daß er die wartende Erwartung der Kreatur dadurch erfüllt, daß er in der Kraft des Geistes als „Sohn Gottes" in Glaube und Hoffnung diesen Äon durchsteht, um selbst und mit ihm alle Kreatur von der ewigen Fülle der überschwenglichen δόξα überschüttet und durchdrungen zu werden.

V 20 Aber warum muß und kann die Schöpfung auf jenes eschatologische Ereignis warten? Um darauf eine Antwort zu erhalten, muß man nach Paulus die gegenwärtige Seinsweise der Kreatur ins Auge fassen. Das geschieht in dem V 19 begründenden (γάρ) V 20. Ohne ihr Zutun ist die Schöpfung in die „Nichtigkeit" ihres jetzigen geschichtlichen Daseins um Adams willen mit hineingerissen worden, aber freilich so, daß für sie „Hoffnung" – eben in den „Kindern Gottes" – bleibt. „Die Schöpfung ist der ματαιότης unterworfen worden", heißt es zunächst. Das Passiv ὑπετάγη meint natürlich: durch Gott. Das, was sie jetzt beherrscht, ist die ματαιότης, der „Schein", und damit die Unwirklichkeit. Damit ist entgegen den meisten älteren und neueren Auslegern, z. B. Ambrosiaster, Theodoret, Augustinus, Thomas, Estius, Bisping, H. W. Schmidt, Althaus, Lietzmann, Michel, nicht dasselbe gemeint wie die φθορά in V 21, sondern etwas Fundamentaleres, nämlich der Sache nach das, was Röm 1,23ff als Schöpfung begegnet, wie sie dem Menschen, der sich Gott nicht verdanken und ihm die Ehre nicht geben will, gegeben ist: als die κτίσις, die selbst der κτίστης sein will oder sich als Schöpfer ausgibt, es in Wahrheit aber nicht ist. Statt ματαιότης steht Röm 1,24 ψεῦδος im objektiven Sinn. Diese „Lüge", daß die Schöpfung sich ausgibt als das, was sie nicht ist, dieser Schein macht sie auch unwirklich. Sie erscheint nicht mehr als das, was sie ist, nämlich als Schöpfung. Sie gibt sich – unter dieser beherrschenden, alles vereitelnden „Eitelkeit" – nicht als das aus, was sie ist. Sie begegnet nicht mehr in ihrer Wahrheit. Sie kann es in diesem Schein nicht. Folge und Ausweis solcher

Selbstentfremdung ist die φθορά, die sie nun knechtet. Φθορά ist dabei nicht nur Vergänglichkeit, auch nicht nur Verweslichkeit, sondern diese als Weise des Verfalls und Verderbens durch Abwesen und Abwesenheit von Kraft, Glanz, Geist und Leben (vgl. 1 Kor 15, 42.50 [Gal 6, 8]; Kol 2, 22; 2 Petr 1, 4; 2, 12.19). Dieser Bann, der die Schöpfung in der mannigfachsten, konkreten Weise in eine Unwirklichkeit bannt, die sich in einem verderblichen Verfall in jedem Bezirk des Daseins äußert, läßt sie ihre Erwartung auf etwas richten, was sie nicht selbst ist und gibt, und läßt ihre Sehnsucht frei werden für ein ganz anderes, Zukünftiges.

Dazu kommt noch eines, nämlich daß sie, die Kreatur, οὐχ ἑκοῦσα, ohne es zu wollen oder gegen ihren Willen[8] in solches Geschick der „Eitelkeit" hineingerissen wurde und also bei ihr, in aller „Natur", von Schuld nicht die Rede sein kann. Ihre Knechtschaft in ihrer Eitelkeit und ihrem Verderben ist auf den zurückzuführen, der sie ihr auslieferte. Dieser aber ist im Sinn des Apostels Adam. Zwar würde man von dem Begriff ὑποτάσσειν her, der kurz zuvor von Gott gebraucht ist, auf Gott als auf den, „um deswillen" die Schöpfung der Eitelkeit unterworfen ist, schließen. Aber man müßte dann das διά c. Acc. im Sinn von διά oder ὑπό c. Gen. verstehen, was schwerlich angeht. Und was sollte die zweite, recht nachhinkende Erwähnung Gottes überhaupt im Zusammenhang besagen? Daß ein ὑποτάσσειν auch von Adam ausgesagt wird, mag darin seinen Grund haben, daß seine Sünde für Paulus die treibende Ursache für die durch Gott vollzogene Unterwerfung war, er also und – im konkreten Gegensatz – nicht die Schöpfung selbst diese der „Eitelkeit" unterstellte. Man muß doch wohl nach dem Apostel an jene atl. und jüdische Überlieferung denken, wie sie sich in Gn 3, 17ff; 5, 29; 4 Esr 7, 11ff; Gn Rabba 12, 5 (p. 25ª Berlin); Jub 3, 25; OrSib III, 785ff finden. So, also um Adams willen, von Gott in den Bann der „Eitelkeit" und des „Verderbens" geschlagen, erwartet und verlangt die Kreatur, wozu ja auch der Mensch als in der Natur, in der er vorkommt, gehört, brennend ihre Befreiung, sieht sie sehnsüchtig in eine Zukunft, die nicht ihr selbst entspringt, hinaus.

Das ist aber nur sinnvoll, weil ihre Auslieferung an ihre Unwirklichkeit ἐπ᾽ ἐλπίδι[9] geschah. Gott hat sie nicht in ein hoffnungsloses Geschick eingelassen, sondern so in jenen Schein, in dem sie erscheint, gebannt, daß er ihr eine Aussicht gewährte. Ἐλπίς ist objektiv gemeint. Die nichtige Kreatur steht von Gott her immer auch in eine Aussicht hinein. Das heißt aber auch: In ihr glüht kraft dieser Hoffnung Hoffnung. Und auch deshalb ist sie eine wartende und über sich hinaus verlangende; darum ist sie auch eine nicht nur leidende. Die „Eitelkeit" und das „Verderben" lassen sie nicht los. Sie kann sich daraus nicht selbst befreien. Dieser geschichtliche Kosmos in seiner umfassenden Kreatur bleibt in seiner Länge, Breite, Höhe und Tiefe, in all seiner Evolution und Hominisation im Banne seines herkünftigen Geschicks um Adams willen.

---

[8] Οὐχ ἑκοῦσα kann „wider den eigenen Willen" oder „ohne eigenen Willen" heißen. Das letztere wahrscheinlich hier; vgl. non sponte: Ambrstr, Hilarius, Aug; non voluntate: Ambrstr, non volens: lat. Übersetzungen, vg.

[9] Ἐφ᾽ ἐλπίδι ist mit ὑπετάγη zu verbinden (MICHEL).

Aber er bleibt in ihm innerhalb eines mit dem Beginn der Geschichte zugleich von Gott ihm eröffneten eschatologischen Horizonts.

V 21 Welches aber ist die Hoffnung, auf die hin die Kreatur in ihre unwirkliche Erscheinung gebunden wurde? Der ὅτι-Satz erläutert es. Auch sie – und nicht nur die Kinder Gottes – wird „befreit" werden. Die „Söhne", die den Geist haben und in sich herrschen lassen, sind jetzt *als Kreatur* in die Verweslichkeit gebunden. Aber Gott wird ihnen die Freiheit schenken. Es wird die Freiheit der eschatologischen δόξα sein, die absolute dessen, der in der Macht und dem Glanz der Gegenwart Gottes und des erhöhten Kyrios sein Leben empfängt. Es wird die Freiheit des Lebens sein, das im Anblick und durch den Anblick der Erscheinung Gottes im Angesicht Christi lebt. Solche Freiheit, die, weit entfernt, autonome Freiheit irgendwelcher Art zu sein, nicht nur Freiheit von Sünde, Täuschung, Gesetz und Tod, auch Freiheit von den Menschen und Mächten, wie sonst bei Paulus, ist, auch nicht nur Freiheit zur Liebe (Gal 5,13) und doch alle diese Freiheit in sich schließt, ereignet sich, wie wir aus 2 Kor 3,17f erfahren, schon vorläufig und mittelbar im freien Anblick der im Evangelium anwehenden δόξα des Herrn, der im Geist begegnet. Aber endgültig und unmittelbar ist sie mit der δόξα gegeben, die zukünftig über die „Kinder Gottes" hereinbrechen wird. Diese δόξα wird Freiheit sein. Diese Freiheit wird δόξα sein. Und in diese Freiheit wird dann auch die Kreatur aufgenommen. Macht und Glanz des eschatologischen Daseins der „Kinder Gottes" werden auch das Kreatürliche zu seiner Wirklichkeit und Eigentlichkeit befreien. Das ist die sehnende Hoffnung der Kreatur. Sie ist nicht nur nicht von Gott endgültig verworfen, sondern mit ihrer Verwerfung unter den Vorbehalt des einstigen Überströmens der Herrlichkeit der „Kinder Gottes" auf sie herab gestellt, das sie dann in neuer Weise strahlend sein läßt. Diese Herrlichkeit wird in einem zweifachen Sinn nicht der Kreatur selbst entströmen. Sie wird die Herrlichkeit sein, die die „Kinder Gottes" an sich erfahren und in die die Kreatur einbezogen wird[10]. Die „Kinder Gottes" selbst empfangen ihre Herrlichkeit in der Anteilhabe an der Herrlichkeit Christi.

Hier ist in keinem Sinn Evolution, sondern in jedem Sinn Gottes überraschende und überwältigende Gabe. Paulus sieht die Dinge wie so oft in einer großen Spannung. Alle Gegenwart ist durchherrscht von „Eitelkeit" und „Verwesung" die Äonen hindurch, aber in der unverfügbaren Zukunft Gottes geschieht der Ausbruch der Freiheit in der Überschwenglichkeit der Glorie, in die die „Kinder Gottes" mit Christus eingehen. Beides aber ist zusammengehalten durch Gottes anfängliche Treue. Der Reflex dieses Zusammenhanges ist jenes geheime Harren und Seufzen der Kreatur, von dem der Apostel spricht. Wer darum weiß, erkennt die Verantwortung, die die Christen nicht nur für sich selbst haben, sondern auch für das rein Kreatür-

---

[10] SCHLATTER: „Sie werden also nicht nur schauen, was den Kindern Gottes zuteil werden wird, sondern an dem teilhaben, was diesen gegeben werden wird"; BARTH III: „Es sind die Kinder Gottes mit ihrer Zukunft die Gewähr für die Zukunft, der alle Menschen und alle Dinge entgegengehen" (V 19).

liche; aber nicht in der Form einer angeblichen Weltoffenheit, die meist Welt-
akkommodation ist, sondern in der Weise, daß sie die Freiheit der eschatologischen δόξα für sich gewinnen, damit in ihr auch die Kreatur zu ihrer letzten Freiheit entbunden werde. Nach dem Apostel Paulus sind die ersten
Schritte zu dieser über uns hereinbrechenden Freiheit ihr Anblick der Glorie
im Evangelium und das Leiden in Hoffnung (vgl. 2 Kor 3,17f; 4,4; 4,6.16ff).
V 17b zeigt hier seine Bedeutsamkeit.

V 22 Der Apostel wollte im Zusammenhang in V 20f nur begründen, warum die Kreatur sehnsüchtig auf die Offenbarung der „Söhne Gottes" in ihrer
δόξα wartet. Von dem brennenden Verlangen der Kreatur nach solcher δόξα
aber spricht er, um die Größe solcher Herrlichkeit, nach der selbst die Kreatur
unruhig ist, darzulegen. So kehrt er in V 22 zum Gedanken von V 19 zurück
und unterstreicht ihn mit anderen Worten: „Denn wir wissen, daß die gesamte
Schöpfung einmütig seufzt und in Wehen liegt, bis jetzt."

Das γάρ ist hier wohl anknüpfend und leicht begründend, so daß der Zusammenhang etwa so zu verstehen ist: Die Schöpfung ist der Eitelkeit unterworfen worden ... auf Hoffnung ... Wir wissen ja, sie durchzieht ein Seufzen.
Das οἴδαμεν meint natürlich wie Röm 2,2; 3,19; 7,14; 8,29 u. a. das Wissen
des Glaubens, der grundsätzlich gemeinsames Wissen ist. Es blickt auf „die
gesamte Schöpfung" ohne Ausnahme. Und von ihr ist zu sagen, daß sie gemeinsam seufzt und in Wehen liegt. Das war in V 19 schon vorausgesetzt. Jetzt
aber wird es ausgesprochen, um abschließend die eine, einheitliche Grund-
befindlichkeit der Kreatur, ihr sehnsüchtiges Offen- und In-Bewegung-Sein
zum Eschaton hin, vor Augen zu halten. Das σύν bei den beiden Verben ist im
selben Sinn zu verstehen, und deshalb ist nicht daran gedacht, daß die Kreatur
mit uns zusammen, die wir den Geist haben[11], seufzt, sondern wie Theodor
von Mopsuestia (Mai, Spec. Rom. IV 530) sagt: συμφώνως στενάζει. Der
Wissende hört die geheime Symphonie[12] des Seufzens oder Stöhnens der
Kreatur unter der Last und dem Leid ihres gebundenen Daseins. Sie verrät
ihm, daß sie über sich hinaus Unsagbares zu erwarten hat. Für den Wissenden
ist die Kreatur nicht stumm. Sie hat als solche kein Wort. Aber ihr entströmt
eine verschwiegene Klage. Denn – und damit wird ihre gemeinsame eschatologische Situation objektiv umschrieben – sie liegt gemeinsam in Wehen. Der
Jammer der Kreatur ist Schmerz der Gebärenden. Wahrscheinlich denkt Paulus
dabei an die ὠδῖνες (Mk 13,18; Mt 24,8; vgl. 1 Thess 5,3; Apg 2,24; Apk 12,2),
die Wehen, unter denen die messianische Zeit nach atl.-prophetischer und
apokalyptischer Auffassung geboren wird[13]. Diese messianischen Wehen fin-

---

[11] Anders z. B. ORIGENES, MPG 14,1132: Creatura cum filiis Dei congemiscit.
[12] Estius: communem gemitum et dolorem partium creaturae; HUBY: „Toutes les créatures
sont unies dans un immense concert."
[13] Ὠδῖνες = חֲבָלִים; mit Ausnahme einer unsicheren Stelle nur im Singular gebraucht:
חֶבְלוֹ שֶׁל מָשִׁיחַ,aram. חֶבְלֵית דִּמְשִׁיחַ = die Wehen, aus denen die messianische Zeit heraus-
geboren werden soll (nach Is 26,17; 66,8; Jer 22,23; Os 13,13; Mich 4,9f. Schon von
Rabbi Eliᶜezer (um 90 n.Chr.) gebraucht: Mᵉkh Ex 16,29 (59a). Vgl. STRACK-BILLER-
BECK I 950. Ferner 1 Hen 62,4: „Dann wird Schmerz über sie kommen wie über ein Weib,

den jetzt statt, in diesem Äon, der messianisch ist, sofern aus seinem Leid die messianische Zeit herausbricht, wenn sie über ihn hereinbricht. Und das wird nie anders sein, solange die Kreatur ist. Sie liegt gemeinsam in Wehen „bis jetzt". Das „jetzt" aber ist, bis das „dann" kommt, das „jetzt" ist diese Zeit des ὁ νῦν καιρός (vgl. V 18). Ist aber das Stöhnen der Kreatur, das der Glaube vernimmt, das Stöhnen der Gebärenden, so ist es in sich auch ein Zeichen der Hoffnung. Aller Schmerz der Kreatur in aller Welt – das wagt der Apostel zu sagen – ist nicht Verkündigung und Anbruch des Todes, sondern des Heils, und alles Seufzen in aller Welt, wie alles Warten und Verlangen, meint seine Herrlichkeit, die Herrlichkeit der „Kinder Gottes" in der Herrlichkeit Christi[14]. Wie sollten dann aber die Leiden noch Gewicht haben? In ihnen selbst waltet schon, verborgen in Ohnmacht und Dunkel, Macht und Glanz der überwältigenden Gegenwart Gottes.

VV 23–25 Doch nicht nur die Kreatur ist in solch paradoxer Weise Zeuge künftiger Herrlichkeit, sondern auch die Christen sind es. Auch sie seufzen ja nach Offenbarung, Aufdeckung, Enthüllung, sie freilich nach Erscheinung ihrer selbst in ihrer Herrlichkeit, ihrer jetzt schon und noch verborgenen Herrlichkeit. Die VV 23–25 legen diesen Gedankengang, der gegenüber dem vorigen eine gewisse Steigerung bedeutet, dar. *V 23* ist etwas umständlich formuliert und auch textlich nicht ganz gesichert[15]. Der Satz beginnt mit einer Ellipse[16] (vgl. Röm 9, 10; 2 Kor 8, 19; auch Röm 9, 24; 13, 5), die aus dem Vorhergehenden ergänzt werden muß, etwa so: „Nicht aber allein, daß die Kreatur seufzt, sondern auch wir, die das Angeld des Geistes haben, selbst wir seufzen in uns und warten auf die Sohnschaft, die Erlösung unseres Leibes." „Wir", die Christen, haben den Geist. Er ist eine Erstlingsgabe[17], die mehr verheißt (Röm 11, 16; 1 Kor 15, 20.23; 16, 15; Röm 16, 5), oder – da ἀπαρχή hier wohl soviel wie ἀρραβών (2 Kor 1, 22; 5, 5; Eph 1, 14 [vom πνεῦμα!]) ist (Lagrange, Zahn, Huby, Fuchs 110) – eine erste Anzahlung, eine Teilzahlung, durch die aber der Erwerb des Ganzen schon gewährleistet ist. Wir haben den Geist. Er *ist* die ἀπαρχή. Der Genitiv ist epexegetisch, nicht partitiv. In ihm haben wir eigentlich schon alles. Und gleichwohl seufzen auch wir noch „bei uns" nach der Erfüllung und warten auf sie, die uns mit dem Geist garantiert und doch noch nicht hereingebrochen ist. Denn die Erfüllung wäre „die Erlösung unseres Leibes", jene „Freiheit der Glorie". Wir „haben" den Geist, wie mit Röm 8, 9; 1 Kor 7, 40 formuliert ist, den Geist schlechthin, der die Kraft der Selbstoffenbarung Gottes und die Macht seiner und Christi Ver-

---

das in Wehen liegt und dem das Gebären schwer wird ... und das Schmerzen beim Gebären hat." 4 Esr 4, 40; 1 QH III 7ff: „Ich war in Bedrängnis wie ein Weib, das seinen Erstgeborenen gebiert; denn schnell kommen [ihre] Wehen, und schlimmer Schmerz kommt über ihren Muttermund, Leben hervorzurufen im Schoß der Schwangeren" usw.
[14] Vgl. PAUL CLAUDEL, Conversations dans le Loir-et-Cher (Paris 1935) 255: „Toute la souffrance qu'il y a en ce monde, ce n'est pas la douleur de l'agonie, c'est elle de la parturition" (HUBY).
[15] BLASS-DEBR, § 479,1.
[16] Καὶ ἡμεῖς αὐτοί D G lat sy sah; καὶ αὐτοὶ ἡμεῖς 104; καὶ αὐτοί von 𝔓[46] fortgelassen.
[17] BAUER WB 161; DELLING in: ThWb I 484, 31f; BARTH I 247.

gegenwärtigung ist. Wir haben ihn „empfangen" (Röm 8, 15; 1 Kor 2, 12; 2 Kor 11, 4 u. a.), und zwar als den, der uns von Gott „gegeben" wurde (Röm 5, 5; 2 Kor 1, 22; 5, 5 u. a.), den Gott „darreicht" (Gal 3, 5). Wir sind mit ihm „versiegelt" (in der Taufe) (Eph 1, 13; 4, 30), und er „wohnt in uns" (Röm 8, 9.11; 1 Kor 3, 16; vgl. 6, 19). Wir leben in seiner Dimension (Röm 8, 9), „durch ihn" (Gal 5, 16). Er ist das, „wonach unser Sein und unsere Existenz sich richten" (Röm 8, 4.5), was unseren Lebensvollzug als Christen bestimmt (Gal 5, 16), dessen Führung wir uns überlassen (Röm 8, 14; Gal 5, 18), in dessen Kraft wir unsere eigenmächtigen Taten überwinden (Röm 8, 13), der uns seine Frucht in seinen Früchten schenkt (Gal 6, 8). Und was alles haben wir durch ihn und mit ihm! Wenn wir uns auch das vergegenwärtigen, um seine Gnade uns zu vergegenwärtigen, so ist es dies: jetzt schon den Zugang zum Vater (Eph 2, 18), jetzt schon die „Kindschaft" (Röm 8, 15; Gal 4, 5), jetzt schon die uns verwandelnde, den „inwendigen Menschen" stärkende und erneuernde Kraft (Eph 3, 16; 4, 23; 2 Kor 3, 17 f). Sie fügt uns zugleich ein in den „Leib Christi", die Kirche, und gewährt uns Gemeinschaft mit Christus und untereinander (1 Kor 12, 13; 2 Kor 13, 3; Eph 2, 22; 4, 3f; Phil 1, 27; 2, 1 u. a.). Sie, die Kraft des Geistes, „rechtfertigt" (1 Kor 6, 11), „heiligt" (2 Thess 2, 13), schenkt Glauben, Liebe und Erkenntnis, erweckt Charismen (2 Kor 4, 13; Gal 5, 22; Röm 5, 5; 15, 30; Kol 1, 8; 1 Kor 2, 10 ff; 2, 14; 14, 1 ff). Sie gibt Freiheit, Friede und Freude (Röm 8, 6.11; 14, 17; 2 Kor 3, 17; 3, 6; Gal 5, 22; 1 Thess 1, 6). Und sie ist es, die die Hoffnung entzündet (Röm 15, 13; Gal 5, 5) und jene Aussicht auf das künftige Erbe eröffnet, das den Söhnen eignet (Eph 1, 14; 4, 30). Das alles und noch mehr haben wir nach Paulus „im Geist", der es uns erschließt, und doch ist es so: auch wir, wir selbst (αὐτοί), seufzen bei uns selbst im Herzen. Ἐν ἑαυτοῖς könnte auch heißen: „im Blick auf uns selbst", „um unser selbst willen" oder auch „unter uns selbst". Aber im Zusammenhang wahrscheinlicher ist die zuerst genannte Bedeutung (vgl. 2 Kor 5, 2.4). Wir bereiten uns in der Kraft des Geistes durch das Leiden die überschwengliche „Last" von δόξα (2 Kor 4, 17) – und stöhnen danach. Und der Geist macht uns zu Söhnen – und wir warten auf die Sohnschaft [18]. Auch unser, der Christen, Dasein, oder sollen wir nicht sagen: gerade unser, der Christen, Dasein ist nicht in sich erfüllt, sondern verlangt und wartet in ein ganz anderes hinaus. Denn es gibt eines, was uns begrenzt und vorläufig macht, das auch der Geist in uns nicht überwinden kann, besser: das er eben nur in seiner vorläufigen Weise zu überwinden vermag und das uns daher zwar hinaussehen und -eilen läßt im Geist, aber noch nicht in die Eigentlichkeit gelangen läßt: den „Leib", unser leibliches Dasein.

Paulus meint hier nicht den „Leib der Sünde" (Röm 6, 6) oder „des Todes" (Röm 7, 24), er meint nicht den „fleischlichen Leib" (Kol 2, 11), der „Fleisch" ist (Röm 8, 13). Er meint also nicht das der Sünde und dem Tod verfallene und dem selbst-süchtigen Fleisch verhaftete leibhaftige Dasein als solches. Dieses ist ja in der Kraft des Geistes durch die Taufe im Glauben für die Christen über-

---

[18] Thomas: Inchoata autem est huiusmodi adoptio per Spiritum Sanctum iustificantem animam atque consummabitur per ipsius corporis glorificationem.

wunden und abgetan. Aber eines ist geblieben und bleibt auch für den, der den Geist hat: dieser Leib als versuchlicher und sterblicher, der immer von seiner Vergangenheit her bedroht ist, gegen den Geist und damit gegen die Gabe des von Gott gerechtfertigten und geheiligten Lebens sich zu erheben. Dieses Leibes „Erlösung" erwarten die, die den Geist haben und nach dem offenbaren und endgültigen Sohnsein seufzen. Ἀπολύτρωσις ist ursprünglich „Loskaufung" eines Gefangenen oder Sklaven, Freimachung (auch Erlegung des Lösegeldes) [19], vgl. im NT Hebr 11,35. Allgemeine Befreiung und Erlösung schon Dn 4,34 LXX; von der gegenwärtigen Erlösung 1 Kor 1,30 (die Christus ist!); Röm 3,24; Eph 1,7 (vgl. Kol 1,14); Hebr 9,15, von der zukünftigen eschatologischen Erlösung Lk 21,20 (durch die Ankunft des Menschensohnes = λύτρωσις Lk 1,68; 2,38; vgl. 1 Hen 51,2; Cant 2,13); Eph 1,14; 4,30 und unsere Stelle (Röm 8,23). Auch die Christen, die den Geist haben, schauen nach der „Verwandlung" des leiblichen Daseins aus (1 Kor 15,51f), nach dem Verschlungenwerden des Sterblichen vom Leben (2 Kor 5,4), nach dem Leib des Geistes, dem σῶμα πνευματικόν, dem Leib ἐν δόξῃ, ἐν δυνάμει, ἐν ἀφθαρσίᾳ (1 Kor 15,42ff) Ihr Verlangen geht als zur Erfüllung der im Geist eröffneten „Sohnschaft" dahin, daß Christus „den Leib der Niedrigkeit" verwandeln möge, und zwar so, daß er „seinem Leib der Herrlichkeit" gleich sei (Phil 3,21). Ihre Sehnsucht geht nicht dahin, wie sie sie vielleicht oft selbst verstehen, daß dieser Leib abgetan werde – „die Erlösung von unserem Leibe", übersetzt Lietzmann –, damit, wie man unpaulinisch meint, die Seele zu Gott eilen könne, sondern dahin, daß dieses leibliche und leibhaftige Dasein eingehe und aufgehe, gelöst aus seiner Versuchlichkeit und Sterblichkeit [20], in die Freiheit der Herrlichkeit, die es dann mit Jesu Christi Glorie teilt. Wie überschwenglich muß die δόξα sein, daß also nicht nur die Kreatur, sondern auch die durch den Geist gerechtfertigte und geheiligte, erleuchtete und versöhnte Kreatur, nicht nur die Schöpfung, die gebunden ist in die Eitelkeit und Verwesung, sondern auch die „neue Schöpfung" (2 Kor 5,17; Gal 6,15) voll Erwartung und Verlangen nach ihr ist.

Man kann aber auch so sagen wie die Sätze in *V 24f.* Diese begründen (γάρ) noch einmal in anderer Weise, warum auch die Christen seufzen und warten. Wir sind „zur Hoffnung" gerettet. Niemand von den Christen wird bestreiten, daß wir gerettet sind. Diese Tatsache wird durch den Aorist ἐσώθημεν als geschehen hingestellt (vgl. Eph 2,5.8; 2 Tim 1,9; Tit 3,5). Das Heil ist uns schon widerfahren, in der Taufe und im Evangelium. Es widerfährt uns weiterhin im Evangelium und Herrenmahl, so daß wir es im Glauben ergreifen und bewahren können und es sich in der Liebe, die alle Charismen zur Liebesgabe macht, auswirkt. „Jetzt ist der Tag des Heils" (2 Kor 6,2). Aber es ist uns widerfahren und widerfährt uns immer wieder τῇ ἐλπίδι, so, daß es zugleich Hoffnung ist, weil es noch aussteht, „von Angesicht zu Angesicht" erfahren zu werden. Der Dativ τῇ ἐλπίδι bereitet Schwierigkeiten. Meist liest man ihn im Sinn von ἐπ' ἐλπίδι, also als „aufgrund von Hoffnung" oder, bes-

---

[19] BAUER WB 190.
[20] So auch z.B. BECK, ZAHN, NYGREN, H. W. SCHMIDT; BÜCHSEL in: ThWb IV 355, 19ff.

ser, „in der Weise, daß wir hoffen" (Bengel, Beck, Lagrange, Lietzmann, Michel (Fuchs 110: „damit wir hoffen"). Das hat natürlich Sinn, besonders wenn man etwa mit Bengel formuliert: *non* medii, sed modi, ist aber grammatisch kaum möglich. So machen andere darauf aufmerksam; daß das folgende ἐλπίς die Hoffnung als Hoffnungsgut, als das, was man erhofft, meint, so daß naheliegt, auch das τῇ ἐλπίδι im selben Sinn zu verstehen. Das ist möglich, wenn man nur nicht den Dativ als Dat. instr.[21], sondern als Dat. comm.[22] faßt. Aber auch das befriedigt nicht recht. Ἡ ἐλπίς wäre dann die eben erwähnte υἱοθεσία bzw. ἀπολύτρωσις τοῦ σώματος. Doch der sachliche Unterschied zwischen einem modalen und einem den Dativ als Dat. comm. verstehenden Verständnis ist nicht so groß, wie es scheint. Denn wenn Paulus meint, daß wir so gerettet sind, daß wir hoffen (können und müssen), so meint er damit zugleich, daß wir einer Aussicht zu gerettet sind, daß unser gerettetes Dasein als solches offen ist für ein zukünftiges, jetzt noch verborgenes Heil.

Auch die Fortsetzung der Aussage in *VV 24b/25* ist nicht ganz klar. Ihr Ziel ist freilich deutlich. Paulus will offenbar so argumentieren: Auch wir, die den Geist haben, seufzen und warten. Denn wir sind als Hoffende auf das Hoffnungsgut hin gerettet. Aber was ist Hoffnung? Hoffnung ist nichts Sichtbares. In Hoffnung wartet man. Und so warten wir in Geduld. So stellt er zunächst negativ fest: Ein Hoffnungsgut, das man sieht, ist kein Hoffnungsgut (vgl. auch 2 Kor 4, 18), und begründet das mit der Frage: „Wer braucht noch zu erwarten (zu hoffen), was er sieht?", bzw. – denn der Text ist nicht in Ordnung[23] –: „Was einer hofft, was braucht er es noch zu erwarten (zu erhoffen)?" Dann aber hebt er inklusiv hervor, daß wir hoffen, und charakterisiert in *V 25* dieses Hoffen als ein geduldiges Warten. Hoffen, Warten und Geduld gehören zusammen. Echtes Hoffen und Harren wirkt und weist sich in Geduld aus (vgl. Röm 12, 12; 15, 4; 1 Thess 1, 3). Δι' ὑπομονῆς meint den begleitenden Umstand. Geduld birgt Hoffen in sich, verwahrt und stärkt es und führt zu neuem Hoffen (Röm 5, 3f). Sie ist die Kraft des Wartens, sie ist Warten in Kraft. „Die Kraft, zu warten, gibt die ὑπομονή, das Vermögen, nicht zu weichen, nicht überwältigt zu werden, sondern die Last der Gegenwart zu tragen und das Empfangene zu bewahren" (Schlatter).

Damit ist der Gedanke zu Ende geführt, daß auch wir, die den Geist und mit ihm – im Geist – alles erdenkliche Heil haben, seufzen. Auch wir warten ja noch auf eines: auf die unverborgene, unvermittelte und endgültig bleibende zukünftige Präsenz dessen, was wir sind, unseres Sohn-Gottes-Seins, d. h.,

---

[21] So z. B. ZAHN: „Denn durch das, was wir hoffen, ist uns das Heil geschenkt worden."
[22] So z. B. KÜHL.
[23] LIETZMANN zählt folgende Lesarten auf:

ὃ γὰρ βλέπει τις τί καὶ ὑπομένει	A sah
ὃ γὰρ βλέπει, τίς καὶ ὑπομένει	א bo Orig
ὃ γὰρ βλέπει, τίς ἐλπίζει	B* 𝔓[27 vid 46] Orig
ὃ γὰρ βλέπει τις καὶ ἐλπίζει	Orig
ὃ γὰρ βλέπει τις, τί καὶ ἐλπίζει	C G K L P min Cl Al Chrys Thdt
ὃ γὰρ βλέπει τις, τί ἐλπίζει	sy[p] (?) D G vg latt

LIETZMANN entscheidet sich für die erste Lesart: „Was einer sieht, was braucht er noch zu erharren?" So auch GAUGLER, KÄSEMANN u. a.

auch wir warten verlangend auf Erlösung dieses unseres leiblichen Daseins, auf seine Erfüllung und Vollendung und sein Heraustreten und Gegenwärtigwerden in einem Dasein der Glorie. Wir sind zur Hoffnung gerettet, auch wir (ja gerade wir), und so warten wir und harren in Geduld. Auch uns, die den Geist haben, bewegt noch und zieht zu sich die Glorie. Wie herrlich muß ihre Herrlichkeit sein! Auch wir sind noch Zeugen des Überwältigenden einer Zukunft, die wir noch nicht leibhaftig, im Leib des Geistes, erfahren haben. Ihr gegenüber ist alles Leid ein bißchen augenblickliche Trübsal.

V 26 Aber es ist noch ein anderer, der seufzt und so die Größe der zukünftigen Herrlichkeit erweist: der Geist selbst. Freilich er seufzt nicht für sich selbst wie „wir" und die Kreatur. Er seufzt. Daran ist kein Zweifel. So ist zu dem ὡσαύτως δὲ καί (V 26) gewiß das Stichwort στενάζει aus den VV 22.23 zu nehmen und nicht, wie z. B. Estius, Bisping, Lietzmann, z. T. auch Michel, auf V 16 oder (Thomas) auf V 11 zu beziehen. Paulus formuliert dann aber anders als vorher: „Ebenso kommt auch der Geist unserer Schwachheit zu Hilfe." Des Geistes Seufzen ist ein Seufzen für uns. Sein Seufzen ist ein „unserer ‚Schwachheit' zu Hilfe kommen", unserer Unzulänglichkeit, unserem Unvermögen. Der Geist seufzt nicht für sich. Wie sollte er auch, da er ein Geist der Hoffnung, des Friedens und der Freude ist (Röm 15,13; Gal 5,5; Röm 14,17; Gal 5,22; 1 Thess 1,6), da er als die Kraft der Selbsterschließung Gottes und Jesu Christi die Glorie aufstrahlen läßt und uns in sie stellt. Der Geist hilft *uns* mit seinem Seufzen *bei* unserem Seufzen. Er nimmt uns einen Teil der Arbeit ab, wie das συναντιλαμβάνεται [24] sagt, weil wir zu „schwach" sind. „Schwach"[25] sind wir nämlich nach dem Zusammenhang in dem Sinn, daß wir zwar beten, aber bei unserem Gebet das „Angemessene", das „Gebührende", das, worum wir zuerst und eigentlich zu beten haben, was nach Gottes Willen zu beten ist, nur „schwach" erwägen und wollen und sagen. Wir seufzen in unseren Gebeten nach jener Herrlichkeit, deren Überschwenglichkeit uns dieses Seufzen entlockt, auch nur dann wirklich wissend und wollend, wenn der Geist – die ἀπαρχὴ τοῦ πνεύματος, die wir haben (Röm 8,23!) – selbst in unseren Herzen bittend für uns eintritt[26], wenn *er* seine Stimme in uns und für uns erhebt. Eben dieses „seine Stimme für uns erheben" ist seine Hilfe für unsere „Schwachheit"[27]. Unserem Gebet und dahinter natürlich unserem Hinausschauen und Über-uns-Hinauswollen haftet immer, auch wenn wir

---

[24] Συναντιλαμβάνεσθαι ist „mithelfen", „jemandem beistehen", „jemandem zu Hilfe kommen", „einen Teil der Arbeit abnehmen", mit Dativ. BLASS-DEBR, § 202; BAUER WB 1553; v. l. τῆς ἀληθείας BLASS-DEBR, § 170,3. Vgl. Lk 10,40; Ex 18,22; Ps 88,22.
[25] Vgl. NYGREN: „Nicht nur in dem äußeren Leben des Christen herrscht die Schwäche, sie macht sich auch in seinem inneren Leben geltend, in seinem Leben mit Gott, sogar im Gebetsleben." KÄSEMANN versteht unter ἀσθένεια „die äußere Anfechtung der christlichen Existenz". Aber sie könnte doch nur die Ursache unserer „Schwachheit" sein.
[26] Zu ὑπερεντυγχάνειν vgl. Röm 8,34 (Hebr 7,25) + ὑπὲρ ἡμῶν א C G K P Ψ 33 88 104 u. a. vg sy[ph] sah bo Orig latt u. a.; ein von Paulus gebildetes Wort statt des geläufigen ἐντυγχάνειν ὑπέρ c. gen.
[27] Ἀσθένεια ist „beständiges Kennzeichen der σάρξ, im Gegensatz zum πνεῦμα, das δύναμις ist". Freilich ist die ἀσθένεια hier nicht in dem Sinn des ἀσθενής von Röm 5,6.8.10;

Christen sind, ein Ungenügen, ein dem, worum es geht, Unangemessenes an. Unser Seufzen (und Verlangen), und wenn es noch so innig sein sollte, begreift nie in sich, wonach es ruft. Denn dieses überragt alle „Vernunft" – es ist ja die δόξα [28]. Aber da nicht nur wir es sind, die seufzen, da auch dem Geist als solchem ein Sichneigen und Streben zur δόξα innewohnt und *er* sie fassen kann, er aber sie auch schon in sich trägt, entzündet er dieses sein Seufzen in uns und mischt es sozusagen unserem Seufzen bei, macht es zum „angemessenen" Seufzen. Στεναγμοί sind die „Seufzer", das Seufzen (Apg 7, 34; 1 Clem 15, 6; Herm [v] 3, 9, 6). Des Geistes Seufzen hat keine Sprache, auch nicht, wie man öfters auslegen will (Lietzmann, Althaus, Cornely, Zahn, Kühl, Kuss, Orig, Chrys; anders Lagrange), die Sprache der Glossolalie [29]. Es ist „wortlos", ἀλάλητος [30] (Hapaxlegomenon), sy arm vg: inenarrabilis, unausgesprochen, schon weil es für das, wonach er seufzt, kein Wort gibt, da die δόξα, gleichsam eine Chiffre, alle Sprache transzendiert. Aber gleichwohl sagt es etwas, sagt es das Eigentliche (für uns!) und ist hörbar – hörbar für Gott! Es ist ein Seufzen Gottes zu Gott für uns, in unserem Herzen. Es ist ein Seufzen, das unsere Schwachheit nicht teilt und doch Anteil an ihr nimmt und sie auf sich nimmt.

V 27   „Der aber die Herzen erforscht, weiß, was das Sinnen des Geistes ist, daß er im Sinn Gottes für die Heiligen eintritt." Das Seufzen des Geistes regt sich in der Verborgenheit und Unzugängigkeit des Herzens – unzugängig auch für den Menschen selbst. Aber das ist für Gott kein Hindernis, es zu hören. Er ist ja, wie Paulus mit einem atl. [31] Ausdruck sagt, der, der die Herzen erforscht und also durchschaut. Und er hört aus den Herzen die Stimme des Geistes. Er weiß, was der Geist will. Er kennt sein φρόνημα (Röm 8, 6.7), seine Intention. Er sieht, worauf sie geht [32]: nach Gottes eigenem Sinn. Das κατὰ θεόν ist wohl soviel wie κατὰ τὸ θέλημα τοῦ θεοῦ (vgl. 2 Kor 7, 9.11; 11, 7) [33]. Und er sieht damit zugleich, für wen sie ergeht, natürlich nicht für sich, sondern

---

1 Kor 15, 42.43.49 verstanden, sondern im strikten Gegensatz zum Unvermögen, zu beten, καθὸ δεῖ. J. SCHNIEWIND, Das Seufzen des Geistes, Röm 8, 26.27, in: Nachgelassene Reden und Aufsätze (Berlin 1952) 81–103.83.92.

[28] CORNELY: „S. Spiritus ... qui nobis inhabitat, noster quasi interpres est ad Deum, nobis enim quid convenienter a Deo petere debeamus ignorantibus succamus nostro loco et pro nobis precatur. Ardenti quippe desiderio gloriae aeternae nobis promissae eorumque quae ad illam obtinendam necessaria et utilia sunt, nos accendit et nos compellit, ut hoc desiderium nobis immissam Deo proponamus. Quoniam vero non clare cognoscimus, quo desiderium illud tendat neque quaenam complectatur verbis illud exprimur Deoque proponere non possumus. Ideo S. Spiritus pro nobis postulare dicitur gemitibus inenerrabilibus .... quorum scilicet argumentum non tantum verbis a nobis non enarratur, sed etiam utpote intellectui nostro impervium verbis enarrari a nobis non potest.

[29] KÄSEMANN versteht darunter „akustische Schreie" im Gottesdienst, vgl. 1 Kor 14, 15; Eph 6, 18; Jud 20; Apk 22, 17 und „glossalisches Gebet".

[30] Eher ist es den ἄρρητα ῥήματα, die der Ekstatiker *hört,* zu vergleichen; 2 Kor 12, 4.

[31] 1 Sm 8, 39; Ps 7, 10; Spr 15, 11; Jer 17, 10; 11, 20. Gott als καρδιογνώστης, Apg 1, 24; 15, 8. Zur Sache etwa auch 1 Sm 16, 7.

[32] Ὅτι ist explikativ, ZAHN, SANDAY-HEADLAM, LIETZMANN, MICHEL, und nicht kausativ, THOMAS, CORNELY, H. W. SCHMIDT; SCHNIEWIND, 86; KÄSEMANN u. a.

[33] HUBY: „Il demande ce qui est conforme à la volonté divine; ses soupirs indicibles appellent la réalisation des desseins de Dieu dans l'ordre du salut."

für uns, für „die Heiligen", für die κλητοὶ ἅγιοι, von Röm 1, 7 (vgl. 1 Kor 1, 2; 2 Kor 1, 1 u. a.). Da kein Artikel steht, ist ἅγιοι wohl allgemein für Christen gebraucht: für Heilige, zu denen wir gehören. „Für solche, die schon Gott angehören und in einem positiven Verhältnis zu ihm stehen, tritt der Geist mit Fürbitte ein."[34] Gott weiß, was das alles Denken und jede Sprache übersteigende Verlangen seines Geistes in unseren Herzen will: seine, Gottes, offenbare δόξα für die, die er schon im Glauben „Heilige" sein läßt. Er weiß, daß das Wehen seiner δόξα – so könnte man den Geist auch nennen – diese den Heiligen zuwehen will.

VV 28–30 Aber Gott weiß nicht nur um das wortlose Flehen des Geistes für uns, das noch mehr als der Christen Verlangen und der Kreatur Harren das Unerhörte der zukünftigen Herrlichkeit meint. Gott erhört es auch[35]. Denn – so ist der abschließende Gedanke des Apostels zu verstehen – Gott hilft den Heiligen, die er gerufen hat und die ihn lieben, in jeder Weise zum Guten. Gott hat ihnen schon dazu geholfen. Er hat sie ja schon verherrlicht. Mag sein, daß das οἴδαμεν auch hier so etwas wie die Einleitung zu einem Lehrsatz nach jüdischer Weise und die Sprache traditionell jüdisch ist (Michel) und auch der Inhalt des Satzes an jüdische Gedanken anknüpft. Paulus greift dann zur Versicherung, daß Gott auf das Seufzen des Geistes hört, also zum Trost und zur Ermunterung der „Heiligen", auf einen Satz gemeinsamen Glaubenswissens zurück. Wir, Paulus und natürlich auch die christliche Gemeinde, wissen (im Glauben), daß Gott denen, die ihn lieben, nichts geschehen läßt, was nicht ihrem Heil dient[36]. Es ist nicht ganz klar, wie schon der Textbefund wieder zeigt, wie der Satz *V 28* zu verstehen ist. Aber ob man übersetzt: „Wir wissen aber, daß denen, die Gott lieben, alles zum Guten verhilft, denen[37], die nach dem Vorsatz (Gottes) Gerufene sind", oder ob man, wie 𝔓[46] B A sah u. a. gegen א C 𝕽 D G pl u. a., ὁ θεός Subjekt sein läßt und τὰ πάντα als einen Akkusativ der Beziehung versteht[38], wie m. E. wahrscheinlicher ist, ist im Grunde nicht von Gewicht. Denn auf alle Fälle ist der Sache nach Gott als der zum Guten Wirkende gedacht, und zwar in allen Dingen, auch im Leiden, ja im eschatologischen Leiden. „Zum Guten", das meint nach jüdischer Redeweise: „zum Heil"[39] oder auch zum Leben, und hier im Zusammenhang: zur Ver-

---

[34] R. Asting, Die Heiligkeit im Urchristentum (1930) 147.

[35] Kuss, „Gott weiß, was solches Beten will, das sich in völliger Übereinstimmung mit seinem Willen, mit seinen Ratschlüssen befindet, und er versagt sich nicht."

[36] Schlatter: (Es ist) „nicht erstaunlich, daß Paulus so selten von der Liebe zu Gott spricht. Er spricht jedenfalls immer in der Liebe. Und es ist nicht richtig, daß Paulus den Glauben an die Stelle der Liebe gesetzt hat. Das sagen nur die, die das inwendige Leben auf das Glauben reduzieren." Vgl. Althaus: „Die wahre Liebe zu Gott ist ihm eben der Glaube, in dem wir Gottes Selbsthingabe an uns dankbar und freudig hinnehmen."

[37] Ambrstr, Cornely, Sickenberger, Zahn, Althaus, Barrett, Michel u. a.

[38] Kühl, Lietzmann, Goodspeed, H. W. Schmidt, Huby; Bertram in: ThWb VII 873, 30f u. a.

[39] Zum Beispiel Sir 39, 25.27; Berakh 60b: „Immer gewöhne sich ein Mensch zu sagen: Alles, was der Allmächtige tut, tut er zum Guten" (Strack-Billerbeck III 256). Vgl. Röm 13, 4; 15, 2; auch Röm 10, 15 (Is 52, 7).

herrlichung. Mit allen Dingen und Geschehnissen, auch und gerade mit den Leiden und Nöten, verhilft [40] Gott denen, die das aus seiner Hand als Gabe annehmen, zum Heil. Das sind aber die, wie wieder mit einer atl. und jüdischen Wendung gesagt wird, welche „Gott lieben" [41]. Mit „lieben" meint Paulus die Kraft und den Erweis des Glaubens und das Eingehen und Weilen in der Liebe, die Gott durch den Geist in die Herzen gegossen hat (vgl. Röm 5, 5; Gal 5, 6; 1 Kor 2, 9; 8, 3). Die Gott lieben, das sind, nach einer anderen Seite hin gekennzeichnet, die, „die nach dem Vorsatz (Gottes) [42] Gerufene sind". Diese sind keine anderen als die, die Gott lieben. Und von Gottes Ruf an sie wird auch nicht im Unterschied zu denen gesprochen, die Gott eventuell nicht gerufen haben sollte. Sie werden nur deshalb noch so charakterisiert, damit deutlich wird, was Gott an denen, die ihn lieben und denen alles zum Leben dient, was ihnen widerfährt, zuvor getan hat. Gott hat sie gerufen, und er hat sie so gerufen, daß sie „Gerufene" sind (vgl. 1 Kor 1, 24), „gerufene Heilige" (Röm 1, 7), „Gerufene Jesu Christi" (Röm 1, 6; vgl. Jud 1; Apk 17, 4). Das οὖσιν ist wahrscheinlich prägnant [43] zu nehmen. Sie sind gerufen und stehen nun in und unter diesem Ruf, der ihnen Gottes Zuspruch und Anspruch eröffnet hat und weiterhin eröffnet. Er entspricht der ewig zuvorkommenden Absicht und dem allem zugrunde liegenden Vorsatz Gottes, auch wenn dieser sich erst im Evangelium realisierte. Die „Heiligen", die Gott lieben, lieben ihn in der Antwort auf Gottes ewigen Ruf der Liebe in Jesus Christus. Ihnen aber wird Gott jedes Geschick zum Heil werden lassen. Denn – so wird man den Schlußsatz im Zusammenhang zu verstehen haben (ὅτι = weil) – ihnen *hat* Gott bereits sein ganzes Heil widerfahren lassen.

Die Darlegung dieser geschehenen Taten Gottes geschieht in zwei Stufen, *V 29* und *V 30,* deren erste zwei Glieder umfaßt, deren zweite ein sich steigernder Kettenschluß [44] von vier Gliedern ist. Sie, die Gott Liebenden und von seinem Ruf Getroffenen, die Heiligen, die Söhne oder Kinder Gottes, die den

---

[40] Συνεργεῖν: „behilflich sein", „hilfreich zur Seite stehen", „verhelfen"; Inschriften, Plutarch, Polyb.; TestGad 4, 7: τὸ πνεῦμα τοῦ μίσους ... συνεργεῖ τῷ Σατανᾷ ἐν πᾶσιν εἰς θάνατον τῶν ἀνθρώπων; TestBenj 4, 5: (Der gute Mensch) τῷ ἀγαπῶντι τὸν θεὸν συνεργεῖ, u. a. Im NT Joh 2, 22; auch Herm(s) 5, 6, 6. Dagegen Mk 16, 20; 2 Kor 6, 1 mitwirken. Vgl. F. Ceuppens, Quaestiones selectae ex epistulis S. Pauli (Rom 1951); J. P. Wilson, Rom 8, 28. Text und Interpretation, in: ExpT 60 (1948/49) 110f; Bertram in: ThWb VII 869–875.

[41] Ex 20, 6; Dt 5, 10; 7, 9; 10, 12; 11, 1.13.22 u. a.; Jos 23, 1; Ri 5, 31; Tob 14, 2; Pss 17, 1; 30, 25; 96, 10; Sir 1, 10; 2, 15.16; 31, 16; Dn 9, 4 (LXX) und (Θ); Bel 38 (Θ); PsSal 4, 25; 6, 6; 10, 3; 14, 1; TestJos 5, 127; 7, 16; TestBenj 3, 1; 4, 5; TestDan 5, 13. Im NT noch 1 Kor 2, 9 (8, 3); Mt 22, 37; Mk 12, 30; Lk 10, 27 (= Dt 6, 5).

[42] Πρόθεσις (= מַחֲשָׁבָה), Vorsatz, Absicht, Wille, Entschluß, Ratschluß u. ä. Von Gottes πρόθεσις ist noch Röm 9, 11: ἡ κατ᾽ εὐλογὴν πρόθεσις; Eph 1, 11; 3, 11; 2 Tim 1, 9 die Rede. Vgl. Ratschluß: 1 QS III 6, II 22f u. a.

[43] Beck spricht von der subjektiv gewordenen Berufung, „die den Ruf der Gottesliebe angenommen hat und festgehalten, indem sie Gott eben wiederlieben; und κατὰ πρόθεσιν berufen sind sie, sofern im Evangelium der dem Weltplan der Gottesliebe entsprechende Ruf an sie gelangt ist und sie diesem Ruf sich ergeben haben."

[44] Von einer Klimax spricht Blass-Debr, § 493, 3. Nach Käsemann, H. W. Schmidt handelt es sich um ein Bekenntnis, im ganzen um ein „liturgisches Traditionsstück" „aus dem Taufgeschehen".

Geist haben, hat Gott zuvor erkannt[45]. Und dieses „Erkennen" schließt für Paulus ein Anerkennen und Aneignen ein (vgl. 1 Kor 8, 3; 13, 12; Gal 4, 9; 1 Tim 3, 19)[46]. Die allem zuvorkommende Anerkennung durch Gott erwies sich aber als ein „Zuvorbestimmen"[47]. Das Dasein ist allem zuvor schon von Gott „definiert" (vgl. 1 Kor 2, 7; Eph 1, 11; IgnEph intr.). In Eph 1, 5 ist der damit gemeinte Sachverhalt in eigener Formulierung dahin beschrieben, daß Gott uns „in Liebe zuvor bestimmt hat zur Sohnschaft durch Jesus Christus zu ihm hin". Die Gott liebenden Söhne hat Gottes Liebe ewig zuvor bestimmt. Und „die Sohnschaft durch Christus zu ihm hin" wird an unserer Stelle mit der Bestimmung „zur Gleichgestaltung mit dem Bild des Sohnes" wiedergegeben. Mit anderen Worten: Gott hat die Menschen – und an den Gott Liebenden, die Antwort auf Gottes Ruf gegeben haben und geben, wird es offenbar – dahin allem zuvor definiert, daß sie die Seinsweise Christi teilen. Denn σύμμορφος τῆς εἰκόνος ist: „dieselbe Gestalt haben wie…" Aber „Gestalt" (μορφή) meint hier und sonst bei Paulus, z. B. Phil 2, 7; 3, 21, nicht die Form, sondern die Weise zu sein, und εἰκών ist hier die Wesenserscheinung (vgl. Kol 1, 5; 1 Kor 11, 7). Die εἰκών τοῦ ἐπουρανίου, des himmlischen Christus, tragen heißt nach 1 Kor 15, 48 f so himmlisch sein wie der Himmlische. Welches aber ist die εἰκών Christi? Sie ist nach Phil 3, 21 τὸ σῶμα τῆς δόξης αὐτοῦ, leibhaftiges Dasein voll Glorie (vgl. 2 Kor 3, 18; 4, 4). An seinem Glorienwesen aber teilzuhaben[48], selbst also wie er leibhaftig von δόξα erfüllt zu sein, eben dahin hat Gott, wie sich an denen, die ihn lieben, erweisen wird, das menschliche Dasein bestimmt (vgl. Röm 9, 23)[49]. Damit aber hat er Christus als dem „Erstgeborenen" viele „Brüder" hinzugefügt, „damit" oder vielleicht hier eher[50] „so daß er der Erstgeborene unter vielen Brüdern sei" bzw. ist. Christus, der mit dem messianischen Namen „Erstgeborener" und also nach rabbinischem Kanon als „Geliebtester" bezeichnet ist, ist solches nicht nur im Blick auf die Schöpfung (Kol 1, 15), sondern auch auf die Auferstehung von den Toten (Kol 1, 18; Röm 8, 11; 1 Kor 15, 22 ff; Apk 1, 5). Nach Hebr 2, 17 ist er es auch in bezug auf seine Menschlichkeit (vgl. Hebr 2, 11), ausdrücklich in bezug auf sein und der Brüder δόξα-Wesen. An den Gott Liebenden, die, von Gott gerufen, in Gottes Ruf stehen, wird es Ereignis, daß die Urdefinition des menschlichen Daseins die ist: es teilt durch Christus und in Christus die Herrlichkeit der Seinsweise dieses erstgeborenen Bruders. So ist also noch einmal die zukünftige, überschwengliche δόξα, die alles Leiden auf Erden ge-

---

[45] Zu προγνῶναι vgl. Röm 11, 2 (von Israel); 1 Petr 1, 2; 1, 20 (in bezug auf Christus); Apg 2, 23; vgl. ThWb I 715 f.
[46] Vgl. יָדַע Am 3, 2; Os 12, 4; Jer 1, 5.
[47] Im jüdischen Midr Esther 1, 1 (82ᵃ); AssMos 1, 14; vgl. STRACK-BILLERBECK I 982.
[48] CORNELY: conglorificari Christo.
[49] BULTMANN, Theologie, 190: „Wenn die von Gott Erwählten σύμμορφοι τῆς εἰκόνος τοῦ υἱοῦ αὐτοῦ werden sollen, so bedeutet das, daß ihr Wesen wie das seine ein δόξα-Wesen sein wird." Vgl. auch J. KÜRZINGER, Συμμόρφους τῆς εἰκόνος τοῦ υἱοῦ αὐτοῦ (Röm 8, 29), in: BZ N.F. 2 (1958) 294–299, der jedenfalls mit sachlichem Recht vom Teilhaben bzw. Verbundensein und nicht von Gleichheit oder Ähnlichkeit sprechen will.
[50] BLASS-DEBR, § 402, 3: εἰς τό mit Inf. zur Bezeichnung des Zweckes oder der Folge.

ring macht, aufgetaucht, freilich ohne daß jetzt ihr Name genannt wird. Sie steht nicht nur aus, sondern ist allem zuvor, ist eine Ewigkeit zuvor unsere göttliche Bestimmung.

Aber nicht nur dies. Sie, die allem zuvorgekommene Zukunft des Menschen, ist uns auch schon widerfahren. Das ist des Apostels letzte Aussage in diesem Zusammenhang, und auf sie eilt er *V 30* ohne Zögern und doch in bedeutungsvoller Reihung zu. Die geschichtliche Realisierung der Bestimmung des Menschen ist mit dem „Ruf" eingeleitet, der im Evangelium erging und weiterhin ergeht (1 Thess 2, 12; 5, 24; 2 Thess 2, 14). Gott rief darin in „die Gemeinschaft mit seinem Sohn, Jesus Christus, unserem Herrn" (1 Kor 1, 19). Er rief damit „in die Gnade" (Gal 1, 6). Es war dies der Ruf in den „Frieden" (1 Kor 7, 15; Kol 3, 15), in die „Heiligung" (1 Thess 4, 7), in die „Freiheit" (Gal 5, 13; 1 Kor 7, 17 ff). Er ruft uns in Gottes „Herrschaft und Glorie" (1 Thess 2, 12; 2 Thess 2, 14). Mit diesem „Ruf" ist aber auch ein anderes geschehen: „Und die er gerufen hat, hat er auch gerechtfertigt." In dem Ruf der „Gerechtigkeit" in die gerecht machende Gnadentreue Gottes ist das Dasein des Gerufenen in der Antwort des Glaubens „gerecht" geworden. Es ist aufgenommen worden von der Macht der Gerechtigkeit Gottes und so – auch im Sinn unseres Wortverständnisses – ein gerechtfertigtes Dasein. In Röm 5, 9 hieß es, daß wir „gerechtfertigt worden sind jetzt im Blut Christi". Und in Röm 5, 1 sagte Paulus: „Gerechtfertigt aus Glauben, haben wir Frieden." In 1 Kor 6, 11 fügt er noch hinzu: „Aber ihr seid abgewaschen (in der Taufe!), aber ihr seid geheiligt worden, aber ihr seid gerechtfertigt worden durch den Namen unseres Herrn Jesus Christus und den heiligen Geist unseres Gottes." Die Gerufenen sind durch Christi Tod aus Glauben in der Taufe in die Gerechtigkeit Gottes eingelassen und so gerechtfertigt, daß sie die künftige „Lebensrechtfertigung" (Röm 5, 18; vgl. 4, 25), auf ihre Gerechtigkeit wartend (Gal 5, 5), im voraus erfahren haben. Der Ruf Gottes erweist sich als Rechtfertigung unseres Daseins durch Gottes Gerechtigkeit.

Die Rechtfertigung des Daseins aber erweist sich endlich schon als Eingang in die Glorie. Das ist der dritte und letzte Schritt des abschließenden Gedankens: „Die er aber gerechtfertigt hat, die hat er auch verherrlicht." Die Formulierung ist bei Paulus singulär, sowohl hinsichtlich des Begriffes δοξάζειν, der fast johanneisch klingt und der hier meint „einlassen und aufnehmen in die δόξα", als auch im Blick auf den Aorist, der das δοξάζειν als geschehenes kennzeichnet. So ist die δόξα also doch nicht nur zukünftig? So ist die Verherrlichung doch nicht nur Hoffnung? So erwarten und verlangen wir doch nicht nur die Glorie? Gewiß nicht! Denn es ist nicht nur „eine triumphierende Antizipation" von seiten des Apostels, wie man oft auslegt, z. B. Kühl, H. W. Schmidt, Lagrange, sondern, wenn man will, eine gnädige Antizipation Gottes, die nicht nur die certitudo futuri (Thomas; vgl. Lietzmann, Michel u. a.) zum Ausdruck bringt, sondern ein jetziges Geschehen als solches bezeichnet. So wie die δόξα im „Evangelium der Glorie Christi" als Niederschlag der aufgehellten Erkenntnis der Glorie Gottes auf dem Angesicht Jesu Christi aufgeleuchtet ist (2 Kor 4, 4.6), so werden wir, hingewandt zum Kyrios und seinem Geist und die δόξα im Spiegel des Evangeliums schauend, schon jetzt in Christi δόξα-

Wesen von Glorie zu Glorie verwandelt (2 Kor 3, 16 ff). Sie hat uns also schon ergriffen und umfangen. Die gerufene und gerechtfertigte Existenz des Christen ist schon in den Zug der überschwenglichen Glorie getreten. Gott hat uns schon „verherrlicht" im Glauben und durch den Geist und als die Liebenden, die er gerufen, aber auch als die, die auf den Ausbruch der Glorie hoffen, in die sie schon zu stehen gekommen sind und in der sie so die vor ihrem Anblick gering gewordenen Leiden und Schmerzen dieser Zeit geduldig tragen. „Ce que ces termes expriment, c'est l'absolue souveraineté de Dieu, la transcendance de sa bonté qui ne saurait se subordonner à aucune de ses créatures, ni à aucun de leurs actes. Dans l'ordre du salut, il est l'Amour, l'Amour prévenant qui a sa source en lui-même, non pas une réponse, mais un élan…" (Huby).

Überblicken wir noch einmal den Abschnitt 8, 17–30. Das irdische Leben gerade in dieser Endzeit ist erfüllt von Bedrängnis und Leiden. Aber ihm eröffnet sich durch die Kraft des Geistes, der Selbsteröffnung Gottes in Jesus Christus, eine überwältigende Aussicht, die Paulus nicht anders als mit δόξα und wir mit Herrlichkeit oder Glorie bezeichnen können. Vor ihrer unfaßbaren, heilenden Transzendenz verlieren die Leiden auf Erden alles Gewicht. Sie erstrahlt so mächtig, sie ist so unbegreifliches Leben und Licht, daß alles sich nach ihr sehnt. Das Ausschauen und Hinstreben zu ihr ist die Grundbewegung des kreatürlichen Daseins, sofern dieses aus seiner Gebundenheit in die Verwesung und aus dem Bann seiner „eitlen", unwirklichen Wirklichkeit heraus auf ihr Aufgehen und Aufleuchten in den Menschen und über sie wartet, die zu ihrer Freiheit endgültig befreit werden, in den Söhnen oder „Kindern" Gottes", wenn sie „offenbar" werden. Denn alles Kreatürliche, auch des Menschen selbst, ist in das Geschick des Menschen und in seine Freiheit einbezogen. In diese überschwengliche Transzendenz hinein gebiert sich in ihrem Geschehen die Kreatur, sie, die unter dem einen großen Seufzen steht, das durch die Leiden und die gewisse zukommende Herrlichkeit erregt wird. Aber auch die Christen sind Zeugen der alles Verlangen über sich hinaus bewegenden Herrlichkeit. Sie haben den Geist und mit ihm und in ihm auch schon jene letzte Freiheit, in die sie befreit werden sollen. Sie steht ihnen offen, und sofern sie sich dem Geist anvertrauen, sind sie auch schon auf dem Weg zu ihr. Aber trotzdem seufzen auch sie. Denn die offenbare Herrlichkeit ist noch mehr als der Geist. Die Herrlichkeit schließt auch die „Erlösung" des leiblichen Daseins ein, das durch die Taufe im Glauben auch jetzt schon nicht mehr dem Tod und der Sünde verfallen ist – der Geist hat es ja in seiner Gewalt –, das aber freilich noch ständig versucht wird und sterblich ist, also der Möglichkeit des Verfalls an Sünde und Tod ausgesetzt. Auch die Christen sind noch Kreatur. Sie sind durch den Geist im Glauben zu Liebe und Hoffnung befreit, in diesem Sinne von sich abgelöste Kreatur. Aber sie sind in ihrem leiblichen Dasein in die „Niedrigkeit" ihrer Vergangenheit als neuer schrecklicher Möglichkeit noch gebunden. Dieser kann sie nur die zukommende, überwältigende δόξα entreißen. So seufzen auch sie nach diesem Überwältigenden. Und mit und in ihnen seufzt auch der Geist selbst. Er seufzt für sie. Gerade er weiß um ihren Überschwang und ihr Wesen der Erfüllung. Und so hilft er in seinem unhörbaren, wortlosen Seufzen denen, die seufzen und beten, aber darin nicht eigentlich fassen, um was es zu beten gilt. So macht er das Gebet der „Schwachen" – und das sind die Christen! – zu einem starken Gebet, nämlich zum reinen Gebet um die δόξα. Gott aber hört dieses Gebet des Geistes in den Herzen und erhört es. Er ist ja der souveräne Gott, der denen, die ihn lieben, weil er sie gerufen hat, alles, z. B. gerade das Leiden, zum Guten wendet, also zur δόξα. Und er ist ja der Gott, der den Menschen von Ewigkeit her zur Glorie bestimmte und diese im Ereignis des Rufes den Gerechtfertigten auch schon zuteil werden ließ. Dieses Äußerste, eben die Glorie, liegt im Geist auch schon auf ihm, der mit dem Geist nach ihr verlangt. Alles wartet darauf, die Kreatur und der Geist.

11. 8, 31–39 Die alles überwindende Liebe Gottes in Jesus Christus

31 Was sollen wir nun dazu sagen? Wenn Gott für uns ist, wer ist dann gegen uns? 32 Er hat seinen eigenen Sohn nicht verschont, sondern ihn für uns alle dahingegeben. Wie sollte er uns mit ihm nicht alles schenken? 33 Wer kann gegen die Erwählten Gottes Anklage erheben? Gott, der gerechtspricht? 34 Wer will verdammen? Christus (Jesus), der gestorben, vielmehr auferweckt worden ist, der zur Rechten Gottes sitzt, der auch für uns eintritt? 35 Wer sollte uns trennen von der Liebe Christi? Bedrängnis oder Angst oder Verfolgung oder Hunger oder Blöße oder Gefahr oder Schwert? 36 So wie geschrieben steht: Deinetwillen werden wir täglich in den Tod gegeben, wie Schafe sind wir angesehen worden, die geschlachtet werden. 37 Doch all das überwinden wir weit durch den, der uns geliebt hat. 38 Denn ich bin überzeugt: weder Tod noch Leben, weder Engel noch Herrschaften, weder Gegenwärtiges noch Zukünftiges, noch Kräfte, 39 weder Höhe noch Tiefe, noch irgendeine andere Kreatur können uns scheiden von der Liebe Gottes in Christus Jesus, unserem Herrn.

Der Apostel eilt zum Ende seines Kapitels über den Geist und damit zum Ende seiner Ausführungen über die dem Gerechtfertigten gewährten Gaben Gottes. Er eilt so zum Ende, daß er gleichsam noch einmal alles überblickt und von dem, was er in seiner Zusammenfassung bringt, überwältigt wird. Das verrät sich schon im Wechsel der Diktion, die sich nun vom Lehren und Argumentieren löst und einen rhetorisch-hymnischen Charakter annimmt. Er verläßt sprachlich, weil sachlich die Ebene der lehrhaften Darlegung und geht über in eine von Elementen der Diatribe durchsetzte charismatische Rede. Dabei ist formal dieser Schlußabschnitt wohl so zu verstehen: nach der bei Paulus gewohnten rhetorischen Einleitungsfrage τί οὖν ἐροῦμεν, zu der hier noch ein πρὸς ταῦτα hinzugefügt wird (V 31a) und die sonst meist Einleitung zu theologischer Erwägung ist, fährt er hier mit einer Reihe von Fragen fort, die bis einschließlich V 35 reichen, wobei die letzte Frage mit einem Schriftzitat bekräftigt wird (V 36). Eine feierliche Behauptung schließt die

Fragen ab (V 37). Diese Behauptung, die ein Siegesruf ist, erfährt dann noch
eine Begründung durch eine Art hymnischen Abschlusses (VV 38.39). Die
Einzelstruktur des umfangreichen Teiles der äußerst rhetorischen Fragen ist
freilich nicht ganz eindeutig. Man kann die Sätze V 33b und V 34b auch als
Behauptungssätze verstehen. Aber sie geben als solche noch nicht eigentlich
Antwort auf die Fragen, die gestellt sind. Außerdem spricht Paulus im ganzen
so sehr im Zuge von Fragen, daß er z. B. in V 32 ein christologisches Bekenntnis, das er wohl nicht selbst geprägt, sondern übernommen hat, ausdrücklich
in die Frage hineinnimmt: ὅς... ἀλλά... πῶς. Dasselbe darf man auch für
V 34b annehmen: ὅς ... ὅς, wo die Frage nicht ausdrücklich gemacht ist, zumal V 35 von neuem mit einer weitgehenden Frage anhebt bzw. fortfährt [1].

V 31   Wir sagten, das übliche τί οὖν ἐροῦμεν erfährt eine Ergänzung durch
ein πρὸς ταῦτα. Dieses bezieht sich natürlich zunächst auf das, was in den
VV 28–30 gesagt war: auf die Darlegung von Gottes Heilshandeln an uns.
Aber da dessen Darlegung eng mit den vorhergehenden Ausführungen VV 26
bis 28 zusammenhängt, wo vom Eintreten des Geistes für die Heiligen die
Rede ist, ist die Verbindung mit der Überzeugung vom πνεῦμα als der entscheidenden Gabe für die aus Glauben Gerechtfertigten gegeben, von der das
ganze Kap. 8 handelt und die ihrerseits nur den Höhepunkt der Gaben der
Rechtfertigung von Kap. 5–8 darstellt. Πρὸς ταῦτα gewinnt so unwillkürlich
einen weiten Horizont: „zu alldem" könnte man, auf Kap. 8 oder gar Kap.
5–8 blickend, übersetzen. So wird denn auch der Inhalt des ταῦτα in der
ersten allgemein formulierten Frage von V 31b aufgenommen und all das,
was vorher von Gottes Heilstaten in Jesus Christus durch den Heiligen Geist
berichtet war, nicht nur in 8, 28 und 8, 1, sondern auch in 7, 24; 7, 4, in Kap. 6
und 5, 18ff; 5, 5.1f, in dem einfachen ὁ θεὸς ὑπὲρ ἡμῶν zusammengefaßt.
„Wenn Gott für uns ist, wer ist gegen uns?" Dabei taucht unwillkürlich die
Gerichtssituation auf, freilich erst nur durch ein „für uns"– „gegen uns" gekennzeichnet, später (VV 33f) aber unmißverständlich. Das Leben des Menschen spielt sich ständig und grundsätzlich in Verantwortung vor Gottes
Gericht ab. Paulus gibt selbst Antwort auf die von ihm erhobene Frage. Und
sie ist bezeichnend. Er nennt nicht den τίς, nach dem gefragt wird, den es ja
auch nicht gibt. Er antwortet auch nicht etwa mit οὐδείς, was in seinem Sinn
viel zu schwach wäre. Er antwortet vielmehr so, daß er das ὑπὲρ ἡμῶν als
alles umfassend und unüberbietbar in einer neuen Frage darstellt, mit der die
erste Frage schon erledigt ist.

V 32   spricht –fragend – von der Tat der Hingabe Jesu Christi für uns, mit der
uns alles gewährt ist. Gott wird in einem Relativsatz prädiziert als der, der
– negativ ausgedrückt – seinen eigenen Sohn nicht verschonte [2]. Vom φεί-

---

[1] Freilich, ob der ganze Abschnitt 8, 31–39 auf einer Reihe von hymnischen Traditionen
beruht, wie G. SCHILLE, Die Kirche Gottes in Christus. Betrachtungen zu Röm 8, 31–39,
in: ZNW 59 (1968) 230–244, nachweisen will, ist schon aus allgemeinen Gründen sehr
fraglich. Man kann doch auch schon bei einem nur „beinahe hymnischen Reden" (S. 223)
in Gedanken nicht von Tradition zu Tradition eilen.
[2] Ὅς γε = quippe qui.

δεσθαι Gottes wird in anderem Zusammenhang noch einmal Röm 11, 21 ge-sprochen. Hier heißt es betont, daß Gott seinen „eigenen" (ἰδίου = ἑαυτοῦ) Sohn nicht verschonte, was der Hervorhebung des traditionellen, mit Is 53 zusammenhängenden ὑπὲρ ἡμῶν ... παρέδωκεν dient (vgl. Röm 4, 25). Eine Anspielung auf Gn 22, 16 liegt m. E. nicht vor[3]. Was sollte es auch besagen, daß Gott wie Abraham handelt? Möglich wäre doch nur, daß Abraham wie Gott handelte. Das „für uns" Gottes erweist sich darin, daß Gott also ὑπὲρ πάντων (!) ἡμῶν seinen Sohn preisgegeben, ausgeliefert, überliefert hat in einem absoluten Sinn. Es erweist sich in seiner Hingabe „uns zugute", „uns allen zugute", wie betont wird. Und mit dieser Hingabe seines Sohnes uns allen zugute gewährt er uns „alles". In Jesus Christus, seinem Sohn, ist alles Heil beschlossen. Τὰ πάντα ist nicht näher bestimmt. Aber natürlich ist nicht, wie Zahn auslegt, „das All" gemeint, sondern alles eschatologische Heil, das ganze „Erbe". Χαρίζεσθαι ist „gnädig gewähren", (vgl. 1 Kor 2, 12; Gal 3, 18 [Eph 4, 32]; Phil 2, 9 [Kol 2, 13]). Paulus hört in diesem Wort gewiß die χάρις τοῦ θεοῦ mit. Was Gott mit Christus uns allen gegeben hat, ist seine freie Gabe, der Ausfluß seiner χάρις, die allumfassend schon wirksam ist und wirk-sam werden wird (vgl. Röm 3, 24; 5, 2.15.17.20f usw.).

V 33 Nun hebt eine neue Frage an. Das καθ' ἡμῶν von V 31 wird deutlicher als Vorgang der eschatologischen Gerichtssituation: „Wer wird Klage gegen die ‚Auserwählten' Gottes erheben?" Ἐγκαλεῖν ist ein juristischer Terminus für die Anklage vor Gericht, wie Sir 46, 19; Weish 12, 12; Jos. c. Ap. 2, 138 und im NT Apg 19, 38; 23, 28 erweisen[4]. Die ἐκλεκτοί sind die κλητοί von V 28 (vgl. Röm 16, 13; Kol 3, 12). Es ist ein Ehrenname der Söhne Israels (vgl. 1 Chr 16, 13; Ps 104, 6.43), jetzt des neuen Israels, des Israels Gottes (Gal 6, 16). In V 33b fährt Paulus mit seiner Frage fort, indem er das τίς ἐγκαλέσει erläutert und dabei zugleich die Unmöglichkeit solcher Erläuterung herausstellt: θεὸς ὁ δικαιῶν; Gott wird gewiß nicht die Anklage erheben. Denn Gott ist ὁ δικαιῶν, der da „rechtfertigt", das meint in der vorausgesetz-ten forensischen Situation: „der Recht verschafft" (vgl. Is 50, 8: ὁ δικαιώσας με), damit aber für Paulus zugleich einen Gerechten sein läßt, der zuvor-bestimmt und gerufen ist und dann verherrlicht[5]. Das wird in dieser Frage, die zugleich Antwort ist, in unüberbietbarer Kürze formuliert[6].

V 34 setzt die Frage, vielleicht im weiteren Anklang an Is 50, 8f, fort, jetzt aber statt τίς ἐγκαλέσει κατά...: τίς ὁ κατακρινῶν, und statt θεός: Χριστός. Die negative Antwort wird jetzt im Blick auf Christus und in großer Ausführ-lichkeit im Blick auf sein Heilsgeschehen gegeben. Christus verurteilt uns nicht. Denn Christus ist gestorben und auferstanden, hat teil an der Macht

---

[3] ZAHN, MICHEL, RIDDERBOS; KÄSEMANN: „mindestens nicht ausgeschlossen", „keines-wegs sicher".
[4] BAUER WB 426.
[5] J. JERVELL, Imago Dei, 182: „Doxa ist das Gepräge des Rechtfertigungsstandes."
[6] Man kann nicht von einer Paraphrase des Liedes vom Gottesknecht sprechen (KÄSE-MANN).

Gottes und tritt als solcher für uns ein. Der Satz ist aus zwei Partizipien und zwei Relativprädikationen geformt. Wahrscheinlich liegt hier eine traditionelle und schon erweiterte Homologie zugrunde. Bemerkenswert ist einmal die Korrektur des ὁ ἀποθανών durch das μᾶλλον ἐγερθείς und zweitens die Hinzufügung von ἐν δεξιᾷ θεοῦ (vgl. ψ 110, 1; Eph 1, 20; Kol 3, 1; aber auch z. B. Mt 26, 64; Apg 2, 33; 7, 55; Hebr 1, 3 u. a.; 1 Petr 3, 22) und καὶ ἐντυγχάνει ὑπὲρ ἡμῶν in Relativsätzen. Beides findet sich in den älteren kurzen Homologien nicht, ist aber eine sinngemäße Fortbildung, vielleicht von Paulus selbst aus dem Zusammenhang heraus. Zum Eintreten des zur Rechten Gottes Erhöhten „für uns" vgl. noch Hebr 7, 25 (1 Joh 2, 1). Auf den Sachverhalt gesehen, ist Christus Jesus (!) als der Gestorbene, Auferweckte und zu Gottes Rechter Erhöhte nun weiter „für uns". Das geschichtliche Geschehen seines Sterbens für uns setzt sich gleichsam fort in dem „als solcher für uns sein" des Erhöhten. Das aber realisiert sich für uns im Geist, der für uns eintritt, wie wir Röm 8, 26 hörten. Das Kreuz bleibt immer gegenwärtig. So kann der Christus, der vor Gott für uns (mit dem Heiligen Geist) eintritt, uns nicht verurteilen, sowenig wie der Gott uns anklagen kann, der der rechtfertigende Gott ist.

Die Frage τίς καθ᾽ ἡμῶν ist beantwortet: Niemand; denn Gott und Christus sind für uns. Aber – setzt nun noch einmal eine Frage ein und wird bis zum Ende des Kapitels durchhalten (VV 35–39): Kann uns denn nicht das, was uns an Leid und Bedrängnis widerfährt, und können die Mächte und Mächtigkeiten dieser Welt uns nicht von Christus und damit von Gott trennen? Die Antwort wird jetzt nicht mehr mit Fragen gegeben, sondern mit zwei Bekenntnissen (V 37 und VV 38f). Dabei ist in das zweite Bekenntnis jetzt die zweite Frage eingeschlossen, die nicht mehr ausdrücklich gestellt wird.

V 35　Gott klagt uns nicht an, sondern rechtfertigt uns. Christus verurteilt uns nicht, sondern tritt für uns ein. Und – ist der Gedankengang, der zum Ende des Kap. 8 und des zweiten Hauptteils unseres Briefes führt – nichts, kein Geschick und keine Macht der Welt, kann uns „von der Liebe Gottes in Christus Jesus, unserem Herrn", trennen. V 35 wird alles, was wir durch Jesus Christus erfahren haben und erfahren in dem Begriff der „Liebe Christi"[7] zusammengefaßt. Von ihr ist noch einmal in 2 Kor 5, 14f im Blick auf sein Sterben für uns die Rede, in Eph 3, 19 von ihr als solcher, die alle Gnosis übersteigt. Vom ἀγαπᾶν Christi hören wir bei Paulus außer in V 37 nur Gal 2, 20 und dann Eph 5, 2. Es ist – um das vorauszunehmen – „die Liebe Gottes in Christus Jesus, unserem Herrn" (V 39). In seiner Liebe – bis zum Tod – ist Gottes Liebe wirksam (vgl. auch Röm 5, 5.8), von der auch 2 Kor 13, 11; Eph 2, 4 reden. Demnach ist deutlich: 1) Von Christi Liebe ist bei Paulus relativ selten, aber in bestimmter Weise die Rede. Sie ist seine Selbst-Hingabe uns zugute am Kreuz. 2) Eben in dieser Liebe ist Gottes Liebe am Werk, die sich unser, können wir hinzufügen, in der „Liebe des Geistes" (Röm 15, 30) bemächtigt. Von dieser Liebe aber kann uns kein widriges Geschick, das uns

---

[7]　Statt Χριστοῦ lesen B ℵ al in Angleichung an den Kontext θεοῦ.

in dieser Welt begegnet, trennen. Die Aussage ist zunächst wieder als Frage, mit einem τίς eingeleitet, formuliert. Dieses τίς entfaltet sich dann in sieben Widerfahrnisse, die solche des Apostels selbst sind, damit freilich – denn Paulus spricht ja von „wir" – grundsätzliche Geschicke der Christen in dieser eschatologischen Zeit überhaupt[8]. Nach 2 Kor 11, 23ff gewinnen wir eine Vorstellung, warum Paulus hier diese Widerfahrnisse als solche nennt, die *uns* von der Liebe Christi zu trennen drohen. Es ist das Leben, das die νέκρωσις τοῦ Ἰησοῦ am eigenen Leibe erfahren muß und ständig in den Tod gegeben wird (2 Kor 4, 10f). Θλῖψις ist dieses Leben, d. h. eschatologische Drangsal, στενοχωρία, Ausweglosigkeit des Lebens, διωγμός, Verfolgung der Christen, aber auch λιμός und γυμνότης, Hunger und Blöße, κίνδυνος, Gefahren aller Art, μάχαιρα, „Schwert", d. h. wohl Hinrichtung.

V 36 Alles ist in einem Zitat aus Ps 43, 23 LXX zusammengefaßt, das die Rabbinen gern auf den Zeugentod deuteten. All die genannten bitteren und schrecklichen Erfahrungen sind ein unaufhörliches – ὅλην τὴν ἡμέραν[9] – „in den Tod gegeben" und „zur Schlachtbank geführt werden": ἕνεκεν σοῦ, um Christi willen. Aber können uns diese Leiden für Christus und um Christi willen von der ἀγάπη τοῦ Χριστοῦ, die unser Leben im Heil begründete und mit Heil umfangen sein läßt, scheiden?

In *V 37* wird die Antwort gegeben, und zwar mit einem feierlichen Siegesspruch: „Doch in alldem triumphieren wir durch den, der uns geliebt hat." Seine Liebe läßt uns auch und gerade in den eschatologischen Leiden, die wir mit ihm teilen, siegreich sein. Beachte: ἐν τούτοις πᾶσιν, nichts (auch der Tod nicht) ist so mächtig, daß er unseren Sieg vereiteln könnte. Νικᾶν ist zuwenig. Es ist ein ὑπερνικῶμεν. Paulus kennt öfters solche Wortbildungen, die das alles Übersteigende betonen: ὑπερπερισσεύειν (Röm 5, 20; 2 Kor 7, 4), ὑπερφρονεῖν (Röm 12, 3), ὑπερυψοῦν (Phil 2, 9), ὑπεραυξάνειν (2 Thess 1, 3); vgl. auch ὑπερπλεονάζειν (1 Tim 1, 14). Hier ist mehr als ein Sieg. Hier ist ein Siegestriumph, weil uns auch der konkrete tägliche Tod nicht aus der Liebe Christi entläßt; und nicht aus unserer Kraft, sondern kraft eben dieser Liebe Christi, die uns nie verläßt, kraft dieses absolut Liebenden. Sie hält uns fest, und so siegen wir in Leid und Not.

Aber es geht nicht nur um das Leid, das wir primär aus der Hand der Menschen empfangen. Es geht auch und zuletzt um die übermächtigen Mächte, die dieses Leben bedrängen und bedrohen. Denn der Mensch erfährt nicht nur – wenn man so sagen darf – geschichtliches Geschick, sondern ist ständig von Himmel und Erde bedroht. Aber auch hierin siegt der Glaubende kraft der Liebe Gottes in Jesus Christus. Paulus spricht seine feste Überzeugung aus (VV 38f).

---

[8] KÄSEMANN: „Exemplarisch steht der Apostel mit seinen eigenen Erfahrungen für die Christen insgesamt, den Unterschied zwischen weltbürgerlicher und apokalyptischer Existenz verdeutlichend.
[9] Vgl. πάντοτε: ἀεί 2 Kor 4, 10f; auch das πᾶσαν ὥραν und καθ' ἡμέραν 1 Kor 15, 30f.

V 38 Πέπεισμαι steht betont am Anfang und drückt die Gewißheit des Apostels (und natürlich des Christen überhaupt) aus (vgl. Röm 14,14; 15,14 [2 Tim 1,5]). Es ist die Gewißheit und Zuversicht, daß auch der Kosmos in seinen Mächten uns nicht von der Liebe Gottes trennen kann. So gewaltig dessen Macht ist, so mannigfach die Mächtigkeiten dieses Daseins sind, die uns feindlich begegnen als Mächtigkeiten der Versuchung, Verlockung und Bedrohung, sie richten nichts aus gegen Gottes uns festhaltende Liebe. Die Aufzählung dieser Mächte geschieht fast in einen hymnischen Stil, der aber keineswegs einen vorliegenden und von Paulus aufgenommenen „Hymnus" anzeigen muß. Auch das durchgehaltene οὔτε – οὔτε weist nicht auf einen solchen hin. Es sind zehn Mächte genannt, und es ist bezeichnend, welche hier erscheinen. Es gibt nebenbei eine Ahnung, wie der Apostel die Welt und das menschliche Leben sieht. Nicht nur der Mensch, sondern auch der Kosmos, in dem er lebt, machen das menschliche Dasein aus. An erster Stelle solcher Mächte steht der Tod, und nicht etwa nur wegen des θανατούμεθα im Zitat V 36, sondern weil er nach 1 Kor 15,26 der „letzte Feind" ist und so die mächtigste Macht. Aber hier steht er mit einer anderen „Macht" zusammen: mit der ζωή. Auch sie – das Lebensganze und jeder Lebensaugenblick – kann „mächtig", d. h. verlockend, ablockend von der Liebe Gottes und bedrohlich sein. Gerade auch das ruhige und harmlose – nicht weniger als das bewegte und gefährliche Leben – kann zu etwas Feindseligem werden, eben dadurch, daß es von der Liebe Christi scheidet. Es ist ja das immer noch durch das σῶμα und in das σῶμα als anfälliges und versuchliches leibhaftiges Dasein gebundene Leben. Die Trennung, die diese Macht des Lebens bewirken kann, geschieht so, daß es sich zwischen den Herrn und uns mit seinen Verlockungen oder Leiden stellt und dem entgegenwirkt, was Röm 14,7–9 von den Christen gesagt wird: daß sie dem Herrn leben und sterben und nicht sich selbst und damit ihrer Welt. Als zweites Paar werden ἄγγελοι und ἀρχαί genannt, wobei ἄγγελοι auch ἀρχαί sind, wie etwa Kol 2,18; auch 1 Kor 4,9; 6,3; 11,10, und beide als Mächtigkeiten des dämonischen Kosmos gemeint sind (vgl. die Aufzählung in 1 Kor 15,24; Eph 1,21; Kol 1,11). Zu diesen Mächten gehören auch die δυνάμεις, Weltkräfte der verschiedensten Art. Es gehört zum Wesen dieser Mächte und Kräfte, daß sie anonym sind und überpersonal, aber konkrete Wirkung – eben die Trennung von Christi Liebe – haben. Bezeichnend ist, daß zwischen diesen Mächten ἐνεστῶτα – μέλλοντα stehen, also die Zeit in ihrer Gegenwart und Zukunft als Macht, Gegenwart etwa im Geist der Zeit und Zukunft als wirksame und verlockende Utopie. In solchem und ähnlichem Sinn ist diese „Macht" eine stete Versuchung und Bedrohung, die uns von der Liebe Christi und von Gottes Liebe in Christus abbringen wollen. Aber nicht nur die Zeit, sondern auch der „Raum" in seiner Mächtigkeit ist eine Gefahr, eine Dimension, in die man sich im Denken der Angst und des Übermuts verlieren kann.

V 39 Ὕψωμα ist eine astrologische Bezeichnung für den Zwischenraum zwischen der Stellung eines Sternes und dem Zenit und βάθος der Himmelsraum unter dem Horizont, aus dem die Gestirne aufsteigen, beide also die

Höhe und Tiefe des Weltalls, der Weltenraum als übermächtige Heimatlosig-keit. Alle diese Mächtigkeiten, gegenüber denen der von ihnen umfangene und angegangene Mensch ohnmächtig ist, können *eines* freilich nicht: uns von der Liebe Gottes trennen, die er uns in Jesus Christus erwiesen hat und erweist. Der Mensch ist von der Liebe Gottes in allen Situationen und gegenüber allem feindlichen Wesen unerschütterlich festgehalten. Es gibt, wie Paulus zuletzt sagt, keine κτίσις, die den Menschen der Liebe Gottes entreißen könnte, wenn sich der Mensch selbst nicht von ihr scheidet, d. h. nach unserem Kapitel summarisch: wenn er im Geist in Jesus Christus bleibt und sich der Führung des Geistes anvertraut bis in seine Taten hinein. Man kann auch sagen: wenn er dem κύριος bis zum letzten vertraut. Nicht zufällig endet unser Kapitel mit der liturgischen Formulierung: τῆς ἀγάπης τοῦ θεοῦ τῆς ἐν Χριστῷ ᾿Ιησοῦ τῷ κυρίῳ ἡμῶν.

Auf die beiden ersten Teile des Römerbriefes, die von der Erscheinung der den Glaubenden rechtfertigenden Gerechtigkeit Gottes und von dem, was die Rechtfertigung aus Glauben dem Glaubenden schenkt, handeln, folgen nun die Ausführungen über Israel und sein Geheimnis. Dabei fällt das eigentümlich Selbständige dieses dritten Teiles unseres Briefes sofort in den Blick. Wenn man auch nicht von einem Exkurs reden kann, so ist doch zu bedenken, daß es, während der zweite Teil des Römerbriefes (5,1 – 8,39) formal und inhaltlich als Konsequenz des ersten (1,8 – 4,25) eng mit diesem verbunden ist, zwischen dem dritten und zweiten Teil keinen ausgesprochenen Zusammenhang gibt. Formal setzt 9,1 völlig unverbunden mit ἀλήθειαν λέγω ἐν Χριστῷ ein. Aber auch der Inhalt des dritten Teils scheint zunächst keinen rechten Zusammenhang mit den Darlegungen von 1,18 – 8,39 zu zeigen. Das Thema ist einheitlich und ohne Abschweifungen Israel und sein Geschick. Nach dem Ausdruck des Schmerzes des Apostels über Israel, mit dem der Apostel seiner leiblichen und geistigen Herkunft nach verbunden ist (9,1–5), erklärt er zuerst, daß Gottes Wort an Israel nicht hinfällig geworden ist, da ja nicht alle aus Israel „Israel" darstellen, sondern alles durch Gottes souveränen Ratschluß, dessen Erbarmen er Juden und Heiden gegenüber geltend macht, vorbestimmt ist (9,6–29). Während aber die Heiden die Gerechtigkeit aus Glauben erlangt haben, hat sich Israel an Christus gestoßen und sich bei allem Eifer um Gott der Gerechtigkeit Gottes in Jesus Christus, die im Evangelium zu Wort kommt, nicht unterworfen (9,30 – 10,21). Gott aber hat Israel nicht insgesamt und für immer verstoßen. Es gibt einen schon in der Schrift verkündeten heiligen Rest (11,1–10). Und die Christen aus den Heiden sind ja dem edlen Ölbaum, Israel, eingepfropft worden und werden von seiner Wurzel, Israel in seinen Vätern, getragen (11,11–24). Dazu gibt es endlich das Mysterium der eschatologischen Rettung ganz Israels (11,25–36). Es handelt sich also in der Tat um ein gegenüber 1,18 – 8,39 neues und in sich geschlossenes Thema. Es handelt sich um Israels Geschick und nicht etwa z. B. um das allgemeine Thema der Rechtfertigung, dargestellt am Beispiel Israels. Wenn Paulus Röm 8,28f von den Christen als den κατὰ πρόθεσιν κλητοὶ ὄντες und ihrem προγνῶναι bzw. προορίζειν spricht, so ist das keine „Verbindung zum neuen Hauptteil", in dem 9,11 von ἡ κατ᾽ ἐκλογὴν πρόθεσις in bezug auf Israel die Rede ist. Und man kann nicht, wie O. Michel, sagen: „Am Beispiel Israels tritt die Wahrheit des ‚Vorsatzes' und der Erwählung Gottes heraus (vgl. Röm 9,11; 11,2)." Israels Erwählung – d. h. ja im Zusammenhang von 9,10ff im Gegensatz zu Israels Verwerfung – ist keineswegs ein Beispiel, sondern ein Sonderfall des Volkes Gottes.

Und doch besteht ein Zusammenhang von Röm 9–11 mit dem übrigen Brief, und zwar in zweifacher Hinsicht: 1) Die Frage nach Israels Geschick taucht nämlich schon einmal und innerhalb des Briefes in 3,1ff auf, freilich nur um gleich wieder fallengelassen zu werden bzw. anderen Fragen zu weichen. Auch dort ist von Israels Erwählung der Sache nach und indirekt die

Rede. Ihm waren die λόγια τοῦ θεοῦ von Gott anvertraut worden, durch welchen Vorzug seine Sonderstellung bzw. des weiteren seine Erwählung sich auswies. Und dann ist dort vom ἀπιστεῖν Israels die Rede, freilich nur von τινες. Aber das macht das Rätsel eines sich Gott versagenden Israel nicht geringer. Waren diese τινες etwa nicht Glieder des erwählten Israel? Endlich ist auch dort von der πίστις τοῦ θεοῦ die Rede, die Gott Israel gegenüber durchhält, was seine ἀλήθεια und des Menschen ψεῦδος zutage bringt. Allerdings sind die Erwählung und der Fall Israels, wie gesagt, nur ganz vorübergehend Thema. Aber der Sachverhalt steht im Hintergrund, wie er implizit auch schon mit der paulinischen Anordnung der Menschheit in Ἰουδαῖοι καὶ Ἕλληνες (ἔθνη) (3,9; 9,24; 10,2; 1 Kor 1,23.24; 9,26; 10,32; 12,13; Gal 3,28; Kol 3,11) mit dem vorangestellten Ἰουδαῖοι oder noch betonter mit Ἰουδαῖος τε πρῶτον καὶ Ἕλληνες (Röm 1,16; 2,9) gegeben ist. Ihm, dem Juden, widerfährt „zuerst" das Gericht, und ihm, dem Juden, begegnet und gilt zuerst das Evangelium und dadurch, wenn er glaubt, das Heil. Er hat ein privilegiertes Verhältnis zu Gott, weil Gott ihn erwählt hat.

2) Aber der Zusammenhang von Röm 9–11 mit den vorigen Teilen des Römerbriefes ist noch ein anderer. Es geht auch in Röm 9–11 weiter um die δικαιοσύνη θεοῦ und damit weiterhin um das δικαιοῦσθαι ἐκ πίστεως, also um die in Jesus Christus erschienene und im Evangelium offenbarte Gerechtigkeit seiner Bundestreue, die den, der an Christus glaubt und ihn als Gottes Gerechtigkeit gelten läßt, gerecht macht. So taucht im Kern der Ausführungen von Röm 9–11, nämlich in 9,30ff und 10,1ff nicht zufällig der Begriff δικαιοσύνη bzw. δικαιοσύνη τοῦ θεοῦ wieder auf, der den gesamten Römerbrief verborgen und z.T. ausdrücklich trägt. Das ist die Mitte des Rätsels Israels, daß es die in Jesus Christus erschienene und im Glauben zugängige Gerechtigkeit Gottes, die schon von der Tora und den Propheten bezeugt ist (3,21), abgewiesen hat. Das erwählte Israel, das die ἰδία δικαιοσύνη, die Selbst-Gerechtigkeit in einem fundamentalen Sinn, nicht aufgeben und sich der Gerechtigkeit Gottes nicht übergeben wollte, hat sich aber damit gegen Gottes Einlösung seiner Zusage entschieden. In den Kapiteln Röm 9–11 ist also das tragende Thema des ganzen Römerbriefes: „die Gerechtigkeit Gottes", nicht verlorengegangen, und so erweist sich die Zusammengehörigkeit auch dieses Teiles mit dem Ganzen des Briefes.

1. 9,1–5 Die Klage des Apostels um Israel

1 Die Wahrheit sage ich in Christus, ich lüge nicht, und mein Gewissen bezeugt es im heiligen Geist: 2 Meine Trauer ist groß, und unaufhörlichen Schmerz trage ich in meinem Herzen. 3 Denn ich wünschte selbst von Christus geschieden zu sein um meiner Brüder willen, meiner Verwandten nach dem Fleisch. 4 Sie sind Israeliten, ihrer sind die Sohnschaft und die Herrlichkeit und die Bündnisse und die Gesetzgebung und der Kult und die

*Verheißungen, 5 ihrer sind die Väter, und aus ihnen stammt der Christus
dem Fleisch nach, der da ist Gott über alle, hochgelobt in Ewigkeit. Amen.*

Die Ausführungen des Apostels in Röm 9–11 beginnen sehr persönlich [1]. Das
gilt auch, wenn die Klage über Israels Verstockung ein traditionelles Motiv im
AT (z. B. Ex 32, 30 ff; Klgl. Jer 4, 1 ff. 19 ff), in der jüdischen Apokalyptik
(z. B. 4 Esr 8, 15 ff; 10, 6 ff. 21 f; syrBar 35, 3; TestJud 23, 1) und bei den Rabbinen (vgl. Billerbeck III 261) ist. Paulus bekennt seine unendliche Traurigkeit um Israel und seine Bereitschaft, das Letzte für sein Volk zu opfern, sein
Heil in Christus Jesus. Das, was er über Israel zu sagen hat, sagt er also aus
einer schmerzlichen Verbundenheit. Daran muß man denken, wenn er harte
Worte über Israel sagt. Es ist weder Phrase noch bloße captatio benevolentiae,
womit er diese Kapitel einleitet. Man hat ihm oft Feindschaft gegen Israel vorgeworfen. Jetzt, wo er thematisch auf Israel zu sprechen kommt, zeigt er zuerst, wie nahe ihm Israel steht, wie sehr auch er Jude ist.

V 1 Mit einem feierlichen Schwur leitet er seinen pathetischen Hinweis auf
seinen Schmerz um Israel ein. Mag es sein Volk nicht glauben, mögen es die
Heiden bezweifeln oder überhaupt nicht verstehen – wie könnte er sonst so
z. B. vom Gesetz und von der Beschneidung reden, wie könnte er auch sonst
so ausschließlich der Heidenapostel sein wollen und sein –, ἀλήθειαν λέγω
ἐν Χριστῷ… Paulus gebraucht auch sonst solche schwurartigen Beteuerun-
gen, z. B. Röm 1, 9; 2 Kor 1, 23; 11, 31 (12, 19); Gal 1, 20; vgl. auch 1 Tim
2, 7. Aber nirgends sind sie so feierlich, selbst nicht in dem persönlich so
leidenschaftlichen zweiten Korintherbrief, in dem sie sich bezeichnenderweise
häufen. In unserem Text spricht er von ἀλήθειαν λέγω (vgl. 2 Kor 12, 16;
13, 8 [1 Tim 2, 7]), fügt aber sogleich hinzu: ἐν Χριστῷ, als einer, der „in
Christus" lebt und der daher sagen kann: ἔστιν ἀλήθεια Χριστοῦ ἐν ἐμοί
(2 Kor 11, 10); dem Christus also nicht nur Bürge für die Wahrheit seiner
Rede ist, sondern der Christi Wahrheit, durch ihn bestimmt, und durch den
Christus seine Wahrheit sagt. Diese Erklärung wird aber noch negativ bekräftigt durch die Fortsetzung: οὐ ψεύδομαι (vgl. 2 Kor 11, 31; Gal 1, 20 [1 Tim
2, 7]). Und die Bekräftigung wird dadurch gesteigert, daß der Apostel als
Bürge für die Wahrheit seiner Aussage sein „Gewissen im heiligen Geist" anführt (V 1b). Συμμαρτυρεῖν mit Dat. ist „jemandem Zeugnis ablegen", nicht
„mit jemandem zusammen Zeugnis geben" (vgl. Röm 2, 15; 8, 16). συνείδησις ist wie Röm 2, 15; 13, 5; 1 Kor 8, 7.10.12; 10, 25 u. a. nicht nur „Bewußtsein", sondern auch „Gewissen" als die verantwortliche Stimme des ins Herz
geschriebenen Gesetzes. Vom μαρτύριον τῆς συνειδήσεως ἡμῶν spricht Paulus 2 Kor 1, 12. Freilich, das Gewissen könnte irren. So wird noch hinzugefügt,
daß das Gewissenszeugnis „im heiligen Geist" abgelegt werde. Nicht zufällig

---

[1] „Der Neuansatz von Kap. 9 folgt völlig unvermittelt auf den hymnisch-triumphierenden
Abschluß von Röm 8. Eine Verbindung oder ein Übergang ist nicht zu erkennen" (U. Luz,
a. a. O. 19).

wird das πνεῦμα vollständig als πνεῦμα ἅγιον bezeichnet (vgl. Röm 5,5; 14,17; 15,13.16; 1 Kor 6,19; 12,3; 2 Kor 6,4.6; 13,13; Eph 1,13; 4,30; 1 Thess 1,5.6; 4,8; Tit 3,5). Er, der Apostel selbst, er „in Christus", sein Gewissen, er „im heiligen Geist" bezeugt die Wahrheit, er lügt nicht. Alles ist zweifach gesagt und dadurch das Pathos, aber auch das Gewicht seiner Versicherung schon formal erkennbar. Doch was versichert er in solcher gesteigerten Weise?

V 2 spricht von der λύπη und unablässigen ὀδύνη seines Herzens. Wieder ist der Ausdruck verdoppelt: λύπη – ὀδύνη, μοί und τῇ καρδίᾳ μου. Ἡ λύπη, wie 2 Kor 2,1ff.7; 7,10; 9,7; Phil 2,27 die Traurigkeit und Trauer, ist tief (μεγάλη). Es ist ein Abgrund von Traurigkeit für ihn. Und die ὀδύνη – im NT nur noch 1 Tim 6,10 im Plural –, der Schmerz der Bekümmernis seines Herzens, ist ἀδιάλειπτος (vgl. 2 Tim 1,3), nimmt kein Ende, ist unaufhörlich. Tag für Tag trägt der Apostel großes Leid und unablässiges Weh in seinem Herzen.

V 3 Worüber sagt er noch nicht, aber es wird sofort klar, wen diese Traurigkeit betrifft und zu welchem Opfer sie bereit ist. Trauer und Schmerz empfindet der Apostel um Israel. Und – es ist eine Steigerung – um Israels willen möchte er selber den Fluch auf sich nehmen, für seine Stammesgenossen von Christus getrennt zu werden. Εὔχεσθαι ist hier soviel wie „wünschen", wie etwa auch Apg 27,29; 3 Joh 2; IgnEph 1,3; 2,1; IgnTrall 10; 12,3 u. a. Ηὐχόμην ist eine verkürzte Wunschformel für ηὐχόμην ἄν [2], so wie ἐβουλόμην (Apg 25,22), ἤθελον (Gal 4,20). Dabei ist an der Formel und auch sonst nicht zu erkennen, ob Paulus diesen Wunsch für erfüllbar hält – was wenig wahrscheinlich ist – oder nicht. Aber darüber reflektiert er auch nicht. Jedenfalls ist es der Wunsch einer absoluten Bereitschaft [3], das, was auf seinem Volk lastet, selber für sein Volk zu tragen. Es ist ein konkretes Angebot an Gott, dem es freilich überlassen bleibt, ob er es annehmen will oder nicht. Dabei erinnert es an *Ex 32,32,* wo Moses zu Gott sagt: „Vergib ihnen doch ihre Sünde! Wo nicht, so tilge mich aus deinem Buch, das du geschrieben hast", und wo Gott Moses antwortet: „Wer sich an mir versündigt, *den* tilge *ich* aus meinem Buch." Paulus möchte zweierlei, was aber für ihn dasselbe ist: einmal, daß er ἀνάθεμα sei, und zweitens, daß er ἀπὸ τοῦ Χριστοῦ sei, und beides: ὑπὲρ τῶν ἀδελφῶν μου τῶν συγγενῶν μου κατὰ σάρκα. Ἀνάθεμα (griechisch: ἀνάθημα) ist das der Gottheit Überantwortete, das Verfluchte oder dem Untergang Geweihte [4]; so häufig in der LXX. Vgl. Dt 7,26: „Einen Greuel (= Götterbild) sollst du nicht in dein Haus bringen, daß du nicht gleich ihm dem Bann verfällst. Ekel und Abscheu sollst du vor ihm haben; denn es ist dem Bann verfallen." Βδέλυγμα ist gleich ἀνάθημα (vgl. weiter Dt 13,16.18; 20,17). Es ist die Übersetzung von חֵרֶם = Verfluchtes, Gebanntes.

---

[2] BLASS-DEBR, § 359,2.
[3] „Von Paulus ist jedenfalls dieses Angebot ernsthaft gemeint...", O. MICHEL, Opferbereitschaft für Israel, in: In memoriam Ernst Lohmeyer (1951) 94–100,98.
[4] BEHM in: ThWb I 356.

Pauli Aussage erinnert dabei der Sache nach an die rabbinische Formel: „Ich will eine Sühne sein (כַּפָּרָה) für N. N." (bSanh 2, 1; Neg 2, 1 u. a. Jos. b 5, 419). Er will den Fluch, der auf Israel lastet, die ὀργή, die über Israel gekommen ist εἰς τέλος (1 Thess 2, 16), auf sich nehmen für seine irdischen Stammesgenossen. Er will ihnen den Fluch abnehmen und ihn selber tragen. Und dazu will er – „das Pathos erreicht seine höchste Steigerung" (Peterson) – ἀπὸ τοῦ Χριστοῦ sein, er, der doch ἐν Χριστῷ ist. Er will fern und geschieden von Christus sein, „in" dem er durch die Taufe doch ist und von dessen Liebe ihn doch kein Geschick und keine Macht der Welt trennen kann (Röm 8, 35 ff). Er will das „in der Hand und in der heilsamen Herrschaft Jesu Christi sein" preisgeben zugunsten seiner Volksgenossen. Ebendas wäre dann für ihn das ἀνάθεμα, der furchtbare Gerichtsbann Gottes, von dem Israel bedroht, ja dem es zum großen Teil schon verfallen ist. Aber lieber er als sie, meint er; er für sie, seine irdischen Verwandten, seine fleischlichen Stammes- und Volksgenossen (συγγενεῖς; vgl. Röm 16, 7.11.21), die er immer noch seine „Brüder" nennt[5], sosehr er nun noch andere, und das in einem tieferen Sinn, „Brüder" hat, die οἰκεῖοι τῆς πίστεως (Gal 6, 10), aus Juden und Heiden. Seine ganze Zärtlichkeit und unlösliche Verbundenheit mit ihnen wird nun deutlich in der sprachlichen Ausdrucksfülle, mit der er seine ἀδελφοί und συγγενεῖς κατὰ σάρκα bedenkt. Zugleich zeigt er dadurch seinen Lesern schon die eine Seite des furchtbaren Rätsels Israel, das so große und viele Privilegien von Gott empfangen hatte und sich doch am Willen und Handeln Gottes stieß.

V 4 Nach dem Obersatz: οἵτινές εἰσιν Ἰσραηλῖται, folgen zweimal drei Glieder, die die Gaben, die Israel zuteil wurden, nennen, wobei das jeweils dritte Glied αἱ διαθῆκαι – καὶ ἐπαγγελίαι, im Plural steht. Dann wird in V 5 der Oberbegriff Ἰσραηλῖται weiter erklärt durch die Erwähnung der πατέρες und des Χριστὸς τὸ κατὰ σάρκα, der als ὁ ὢν ἐπὶ πάντων θεός gepriesen wird, so daß auch da eine Dreiheit von Gaben erwähnt wird.

Die „Brüder", für die der Apostel den Fluch auf sich nehmen will, sind Ἰσραηλῖται, das jetzt für „Juden" gesagt wird und das ein Ehrenname ist, ein Name der Heilsgeschichte, der von Jakob (Gn 32, 28f) auf den Zwölfstämmebund übergegangen war. Ihn nimmt der Apostel auch für sich selbst in Anspruch (vgl. Röm 11, 1; 2 Kor 11, 22). Sind sie aber Israeliten, so besagt das einen unvergleichlichen Reichtum, der nun entfaltet wird. Angedeutet war er schon, wie wir sahen, in Röm 3, 1f. Hier wird nun konkret gesagt, ihnen gehört „die Sohnschaft", in die ja dann auch die Christen aufgenommen werden. Es ist der atl. Anspruch, wie er etwa Ex 4, 22 zum Ausdruck kommt: „So spricht der Herr: Israel ist mein erstgeborener Sohn", oder auch Os 11, 1: „Als Israel jung war, gewann ich es lieb. Aus Ägypten rief ich meinen Sohn." Dabei ist υἱοθεσία die Sohnschaft, die durch Adoption zustande kommt. Gott hat Israel adoptiert. Aber wenn Israel Gottes Sohn ist, wie kann dann die Sohnschaft ihm genommen und auf die Ekklesia übergegangen sein, steht als Frage hinter

---

[5] „Der neue Brudername hat den alten nicht aufgehoben", O. MICHEL, a. a. O. 99.

dieser Behauptung. Den Israeliten gehört auch die δόξα, der כְּבוֹד יְהֹוָה, die
Glorie Gottes. Sie begleitete Israel auf seinem Wüstenzug (Ex 16, 10; 24, 16;
40, 34f; Lev 9, 6. 23 u. a.). Sie weilte dann als Zeichen der Gegenwart Gottes
im Tempel zu Jerusalem. „Und als der Prophet Jesaja diese Herrlichkeit im
Tempel geschaut hatte, meinte er schier vergehen zu müssen" (Peterson)
(Is 6, 1ff). Sie ist Israels δόξα, aber jetzt kann es heißen: αὐτῷ ἡ δόξα ἐν τῇ
ἐκκλησίᾳ καὶ ἐν Χριστῷ Ἰησοῦ (Eph 3, 21). Gott hat aber auch mit Israel αἱ
διαθῆκαι, Bündnisse – im Plural auch Weish 18, 22; Sir 44, 12.18; 45, 17;
2 Makk 8, 15 –, geschlossen[6], mit dem Urvater Noah (Gn 6, 18; 9, 9ff), mit
Abraham (Gn 15, 18; 17, 2ff u. a.), mit Isaak und Jakob (Lv 26, 42), mit Israel
am Sinai (Ex 19, 5; 34, 16 u. a.), und nun ist Gott den Bund mit der Kirche aus
Juden und Heiden eingegangen (Gal 4, 24; Eph 2, 12). Das Gesetz, die Tora,
ward Israel gegeben oder genauer: die νομοθεσία, die Gesetzgebung (Ex 20;
Dt 5). Νομοθεσία ist ein judenhellenistisches Wort (vgl. 2 Makk 6, 23;
4 Makk 5, 35; 17, 16; Philo, Mos. 2, 35.31 u. ö.; Jos a 6, 93 u. ö.). Und nun
ist der νόμος abgelöst vom νόμος τοῦ Χριστοῦ (Gal 6, 2), der in der ἀγάπη der
ἐκκλησία erfüllt wird (Gal 5, 13ff; Röm 13, 8ff). Aber auch die λατρεία, der
Gottesdienst, der Kult, der Tempeldienst (Hebr 9, 1.6), הָעֲבֹדָה war Israel zu
eigen, also auch das zweite von den drei Dingen, auf denen nach Pirke
Aboth I 2 die Welt beruht: auf der Tora und auf dem Kult und auf der Aus-
übung der Wohltaten. Aber jetzt wird die θυσία αἰνέσεως … τῷ θεῷ durch
die dargebracht, die in der Ekklesia seinen Namen bekennen (Hebr 13, 15),
und geschieht die λογικὴ λατρεία bei den Christen auch aus den Heiden in
ihrem Tun (Röm 12, 1). Endlich gehören die ἐπαγγελίαι, vor allem die messianischen Zusagen des gnädigen Heiles Gottes, die die atl. Geschichte durch-
ziehen, Israel, Abrahams Samen, aber der Same sind jetzt die Christen aus
Juden und Heiden (vgl. Röm 4, 14ff; Gal 3, 16ff), und das Ja zu ihnen ist Jesus
Christus, dem sie das Amen in der Kirche zurufen (2 Kor 1, 20). Das alles ist
von Gott her der Reichtum derer, die Ἰσραηλῖται sind, seiner, des Apostels,
fleischlichen Verwandten, für die er den Fluch der Scheidung von Christus auf
sich zu nehmen bereit ist.

V 5 Ihnen gehören ja – um das nicht zu vergessen – „die Väter" (אָבוֹת),
denen ja „die Verheißungen" gegeben wurden (Röm 15, 8) und um deretwillen (in der Dimension der Erwählung) Israel „die Geliebten" sind (Röm
11, 28), die die ewig tragende ῥίζα des edlen Ölbaums sind (Röm 11, 17f). Es
sind die „Erzväter" (vgl. Ex 3, 13; 13, 5, anders und im weiteren Sinn 1 Kor
10, 1). Und schließlich – und das ist ein zuletzt erwähnter Vorzug – kommt
aus Israel ὁ Χριστὸς τὸ κατὰ σάρκα, der Messias, entweder: soweit er σάρξ
ist, oder: sofern man auf sein Fleisch sieht (vgl. 2 Kor 5, 16), was der Sache
nach natürlich dasselbe ist und immer den Messias hinsichtlich seiner irdisch-
weltlichen Existenz meint, also den, von dem in dem Bekenntnis von Röm 1, 3f
als von ὁ γενόμενος ἐκ σπέρματος Δαυὶδ κατὰ σάρκα die Rede ist. Es ist die
Ehre Israels, daß der Christus aus ihm kommt. Die Aussage erinnert an

---

6 𝔓46 D G Singular.

Joh 4, 22: „Das Heil kommt von den Juden." Und er kommt von daher, weil
Israel das von Gott erwählte Volk ist. Der Messias „kommt nicht aus Athen
und nicht aus Rom" (Peterson). Er kommt auch nicht, könnte man sagen, aus
Babylon und Alexandrien. Aber – und das ist für den Apostel das Bestürzende
und Unfaßliche – Israel verwirft seinen Messias, und die Heiden glauben an
ihn, „der da ist über allen, Gott, hochgelobt in Ewigkeit". Mit einer Doxologie
schließt der Apostel die Beteuerung seines Schmerzes um Israel und seiner
Opferbereitschaft für Israel, das von Gott so einzig Gesegnete. Die Frage ist,
auf wen die Doxologie sich bezieht. Für die christologische Bedeutung, die
z. B. Zahn, Lagrange, Kühl, Michel, Cullmann, Ridderbos vertreten, spricht,
1) daß die paulinischen Doxologien grundsätzlich auf das vorhergehende Subjekt zurückweisen (vgl. Röm 1, 25; 11, 36; 2 Kor 11, 31; Gal 1, 5; 2 Tim 4, 18).
2) Selbständige Doxologien sind anders konstruiert. Sie beginnen mit dem Prädikatsnomen εὐλογητός (2 Kor 1, 3; Eph 1, 3), während hier das Subjekt voran-
steht, wie überall, wo es sich nicht um selbständige Doxologien handelt. 3) Die
Struktur des Vordersatzes verlangt eine antithetische Fortsetzung, analog
Röm 1, 3f. Gegen dieses Verständnis spricht, wie Jülicher, Lietzmann, Dodd,
Käsemann u. a. sagen, 1) daß die erwähnten und alle anderen paulinischen
Doxologien, indem sie sich auf das vorhergehende Subjekt beziehen, sämtlich
auf Gott gehen; 2) daß es auch Doxologien gibt, die mit dem Prädikatsnomen
εὐλογητός beginnen, so Ψ 67, 19f nebeneinander: κύριος ὁ θεὸς εὐλογητός,
εὐλογητὸς κύριος ἡμέραν καθ᾽ ἡμέραν, ψ 71, 17: ἔστω ὄνομα αὐτοῦ εὐ-
λογήμενον εἰς τοὺς αἰῶνας, neben 71, 18: εὐλογητὸς κύριος ὁ θεὸς...
εὐλογητὸν τὸ ὄνομα τῆς δόξης αὐτοῦ; 3) daß der Satz überhaupt keine reine
בְּרָכָה ist mit einer im Griechischen partiziellen Gottesprädikation, die seine
Taten aufzählt; 4) daß Paulus sonst in bezug auf die Prädizierung Christi als
θεός sehr zurückhaltend ist: außer Phil 2, 6, wo freilich der präexistente Christus ἴσα θεῷ genannt wird, gibt es keine eindeutige Aussage; 5) daß das emphatische ὁ ἐπὶ πάντων θεός besser auf Gott paßt (vgl. Eph 4, 6); 6) daß die Struktur des Vordersatzes keineswegs einen entsprechenden Nachsatz verlangt, da
sie ja nicht ein Teil einer Formel ist. Diese Gegengründe haben großes Gewicht. Aber freilich wiegen die Gründe für die christologische Deutung auch
schwer. Dazu kommt noch, daß ein Bezug auf Christus zwar nicht aus dem
Vordersatz, der einen entsprechenden Nachsatz verlangt, folgt, wohl aber aus
dem gesamten gedanklichen Zusammenhang. Unwillkürlich bricht Paulus in
diesen Lobpreis des Messias aus, der aber doch für ihn der seine, der christliche
Messias ist, und wendet sich damit vom Alten zum Neuen Testament, vom Judentum zur Ekklesia. Gewiß, es gehört zur Ehre Israels, daß es neben vielen
anderen großen Privilegien den Χριστὸς τὸ κατὰ σάρκα hat und hervorbringt.
Aber dieser Messias „nach dem Fleisch" ist nicht mehr und ist seinem Wesen
nach nicht mehr der irdische Messias, sondern „der da ist über alle", über Juden und Heiden, „Gott" und nicht mehr nur ein menschliches Werkzeug Gottes.
Und jetzt bei dem Namen „Gott" gerät Paulus in die jüdische Benediktions-
formel und preist mit ihr den, an dem Israel zu Fall kam, der θεός ist, wenn auch
nicht ὁ θεός. Das ἀμήν, mit dem der Abschnitt schließt, entspricht dem Ge-
bets- und Doxologiestil (vgl. Röm 1, 25; 11, 36; 15, 33; 16, 27; Gal 1, 5; Eph

3, 21 u. a.). Es ist die Formel bekräftigenden Einverständnisses mit dem Gesagten.

2. 9, 6–13 Das eigentliche Israel

6 Nicht als ob das Wort Gottes hinfällig geworden wäre. Denn es sind nicht alle aus Israel wirklich Israel. 7 Auch sind nicht alle „Kinder", weil sie Abrahams Same sind, vielmehr (gilt): In Isaak soll dir Same berufen werden. 8 Das heißt: nicht die Fleischeskinder sind schon Gotteskinder, sondern die Kinder der Verheißung werden als Same anerkannt. 9 Denn Verheißung ist dieses Wort: „Um diese Zeit werde ich kommen, und Sarah wird einen Sohn haben." 10 So verhält es sich aber nicht nur hier, sondern auch bei Rebekka, die von einem Manne empfangen hatte, von Isaak, unserem Vater. 11 Denn ehe die Kinder noch geboren waren und nichts Gutes oder Böses getan hatten, wurde ihr gesagt – damit Gottes erwählender Vorsatz bestehenbleibe, 12 unabhängig von Leistungen, sondern dem entsprechend, der ruft –: „Der Größere wird dem Kleineren dienen", 13 so wie es in der Schrift steht: „Jakob habe ich geliebt, Esau aber gehaßt."

Nach den bewegten Sätzen in 9, 1–6, die nicht zufällig eine Reihe von Anklängen an Begriffe und Formulierungen des zweiten Korintherbriefes aufweisen und die erkennen lassen, in welchem Maß es in dem, was sie einleiten, um eine den Apostel persönlich betreffende Angelegenheit geht, folgt, selbst noch verschwiegen, in 9, 6–13 ein erster Abschnitt didaktischer Darlegung. Diese ergeht freilich zugleich als eine Auseinandersetzung und hat so rhetorisch-dialogischen Charakter allgemeiner Art[1]. Sie geht davon aus, daß nicht alle aus Israel „Israel", nicht die Gesamtheit der Juden Gottes Volk ist. Aber sie tendiert fast unmerklich dahin, die absolute Souveränität des Israel erwählenden Gottes aufscheinen zu lassen, von dessen ewiger Entscheidung alles geschichtliche Geschehen bestimmt ist. Argumentiert wird dabei reichlich anhand der Schrift: V 7: Gn 21, 12; V 9: Gn 18, 10.14; V 12: Gn 25, 23; V 13: Mal 1, 2f. In ihr ist Gottes Wille zuvor schon zu erkennen.

V 6 In V 6a setzt der Apostel mit der sachlichen Erörterung ein. Man weiß von den VV 1–5 her noch nicht, worum es eigentlich geht. Aber in V 6 klärt es sich in zwei Aussagen. In V 6a wird der fundamentale, alles tragende Satz formuliert: Gottes Wort – das Israel zu Israel schuf – ist nicht hinfällig geworden. Im Blick auf die späteren Ausführungen könnte man sagen: vielmehr Israel ist gefallen. Gottes Wort, das an Israel ergangen ist, hat nicht versagt.

---

[1] KÄSEMANN: „Das Ganze ist eine theologische Reflexion, die im Stil der Diatribe durch fiktive Einwände und deren Beantwortung aufgelockert wird."

Der Einsatz in V 6a ist eigentümlich. Es ist, als sei der Apostel schon mitten im Gespräch. Und verborgen ist er es auch. Er wehrt einem Verdacht, der alles von Israel abschieben und Gott zuschieben will. Οὐχ οἷον δὲ ὅτι ist eine Verschmelzung von οὐχ οἷον und οὐχ ὅτι, die beide „nicht als ob" bedeuten[2]. Ὁ λόγος τοῦ θεοῦ, das sonst bei Paulus bezeichnenderweise das Evangelium meint (vgl. 1 Kor 14, 36; 2 Kor 2, 17; 4, 2; Phil 1, 14; Kol 1, 25; 1 Thess 2, 13), ist hier das Israel angehende und als „Israel" begründende Wort im umfassenden Sinn. Es ist nicht nur die ἐπαγγελία, wenn es auch im folgenden darauf beschränkt wird. Es sind die λόγια τοῦ θεοῦ (Röm 3, 2) überhaupt, die Israel „anvertraut" sind. Tora und Prophetie und in ihnen der genannte λόγος τοῦ θεοῦ lassen die πίστις θεοῦ erfahren. Der λόγος τοῦ θεοῦ ist als das schöpferische Wort Gottes zu verstehen, in dem das Israel immer von neuem als Volk Gottes konstituierende bzw. seine Begründung neu bekräftigende καλεῖν (VV 7b.12) geschieht. Dieses Wort der Verheißung und Forderung Gottes ist nicht „hingefallen", ist nicht hinfällig geworden, es hat nicht versagt. Zu ἐκπίπτειν vgl. Sir 36, 17; 1 Kor 13, 8: πίπτει, v. l. ἐκπίπτει. Das heißt dann positiv: es ergeht noch, ist noch kräftig und wirksam. Doch wie kann das behauptet werden? Israel ist doch gefallen! Erweist das nicht, daß das es tragende Wort zu Fall gekommen ist? Nein. Denn es gilt, was V 6b und V 7 sagen: „Nicht alle aus Israel sind Israel." Der eben genannte Zwischengedanke steht freilich nicht da. Paulus setzt ihn hier ebenso unausgesprochen voraus wie in 9, 1–5. Nur das γάρ in V 6b deutet auf ihn hin, sofern nur dadurch V 6b eine Begründung für V 6a wird. Das Wort Gottes ist nicht hinfällig geworden, obgleich Israel gefallen ist. Denn es ist so: nicht alle aus (dem irdischen Volk) Israel sind „Israel" im heilsgeschichtlichen Sinn.

Die Begründung wird zunächst in *V 7* gegeben. Statt οἱ ἐξ Ἰσραήλ steht nun σπέρμα Ἀβραάμ, und dem Ἰσραήλ von V 6b entspricht das τέκνα. Die Verknüpfung mit οὐδ' ὅτι meint (Lagrange, Käsemann) neque qui. „Paradoxerweise sind noch nicht diejenigen Abrahams Kinder, welche von Abraham stammen" (Käsemann). Mit denen, die „aus Israel" sind und vom Stammvater Abraham abstammen, ist noch nicht ohne weiteres das Israel als das Volk Gottes gegeben. Keineswegs ist die gesamte Nachkommenschaft „Kinder", „Kinder Gottes", „Kinder der Verheißung" (V 8) zu nennen. So kann das Versagen des fleischlichen Israel und der irdischen Nachkommenschaft Abrahams nicht auf ein Unwirksamwerden des λόγος τοῦ θεοῦ schließen lassen. Nicht alle Israeliten sind Israel, nicht alle Nachkommen Abrahams „Kinder". Wer aber ist es dann? Das sagt die Schrift deutlich (V 7b): „in Isaak soll dir ,Same' genannt werden" (Gn 21, 12 LXX; vgl. Hebr 11, 18). Also seine und nicht Ismaels Nachkommen – welch letzterer ja nicht im atl. Text steht und so nach rabbinisch-hermeneutischer Regel ausgeschlossen ist – sind nach Gottes Willen und Gottes an Abraham gerichtetem Wort zum „Samen" bestimmt und „Kinder". „Israel" ist das Israel, das Gott als solches „genannt" hat (κληθήσεται).

---

[2] Blass-Debr, § 304; Bauer Wb 1114; Lietzmann.

V 8 Das Zitat (V 7b), das die Wahrheit der These von 6b/7a bestätigt, wird nun selbst wieder ausgelegt. Jetzt wird auch durch die neue Formulierung der Gegensatz deutlicher: οἱ ἐξ Ἰσραήλ sind σπέρμα Ἀβραάμ und τὰ τέκνα τῆς σαρκός, also „fleischliche" Kinder, Kinder im irdisch-genealogischen Zusammenhang. Und sie sind als solche nicht τέκνα τοῦ θεοῦ oder σπέρμα Ἀβραάμ. Im Sinn des Zitats ἐν Ἰσαάκ sind nur die τέκνα τῆς ἐπαγγελίας, also Israel, das in der Verheißung Gottes seinen Grund hat, das sich der Zusage Gottes verdankt, nicht schon das, das aus der natürlichen Geschlechterfolge kommt[3]. Nur wo eine schöpferische Verheißung Gottes ergeht, ist echte „Sohnschaft" gegeben. Aber hatte Abraham in bezug auf Isaak eine Verheißung? Gewiß!

V 9 bringt die betreffende Schriftstelle. Das Verheißungswort ist Gn 18, 10.14. Die Zusage ist Zusage einer gegen alle natürlichen Voraussetzungen geschehenden Zeugung und Geburt eines Sohnes. Paulus hat im Blick auf diese Verheißung schon Röm 4, 18ff den Glauben Abrahams erläutert. Und Gal 4, 21ff. führt er aus, daß Isaak als der Sohn der Verheißung der Prototyp der Christen ist. Ihnen kann Paulus sagen: „Ihr aber, Brüder, seid so wie Isaak Kinder der Verheißung" (Gal 4, 28). Ismael aber „wird zum Typus der Juden, die auf ihre fleischliche Abkunft von Abraham pochen" (Peterson). An unserer Stelle ist Paulus mit dem Bezug auf die Ekklesia noch zurückhaltend, obwohl er sie natürlich mit im Auge hat. Jetzt will er erst den Grundsatz aufstellen und verweilt daher beim irdischen Israel und seiner Problematik. „Israel" sind die Juden im eigentlichen Sinne nur, sofern sie ihr Dasein aus der Zusage Gottes herleiten. Paulus bleibt aber um so eher beim Israel der Juden, als er zunächst, wie das Folgende zeigt, die Souveränität und Freiheit des Willens und Waltens Gottes betonen will.

Daß Gottes Entscheidung nicht eingefangen ist vom Ablauf der einmal in Bewegung gesetzten Geschichte und daß also – aber das tritt jetzt zurück – nicht schon das historische Israel als solches Israel ist, zeigt noch ein anderes Beispiel der Schrift, nämlich Rebekka bzw. ihre beiden Söhne Jakob und Esau. Das Prinzip, daß letztlich und im Grund Gott und Gottes Wort Israel zu „Israel" machen, hat sich nicht nur einmal realisiert, sondern ist ein allgemeines und immer gültiges. Es ist das Prinzip des die Geschichte bestimmenden Wortes Gottes, von dem her die Geschichte Heilsgeschichte wird. Es macht in der Form des Erwählungsprinzips auch nicht halt vor dem legitimen Israel, den Isaaksöhnen. Es waltet als lebendiges und stetes Grundprinzip in der Geschichte Israels, das demnach als seine Manifestation begegnet. Das wird in den VV 10–13 deutlich gemacht.

V 10 ist unvollständig. Die Ellipse οὐ μόνον δέ, ἀλλά ist eine Überleitung, die ihr Verb eigentlich aus dem Vorigen ergänzen muß (vgl. Röm 5, 3.11; 8, 23). Aber ein entsprechendes Verb steht auch im Vorhergehenden nicht.

---

[3] Es ist die Problematik, die schon das AT, die Apokalyptik und die Qumranschriften durchzieht und jeweils verschieden gelöst wird, freilich nie im Sinn des Paulus; GNILKA, Verstockung, 185ff.

So wird man aus dem Zusammenhang etwa ergänzen müssen: Aber nicht nur sie (nämlich Sarah), sondern auch Rebekka, „die von *einem* (Mann) schwanger war"[4], ist ein Typos. Oder auch: Nicht nur sie, sondern auch Rebekka... kann man (in unserem Zusammenhang) anführen, u. ä., obwohl sie sich von Sarah unterscheidet. Sie war ja nur von einem Mann schwanger, „unserem Vater Isaak". Hätte man gegenüber dem vorigen Beispiel Sarah einwenden können, daß das Vorhandensein zweier verschiedener Mütter, der Hagar und der Sarah, eine verschiedene Behandlung der Nachkommen ermöglichte, so ist das bei den Söhnen Rebekkas nicht möglich. Sie haben *einen* Vater und *eine* Mutter. Dazu kommt noch ein anderes, was im folgenden Satz erläutert wird und das souveräne und freie, aller Geschichte zuvorkommende Handeln Gottes, das an Isaak und Ismael schon erkennbar war, ins helle Licht rückt: die Bevorzugung Jakobs vor Esau (V 11f).

VV 11–13 Die Satzkonstruktion ist etwas verwirrt. V 10 ist ein Anakoluth, die VV 11 und 12a stellen eine Parenthese dar, V 12b nimmt das Subjekt im Dativ wieder auf. Die Angabe über den Sinn des Handelns Gottes: ἵνα... μένῃ ist vor das Hauptverb ἐρρέθη gestellt, damit es der V 12b angefügten Schriftstelle nicht nachhinkt. Aber der Inhalt ist klar: zu Rebekka ἐρρέθη, nämlich von Gott: „Der Größere wird dem Kleineren dienen" (Gn 25, 23); der Ältere dem Jüngeren, Esau dem Jakob. Auch sie hat also ein Wort Gottes empfangen, auch ihr gegenüber erging das schöpferische Wort Gottes. Und dieses wurde ihr gesagt, 1) μήπω... γεννηθέντων (scil. υἱῶν), also vor der Geburt der Söhne, und 2) μηδὲ πραξάντων τι ἀγαθὸν ἢ φαῦλον, so daß die verheißene Herrschaft des Jüngeren über den Älteren nicht in deren Hand lag, sondern allein in der Freiheit des souveränen Gottes begründet war. Es tritt ein, was im ἵνα-Satz V 11b und in V 12a gesagt ist. Im ersteren erhält dieses Handeln Gottes jetzt auch einen Namen: ἡ κατ᾽ ἐκλογὴν πρόθεσις τοῦ θεοῦ. Πρόθεσις ist wie Röm 8, 28; Eph 1, 11; 3, 11; 2 Tim 1, 9 der Vorsatz Gottes, besser: die allem zuvor ergehende Setzung, die Gott vornimmt, also eher das Vornehmen Gottes als Tat und nicht so sehr sein Entschluß oder Ratschluß. In Eph 3, 11: πρόθεσις τῶν αἰώνων, ἣν ἐποίησεν ἐν Χριστῷ Ἰησοῦ, ist das aktive Moment einer Setzung deutlich. Die Apposition κατ᾽ ἐκλογήν qualifiziert die πρόθεσις als eine solche, in der eine Auswahl oder Erwählung geschieht. Hier ist im Begriff der ἐκλογή einerseits noch nicht der Gnadencharakter betont wie Röm 11, 5 (11, 28), anderseits auch nicht der Bezug auf die Erwählung der Christen wie 11, 28; 1 Thess 1, 4; 2 Petr 1, 10. Aber beides ist natürlich auch hier schon mitgedacht und liegt in seiner Konsequenz. Das Wort, das an Rebekka erging, vor der Geburt ihrer Söhne und bevor sie handeln konnten, das ihre künftige Stellung zueinander festlegte, ist also das auswählend-setzende Wort Gottes, der bestimmende, d. h. zugleich erwählende Vor-Satz Gottes – wenn man so sagen darf – zu allen künftigen Sätzen ihres Lebens. Und es ist gesagt worden, damit dieser Vor-Satz „bleibe", die Geschichte also weiterhin, nicht nur bei

---

[4] Κοίτην ἔχουσα ist eigentlich: Samenerguß hatte; Lv 18, 20.23; Nm 5, 20; BAUER WB 870; ZAHN, LAGRANGE, LIETZMANN, BILLERBECK III.

Isaak und Ismael, sondern auch bei Jakob und Esau und so fort, bestimme, damit aber ständig wirksam sei. Auch der λόγος der ἐπαγγελία für Abraham ist damit nachträglich als eine solche πρόθεσις Gottes anzusehen. Alle Geschichte Israels beruht auf der Zusage Gottes, die in sich der erwählende und bestimmende Vor-Satz Gottes ist.

V 12   So kommt alle Geschichte Israels und letztlich im Zusammenhang damit alle Geschichte überhaupt οὐκ ἐξ ἔργων, ἀλλ᾽ ἐκ τοῦ καλοῦντος, nicht von den menschlichen Leistungen, sondern von dem rufenden (und zuvor erwählenden) Gott her (V 12; vgl. 4, 17; 9, 24). Nicht das menschliche Handeln bestimmt erstlich und letztlich die Geschichte, sondern was ihr zugrunde liegt, Gottes Vor-Satz, der sich in Gottes Ruf realisiert, Gottes vor-sätzliches Rufen. Und ebendas eröffnet, wenn wir an den Zusammenhang der Ausführungen von 9, 16 ab denken, der hier freilich noch nicht explizit gemacht wird, das Verständnis dessen, daß man sagen kann: 1) Gottes Wort ist nicht hingefallen, obwohl Israel gefallen ist, und 2) nicht alle aus Israel sind Israel. Gott setzt Israel zum „Israel". Nicht ist Gottes Wort von Israel abhängig, sondern umgekehrt: Israel ist durch Gottes erwählendes Wort hervorgerufen. So kann die Geschichte Gottes Wort nicht desavouieren, aber dieses kann die Geschichte desavouieren, konkret gesagt: das fleischliche Israel durch das eigentliche Israel Gottes überraschen.

V 13   Die Freiheit des souveränen Gottes, der die Geschichte vor aller Geschichte nach seinem Willen bestimmt und entsprechend seinen „Ruf" ergehen läßt, wird in V 13, der damit VV 14ff vorbereitet, noch durch ein neues, diesmal – nach rabbinischem Gebrauch[5] durch ein Torawort – durch ein prophetisches Schriftwort bekräftigt. Es hebt noch einmal und nun zugespitzter die im Blick auf die Geschichte grundlose, nur in Gottes Willen begründete Wahl der beiden Söhne Rebekkas hervor. Das Zitat ist Mal 1, 2f[6]. Es wird betont mit καθάπερ γέγραπται eingeleitet und schließt den gesamten Abschnitt ab. Es läßt, auch wenn μισεῖν der Sache nach soviel wie „nicht lieben" ist – freilich keineswegs nur „weniger lieben" –, die Entschiedenheit der Entscheidungen Gottes, die die Geschichte bestimmen, erkennen und auch das Bewußtsein Gottes von seiner Entscheidung.

So sehen wir im ganzen: Das Wort Gottes ist nicht hinfällig geworden. Nicht alle Glieder des irdisch-leiblichen Israel sind „Israel", sondern nur die, die kraft der Zusage Gottes „Israel" werden. Das zeigt sich an Isaak, das zeigt sich bei den Söhnen Rebekkas. Noch vor der Geburt und vor allem ihrem Handeln hat sich Gott für Jakob entschieden, und das aufgrund seiner zuvorkommenden freien Entscheidung. Diese wird nun in 9, 14–29 das eigentliche Thema.

---

[5] Vgl. MICHEL, Bibel, 83.
[6] Es findet sich auch 4 Esr 3, 16, wo Esau freilich auf Rom bezogen ist: „Du erkorst dir Israel, Esau aber verschmähtest du."

14 Was sollen wir nun sagen? Gibt es etwa Ungerechtigkeit bei Gott? Nein! 15 Denn zu Moses sagt er: Ich werde mich erbarmen, wessen ich mich erbarme, und Mitleid haben, mit wem ich Mitleid habe. 16 Also liegt es nicht an dem, der strebt und läuft, sondern an Gott, dem Erbarmer. 17 Die Schrift sagt ja zu Pharao: Gerade dazu habe ich dich erhöht, daß ich an dir meine Macht erweise und mein Name auf der Erde verkündigt werde. 18 Also erbarmt er sich, wessen er will, und verhärtet, wen er will. 19 Nun wirst du mir sagen: Warum schilt er dann noch? Wer kann denn seinem Willen widerstehen? 20 O Mensch, wer bist du denn, daß du Gott zu widersprechen wagst? Sagt etwa das Werk zu seinem Schöpfer: Wozu hast du mich so geschaffen? 21 Oder verfügt der Töpfer nicht über den Ton, aus ein und derselben Masse das eine Gefäß zur Pracht, das andere zu Schändlichem herzustellen? 22 Wenn aber Gott, der seinen Zorn erweisen und seine Macht kundtun will, mit großer Langmut die zum Untergang bereiteten Gefäße des Zornes ertragen hat, 23 und um kundzutun den Reichtum seiner Herrlichkeit an den Gefäßen seines Erbarmens, die er zur Herrlichkeit bestimmt hat…? 24 Sie hat er auch gerufen, uns, nicht nur aus Juden, sondern auch aus Heiden. 25 So sagt er auch bei Hosea: Rufen werde ich mein Nicht-Volk: du mein Volk, und die Ungeliebte: du Geliebte. 26 Und anstelle daß ihnen gesagt wurde: Ihr seid nicht mein Volk, werden sie Söhne des lebendigen Gottes genannt werden. 27 Jesaja aber schreit über Israel: Wenn die Zahl der Söhne Israels sein wird wie der Sand am Meer, nur der Rest wird gerettet werden. 28 Denn indem er sein Werk vollendet und verkürzt, wird es der Herr auf Erden ausrichten. 29 Und wie Jesaja vorausgesagt hat: „Wenn nicht der Herr Sabaoth uns Samen gelassen hätte, wie Sodom wären wir geworden, und Gomorrha wären wir gleich."

In diesem Abschnitt unterstreicht Paulus jene an Israel mit Isaak (und Ismael) und mit Jakob und Esau sichtbar werdende Souveränität Gottes. Man kann den Abschnitt, wenn man etwas schematisch vorgeht, in drei Teile gliedern, die freilich ineinander übergehen: 9, 14–18; 9, 19–23 und 9, 24–29. Dabei gehören die beiden ersten Teile formal und inhaltlich enger zusammen, was sich schon daran zeigt, daß Paulus in Abwehr von zwei Einwänden seine Position allgemein darlegt, während der dritte Teil, der von Schriftzitaten durchsetzt ist, thetisch das vorläufige Ergebnis des Gesagten fixiert. Den ersten Einwand (V 14) stellt sich der Apostel selbst, den zweiten erhebt ein fiktives Du, das wohl der Jude ist. Freilich ist auch der erste von jüdischen Voraussetzungen her erhoben. Die verschiedene Form der mit solchen Einwänden beginnenden Abschnitte ist im Grunde nur eine rhetorische Differenzierung. Beim ersten Abschnitt finden wir folgendes Schema: a) Der Einwand wird formuliert (V 14a); b) er wird ausdrücklich und energisch zurückgewiesen (V 14b);

c) die Begründung dieser Zurückweisung wird durch zwei Schriftstellen gegeben (V 15 und V 17); d) mit einer jeweiligen Schlußfolgerung aus dem in der Schrift Gesagten (V 16 und V 18). Der Abschnitt, der auf den zweiten Einwand antwortet, hat ein etwas anderes Schema: a) Er beginnt mit einem Einwand samt dessen Begründung (V 19); b) ihm folgt eine Zurückweisung, schon durch die Anrede und Frage; c) dann eine Zurückweisung durch zwei Bildworte im Anklang an die Schrift (VV 20b.21). Das Schriftzeugnis spielt also weiterhin eine große Rolle. Und O. Michel sagt mit Recht, daß es „beinahe so aussieht, als wolle er (Paulus) eine summarische Befragung der ganzen Heilsgeschichte vornehmen. Denn nach der Vätertradition (9, 6–13) stellt er jetzt die Mosesgeschichte (9, 14–18) und die Worte der Propheten nebeneinander." Der dritte Abschnitt (9, 24–29) ist dann kein ausdrücklicher oder impliziter Dialog mehr, sondern stellt das Ziel der paulinischen Auseinandersetzung unter starker Verwertung von Prophetenzitaten heraus: die Kirche aus Juden *und* Heiden.

VV 14–15 *V 14* leitet wieder mit dem rhetorischen τί οὖν ἐροῦμεν ein, das man hier mit „Wie steht es also?" übersetzen kann. Die Frage selbst lautet wörtlich: „Gibt es Ungerechtigkeit bei Gott?" Paulus wählt eine pathetische Formulierung, die ihre Unmöglichkeit sozusagen an der Stirn trägt. Ἀδικία ist die „richterliche Ungerechtigkeit" (Käsemann). Wenn auch Mal 1, 2f, das oben zitiert war, sozusagen den Anlaß dafür gab, wird man sie doch generell verstehen müssen. Die Antwort ist zuerst wieder das entschiedene μὴ γένοιτο. Aber dieses Nein genügt auch hier nicht. Doch folgt nicht etwa eine sachliche Widerlegung, sondern ein Schriftwort, in dem Gott selbst redet, mit Angabe dessen, zu dem es gesagt ist, nämlich zu Moses *(V 15)*. Es ist Ex 33, 19, aber nicht vollständig und wörtlich. Es ist ein Teil der Antwort Jahwes auf die Bitte des Moses an Jahwe, ihn seine Gestalt schauen zu lassen: „Ich will alle meine Schöne an dir vorüberziehen lassen und will den Namen Jahwe vor dir ausrufen, nämlich daß ich Gnade erzeige, wem ich gnädig bin, und Barmherzigkeit dem, dessen ich mich erbarme" (vgl. Ex 9, 15 LXX). Diese Antwort hat den Sinn: Ich will deine Bitte erfüllen, damit du daran erkennst, daß ich treu bin und tatsächlich Gnade erweise, wenn ich zu einem gesagt habe, daß er Gnade in meinen Augen gefunden hat (Maier 33). Aber Paulus ignoriert den Zusammenhang und entnimmt dem Wort nur einen Teil, den, der ihm das aussagt, was hier gegenüber dem Einwand auszusagen ist. Er erhebt den Satz zu einer allgemeinen Selbstaussage Gottes über die Tatsache und das Recht seiner freien Entscheidung: ὃν ἂν ἐλεῶ – ὃν ἂν οἰκτείρω. So ergeht also nach Paulus mit den Worten der Schrift die Antwort auf die Frage: Ist bei Gott nicht Ungerechtigkeit? *Nein!* Gott selbst hat seine Macht und Freiheit, nach seinem Erbarmen zu handeln, erklärt. Steht dies fest, dann ist klar, daß die Frage, ob bei Gott Ungerechtigkeit sei, abwegig ist. Denn Gott kann handeln, wie er will, und sein Handeln kann nicht an einer menschlichen Gerechtigkeit gemessen werden, sondern ist und setzt auf alle Fälle Gerechtigkeit. Dies festzulegen ist der Sinn des Zitats, und unter diesem Gesichtspunkt stehen die gesamten Ausführungen und nicht unter der Frage der Prädestination.

Das wird aus *V 16* durch eine Schlußfolgerung bekräftigt: ἄρα οὖν... Θέλειν καὶ τρέχειν ist ja an sich hellenistische Bezeichnung für das Bemühen des Menschen (vgl. Phil 2, 13: θέλειν καὶ ἐνεργεῖν, für das der Diatribe entnommene τρέχειν: 1 Kor 9, 24.26; Gal 2, 2; 5, 7; Phil 2, 16). Die Folgerung, die V 16 aus den VV 14 f zieht, ist also die: Nicht das Bemühen des Menschen bestimmt, was Gerechtigkeit ist, sondern Gottes Wille und Handeln oder, wie wiederholt wird, sein Erbarmen. Ὁ ἐλεῶν ist jüdisches Gottesprädikat[1], von Paulus hier, wie sich zeigt, im Zusammenhang mit Gottes absoluter Souveränität verstanden. Fast kommt es hier zu einem Satz der Rechtfertigungslehre; jedenfalls ist das Erbarmen die Quelle und der Grund alles Heilsgeschehens. Das in V 16 Gesagte und aus V 15 Gefolgerte ist ein Schluß auch aus einem anderen Gotteswort.

V 17 Gott übt, sagt V 17, seine Freiheit um seiner selbst willen aus, d. h., damit sich seine Macht erweise und sein Name überall kundwerde, damit er, Gott, sich als Gott erweise und in aller Welt anerkannt sei. Der Eingang von V 17: „Denn es spricht die Schrift zu Pharao", meint natürlich, daß Gott, wie die Schrift sagt, durch Moses zu Pharao spricht, ähnlich wie Gal 4, 30; vgl. 3, 8. Es ist nicht deshalb so formuliert, weil sonst Gott zu einem heidnischen König gesprochen hätte, was zu sagen sich Paulus gescheut habe. Ἡ γραφή, das ist Gott nach seiner Schrift. Das Zitat selbst ist Ex 9, 16. Aber es entspricht weder dem Grundtext: „Aber um deswillen habe ich dich bestehenlassen (הֶעֱמַדְתִּיךָ), auf daß ich dich meine Kraft sehen lasse", noch der LXX: „Und um deswillen διετηρήθης, damit ich an dir meine Stärke erweise." Paulus sagt, offenbar um das souveräne Handeln Gottes noch zu unterstreichen, ἐξήγειρά σε und hebt statt ἰσχύν in der LXX Gottes δύναμις hervor. Ἐξεγείρειν wird Zach 11, 16 von der Schöpfermacht Gottes gebraucht. Wiederum spricht Gott selbst, diesmal zu Pharao. Ihn hat Gott durch sein Wort „auftreten" lassen, um, wie man im Blick auf V 18 sagen muß, an seiner Verstockung die eigene δύναμις zu erweisen. Vgl. Ex 4, 21: „Alle die Machterweise, die ich in deine Hand gebe, wirst du vor Pharao tun." Ἐγὼ δὲ σκληρυνῶ τὴν καρδίαν αὐτοῦ, καὶ οὐ μὴ ἐξαποστείλῃ τὸν λαόν (vgl. Ex 7, 3; 9, 12; 14, 4.17). Der Begriff σκληρύνειν selbst wird in bezug auf die Verhärtung der Juden gegenüber dem Evangelium (Apg 19, 9), als Gefahr für die Christen (Hebr 3, 8.13.15; 4, 7) gebraucht. Er meint die „Verstockung", die das Gericht nach sich zieht. Gott hat also auch bei der Verhärtung Pharaos seine Entscheidung souverän gefällt. Auch in *seiner* Person und geschichtlichen Rolle war Gott es, der so verfügte. Und Gott tat es, um seine Macht als des Herrn und Lenkers der Geschichte zu erweisen und so seinen Namen, den Namen des allmächtigen Gottes, auf der Erde zu verkündigen[2]. Die Verhärtung Pharaos und also Gottes souveränes Handeln überhaupt ist nicht Selbstzweck, sondern dient der göttlichen Selbstverherrlichung, ist Ausweis seiner Allmacht und Hinweis auf seine

---

[1] STRACK-BILLERBECK.
[2] Vgl. Sir 16, 4, Zusatz 16, 15.16: κύριος ἐσκλήρυνε φαραὼ μὴ εἰδέναι αὐτόν, ὅπως ἂν γνωσθῇ ἐνεργήματα αὐτοῦ τῇ ὑπ᾽ οὐρανόν, 16 πάσῃ τῇ κτίσει τὸ ἔλεος αὐτοῦ φανερόν...

allmächtige Freiheit. Gott kann man nicht wehren, und sein Handeln kann man nicht bestimmen: Gott ist Gott. Sein Handeln kann man auch an nichts anderem messen. Wenn er aus Erbarmen oder um zu verstocken handelt, so handelt er in seinem Ermessen und um seines Namens willen, daß er in der Welt verkündigt wird[3]. Wenn Gott aber um Gottes willen so oder so handelt, gibt es keine ἀδικία bei ihm. In dem, worin er sein Gottsein erweist – Erbarmen oder Verstockung –, ist δικαιοσύνη.

V 18 Die Schlußfolgerung, die auch diesmal dem Schriftwort folgt, unterstreicht auch jetzt, was das Zitat im Sinn des Apostels deutlich machen will (V 18): „Er erbarmt sich also, wessen er will, und verstockt, wen er will." Aber der Satz faßt zugleich insofern zusammen, als V 18a sich auf VV 15–16 und V 18b sich auf V 17 bezieht. Die Formulierung ist knapp und präzis. Das zweimalige ὅν δὲ θέλει Gottes, sein freier, souveräner, unverfügbarer, alles verfügender Wille und darin Gottes Gottsein treten klar heraus.

Damit ist der erste Einwand, den Paulus sich selbst und seinen Lesern macht, beantwortet. Wenn nach Gottes Willen Israel nur Isaaks und nicht Ismaels Nachkommen sind, wenn Gott Jakob liebte und Esau haßte, muß man dann nicht sagen, Gott ist ungerecht und nicht gerecht? Nein! Denn Gott selbst nimmt (nach der Schrift) darin nur sein Gottsein in Anspruch. Gott offenbart sein Gottsein als Freiheit erbarmenden oder verwerfenden Handelns. Hielte Gott nicht diese seine allmächtige Freiheit fest, die freilich dem Menschen wie Willkür erscheint, setzte er nicht seine δικαιοσύνη in und mit dieser Freiheit, ließe er sie von etwas anderem abhängig sein und wollte man sie an etwas anderem messen als an *seinem* θέλειν und also an seinem ἐλεεῖν und σκληρύνειν[4], dann gäbe er sein Gottsein preis. *Damit* gäbe er auch *seine* δικαιοσύνη preis. Er bände sich und seine δικαιοσύνη an das θέλειν καὶ τρέχειν der Menschen, an ihr Urteilen und Wollen. Ist das, was geschieht – also am Paradigma des Pharao: Erbarmen und Verstockung –, nicht, so wie es geschieht, Manifestation und Dokumentation seiner freien Allmacht, dann ist die Geschichte nicht seine Setzung und sein Handeln nicht Gerechtigkeit. Die Frage der Verantwortlichkeit des Menschen steht noch außerhalb des Gesichtskreises. Sie kommt später zur Sprache. Und das nicht zufällig, sondern der Sache entsprechend. Denn Verantwortung Gott gegenüber gibt es im ernsten Sinn nur dort, wo der Mensch eine Antwort auf Gottes Wort in seiner souverän gesetzten und bestimmten Geschichte gibt. Diesem Gott gegenüber und dieser seiner Freiheit gegenüber, die in all ihrem Walten δικαιοσύνη ist, ist der Mensch nach seinem Gegen-Wort, nach seiner Antwort ver-ant-wortlich gefragt.

V 19 Und diesen Gott stellt der Apostel nun auch noch in seiner Antwort auf den zweiten Einwand heraus. Jetzt geschieht das freilich so, daß er dabei auch den Menschen auf seinen Platz gegenüber diesem Gott und also dem Gottsein dieses Gottes verweist. Bezeichnend ist, daß sich Paulus theoretisch – aber aus

---

[3] Διαγγέλειν ist „proklamieren", SCHNIEWIND in: ThWb I 97.
[4] Nach Ex 4, 21; 7, 13; 9, 12 u. a. ist hier σκληρύνειν präzise „verhärten", „verstocken".

praktischer Erfahrung – an den Juden, aber als Paradigma jedes Menschen, wendet. V 19 bringt zunächst den Einwand. Es ist eine Gegenfrage nebst Begründung, die an atl. Tradition anknüpft (vgl. Job 9, 17b.19b; Weish 11, 21; 12, 12). „Wirst du mir nun sagen: Warum schilt er (dann) noch?" Subjekt des μέμφεται ist ὁ θεός. Und bezogen ist die Frage auf die beiden Schriftstellen in den VV 15 und 17 bzw. die Zusammenfassung V 18. Wenn das dort Gesagte gilt, wie kann Gott dann Pharao (in der Schrift: Ex 7, 16; 8, 28 ff; 10, 3; vgl. 9, 34; 10, 16) Vorwürfe machen und des weiteren dem Menschen überhaupt Verantwortlichkeit zuschieben? Ist dann, wenn er das tut, bei Gott nicht doch ἀδικία? Setzt er doch Schuld voraus, wo alles, was geschieht, auf dem Willen Gottes beruht? Diesen Zwischengedanken bringt Paulus freilich nicht ausdrücklich zur Sprache. Er läßt vielmehr den Einwand des hypothetischen Juden mit einer zweiten Frage begründen: „Denn wer widerstand (je) seinem Willen?" Ἀνθέστηκεν ist gnomisches Perfekt. Βούλημα ist Vorhaben bzw. Belieben (z. B. Apg 27, 43; 1 Petr 4, 3) oder auch wie hier Wille (vgl. besonders 1 Clem 8, 5; 19, 3; 23, 5; 33, 3). Mit βούλημα ist das θέλειν von V 18 aufgenommen. Gemeint ist mit V 19b natürlich: niemand kann doch Gottes Willen widerstehen. Aber wie kann Gott dann tadeln, also Schuld und Verantwortlichkeit voraussetzen? Niemand wird leugnen, daß diese Frage vernünftig ist. Wenn Gott es ist, der Pharao verstockt, wie kann er ihm dann wegen seiner Verstockung Vorwürfe machen? Allgemeiner: Wenn Gott es ist, der den Menschen verhärtet, wie kann der Mensch dann noch verantwortlich sein und schuldig werden? Die Frage ist berechtigt, sobald man wie der Jude, der den Einwurf macht, „als Mann des Gesetzes die Freiheit Gottes nur wiederum als ein Gesetz, als einen Determinismus" versteht, „anstatt in ihr die Quelle des göttlichen Erbarmens zu suchen" (Peterson). Aber, meint Paulus, Gottes souveräne Freiheit als Quelle seines Erbarmens ahnt nur der, der Gott nicht als Partner begreift, mit dem ich diskutieren kann, sondern als den, vor dem man verstummen muß, weil *er* auf alle Fälle Recht und Gerechtigkeit setzt in seinen Taten.

V 20 Die Zurückweisung der Frage erfolgt 1) durch die Gegenfrage an den Fragenden, wer er denn eigentlich sei, daß er Gott zu widersprechen wage (V 20a). Diese Gegenfrage ist dreigeteilt und sehr pointiert formuliert. Schon die Anrede mit ὦ ἄνθρωπε stellt den, der den Einwurf macht, an den rechten Ort. Er ist doch nur ein Mensch! Das μενοῦν γε in der Gegenfrage, das in wenigen Handschriften vor ὦ ἄνθρωπε steht, ist etwa „vielmehr" oder „eigentlich" (vgl. Röm 10, 18; Phil 3, 8) und unterstreicht das ὦ ἄνθρωπε und das σύ und bereitet die folgende Charakterisierung im Partizip als ein unmögliches Unternehmen vor: „O Mensch, wer bist du eigentlich, daß du Gott widersprichst?" Ἀνταποκρίνεσθαι ist erwidern (vgl. Lk 14, 6 [Job 32, 12]), und zwar im Sinn von „Widerrede geben" (Job 16, 8). Gott kann man kein Widerwort geben und etwa seine Entscheidung allenfalls als „Ungerechtigkeit" ausspielen, mit Gott kann man also nicht rechten. Aber warum kann man das nicht? Die Antwort wird 2) mit zwei Vergleichen aus der atl. Überlieferung gegeben, die Gott als den allmächtigen Schöpfer zu erkennen geben (vgl. Is 29, 16; 45, 9; 64, 7;

Jer 18, 3ff; Job 10, 9; 33, 6; auch Sir 33, 7ff u. a.). Gott ist ὁ πλάσας, der Mensch ist τὸ πλάσμα. Das πλάσσειν erinnert auch als Begriff an den Schöpfungsbericht (Gn 2, 7f.15; vgl. 1 Clem 33, 4; Diog 10, 2). Es wird in der LXX mit ποιεῖν parallelisiert[5]. Diese Gegenüberstellung findet sich auch Is 29, 16. Hier ist sie freilich anders gewertet, nämlich so, daß das Geschöpf seinen Schöpfer verleugnet (und deshalb Gott seine Pläne verbergen will): „O eure Verkehrtheit! Oder ist der Töpfer dem Ton gleichzuachten, daß das Geschöpf von seinem Schöpfer spräche: Er hat mich nicht geschaffen, und das Bild von seinem Bildner spräche: Er versteht nichts?" Noch besser kann man Is 45, 9 heranziehen: „Wehe dem, der mit seinem Schöpfer hadert, er, eine Scherbe unter irdenen Scherben. Spricht auch der Ton zum Töpfer: Was schaffst du da?, und das Werk (zum Werkmeister): Du hast keine Hände?" Paulus will mit seinem Vergleich die Unmöglichkeit, ja die Absurdität betonen, daß der Mensch als das Geschöpf zu Gott, dem Schöpfer, sagt, warum er ihn so gemacht hat (vgl. Is 64, 7; Jer 18, 3ff; Job 10, 3 u. a.). Mit anderen Worten: er will den Gedanken aussprechen, daß es Gottes Recht ist, so zu machen, wie er will.

V 21 Etwas anders gewendet ist der zweite Vergleich. Der Töpfer hat die volle Verfügung über den Ton. Πηλός ist Lehm, Ton als Töpfermaterial (Is 29, 16; 41, 25; Jer 18, 6; Sir 33, 13; Weish 15, 7). Er hat das Recht und die Macht, aus ihm als dem φύραμα (Gemisch, [Mehl-]Teig [Röm 11, 16; 1 Kor 5, 6f], aber hier Tonmasse) Gefäße zu verschiedenem Zweck zu formen. Das Gefäß kann ihm nicht widersprechen und kann sich nicht beschweren. Vgl. Weish 15, 7: „Da knetet etwa ein Töpfer mühsam weiche Erde und formt für unseren Gebrauch jedes einzelne Stück. Aber aus demselben Ton bildet er die Gefäße, die reinlichen Zwecken dienen, wie auch die gegenteiligen, alle in gleicher Weise. Für welche von diesen Gebrauchsmöglichkeiten ein jedes verwendet werden soll, darüber entscheidet der Tonarbeiter." Wir sehen: auch in V 21 rekurriert der Apostel auf den Schöpfer, dem das Geschöpf nicht widersprechen und mit dem es nicht diskutieren kann. Aber zugleich ist in V 21 schon ein leiser Rückbezug auf die Ausgangsfrage nach dem wahren Israel zu erkennen. Darauf verweist die Betonung: aus *einer* Masse die verschiedenen Gefäße. Der Mensch ist nur ein Ergebnis aus der Hand seines Schöpfers. Welche Verwendung diesen „Gefäßen" zuzuweisen ist, darüber bestimmt nur Gott, ohne daß das Geschöpf das Recht hat, sich gegen diese wie immer auch geartete Entscheidung aufzulehnen (vgl. Maier 42).

Paulus antwortet also auf die gestellte Frage nicht in dem Sinn, daß er auf sie argumentierend eingine. Er weist sie ab, indem er von neuem auf das Gottsein Gottes, hier auf sein Schöpfersein und auf seine absolute Verfügungsgewalt über den Menschen als sein Geschöpf zu sprechen kommt. Das soll zunächst einmal den Fragenden, dann aber auch grundsätzlich den Menschen vor Gottes Handeln mit ihm zum Verstummen bringen. Dabei sieht er auch jetzt noch über das Problem des Verhältnisses menschlicher Entscheidung zum souveränen Handeln Gottes, das ihr vorausliegt, hinweg. „Er ver-

---

[5] Braun in: ThWb VI 261.

harrt unbeweglich innerhalb der durch die bisherigen Auseinandersetzungen gezogenen Schranken: Gott alles – der Mensch nichts; Gott der souveräne Herr – der Mensch, so oder so, ob er will oder nicht, sein seinen höheren Zwecken dienstbares Werkzeug" (Maier 42). Er unternimmt auch nichts, die höheren Zwecke, die Gott mit der Verhärtung Israels verfolgt und die er ja wohl nicht aus den Augen verloren hat, wie V 21 zeigt, „jetzt schon zu enthüllen" (Maier 42). Es liegt ihm offenbar alles daran, den Lesern zuerst und ausschließlich das Unbegreifliche und allem Überlegene der Realität Gottes und die Realität des Unbegreiflichen in Gott, dem Schöpfer und allmächtigen Herrn, deutlich zu machen, zugleich mit der fraglosen Abhängigkeit des Menschen und seiner Geschichte von diesem unfaßbaren, unverfügbaren, unanklagbaren, freien und selbst-herrlichen Gott. Das alles wird immer geleitet von dem Gedanken an das große Rätsel Israel, das nicht vergessen ist.

Das zeigt schon 9, 22. 23, das den Abschluß von 9, 14–21 und den Übergang zu 9, 24–29 darstellt. Die Satzperiode 9, 22f ist ein Anakoluth. Es ist schwer, zu sagen, wie Paulus diese Sätze beenden wollte. Aber schwierig ist auch die Satzkonstruktion selbst. Man kann sich des Eindrucks nicht erwehren, daß der Apostel den Satz etwas gewaltsam abgebrochen hat, so wie er dann auch etwas gewaltsam V 24 als Relativsatz formuliert und so 9, 24 ff thematisch einleitet. Mir scheint, V 22 und V 23 entsprechen sich, oder besser: sollen sich entsprechen. Das καί in V 23 – das doch wohl trotz des Fehlens in B 69 pc ursprünglich ist – trennt und verbindet die beiden gleichen Glieder. Zu ergänzen ist vielleicht nach dem καί und vor dem ἵνα ein εἰ ὁ θεός, wodurch das Anakoluth noch deutlicher wird. Jedenfalls steht das ἵνα γνωρίσῃ dem θέλων ἐνδείξασθαι gegenüber. Das θέλων in V 22 ist nicht adversativ oder konzessiv, auch nicht kausativ (Michel, Barrett, Käsemann u. a.), sondern relativ zu verstehen: „Wenn aber Gott, der seinen Zorn erweisen und seine Macht kundtun wollte, die zum Untergang bereiteten Gefäße des Zornes mit großer Geduld ertrug..." Das Hauptverb ist ἤνεγκεν. Ihm entspricht in V 23 keines. Aber vielleicht wollte Paulus dem ἤνεγκεν das ἐκάλεσεν von V 24 schon in V 23 entgegensetzen, ist dann aber, weil V 24 den letzten Abschnitt von VV 14–29 fundieren mußte, in V 23 nicht mehr zurechtgekommen und so sozusagen in ein Anakoluth geraten, so daß V 23 jetzt etwa so lautet: „Und wenn er (Gott), um den Reichtum seiner Herrlichkeit an den Gefäßen des Erbarmens kundzutun, die er zur Herrlichkeit zuvor bereitet hat", aber vielleicht so hätte lauten sollen: „... sie gerufen hat ..."

V 22 knüpft mit einem weiterführenden δέ, das leicht adversativ ist, an das Vorige an. Er sagt zunächst, wenn wir das Partizip zum Hauptsatz machen, daß Gott willens war, 1) ἐνδείξασθαι τὴν ὀργήν und 2) γνωρίσαι τὸ δυνατόν. Das erstere hat Bezug zum σκληρύνειν von V 18, das zweite zu τὴν δύναμίν μου von V 17. Τὸ δυνατόν ist ἡ δύναμις (Polyb. 1, 55, 4; Arist 229)[6], hier die Macht im Sinn der Allmacht. Aber V 22 ist nicht exklusiv auf Pharao bezogen, da dieser ja selbst nur ein Paradigma aus der Schrift für das grundsätzliche

---

[6] Bauer Wb 414.

Handeln Gottes war und Paulus hier ganz allgemein formuliert. So ist die Aussage hier auch allgemein zu verstehen. Gott ist willens, sein Zorngericht zu vollziehen, so wie es Röm 1, 18 ff dargelegt ist. Er ist aber auch willens, seine Macht kundzutun. Gott ist der Gott, der seine Macht manifestiert in seinem Zorngericht. Aber eben dieser Gott „ertrug die Gefäße des Zorns, die zum Untergang bereitet sind, mit großer Geduld". Die σκεύη ὀργῆς finden sich terminologisch Is 13, 5 Symm; Jer 50, 25 (= LXX 27, 25: ἤνοιξεν κύριος τὸν θησαυρὸν αὐτοῦ καὶ ἐξήνεγκεν τὰ σκεύη ὀργῆς αὐτοῦ). Der Sache nach sind die σκεύη ὀργῆς bei Paulus nicht Waffen des Zornes Gottes, sondern (vgl. V 21) „Gefäße" (im Sinn von Menschen), die Objekte seines Zornes sind. Sie sind – das erläutert das σκεύη ὀργῆς – „bereitgestellt" „zum Untergang". Καταρτίζειν ist hier „bereiten", „schaffen"[7], ohne Reflexion, aber auch nicht im Gegensatz zur vorzeitlichen Bestimmung, etwa wie Hebr 11, 3; Herm (v) 2, 4, neben κτίζειν Herm (m) 1, 1. Ἀπώλεια ist das Verderben, die Vernichtung, die man erleidet, der Untergang u. ä. (vgl. Phil 1, 28 [Gegensatz: σωτηρία]; Phil 3, 19; auch Joh 17, 12, aber auch Is 54, 16 LXX: ἔκτισά σε οὐκ εἰς ἀπώλειαν φθεῖραι). In unserem Zusammenhang ist der Gegensatz die δόξα (V 23).

Die Gefäße des Zornes, die zum Untergang bereitet sind, hat Gott „in großer Geduld ertragen", *der* Gott – vergessen wir das nicht –, der willens ist, seinen Gerichtszorn als Manifestation seiner Macht zu erweisen. Die Aussage überrascht. Denn man könnte mit F. W. Maier (47) nach dem Vorhergehenden etwa erwarten: „Wenn also Gott, willens, seinen Zorn zu erweisen und kundzutun seine Macht an den Gefäßen des Zornes, diese … dem ewigen Verderben preisgegeben hat, was ist dagegen zu sagen?" Aber so sagt Paulus eben nicht. Wir müssen darauf achten, daß er nicht nur vom ἤνεγκεν im Sinn von „er hat ertragen", „ausgehalten" u. ä. (vgl. Hebr 13, 13) spricht, sondern noch ein ἐν πολλῇ μακροθυμίᾳ hinzufügt. Von Gottes μακροθυμία war schon Röm 2, 4 die Rede (vgl. Tim 1, 16; 1 Petr 3, 20). Und sie war die „Langmut" Gottes, die den Juden Frist zur Umkehr gewährt, auch jetzt noch in Geduld zur Metanoia Zeit läßt. Von solcher „Langmut des Höchsten" bis zum eschatologischen Gericht spricht auch 4 Esr 7, 74. Freilich, wenn sie nicht zur Umkehr genutzt wird, sammelt sich die ὀργὴ θεοῦ über den Sündern an. Von hier aus scheint mir kein Zweifel zu bestehen, daß auch an unserer Stelle mit dem Ertragenhaben an diese Frist zur Umkehr gedacht ist, die Israel gewährt ist. „Gott erträgt die Gefäße des Zorns" – sagt Peterson 260f –, das falsche Israel, „so wie der Herr im Gleichnis Jesu sich bestimmen läßt, den Baum, den er eigentlich umschlagen lassen wollte, ‚noch dieses Jahr' stehen zu lassen" (Lk 13, 8). Dieses „noch dieses Jahr", das ist die eschatologische Zeit, das ist Gottes Zeit, das ist die Zeit der Langmut Gottes gegenüber den Juden. Daß die Juden noch nicht untergegangen sind, daß die Synagoge noch heute besteht, das ist ein Zeichen der eschatologischen Langmut Gottes, die immer noch „dieses Jahr" auf die Bekehrung des falschen Israel wartet. Keine Macht der Welt wird das Judentum ausrotten können, ja nicht einmal die Juden

[7] BAUER WB 826.

selber werden sich ausrotten können, solange Gottes Langmut die Gefäße des Zornes noch „dieses Jahr" „erträgt". Der Apostel spricht diesen Sachverhalt verhüllt aus. Er nennt die σκεύη ὀργῆς nicht mit Namen. Er legt auch den Sachverhalt des „Ertragens in großer Geduld" nicht weiter dar. Er ist auch noch nicht soweit, vom Verhalten Israels zu reden. Aber er vermag es nicht, überhaupt noch nicht davon zu reden. Denn wenn er auch von dem Gott gesprochen hat, der frei nach seinem Willen entscheidet und verwirft – um seines Namens willen! –, so weiß er doch, daß gerade dieser nach seinem Willen handelnde Gott um seines Namens willen auch der erbarmende Gott ist. Und sollte er nicht auch mit Israel, das zum Untergang bereitet ist, Erbarmen haben in der Weise, daß er es noch erträgt, in großer Geduld?

V 23 Doch die Aussage in unserem Zusammenhang ist damit noch nicht ganz erschöpft. V 23, der, wie wir meinen, V 22 zunächst parallel konstruiert ist, spricht weiter von diesem Gott. Er hat auch den Willen oder die Absicht, „den Reichtum seiner Glorie an den Gefäßen des Erbarmens" kundzutun, die er zuvor „zur Glorie bestimmt hat". Γνωρίζειν τὸν πλοῦτον τῆς δόξης steht dem ἐνδείξασθαι τὴν ὀργὴν καὶ γνωρίζειν τὸ δυνατὸν αὐτοῦ gegenüber und das ἃ προητοίμασεν εἰς δόξαν dem κατηρτισμένα εἰς ἀπώλειαν. Ὁ πλοῦτος τῆς δόξης αὐτοῦ ist eine feierliche Formulierung und erinnert an doxologischen Stil, wie wir ihn auch in 2, 4 fanden und 11, 33 finden werden (vgl. auch Eph 1, 18; Phil 4, 19; Kol 1, 27; Apk 5, 12). Zur Sache vgl. Röm 10, 12. Und schon jetzt merkt man, daß nicht mehr *nur* vom wahren Israel die Rede sein kann, sondern der Apostel einen größeren Reichtum Gottes meint. Der Gegensatz ist ja auch nicht nur πλοῦτος τοῦ ἐλέους, sondern πλοῦτος τῆς δόξης ἐπὶ σκεύη ἐλέους. Damit wird der Leser, der von Röm 8, 30 herkommt, daran erinnert, daß von dem Gott die Rede ist, der die „Gerufenen" ἐδόξασεν, und daß diese δόξα, die über die Gerechtfertigten gekommen ist, die eschatologische δόξα ist, auf die alles wartet (Röm 8, 18–27), für die auch einmal ἡ ἐλευθερία τῆς δόξης gesagt werden kann, die unsere Hoffnung ist (Röm 5, 1ff). Freilich gehört auch Israel die δόξα (Röm 9, 4). Aber an welchem Israel realisiert sie Gott? Und außerdem ist ja nicht vom Gehören die Rede, sondern davon, daß Gott sie kundtun will, und zwar „an den Gefäßen des Erbarmens", die er zur δόξα bereitet hat. Noch wird nicht aufgedeckt, wer diese σκεύη sind. Aber jedenfalls sind es die, ἃ προητοίμασεν εἰς δόξαν. Das προ- entspricht natürlich dem προ- von πρόθεσις (Röm 8, 28; 9, 11), von προ-γνῶναι, προ-ορίζειν (8, 29f; vgl. Eph 1, 4f.11 u. a.) und meint das vorzeitliche Handeln Gottes. Die σκεύη ἐλέους sind immer schon von Gott zur δόξα bereitet, zu der, die Gott jetzt an ihnen kundtun will. In dem γνωρίζειν erfüllt Gott an den Gefäßen des Erbarmens nur seinen ewigen Willen. Erfahren sie die δόξα seines Erbarmens, so können sie wissen, daß sie in die Ewigkeit des in ihr Herrlichkeit schenkenden Willens Gottes hinabreicht. Aber noch einmal: Wer sind diese σκεύη ἐλέους, an denen sich jetzt die ewige δόξα Gottes erfüllt?

V 24 Der Relativsatz V 24, der dann durch eine Reihe von Schriftzitaten erläutert wird, enthüllt es endlich. Damit ist der letzte Abschnitt eröffnet, in den die beiden vorigen, 9,14–18 und 9,19–23, münden. Sachlich wird der Relativsatz zu einem Hauptsatz. Das προητοίμασεν der σκεύη ἐλέους erfüllt sich in deren ἐκάλεσεν, in dem ἐκάλεσεν ἡμᾶς, der Christen – aus Juden und Heiden. In ihm, diesem umfassenden Ruf an alle Welt, eröffnet sich Gottes Fülle der Herrlichkeit. Es ist der Höhepunkt des Handelns Gottes. Das καί hinter οὕς ist wohl im Blick auf προητοίμασεν steigernd (Kühl, Käsemann). Zum Verständnis des Satzes muß man, wenigstens in den Hauptzügen, bedenken, was das καλεῖν bei Paulus bedeutet bzw. impliziert: 1) Jedenfalls ist es ein schöpferischer Ruf (Röm 4,17). 2) Er ergeht im „Evangelium" (z. B. Gal 1,6). 3) Er ist die Erfüllung der ewigen Bestimmung des Menschen und eröffnet ihm die δικαιοσύνη; er „rechtfertigt" ihn (vgl. Röm 8, 30). 4) Dieser Ruf ist einmal ergangen und ergeht weiterhin zur Erschließung der δόξα (1 Thess 2,12; 2 Thess 2,13f). 5) Er erschließt uns, weil er uns auch die κοινωνία mit Jesus Christus auftut (1 Kor 1,9), die χάρις Christi auf (Gal 1,6; 5,8), die Freiheit (Gal 5,13), den Frieden (1 Kor 7,15; Kol 3,15), die Hoffnung (Eph 4,4; 1,18); er ruft in die Heiligung (1 Thess 4,7) und erhebt Anspruch auf den Menschen zum würdigen Wandel (Eph 4,1). 6) So sind „die Gerufenen" κλητοὶ Χριστοῦ Ἰησοῦ (Röm 1,6; 1 Kor 1,1), κλητοὶ ἅγιοι (1 Kor 1,2) oder κλητοί schlechthin (1 Kor 1,24). Aber wen hat Gott in den σκεύη ἐλέους gerufen, wer sind die ἡμᾶς, die fast nebenher einen zwar schon öfters genannten, aber nicht ausgebreiteten Sachverhalt ausdeuten, der dann mit Schriftworten belegt wird: „wir, nicht nur aus den Juden, sondern auch aus den Heiden". Gewiß, der Ruf Gottes erging an die Juden, die ja sein Volk sind; aber er erging „nicht nur" an sie, sondern auch an die Heiden. Aber gehören denn die ἔθνη, die gerufen sind, am Ende auch zu Israel, das den Ruf schon als ἐπαγγελία empfangen hat? Besteht das Israel Isaaks und Jakobs nun auch aus Heiden, die dem Ruf folgten? In der Tat. Paulus ist sich bewußt, daß er etwas Umstürzendes und etwas Israel, seine Brüder dem Fleisch nach, Entsetzendes sagte und sagen mußte. Und so wendet er sich zur Erhärtung seines Satzes wieder und jetzt ausführlich an die Schrift. Diese stellt alles klar: die Berufung der Heiden – jetzt vorangestellt, weil das eigentlich Problematische an dieser Stelle – und daß nicht alle aus Israel „Israel" sind, sondern, wie man jetzt gegenüber 9, 6ff in neuer Formulierung, die freilich auch die Schrift bringt, sagen kann, nur ein „Rest", ein „übriggelassener Same".

VV 25–29 Die Zitate, die dies bekräftigen sollen, sind in verschiedener Hinsicht bemerkenswert: 1) Es sind Prophetenzitate, und sie werden ausdrücklich mit dem Namen des betreffenden Propheten eingeführt. Dabei meint ἐν τῷ Ὡσηέ das Buch Hosea. *V 25* zitiert Os 2, 25 (LXX 2, 23); *V 26:* Os 2,1 (LXX 1,10); *VV 27f* Is 10,22; *V 29:* Is 1,9 (= LXX). 2) Die Hoseazitate, die bei Paulus zu einem einzigen kombiniert sind, gehen auf die Berufung der Heiden zum Volk Gottes und sind durch das Stichwort καλεῖν, das Paulus im ersten Zitat für λέγειν (ἐρῶ) setzt, formal und sachlich miteinander verknüpft. Die Jesajazitate beziehen sich auf das wahre Israel in der Ekklesia.

Sie sind durch das Stichwort ὑπόλειμμα und σπέρμα miteinander verbunden[8].
3) Die Zitate verdeutlichen in der Tat die überraschende Aussage von V 24,
und zwar wieder mit Betonung des souveränen Handelns Gottes. Dieses manifestiert sich nach den beiden Hoseazitaten in dem schöpferischen καλεῖν, das
sich jetzt aber nicht auf eine Auswahl innerhalb Israels bezieht wie in 9, 12, sondern auf das Rufen der Heiden zu Gottes Volk. Was das bedeutet, ist in beiden Zitaten klar ausgesprochen. Was sich Os 2, 25 und 2, 1 auf das abtrünnige
Israel selbst bezieht, deutet Paulus auf die Heiden: sie sind durch den Gottes-
ruf „mein Volk" und „Geliebte" und „Söhne des lebendigen Gottes", und
zwar anstelle Israels. Das ἐν τῷ τόπῳ οὗ ... ἐκεῖ ist bei Paulus wohl als „anstelle", „anstatt" zu verstehen. Jedenfalls sind alle Versuche, darin eine bestimmte Landschaft angegeben zu sehen (etwa „Palästina"), wo es den Heiden
gesagt worden ist, unsinnig. Der θεὸς ζῶν erweist seine Lebensmacht darin,
daß er die Heiden seine „Söhne" nennt, d. h. dazu gemacht hat. Paulus widerspricht damit der jüdisch-apokalyptischen und der rabbinischen Anschauung
(vgl. Jub 2, 19; 4 Esr 6, 55.59; 7, 11)[9]. Das aus Hosea Zitierte gilt also den
Heiden. Wie zu „Israel" nicht alle gehören, die aus Israel stammen, sondern
die von Gott gerufen sind, so können zu „Israel" auch die gehören, die nicht
gebürtige Israeliten sind, wenn sie von Gott gerufen wurden (vgl. Peterson).

Aber was ist von und zu Israel selbst zu sagen? Auch das ist deutlich der
Schrift zu entnehmen. So werden zwei getrennte Jesajazitate angeführt, die
auch jedesmal von neuem eingeleitet werden. V 27 leitet Is 10, 22f (Os 1, 10)
mit Ἡσαΐας δὲ κράζει ὑπὲρ τοῦ Ἰσραήλ ein. Κράζειν ist das inspirierte Rufen
des Geistes, rabbinisch: „der Prophet ruft" oder „Jesaja ruft" [צוֹחַ]). Ὑπὲρ τοῦ
Ἰσραήλ ist περὶ τοῦ Ἰσραήλ. Zur Einleitung von Is 1, 9 in V 29 wird Ἡσαΐας wiederholt. Ob die Jesajarolle für Paulus von besonderer Bedeutung war? Jetzt wird
vom προλέγειν des Propheten gesprochen und damit das Zitat als eine Weissagung bezeichnet. Das Zitat in VV 27b/28 klärt die Situation Israels. War schon in
9, 6–13 so viel deutlich, daß nicht alle aus Israel „Israel" sind, sondern nur die
aufgrund von Gottes Verheißung Geborenen und Bestimmten, so wird jetzt
gesagt, daß nur ein „Rest" (ὑπόλειμμα statt LXX κατάλειμμα) gerettet wird.
Das wird hier nur im Schriftwort festgelegt, in Röm 11, 3ff näher ausgeführt.
V 28 wird mit stark verkürztem und anders gewendetem Jesajawort dies als
Handeln Gottes in der Erfüllung seines Wortes hervorgehoben. Συντελεῖν und
συντέμνειν finden sich auch Dn 5, 27 LXX und Dn 9, 24 Θ miteinander verbunden. Ob λόγος das Geschehen oder das Wort ist, ist nicht entscheidend.
Beidesmal ist wahrscheinlich von einem Handeln Gottes gesprochen, das ein
Verheißungswort oder -geschehen abschließt und abkürzt. Συντελεῖν ist „beenden", „erfüllen", συντέμνειν „abkürzen", „verkürzen", „einschränken"
u. ä. Jedenfalls wird in V 28 zum Ausdruck gebracht, daß „der Herr", selbst
seine Verheißung verkürzend, nur einen „Rest" retten wollte. Das ist in Er-

---

[8] O. Michel hat darauf aufmerksam gemacht, daß der Anfang von Os 2, 1 LXX an den
nicht zitierten von Is 10, 22 (= Röm 9, 27) erinnert: καὶ ἦν ὁ ἀριθμὸς τῶν υἱῶν Ἰσραήλ.
Vielleicht haben wir ein Stück aus einem Prophetentestimonium vor uns.
[9] Strack-Billerbeck z. St.

füllung gegangen, indem Gott tatsächlich sein Wort (sein Heilsgeschehen) eingeschränkt erfüllt hat und so nur ein „Rest" von Israel seinem letzten Ruf folgte, in dem aber das Israel Gottes sich verkörpert (vgl. 9, 6ff; 11, 1ff). Doch jene Verheißung steht nicht nur auf *einem* Prophetenwort. Es geschah alles, wie der Prophet Jesaja es auch in Is 1, 9 verheißen hatte. Dieses prophetische Wort soll hier freilich – anders als Is 10, 22f – in Erinnerung rufen, daß es auch dieser „Rest" letztlich Gott verdankt, wenn er gerettet wurde, wenn er in der Ecclesia sich als das wahre Israel einfand. „Israel verdankt auch dies, daß es als Gottes Israel noch im ,Rest', im ,übriggebliebenen Samen' existiert, nicht eigener rettender Kraft (9, 11.16), sondern einzig und allein dem Wunder göttlicher Macht (9, 17.22) und göttlicher Erbarmung (9, 15.18 a.23)" (Maier 60).

So war der Gedankengang von 9, 6 ab in Kürze dieser: Das Wort Gottes ist nicht hinfällig geworden. Nicht alle aus dem fleischlichen Israel sind das wahre Israel, sondern nur die, welche von Gott (in Isaak und Jakob) erwählt sind (9, 6–13). Gott hat damit seine δικαιοσύνη nicht preisgegeben, so daß bei ihm ἀδικία wäre. Gott ist Gott, und sein souveränes Handeln setzt δικαιοσύνη. Das Tongebilde kann mit dem Töpfer in bezug auf dessen Werk nicht diskutieren. Gott hat aber mit großer Geduld bis jetzt die Gefäße des Zornes ertragen und den Reichtum seiner Herrlichkeit an den Gefäßen des Erbarmens erwiesen. Er hat Juden *und* Heiden gerufen. Das sagt schon der Prophet Hosea, der die Berufung der Heiden zum „Volk Gottes" verkündet hat, wie auch der Prophet Jesaja, der vorausgesagt hat, daß nur ein „Rest" von Israel durch Gottes Gnade im neuen Volk Gottes übrigbleibt. Doch was ist der Grund für das letztere und das erstere? Läßt sich außer Gottes souveränem Handeln, das die Gerechtigkeit offenbart, noch etwas anderes sagen? Läßt sich etwas über Israels und der Heiden verantwortliches Verhalten sagen, das ihnen Untergang und Errettung einträgt? Darauf gibt 9, 30–33 zunächst eine Antwort [10].

4. 9, 30–33 Israels Anstoß

30 Was sollen wir nun sagen? Heiden, die nicht auf Gerechtigkeit aus waren, haben Gerechtigkeit erlangt, Gerechtigkeit, die aus Glauben kommt. 31 Israel, das auf das Gerechtigkeitsgesetz aus war, ist nicht zum Gesetz vorgedrungen. 32 Warum? Weil es nicht aus Glauben, sondern vermeint-

---

[10] KÄSEMANN mit GUTJAHR, BARDENHEWER u. a. zieht 9, 30–33 zu Kap. 10, was im weiteren Sinn sachlich auch richtig ist. Aber wenn auch das Thema im allgemeinen hier wie dort sich berührt, so beendet 9, 30ff als Übergang 9, 24ff und damit das Ganze von 9, 6ff ab. Und formal trennt die Einleitung von Kap. 10 dieses von Kap. 9. Am ehesten ist 9, 30–33 also als abschließende Überleitung zu verstehen (MICHEL, GAUGLER). Übrigens spricht auch KÄSEMANN mit SANDAY-HEADLAM von 9, 30ff als von einer „zusammenfassenden Feststellung".

lich aus Werken (lebte). Zu Fall gekommen sind sie an dem Stein des An-
stoßes, 33 wie geschrieben steht: Siehe, in Zion lege einen Stein des An-
stoßes und Felsen des Ärgernisses, und wer ihm vertraut, wird nicht zu-
schanden werden.

VV 30–31 Wieder leitet Paulus – *V 30* – mit Τί οὖν ἐροῦμεν ein und meint:
„Was sollen wir sagen angesichts der in den vorigen Zitaten angedeuteten
Situation der Heiden und Juden? Was sollen wir daraus folgern (Michel), wie
sollen wir sie verstehen?" Nun zunächst so – das ὅτι ist Einleitung der Antwort, die nun fast „zitiert" wird, d. h., Paulus gibt sie als das von ihm aus den
Zitaten Entnommene zu erkennen –: Heiden haben δικαιοσύνη erlangt.
Ἔθνη steht ohne Artikel und meint nicht alle Heiden, aber auch nicht einzelne Heiden, sondern Heidenvölker. Der Sachverhalt wird in den VV 30f in
zwei Gegensätzen zur Sprache gebracht: διώκειν – καταλαμβάνειν (V 30)
und διώκειν – φθάνειν εἰς (V 31). Wiederum spielt das Bild des Wettlaufs
eine Rolle. Vgl. für διώκειν = „streben", „nachjagen", „verfolgen" Ex 15, 9;
Dt 16, 20; Spr 15, 9; Sir 11, 20; 27, 8 und vor allem Phil 3, 12–14, wo der
Gegensatz ebenfalls ein (κατα)λαμβάνειν ist. Das Partizip τὰ μὴ διώκοντα
ist natürlich adversativ, nicht kausal. Die Heiden, die hier in Frage kommen,
erstreben also δικαιοσύνη (wieder ohne Artikel) nicht (so wie der Jude). Der
Ton liegt auf dem διώκειν, so daß unsere Stelle kein Widerspruch zu Röm
2, 14ff ist, wo gesagt ist, daß Heiden sich selbst Gesetz sein können und es
auch vorkommt, daß sie es tun. Sie „jagen ihr nicht nach" in einem bestimmten Sinn, nämlich wie der Jude dem νόμος. Und diese Heiden, die den νόμος
als μόρφωσις τῆς γνώσεως καὶ τῆς ἀληθείας (2, 20) auch gar nicht haben, die
in diesem Sinn ἄνομοι sind (1 Kor 9, 21) und nicht ὑπὸ νόμου, die nicht in den
ἔργα νόμου ihr Heil suchen usw., sie haben δικαιοσύνη erlangt. Freilich
– aber das ist keine Einschränkung, vielmehr eine Charakterisierung hinsichtlich dessen, woher sie kommt und auf welchem Wege sie erlangt wird –
„Gerechtigkeit aus Glauben". Die πίστις, der Glaubensvollzug, ist das Woher
ihrer, der Heiden, Gerechtigkeit insofern, als er sie im Glauben ergreift. Das
war direkt oder indirekt schon wiederholt und grundsätzlich in unserem Brief
gesagt: 1, 16f; 3, 21f; 3, 27–30; 4, 3ff. Was das im allgemeinen alles heißt,
z. B. nicht ἐργάζεσθαι, sondern πιστεύειν ἐπὶ τὸν δικαιοῦντα τὸν ἀσεβῆ
(Röm 4, 5), also nicht ein Leisten, bei dem man sich zur Geltung bringt, sondern ein „sich Gott ganz übergeben und überlassen" als dem, der uns gerecht
macht, oder von der anderen Seite her: ἐκ πίστεως = κατὰ χάριν (Röm 4, 16),
brauchen wir nicht zu wiederholen; es wird ja gerade in unserem Zusammenhang sofort in 9, 32f und dann in 10, 2ff dargelegt. Nur das sei festgehalten,
daß nach den zitierten paulinischen Aussagen δικαιοσύνην καταλαμβάνειν
δικαιοῦσθαι ist und, wie Röm 3, 21ff zeigte, δικαιοῦσθαι das Einbeziehen des
Glaubenden in die δικαιοσύνη τοῦ θεοῦ, also in die von Gott (in Christus)
erwiesene Gerechtigkeit. Heidenvölker sind also in die Gerechtigkeit Gottes aufgenommen worden und haben Gerechtigkeit erlangt, die weit davon entfernt waren, sich ihr aber im Glauben öffneten. Aber von Israel, im

Blick auf das Ganze, muß man sagen und kann man der zitierten Prophetie entnehmen, daß es dem Gerechtigkeit fordernden und verheißenden Gesetz nachlief, aber es nicht erreichte, *V 31*. Νόμος δικαιοσύνης ist das jüdische Gesetz, das Gerechtigkeit fordert[1] und insofern verheißt, wenn es getan wird (vgl. Röm 10, 5)[2]. Ihm entspricht die δικαιοσύνη ἡ ἐκ νόμου. Deshalb auch in rhetorischer Angleichung: εἰς νόμον οὐκ ἔφθασεν, im Sinn von: „zur Erfüllung des Gesetzes", eben zur δικαιοσύνη, kam Israel nicht. Φθάνειν ist hier „hinkommen", „hingelangen", „durchdringen": ἄχρι τινος (2 Kor 10,14); ἐπί τινα (Mt 12, 28; Lk 11, 20); εἰς τί (auch Phil 3, 16; 1 Thess 2, 16). Es hat es ja immer als Leistungsforderung verstanden.

VV 32–33 In V 32 fragt Paulus ausdrücklich: Warum gelangte Israel nicht zu dem Gesetz bzw. seiner Erfüllung? Und er gibt darauf eine knappe Antwort, die dann noch verdeutlicht wird (VV 32f): weil Israel nicht aus Glauben Gerechtigkeit zu erlangen versuchte wie die Heiden, sondern aufgrund von „Werken". Mit den ἔργα sind hier wie oft (Röm 3, 27; 4, 2.6; 9, 12; 11, 6; Eph 2, 9) die ἔργα νόμου (Röm 3, 20.28; Gal 2, 16; 3, 2.10) gemeint, also nicht das Tun an sich, sondern die auf die Anforderung des Gesetzes hin geschehende Leistung, in der der Mensch nicht das Gesetz als den Willen Gottes erfüllt, sondern sich selbst behauptet, sichert, erbaut oder „sich rühmt". Beachtenswert ist noch das ὡς ἐξ ἔργων. Es besagt „vermeintlich", wie Israel annimmt, und zeigt, daß Paulus sich auf den Standpunkt Israels versetzt[3] (vgl. 2 Kor 2,17; 11,16). Aber warum lebte Israel nicht ἐκ πίστεως? Weil es Anstoß nahm an dem „Stein", der Zions Fundament ist. Προσκόπτειν ist „sich stoßen an", „Anstoß nehmen", „Widerwillen haben", „ablehnen", „verwerfen"[4] (vgl. Röm 14, 21 [Sir 32, 20]; 1 Petr 2, 8). Πρόσκομμα ist Anstoß; λίθος προσκόμματος der Stein, an dem man sich stößt, über den man stolpert oder fällt. Daß Israel nicht glaubt, hat seinen Grund darin und wird daran deutlich, daß es sich an dem Stein, den Gott Zion zugrunde legte, gestoßen hat und über ihn gefallen ist. Das bestätigt wiederum die Schrift. Das Zitat ist zusammengesetzt aus einer Erinnerung an Is 28, 16 und 8, 14. Unser Text weicht von dem der LXX ziemlich ab, ist aber verwandt mit der Zitatenkollektion 1 Petr 2, 6–8[5]. Nach der Kombination bei Paulus hat die Setzung Gottes in Zion eine zweifache Wirkung: a) sie bereitet das Hindernis, an dem Israel zu Fall kommt: πρόσκομμα ist πέτρα σκανδάλου (vgl. Röm 14,13: τιθέναι πρόσκομμα... ἢ σκάνδαλον. Σκάνδαλον im Sinn des Ärgernisses allein Röm 16,17; 1 Kor 1, 23; Gal 5, 11): b) sie setzt ein Heilszeichen, auf das der Mensch vertrauen darf und soll. Wer „der Stein des Anstoßes und Fels des Ärgernisses" ist und worin das τιθέναι Gottes besteht, wird nicht gesagt. Aber der Leser wird es wissen, z. B. von Röm 3, 21ff her, und jedenfalls bekommt

---

[1] Zahn, Jülicher.
[2] Michel.
[3] Vgl. Radermacher, Grammatik, 26.
[4] Auch schon hellenistisch, z. B. Diod. Sic. 4, 61, 7. Bauer Wb 14, 20.
[5] Vgl. Stählin in: ThWb VI 751f. Vgl. auch Barn 6, 2–4. Man vermutet Spuren einer Testimoniensammlung bzw. mündliche Tradition, die zur Testimoniensammlung führte.

er es bald im Zusammenhang von Kap. 10 gesagt: es ist ὁ Χριστός. Auch der Targum zu Is 28, 16 deutet den Stein auf den Messias[6], auf „einen starken König", den Gott in Zion einsetzen wird. Der Prophet Jesaja hat alles gesehen und vorausgesagt: Gott hat in Zion, dem Zentrum der heiligen Stadt Jerusalem, ein Fundament gelegt. Es ist Jesus Christus, wie jeder weiß. Er ist und war immer schon auch das Fundament Israels. An ihn galt es zu glauben und ihm zu vertrauen. Dann wird man im Gericht bestehen. Aber Israel vertraute nicht darauf[7]. Es stieß sich daran. Es ist darüber zu Fall gekommen. „Sie sind an ihren eigenen Grundlagen zu Fall gekommen." „Sie meinten, daß sie aufgrund von Werken Gerechtigkeit erlangen würden." „So haben sie nicht beachtet, was der Prophet Jesaja gesagt hat." „Sie dachten nur an das, was sich auf dem Fundament aufbaut: den Tempel und das Gesetz. Sie vergaßen darüber die Grundlage: den Glauben" (Peterson). Sie vergaßen ihr verborgenes Fundament, Christus. Die Heiden hatten kein solches Fundament und kein Jerusalem, keinen Tempel und kein Gesetz. Aber als das Fundament für sie sichtbar wurde, konnten sie es leichter entdecken als Israel, glaubten sie an und bauten sie auf das Fundament, das neue Zion, die Kirche. Also: was sollen wir sagen (zu dem, was Hosea und Jesaja verkündigten)? Die Heiden haben geglaubt, und so wurden sie, die „Nicht-Volk" waren, „das Volk". Israel hat nicht geglaubt. Es hat sich an seinem von Gott gelegten Fundament gestoßen. Es blieb bei dem, was nur auf dem Fundament Sinn hat, es aber nicht ersetzen kann, bei den ἔργα νόμου. Es hat Jesus Christus, in dem die Gerechtigkeit Gottes erschienen und zu erlangen war, nicht angenommen. Es hat die Gerechtigkeit *nicht* empfangen, oder besser: nur ein „Rest", den Gott übrigließ, der Gottes in Zion gelegtes Fundament erkannte, hat sie erlangt.

5. 10, 1–13 Das Ende des Gesetzes und das nahe Wort des Glaubens

1 Brüder, meines Herzens Neigung und mein Bitten zu Gott ergeht für sie, daß sie gerettet werden. 2 Denn ich bezeuge ihnen, daß sie um Gott eifern, aber nicht in rechter Einsicht. 3 Indem sie nämlich Gottes Gerechtigkeit verkannten und die eigene aufzurichten suchten, haben sie sich nicht der Gottesgerechtigkeit unterworfen. 4 Denn Christus ist das Ende des Gesetzes zur Gerechtigkeit für jeden, der glaubt.

5 Denn Moses schreibt: Der Mensch, der die Gerechtigkeit aus dem Gesetz wirkt, wird durch sie leben. 6 Die Glaubensgerechtigkeit spricht aber so: Sage nicht in deinem Herzen: Wer wird in den Himmel hinauf-

---

[6] Jeremias in: ThWb IV 276f. 1QH VI 26f bezieht die Aussage auf die eschatologische Gemeinde; O. Betz, Felsenmann und Felsengemeinde, in: ZNW 48 (1957) 49–77, 69ff.
[7] Πιστεύειν ἐπί ist „vertrauen auf"; Jeremias in: ThWb IV 275; Bultmann in: ThWb VI 217.

steigen – nämlich um Christus herabzuholen. 7 Oder: Wer wird in den Abgrund hinabsteigen – nämlich um Christus von den Toten herauf-zuholen. 8 Sondern was sagt sie? Nahe ist dir das Wort, in deinem Munde und in deinem Herzen. Das ist das Wort des Glaubens, das wir verkün-digen. 9 Denn wenn du mit deinem Munde bekennst: Herr ist Jesus, und mit deinem Herzen glaubst, daß Gott ihn von den Toten erweckt hat, wirst du gerettet werden. 10 Denn mit dem Herzen glaubt man und wird gerecht, mit dem Mund bekennt man und wird gerettet. 11 Sagt doch die Schrift: Jeder, der an ihn glaubt, wird nicht zuschanden werden. 12 Es ist ja kein Unterschied zwischen Jude und Grieche. Denn es ist ein und derselbe Herr für alle, der alle reich macht, die ihn anrufen. 13 Denn jeder, der den Namen des Herrn anrufen wird, wird gerettet werden.

V 1 Formal setzt Paulus in V 1 neu ein. Die ἀδελφοί werden wieder aus-drücklich angeredet, also spricht er weiterhin zur römischen christlichen Gemeinde, wenn er von Israel redet. Er versichert zunächst, daß es seine εὐδοκία[1], sein Wunsch und Verlangen (hebräisch: רָצוֹן), deutlicher noch: der „Wunsch seines Herzens", also sein innerstes Verlangen, sein zuneigendes Verlangen sei und zugleich sein „Gebet zu Gott" (vgl. 2 Kor 1,11; 9,14; Phil 1,4.19; 4,6; Eph 6,18), daß sie gerettet werden. Sein wahrhaftes Ver-langen und sein Gebet zu Gott ergehen, so wird formuliert, ὑπὲρ αὐτῶν εἰς σωτηρίαν (= ἵνα σωθῶσιν). Ihre Rettung ist Gegenstand seiner herzlichen Fürbitte[2]. Er sieht also noch eine Möglichkeit, daß sie gerettet werden. In 9,22 deutete er an, daß Gott Israel noch in großer Geduld trägt, in 9,27ff weiß er aus dem Propheten Jesaja, daß ein „Rest" gerettet wird. Jetzt in 10,1 bittet er Gott für sie im allgemeinen, daß er sie retten möge. Wie sich das zueinander verhält, wird sich zeigen.

V 2 Man muß Israel bezeugen (V 2), also in aller Öffentlichkeit von ihm feststellen, ζῆλον θεοῦ ἔχουσιν. Ζῆλος ist hier Eifer wie 2 Kor 7,7.11; 9,2; 11,2, und wie er seit den Makkabäern in weiten jüdischen Kreisen (Zeloten, Qumran, aber auch bei den Rabbinen) eine maßgebende Rolle spielt[3]. So schreibt sich Paulus auch selbst zu, ein ζηλωτὴς ... τῶν πατρικῶν μου παρα-δόσεων gewesen zu sein (Gal 1,14), und erwähnt (Phil 3,6), daß er κατὰ ζῆλον die Kirche verfolgte. Apg 22,3 stellt er sich u. a. als ζηλωτής... τοῦ θεοῦ, καθὼς πάντες ὑμεῖς ἐστε σήμερον, vor. Dieser Eifer um Gott ist nach Paulus einer der charakteristischen Vorzüge jüdischer Frömmigkeit. „Auch der ungläubige Jude ist ja immer noch ein Eiferer" (Peterson). Israel hängt an Gott, ist um Gott bemüht, tritt für Gott ein. Das kann Paulus ihm bezeugen.

---

[1] Schrenk in: ThWb II 736–748; vgl. Ps 144,16; Sir 1,27; 35,3; 39,18; Phil 1,15.
[2] Das μέν steht allein und unterscheidet die Aussage von V 1.
[3] Zu ζῆλος (= קִנְאָה) vgl. Jdt 9,4; ψ 68,10; vgl. Joh 2,17; ψ 118,39; 1 Makk 2,58; Apg 21,20: die Juden als ζηλωταὶ τοῦ νόμου. Vgl. Hengel, Zeloten, 152ff.

Aber – und das ist die entscheidende Einschränkung – οὐ κατ’ ἐπίγνωσιν, also nicht so, daß sie dabei von ἐπίγνωσις bestimmt wären. Ἐπίγνωσις ist hier von γνῶσις wahrscheinlich in dem Sinn zu unterscheiden, daß es nicht nur die Erkenntnis, sondern die „Anerkennung“ Gottes und die damit gegebene Erkenntnis meint[4]; so auch Röm 1, 28; 3, 20; Eph 1, 17; Kol 1, 9. 10; 2, 2; 3, 10. Sie haben Eifer um Gott, aber nicht in der rechten Weise; nämlich nicht so, daß sie Gott wirklich als Gott anerkennten. Inwiefern?

Darauf kommt V 3 zu sprechen. 1) „Sie verkannten Gottes Gerechtigkeit.“ Ἀγνοεῖν ist nicht nur „nicht wissen“, „unwissend sein“. Nach Röm 10, 19 hat Israel „erkannt“, also durchaus z. B. um Gottes Werben um Israel gewußt, also um Gottes Willen. Das ἀγνοοῦντες entspricht dem οὐ κατ’ ἐπίγνωσιν und muß mit dem οὐχ ὑπετάγησαν übereinstimmen. Sie kannten Gott in der Weise nicht, daß sie ihn und seine δικαιοσύνη verkannten[5]. 2) Dies aber, weil sie bestrebt sind[6], τὴν ἰδίαν (δικαιοσύνην) στῆσαι. Gegenüber stehen sich also Gottes Gerechtigkeit und die eigene Gerechtigkeit. Von Röm 9, 32 her ist es klar, daß letztere die δικαιοσύνη ἐξ ἔργων ist. Einen ähnlichen Gegensatz finden wir Phil 3, 9: ἐμὴ δικαιοσύνη ἡ ἐκ νόμου und ἡ ἐκ θεοῦ δικαιοσύνη ἐπὶ τῷ πίστει. Gottes Gerechtigkeit ist die heilsam von Gott herkommende, von Gott aufgerichtete und gewährte, die Eigen-Gerechtigkeit aber ist die „aus dem Gesetz“, d. h. aus den Leistungen gegenüber dem Gesetz, den ἔργα νόμου, erworbene[7]. Wenn Israel Gottes Gerechtigkeit verkannte und sich im falschen Eifer um Gott bemühte, nicht eigentlich um Gott eiferte, sondern „sich um Gott ereiferte“ (Peterson), so geschah das in der Weise, daß sie selbst ihre Gerechtigkeit στῆσαι (vgl. Röm 3, 21; 14, 4), aufrichten, zustande bringen wollten (im Sinne des hebräischen מקים), also eine Eigen- oder Selbst-Gerechtigkeit zustande bringen wollten. Und das bedeutet, 3) daß sie sich der Gerechtigkeit Gottes nicht unterwerfen. Es ist die, die Gott walten und erfahren läßt als seine πίστις und ἀλήθεια (vgl. Röm 3, 1ff). Und es ist diese seine „Treue“ und „Wahrheit“, die in Christus Jesus erschienen ist, ohne Zutun des Gesetzes (Röm 3, 21ff), der man sich im Glaubensgehorsam unterwirft. Sie ist ja, wie Röm 1, 16 sagte, im Evangelium, der „Macht“ Gottes, offenbar geworden. Aber eben ihr, also dem Evangelium (vgl. Röm 10, 16; 6, 17; 2 Thess 1, 8), hat sich Israel in seinem selbstsüchtigen Eifer um das Gesetz und also um Gott nicht zur Verfügung gestellt. So ist es ein λαὸς ἀπειθῶν (Röm 10, 21; vgl. 11, 31; 15, 31). Hätte es wirklich selbst-losen Eifer um Gott, so würden sie seine Gerechtigkeit erkennen und anerkennen, daß er sie setzt und aufgerichtet hat und daß es nur darum geht, sich ihr im Gehorsam des Glaubens zu unterstellen.

---

[4] Vgl. BULTMANN in: ThWb I 207.
[5] Vgl. den Gegensatz syrBar 54, 5: „Du erhellst die Dunkelheiten und offenbarst das Verborgene denen, die sich im Glauben dir und deinem Gesetz unterworfen haben.“
[6] ζητεῖν mit Inf. Gal 1, 16; 2, 17 im Sinn von „sich bemühen um“.
[7] Vgl. syrBar 67, 6: „Und der balsamische Weihrauchduft der aus dem Gesetz her stammenden Gerechtigkeit ist aus Zion verloschen“; auch ApkBar 51, 3.

V 4 Denn faktisch ist „Christus das Ende des Gesetzes" und eröffnet jedem, der glaubt, die Gerechtigkeit. Τέλος ist ohne Zweifel im üblichen Sinn von „Ende" gebraucht[8]. Das geht, von unserem Zusammenhang abgesehen, eindeutig aus dem freilich oft mißverstandenen Satz Gal 3, 24 hervor, nach dem das Gesetz der παιδαγωγὸς εἰς Χριστόν ist, d. h. *bis* zu Christus herrschte, damit wir dann aus Glauben gerechtfertigt würden (vgl. auch Gal 4, 1ff). Nicht mehr der νόμος ist der Weg zum Heil. Er war es als der νόμος, der Eigenleistungen provozierte, nie. Der Äon des Gesetzes ist abgeschlossen, und der ihn beendete, ist Χριστός (ohne Artikel!), in dem ja die δικαιοσύνη τοῦ θεοῦ χωρὶς νόμου (gleichwohl aber bezeugt vom Gesetz und den Propheten) erschienen ist und nun als diese Gerechtigkeit den *Glaubenden* hineinholt: „jeden, der glaubt", wird in V 4 noch hinzugefügt.

VV 5–7 Und dieser Χριστός und in ihm und mit ihm die Gerechtigkeit Gottes ist gegenwärtig, so daß jeder, der glaubt, gerettet werden kann. Das ist das Thema von 10, 5–13. Das läßt sich wieder aus der Schrift zeigen, und zwar an dem Gegensatz dessen, was Μωϋσῆς γράφει, und ἡ ἐκ πίστεως δικαιοσύνη λέγει. Moses und γράμμα im Sinn von 2 Kor 3, 6ff gehören zusammen. Der Glaubensgerechtigkeit liegt zwar auch eine Schriftstelle zugrunde; aber sie redet im πνεῦμα. Moses' Schreibe formuliert das Prinzip des Gesetzes *(V 5)*[9]. Benützt ist Lv 18, 5: ἃ (πάντα τὰ προστάγματά μου καὶ πάντα τὰ κρίματά μου) ποιήσας ἄνθρωπος ζήσεται ἐν αὐτοῖς (vgl. Gal 3, 12; Röm 2, 13). Statt der Gebote ist bei Paulus ἡ δικαιοσύνη ἡ ἐκ νόμου getreten, was des weiteren aber dasselbe ist. Jedenfalls sieht Moses, der Vertreter des Gesetzes, in der Gerechtigkeit, die sich vom Gesetz herleitet, also in ihrem Vollzug, sich das Leben einstellen. Ihm eigentümlich entgegengesetzt (δέ) äußert sich die personifizierte [10] δικαιοσύνη ἐκ πίστεως *(V 6)*. Zugrunde liegen für den Eingang des Zitats: μὴ εἴπῃς ἐν τῇ καρδίᾳ σου (Dt 9, 4), für das übrige Zitat VV 6–8: Dt 30, 11–14, die von der ἐντολή reden: ἡ ἐντολή αὕτη ... οὐχ ὑπέρογκός ἐστιν οὐδὲ μακρὰν ἀπὸ σοῦ · 12 οὐκ ἐν τῷ οὐρανῷ ἄνω ἐστὶν λέγων (= so daß du sagen könntest): Τίς ἀναβήσεται ἡμῖν εἰς τὸν οὐρανὸν καὶ λήμψεται αὐτὴν ἡμῖν; καὶ ἀκούσαντες αὐτὴν ποιήσομεν. 13 οὐδὲ πέραν τῆς θαλάσσης ἐστὶν λέγων: Τίς διαπεράσει ἡμῖν εἰς τὸ πέραν τῆς θαλάσσης καὶ λήμψεται ἡμῖν αὐτήν; καὶ ἀκουστὴν ἡμῖν ποιήσει αὐτήν, καὶ ποιήσομεν. 14 ἔστιν σου ἐγγύς τὸ ῥῆμα σφόδρα ἐν τῷ στόματί σου καὶ ἐν τῇ καρδίᾳ σου καὶ ἐν ταῖς χερσίν σου αὐτὸ ποιεῖν. Dabei scheint auch ψ 106, 26 LXX verwendet zu sein, wo eine Seenot geschildert wird: ἀναβαίνουσιν ἕως τῶν οὐρανῶν καὶ καταβαίνουσιν ἕως τῶν ἀβύσσων... In seiner Exegese bezieht Paulus die Aussagen über die ἐντολή von Dt 30, 11ff, die für Israel nicht unerreichbar ist, auf solche über Christus. Dieser ist also an die Stelle der Weisung der Tora getreten. Paulus ex-

---

[8] Vgl. G. BORNKAMM, Wandlungen im alt- und neutestamentlichen Gesetzesverständnis, in: Geschichte und Glaube II (1971) 105f. So SANDAY-HEADLAM, LAGRANGE, LIETZMANN, HUBY, NYGREN, MICHEL, GAUGLER.

[9] ῞Οτι steht 𝔓 46 B 𝔐 G pl it sy unmittelbar vor dem Zitat. Aber damit verdirbt man die rabbinisch-hermeneutische Formulierung.

[10] Beispiele für solche Personifizierung in der Diatribe bei BULTMANN, Stil, 87f.

egesiert dabei ausdrücklich[11]. Das erklärende τοῦτ᾽ ἔστιν, das an sich griechischer Sprachgebrauch ist, aber vielleicht auch zu hellenistisch-jüdischer Terminologie gehört, ist so in den Satz eingefügt, daß die Konstruktion ohne Rücksicht darauf weiterläuft (vgl. Röm 7, 18; Phm 1, 2 u. a.). Was sagt nun die „Gerechtigkeit aus Glauben"? Sie widerrät bzw. verbietet, das Unmögliche zu tun und Christus aus dem Himmel herabzuholen. Und sie widerrät bzw. verbietet, das Unmögliche zu tun und ihn aus dem ἄβυσσος (= ᾅδης), dem Totenreich, heraufzuholen. Es mag sein, daß beide Redensarten sprichwortartig sind zur Veranschaulichung des Unmöglichen (vgl. 4 Esr 4, 8; Philo, De virtute 183; Spr 30, 4)[12]. Lietzmann führt b Baba Mezia 94a dafür an. Doch in unserem Zusammenhang ist es ja aus Dt 30, 11ff bzw. ψ 106, 27 genommen. Aber warum ergeht das Verbot?

V 8 Das wird indirekt V 8 mit Dt 30, 14 gesagt, sofern dort vorausgesetzt ist, was etwa Hebr 13, 20 von Gott gesagt wird, daß *er* „den Hirten der Schafe aus den Toten hinaufgeführt hat…" Im ganzen ist gemeint: weil Christus schon vom Himmel herabgekommen ist und schon von den Toten auferstanden ist. Aber das ist freilich nur die Voraussetzung für den eigentlichen Grund: dadurch gibt es das „nahe Wort", das dem νόμος entgegengesetzt ist, das rettende Heilswort, das man mit Mund und Herz erfassen kann, das εὐαγγέλιον (10, 16) oder, wie Paulus hier exegesiert, τὸ ῥῆμα τῆς πίστεως, ὃ κηρύσσομεν. Dieses ῥῆμα τῆς πίστεως ist nicht das Wort, das vom Glauben handelt und den Glauben erfordert, oder das Wesen im Glauben findende Wort (Schniewind, Wort 48 f) – sachlich ist es das natürlich auch –, sondern das Wort, in dem der Glaube, die fides, quae creditur, sich ausspricht, der verkündende Glaube[13]. Zu Wort kommen lassen aber „wir" ihn, die wir dieses Glaubenswort „verkündigen". Vgl. die paulinische Wendung τὸ εὐαγγέλιον κηρύσσειν (Gal 2, 2; Kol 1, 23; 1 Thess 2, 9 [2 Tim 4, 2]) und die Parallelformulierung κηρύσσειν (τὸν) Χριστὸν Ἰησοῦν (1 Kor 1, 23; 15, 12; 2 Kor 4, 5; 11, 4; Phil 1, 15). Darin wird dasselbe Verhältnis von Christus und εὐαγγέλιον angedeutet bzw. vorausgesetzt, das auch an unserer Stelle angedeutet wird: *er* ist im ῥῆμα τῆς πίστεως präsent. Man muß ihn nicht erst aus Himmel und Hades holen. Er ist im Wort des Glaubens, und dieses ist uns „nahe". Damit ist aber die Rettung nahe. Es bedarf nicht mehr des νόμος und seiner ἔργα, nicht mehr des ποιεῖν τὴν δικαιοσύνην τὴν ἐκ νόμου, sondern nur des Glaubens bzw. des Bekennens. Das wird in VV 9–11 ausgeführt.

In *V 9* wird, offenbar durch das Zitat, das στόμα und καρδία unterschied, veranlaßt, das dem κηρύσσειν des ῥῆμα τῆς πίστεως entsprechende πιστεύειν in ὁμολογεῖν und πιστεύειν zerlegt. Ὁμολογεῖν und πιστεύειν „retten". Ὁμολογεῖν, das zunächst „zusagen", „zugeben", „ein Geständnis ablegen" u. ä. be-

---

[11] Zum formalen Sinn solcher „Exegese" verweist Käsemann auf die Pescherform, „für welche die oft seltsame Deutung der Schrift in der Aktualisierung ihres verborgenen eschatologischen Gehaltes charakterisiert ist". Als Beispiel führt er 1QH XII 2ff; CD 7, 14ff an.
[12] Strack-Billerbeck, Käsemann.
[13] Bultmann in: ThWb VI 210; ders., Theologie, 393; Michel.

deutet, meint „bekennen", und zwar hier mit doppeltem Acc. (vgl. Joh 9, 22: αὐτὸν ὁμολογεῖν Χριστόν, oder 1 Joh 4, 2; 2 Joh 7), sonst etwa mit einfachem Acc. (1 Joh 2, 23: ὁμολογεῖν τὸν υἱόν; 4, 3) oder mit Acc. c. Inf. wie 1 Joh 4, 2: Ἰησοῦν Χριστὸν ἐν σαρκὶ ἐληλυθότα (vgl. IgnSm 7, 1; Polyk 7, 1 a), oder mit folgendem ὅτι-Satz (1 Joh 4, 15: ὁμολογεῖν ὅτι Ἰησοῦς ἐστιν ὁ υἱὸς τοῦ θεοῦ). Aber es findet sich auch mit Acc. der Sache, z. B. 1 Tim 6, 12: ὁμολογεῖν... ὁμολογίαν, „ein Bekenntnis ablegen", wie etwa auch Philo, De mut. nom. 57; De Abr. 203. Ὁμολογία im objektiven Sinn kommt Hebr 4, 14: κρατεῖν τῆς ὁμολογίας, und 10, 23: κατέχειν τὴν ὁμολογίαν, im subjektiven Sinn als Bekenntnisvollzug 2 Kor 9, 13; Hebr 3, 1 zur Sprache. Analysiert man das ὁμολογεῖν des näheren, so zeigt sich, daß es 1) ein Ja-Sagen zu einem Sachverhalt oder Tatbestand oder zu einer Person meint und daß der Gegensatz dazu ein ἀρνεῖσθαι, ein Nein-Sagen, Verleugnen, ist (vgl. Joh 1, 20; 1 Joh 2, 23; IgnSm 7, 2). 2) Dieses Ja-Sagen ist ein Einstimmen in eine gemeinsame Zustimmung (vgl. Joh 6, 69; 1 Joh passim; Hebr 3, 1), und zwar definitiver Art (vgl. 1 Tim 6, 12 f [Mt 10, 32; Lk 12, 8]). Die Homologie ist ein kirchlicher Akt. Paulus steht auch an unserer Stelle die Gemeinde vor Augen. 3) Es ist das Zustimmen vor einer Öffentlichkeit oder einem Forum (vgl. 1 Tim 6, 12; Mt 10, 32; Joh 9, 22), wodurch eine verbindliche Erklärung abgegeben und gleichsam ein Rechtsverhältnis hergestellt wird, was dann auch praktische Konsequenzen erfordert (Joh 2, 14 ff; Herm [s] 9, 28, 1–8). Es kommt so dem μαρτυρεῖν und der μαρτυρία nahe (vgl. Apg 18, 5; Joh 1, 34; 1 Joh 4, 14; 1 Tim 6, 13). Es ist ein öffentlicher Akt. 4) Der Sache nach setzt ὁμολογεῖν immer eine Frage voraus, die es beantwortet (Joh 1, 19 ff; Apg 8, 37 D; 2 Kor 9, 13). Sie kann ausdrücklich oder implizit sein. Die Frage kann dabei wie die Antwort, die im Bekenntnis gegeben wird, in Sätzen formuliert werden (vgl. 2 Joh 9 f; auch den τύπος διδαχῆς Röm 6, 17). Sie stellen als solche eine Proklamation und ein Kerygma dar (Hebr 3, 2; 4, 14; IgnSm 5, 2; 7, 1; Polyk 8, 1). 5) Vom Bekenntnis hängt die σωτηρία ab (Röm 10, 9; 1 Joh 4, 15; Hebr 3, 2; 10, 23; 2 Tim 2, 11 ff; IgnSm 5, 1). So ist es von scheidender und entscheidender Kraft (1 Kor 12, 3; Joh 9, 22; 12, 42; 1 Joh 4, 2 f; 2 Joh 9 f; Polyk 7, 1 f). 6) Die Homologie geht über in die Exhomologese, vgl. Phil 2, 11: ἐξομολογεῖσθαι, welches Kompositum die LXX oft für das Simplex im Sinn von „lobpreisen" und „danken" verwendet (vgl. Röm 14, 11 [= Is 49, 18; 45, 23]; 15, 9 [= ψ 17, 49]). Vgl. auch Hebr 13, 15, wo das ὁμολογεῖν τῷ ὀνόματι αὐτοῦ das dankende Darbringen des Lobopfers einer εὐχαριστία ist (vgl. Did 10, 7). 7) In jeder Form, ausgehend von der Akklamation 1 Kor 12, 1 ff, als Glaubensformel (1 Joh 4, 1 ff), als Hymnus (Eph 5, 19; Kol 3, 16; Did 10, 7), wird ὁμολογεῖν als Frucht des Geistes verstanden.

Aber zurück zu V 9. Dort steht das, was bekannt wird, im doppelten Akkusativ: κύριον Ἰησοῦν, „als Herrn – Jesus". Aber dahinter steht natürlich die Akklamation, wie wir sie aus 1 Kor 12, 3 kennen und innerhalb des Hymnus Phil 2, 6–11 in 2, 11. Diese Akklamation – mit dem Enthusiasmus zusammengebracht – steht im NT neben der εἷς θεός- und εἷς κύριος-Formel (vgl. 1 Kor 8, 6; Eph 4, 5). Was alles bei der Akklamation κύριος Ἰησοῦς anklingt, ist schwer zu sagen. Im allgemeinen kommen in Betracht die Gottesprädikation der LXX, die Antithese zu den heidnischen θεοὶ καὶ κύριοι, die Antithese zur Kaisergottheit (vgl. Nero: ὁ τοῦ παντὸς κόσμου κύριος, auf einer nordgriechischen Inschrift [Sylloge II³ 814, 30]; Antoninus Pius: ἐγὼ μὲν τοῦ κόσμου κύριος, ὁ δὲ νόμος τῆς θαλάσσης [Digesten XIV 2, 9]) [14], vielleicht auch das Lehrer- und Meisterverhältnis zum irdischen oder erhöhten Herrn als dem מרנא oder רבנא der aramäischen Urgemeinde. Im Zusammenhang unserer ὁμολογία ist jedenfalls dies deutlich: 1) daß Jesus die Auferweckung von den Toten zum Herrn (der Kirche und der Welt) gemacht hat und 2) daß er damit der gegenwärtige Herr ist, der mit dem Wort des Evangeliums seine Herrschaft ausübt. Das letztere geht aus VV 6 ff hervor; das erstere wird dadurch bekräftigt, daß zu dem Glauben, der bekennt, nach V 9b dies gehört, daß Gott ihn von den Toten auferweckt hat. V 9b ist offensichtlich einer der Glaubenssätze, die der Apostel dem Glauben der Urchristenheit entnommen hat. Er wird im Kontext mit πιστεύειν... ὅτι wie in 1 Thess 4, 14 eingeleitet. Solche Glaubenssätze sind sonst auch stilistisch daran zu erkennen, daß sie als Gottesprädikationen im Relativsatz oder im Partizip formuliert werden (vgl. z. B. 1 Thess 1, 10; Röm 8, 11; 2 Kor 4, 17; Gal 1, 1). Daß die Auferweckung Jesu von den Toten und sein Kyrios-Sein zusammengehören, zeigen z. B. auch Röm 1, 4 und Phil 2, 9. Solches ὁμολογεῖν und solches πιστεύειν, die beide natürlich zusammengehören wie Mund und Herz, werden die eschatologische Rettung bringen. Jetzt, da Christus das Ende des Gesetzes ist, sind sie die Weise, zum Heil zu gelangen.

V 10 Das wird – in chiastischer Umstellung von καρδία und στόμα – in V 10 noch einmal bekräftigt, und zwar in der Form einer lehrhaften Feststellung. Der Satz verrät, daß δικαιοσύνη als das, was sich im Glauben der καρδία einstellt, diese σωτηρία ist. Gerettet werden ist gerecht werden und umgekehrt: die δικαιοσύνη ist die σωτηρία. Das aber ist: im Gericht nicht zuschanden werden und beschämt dastehen.

VV 11–13 Wiederum bestätigt das die Schrift *(V 11)*, nämlich noch einmal Is 28, 16; vgl. Röm 9, 33! Aber die Schrift denkt nach dem Apostel noch weiter, wie das von Paulus hinzugefügte πᾶς zu ὁ πιστεύων andeutet, das in der LXX und Röm 9, 33 fehlt. *V 12* erklärt es des näheren und zeigt, daß Paulus seinen Leitgedanken von 9, 24 bzw. 9, 25 f. 30 nicht vergessen hat. „Jeder", der glaubt, das meint „Jude" und „Heide". Zwischen Jude und Heide ist in bezug auf die Errettung durch Glaube und Bekenntnis kein Unterschied. Die Söhne Israels, aber auch die Heiden können Gerechtigkeit und damit das Heil erlangen. Worin hat das aber seinen Grund? Darin (V 12b), daß es *„einen Herrn aller"* gibt, der sich in seinem Reichtum – im Reichtum seiner Gnade – allen, die ihn „anrufen", erweist. Der Unterschied von Jude und Heide ist nicht etwa aus der Gleichheit der menschlichen Natur zu nivellieren. Israel bleibt das erwählte Volk. Aber der κύριος ist der Herr aller, auch der Heiden, die ihn anrufen, und auch zu deren Rettung bereit. Die Sprache nähert sich wieder dem Liturgischen und verrät damit wieder die Vorstellung der gottesdienstlichen

---

[14] Andere Beispiele bei Lietzmann, Exkurs „Jesus der Herr".

Situation. Für ὁμολογεῖν und πιστεύειν steht jetzt ἐπικαλεῖσθαι. Dieses nimmt jene zusammenfassend auf, und zwar als LXX-Begriff. „Die den Namen des Herrn anrufen" ist die atl. Bezeichnung der „Bekenner", d. h. der Frommen (vgl. 1 Sm 12,17f; 2 Sm 22,17; ψ 49,15; Spr 1,28: τὸν κύριον, und Gn 13,4; 21,33 u. a.: τὸ ὄνομα κυρίου). Im NT sind bekanntlich οἱ ἐπικαλούμενοι τὸν κύριον (bzw. τὸ ὄνομα τοῦ κυρίου) die Christen (vgl. 1 Kor 1,2; Apg 2,21; 9,14.21; 22,16; 2 Tim 2,22; auch 1 Clem 52,3; 57,5)[15]. Πλουτεῖν im übertragenen Sinn, transitiv von Gott, findet sich im NT nur hier: der reich ist in bezug auf alle und also alle reich macht. Von Gottes πλοῦτος, und zwar seiner χρηστότης… ἡ τῆς ἀνοχῆς, ist Röm 2,4 die Rede, 9,23 von dem πλοῦτος τῆς δόξης αὐτοῦ (vgl. Phil 4,19), 11,33 von dem „Abgrund des Reichtums… Gottes" überhaupt. Dieser Reichtum wird dann besonders in der liturgischen Sprache des Epheser- und Kolosserbriefs erwähnt (vgl. Eph 1,7: τῆς χάριτος αὐτοῦ, 1,18: τῆς δόξης, τῆς κληρονομίας αὐτοῦ, 3,16: τῆς δόξης, Kol 1,27: τῆς δόξης τοῦ μυστηρίου τούτου. Eph 2,4 heißt es: ὁ … θεὸς πλούσιος ὢν ἐν ἐλέει. Vom Armgewordensein des „reichen" Christus und vom Reichgewordensein der Christen durch Christi Armut ist 2 Kor 8,9 die Rede. An unserer Stelle (Röm 10,12) deutet der Zusammenhang des weiteren natürlich auch auf den Reichtum der χάρις und δόξα Christi. Des näheren besteht er darin, daß er alle, die ihn anrufen, Juden und Heiden (in der versammelten Gemeinde), gerecht macht und so rettet. Auch das verkündet schon die Schrift *(V 13)*, und zwar in Joel 3,5.

6. 10, 14–21 Israels Ungehorsam

14 Wie sollen sie nun den anrufen, an den sie nicht gläubig geworden sind? Wie sollen sie aber an den zum Glauben kommen, den sie nicht gehört haben? Wie aber hören, wenn keiner verkündigt? 15 Wie sollen sie aber verkündigen, wenn sie nicht gesandt sind? Wie demnach geschrieben steht: „Wie sehr zur rechten Zeit kommen die Füße derer, die Gutes verkündigen." 16 Doch nicht alle sind dem Evangelium gehorsam geworden. Denn Jesaja sagt: „Herr, wer hat unserer Botschaft geglaubt?" 17 Also der Glaube kommt aus dem Gehörten, das Gehörte durch das Wort Christi. 18 Aber, sage ich, haben sie etwa nicht gehört? Doch, gewiß: „In alle Welt ging aus ihr Schall und bis an die Grenzen der bewohnten Erde ihr Wort." 19 Aber, sage ich, hat Israel vielleicht nicht verstanden? Als erster sagt Moses: „Ich will euch eifersüchtig machen auf ein ‚Nicht-Volk', auf ein unverständiges Volk will ich euch zornig machen." 20 Jesaja aber erkühnt sich und sagt: „Ich ließ mich finden von denen, die mich nicht suchen, offenbar wurde ich denen, die nicht nach mir fragen." 21 Zu Israel sagt er jedoch: „Den ganzen Tag habe ich meine Hände ausgebreitet nach einem ungehorsamen und widerspenstigen Volk."

---

[15] Im übrigen ist ἐπικαλεῖσθαι τοὺς θεούς seit Herodot im Griechischen bekannt. Vgl. BAUER WB 581f.

V 14 Ist es so, daß Christus das Ende des Gesetzes und damit eines Heil bringenden Gesetzesweges ist und selbst jedem, der glaubt und bekennt, jedem, der „anruft", zur Gerechtigkeit wird, dann entsteht die Frage, warum Israel diesen Christus nicht angenommen hat. Sie ist Röm 9, 32; 10, 3 schon kurz beantwortet, aber sie wird jetzt anders, nämlich im Blick auf das subjektive *und* objektive Heilsgeschehen, gestellt; zunächst in dem Sinn, ob die eschatologischen Heilsboten nicht zu Israel gesandt worden sind. Das geschieht V 14 in einem eigentümlichen und ausführlichen Kettenschluß, wie ihn Paulus formal auch Röm 5, 3b–5 und 8, 29–30 verwendet. Er setzt mit der Wiederholung des gewichtigen Stichwortes von VV 12 und 13, ἐπικαλεῖσθαι, ein[1] und geht über πιστεύειν – ἀκούειν – κηρύσσειν auf das ἀποστέλλειν (VV 14–15a) zurück und endet mit einem neuen Schriftzitat aus Is 52, 7 (καθὼς γέγραπται) (V 15b). Ist also – darauf zielt die lange Frage – die Schrift nicht in Erfüllung gegangen, die doch von εὐαγγελιζόμενοι ἀγαθά, von messianischen Heilsboten an Israel, sprach? Erwähnen kann man noch die eigentümliche Fragestellung mit πῶς, die fast die Frage als gerechtfertigte erscheinen läßt. Das ἐπικαλεῖσθαι setzt das πιστεύειν voraus (V 14). Aber das πιστεύειν (in dem natürlich das ὁμολογεῖν und πιστεύειν von V 9 wie in V 11 zusammengefaßt sind) setzt ein ἀκούειν voraus, das nicht ein ἀκούειν περί τινος oder ein ἀκούειν τινα (vgl. Eph 4, 21), sondern ein ἀκούειν τινός, ein jemanden – hier den κηρύσσων – Vernehmen, meint. Das Glauben, das das „Hören" voraussetzt, setzt damit aber auch das κηρύσσειν voraus. Κηρύσσειν, das von seiner Herkunft her das Bekanntmachen durch den κῆρυξ ist und in dem das Moment des öffentlichen und zum Teil des den Hörenden verpflichtenden Verkündigens beibehalten hat, wird in der LXX unter anderem vom prophetischen Verkünden (meist als Übersetzung von קרא) gebraucht, z. B. Joel 2, 1; 4, 9; Jon 1, 2; 3, 2. Es hat, wie wir gesehen haben, bei Paulus als Objekt τὸ εὐαγγέλιον (Gal 2, 2; Kol 1, 23; 1 Thess 2, 9; vgl. 2 Tim 3, 2: τὸν λόγον) oder Χριστὸν ('Ιησοῦν) (1 Kor 1, 23; 15, 12; 2 Kor 1, 19; 4, 5; 11, 4; Phil 1, 15; vgl. 1 Tim 3, 16), oder es kommt auch absolut vor wie hier und V 15 (1 Kor 9, 27; 15, 11). Doch die Frage geht noch weiter.

V 15 Auch das κηρύσσειν hat eine Voraussetzung. Es ergeht nicht beliebig und nicht nur spontan, sondern es erfordert auch eine „Sendung" (V 15), und zwar durch Gott, der dazu bevollmächtigt, ein ἀποστέλλεσθαι oder eine ἀποστολή (vgl. 1 Kor 1, 17; Röm 1, 5; 1 Kor 9, 2; Gal 2, 8), so wie er dann von sich (vgl. außer den Briefadressen Röm 11, 13; 1 Kor 9, 1.2; 15, 9 u. a.) als ἀπόστολος und von ἀπόστολοι im engeren (1 Kor 4, 9; 9, 5; 12, 28f; Gal 1, 17; 15, 7; Eph 4, 11) und im weiteren Sinn (z. B. Röm 16, 7; 2 Kor 11, 5; 12, 11f) reden kann. Das κηρύσσειν des Gesandten impliziert neben dem öffentlichen Charakter des Vorgangs zugleich einen „amtlichen" Sinn, abgesehen von dem Charisma, das es trägt. Wie soll Israel zum Glauben und Anrufen Gottes kommen, wenn das alles nicht geschehen ist? Aber es *ist* geschehen, und die Schrift

---

[1] Die 3. Person Plural ist wahrscheinlich nicht auf Israel beschränkt, sondern entspricht einem „man".

bezeugt es (V 15b). Das καθὼς [2] γέγραπται ist wohl in dem Sinn zu verstehen. Das Zitat ist *Is 52, 7* und steht dem hebräischen Text [3] näher als dem der LXX. Die Stelle wird bei den Rabbinen oft auf die messianische Zeit gedeutet [4] wie wohl auch bei Paulus. Bei ihm wird übrigens gegenüber MT und LXX der Plural gesetzt: οἱ εὐαγγελιζόμενοι, natürlich auch von der ins Auge gefaßten Situation her. Dabei ist ὡραῖοι vielleicht doch soviel wie „rechtzeitig"[5], wie Is 52, 7 Kod. Qᵃ am Rand, und zwar im Sinn des rechtzeitigen eschatologischen Augenblicks. Dann wäre das Zitat als Beleg der Aussage, die in den Fragen enthalten ist, noch zutreffender. Israel hat das Evangelium der von Gott gesendeten Boten erhalten. Rechtzeitig kamen sie. Aber auch die Bedeutung „lieblich" hat einen Sinn, besonders wenn man ὡραῖοι, wie Michel meint, zu der von „gesegnet" hinüberspielen sollte. Statt κηρύσσειν heißt es εὐαγγελίζεσθαι, was für Paulus offenbar annehmbar war. Ἀγαθά ist das Heil, die σωτηρία. Also daran liegt es nicht. Das Evangelium und die Boten sind zu Israel gekommen. Und – könnte man im Blick auf die vorhergehenden Fragen sagen – in Israel hat sich dieses ganze Heilsgeschehen abgespielt.

VV 16–17   Aber es war ein anderes Hemmnis *(V 16):* „Nicht alle gehorchten dem Evangelium." Bei dem οὐ πάντες denkt der Apostel wieder daran, daß es einen „Rest" (9, 6. 27ff) gibt. Zu ὑπακούειν τῷ εὐαγγελίῳ vgl. Röm 6, 17; 2 Thess 1, 8; 3, 14 und zu ὑπακούειν, absolut gebraucht, Phil 2, 12. Es meint die ὑπακοὴ πίστεως (Röm 1, 5), die ja auch allein ὑπακοή heißt: Röm 15, 18; 16, 19; 2 Kor 7, 15; 10, 6; vgl. 2 Kor 10, 5: ἡ ὑπακοὴ τοῦ Χριστοῦ. Der Gegensatz zu ὑπακούειν ist ἀπειθεῖν, so daß z. B. Röm 15, 31 die Juden οἱ ἀπειθοῦντες ἐν τῇ Ἰουδαίᾳ heißen können (vgl. auch Röm 2, 8; 10, 21 [Zitat]; 11, 30. 31). Von denen, die dem Evangelium nicht gehorcht haben, war 10, 3 gesagt, daß sie τῇ δικαιοσύνῃ τοῦ θεοῦ οὐχ ὑπετάγησαν. Im Evangelium erscheint und begegnet die Gerechtigkeit Gottes, der man sich im Gehorsam übergeben muß, um gerettet zu werden. Aber gerade in dieser Hinsicht haben die meisten aus Israel versagt, oder „nicht alle" haben dem Evangelium gehorcht. Und auch das ist in der Prophetie schon verkündet, nämlich Is 53, 1. Das κύριε, das im MT fehlt, läßt eine klagende Frage an Gott gerichtet sein. In ihr ist von einem πιστεύειν τῇ ἀκοῇ ἡμῶν die Rede. Ἡ ἀκοή ist שְׁמֻעָה, was im AT und bei den Rabbinen das Gehörte, das zu hören gegeben wird, also die Verkündigung, bedeutet, genauer: die von Jahwe empfangene göttliche Offenbarung, die der Prophet verkündet (vgl. auch 1 Thess 2, 13). Bei einer Übersetzung von ἀκοή mit „Verkündigung" oder „Predigt" kommt das Entscheidende, nämlich die Weitergabe des *Gehörten* zum *Hören,* nicht zum Aus-

---

[2] Besonders wenn man mit B καθάπερ „gleichwie", „demgemäß, daß" u. ä. im begründenden Sinn lesen muß. Καθώς in 𝔓 ⁴⁶ H 𝕬 D G pl Cl Thdt.
[3] „Wie lieblich sind auf den Bergen die Füße dessen, der gute Botschaft bringt, der Frieden hören läßt, Gutes meldet, Heil hören läßt, indem er zu Zion spricht: König geworden ist dein Gott."
[4] Vgl. STRACK-BILLERBECK.
[5] BAUER WB 1722.

druck, wie Schlatter mit Recht vermerkt[6]. Damit ist der Gedankengang zu Ende geführt, der freilich wegen der eigentümlichen Kette in Frageform und der wenig ausgeprägten Antwort, die mit dem Zitat in V 15b gegeben war, nicht recht klar heraustritt. Jetzt könnte sich der zweite Einwand V 18 und V 16 anschließen. Aber es folgt in *V 17* erst eine überraschende zusammenfassende Schlußfolgerung aus VV 14–15 a. Bultmann[7] meint, daß es eine vom Rand in den Text geratene Glosse sei. Das ἄρα = ἄρα οὖν 7, 25 b scheint es anzudeuten. Auch die Stellung – hinter V 16 statt hinter V 15 b – könnte befremden; vielleicht auch die Hinzufügung des dritten Gliedes: διὰ ῥήματος Χριστοῦ, wobei ῥῆμα etwa wie Apg 10, 37: τὸ γενόμενον ῥῆμα καθ'... 'Ιουδαίας, im Sinn des atl. דָּבָר (= ῥῆμα LXX) = Geschehen, sofern es als solches ein „Wort" ist, gemeint sein könnte. Auch daß unser Schema von VV 14–15 a jetzt auf ein Dreierschema reduziert ist, mag auffallen. Aber mehr als eine Vermutung bringen solche Indizien nicht auf, zumal V 17 paulinische Begrifflichkeit und Theologie enthält. Fraglich ist, was διὰ ῥήματος Χριστοῦ meint. Es ist jedenfalls die Quelle der ἀκοή und somit der πίστις; aber nicht als „der Auftrag und die Aussendung Jesu" (Lietzmann, Michel) – das kann ῥῆμα nicht heißen –, auch wohl nicht als „die Predigt Christi" (Maier, Käsemann), sondern als das „Tat-Wort" Christi, das sich dem Apostel nach Gal 1, 2.16 durch die ἀποκάλυψις 'Ιησοῦ Χριστοῦ eröffnet hat.

V 18   Ist es also nicht zu bestreiten, daß Gott Boten ausgesandt hat und das Evangelium verkündet worden ist, so bleiben angesichts der Tatsache, daß Israel die Gerechtigkeit Gottes nicht erlangt, weil es nicht geglaubt hat, noch zwei andere Möglichkeiten, die Paulus in rhetorischem Selbsteinwand aufgreift, um sie nacheinander in Frage und Antwort zu erörtern. Die erste Frage ist die von *V 18a*: „Haben sie nicht gehört?" Die Antwort wird mit einem μενοῦνγε gegeben (vgl. 9, 20), das hier adversativ ist und etwa „freilich doch", „gewiß doch" heißt, also berichtigt[8]. Sie haben vernommen. Das geht *(V 18b)* aus der Schrift hervor, aus ψ 19, 5. Daß dort die Schöpfung – οὐρανοί, στερέωμα, ἡμέρα, νύξ – in wortlosem Wort Gottes δόξα über die ganze Welt hin verkündet, das ist bezeichnenderweise von Paulus auf das Evangelium übertragen, das bis an die Grenzen der bewohnten Welt gedrungen ist bzw. dringen soll. So ist es unmöglich, daß es nicht auch Israel erreichte und dieses es nicht vernommen haben sollte. Man sieht nebenbei, wie für Paulus die Beurteilung seiner weltweiten Mission, aber auch das grundsätzliche Zugeordnetsein des Evangeliums zum Kosmos die faktisch begrenzte eigene Situation übersehen lassen. Er denkt bei seinem Zitat nicht an die Verbreitung des Diasporajudentums (Gutjahr, Leenhardt). Für ihn hat die ins Eschaton hinausblickende

---

[6] „Die Übersetzung ,unsere Predigt' ... gefährdet den Sinn des Satzes; denn sie schaltet aus dem Vorgang ein Glied aus, das für ihn wesentlich war, eben das Hören. Es wurde undeutlich, daß alles auf die Art des Hörens ankommt, darauf, daß das ἀκούειν ein ὑπακούειν sei. Statt dessen war mit ,Predigt' das Gewicht auf die Lehrhaftigkeit der Verkündigung gelegt" (SCHLATTER).

[7] ThLZ 72 (1947) 199; vgl. auch MICHEL.

[8] Vgl. BLASS-DEBR, § 450, 4.

Schrift schon die Erfüllung des die „Ökumene" beanspruchenden, rettenden Evangeliums gesehen. Dabei darf man den hyberbolischen Charakter der Aussage, den Paulus ja auch sonst kennt (vgl. Röm 1, 8; 2 Kor 2, 14 b; 3, 2 b; auch 1 Thess 1, 8), nicht übersehen. Wie nüchtern klingt dagegen die sachliche Feststellung Röm 15, 19. Doch gibt es noch eine andere Möglichkeit, die Israel entschuldigen könnte, aber eben keine Wirklichkeit ist.

V 19 Vielleicht hat es das Evangelium vernommen, aber nicht verstanden: *V 19 a*. Jetzt wird übrigens Israel wieder mit Namen genannt, was seit 9, 31 nicht mehr der Fall war. Die Antwort auf die Frage nach dem γνῶναι Israels – γινώσκειν etwa wie Röm 7, 15; 1 Kor 14, 7.9 u. a., aber mehr im Sinn von „verstehen" – wird mit drei Schriftzitaten, die freilich nur indirekt antworten, auf diese Weise aber um so wirksamer, gegeben. Zunächst kommt Moses (Dt 32, 21 b) zu Wort, dann zweimal der Prophet (Is 65, 1.2), also wieder Tora und Propheten. Das πρῶτος gehört natürlich zu Moses und nicht zur Frage. Denn daß Israel als erstes unter den Völkern das Evangelium kennengelernt bzw. nicht „erkannt" hat, wie man dann verstehen muß, ist zwar richtig, aber als Parallelfrage zu V 18 a ohne Sinn. Dem πρῶτος, das man nicht zu sehr betonen darf, entspricht, wie z. B. auch Röm 3, 2, kein δεύτερος κτλ. Aber was soll das Schriftzitat aus Dt 32, 21 b auf die Frage: „Hat etwa Israel nicht erkannt?" Es meint: Doch, es hat verstanden. Sonst wäre es nicht auf die Heiden eifersüchtig geworden *(V 19 b)*, auf das „Nicht-Volk" (vgl. Röm 9, 25) und das „unverständige Volk", dann könnte Gott Israel gar nicht gegen die Heiden aufbringen. Es muß „erkannt" haben, da es sich ja gegenüber dem Evangelium verhärtete und gegen die, welche es angenommen haben.

VV 20–21 Die folgenden Prophetenzitate aus Jesaja gehören zusammen. Und in beiden wird eine zweite Antwort auf die Frage, ob Israel nicht „erkannt" hat, gegeben. Jesaja „wagt" zu sagen – denn es ist ein prophetisches Wagnis –, Gott hat sich von denen suchen und finden lassen, die nicht nach ihm suchten *(V 20)*. Das heißt aber: Gott hat sich vor Israel verborgen und wandte sich den Heiden zu; Gott nimmt sich nicht der Gesetzeseifrigen an, sondern der Gesetzlosen, er ist ein Gott der Gott-losen, der ἄθεοι (vgl. Eph 2, 12). Er gibt freilich *(V 21)* Israel nicht preis. Er sagt zu Israel selbst, daß er immerfort seine Hände nach ihm, dem ungehorsamen und widerspenstigen Volk, ausgestreckt hat. Betont ist ὅλην τὴν ἡμέραν (vgl. Röm 8, 36 [ψ 44, 23]), das ein Semitismus ist und „täglich" meint[9]. Gott ist Israel gegenüber nicht nur bereit. Er wirbt um sein Volk und möchte es an sich ziehen. Aber es ist ein Volk, das „ungehorsam" und „voll Widerspruch" ist. Es nahm und nimmt die dargebotene Gerechtigkeit Gottes nicht an (vgl. Röm 10, 3). Und wenn der Prophet das sagen muß, so geht daraus für unseren Zusammenhang hervor: Israel hat wohl verstanden.

Man sieht: Alle drei Schriftstellen geben indirekt Antwort auf die Frage von V 20. Aber vor allem die beiden Jesajatexte gehen über eine Antwort auf solche Frage hinaus. Sie erhellen zugleich die gegenwärtige Situation des Evange-

---

[9] MICHEL.

liums bei Juden und Heiden. Und sie deuten am Schluß des Kapitels noch einmal den Grund für Israels Versagen an: es ist ein Volk, das Gott ungehorsam und voller Widerspruch gegen ihn ist. Man beachte, wie dieser Gedanke seit Röm 9, 30 in den verschiedensten Formulierungen auftaucht: Röm 9, 31–33; 10, 3.16.21, und wie Israel dabei mit den Heiden konfrontiert wird: Röm 9, 30; 10, 19. 20. Diese haben nur eines; aber das ist gerade das, was notwendig ist: die πίστις. Sie sind nicht um die δικαιοσύνη bemüht (9, 30); sie suchen Gott nicht und fragen nicht nach ihm (10, 20). Aber Gott nimmt sich ihrer an. Von Israel aber läßt sich sagen: Sie haben „Eifer um Gott" (10, 2), sie jagen dem Gerechtigkeitsgesetz nach (9, 31), sie haben (das Evangelium) gehört (10, 18), sie haben verstanden (10, 19), aber sie sind nur eifersüchtig auf die Heiden, und wie immer entziehen sie sich ungehorsam und widerspenstig dem Werben Gottes (10, 19ff). Welch eigentümliche Situation! Nur der Glaube gilt und *Gottes* Gerechtigkeit in Jesus Christus und im Evangelium. Israel will Leistung und Selbst-Gerechtigkeit. Es hat die Endzeit, da Gott eingegriffen hat, nicht verstanden und bestanden. So ist es an Gott gescheitert. „Das ist das zweite Wort" (innerhalb von Röm 9–11), das Paulus denen sagt, die um Israel klagen. Das erste schuf vor Gottes königlichem Willen das Schweigen. Das zweite zeigt dem Juden, wodurch er fällt. Er glaubt nicht, und damit entsagt er der Gerechtigkeit und dem Heil. Sich selbst klagt er an, nicht Jesus und nicht Gott. Der Fall der Judenschaft widerlegt also das Evangelium des Paulus nicht, sondern bestätigt es. „Weil die Botschaft für die, die durch sie glauben, die Rettung ist, bringt sie denen, die ihr nicht glauben, den Fall, wodurch aus dem Unglauben Israels ein Beweis für die Heilsmacht des Glaubens wird" (Schlatter). Aber ist dieser Fall eine totale und endgültige Verwerfung Israels? Darauf geht der Apostel noch in Kap. 11 ein und eröffnet endgültig das Mysterium Israels.

7. 11, 1–10 Der aus Gnaden erwählte Rest Israels und die Verstockung der übrigen

1 Ich frage nun: Hat Gott etwa sein Volk verstoßen? Nein! Denn auch ich bin ein Israelit, aus Abrahams Samen, aus dem Stamm Benjamin. 2 Gott hat sein Volk nicht verstoßen, das er zuvor erkannt hat. Oder wißt ihr nicht, was die Schrift (in der Erzählung) von Elija sagt, als er bei Gott über Israel Klage führte? 3 „Herr, deine Propheten haben sie getötet, deine Altäre haben sie niedergerissen, und ich bin allein übriggeblieben, und sie trachten mir nach dem Leben." 4 Aber was sagt ihm da der Gottesspruch? „Übriggelassen habe ich mir siebentausend Mann, die ihr Knie nicht vor Baal beugten!" 5 So ist auch in der Gegenwart ein Rest aufgrund der Gnadenwahl vorhanden. 6 Wenn aber aus Gnaden, dann nicht aus Werken, weil sonst Gnade nicht mehr Gnade bliebe. 7 Wie nun? Wonach Israel verlangt, ebendas hat es nicht erlangt; die Auswahl aber hat es erlangt. Die übrigen wurden ver-

stockt. 8 So steht geschrieben: „Gott gab ihnen einen Geist der Betäubung,
Augen, daß sie nicht sehen, Ohren, daß sie nicht hören, bis auf den heutigen
Tag." 9 Und David spricht: „Ihr Tisch soll ihnen zur Schlinge und zum Netz
werden, zum Anstoß und zur Vergeltung. 10 Ihre Augen sollen blind wer-
den, daß sie nicht sehen, und ihren Rücken beuge immerdar."

Mit der zuletzt genannten Frage kommt Paulus endlich zur Erörterung des Pro-
blems, das ihn seit 9,1 bewegt und das er, ohne es ausdrücklich aufzuwerfen,
eigentlich schon in 9,6 gelöst hat, das aber dann in 9,7ff und Kap. 10 immer
wieder hinter anderen Fragen – Gottes freie Souveränität, Israels Ungehorsam – zurücktreten mußte. Ist das gesamte Israel von Gott verstoßen, und ist
Israel endgültig zu Fall gekommen? In 11,1 und 11,11 werden diese Fragen
fixiert und beidesmal mit λέγω οὖν eingeleitet. Die Antwort auf diese Frage,
die zunächst in 11,1–10 gegeben wird, ist die: *Nicht* das ganze Israel ist von
Gott verstoßen worden. Er selbst, der Apostel, gehört zu Israel, und es gibt,
worauf die Schrift schon hinweist, einen „Rest" der aus Gnaden erwählten
Israeliten in der Gegenwart. Die anderen sind freilich verstockt worden. Nach
der neuen Frage 11,11 wird 11,11–24 eine neue Antwort gegeben: Israel ist
nicht für immer gefallen, sondern das durch seinen Fall zu den Völkern gekommene Heil soll ihren Eifer antreiben. Aber was für ein Heil wird erst hereinbrechen, wenn es wieder von Gott angenommen wird! Mit diesem Vorausblick
in V 12 bricht die direkte Antwort auf die Frage wieder ab. Denn Paulus wendet
sich in VV 13–24 den Heiden selbst zu und erklärt ihnen, daß sie keinen Grund
zum Rühmen haben. Denn Israel kann viel eher als die Heiden wieder in den
eigenen, edlen Ölbaum eingepfropft werden. Auch hier ist also die Hoffnung
für Israel, die in V 12 angedeutet ist, ausgesprochen und noch kräftiger als bisher, wenn auch im Rahmen eines anderen Themas. Im dritten Abschnitt des
11. Kapitels bricht sie völlig durch. In 11,25–32 teilt Paulus das Mysterium mit,
daß ganz Israel in der eschatologischen Zukunft gerettet werden wird. Den Abschluß des Ganzen bildet – Paulus ist selbst überwältigt – ein hymnischer Lobpreis auf Gottes Weisheit in seinen unerforschlichen Wegen (11,33–36).

V 1 Mit λέγω οὖν wird in V 1 eine mögliche Konsequenz, die man aus dem
Ungehorsam Israels ziehen könnte, eingeleitet. Diese Konsequenz wird in
Anlehnung an Ps 94,14 ausgesprochen. ψ 93,14 LXX sagt: ὅτι οὐκ ἀπώσεται
κύριος τὸν λαὸν αὐτοῦ καὶ τὴν κληρονομίαν αὐτοῦ οὐκ ἐγκαταλείψει. 𝔓 46 G lesen in V 1 statt τὸν λαόν: τὴν κληρονομίαν, und haben also diesen Psalm deutlich
vor Augen. Es ist damit schon durch Ps 94,14, der die Verwerfung Israels verneint, eindeutig, daß die von Paulus jetzt gestellte Frage zu verneinen ist. Und
dieser Psalm steht in der Schrift nicht allein. Es ist ein im AT verbreiteter Satz,
vgl. Ps 60; 74; 103; 1 Sm 12,22: ὅτι οὐκ ἀπώσεται κύριος τὸν λαὸν αὐτοῦ διὰ
τὸ ὄνομα αὐτοῦ τὸ μέγα, ὅτι ἐπιεικέως κύριος προσελάβετο ὑμᾶς αὐτῷ εἰς
λαόν (Ez 11,16f; Mich 4,6f LXX; Soph 3,19 LXX; 2 Makk 6,12–16). Aber
auch die jüdische Apokalyptik und rabbinische Texte[1], also das spätere Juden-

---

[1] Vgl. STRACK-BILLERBECK III 286.

tum, sind durchweg dieser Überzeugung, wenn auch mit verschiedener Begründung und eventuell eingeschränkt auf einen Rest Israels. So könnte der Apostel also schon von seiner jüdischen Überzeugung her auf die Frage, die ihn beunruhigt, die entschiedene Antwort des μὴ γένοιτο geben. Gott hat zwar das ungehorsame Volk, wie gleich erwähnt wird, „verstockt", aber er hat es nicht verstoßen, also nicht endgültig verworfen. Die Begründung, die Paulus für sein μὴ γένοιτο angibt, ist freilich zum Teil ganz anders als im Judentum. Und sie ist zunächst seltsam. Sie ist hier nicht die ein für allemal geschehene Erwählung Israels als Ganzes zum Volk Gottes, daß es als irdisches Israel insgesamt sein Eigentum ist. Dagegen sprach Paulus ausdrücklich schon 9, 6ff. Sie ist auch nicht die besonderer Leistungen oder Gaben oder auch Leiden Israels gegenüber den anderen Völkern, sondern daß Gott sein Volk, das irdische Israel, nicht total verstoßen hat, das zeigt sich zunächst am Apostel selbst, den er als Israelit herausgerufen hat zum Heil. Er gehört κατὰ σάρκα zu diesem Volk und ist doch zum Glauben gekommen und so, wie 10, 9 sagt, „gerettet". Daß er zu Israel gehört, wird dabei dreifach betont: 1) Er ist Ἰσραηλίτης, gehört zum Volksverband Israel; 2) er ist ἐκ σπέρματος Ἀβραάμ, gehört zu Abrahams irdischer Nachkommenschaft, und ist 3) φυλῆς Βενιαμίν, damit zu dem Stamm Israels gehörig, in dem das Fortbestehen Gesamtisraels garantiert ist – er stieg nach rabbinischer Tradition als erster ins Rote Meer[2] –, aus dem auch der erste König Israels, dessen Namen er selbst trägt, und der Prophet Jeremia hervorgegangen sind (vgl. Apg 13, 21). Wenn Gott Israel hätte verstoßen wollen, müßte es auch Paulus, der echte Israelit, sein.

V 2 Aber *V 2a* sagt noch einmal und jetzt behauptend: Gott hat sein Volk nicht verstoßen. Zu τὸν λαὸν αὐτοῦ des Zitates fügt Paulus noch ein ὃν προέγνω hinzu und verstärkt so seine Behauptung. Gott hat es immer schon „erkannt" und also angenommen. Er kann es nicht endgültig verstoßen. Das geht aber nicht nur aus dem Geschick des Apostels selbst hervor, sondern auch aus einem Geschehen, das die Schrift berichtet. Man muß nur an die Elija-Perikope denken, die am Berg Horeb spielt (V 3f). Sie spricht nicht nur für sich, sondern hat auch für das gegenwärtige Israel Bedeutung (V 5). Paulus setzt voraus, daß die Leser seines Briefes in Rom den in Frage kommenden Schriftabschnitt kennen. Er beginnt in *V 2 b* im Diatribenstil mit ἢ οὐκ οἴδατε im Sinn von: „ihr habt es doch nicht vergessen", was die Schrift sagt, und zwar ἐν Ἠλίᾳ, wobei ἐν = ̣ = „bei" ist (vgl. 9, 35)[3] und ἐν Ἠλίᾳ einen Elija-Abschnitt in der Elija-Perikope meint. Paulus denkt an den Abschnitt, in dem von der Klage des Propheten gegen das abtrünnige Israel und von Gottes Antwort die Rede ist, also an 1 Kg 19, 9–18, freilich auf die Sätze 19, 10 = 14 und 19, 18 verkürzt, wie er auch sonst ändert, z. B. den Prophetenmord voranstellt. Die Klage Elijas wird als ἐντυγχάνειν τῷ θεῷ κατὰ τὸν Ἰσραήλ bezeichnet. Ἐντυγχάνειν τινί ist „jemanden angehen", entweder περί oder

---

[2] STRACK-BILLERBECK III 286ff.
[3] Vgl. Pirke Aboth 3, 7: „bei David" (= 1 Chr 29, 14); Taan 2, 1; STRACK-BILLERBECK III 288.

ὑπέρ τινος, aber auch wie hier κατά τινος = gegen jemanden. Es meint „gegen jemand vorstellig werden", also hier „bei Gott anklagen" u. ä.[4]

VV 3–4 In der zitierten Klage *(V 3)* ist für Paulus natürlich das dritte Glied von besonderer Bedeutung: κἀγὼ ὑπελείφϑην μόνος. Schon damals schien es, als sei nur ein einziger aus Israel übriggeblieben und damit ein Zeuge dafür, daß Gott sein Volk nicht verstoßen hat. Man könnte Paulus als einen zweiten Elija bezeichnen, denn auch er ist nicht allein von Israel übriggeblieben, sondern *(V 4)* wie der Prophetenspruch von Gott sagt, hat dieser sich siebentausend erwählt, die nicht dem Baal huldigten. Wieder wird die Behauptung mit einer Frage eingeleitet: Τί λέγει αὐτῷ ὁ χρηματισμός, und mit einem Schriftwort belegt: ὁ χρηματισμός ist natürlich an die Stelle von γραφή getreten und meint den „Gottesspruch" im Sinne eines göttlichen Orakelspruches (vgl. 3, 2), der autoritativ die Antwort auf die von Menschen gestellte Frage gibt[5].

V 5 Was also sagt der Gottesspruch zu Elija auf seine Anklage hier, daß er allein übriggelassen worden sei? V 5: daß Gott sich siebentausend Seelen übriggelassen habe aus Israel, die ihm und nicht Baal dienten. Aus dem „Und ich will übriglassen" (MT, Targum) und LXX 3 Kg 19,18 BA: καὶ καταλείψας (L -ψω) wird bei Paulus: κατέλιπον ἐμαυτῷ, also eine Kundgabe der gefallenen Entscheidung Gottes. Auch sonst weicht der Text von dem der LXX ab; z. B. heißt es bei Paulus ἡ Βάαλ statt LXX: ὁ Βάαλ, nach vielfacher jüdischer Deklarierung des Götzenbildes als Femininum. Der Götzenname wird ja nicht ausgesprochen, sondern durch בֹּשֶׁת = αἰσχύνη ersetzt[6]. Gott hat sich diese siebentausend und nicht nur den Elija als die bei sich behalten, die ihm bzw. Israel treu geblieben sind. Dabei sind die ἑπτακισχίλιοι ἄνδρες im AT, gewiß aber für Paulus eine symbolische Zahl für den „Rest". So kann der Apostel V 5 fortfahren: „So ist auch in der Gegenwart ein Rest aufgrund der Gnadenwahl entstanden." Beachtenswert ist 1) ὁ νῦν καιρός = 3, 26, die eschatologische Gegenwart, die durch das Erscheinen der Gerechtigkeit Gottes im ἱλαστήριον Jesus Christus angebrochen ist und die verheißene prophetische Zeit (durch die Gegenwart des Evangeliums) darstellt (vgl. 2 Kor 6, 2); 2) in dieser eschatologischen Heilszeit ist ein λεῖμμα κατ᾽ ἐκλογὴν χάριτος aufgekommen. Es ist ein λεῖμμα (= ὑπόλειμμα 9, 27), ein „Rest", dessen Zahl natürlich unbestimmt ist, aber den Apostel nur als einen unter vielen erscheinen läßt. Vor allem ist es ein λεῖμμα κατ᾽ ἐκλογήν (vgl. 9, 11), also ein „Rest" nach dem Prinzip, das immer schon in Israel wirksam war, ein Rest nach Gottes πρόϑεσις und Gottes κλῆσις (vgl. 9, 7.12.24.25.26). „Ἐκλογή bezeichnet hier das aktive Handeln der Gnadenmacht" (Käsemann).

---

[4] Bauer WB 534f.
[5] Vgl. 2 Makk 2, 4; ἐκέλευσεν ὁ προφήτης (Jeremias) χρηματισμοῦ γενηθέντος αὐτῷ συνακολουθεῖν; vgl. 2 Makk 11,17 (= ein königlicher Befehl), 1 Clem 17, 5: Μωϋσῆς… εἶπεν ἐκ τῆς βάτου χρηματισμοῦ αὐτῷ διδομένου. Es ist ein griechisch-hellenistisches Wort, das sich auf Papyri, Inschriften, auch bei Josephus und Philo findet.
[6] Bauer WB 257.

Hier wird ausdrücklich noch χάριτος hinzugefügt. Die Israel immer schon schaffende und auch jetzt in der Endzeit schaffende ἐκλογή Gottes ist ein Wirken seiner Gnade. Auch der eschatologische „Rest" beruht also nicht auf Vorzügen oder Leistungen der „siebentausend", sondern auf Gottes unergründlicher χάρις. Aber das schränkt die Bedeutung des „Restes" als eines Erweises dafür, daß Gott Israel nicht endgültig verstoßen hat, nicht ein, sondern erhöht sie: Gott selbst in der Kraft seines erwählenden Rufes, der der Ruf seiner Gnade ist, in dem die *Gnade* am Werk ist, hat damit dem widersprochen, daß ganz Israel von ihm verworfen sei. In diesem Gnadenrest und nicht nur etwa in Paulus allein, der freilich auch von sich weiß: χάριτι ... θεοῦ εἰμι, ὅ εἰμι (1 Kor 15, 10a), wird offenbar, daß Israel erwählt bleibt.

V 6 Wieviel und wie Entscheidendes Paulus daran liegt, daß die *Gnade* Gottes Israel in seinem „Rest" durchhält, zeigt V 6. Jetzt wird deutlich: κατ' ἐκλογὴν χάριτος ist soviel wie χάριτι. Und χάριτι ist der Gegensatz zu οὐκέτι ἐξ ἔργων. Οὐκέτι ist logisch „also nicht" wie Röm 7, 17.20; 14, 15; Gal 3, 18. Ἐπεί ist adversativ: „da ja sonst"[7]. Wenn die ἔργα (scil. νόμου) die Basis des Restes wären, schlössen sie die χάρις aus. Da aber das, was den „Rest" aus Israel erwählte und so anzeigte, daß Israel nicht total verworfen ist, die Gnade ist, *können* es nicht die Werke sein. Χάρις schließt die ἔργα im Sinn der Gesetzesleistung aus. Wer ist aber dann der „Rest", der sich der Gnade Gottes verdankt und ein Zeichen ist, daß Gott Israel nicht verworfen hat? Man muß mit Paulus antworten: οἱ ἐκ πίστεως (vgl. 9, 32, auch 3, 27; 4, 6; 10, 4; Gal 2, 16 u. a.). Es sind die gläubig gewordenen Glieder Israels, die Judenchristen. V 7 faßt zusammen, und der Gedankengang kehrt zu 9, 31 zurück. Nicht Israel, wohl aber die „Auswahl"[8] hat erlangt, wonach Israel strebte.

V 7 Τί οὖν (= τί οὖν ἐροῦμεν) als Einleitung zur Schlußfolgerung wie Röm 4, 1; 6, 1; 9, 14. Ἐπιζητεῖν meint hier wie Phil 4, 17; Hebr 11, 14; 13, 14 „zu erlangen suchen", „erstreben" u. ä. und nimmt das διώκειν von 9, 31 auf. Das Präsens zeigt, daß das Streben Israels sein Ziel auch in der Gegenwart noch zu erreichen sucht, nämlich die δικαιοσύνη. Israel ist auch jetzt noch von solchem Streben nach Gerechtigkeit auf dem Weg der Leistung bestimmt. Aber τοῦτο οὐκ ἐπέτυχεν, es hat das, wonach es jetzt noch strebt, nie erreicht. Ἐπιτυγχάνειν ist „gelangen zu", „erlangen", „erreichen", „teilhaftig werden" u. ä. mit Gen. oder Acc. oder auch nachfolgendem Infinitiv. Es ist im Sinn dem φθάνειν von 9, 31 gleich. Ἰσραήλ meint das Gesamtisrael als solches. Soweit stimmt 11, 7a mit 9, 31 überein. Aber jetzt kommt die Hoffnung erweckende Einschränkung: ἡ δὲ ἐκλογὴ ἐπέτυχεν, die darauf hinweisen kann, daß Gott Israel nicht verworfen hat. Das λεῖμμα ist von seinem Ur-

---

[7] BLASS-DEBR, § 456, 3.
[8] Jetzt ist ἐκλογή wie schon im Judentum (SCHRENK in: ThWb IV 189) die Auswahl im Sinn von Auserwählten, die formal wie in den Schriften Qumrans dem jüdischen Volk im ganzen gegenübergestellt wird.

sprung her als ἐκλογή im objektiven Sinn bezeichnet[9]. Es meint ein konkretes Kollektiv, eben die „siebentausend", auf die der Prophetenspruch schon hingewiesen hat (vgl. 1 Clem 29, 1). V 7 ist aber nicht nur Abschluß des bisherigen Gedankens, sondern auch Eröffnung eines neuen. Denn V 7b heißt es: „Die übrigen aber wurden verstockt." Das Licht der Erwählung hat einen tiefen Schatten bei sich. Nach V 7b muß man sagen: Israel ist von Gott nicht verstoßen worden. Aber es ist außer dem aus Gnaden erwählten Rest „verhärtet" oder „verstockt" worden. Πωροῦν findet sich im übertragenen und radikalen Sinn von „Verstockung" auch Mk 6, 52; 8, 17; Joh 12, 40 von der καρδία, 2 Kor 3, 14 von den νοήματα Israels, was seine Blindheit zur Folge hat in bezug auf Christus bzw. den νόμος, der vergeht. Das Substantiv πώρωσις wird im selben Sinn Röm 11, 25 und Eph 4, 18 (von der Verhärtung der Herzen der Heiden!) gebraucht (vgl. auch Mk 3, 5, von den umstehenden Juden).

VV 8–9 Wie diese πώρωσις sich auswirkt, sagt Paulus nicht mehr mit eigenen Worten, sondern mit Zitaten aus dem AT. Wiederum führt er sie als Bestätigung solcher ungeheurer Aussagen an, gleichsam als wolle er zu erkennen geben, daß nicht er, sondern eine höhere und vor allem eine auch von Israel anerkannte Autorität, nämlich die Schrift, in dieser Weise von Israel spricht. Es sind zwei Schriftstellen aus Tora und Ketubim, wobei das erste Zitat *(V 8)* eine Kombination von Tora (Dt 29, 3) mit Nebiim (Is 29, 10) darstellt, während das zweite Ps 69, 22–23; 35, 8 anführt. Die Verhärtung Israels (mit Ausnahme des „Restes" oder der „Erwählung") besteht also darin, daß Gott ihnen ein πνεῦμα κατανύξεως gab. Κατάνυξις ist in der LXX Übersetzung von תַּרְדֵּמָה, was 1) den tiefen Schlaf, 2) die Schlaftrunkenheit, 3) die Apathie und Lethargie bedeutet. Die Folge, aber in gewissem Sinn auch das göttliche Ziel solcher Betäubung ist die Blindheit und Taubheit Israels „bis zum heutigen Tag", also bis zur Gegenwart. Das gilt natürlich nicht in jeder Hinsicht. In anderen Dingen als in ihrem Verhältnis zu Gott, zu dem gekommenen Messias Jesus, zum Glauben als dem Heilsweg (vgl. Apg 7, 57), zeichnet sie eine überaus große Wachheit und Scharfsinn und Hellhörigkeit aus. Aber auch „David" sagt die Verstockung dieses Israels voraus *(V 9f)*, sofern das, was seinen Feinden (Ps 69, 22–23; 35, 8) anwünschte, für Israel eingetroffen ist. David hat es also für Paulus dem ungläubigen Israel angewünscht. Natürlich darf man die Einzelheiten nicht pressen.

V 10 Das, was πώρωσις meint, wird in *V 10a* so ausgedrückt: σκοτισθήτωσαν οἱ ὀφθαλμοὶ αὐτῶν τοῦ μὴ βλέπειν. Aber auch die anderen Aussagen charakterisieren das „betäubte" Israel, z. B. V 9: selbst die τράπεζα, die Tischgemeinschaft[10], gibt keine Sicherheit mehr. Die τράπεζα wird zur

---

[9] Vgl. zu den „Auserwählten" aus Israel die Bilderreden des 1 Hen 37–71 und Qumrantexte, z. B. 1QS I 4, VII 6 u. oft. Schrenk in: ThWb IV 188f.
[10] So Bauer WB 1631; Barrett, Michel u. a. Käsemann versteht τράπεζα kultisch nach 1 Kor 10, 21.

παγίς, zur Schlinge [11]. Παγίς ist nichts anderes als θήρα, z. B. LXX Ps 34,8; Sir 11,8, und sie bezeichnen dort das Unerwartete und Plötzliche der hereinbrechenden Todesgefahr. Σκάνδαλον bleibt hier wohl auch im Bild und meint, wie etwa Is 24,17; Ps 140,9; 1 Makk 5,4, Fallstrick [12]. Ἀνταπόδομα ist allgemeiner: die Strafe, und zeigt an, daß diese Todesbedrohungen und Überfälle auf Israel, die Hand in Hand mit seiner Betäubung gehen, Strafe Gottes sind. Und noch eines: Dieses blinde und taube, dieses schlaftrunkene und apathische Israel wird auch immer wieder den Rücken beugen, ein Bild für seine Knechtschaft unter den Völkern *(V 10b)*. Mit anderen Worten: „Die übrigen", Israel, soweit es nicht zum „Rest" gehört, erfahren in ihrer dumpfen Betäubung das Los von Sklaven anderer Völker. Der Messias kam, doch Israel sieht nichts. Die Botschaft Gottes, darin sich *seine* Gerechtigkeit als das Heilsangebot enthüllt, wurde ausgerufen. Israel hört nichts. So ist Israel ständig gefährdet und in Unsicherheit. Sein Rücken muß sich beugen, immer wieder, unter das Joch der Völker. Gottes Gericht erdrückt es fast. Es „liegt so schwer auf ihnen, daß nichts von dem, was um sie her geschieht, sie erreicht" (Schlatter). Aber ist es nicht bedeutsam, daß Aussagen des Ps 69,9f in Röm 15,3 wiederkehren und dort auf Christus bezogen sind und auch sonst (Joh 2,17; 19,29; Apg 1,20) Jesu Leiden meinen?

So sehen wir im ganzen: Die Frage war in 11,1–10: Hat Gott Israel verstoßen? Die Antwort auf diese Frage war: „Nein!" Die Begründung dieser Antwort ging dahin: Paulus selbst, aber darüber hinaus ein „Rest" kraft der Erwählung durch Gnade weisen darauf hin, daß Gott Israel als solches nicht verstoßen wollte und nicht verstoßen hat. Freilich, „die übrigen" sind, wie Tora, Nebiim und Ketubim weissagen, wie also nicht nur er, Paulus, selbst meint, verhärtet, betäubt, vom Fallstrick bedroht und Sklaven, die ihren rücken beugen unter den Völkern.

8. *11, 11–24 Der Sinn des Falles Israels*

11 Ich frage also: Strauchelten sie, damit sie liegenblieben? Nein! Durch ihren Fall kam das Heil zu den Heiden, um sie eifersüchtig zu machen. 12 Wenn aber ihr Fall Reichtum für die Welt und ihr Versagen Reichtum für die Heiden (geworden) ist, um wieviel mehr wird es ihre Vollendung (ihr Vollendetsein) sein!

13 Euch aber, ihr Heiden, sage ich: Ich preise meinen Dienst insofern, als ich der Heiden Apostel bin, 14 ob ich wohl mein Fleisch reize und einige von ihnen retten werde. 15 Denn wenn ihre Verwerfung Versöhnung

---

[11] Vgl. παγὶς θανάτου, Todesschlinge, Tob 14,10b; vgl. Spr 12,13; Sir 9,3; 1 Tim 6,9; παγὶς τοῦ διαβόλου 1 Tim 3,17; 2 Tim 2,26.
[12] Vgl. Stählin, Skandalon, 178ff.

der Welt bedeutete, was anderes ist ihre Annahme als Leben aus den Toten? 16 Ist der Abhub heilig, dann auch der Teig. Und ist die Wurzel heilig, dann sind es auch die Zweige. 17 Wenn aber einige von den Zweigen herausgebrochen sind, du aber vom wilden Ölbaum unter ihnen eingepfropft wurdest und Anteil an der fett machenden Wurzel bekamst, 18 so rühme dich nicht gegenüber den Zweigen. Wenn du dich aber rühmst – nicht du trägst die Wurzel, sondern die Wurzel trägt dich.

19 Nun wirst du sagen: Zweige sind herausgebrochen worden, damit ich eingepfropft werde. 20 Gut! Infolge des Unglaubens wurden sie ausgebrochen, du aber hast nur im Glauben festen Stand. Sei nicht hochmütig, sondern habe Furcht! 21 Denn wenn Gott schon die natürlichen Zweige nicht verschont hat, dann wird er auch dich nicht verschonen. 22 Habe nun acht auf die Güte und Strenge Gottes. Strenge, was die Gefallenen betrifft, über dich aber Gottes Güte, wenn du bei der Güte verharrst. Denn sonst wirst auch du ausgehauen werden. 23 Und jene, wenn sie nicht im Unglauben verharren, werden wieder eingepfropft werden. Denn Gott hat Macht, sie wieder einzupfropfen. 24 Denn wenn du aus dem von Natur wilden Ölbaum ausgebrochen und wider die Natur in den edlen Ölbaum eingepfropft wurdest, um wieviel mehr werden die, welche von Natur zu ihm gehören, ihrem eigenen Ölbaum eingepfropft werden.

Was ist der Sinn des Gottesgerichtes über das ungläubige Israel? Das ist die leitende Frage unseres neuen Abschnittes. Dessen Gedankengang ist im Folgenden nicht leicht zu erkennen, und auch einzelne Aussagen und einzelne Begriffe bereiten vielfach Schwierigkeiten. Zu beachten ist wiederum die Sprachform der Diatribe. Zunächst gehören VV 11 und 12 zusammen und deuten an, daß Israels Fall einen heilsamen Sinn für den Kosmos hat und seine hier noch rätselhaft bleibende Erfüllung noch bedeutsamer sein wird.

V 11 stellt, mit λέγω οὖν wie 11, 1 eingeleitet, eine neue Frage, die, wie das οὖν zeigt, wiederum als ein möglicher Schluß aus dem Vorhergehenden gezogen werden kann. Sind sie – von denen vorher die Rede war, als die λοιποί, das ungläubige Israel – angestoßen oder angeprallt, nur damit sie hinfielen oder zu Fall kämen? Πταίειν ist soviel wie „aufschlagen", „anprallen" u. ä. und im übertragenen Sinn „irren", „fehlen", „sündigen (vgl. Jak 3, 2a. 2b; 2, 10; 2 Petr 1, 10). In dem letzteren Sinn ist πταίειν offenbar ein jüdisch-hellenistisches Wort (vgl. LXX Dt 7, 25; Arist 239; Philo, Leg. alleg. III 66; 1 Clem 51, 1). An unserer Stelle bleibt Paulus, ohne die übertragene Bedeutung zu vergessen, noch im Bild: „Sind sie etwa gestrauchelt?" wäre vielleicht eine adäquate Übersetzung. Das Bild steht in der Nähe von προκόπτειν (Röm 9, 32), auch von σκάνδαλον (Röm 11, 9), bzw. es zerlegt dieses Bild in πταίειν und πίπτειν. Mit ihm bleibt auch πίπτειν in der Schwebe zwischen bildhafter und übertragener Bedeutung. Jedenfalls muß es hier nach dem „anprallen" oder „straucheln" die ihm u. a. eignende Bedeutung eines vernichtenden

Falles, eines Niederstürzens, um nicht mehr aufzustehen, haben, eines End-
gültig-zu-Fall-Kommens (wie etwa Jer 28, 8 LXX; Is 21, 9b; vgl. Apk 14, 8;
18, 2; zur jüdischen Herkunft und Bedeutung unserer Begriffe vgl. besonders
PsSal 3, 9–12 [1]; auch Hebr 4, 11). Was der Sache nach unter dem πταίειν zu
verstehen ist, läßt sich aus dem bisherigen Zusammenhang von 9, 30ff; 10, 21
u. a. entnehmen: natürlich Israels Ungehorsam gegen das Evangelium und die
darin dem Glauben angebotene Gerechtigkeit Gottes, welcher Ungehorsam
zu der 11, 7ff erwähnten „Verhärtung" und „Betäubung" geführt hat. Damit
steht aber hinter dem πίπτειν die in 11, 1f angedeutete bzw. gefragte Ver-
stoßung und die über „die übrigen" gekommene „Verstockung". So verstanden, ist es ziemlich gewiß, daß das ἵνα eher final als konsekutiv zu verstehen
ist, d. h. eine bei dem Fall Israels mitwirkende Absicht Gottes mitgedacht ist.
Das ist um so wahrscheinlicher, als die Frage jetzt nicht mehr so generell und
eindeutig formuliert ist wie die von V 1, also nur nach dem endgültigen Geschick Israels fragt, sondern auch schon von dem Gedanken beeinflußt ist, der
in der Antwort V 2 und des weiteren in den Gesamtausführungen bis V 24
eine Rolle spielt: dem des Verhältnisses des Geschickes Israels zu dem der
Heidenvölker. Von V 11b her könnte man die Frage in V 11a in dem Sinn
gestellt sehen: „Ich frage nun, sind sie gestrauchelt, *nur* um endgültig zu Fall
zu kommen?" Die Antwort aber ist: „Nein! Sondern (es ist so): durch ihre
Verfehlung kam das Heil zu den Heiden. (Und das geschah wiederum,) um
sie (Israel) ‚eifersüchtig' zu machen" (so wie Moses Dt 32, 21 nach Röm 10, 19
gesagt hat). Pointiert könnte man sagen: Der geheime Sinn der Verfehlung
Israels, wie Gott ihn vor Augen hat, ist nicht der, daß Israel (endgültig) zu
Fall komme, sondern daß die Heidenvölker gerettet werden und so die Juden
eifersüchtig machen und zur Umkehr reizen. Sind sie – im Sinn Gottes – gestrauchelt, nur um endgültig zu Fall zu kommen? Nein! Sie sind gestrauchelt,
um über den Umweg der gläubig gewordenen Heiden zuletzt selber für Gott
beunruhigt zu werden. Das πταίειν V 11a wird jetzt durch παράπτωμα erläutert, welcher Begriff den Fehltritt, die Verfehlung, das Vergehen, die
Sünde meint, wie Röm 5, 15.16.17.18.20 zeigen. Wiederum ist das Schwe-
bende des Begriffs nicht zu übersehen. Diese Verfehlung ist ein (geschichtlicher) Fall. Τοῖς ἔθνεσιν ist Dativ, als Verb ist wahrscheinlich γέγονεν zu ergänzen. Apg 13, 45; 18, 6f; 19, 8ff lassen – freilich schematisch, weil einen
Grundsatz illustrierende Darstellung – den Vorgang illustrierend darstellen.

---

[1] PsSal 3, 9–12: 9 Προσέκοψεν ἁμαρτωλὸς καὶ καταρᾶται ζωὴν αὑτοῦ,
                        τὴν ἡμέραν γενέσεως αὑτοῦ καὶ ὠδῖνας μητρός.
          10 Προσέθηκεν ἁμαρτίας ἐφ' ἁμαρτίας τῇ ζωῇ αὑτοῦ·
                        ἔπεσεν, ὅτι πονηρὸν τὸ πτῶμα αὑτοῦ καὶ οὐκ ἀναστήσεται.
          11 Ἡ ἀπώλεια τοῦ ἁμαρτωλοῦ εἰς τὸν αἰῶνα,
                        καὶ οὐ μνησθήσεται, ὅταν ἐπισκέπτηται δικαίους.
          12 αὕτη ἡ μερὶς τῶν ἁμαρτωλῶν εἰς τὸν αἰῶνα.
                        οἱ δὲ φοβούμενοι τὸν κύριον ἀναστήσονται εἰς ζωὴν αἰώνιον,
                        καὶ ἡ ζωὴ αὐτῶν ἐν φωτὶ κυρίου καὶ οὐκ ἐκλείψει ἔτι.
       Vgl. 3, 5:   Προσέκοψεν ὁ δίκαιος καὶ ἐδικαίωσεν τὸν κύριον,
                        ἔπεσεν καὶ ἀποβλέπει τί ποιήσει αὐτῷ ὁ θεός,
                        ἀποσκοπεύει ὅθεν ἥξει σωτηρία αὐτοῦ.

Εἰς τό ist final und dem ἵνα πέσωσιν gleichsam entgegengesetzt. Das παρα-ζηλοῦν ist natürlich dasselbe wie 10,19 (= Dt 32,21) und dann 11,14. Also ist im ganzen gemeint: Gott läßt das gefallene Israel nicht liegen. Wenn es einen Fehltritt tat und zu Fall kam, dann kam die σωτηρία ja zu den Heiden. Und dies sollte Israel wieder eifersüchtig auf seinen Gott machen und es dann doch vielleicht umkehren lassen. Gott bleibt um Israel bekümmert.

V 12   Aber es geht nicht nur darum, daß Israel auf die Heiden eifersüchtig wird (und umgekehrt), sondern weiterhinaus um Israels eschatologisches Geschick. Der Satz blickt auf 11, 25 ff voraus. Er ist freilich in seiner Auslegung umstritten. Diese erfährt Hilfe durch V 15, den wir deshalb hier mit heranziehen. Klar ist V 12 a α: Durch ihre Verfehlung, d. h. ihren Unglauben, wurde dem Kosmos πλοῦτος zuteil, πλοῦτος im Sinn der eschatologischen Fülle des Heiles, der σωτηρία τοῖς ἔθνεσιν, von der eben die Rede war. Klar ist auch der dies erläuternde V 15 a. Die ἀποβολή (= Verwerfung) der Juden (vgl. Jos a 4, 314), die sich im πταίειν bzw. πωροῦσθαι manifestiert, ist καταλλαγὴ κόσμου, die Versöhnung der Welt (durch das Gläubigwerden der Heiden; vgl. Röm 5, 10 f; 2 Kor 5, 18 f). Von hier aus ist auch V 15 b einigermaßen klar: ihre Verwerfung ist Versöhnung des Kosmos (im angegebenen Sinn). Was kann dann ihre „Annahme" (durch Gott) anderes sein als „Leben aus den Toten"? Πρόσλημψις (oder πρόσληψις) ist die Annahme oder Aufnahme im Gegensatz oder als Gegenteil der Verwerfung; hier das Wiederaufnehmen Israels durch Gott, seine Annahme[2]. Sie wird nicht nur πλοῦτος κόσμου oder καταλλαγὴ κόσμου sein, sondern ζωὴ ἐκ νεκρῶν. Dabei meint ζωή gewiß nicht nur das Geschehen der Totenerweckung, sondern auch die Gabe, die sie gewährt, so wie auch καταλλαγή das Versöhntwerden und der Zustand des Versöhntseins ist. Bedeutsam aber ist die Ergänzung: ἐκ νεκρῶν, die anzeigt, daß die ζωή, die durch die Wiederaufnahme Israels diesem geschenkt wird, eine *eschatologische Größe* ist. Sie ist – es wird kein Empfänger genannt – das messianische Heil schlechthin, das mit der Auferstehung der Toten hereinbricht. Es kann durch 1 Kor 15, 23 ff (vgl. auch Röm 8, 21. 23 b u. a.) erläutert werden. Damit ist vorausgesetzt, daß die endgültige Bekehrung ganz Israels ein eschatologisches Ereignis im strengen Sinn ist, das zur allgemeinen Totenerweckung gehört. Das stimmt auch mit 11, 25 ff überein. Soweit sind die VV 12 und 15 im großen und ganzen klar. Und von hier aus muß man auch V 12 a β und b verstehen, d. h. aber vor allem die Begriffe ἥττημα und πλήρωμα. Ἥττημα (ἥττάομαι) ist die „Niederlage" (vgl. Is 31, 8) im moralischen Sinn (1 Kor 6, 7), das Versagen[3]. Das würde auch in V 12 a α zu παράπτωμα passen. Aber was soll dann im Gegensatz zu ἥττημα der Begriff πλήρωμα bedeuten? πλήρωμα ist V 11, 25 die „Vollzahl" der Heiden. Ent-

---

[2] Vgl. das προσλαμβάνεσθαι in Röm 14, 3; 15, 7, auch den Gegensatz in einer Glosse zu Sir 10, 13: προσλήμψεως ἀρχὴ φόβος κυρίου, ἐκβολῆς δὲ ἀρχὴ σκληρυσμὸς καὶ ὑπερηφανεία.

[3] KÄSEMANN nach MAIER, Israel, 120: „Das Zurückbleiben hinter gestellten Anforderungen."

sprechend könnte πλήρωμα hier der Juden Vollzahl meinen, vielleicht mit
dem Nebensinn der Auffüllung (πλήρωσις) zur Vollzahl[4]. Dieses eschatologische Ereignis bzw. dieser eschatologische Zustand übertrifft das, was das
ἥττημα der Juden an Reichtum den Heiden gebracht hat. Πλήρωμα nähert
sich dann dem Begriff der Erfüllung. Und ἥττημα wäre kein strikter Gegensatz zu πλήρωμα, was freilich auch nicht nötig ist. Jedenfalls liegt πλήρωμα
dann auf der Linie von πλοῦτος κόσμου – πλοῦτος ἐθνῶν, nur daß es eben
diesen weit übertrifft. Mit anderen Worten: schon in V 12 blickt Paulus über
den ersten Effekt des Ungehorsams Israels, die σωτηρία der Heiden, hinaus
auf die eschatologische Frucht ihrer Umkehr.

In *V 13* wendet er sich nun direkt und allgemein an die Heidenchristen (nicht
nur in Rom), zu denen Paulus natürlich vorher u. a. auch schon gesprochen
hatte, freilich nicht in einer Anrede. Weil er mit großer Schärfe von Israel gesprochen hatte – doch nicht ohne Andeutung der ihm geltenden Hoffnung –,
muß er jetzt die Heidenchristen (in Rom und der Sache nach überall) anreden,
um bei ihnen nicht Mißverständnisse aufkommen zu lassen. Der erste große
Abschnitt reicht von V 13 bis V 24. Darin gehören zunächst VV 13–15 zusammen. VV 13–14 nimmt einen Gedanken von V 11 auf und variiert ihn
dementsprechend so, daß jetzt ein eigenes Wort an die Heidenchristen ergeht.
V 15 entspricht, wie wir sahen, dem V 12. War in V 11 ganz allgemein davon
die Rede, daß das zu den Heiden kommende Heil Israel eifersüchtig (und also
eifrig) machen sollte, so wendet Paulus jetzt den Gedanken auf sich an, indem
er auf seine Rolle in diesem Weltgeschehen zu sprechen kommt. Die Wendung zu den Heidenchristen ist V 13 sehr betont: Ὑμῖν δὲ λέγω τοῖς ἔθνεσιν
meint: Euch Heidenchristen speziell sage ich. Das δέ, das besser paßt als das in
ℵ D G pm lat vertretene γάρ, ist verknüpfende Partikel. Aber was hat Paulus
den Heidenchristen in diesem Zusammenhang zu sagen? Zunächst (V 13b)
preist er seinen Dienst als Heidenapostel. Ἐφ' ὅσον ist keine zeitliche Begrenzung und etwa χρόνον zu ergänzen wie Mt 9, 15; Röm 7, 1; 1 Kor 7, 39; Gal
4, 1, sondern meint: „in dem Maße wie", „soviel wie" u. ä., wie z. B. Mt
25, 44.45; Barn 4, 11; 17, 1, formalisiert: „insofern als", „sofern". Μὲν οὖν ist
verstärktes οὖν als Einleitung einer Schlußfolgerung. Ἐγώ ist betont, weil
Paulus nun den Blick auf sich selbst sammelt. Zu ἐθνῶν ἀπόστολος vgl. Röm
1, 5.13b; 15, 16.18; Gal 2, 7–9; auch Apg 26, 17; 1 Tim 2, 7. Das ἐθνῶν
ἀπόστολος εἶναι wird dabei als διακονία bezeichnet, so wie 2 Kor 4, 1 als διακονία schlechthin oder 2 Kor 3, 8 als διακονία πνεύματος, 2 Kor 3, 9 als
διακονία δικαιοσύνης, 2 Kor 5, 18 als διακονία καταλλαγῆς; vgl. auch 2 Kor
3, 6; 6, 4; 11, 23; Eph 3, 7 διάκονος und 2 Kor 3, 3 διακονεῖν. Statt διακονία
heißt es 1 Kor 9, 17; Eph 3, 2; Kol 1, 25 οἰκονομία, und für διάκονος steht
in 1 Kor 4, 2 οἰκονόμος. Diesen „Dienst" oder dieses „Amt" preist der Apostel. Es ist ja auch seine Bestimmung durch Gott (vgl. Gal 2, 7ff), seine
ἀνάγκη (1 Kor 9, 16). Δοξάζω muß sich nicht, wie Michel meint, auf das konkrete Dankgebet (בֵּרֵךְ), so wie Röm 15, 6, beziehen, sondern kann allgemein

---

[4] DELLING, in: ThWb III 303.

sein persönlicher oder sein Lobpreis in der Gemeindeversammlung sein (vgl.
Röm 1, 21; 15, 9: Gal 1, 24; 2 Thess 3, 1 u. a.).

V 14 Aber – das ist das andere – warum preist er seinen Dienst als Apostel?
Um Israel eifersüchtig zu machen und „einige von ihnen zu retten" (V 14). Εἴ
πως mit Indic. fut. wie Röm 1, 10; Phil 3, 11 (vgl. 3 Kg 21, 31; 4 Kg 19, 4;
Jer 28, 8; Apg 21, 17 [mit Optativ]) ist „ob ich" oder besser: „daß ich vielleicht". Der Gedanke ist derselbe wie 11, 1: Des Apostels Dienst für die
Heiden gilt zuletzt wieder den Juden, und zwar 1) um ihr παραζηλοῦν zu erwecken; es dient dazu, daß er von Gott die Möglichkeit erhält, sein „Fleisch",
also seine συγγενεῖς κατὰ σάρκα (9, 3), das irdische Israel, eifersüchtig zu
machen; 2) um „einige von ihnen zu retten". Das τινὰς ἐξ αὐτῶν ist vielleicht
Ausdruck der Bescheidenheit, vielleicht auch bewußt gesetzt im Gegensatz
zu τὴν σάρκα, also zum (ganzen) irdischen Israel. Σῴζειν, ein Wort der hellenistischen Missionssprache, meint natürlich „zum Glaubensgehorsam bringen" und so „retten". Was seine διακονία als ἐθνῶν ἀπόστολος vermag und
weshalb er, der Apostel der Heiden, Gott lobpreist, ist also, ganz Israel auf die
Heiden eifersüchtig zu machen[5] und es damit zu beunruhigen und in Atem zu
halten, ihre Frage nach dem Heil herauszulocken *und* in „einigen" den Glauben zu erwecken. Natürlich ist diese Angabe nicht exklusiv zu verstehen.
Paulus preist seinen Dienst am Evangelium auch um der Heiden und um deren
„Rettung" willen, wie Röm 1, 8 und ähnlich 1 Kor 1, 4; Phil 1, 3; 1 Thess 1, 2;
2, 13; 2 Thess 2, 13; Eph 1, 16; Kol 1, 3 bezeugen. Der Satz V 13f ist vielmehr
im Zusammenhang von Kap. 9–11 in seiner Zuspitzung zu verstehen, wo es
den Heidenchristen gegenüber gilt, das verhärtete Israel in seiner ganzen
Wahrheit zu zeigen: daß sie in einem „Rest", in „einigen" direkt gerettet, im
ganzen aber auf dem Umweg über die Rettung der Heiden „eifersüchtig" gemacht werden und damit Anstoß zur Besinnung und vielleicht auch zur Umkehr erhalten. Und welches Heil, fährt *V 15* fort und lenkt wieder wie V 12
den Blick auf die eschatologische Aussicht, wird mit Israels Wiederannahme
durch Gott hereinbrechen?

Von *V 15* haben wir schon gesprochen, müssen aber noch einen Gesichtspunkt hinzufügen. V 15 nimmt V 12 wieder auf und stellt eine Begründung
der VV 13f dar (γάρ). Aber in welchem Sinn? Vielleicht ist der Zusammenhang in diesem Sinn zu verstehen. Ich preise meinen apostolischen Dienst für
die Heiden und hoffe, daß Gott es gewährt, Israel auf sie eifersüchtig zu machen und einige zu retten. *Denn* Israel ist das Schicksal und die Hoffnung des
ganzen Kosmos. Wenn schon seine Verwerfung Versöhnung der Welt[6] ist,
dann ist seine Wiederannahme eschatologisches Leben, Anbruch der todüber-
windenden Herrschaft Gottes. Israel eifersüchtig zu machen und „einige" zu
retten, das heißt also: das eschatologische Heil einleiten. In V 15 wird der

---

[5] Vgl. Dt 32, 21.
[6] Nach JOCHANAN BEN ZAKKAI (Tos B Q VII 3) sind die Söhne der Tora Versöhnung für die
Welt (DAHL, VOLK, 78).

Sachverhalt deutlicher formuliert als in V 12. Aus „Reichtum der Welt" wird „Versöhnung der Welt". ῞Ηττημα ist hinsichtlich seiner Ursache bzw. Folge genannt: der ἀποβολή durch Gott. Statt πλήρωμα steht πρόσλημψις durch Gott[7]. Der Gedanke des in seiner Freiheit waltenden und wählenden Gottes taucht wieder auf, aber jetzt im Sinn des aus grundlosem Erbarmen Israel wieder rettenden, hinzuwählenden, wieder annehmenden, zu sich nehmenden Gottes.

V 16 Hat Paulus bisher zu den Heidenchristen wie V 11f nur von Israel gesprochen und die Rettung der Welt nur im Zusammenhang mit Israels Fall und Verwerfung genannt, so fährt er auch in V 16 fort, auf Israel zu blicken, und beginnt mit der Rechtfertigung der beiden Aussagen von VV 12 und 15, welche Rechtfertigung dann auch die Ausführungen von VV 17–24 durchzieht. V 16 ist das Fundament der Darlegung bis V 24. Er besteht in einem Doppelgleichnis. Das erste *(V 16a)* ist dem jüdischen Ritualgesetz (Nm 15, 17–21) entnommen, nach dem die Israeliten verpflichtet sind, vom ersten Brotteig der neuen Kornernte jedes Jahr einen kleinen Teil(רֵאשִׁית =ἀπαρχή, Anfang, Abhub) als Hebeopfer (חַלָּה, aramäischחַלְתָא)[8] Jahwe darzubringen. Dadurch sollte auch das übrige Brot, das aus der neuen Ernte gebacken wird, Gott geweiht werden (ἁγία). ᾿Απαρχή ist hier also terminus technicus der Opfersprache (= חַלָּה), was durch φύραμα in seiner Bedeutung von Teig (LXX Nm 15, 20.21: ἀπαρχὴ φυράματος) gesichert ist. Das zweite Gleichnis *(V 16b)* knüpft wahrscheinlich an Vorstellungen von Israel als dem „Ölbaum" (Jer 11, 16) an. Dabei ist hier nicht mehr auf Israel in seiner Gesamtheit, sondern auf die einzelnen Israeliten als die Zweige des Baumes gesehen. Wer aber sind ἡ ἀπαρχή und ἡ ῥίζα? Jedenfalls sind dieselben gemeint und wahrscheinlich Israels „Väter"[9], Abraham, Isaak und Jakob (vgl. Röm 4, 1ff; 9, 5.6ff und 11, 28; 15, 8). Der Ausdruck ist jüdisch; vgl. zu Abraham als „Wurzel" und „ewige Pflanze der Gerechtigkeit", die Israel ist, Jub 1, 16; 1 Hen 93, 2ff; auch 10, 16; 84, 6[10]. Sie als Gott geheiligte Erstlingsgabe und als Wurzel des Ölbaums Israel garantieren dessen Heiligkeit im ganzen und die Heiligkeit der einzelnen Glieder Israels. Das kann rückblickend die Hoffnung V 12 und V 15 verständlich machen. Es selbst wird nun im Folgenden in einer Diatribe im Blick auf das gestrauchelte und verhärtete ungehorsame Israel und auf die gläubig gewordenen Heiden näher aus dem Bild heraus lebhaft entfaltet.

Dabei kann man wohl drei bzw. vier Gedankenabschnitte unterscheiden: VV 17–18; 19–21; 22–24 bzw. 22–23a und 23b–24.

---

[7] Zur Antithese: ἀποβολή – προσλήμψις vgl. Sir 10, 20.

[8] Vgl. TANCH B, נב, § 1 (14a), wo Adam die Challa der Welt genannt wird, STRACK-BILLERBECK IV 667f.

[9] Vgl. SCHRENK in: ThWb IV 218; MAURER, ebd. VI 989.

[10] Vgl. Damask III 2ff: Abraham, Isaak und Jakob als „Freunde für Gott und als Bundespartner auf ewig". Vgl. 1QH VIII 4ff 10ff.

V 17 Zunächst wendet sich der Apostel zu den Heidenchristen und mahnt sie, sich gegenüber den ausgeschlossenen Juden nicht zu „rühmen". Gewiß ist es so, wie du, der Heidenchrist, sagst oder denkst: „einige" (τινας!) der Zweige, die aus der Wurzel Israels aufsprossen, sind ab- oder ausgebrochen worden: ἐκκλάειν ist ein griechisch-hellenistisches Wort[11]. Und gewiß ist es auch so: Du, der Heidenchrist, der ein Zweig des „wilden Ölbaums" ist, bist unter sie (die Zweige des edlen Ölbaums) „eingepfropft" worden. Ὁ ἀγριέλαιος, V 24: καλλιέλαιος – ἐλαία, Ölbaum mit wilden bzw. guten Früchten, sind substantivierte Adjektive[12]. Ἐγκεντρίζειν ist hellenistischer terminus technicus für „aufpropfen", εἴς τι V 24, absolut VV 19.23. Ἐν αὐτοῖς meint die Zweige des edlen Ölbaums, die nicht abgehauen wurden. Damit aber, daß der Heidenchrist als Ölbaumwildling unter die Zweige des edlen Ölbaums eingepfropft wurde, hat er auch Anteil – zu συγκοινωνός vgl. 1 Kor 9, 23; Phil 1, 7 – erhalten an der „Fettigkeit" – πιότης von Pflanzen bei Theophr., Hist. plant. IX 1, 3; Jos b 3, 516 – des edlen Ölbaumes. Gemeint ist wohl nicht an der Fett spendenden Wurzel, sondern an der Wurzel, die fetthaltige Früchte hervorbringt. „Die Früchte des Edelölbaums enthalten Fett, die des Oleaster spritzen, wenn man sie ausdrückt, nur Wasser aus" (Maier 132 Anm. 123). Ohne Bild heißt V 17: Der Heide bekam Anteil an dem Segen, d. h. an der Verheißung und dem Glauben Abrahams bzw. der Väter Israels (vgl. Röm 4, 11f. 16). Nicht die Kirche aus den Heiden hat Israel samt seinen Vätern usurpiert, sondern Israel *in* seinen Vätern hat die Heiden in sich aufgenommen und ihnen Anteil gegeben an dem Verheißungswort, das es begründet, und an dem Glaubensweg Abrahams. Eigentlich ist die Kirche aus den Heiden ein aufgenommener Fremdling des wahren Israel.

V 18 Und so muß dem Heidenchristen, der Israels παράπτωμα und ἥττημα bzw. Israels ἀποβολή und sein, des Heiden, Gläubig-geworden-Sein erfährt, warnend gesagt werden: μὴ κατακαυχῶ τῶν κλάδων (V 18). Κατακαυχᾶσθαι ist wie Zach 10,12; Jer 27, 11. 38 „sich rühmen gegen", „sich erheben über", „triumphieren über" u. ä. (vgl. Jak 2, 13)[13], entsprechend dem absoluten Gebrauch von V 18b im Sinn von „sich rühmen", „großtun", „sich brüsten" u. ä. Es ist nicht von einem heidenchristlichen Antisemitismus die Rede, wie z. B. Leenhardt, H. W. Schmidt annehmen, sondern höchstens von einem ungeistlichen Stolz des heidenchristlichen Teils der römischen Gemeinde gegenüber den Judenchristen, von denen man nur relativ wenige in der Versammlung der Gemeinde sieht. Man kann sich ja nicht nur wie der Jude der eigenen Herkunft, des göttlichen Gnadenzeichens der Beschneidung, des Besitzes des Gesetzes, der Eigenleistungen „rühmen", sondern auch wie der Heidenchrist der Berufung zum Volk Gottes, die man dann als Bestätigung eigener Vorzüge und eigener Verdienste versteht. Man kann sich auch in selbstsüchtiger Weise des Glaubens rühmen, als sei er eine Leistung und ein

---

[11] BAUER WB 477.
[12] BLASS-DEBR, § 120, 3.
[13] BULTMANN in: ThWb III 654.

333

Verdienst. An die andere Art gewisser Heidenchristen, sich zu rühmen, nämlich der Gaben des Geistes oder auch des einen oder anderen Apostels als
Schul- und Parteihaupt, wie davon im ersten Korintherbrief die Rede ist,
ist nicht zu denken. Deshalb ist auch ein Rekurs auf ein „enthusiastisches
Pneumatikertum" (Michel) hier nicht angebracht. Wenn die Heidenchristen
sich gegenüber Israel „rühmen", so sollten sie daran denken, daß das völlig
grundlos ist (V 18b). Denn es ist so: Nicht sie, die Heiden, tragen „die
Wurzel", die heilig ist, sondern diese, die Väter, tragen auch die Kirche aus
den Heiden. Was die Heidenchristen sind, verdanken sie dem, daß Israel in
seinen Vätern ihnen nun Anteil gibt an seinem Segen. Israel in seinen Vätern
und den gläubigen Gliedern ist das Fundament der Kirche aus Juden und
Heiden. Leugnet man das, so leugnet man die Heilsgeschichte.

In den *VV 19–21* wird das Thema noch nicht verlassen. Im Stil der Diatribe
wird des Gegners oder Gesprächspartners Argument aufgegriffen und u. U.
wie hier zitiert. *V 19* wird mit einem ἐρεῖς οὖν eingeleitet. Das Argument
lautet: Zweige (ohne Artikel!) sind ausgebrochen worden, damit ich (der
Christ aus den Heiden) eingepfropft werde. Der Unterschied zu der Beschreibung der Lage in V 17 ist der, daß jetzt die beiden Tatsachen ἐξεκλάσθησαν –
ἐνεκεντρίσθησαν – das Passiv deutet auf Gottes Handeln hin – miteinander
in Beziehung gesetzt werden, und zwar so, als ob das Ausbrechen der Zweige,
der ungläubigen Juden, um des Einpfropfens der anderen Zweige (der Heiden)
willen geschehen wäre. Der Unterschied zu V 17 liegt also in der Konstruktion
eines Einzelsatzes. Jenes τῷ αὐτῶν παραπτώματι ἡ σωτηρία τῶν ἐθνῶν wird
also dahin (miß-)verstanden, daß Gott die Juden hätte straucheln lassen, damit für die Heiden sozusagen Platz im Heilsraum geschaffen würde. Aber
darum, meint in *V 20* der Apostel, geht es nicht, sondern darum, daß jene
nicht geglaubt haben, diese aber schon. Freilich im Glauben muß man
„stehen". Denn im Glauben kann man fallen. Der Glaube glaubt inmitten der
Glaubensanfechtung, in Glaubensgewißheit, nicht in Glaubenssicherheit.
Καλῶς ist auch Diatribenstil. Es ist ein Ausruf: „Richtig!"[14] Es ist nicht ironisch gemeint (Michel) wie etwa 2 Kor 11, 4, sondern drückt eher eine konze-
dierende Zustimmung aus: „Richtig!" (wenn man es nur nicht falsch versteht).
Aber beachte: Es geht bei diesem Vorgang um ἀπιστία und πίστις. Jetzt und
dann in V 23 wird das Verhalten Israels als ἀπιστία bezeichnet wie Röm 3, 3.
Die Dative ἀπιστίᾳ und πίστει geben den Grund[15] des Ausbrechens der
Zweige und des „Standes" der Heidenchristen an. Zu ἔστηκας (Perf. abs.) vgl.
1 Kor 15, 1; Röm 5, 2; 2 Kor 1, 24. Man „steht" durch den Glauben als einer,
der zum Stehen gekommen ist. Man „steht" absolut, wenn man sich im Glauben hörend an das Evangelium hält und damit in der Gnade bleibt. Dieses
„Stehen" ist aber das einzige, was der Heidenchrist zu seinem Heil vorweisen
kann. Ihm sind von sich aus keine „Väter" und kein Vätersegen, keine Väter-
verheißungen, Väterbündnisse gegeben wie an Israel. Er hat nur Anteil an

---

[14] Vgl. Lukian, Dial. deor. 20, 10; LXX 3 Kg 2, 18; Mk 12, 32.
[15] BLASS-DEBR, § 196.

Israels Vätersegen bekommen. Aber eben nicht anders als im Glauben. Und im Glauben kann man fallen (1 Kor 10, 12). Und „fallen", das wäre schon das κατακαυχᾶσθαι κατὰ τῶν κλάδων. Deshalb die Mahnung, die Paulus in V 20b noch anfügt: μὴ ὑψηλὰ φρόνει, ἀλλὰ φοβοῦ. Der Gegensatz von ὑψηλὰ φρονεῖν (ὑψηλοφρονεῖν v. l.) und φοβεῖσθαι ist bezeichnend. Jenes Hochmütigsein, das sich im „rühmen gegen" den gestrauchelten Juden bei Heidenchristen erweist, entspringt daraus, daß sie keine Furcht vor Gott haben, nicht εἰδότες τὸν φόβον τοῦ κυρίου (2 Kor 5, 11; vgl. Röm 3, 17 [= Ps 35, 2]) sind, nicht ἐν φόβῳ θεοῦ stehen. Τῇ πίστει ἑστηκέναι ist aber nur so möglich. Πίστις impliziert Gottesfurcht (vgl. Phil 2, 12). Die πίστις ist bedroht, wo geistliche Überhebung ist – etwa dem gestrauchelten Israel gegenüber. Geistlicher Hochmut ist kein Glaube. Glaube ist nur da, wo Gott gefürchtet wird. Gott aber ist jederzeit von jedem, auch dem Glaubenden, zu fürchten, von Juden und von Heiden, ja von Heiden, wenn man so sagen darf, noch mehr. Denn – V 21 – wie soll Gott die Heiden schonen, wenn er die Juden, „die natürlichen Zweige", nicht geschont hat (φείδομαί τινος wie Röm 8, 32f; 1 Kor 7, 28; 2 Kor 1, 23; Apg 20, 29). So kann man mit Peterson sagen: „Der Heide, der den Glauben verliert, ist gar nichts mehr. Der Jude, der nicht an Christus glaubt, gehört doch immerhin zu dem edlen Ölbaum Gottes. Die Worte des hl. Paulus erfahren eine furchtbare Bestätigung in der Gegenwart. Die christlichen Völker, die ihren Glauben verlieren, verfallen in der Tat in einem Maß der Verwilderung und der Substanzlosigkeit, das den Juden unmöglich ist."

Die VV 22–24 bringen einen dritten Gedanken im Stil jüdischer Weisheitslehre (Michel). Der Imperativ wird diesmal vorausgenommen. Unvermerkt lenkt der Apostel dabei wieder zum Hauptthema von der künftigen Errettung Israels zurück (Maier). Die in VV 11f und 14f angedeutete Hoffnung für Israel tritt dabei in VV 23f klarer ins Licht. Der Heidenchrist, der sich im Anblick des ungläubigen Israel nicht überheben, sondern Gott fürchten soll, wird nun darauf aufmerksam gemacht (V 22), daß es bei Gott immer beides gibt: χρηστότης und ἀποτομία, und daß diese an dem Geschick der Juden und Heiden abzulesen sind. Der Begriff χρηστότης taucht sonst im Hellenistischen, etwa neben ἐπιεικεία, εὐγνωμοσύνη, φιλανθρωπία, μεγαλοψυχία u. ä.[16], auf (in LXX etwa Ps 118, 65ff), im Christlichen als χρηστότης θεοῦ, Güte Gottes (Röm 2, 4), neben ἀνοχή und μακροθυμία (9, 23 v. l.; Tit 3, 4), neben φιλανθρωπία, 1 Clem 9, 1 neben ἔλεος, 2 Clem 15, 5; 19, 1; Diog 9, 1. 2 neben φιλανθρωπία und ἀγάπη u. a. m. In Röm 2, 4 zeigt sich diese Güte Gottes darin, daß er den Juden eine Frist zur Umkehr gewährt. Hier erweist sie sich darin, daß Gott den gläubig gewordenen Heiden in seine χάρις aufgenommen und ihm Anteil an der „Wurzel" des edlen Ölbaums, den Vätern und ihrem Segen der Verheißung, gegeben hat[17]. Ἀποτο-

[16] BAUER WB 1792.
[17] Eph 2, 7 ist die Güte Gottes die Weise, wie seine χάρις ἐν Χριστῷ Ἰησοῦ über die Heidenchristen bzw. über alle Menschen gekommen ist.

μία (Gerichtsstrenge), ebenfalls ein hellenistisches Wort, dessen Gegensatz πραΰτης ist[18]. Beider soll der Heidenchrist eingedenk sein, und zwar des näheren in dem Sinn, daß – nun chiastisch formuliert (V 22b) – Gott seine „Strenge" gegenüber den gefallenen Juden natürlich nicht exklusiv zur Geltung bringt, seine χρηστότης aber gegenüber dem gläubig gewordenen Heidenchristen, freilich unter einer Bedingung, daß er bei dieser ihm erwiesenen χρηστότης verharrt und sich ihrer bewußt bleibt. Denn sonst – ἐπεί wie Röm 3,6; 1 Kor 14,16; 15,29 (5,10; 7,14); Hebr 9,26; 10,2 schon klassisch[19] – wird auch er „abgehauen". Ἐκκόπτειν ist „einen Baum fällen", „abhauen"; hier, wie ἐκκλᾶσθαι in VV 17 und 20, „aushauen". Jetzt wird es deutlich, was es heißt, πίστει ἑστηκέναι (V 20), und weshalb der Heidenchrist nicht ὑψηλὰ φρονεῖν, ἀλλὰ φοβεῖν soll. Die über ihm durch das im Glauben angenommene Evangelium aufgegangene Güte Gottes ist von seiner, des Glaubenden, Seite jederzeit gefährdet. Sie ist kein Definitivum oder nur ein Definitivum im definitiven Glauben, der als solcher ständig erneuert und bewahrt werden muß. Die Drohung V 21, daß Gott auch des Heiden nicht schonen wird, wird Wirklichkeit werden, wenn der Heidenchrist nicht im Glauben, d. h. bei der Güte Gottes, verharrt[20]. Aber die Güte Gottes ist nicht nur Güte gegenüber dem Heidenchristen. Sie waltet auch gegenüber dem Juden und ist jederzeit bereit, sich auch an ihm zu erweisen, auch wenn sie dann nicht so genannt wird.

Jedenfalls ist es so – und das mag den Hochmut der Heidenchristen noch mehr dämpfen –, daß, wenn die Juden nicht bei ihrem Unglauben bleiben, sondern zum Glauben kommen, sie wieder in das Israel der Väter eingeholt, eingepfropft werden (V 23). Auch die Verhärtung des einzelnen Juden ist nicht unwiderruflich. Sie müssen nicht bei der ἀπιστία bleiben, sie können zum Glauben kommen. Gott (oder seine Gnade) hat die Macht, sie wieder dem Israel ihrer Väter im Glauben an Christus einzugliedern. Das wird in V 23b betont feierlich gesagt (vgl. Lk 1,49; Hebr 11,19). Es ist bemerkenswert, wie für Paulus die Möglichkeit, daß Israeliten wieder glauben oder nicht im Unglauben verharren, mit der, daß Gott die abgehauenen Zweige dem edlen Ölbaum wieder einpfropfen kann, zusammenfällt. Aber will und wird er es auch? Ja, denn ihm liegen die Heiden nicht mehr am Herzen als die Juden. Im Gegenteil!

V 24 sagt dem Heiden, daß er aus dem von Natur wilden Ölbaum ausgebrochen und wider die Natur in den edlen Ölbaum eingepfropft worden ist. Aber dann kann der Jude, der von Natur zum edlen Ölbaum gehört, erst recht wieder eingepfropft werden. Der Unglaube Israels ist grundsätzlich temporär. „Wenn die Juden ihren Unglauben an Christus aufgeben, werden sie in den Ölbaum wieder eingelassen" (Peterson), und um so eher, als dieser Ölbaum ja ἡ ἰδία ἐλαία und der ihnen naturgemäße ist.

---

[18] BAUER WB 261.
[19] BLASS-DEBR, § 456.
[20] Zu ἐπιμένειν mit Dat. vgl. Röm 6,1; 11,23 (Phil 1,24); Kol 1,23: εἴ γε ἐπιμένετε τῇ πίστει.

Aber das sind schließlich erst Möglichkeiten, und zwar für den einzelnen Israeliten. Kann die Hoffnung, die der Apostel für Israel hat, nicht noch kräftiger und in bezug auf ganz Israel ausgesprochen werden? Weiß der Apostel nicht noch Bestimmteres im Blick auf das Volk Israel? Doch, er kann in diesem Zusammenhang noch ein „Mysterium" verkünden. Und das will er zuletzt den Heiden- und Judenchristen in Rom nicht vorenthalten. Von ihm spricht er im dritten Abschnitt von Kapitel 11.

9. 11,25–32 Israels endgültige Rettung

25 Denn ich will euch, Brüder, dieses Geheimnis nicht vorenthalten, damit ihr nicht auf eigene Einsicht baut: Teilweise ist Verstockung über Israel gekommen, bis die Vollzahl der Heiden eingegangen ist. 26 Und so wird ganz Israel gerettet werden, wie geschrieben steht: „Kommen wird aus Zion der Erlöser. Er wird abwenden von Jakob die Frevel. 27 Und dies wird mein Bund für sie sein, wenn ich fortnehme ihre Sünden." 28 Was das Evangelium betrifft, sind sie Feinde um euretwillen, was die Erwählung betrifft, Geliebte um der Väter willen. 29 Denn unwiderruflich sind Gottes Gnadenerweise und sein Ruf. 30 Denn wie ihr einst Gott ungehorsam wart, nun aber über ihren Ungehorsam Erbarmen erfahren habt, 31 so sind jetzt diese ungehorsam geworden über dem euch widerfahrenen Erbarmen, damit auch sie nunmehr Erbarmen fänden. 32 Gott hat sie alle in den Ungehorsam verschlossen, damit er sich aller erbarme.

Der Abschnitt, der durch die Eingangsformulierung und die neue Anrede als ein neuer gekennzeichnet ist und der vom Stil der Diatribe in den der theologischen Offenbarungsbelehrung übergeht[1], umfaßt einmal die Mitteilung eines Mysteriums samt eigener Schlußfolgerung und deren Beleg durch die Schrift (VV 25–27)[2] und zweitens die Erläuterung dieses Geheimnisses im Blick auf die Vorgänge der Heilsgeschichte bei Heiden und Juden samt einem zusammenfassenden Schlußsatz (VV 28–32).

In *V 25* macht schon die Art des Eingangs auf die Bedeutung des Folgenden aufmerksam. Zur Formulierung οὐ … θέλω ὑμᾶς ἀγνοεῖν vgl. Röm 1, 13; 1 Kor 10, 1; 12, 1; 2 Kor 1, 8; 1 Thess 4, 13. Die Anrede ἀδελφοί, die nach V 10, 1 zum zweitenmal innerhalb der Kap. 9–11 erscheint, unterstreicht die Dring-

---

[1] „Paulus spricht hier im apokalyptischen Offenbarungsstil (vgl. 1 Kor 15,51)", Hengel, a.a.O. 19.
[2] Ch. Plag, Israels Weg zum Heil (= Arbeiten zur Theologie, 1. Reihe, Heft 40, 1969, 60ff), betrachtet 11, 25–27 als einen sekundären Einschub, übersieht damit aber, daß diese Sätze als letzte (und erste) Aussage alle bisherigen Ausführungen von Kap. 9–11 über Israel tragen. Dagegen Gaugler II; Luz, Geschichtsverständnis, 268; Stuhlmacher, a.a.O. 557.

lichkeit der folgenden Aussage und ihre Versöhnlichkeit. Paulus will der römischen Gemeinde „dieses Geheimnis" mitteilen. Von τὸ μυστήριον bzw. einem bestimmten „Geheimnis" spricht der Apostel auch sonst relativ häufig: 1 Kor 2, 1 v. l.; 2, 7; 4, 1; 13, 2; 14, 2; 15, 51; vgl. ferner Eph 1, 9; 3, 3.4.9; 5, 32; 6, 19; Kol 1, 26.27; 2, 2; 4, 3; 2 Thess 2, 7; Röm 16, 25; 1 Tim 3, 9.10. Aber als nähere Parallele kommt nur 1 Kor 15, 51 in Betracht, sofern auch dort das, was Paulus μυστήριον nennt, ein einzelnes Ereignis ist, das auch zitiert wird, und es sich ebenfalls um ein eschatologisches oder apokalyptisches Geschehen handelt. Dieser Begriff von μυστήριον taucht für uns zum erstenmal bei Dn LXX und Θ auf, und zwar als Übersetzung von רָז (Plural רָזִין) (Dn 2, 18f.27ff.30.47; Θ 4, 9). Es meint dort von Gott bestimmte zukünftige Geschehnisse, deren Enthüllung und Deutung Gott allein (2, 28.29.47) und den von seinem Geist Inspirierten (Θ 4, 9) vorbehalten ist. Solche μυστήρια oder göttliche Offenbarungswahrheiten spielen dann in der spätjüdischen Apokalyptik eine große Rolle, freilich dort neben den μυστήρια des Kosmos und seinen Zeiten und Kräften. Es sind dort vor allem die μυστήρια der dem göttlichen Gericht vorhergehenden und mitfolgenden Umwälzungen und Katastrophen, die Gott nach seinem Plan heraufgeführt hat: temporum secreta et temporum fidem (4 Esr 14, 5). Kund werden sie den erwählten Apokalyptikern auf dem Wege der Entrückung (Himmelfahrt) oder durch Gesichte und Zeichen, die nur sie deuten können. Dieses apokalyptische Geheimnis wird sorgfältig aufbewahrt und darf nur den „Weisen" als apokalyptische Tradition weitergegeben werden (4 Esr 12, 26ff; 14, 5ff; syrBar 20, 3 u. a.). Diese legt den eigentlichen, verhüllt-enthüllten Geschichtsverlauf dar[3].

Von diesem apokalyptischen Hintergrund her spricht der Apostel in unserem Zusammenhang. Darauf verweist, abgesehen von dem Begriff τὸ μυστήριον τοῦτο und seinem eschatologischen Inhalt, auch die Bemerkung: ἵνα μὴ ἦτε (ἐν) ἑαυτοῖς φρόνιμοι[4]. Die Formulierung, die an Spr 3, 7 LXX erinnert: μὴ ἴσθι φρόνιμος παρὰ σεαυτῷ, weist darauf hin, daß das μυστήριον nicht seinem oder der „Brüder" Wissen entspringt, sondern Offenbarung des göttlichen Ratschlusses ist, die allein die wahre Erkenntnis verleiht. Über Israel kann man nicht ohne Annahme der Offenbarung im Mysterium reden. Alle historischen, soziologischen und psychologischen Erkenntnisse von diesem Volk reichen nicht zu, ja führen irre. Israel ist letztlich selbst ein Mysterium. Aber eben auch das erkennt der eigene menschliche Verstand nicht. Τὸ μυστήριον τοῦτο umfaßt auf den nächsten Blick drei Aussagen. Aber mir scheint V 26a: καὶ οὕτως..., ist paulinische Formulierung, die das μυστήριον in den Zusammenhang einfügt. Das οὕτως ist ja mit Lagrange von einem καὶ τότε zu unterscheiden. Während das Mysterium selbst (V 25b) ein τότε erforderte, will Paulus mit dem καὶ οὕτως nach der wiederholten Behauptung, daß ganz Israel gerettet wird (V 12.15.23f), noch hervorheben, in welcher Weise das geschieht:

[3] Bornkamm in: ThWb IV 809–834, 821f.
[4] Ἑαυτοῖς allein ist mit 𝔓46 Ψ G 1739 pc latt aeg wahrscheinlich die ursprüngliche Lesart. Παρ᾽ ἑαυτοῖς א C 𝔐 D pm ist Angleichung an Spr 3, 7. Ἐν ἑαυτοῖς B A Erleichterung des Verständnisses des ursprünglichen Dat. comm. So Zahn, Lagrange, Käsemann. Dagegen Lietzmann, Michel, H. W. Schmidt.

in der Weise eines Endgeschehens, am Ende der Weltgeschichte, eines eschatologischen Ereignisses. Jedenfalls eröffnet das mitgeteilte μυστήριον folgendes: 1) Die πώρωσις Israels, seine Verhärtung oder Versteinerung, die 11, 7f erwähnt und aus der Schrift belegt war und die vorwiegend sich in seiner caecitas (vg!) äußerte; ist 2) ἀπὸ μέρους, „teilweise" (vgl. Röm 15, 15; 2 Kor 1, 14; auch Röm 15, 15; 2 Kor 2, 5), über Israel gekommen. Ἀπὸ μέρους gehört adverbial zu γέγονεν und erinnert natürlich an den „Rest". 3) Die Verstockung währt ἄχρις οὗ τὸ πλήρωμα τῶν ἐθνῶν εἰσέλθῃ. Τὸ πλήρωμα τῶν ἐθνῶν ist die apokalyptische, von Gott vorgesehene Vollzahl[5] der Heidenvölker, also weder alle Heiden auf der Erde, die Christen geworden wären, noch die gesamte Völkerwelt, die sich bekehrt hätte, sondern die von Gott bestimmte Zahl der Völker, sofern sie sich erfüllt hat, eine Zahl, die nur Gott kennt. Das widerspricht nicht dem, daß das Evangelium zuerst allen Völkern verkündigt werden soll (Mk 13, 10). Man kann hier 4 Esr 4, 35f vergleichen, wo es heißt, daß „die Seelen der Gerechten" in „ihren Kammern" fragen: „Wie lange sollen wir noch hierbleiben? Wann erscheint endlich die Frucht auf der Tenne unseres Lohnes?" Ihnen antwortet der Erzengel Jeremiel: „Wenn die Zahl von euresgleichen voll ist."

Auch syrBar 23, 4; 30, 1ff ist eine Parallele, und bekanntlich taucht der Gedanke an die Vollzahl der Martyrer auch in der Apokalypse Johannis auf (6, 11) und wird 14, 1 in anderer Weise mit der Zahl 144000 (Apk 7, 4; 14, 1) zum Ausdruck gebracht. Analog ist der Begriff des πλήρωμα der Zeit oder der Zeiten (Gal 4, 4; Eph 1, 10). Auch Lk 21, 24 ist hier heranzuziehen: Jerusalem wird von den Heiden zertreten werden, bis sich die Zeiten der Heiden erfüllt haben. Immer ist in πλήρωμα[6] in solchem Sinn 1) der Gedanke der Fülle und Vollendung, 2) der, daß Gott die Zeit oder Zahl festgesetzt hat, und 3) der, daß so das πλήρωμα der Berechnung entnommen und doch eine bestimmte Größe ist, enthalten. Das ist auch in unserem Zusammenhang zu berücksichtigen. Die teilweise Verhärtung Israels dauert, bis die von Gott festgesetzte, unberechenbare Vollzahl der Heiden „eingegangen" ist. Dabei ist das εἰσελθεῖν vielleicht das Eingehen εἰς τὴν βασιλείαν τοῦ θεοῦ wie Mt 5, 20; 7, 21; 18, 3 u. a.; Joh 3, 5; Apg 14, 22[7]. Dann wäre es ein alter, vorpaulinischer Ausdruck, den das überlieferte und von Paulus übernommene μυστήριον gebraucht. Oder es meint, was vielleicht in Anbetracht von Röm 11, 15 (vgl. Röm 5, 12.17) wahrscheinlicher ist: εἰς τὴν ζωήν wie Mk 9, 43.45.47; Mt 18, 8, was auf denselben Sprachboden weist. Jedenfalls meint es den eschatologischen Augenblick, da Gottes Rettungswerk an den Völkern beendet ist, weil die von ihm bestimmte Fülle der Heiden das Heil empfangen hat. „Und auf diese Weise wird ganz Israel gerettet werden." Καὶ οὕτως ist Einleitung des triumphierenden Schlusses. Es bezieht sich nicht auf das καθὼς γέγραπται. Aber es ist nicht rein temporal zu verstehen wie Apg 17, 33; 20, 11[8],

---

[5] Zur Vollzahl vgl. 1 Clem 59, 2: τὸν ἀριθμὸν τὸν κατηριθμημένον τῶν ἐκλεκτῶν αὐτοῦ ἐν ὅλῳ τῷ κόσμῳ.

[6] Vgl. Delling in: ThWb IV 283–309.

[7] Sanday-Headlam, Ridderbos.

[8] Zahn, Althaus, Dodd, Michel, Barrett. Zu den Auslegungsmöglichkeiten vgl.

sondern meint auch: in der Weise, daß die Verstockung Israels bis zum eschatologischen Hinzuströmen der Heiden vorauszusetzen ist. Betont ist πᾶς
Ἰσραήλ. Bis zu diesem eschatologischen Augenblick soll die apostolische rettende Verkündigung Israel „eifersüchtig" machen. Bis dahin werden auch
„einige" aus Israel gerettet werden. Aber die Rettung des gesamten Israel
ist erst der letzte eschatologische Akt der Geschichte. Dabei ist πᾶς Ἰσραήλ
nicht ohne weiteres analog dem πλήρωμα ἐθνῶν zu verstehen als Israel in seiner
Vollzahl, die Gott bestimmt, wiewohl natürlich „ganz Israel" das auch ist, wie
11, 12 zeigt. Es meint primär das Israel insgesamt, Israel als das Volk Israel [9]
und so im Gegensatz zu einem Teil, zum λεῖμμα und zu den τινες. Es meint das
Israel κατὰ σάρκα, aber eben dieses in seiner Gesamtheit, Israel *als* Ganzes [10],
als Kollektiv. Es liegt sozusagen der jüdische Satz zugrunde: „Ganz Israel hat
Anteil an der künftigen Welt" (bSanh 10, 1) [11]. Es ist πᾶς Ἰσραήλ wie LXX
1 Sm 7, 5; 25, 1; 3 Kg 12, 1; 2 Chr 12, 1 oder πᾶς οἶκος Ἰσραήλ wie Apg 2, 36,
πᾶς λαὸς Ἰσραήλ wie Apg 13, 24. Die Formulierung ist so gewählt, daß einerseits es ganz richtig ist, wenn Michel davon spricht, daß hier „nicht Auskunft
über das Einzelschicksal eines Angehörigen des Volkes gegeben wird, sondern
auf die Frage nach dem göttlichen Ratschluß" geantwortet wird, der über der
Geschichte Israels steht, daß aber anderseits „ganz Israel" – natürlich in der
Vollzahl, die Gott allein kennt, und nicht nur als Teil-Israel – nicht nur eine
ideale Größe ist und, wenn man so sagen darf, auf jedem, der ein Ἰσραηλίτης
ist, der Hoffnungsglanz eschatologischer Errettung und Heimkehr mit „ganz
Israel" liegt. Der Jude, wenn man ihn nicht als ἐν ἑαυτῷ φρόνιμος sieht, ist nie
sozusagen „einfach" zu sehen, nie nur unter „historischem" Aspekt, sondern
immer neben dem, daß er Jude geblieben und als solcher „verhärtet" gegenüber dem Evangelium und „gestrauchelt" ist gegenüber der in Jesus Christus
erschienenen Gerechtigkeit Gottes, einmal auch in *dem* Licht, daß er als
Ἰσραηλίτης von seiner Herkunft her alle die Gaben empfangen hat, die Röm
9, 4 f aufgezählt werden, welche sich in dem an Israel ergangenen Wort, in den
ihm anvertrauten λόγια τοῦ θεοῦ (Röm 3, 2) versammeln, und dann auch in
dem Licht, daß seine Zukunft als Zukunft dessen, der zu Israel gehört, das
Wunder eschatologischer Rettung mit sich trägt. Gottes Wort an ihn ist nicht
hinfällig geworden. Er wird es einlösen, nicht nur an denen, die als „Rest" in
die Ekklesia aus Juden und Heiden eingegangen sind oder eingehen, sondern
auch, wenn diese Geschichte der Heiden und Juden zu Ende ist, an Israel insgesamt in einer eschatologischen Tat. Die Verheißung steht immer noch über
Israel. Und wenn sie jetzt nur ein „Rest" hört und „einige" ihr vertrauen, so
wird Gott sie am Ende an „ganz Israel" erfüllen, so daß jeder einzelne Jude
als Glied seines Volkes weiterhin unter der Verheißung steht.

P. STUHLMACHER, Zur Interpretation von Röm 11, 25–32, in: Probleme biblischer Theologie. Gerhard v. Rad zum 70. Geburtstag (1971) 555–570, 559 ff.
[9] GUTBROD in: ThWb III 390.
[10] BLASS-DEBR, § 275, 4.
[11] STRACK-BILLERBECK IV/2 1016 ff.

VV 26–27 Daß Paulus Israels Mysterium recht gedeutet hat und die Heiden-christen (wie natürlich auch die Juden selbst und die Judenchristen) nicht nur „historisch" den Juden sehen sollen, belegt schon die Schrift *(V 26f)*. Wie-derum wird im Zusammenhang mit jener Zionstradition, wie sie uns PsSal 17, 21 ff. 30 ff begegnet, der Prophet Jesaja zitiert, und zwar Is 59, 20 f und 27, 9. Abgesehen von gewissen Kürzungen und dem Herausreißen aus dem Zu-sammenhang, sind nur zwei Varianten gegenüber dem LXX-Text von einer gewissen Bedeutung, die nicht besagen müssen, daß Paulus einen anderen Text vor sich hatte, nämlich ἥξει ἐκ Σιών statt ἥξει ἕνεκεν Σιών und der Plural in V 27: τὰς ἁμαρτίας statt des Singulars τὴν ἁμαρτίαν. Nach der paulinischen Zitatenkomposition bestätigt der Prophet die apostolische Aussage über das Mysterium Israels in dem Sinn, daß er einmal jenes σωθήσεται von V 26 mit dem Kommen des Messias Jesus (zu ῥυόμενος vgl. Röm 7, 24; vgl. Mt 6, 13; 1 Thess 1, 10) „aus Zion", dem „oberen Jerusalem" (Gal 4, 26), zusammen-bringt und zweitens es darin sieht, daß er die Gottlosigkeiten, „die Sünden" von Israel wegnehmen wird [12] und also gerade den Unglauben; endlich daß Gott (durch ihn) damit einen neuen Bund mit Israel schließen bzw. seinen Bund mit Israel erweisen wird *(V 27)*. Das ist eine neue Interpretation jüdischer Er-wartung, die freilich auch sonst nicht einheitlich war, nämlich der Buße Israels am Ende. Bezeichnenderweise wurde auch Is 59, 20 im Rabbinischen mes-sianisch gedeutet, vgl. z. B. bSanh 98 a, 19: „...Ferner hat Rabbi Jochanan ge-sagt: Wenn du ein Geschlecht siehst, über das viele Bedrängnisse herein-brechen wie ein Strom, dann hoffe auf ihn; denn es heißt Is 59, 19: ‚Wann kom-men wird der Bedränger wie ein Strom, auf den der Sturm Jahwes lospeitscht' (so der Midrasch), und hinterher (V 20) heißt es: ‚Er kommt für Zion als Er-löser.'" [13]

Das Mysterium, von dem Paulus spricht, daß Israel in seiner Gesamtheit am Ende gerettet wird, das für ihn in der Schrift belegt ist, und zwar als Befreiung von der Gottlosigkeit und Sünde und als Erneuerung des Bundes Gottes mit ihm, des Bundes dessen, der aus dem himmlischen Zion kommen wird, kann auch theologisch auf das grundlose Erbarmen Gottes hin ausgelegt werden. Das geschieht noch in den überaus stilisierten VV 28–32.

V 28 legt dabei ohne äußere Verknüpfung mit V 26f zuerst das Verhältnis der Juden zu Gott dar: sie sind seine Feinde, sie werden von ihm geliebt. Das Sub-jekt des Satzes ist aus dem Zitat zu nehmen. Κατὰ... τὸ εὐαγγέλιον meint: so-weit das Evangelium in Frage kommt, deutlicher: in Anbetracht dessen, wie sie sich zum Evangelium verhalten. In diesem Sinn sind sie ἐχθροί (scil. θεοῦ). Das ist wohl aktivisch [14] zu verstehen (vgl. Röm 5, 10 von den Menschen über-

---

[12] Vgl. Jub 22, 14f: „Und er reinige dich von aller Ungerechtigkeit und Unreinheit, daß du Verzeihung erlangst von allen Sünden, die du in Unkenntnis verschuldet hast, und er mache dich stark und segne dich, und du mögest die ganze Erde erben. Und er erneuere seinen Bund mit dir, daß du ihm zum Volke seines Erbes seiest..."
[13] STRACK-BILLERBECK IV/2 981.
[14] So auch ZAHN, LAGRANGE, KÜHL, H. W. SCHMIDT u. a. gegen LIETZMANN, HUBY, MICHEL, KÄSEMANN u. a.

haupt, vgl. auch Kol 1, 21). Der Begriff ἐχθρός nimmt hier nur auf, was bisher über den Unglauben und den Ungehorsam Israels gesagt war, wie dann auch gleich in V 30 b von ihrer ἀπείθεια die Rede ist. Δι᾽ ὑμᾶς ist natürlich im Sinn von Röm 11, 11 zu verstehen. Aber davon allein ist Gottes Verhältnis zu ihnen und deshalb ihr Grundverhältnis zu Gott nicht bestimmt. Sie haben etwas, was die Heiden nicht haben, was diese erst als Christen haben, wie schon 11, 16 angedeutet war und 4, 10 ff am Beispiel Abrahams ausgeführt wurde: „die Väter", um derentwillen Gott ganz Israel liebt. Das betrifft die ἐκλογή Israels: Gottes gnädigen Willen und Ruf. Um ihretwillen sind alle Israeliten, auch die τέκνα τῆς σαρκός (Röm 9, 8), in die Liebe Gottes eingeschlossen. Das διὰ τοὺς πατέρας ist nur rhetorische Parallele zu δι᾽ ὑμᾶς. Im letzteren wird nur das Ziel genannt: damit ihr gerettet werdet, während das erstere den Grund angibt: die Väter, denen Gott seine Liebe zugewandt hat, lassen auch die leiblichen Söhne „Geliebte" sein. Ἀγαπητοί (dilecti Ambrstr, Aug, Hier), das hier von ganz Israel ausgesagt wird, wie Israel Dt 32, 15; 33, 4 f; Is 44, 2 LXX ἠγαπημένος ist, sind sonst bekanntlich die Christen als die Glieder des Israel Gottes (vgl. Röm 1, 7; 9, 25; Eph 5, 1). An ihnen hat sich ja auch in der Geschichte die Liebe Gottes erfüllt, weil sich in ihnen Israel erfüllt hat.

V 29 Aber deshalb ist die Liebe Gottes zu Israel in seinen Vätern und von ihnen her zum ganzen Israel nicht dahingefallen. Israel bleibt um seiner Väter willen „geliebt". Denn Gottes Gnadengaben und sein Ruf sind unerschütterlich. Τὰ χαρίσματα können entweder „Gnadengeschenke" (Zahn, Michel u. a.) oder „Gnadentaten" sein, ohne daß man beides zu trennen brauchte. Κλῆσις ist Gnadentat, aber als solche auch Gnadengeschenk. Vielleicht kann man von Gnadenerweisen sprechen und so die Frage offenlassen, wie denn auch in Röm 9, 4 f Gnadengeschenke und Gnadentaten nebeneinanderstehen. Diese Gnadenerweise sind aber ἀμεταμέλητα, wörtlich: „was nicht bereut wird", „unbereut" oder „unbereubar (vgl. 2 Kor 7, 10) ist", von daher aber dann auch „unwiderruflich", wie öfters in Testamenten und so auch hier. Gottes Gnadenerweise und sein Ruf an Israel werden von ihm nicht zurückgenommen oder widerrufen. Gott ist treu (Röm 3, 3), und Gottes Treue hält seinen Bund, läßt trotz Israels Untreue seine Bundestreue unerschütterlich walten und seine Liebe zu Israel in seinen Vätern nicht aufhören. Ebendeshalb wird sie auch das letzte Wort über ganz Israel haben. Sein letztes Wort aber ist Israels σωτηρία.

V 30 Damit könnte die Entfaltung des Mysteriums Israels und seiner endgültigen Rettung zu Ende sein. Aber wie V 29 den V 28 begründet, so erläutert V 30 nun V 29, und zwar einmal im Blick auf den Gang der Heilsgeschichte, wobei die Motive von 11, 11 f und 19 ff aufgenommen sind, und zweitens mit dem Ziel, noch einmal und jetzt zusammenfassend das Erbarmen Gottes hervorzuheben, das alles Geschehen und die unwiderrufliche Treue Gottes zu Israel letztlich bestimmt. Wie stellt sich die Wahrheit der These von V 29 dar, und woran erkennt man sie? An dem Geschick der Völker und Israels, das einander korrespondiert (ὥσπερ – οὕτως) und das je für sich und dann gemeinsam Gottes Erbarmen, von dem es geleitet ist, zeigt: ἠλεήθητε – ἐλεήθωσιν –

ἐλεήσῃ. V 30 zeigt das ὑμεῖς an, daß Paulus noch zu den Heidenchristen spricht. Sie waren ποτέ, in der vergangenen Zeit, Gott ungehorsam. Aber Gottes Erbarmen hat sich ihnen zugewendet – mit der Erscheinung der Gerechtigkeit Gottes in Jesus Christus und ihrer Verkündigung im Evangelium –, und zwar zufolge dessen, daß die Juden dem Evangelium gegenüber bis auf den „Rest" ungehorsam waren. Der Ungehorsam der Heiden (vgl. Röm 1, 18 ff; 2, 8; Eph 2, 2; 5, 6) ist durch das Erbarmen Gottes beantwortet und beendet worden, als das ungehorsame Israel das Evangelium nicht annahm: τῇ τούτων ἀπειθείᾳ.

V 31 Undeutlicher ist das, was nun von den Juden gesagt wird. Auch und in gleicher Weise, besser: analog (οὕτως), muß man von ihrem ἀπειθεῖν reden; sie (οὗτοι) sind νῦν, in der Zeit Jesu Christi und des Evangeliums, „ungehorsam geworden". Davon war schon in dem Zitat Röm 10, 21 die Rede – der Sache nach ständig von 11, 11 ab; 11 b. 12.15 a.17.19 a.28 a, und vorher 9, 32 f; 10, 3.16 – und wird 15, 31 die Rede sein. Dieses νῦν ἠπείθησαν geschah τῷ ὑμετέρῳ ἐλέει. Das entspricht formal im rhetorischen Satzaufbau dem τῇ τούτων ἀπειθείᾳ von V 30, muß aber sachlich mit „zufolge eures Erbarmens", des Erbarmens, das euch widerfahren ist, übersetzt werden (Maier 143 f). Man wird den Dativ als Dat. commodi verstehen müssen [15]. Der Ungehorsam der Juden kam dem Erbarmen, das Gott mit den Heiden hatte, zugute. Das Evangelium ging ja von den Juden zu den Heiden. Dies geschah aber, damit jetzt die Juden Erbarmen fänden – in der Gegenwart schon in der Weise, wie wir hörten, daß das Evangelium bei den Heiden die Juden eifersüchtig machen kann, in der Zukunft durch die Wiederannahme als Gottes Volk, das sie in bestimmtem Sinn immer geblieben sind. Das dritte νῦν macht etwas Schwierigkeiten [16]. Aber man darf aus ihm nicht schließen, daß Paulus „die Endvollendung ganz nahe glaubt" und er deshalb die eschatologische Zukunft mit νῦν bezeichnen kann [17]. Gemeint ist vielmehr: von jetzt an, da die eschatologische Zukunft schon begonnen hat. Das νῦν meint die für die eschatologische Zukunft offene Zeit. Im Vordergrund steht aber überhaupt nicht die Frage nach dem Wann, sondern der Gedanke: den Heiden in der Periode ihrer Gottesferne entsprechen die Juden in der Periode ihrer Christusferne (vgl. 9, 1 ff). Wie dort eine Periode des Ungehorsams am Anfang steht (Röm 1, 18 ff), verschärft durch Gottes Verstockungsgericht (1, 24.26.28), um dann in der Heilszeit abgelöst zu werden durch eine Periode der Begnadigung (Röm 9, 25 f.30; 10, 19 f), herbeigeführt durch den Unglauben der Juden, die das Evangelium nicht annahmen, so muß auch Israel durch eine Ungehorsamsperiode hindurch, nämlich Ungehorsam gegen das Evangelium, um auf diesem Umweg reif zu werden für das Wunder der göttlichen Erbarmung (vgl. Maier 148 f). Das Gesetz – könnte man sagen – der Abfolge von Ungehorsam und Erbarmen, das Israel schon aus dem AT bekannt ist, und dieses an den Heiden erwiesene Erbarmen

---

[15] Unmöglich scheint mir die Einbeziehung des Dativs in den Finalsatz, wie CORNELY, SANDAY-HEADLAM, ZAHN, GUTJAHR, RIDDERBOS u. a. meinen.
[16] Es fehlt in 𝔓46 A 𝔐 pm latt; ὕστερον lesen 35 al sah.
[17] MICHEL; vgl. KÄSEMANN.

sind die Hoffnung für das ungehorsame Israel auch jetzt, eine Hoffnung, deren Erfüllung freilich noch aussteht, die aber am Ende der Zeiten vollendet wird und als Hoffnung schon jetzt über ganz Israel aufgegangen ist.

V 32 Zusammenfassend und abschließend folgt noch V 32. Das Gesetz der Abfolge von Ungehorsam und Erbarmen, das *Gottes* Gesetz ist, ist ein universales. Voran steht: συνέκλεισεν. Συγκλείειν ist „zugleich einschließen", „zusammen (ein)schließen" z. B. Fische im Netz fangen (Lk 5, 6; P Faj 12, 17 [II 4]: συγκλείσαντές με εἰς τὴν οἰκίαν; LXX 1 Makk 5, 5: καὶ συνεκλείσθησαν ὑπ' αὐτοῦ εἰς τοὺς πύργους). Ps 30, 9; 77, 50.61 f steht συγκλείειν im Sinn von παραδιδόναι (סגר hiph). Ähnlich Gal 3, 22 f, nur daß dort das Bild vom Gefängnis deutlicher mitspricht. Τοὺς πάντας meint Juden und Heiden, wie etwa Röm 3, 9: Ἰουδαίους τε καὶ Ἕλληνας πάντας ὑφ' ἁμαρτίαν εἶναι, die gesamte Menschheit. Der Artikel betont die Gesamtheit gegenüber dem einzelnen [18]. Paulus blickt jetzt auf das Geschick der Menschheit im ganzen. Es ist ein universaler Ungehorsam. Und sosehr er Entscheidung der Menschen ist, so sehr ist er als Entscheidung des Ungehorsams zum Ungehorsam zugleich Gerichtshandeln Gottes. Aber solcher universaler Verschluß der Juden und Heiden in den Ungehorsam und also jene Verstockung Israels – denn diese ist das eigentliche Thema – geschieht nur: ἵνα τοὺς πάντας ἐλεήσῃ. So bleibt das letzte Wort für die Menschheit und also auch für Israel: ἔλεος, ἐλεεῖν. Das Mysterium, daß die Verstockung über Israel gekommen ist, bis die Vollzahl der Heiden „eingehe", ist, von diesem universalen Aspekt her gesehen, das Mysterium der letztlich siegenden Gnade [19].

10. 11, 33–36 Gottes Lobpreisung

33 O Tiefe des Reichtums, der Weisheit und Erkenntnis Gottes! Wie unerforschlich sind seine Gerichte, wie unaufspürbar seine Wege! 34 Denn wer hat den Geist des Herrn erkannt, oder wer wurde sein Ratgeber? 35 Oder wer hat ihm etwas vorausgegeben, daß es ihm vergolten werden müßte? 36 Denn aus ihm und durch ihn und zu ihm hin ist das All. Sein ist die Herrlichkeit in die Äonen. Amen.

Die Ausführungen von Kap. 9–11 schließen mit einer Art Hymnus[1]. Man wird kaum von einem Hymnus selbst reden dürfen, erst recht nicht von einem übernommenen. Wahrscheinlich hat Paulus diese Bekenntnis- und Jubelrufe

---

[18] BLASS-DEBR, § 275, 7.
[19] Damit ist nicht eine Apokatastasis panton gemeint. „Diese Lehre ist hier weder bejaht noch verneint, sondern im Duktus seines Aussagewillens ganz einfach nicht ins Auge gefaßt" (U. LUZ, a.a.O. 299).
[1] G. BORNKAMM, Der Lobpreis Gottes, in: Das Ende des Gesetzes (München 1952) 70–75, spricht von „hymnisch gesteigerten Sätzen" und von „Hymnus" (S. 70).

im Anklang an ihm naheliegende jüdische und hellenistische Formeln[2] zu einem Ganzen gefügt und dabei in der Mitte zwei atl. Texte benützt. Er leitet den hymnischen Schluß des Kap. 11 mit zwei Ausrufen ein: Ὦ βάθος – ὡς ἀνεξερεύνητα (vgl. Is 52, 7 = Röm 10, 15) (V 33). Dann folgen VV 34–35 drei Fragen: τίς – ἢ τίς – ἢ τίς, mit denen zwei Zitate aus dem AT: Is 40,13; Job 41, 3, eingeführt werden, und endlich V 36 eine im Stil traditioneller stoischer Pantheismusformeln gestaltete Aussage über Gott, die V 36b mit einer kurzen Doxologie und Ἀμήν endet. Jüdische Apokalyptik und hellenistische Frömmigkeit haben neben der Sprache auch Motive für diese Anbetung geliefert.

V 33 Angesichts des Geschickes Israels, seiner Erwählung, seines Falles und seiner eschatologischen Rettung, aber auch angesichts des Geschickes der Heiden, das mit dem Israels aufs engste verflochten ist, angesichts also des weltweiten richtenden und erbarmenden Handelns Gottes kann der Apostel (V 33) nicht anders, als in den Ruf ausbrechen, der Gottes abgründige Fülle, Weisheit und Liebeserkenntnis rühmt. Zu Gottes Wesen gehört βάθος. Auch in 1 Kor 2, 10 erwähnt der Apostel τὰ βάθη τοῦ θεοῦ, die nur sein Geist durchdringt[3]. Gemeint ist der unauslotbare Abgrund des Geheimnisses Gottes, der zu seinem Wesen zu rechnen ist. Doch Paulus tritt dem Mysterium Gottes, in dem er sich zugleich offenbart und verhüllt, nicht sozusagen „neutral" gegenüber, sondern ist von ihm, d.h. von der Tiefe seines „Reichtums", seiner „Weisheit" und seiner „Erkenntnis", überwältigt und rühmt sie. Alle drei Substantive sind nebeneinander von βάθος abhängig[4]. Von Gottes „Reichtum" hat Paulus schon Röm 9, 23; 10, 12 gesprochen. Es ist die Fülle seines Segens, den die Heiden und Juden, da sie gläubig wurden, erfahren haben (Phil 4, 19; Kol 1, 27; auch Röm 2, 4) und der in Jesus Christus gegeben ist (vgl. Eph 1, 7; 2, 4.7). Aber auch den Abgrund von Gottes „Weisheit" preist der Apostel. Es ist die Weisheit, von der er auch 1 Kor 1, 21 als der Weisheit des Schöpfers und der Schöpfung und 1 Kor 1, 24.30; 2, 7ff im Zusammenhang mit Christus redet, also mit seinem geheimnisvollen Handeln in Christus, dem Gekreuzigten (vgl. Eph 3, 10). Sie strahlt auf in dem undurchdringlichen, vom Erbarmen Gottes bestimmten Geschick Israels und der Heiden. Abgründige Weisheit Gottes ist die Geschichte des Kosmos. Die Tiefe der γνῶσις θεοῦ könnte man als Hendiadyoin zu der der σοφία Gottes (wie Kol 2, 3) verstehen. Aber wahrscheinlich will Paulus Röm 11, 33 beide unterscheiden. Γνῶσις θεοῦ kommt sonst bei Paulus nicht mehr vor, aber vom γινώσκειν Gottes ist gelegentlich die Rede (1 Kor 8, 3; Gal 4, 9) und vom προγινώσκειν (Röm 8, 29 und 11, 2; vgl. auch 1 Petr 1, 2.20). Dieses γινώσκειν Gottes meint „erkennen" als „anerkennen" im Sinn des erwählenden und liebenden Anerkennens. Gerade diese Gnosis Gottes in ihrem undurchschaubaren Abgrund seines Erbarmens und seiner souveränen Freiheit des Wählens tritt im Geschick Israels

---

[2] Vgl. E. NORDEN, Agnostos Theos (Leipzig 1913) 240ff.
[3] Entsprechend können nach Apk 2, 24 Gnostiker in Thyatira von den βάθεα τοῦ σατανᾶ reden.
[4] Vgl. WILCKENS in: ThWb VII 518f.

und der Völker vor Augen. Und des Apostels Ausruf Ὦ βάθος... γνώσεως τοῦ θεοῦ jetzt am Ende seiner Ausführungen dieses Geschickes zeigt, daß *er* sich dieser Gnosis Gottes unterwirft, entgegen jenen, die mit Gott rechten wollen, Juden (9, 19ff) und Heiden (11, 19ff).

Sind aber Gottes Reichtum, Weisheit und liebende Erkenntnis abgründig tief, dann ist es verständlich, wenn der staunend solche Tiefe Bekennende auch die Verborgenheit der Wege Gottes hervorhebt. Das geschieht in V 33b in zweifacher Formulierung. Jetzt wird auch deutlich, daß vorher, wie wir ausgelegt haben, die γνῶσις θεοῦ nicht, wie viele Interpreten erklären, die Erkenntnis des Menschen, der Gott erkennt, meint, sondern θεοῦ wie bei den anderen beiden Substantiven πλοῦτος und σοφία Gen. subj. ist. Denn jetzt erst stellt Paulus das Verhältnis von Gottes Entscheidungen und Wegen zu der Erkenntnis der Menschen und, umgekehrt, das Verhältnis der Menschen zu den Wegen Gottes fest. Jetzt stellt er in einem Ausruf mit ὡς, für das es eine Reihe von atl. Belegen gibt, fest, daß Gottes κρίματα unerforschlich und seine Wege unbegreiflich sind. Κρίματα meint die (richterlichen) Entscheidungen Gottes, sein richterliches Handeln. Ps 35, 7 steht es neben δικαιοσύνη: ἡ δικαιοσύνη σου ὡσεὶ ὄρη θεοῦ τὰ κρίματά σου ἄβυσσος πολλή. In diesem Sinn kommt der Begriff noch Ps 18, 10; 118, 75 vor. Es sind die seine Gerechtigkeit, seine Bundestreue, in Wahrheit durchsetzenden Entscheidungen. Der Begriff ist nicht spezifisch paulinisch, sondern entstammt der LXX-Sprache bzw. hat Nähe zur liturgischen Sprache, wie 1 Clem 60, 1 zeigt[5]. Es sind die dem Abgrund der Fülle, Weisheit und Liebeserkenntnis Gottes entstammenden Entscheidungen Gottes. Sie sind ἀνεξερεύνητα (Spr 25, 3 Sym; Jer 17, 9), „nicht zu erforschen", „unerforschlich", „unergründlich". Parallel zu κατακρίματα stehen αἱ ὁδοὶ αὐτοῦ (vgl. Apk 15, 3), Gottes „Wege", die er die Menschen gehen läßt, seine Führungen (vgl. Is 55, 8f). Sie sind ἀνεξιχνίαστοι, „unaufspürbar", „unerfindlich", „unbegreiflich" (vgl. Is 45, 15; 55, 8; Job 5, 9; 9, 10; 34, 24; OrMan 12, 6: ἀμετρητόν τε καὶ ἀνεξιχνίαστον τὸ ἔλεος τῆς ἐπαγγελίας σου, Eph 3, 8; 1 Clem 20, 5: ἀβύσσων τε ἀνεξιχνίαστα καὶ νερτέρων ἀνεκδιήγητα κρίματα τοῖς αὐτοῖς συνέχεται προστάγμασιν). Es ist ebenfalls ein LXX-Wort und liturgischer Begriff, und die Aussage ist feierlich und bekennt sich noch einmal zu der Unergründlichkeit und Unfaßlichkeit des Waltens Gottes in der Geschichte der Welt. Sie setzt damit am Schluß der Ausführungen von Kap. 9–11 diesen ein Vorzeichen[6].

VV 34–35 Dieses Bekenntnis, das Hand in Hand mit der staunenden Anbetung des Reichtums, der Weisheit und der Wahl Gottes geht, wird in V 34f noch bekräftigt durch die drei rhetorischen Fragen in Anlehnung an das AT: Die erste und zweite Frage stimmen fast ganz mit Is 40, 13 überein: τίς ἔγνω

---

[5] 1 Clem 60, 1 heißt es in einem liturgischen Gebet: Σύ, κύριε, τὴν οἰκουμένην ἔκτισας, ὁ πιστὸς ἐν πάσαις ταῖς γενεαῖς, δίκαιος ἐν τοῖς κρίμασιν, θαυμαστὸς ἐν ἰσχύι καὶ μεγαλοπρεπείᾳ, ὁ σοφὸς ἐν τῷ κτίζειν... Vgl. ψ 27, 1.
[6] Zum Gedanken der Unergründlichkeit Gottes im AT vgl. Is 40, 12ff; 55, 8f; Spr 30, 1ff; Job 28, 23ff; Bar 3, 29ff; Sir 42, 18ff; Weish 9, 13ff. Vgl. STRACK-BILLERBECK III.

νοῦν κυρίου, καὶ τίς αὐτοῦ σύμβουλος ἐγένετο, ὃς συμβιβᾷ αὐτόν (vgl. 1 Kor 2,16). Zur dritten Frage gibt es kein LXX-Vorbild, aber auch keines im hebräischen Text. Der Gedanke an sich ist klar. Die Fragen erwarten natürlich die Antwort: οὐδείς. Denn niemand hat Einsicht in Gottes Geist – so ist nämlich νοῦς nach 1 Kor 2,16 zu verstehen – gewonnen, und niemand hat ihn und damit seine Pläne und Entscheidungen verstanden. Niemand ist Gottes Ratgeber. Niemandem ist er etwas schuldig. Gott ist die aller menschlichen Erkenntnis sich entziehende, unberatene, unschuldige Selbstmacht. Seine Wege, die er geht und gehen läßt, seine richterlichen Entscheidungen, die er fällt, sind unbegreiflich. Sie sind bestimmt durch seine abgründige Fülle, Weisheit und Erkenntnis, vor denen man nur in überwältigtem Staunen anbetend stehen kann. Der Apostel teilt dieses anbetende Staunen mit dem Apokalyptiker, nur daß dieser redseliger und lehrhafter ist und nicht aus beglückter Überwältigung, sondern aus Resignation spricht: „Aber wer, o Herr, mein Gott, versteht dein Gericht, oder wer erforscht die Tiefe deines Weges, oder wer denkt nach über die beschwerliche Last deines Weges, oder wer vermag nachzudenken über deinen unfaßbaren Ratschluß, oder wer hat jemals von den (Staub-)Geborenen Anfang und Ende deiner Weisheit gefunden? Denn wir alle gleichen einem Hauch", heißt es syrBar 14,8ff.

V 36 Doch was läßt Gottes Geist unerkannt sein, Gott eines Ratgebers unbedürftig, Gott niemals auch Schuldner sein? Wer ist dieser in seiner Tiefe unbegreifliche Gott? Darauf antwortet der Schlußsatz, der wieder wie VV 33a. 34f und der ganze Abschnitt von der Dreizahl (Michel) bestimmt ist. Wir kennen ähnliche Formeln als Gottes- und Christusprädikationen: 1 Kor 8,6 (Kol 1,16f); Hebr 2,10. Alttestamentliche Parallelen solcher Formulierungen gibt es nicht, wohl aber hellenistische und jüdisch-hellenistische, speziell auch stoische pantheistischer Art. So heißt es z. B. bei Mark Aurel, Selbstgespräche IV 23: „Alles, was dir harmonisch ist, o Welt, das ist es auch mir. Nichts kommt mir zu früh oder zu spät, was dir zeitgemäß erscheint. Alles, was deine Jahresläufe bringen, ist mir Frucht, o Natur; ἐκ σοῦ πάντα, ἐν σοὶ πάντα, εἰς σὲ πάντα." Oder um noch ein anderes Beispiel zu zitieren [7]: Ps.-Aristoteles, Περὶ κόσμου 6: „All ist also ein gewisses Wort und allen Menschen geläufig (πάτριος), ὡς ἐκ θεοῦ πάντα καὶ διὰ θεὸν ἡμῖν συνέστηκεν. Vom stoischen Pantheismus ist die Formel in die hellenistische Mystik, in den Zauber und in das hellenistische Judentum übergegangen. Für letzteres vgl. Philo, De spec. leg. I 208: ὡς ἓν τὰ πάντα ἢ ὅτι ἐξ ἑνός τε καὶ εἰς ἕν. Wahrscheinlich ist sie von dort zu Paulus gekommen, der sie, die ja über eine große Spannweite verfügt, auf den Gott Jesu Christi, der auch der Gott des AT ist, anwendet, um ihn, diesen abgründigen Gott, nun noch als das Woher, Wodurch und Wohin des Alls zu bezeichnen. Dabei beachte man, 1) daß (τὰ) πάντα beibehalten ist. Es geht um das All der Weltgeschichte und Weltnatur, um all das Geschaffene überhaupt. Zu solchem τὰ πάντα vgl. z. B. noch 1 Kor

---

[7] Zum Ganzen vgl. E. NORDEN, Agnostos Theos (1913) 240–250.

15, 27 f; Eph 1, 10 f (1, 23; 4, 10); 3, 9; Phil 3, 21; Kol 1, 16; Hebr 1, 3; 2, 8. Es sind die Menschen und die Mächte, die Räume und Zeiten, alles Geschaffene. 2) Paulus kennt ἐξ αὐτοῦ (οὗ) wie auch 1 Kor 8, 6, δι' αὐτοῦ, auch 1 Kor 8, 6; Kol 1, 16 (auf Christus bezogen); Hebr 2, 10, ferner εἰς αὐτόν, ebenfalls auf Christus bezogen, 1 Kor 8, 6; Kol 1, 16. Nach Hebr 2, 10 gibt es auch ein δι' ὅν, ein „um ... willen" des Alls. Aber Paulus kennt nicht, auf Gott bezogen, ἐν αὐτῷ und hält dadurch den Gedanken der Schöpfung und Regierung des Alls durch Gott aufrecht. Ἐν αὐτῷ ist Kol 1, 16 f auf Christus als Schöpfungsmittler bezogen, in dem die Schöpfung als Gottes Schöpfung geschaffen ist und Bestand hat. 3) Natürlich sind ἐκ – διά – εἰς im Sinn der paulinischen Theologie im ganzen verstanden, also Gott als die einmalige und immer wirksam gegenwärtige Herkunft aller Geschichte und Schöpfung des Alls, als das Woher des Allgeschehens; und Gott als der, der es geschehen läßt und geschehen heißt, als der Urheber und Wirker des Geschehens. Und endlich Gott als das Ziel des Allgeschehens und Allseins, auf das hin alles ausgerichtet ist und zu dem alles hinstrebt, auch als auf die Zukunft, zu der hin alles geschieht. Nichts gibt es, was sich nicht Gott verdankt, was nicht auf ihn verweist, was nicht auf ihn zugeht und in ihm mündet. Es ist nur sachgemäß, wenn das hymnenartige Gebilde, in dessen Formulierung sich Hellenistisches und Hellenistisch-Jüdisches mit Apokalyptischem verbindet und das das anbetende Erstaunen über den in seinem Handeln unerforschlichen und souveränen, allwaltenden Gott in feierlichen Ausrufen, Fragen und Aussagen zum Ausdruck bringt, mit einer weitverbreiteten Doxologie und einem besiegelnden Amen schließt, damit aber die gesamten Aussagen von Kap. 9–11 beendet, die ja von diesem in seinen Wegen unerforschlichen Gott im Blick auf seine unausdenkbare Gnade Israel und den Heiden gegenüber handeln. Zu diesem ἀμήν vgl. Röm 16, 27; Gal 1, 5; Phil 4, 20; auch 2 Tim 4, 18: εἰς τοὺς αἰῶνας τῶν αἰώνων. ἀμήν. Das ἀμήν ist nach Röm 1, 25 und 9, 5, wo es nach einer Berakha steht, das dritte und letzte in unserem Brief. Röm 16, 27 gehört ja zum Anhang.

Mit Kap. 12 beginnt der vierte Teil des Römerbriefes. Er umfaßt 12, 1 – 15, 13 und hat, ganz allgemein gesprochen, den Charakter einer fortlaufenden Par- änese oder (besser) Paraklese. Die Eigenart solcher Paraklese ist, daß sie auf dem Kerygma aufruht und die Konsequenz des Glaubens an das Kerygma darstellt. Man kann auch sagen: seine andere Seite. Die Verkündigung des Evangeliums stellt in der zu ihm gehörenden Paraklese den Anspruch ihres Zuspruches heraus. Solche sachbedingte Aufeinanderfolge von Kerygma und Paraklese läßt sich auch in anderen paulinischen Briefen erkennen. Schon im ältesten uns bekannten Brief, dem 1 Thess, ist die Einteilung, aufs Ganze gesehen, diese: Kap. 1–3 und 4–5. Der Übergang zum zweiten Teil lautet: Λοιπὸν οὖν, ἀδελφοί, ἐρωτῶμεν ὑμᾶς καὶ παρακαλοῦμεν ἐν κυρίῳ Ἰησοῦ, ἵνα. Ähnlich ist die Disposition des Gal: Kap. 1–5, 12 und 5, 13 bzw. 5, 16 – 6, 10, oder später des Kol: Kap. 1, 3 – 2, 23 und 3, 1 (5) – 4, 6, und des Eph: Kap. 1, 3 – 3, 21 und 4, 1 – 6, 20. Hier wieder besonders deutlich durch die Ein- leitung des parakletischen Teiles in 4, 1: Παρακαλῶ οὖν ὑμᾶς ... ἀξίως περιπατῆσαι. Aber daß es auch andere Briefdispositionen bei Paulus gibt, zeigen 1 und 2 Kor und vor allem der Phil. In letzterem tauchen parakletische Abschnitte 1, 27 – 2, 18; 4, 1 – 9 auf, also mindestens zweimal inmitten von Nachrichten, Mitteilungen, Warnungen, Darlegungen u. a. Was unseren Röm betrifft, in dem es übrigens, wie wir sahen, auch sonst kurze parakletische Ab- schnitte gibt, die auf dem Kerygma beruhen, z. B. 6, 12f. 19; 8, 2f, so gilt das- selbe. Freilich muß man eines beachten. Die Paraklese 12, 1ff schließt sich nicht unmittelbar an das Ende des kerygmatischen Teiles 8, 39 an, sondern an die Ausführungen über Israel und die Heilsgeschichte (9, 1 – 11, 36). Aber das charakterisiert diesen dritten Teil des Römerbriefes, der sachlich freilich zur Grundfrage des paulinischen Evangeliums gehört, um so deutlicher als Zwi- schenstück oder als Einlage in unseren Brief. Der Sache nach knüpft das weiterleitende und leise folgernde οὖν in 12, 1 an die Ausführungen des ersten und zweiten Teiles, besonders an Kap. 5–8, an.

Der parakletische Teil selbst (12, 1 – 15, 13) läßt sich im ganzen in zwei Ab- schnitte gliedern, nämlich so, daß Kap. 12 und 13 allgemeine Mahnungen ohne besondere Rücksicht oder ohne deutliche Abzweckung auf römische Verhältnisse und ohne Spezialfragen enthalten, während 14, 1 – 15, 13 Mah- nungen im Blick auf zwei Gruppen der römischen Gemeinde bringen, die „die Starken" und „die Schwachen" genannt werden, also die konkrete römische Situation ins Auge fassen, während man in Kap. 12–13 eine solche andeu- tungsweise höchstens in 12, 3–8 und 13, 1–7 im Hintergrund sehen kann. Unsere Kap. 12 und 13 haben innerhalb der ersten Hälfte des parakletischen Teiles des Römerbriefes eine eigentümliche Stellung. Ihre Disposition ist in großen Zügen folgende: 12, 1–2 enthält eine allgemeine und grundlegende Mahnung. 12, 3–8 entfaltet diese im Blick auf die charismatischen Dienste in der Gemeinde, die im Glauben ihren Grund und ihr Kriterium haben. 12, 9–21 läßt den Anspruch der ἀγάπη oder des ἀγαθόν erkennen. 13, 1–7 fordert die Unterordnung der Christen unter die politischen Machthaber um des Gewissens willen. 13, 8–10 kehrt zur Mahnung zur ἀγάπη als Erfüllung des νόμος zurück. 13, 11–14 schließt wieder mit allgemeinen Mahnungen, die freilich z. T. konkret erläutert werden, hebt aber vor allem die „Nähe" des „Tages", der Endentscheidung, hervor, zeigt also den eschatologischen Charakter auch der Paraklese.

Röm 12 gehört demnach mit Röm 13 insofern enger zusammen, als dieser Abschnitt von allgemeinen und grundlegenden Mahnungen umfaßt wird: 12, 1–2 und 13, 11–14, und durch den Anschluß von Röm 13, 8–10 an Röm 12, 9–21 das gewichtigste Thema die ἀγάπη ist. So wird man bei der Auslegung von Röm 12 im einzelnen schon von dieser Stellung und Gliederung des Kapitels her folgende Gesichtspunkte nicht außer acht lassen: a) Röm 12 hat Röm 1–11, besonders Röm 1–8, hinter und gleichsam unter sich, so daß der Brief mit ihm den Anfang seines Zieles erreicht[1]. b) Röm 12 steht innerhalb eines Abschnittes, der einen gemeinsamen Charakter als Paraklese hat, die freilich nur im Gröbsten gegliedert ist[2]. c) Röm 12 selbst ist nur ein Stück dieses Teiles und erhält daher sein Licht zum mindesten auch von Röm 13 her.

1. 12, 1–2 Der Grundzug des christlichen Lebens

1 Ich ermahne euch nun, Brüder, durch das Erbarmen Gottes, euch leibhaftig darzubringen als lebendiges, heiliges, Gott wohlgefälliges Opfer – das ist euer Gottesdienst im Geist. 2 Und gleicht euch nicht dieser Welt an, sondern wandelt euch, und laßt euer Denken neu werden, auf daß (damit) ihr prüfen und entscheiden könnt, was der Wille Gottes ist, was gut und wohlgefällig und vollkommen.

V 1 Der Text[3] enthält zwei Mahnungen, V 1 und 2. Die erste in V 1 wird durch ein παρακαλῶ οὖν mit Inf. gebildet, wie etwa auch Eph 4, 1. Die zweite Mahnung bilden zwei Imperative, und zwar negativ und positiv: μὴ συνσχηματίζεσθε ... und ἀλλὰ μεταμορφοῦσθε, die der Aussage von V 1 sachlich

---

[1] „Den Glaubenden ist gezeigt, daß Christus sie mit seinem Tod und mit seinem Leben in der Kraft des Geistes von ihrem Sündigen löst, und es ist ihnen gezeigt, daß sie, von der Judenschaft getrennt, frei von Überhebung und von Haß ihre eigene Gemeinde aufzubauen haben. Dem Brief fehlte aber noch sein Ziel, wenn er nichts mehr zu sagen hätte. Allein Paulus sagt noch ein Drittes, nämlich was die Glaubenden tun, was ihnen ihr gemeinsames Handeln gibt und sie zur Gemeinde vereint. Dadurch bekommt der ihnen geschenkte Entschluß: ‚Wir bleiben nicht beim Sündigen‘, die Deutlichkeit und Ausführbarkeit" (SCHLATTER).
[2] Vgl. LIETZMANN: „ein Prinzip der Gliederung ist nicht zu sehen".
[3] Vgl. zum Ganzen O. CASEL, Die λογικὴ λατρεία der antiken Mystik in der christlichen Umdeutung, in: JLW 4 (1924) 37–47; H. SCHLIER, Vom Wesen der apostolischen Ermahnung nach Röm 12, 1–2, in: Die Zeit der Kirche (Freiburg i. Br. 1956) 74–89; DERS., Die Eigenart der christlichen Mahnung nach dem Apostel Paulus, in: Besinnung auf das NT (Freiburg i.Br. 1964) 340–357; PH. SEIDENSTICKER, Lebendiges Opfer (Röm 12, 1) (Ntl Abh XX 1–3, Münster 1954); E. KÄSEMANN, Gottesdienst im Alltag der Welt, in: Exegetische Versuche II, 198–204.

untergeordnet sind. An den zweiten Imperativ ist ein durch εἰς τό substantivierter Infinitiv angefügt, der final oder konsekutiv[4] sein kann: εἰς τὸ δοκιμάζειν ὑμᾶς... (vgl. Röm 1,11.20; 3,26; 4,1 u. a.).

Diese Mahnungen verstehen sich, wie das οὖν in V 1 anzeigt, als Folgerung aus dem Vorhergehenden[5], besonders, wie wir schon sagten, aus Kap. 5–8. Dabei muß man sich an die beiden Bemerkungen bei Blaß-Debrunner erinnern, daß das οὖν nach Zwischenbemerkungen die Rückkehr zum Hauptthema anzeigt, was also auch für unseren Fall gilt, und daß dieses οὖν „nicht immer streng ursächliche, sondern auch in freier Weise eine zeitliche Verknüpfung" angeben kann[6], was ebenfalls auf das οὖν paracleticum zutrifft. Nach alldem könnte man paraphrasieren: aufgrund alles dessen, was ich verkündigt habe, παρακαλῶ ὑμᾶς, ἀδελφοί. Wir übersetzen παρακαλεῖν meist mit „ermahnen" und haben wohl auch keinen im Deutschen angemesseneren Begriff. Aber wir müssen uns darüber klarsein, was dieses παρακαλῶ (bzw. παράκλησις) alles in sich schließt. Von seinem griechischen und hellenistischen Gebrauch her hat es neben „einladen", „vorladen" die Bedeutungen: (zu Hilfe) „herbeirufen", „anrufen", „aufrufen", „zurufen", auch „bitten", z. B. P Oxy IV 744[6] (1. Jh. v. Chr.): ἐρωτῶ σε καὶ παρακαλῶ σε ἐπιμηλήθητι τῷ παιδίῳ[7], selten „trösten" im Sinn mahnenden Zuspruchs an Trauernde (besonders παράκλησις) und gelegentlich „mahnen". In der LXX ist παρακαλῶ zuallermeist Äquivalent für hebräisch נחם pi im Sinn von „trösten", „tröstenden Zuspruch üben", z. B. Gn 24,67; 37,35; 38,12 u.a., vor allem von Gott, wie z. B. Is 51,12; 57,18[8] oder Is 40,1[9], aber auch Pss 22,4; 85,17; 93,19; 125,1 u. a. Wo kein hebräisches Äquivalent vorliegt, also vor allem 1 und 2 Makk, bedeutet es den ermunternden Zuspruch (2 Makk 15,11), auch die Bitte (1 Makk 9,35; 10,34; 4 Makk 4,11; Sir Prol. 15) und endlich die Ermahnung, die allein in diesen LXX-Texten unter παρακαλεῖν erscheint, und zwar oft in 2–4 Makk, z. B. 2 Makk 2,3; 6,12; 7,5 u. a., niemals aber im 1 Makk. Ähnlich steht es in der jüdisch-hellenistischen Literatur. Um nur ein Beispiel anzuführen: im Arist bedeutet παρακαλεῖν „auffordern", „heißen" (184 301), „zureden", „bitten" (118 123 229 235 309 321) und „ermahnen" (220). Im TestXIIPatr kommt παρακαλεῖν sowohl im Sinn von „trösten"[10] (nämlich durch den Trost Gottes)[11] als auch im Sinn von „ermahnen"[12] vor.

---

[4] Blass-Debr, § 462,2.
[5] Zahn, Kühl, Lietzmann, Michel, Seidensticker, 256f.
[6] Lietzmann: Das οὖν ist „nur äußerlicher Übergangspartikel". Aber das ist etwas einseitig.
[7] Vgl. Epict., Diss. 1, 9,30; 10,10; 2, 7,11 u. a.
[8]   Τὰς ὁδοὺς αὐτοῦ ἑώρακα
        καὶ ἰασάμην αὐτόν
        καὶ παρεκάλεσα αὐτόν
        καὶ ἔδωκα αὐτῷ παράκλησιν ἀληθινήν·
        εἰρήνην ἐπ' εἰρήνην τοῖς μακρὰν καὶ τοῖς ἐγγὺς οὖσιν.
[9] Παρακαλεῖτε, παρακαλεῖτε τὸν λαόν μου, λέγει ὁ κύριος.
[10] TestRub 4,4; TestAss 6,6 (v.l. παραμυθεῖσθαι); 4 Esr 10,2.19 u. a.
[11] TestJos 1,6: μόνος ἤμην καὶ ὁ θεὸς παρεκάλεσέν με (synonym: ὁ κύριος ἐπεστρέψατό με).
[12] Vgl. TestNaph 9,1: παρεκάλεσεν, ἵνα μετακομίσωσιν τὰ ὀστᾶ αὐτοῦ ἐν Χεβρών.

Das sind ungefähr die Begriffe, die Paulus vorgegeben waren und die er erweiternd und variierend aufgriff[13]. Bei ihm finden wir folgende Bedeutungen von παρακαλεῖν: 1) umfassend im Sinn von „predigen“, vielleicht Röm 12,8, sicher 1 Thess 2,3 (παράκλησις), bzw. von „Zuspruch üben“, „zureden“ (vgl. 2 Kor 13,11; 1 Thess 5,11), als eine Weise des οἰκοδομεῖν (vgl. auch 1 Kor 14,31; 14,3)[14]; 2) im Sinn von „ermahnen“, oft (Röm 12,1; 16,12; 1 Kor 1,10; 2 Kor 6,1; Eph 4,1; 1 Thess 5,14), oder „auffordern“ (2 Kor 8,6; 9,5; 12,18; 8,17), und dann nach beiden Seiten hin, d. h. 3) „befehlen“ (1 Thess 4,10f) und 4) „bitten“ (Röm 15,30; 1 Kor 16,12; 2 Kor 2,8; Phil 4,2), wobei die Nuance oft unsicher bleibt. Aber eindeutig „bitten“ findet sich etwa 2 Kor 5,20; 12,8; Phm 8ff. Doch gebraucht Paulus παρακαλεῖν (παράκλησις) 5) auch im Sinn von „trösten“ (Trost), vor allem 2 Kor 1,3ff.7; 2,7; 7,4.6f; 13ab, aber auch Eph 6,22; Kol 2,2, wobei auch hier die Bedeutung nicht immer festliegt, z. B. 1 Thess 4,18; vgl. 5,11.

Also ist nach dem bisherigen Befund παρακαλεῖν soviel wie eine Weise der Evangeliumsverkündigung in Zuspruch und Anspruch, die eine große Variationsbreite hat und vom Ermahnen zum Befehlen oder auch zur Bitte reicht, aber auch das Trösten mit einschließt. Das bestätigt sich, wenn wir die paulinischen Äquivalente zu παρακαλεῖν noch kurz ins Auge fassen. In Röm 12,8 steht es neben διδάσκειν und διδασκαλία, aber von der „Lehre“ unterschieden im Sinn der Seelsorge. 1 Kor 4,14.16 stehen νουθετεῖν, „ans Herz legen“, „zu Gemüte führen“, „zureden“ u.ä., und παρακαλεῖν nahe beisammen. Röm 15,14; 1 Thess 5,12.14; Kol 1,28 steht νουθετεῖν, wo es auch παρακαλεῖν heißen könnte. Ferner hat παρακαλεῖν Zusammenhang mit παραμυθεῖσθαι, „ermuntern“, „ermutigen“, „aufmuntern“ u.ä, wie z.B. 1 Thess 5,14; 1 Kor 14,3; Phil 2,1, und mit μαρτύρεσθαι, wobei 1 Thess 2,11f charakteristisch ist: „Ihr wißt auch, daß wir wie ein Vater seine Kinder jeden einzelnen von euch ermahnt (παρακαλοῦντες), ermutigt (παπαμυθούμενοι) und beschworen haben (μαρτυρόμενοι), euer Leben des Gottes würdig zu führen, der euch in sein Reich und seine Herrlichkeit ruft.“ Vgl. auch 1 Kor 4,14ff; 1 Tim 5,1f; Phm 8ff.

Es mag deutlich sein: aus der Bedeutungsvielfalt, die der Begriff παρακαλεῖν (παράκλησις) aus seiner Geschichte mitbrachte, hebt Paulus im Zusammenhang von Röm 12,1 das Ermahnen heraus. Aber es ist ein Ermahnen, das zugleich einen bittenden und befehlenden, einen ans Herz legenden, ermunternden, beschwörenden Zuspruch meint[15]. Es ist ein Zuruf, Anruf, Aufruf, der der Sorge des Vaters um seine Kinder oder auch (1 Thess 2,7) der Liebe der Mutter, die ihre Kinder hegt, entspringt. Es ist, kann man auch

---

[13] Von den 103 Stellen für das Verb und den 29 für das Substantiv fallen auf das Corpus Paulinum 54 bzw. 20.

[14] Ὁ δὲ προφητεύων ἀνθρώποις λαλεῖ οἰκοδομὴν καὶ παράκλησιν καὶ παραμυθίαν.

[15] Das ist deshalb keine „Spekulation“ (KÄSEMANN), weil in dem Begriff Ermahnung selbst schon, wie es der Sache nach ja auch der Fall ist, die Fortsetzung des Evangeliums angedeutet wird. Warum sagt Paulus niemals παραινῶ, sondern nur παρακαλῶ? Vgl. auch FRIEDRICH in: RGG³ V 1142: Die Paraklesen sind nur … eine andere Form des Evangeliums.“

gerade unserem Zusammenhang entnehmen, der dringende und, wenn man tiefer sieht, auch tröstliche Anspruch, den der „Bruder" an alle „Brüder" richtet: παρακαλῶ οὖν ὑμᾶς, ἀδελφοί. Eben dieses ἀδελφοί [16] taucht in der Einleitung der Paraklese des Apostels immer wieder auf: Röm 16,17; 1 Kor 1,10; 16,15; 1 Thess 4,1.10; 5,14. So wie die „Brüder" auch sonst teils mit, teils ohne μου noch siebenmal allein im Röm apostrophiert werden. Das παρακαλῶ οὖν ὑμᾶς, ἀδελφοί, das das neue Thema und den vierten Teil des Röm eröffnet, ist also weit entfernt von einem moralisierenden „ermahnen" und läßt schon vermuten, daß das, was folgt, nichts weniger ist als eine „Moral" im entleerten Sinn unseres Wortes. Apostolisches „Mahnen", das ist die Bezeichnung für väterliche, mütterliche, brüderliche Fürsorge und Bekümmernis um die Gemeinde.

Aber wessen Zuspruch ist es eigentlich? Zunächst natürlich des Apostels. Aber der Sache nach ist es die eines anderen. Dieses andere ist das, was Paulus οἱ οἰκτιρμοὶ τοῦ θεοῦ nennt. Sie sind im Plural – im übrigen bei Abstrakta gut griechisch [17] – die Erscheinungsformen des Erbarmens des πατὴρ τῶν οἰκτιρμῶν καὶ θεὸς πάσης παρακλήσεως ὁ παρακαλῶν ἡμᾶς (2 Kor 1,3). Der Begriff ist die Übersetzung des hebräischen רַחֲמִים (z. B. 2 Sm 24,14; 1 Chr 21,13; Neh 9,19.27.28.31; Pss 24,6: μνήσθητι τῶν οἰκτιρμῶν σου, 39,12; 50,3; 69,12; Is 63,15; auch TestJos 2,3), wofür, freilich selten, auch ἔλεος steht (vgl. Dt 13,18). Es gehört wie z. B. Phil 2,1 mit σπλάγχνα (2 Kor 6,12; 7,15) als Hendiadyoin (Herz und Barmherzigkeit) zusammen (vgl. auch Kol 3,12: σπλάγχνα οἰκτιρμοῦ im Sinn von „erbarmungsvolles Herz") und ist im AT zuallermeist auf das Erbarmen Gottes bezogen. Die Taten dieses Erbarmens Gottes, um mit dem Psalmisten zu reden: das πλῆθος τῶν οἰκτιρμῶν σου (Ps 50,3), die einzelnen Heilstaten Gottes, sind bei Paulus die Heilstaten [18], von denen er auch im Röm die entscheidenden genannt hat und die dem Hörer noch im Ohr liegen. Der Ambrstr faßt den Sachverhalt kurz und präzis zusammen: Per misericordiam Dei illos adhortatur, per quam salvatur humanum genus [19].

Aber was meint das διά in διὰ τῶν οἰκτιρμῶν τοῦ θεοῦ? Διά c. Gen. kann ja in sehr verschiedenem Sinn gebraucht werden, etwa, wenn es mit einer Person verbunden ist, im Sinn von „vertreten durch" (Röm 2,16), „in Anwesenheit von" (2 Tim 2,2), „durch Vermittlung von" (Gal 1,1), „durch" im Sinn des Urhebers (Röm 11,36; 1 Kor 1,9), nämlich Gottes: Röm 1,5; 5,9.17. 18.21; 8,37; ferner 2 Kor 1,20 Christi, Röm 15,30 des Heiligen Geistes. So hat

---

[16] Gemeint sind „alle dortigen Christen" (ZAHN); „alle römischen Christen ohne Unterschied ... die der Apostel als Gesamtheit anredet" (KÜHL).

[17] SANDAY-HEADLAM, LIETZMANN u. a.; BLASS-DEBR, § 142.

[18] So u. a. BARTH, BARRETT. Anders KÄSEMANN.

[19] Ausführlich formuliert LEENHARDT die Stelle: „La miséricorde divine était à l'œuvre dans l'élection; elle a donné son sens à l'histoire d'Israël; elle a fait aboutir cette histoire en Christ Jésus; elle associe les croyants à son sacrifice et à sa victoire. La miséricorde de Dieu a fait chacun de ceux qui lisent la lettre de l'apôtre ce qu'il est. Paul s'appuie sur ce fait premier et décisif de la miséricorde divine pour exhorter ses lecteures à regarder ce que celle-ci comporte pour eux."

man auch unsere Stelle sehr verschieden, aber meist auch sehr vage übersetzt: „bei dem Erbarmen Gottes" (Lietzmann, Züricher Bibel), „unter Anrufung der Barmherzigkeit Gottes" (Michel), „angesichts des Erbarmens Gottes" (Einheitsübersetzung u. a.). H. W. Schmidt geht etwas weiter. Es meint nach ihm nicht nur „unter Hinweis" und „mit Berufung auf" (so auch Käsemann), sondern auch „im Namen", „gedrängt von". Dabei muß man nur beachten, daß Paulus ebendies auch anders hätte ausdrücken können und ausgedrückt hat, nämlich allgemein etwa mit παρακαλῶ ... ἐν κυρίῳ (1 Thess 4, 1; vgl. 2 Thess 3, 6.12; 2 Kor 5, 17.19; Röm 9, 1 u. a.) oder spezieller: παραγγέλλομεν ... ὑμῖν, ἀδελφοί, ἐν ὀνόματι τοῦ κυρίου ἡμῶν Ἰησοῦ Χριστοῦ (2 Thess 3, 6). Da aber διά in diesem Sinn grammatisch kaum nachzuweisen ist, kam man [20] auf den Gedanken, daß vielleicht ein Latinismus vorläge, daß also διά c. Gen. einem per Deum obsecro, preco, juro usw. entspräche. Doch das ist wenig wahrscheinlich angesichts des Gewichtes der paulinischen Aussage und ihres hebräischen Hintergrundes. Ähnliche Formulierungen finden wir im übrigen auch sonst bei Paulus, z. B. Röm 15, 30; 1 Kor 1, 10; 2 Kor 10, 1; 1 Thess 4, 2 (2 Thess 3, 12 v. l.). Das sieht kaum wie ein Latinismus aus, besonders wenn wir noch die Stellen heranziehen, wo dieses διά c. Gen. mit anderen Verben des Sagens verbunden ist (Röm 12, 3; Gal 1, 15) und vor allem solchen des Dankens (Röm 1, 8; 7, 24; Kol 3, 17). Das δι' αὐτοῦ meint hier doch auf jeden Fall, daß es Christus ist, der im Dank der Gemeinde an Gott zu Wort kommt, so wie ja Christus es ist, der durch den Apostel wirkt (wie etwa Röm 15, 18) oder der im Apostel redet (wie 2 Kor 13, 3f; vgl. Gal 2, 20). Ausschlaggebend für ein präzises Verständnis von διὰ τῶν οἰκτιρμῶν σου in dem Sinn, daß, wenn der Apostel mahnt, eben Gottes Erbarmen seine Stimme erhebt, in Analogie etwa zu 2 Kor 10, 1, daß, wenn der Apostel mahnt, „die Sanftmut und Milde Christi" zu Wort kommt, ist aber 2 Kor 1, 20. Das „Amen" geschieht sowohl „durch ihn", nämlich Christus, der es ist, als auch „durch uns". Wenn es durch uns, die versammelte Gemeinde, gesagt wird, wird es durch ihn gesagt. „Ich ermahne euch nun, Brüder, durch das Erbarmen Gottes" meint also entsprechend, daß, wenn der Apostel mahnt, darin das Erbarmen Gottes mahnt, Gottes Erbarmen seinen Zuspruch und Anspruch erhebt. Nicht als ob er, der Apostel, über das Erbarmen Gottes verfüge, sondern umgekehrt: der Apostel ist der, über den das Erbarmen Gottes verfügt, so daß es in seinem, des Apostels, Wort zu Wort kommt [21].

Damit ist aber in unserem Zusammenhang ein anderes, für das Wesen der apostolischen Mahnung sehr Bedeutsames gesagt. Sie ist von vorneherein nicht eine Variante der Forderungen des Gesetzes, das den Menschen auf seine Leistung hin anspricht und ihn nicht selbstlos, sondern selbstsüchtig macht. Die apostolische Mahnung ist vielmehr der bittende und befehlende, beschwörende und ermutigende Zuruf, Anruf und Aufruf des allem zuvor ergangenen und ergehenden Erbarmens Gottes [22]. So sagt K. Barth III kurz und prägnant:

---

[20] BLASS-DEBR, § 223, 4; ZAHN, MICHEL u. a.
[21] Vgl. W. THÜSING, Per Christum ad Deum (Münster 1965) 176f: „Wir beten dadurch, daß der in uns wirkende Christus betet."
[22] BENGEL: „Qui misericordia Dei recte movetur, in omnem Dei voluntatem ingreditur."

„Ermahnung ist nie nur Forderung, Ermahnung ist Geltendmachen der Gnade als Forderung."[23]

Doch worauf zielt diese apostolische Mahnung? Die Antwort wird mit einem Infinitiv- und einem Imperativsatz (1b–2) gegeben. Es findet in ihr ein Übergang zu direkter Anrede statt, ähnlich wie Röm 16, 17. In dieser Antwort wird noch nichts Einzelnes vorgebracht, sondern ein Grundverhalten, wenn man will: eine Grundbewegung oder auch ein Grund- und Wesenszug des christlichen Lebens mahnend aufgezeigt.

Zunächst fordert das Erbarmen Gottes durch den Apostel oder der Apostel durch das Erbarmen Gottes παραστῆσαι τὰ σώματα ὑμῶν θυσίαν ζῶσαν. Παριστάνειν hier im Inf. Aor., also immer von neuem, und transitiv im Sinn von „zur Verfügung stellen". Von den mancherlei Bedeutungen, die sich für παριστάνειν bei Paulus einfinden: „darstellen" (Eph 5, 27; Kol 1, 22.28), „vor Augen (vor- oder hin-) stellen" (1 Kor 8, 8; 2 Kor 4, 14; 11, 2), was an die Gerichtssprache erinnert, wird man παραστῆσαι mit „bereitstellen" oder „zur Verfügung stellen" übersetzen, so wie auch Röm 6, 13.16.19, und dies, wie der Zusammenhang zeigt, als einen Ausdruck der Opfersprache[24] verstehen, wie wir ihn aus zahlreichen Inschriften kennen[25]. Das Erbarmen Gottes fordert also und erbittet die Darbringung eines Opfers: παραστῆσαι . . . θυσίαν. Aber welches Opfer? Wörtlich: παραστῆσαι τὰ σώματα, also ein leibhaftiges Opfer, ein Opfer meiner selbst, meines leiblichen Ichs in seiner gesamten Leiblichkeit, eine leibhaftige Selbsthingabe, damit eine Darbringung meines gesamten Lebens. Wir können und brauchen hier nicht den paulinischen Begriff σῶμα näher zu analysieren. Nur so viel zum Verständnis unserer Aussage sei erwähnt: 1) Σῶμα ist der Leib, sofern ich in ihm anzutreffen bin (2 Kor 10, 10) und sofern er mich insgesamt ausmacht (1 Kor 15, 35ff) als der, in und mit dem ich in Kommunikation mit anderen trete. 2) Er ist der Leib, sofern ich in, durch und mit ihm bzw. seinen Gliedern handle (2 Kor 5, 10) oder in, durch und mit ihm leide (2 Kor 4, 10; Gal 6, 17). 3) Er ist der Leib, sofern ich ihm auch gegenüberstehe[26] und über ihn, d. h. dann über mich, verfüge (Röm 12, 1; 1 Kor 7, 4; 9, 27; 13, 3) und verfügen lasse (1 Kor 6, 20). Leib ist also der Mensch in seiner leibhaftigen, kommunikativen Gegenwart und wirksam verfügenden, verfügten Wirklichkeit. Und diesen Leib leibhaftig hinzugeben als Opfer, fordert das Erbarmen Gottes, mit anderen Worten: das Erbarmen Gottes mahnt aus Erbarmen die konkrete Hingabe meiner selbst. So ruft es die „Brüder" in Rom auf, Priester und Opfer zugleich zu sein. Und zwar geht es um die θυσία ζῶσα ἁγία τῷ θεῷ εὐάρεστος. Leenhardt weist mit Recht darauf hin, daß es

---

[23] BARTH: „Also kein anderes Buch wird hier aufgeschlagen, nicht einmal eine andere Seite."
[24] Vgl. etwa Ditt. Syll.³ 694, 50: παρασταθῆναι δὲ καὶ θυσίαν ὡς καλλίστην τήν τε Δήμητρι καὶ τηι Κορηι (ca. 129ff n. Chr.). Aber auch Xen., Anab. VI 1, 22 u. a. oder Jos. a II 113 u. a.
[25] SANDAY-HEADLAM, LIETZMANN, MICHEL, RIDDERBOS, BARRETT: „The language throughout this clause is sacrificial; not only the word ‚sacrifice' itself, but also ‚offer', ‚holy' and ‚wellpleasing' are technical terms."
[26] K. H. BAUER, Leiblichkeit, 179 f.

sich „non de la condition, mes des effets du sacrifice handle. Das Erbarmen Gottes drängt zu einem konkreten Opfer, das „lebendig, heilig und Gott wohlgefällig" ist, weil es von „Lebendigen, Heiligen, Gott Wohlgefälligen" dargebracht wird und so durch sich selbst Leben, Heiligkeit, Gottes Wohlgefallen wirkt. Die „Lebendigen", deren Selbsthingabe ihr Lebendigsein bezeugt und Leben erzeugt, sind die Getauften und Glaubenden, die das neue eschatologische Leben unter dem Antrieb des Geistes führen, wie Röm 6, 1 ff zeigt (vgl. 8, 1 ff. 12 ff), und als solche in ihrer Hingabe vollenden, so daß die ζωή als ζωὴ Ἰησοῦ, als die fremde ζωή wirksam in Erscheinung tritt (vgl. 2 Kor 4, 10–12). Eben diese Lebendigen sind auch „die Heiligen", d. h. für Paulus: die zur oder in die Heiligung Gerufenen (1 Thess 4, 7; 2 Thess 2, 13), in der Taufe Geheiligten (1 Kor 6, 11) und nun im Glauben ἡγιασμένοι ἐν Χριστῷ Ἰησοῦ (1 Kor 1, 2), die sich heiligen sollen bzw. werden (Röm 6, 22; 1 Thess 4, 3), wobei Gott und Christus sie „festigen" (1 Thess 3, 13) und vollenden mögen (1 Thess 5, 23), die aber durch das Evangelium Gottes, das der Apostel priesterlich verwaltet, schon zu den Völkern gehören, die eine Gott wohlgefällige προσφορά darstellen (Röm 15, 16). Sie sollen also, meint der Ruf des Erbarmens Gottes, als die Gott durch das Evangelium zum Opfer Dargebrachten sich konkret Gott als Opfer darbringen und so ein „heiliges" Opfer sein. Dann ist es aber auch τῷ θεῷ εὐάρεστος. Εὐάρεστος ist ein traditioneller Begriff, der z. B. Weish 4, 10; 9, 10; TestDan 1, 3; 1 QS IX 3–5 u. a. vorkommt. Vgl. zum Begriff Röm 14, 18, auch 2 Kor 5, 9; Eph 5, 10; Kol 3, 20 (τῷ κυρίῳ); Hebr 12, 28. Im Zusammenhang mit einem konkreten Opfer, nämlich einer Gabe der Gemeinde an den Apostel, taucht es bei Paulus noch einmal (Phil 4, 18) auf. Die Selbsthingabe der Glieder der Gemeinde, die das Erbarmen Gottes fordert und in der sich das Erbarmen konkretisiert, hat, weil sie die Darbringung eines lebendigen, Gott wohlgefälligen Opfers ist, einen „kultischen" Charakter[27]. Sie ist ja auch und soll es sein: eine λογικὴ λατρεία der römischen Brüder.

Τὴν λογικὴν λατρείαν ὑμῶν ist grammatisch wahrscheinlich Apposition zum ganzen Satz[28], „freier Akkusativ der Satzapposition"[29]. Es betont noch einmal die Aufforderung und grenzt sie gegen ein anderes Verständnis von λογικὴ λατρεία ab. Λατρεία ist im Griechischen allgemein „Dienst", „Dienstleistung" u. ä., wird aber auch für die Verehrung der Götter gebraucht, z. B. Plato, Ap. 23 C: διὰ τὴν τοῦ θεοῦ λατρείαν, Phädr. 244 A; Plut., Adul. 12 (II 56 4): εὐσέβεια καὶ θεῶν λατρείαν. Am Nomen haftet die konkrete Vorstellung des Opferdienstes mehr als am Verb. In LXX ist es neunmal Übersetzung von עֲבֹדָה und hat mit einer Ausnahme (3 Makk 4, 14) kultischen Sinn (vgl. Jos 22, 27; Ex 12, 25.26; 13, 5; 1 Chr 28, 13 [mit λειτουργία zusammen]; 1 Makk 2, 19.22; 1, 43)[30]. Bei Paulus selbst erscheint es nur nach Röm 9, 4 von der λατρεία, die

---

[27] Vgl. LEENHARDT, 170: „Le sacrifice est un élément du culte (λατρεία), du service que Dieu attend des fidèles."
[28] BECK, ZAHN, KÜHL, LIETZMANN, MICHEL, SCHMIDT.
[29] BLASS-DEBR, § 480, 6.
[30] Vgl. auch PHILO, Ebr. 144 u. a.; Jos. b II 409.

Israel als einen seiner Vorzüge hat. So bedeutet – was nach παραστῆσαι ...
θυσίαν nicht verwunderlich ist – λατρεία auch Röm 12, 1 den Kult bzw. den
kultischen Dienst, d. h. den Gottes-Dienst. Damit ist der von der Barmherzigkeit Gottes geforderte Lebensvollzug des Christen in eine andere als in die natürliche Lebensdimension eingebracht. Λογικός hat einen vielfältigen Sinn:
„zur Sprache gehörig", „vernünftig" – ein Lieblingswort der Stoiker mit einem
moralischen und religiösen Klang, der sich im hellenistisch-jüdischen Bereich
noch verstärkte [31] –, endlich auch „geistig" im Gegensatz zu sinnlich oder wahr-
nehmbar, so z. B. MarcAnt VII 55, 4: λογικὴ καὶ νοερὰ κίνησις, opp. αἰσθητική.
Im Zusammenhang mit θυσία oder προσφορά taucht λογική ebenfalls auf.
Hier sei nur auf Zweierlei verwiesen, das vielleicht im Gegensatz zum lebendigen Opfer, das die Christen darbringen sollen, steht. Für Philo geht es bei dem
wahren Opfer nicht um die Menge und Qualität des Geopferten, ἀλλὰ τὸ
καθαρώτατον τοῦ θύοντος πνεῦμα λογικόν (De spec. leg. I 277). Gott will, daß
bei dem Opfernden zuerst der νοῦς durch gute Gedanken geheiligt werde,
ἔπειτα διὰ τὸν βίον ἐξ ἀρίστων συνεστάναι πράξεων (ebd. 203). Das Opfer ist
das eigentliche und gute, das den νοῦς (= τὸ πνεῦμα λογικόν), der die tugend-
hafte Vernunft ist, wie sie dem λογικὸν ζῷον entspricht, voraussetzen kann.
Ja im Grund ist dieser νοῦς als das λογικὸν πνεῦμα die λογικὴ θυσία [32]. Aber
vielleicht handelt es sich für Paulus noch um einen anderen Gegensatz. Im
Corpus Hermeticum I 31 heißt es nach einer εὐλογία: ἅγιος ὁ θεός ... δέξαι
λογικὰς θυσίας ἁγνὰς ἀπὸ ψυχῆς καὶ καρδίας πρός σε ἀνατεταμένης,
ἀνεκλάλητε, ἄρρητε, σιωπῇ φωνούμενα. Und XIII 21: ... σοί ... Τὰς θεῷ
πέμπω λογικὰς θυσίας. Θεέ, σύ, ὁ νοῦς, δέξαι λογικὰς θυσίας, ἃς θέλεις ἀπ᾽
ἐμοῦ ... Σύ, ὦ τέκνον, δεκτὴν θυσίαν τῷ πάντων πατρὶ θεῷ, ἀλλὰ καὶ
πρόσθες, ὦ τέκνον, διὰ τὸν λόγον ... Endlich: ὁ σὸς λόγος δι᾽ ἐμοῦ ὑμνεῖ σέ,
δι᾽ ἐμοῦ δέξαι τὸ πᾶν λόγῳ λογικὴν θυσίαν. Die λογικὴ θυσία sind hier Gebete
und Hymnen, die der Myste oder eigentlich der göttliche λόγος in ihm zu Gott
hin sendet und die dieser als der νοῦς annimmt. Kurz gesagt, ist die λογικὴ
θυσία oder auch λογικὴ λατρεία das mystische Gebet des göttlichen Logos,
der durch den Mysten zu sich betet. Der Sache nach ist die λογικὴ θυσία dann
das Opfer, durch das der betende Myste als der göttliche Logos zur Selbst-

---

[31] Vgl. z. B. Philo, De Abr. 32, aber auch in den jüdischen Gebeten des 7. und 8. Buches
der ConstAp VIII 37, 5:
> θεὲ πατέρων καὶ κύριος τοῦ ἐλέους
> ὁ τῇ σοφίᾳ σου κατεσκενόσας ἄνθρωπον,
> τὸ λογικὸν ζῶον τὸ θεσφιλὲς τῶν ἐπὶ γῆς ...

Ferner VII 35,10; VIII 9, 8; 12,17.
[32] Vgl. auch OdSal 20,1ff:
> Ich bin ein Priester des Herrn
> und diene eben ihm priesterlich.
> Ihm bringe ich sein geistiges Opfer dar;
> denn nicht wie die Welt
> und das Fleisch ist sein Geist,
> nicht denen gleich, die fleischlich dienen;
> des Herrn Opfer ist Gerechtigkeit,
> Reinheit des Herzens und der Lippen.

erfüllung gelangt. Hat Paulus solche λογικὴ λατρεία vor Augen, dann meint er im Gegensatz zu der hermetischen Mystik, zu den römischen Christen gewendet: *eure* λογικὴ λατρεία sei nicht jenes Kommen eures innersten Logos zu sich selbst, also eure geistige Selbst-sucht, Selbst-erfüllung, Selbst-anbetung, sondern paradoxerweise eure leibliche Selbst-hingabe, eure leibhaftige Hingabe des Lebens. Wir hätten dann eine zweifache, einander scheinbar widersprechende Charakterisierung des von der Barmherzigkeit Gottes vom Menschen geforderten leibhaftigen Opfers: einerseits hat die Existenz des Menschen einen kultischen Sinn, d. h., sie ist eine dem Weltlichen entnommene und Gott geweihte Opfergabe, anderseits ist sie kein moralischer oder mystischer Gottesdienst. Aber was ist sie dann? Leibhaftige Hingabe, die nicht Selbst-verinnerlichung und moralische Selbstbestätigung bedeutet, sondern ein in seinem konkreten Vollzug in der Welt außerweltliches, eschatologisches und deshalb mit kultischen Begriffen zu erfassendes Dasein. Wer dieses Opfer vollzieht, ist mitten in der Welt. Wo soll er denn sonst sein? Aber wie und als welches es sich vollzieht und wer der ist, der es vollzieht, ist außerweltlich. Kapitel 12 ist keineswegs gegen den Kult gerichtet. Als eschatologisches bedient es sich vielmehr kultischer Begriffe.

So sehen wir bis jetzt: In Röm 12 geht unser Brief zu einem neuen Thema über. Der Apostel „mahnt" nun die Brüder, d. h., er bringt ihnen den Anspruch des zugesprochenen göttlichen Erbarmens zu Wort, der dahin geht, daß die Christen sich „leibhaftig" hingeben und so „ein lebendiges, heiliges, Gott wohlgefälliges Opfer" ihrer selbst darbringen. Eben diese konkrete Frei- und Hingabe ihrer selbst ist dann jener vernünftige, geistige, moralische oder mystische Gottesdienst, von dem der Apostel spricht, in dem der Mensch im Grund sich her-gibt, nicht aber so oder so sich selbst als gottähnliches Wesen erfüllt[33].

Doch der Anspruch des Erbarmens Gottes läßt sich noch anders beschreiben, und zwar zunächst noch einmal in seinem Grund- oder Wesenszug. Das geschieht, wie wir schon sahen, in direkter imperativer Mahnung[34], dabei zuerst in einer negativen, dann in einer positiven Aufforderung. Letzterem wird mit εἰς τό das hinzugefügt, was durch die Erfüllung der Mahnung erreicht werden kann und soll.

V 2 Der Anschluß von V 2 und also an das παρακαλῶ... ὑμᾶς wird durch ein einfaches καί vollzogen. Zur λογικὴ λατρεία im Sinn des Apostels und also zur θυσία ζῶσα κτλ. gehört das „sich nicht dieser Welt angleichen": μὴ συσχηματίζεσθε τῷ αἰῶνι τούτῳ. Das Opfer vollzieht sich prinzipiell so, daß man sich nicht diesem Äon anpaßt. Συσχηματίζεσθαι heißt „sich angleichen", „anpassen". Der Gegensatz wäre μετασχηματίζεσθαι (vgl. 1 Kor 4, 6; 2 Kor 11, 13.14.15; Phil 3, 21). In beiden ist das σχῆμα τοῦ κόσμου nicht mehr „Gestalt" oder „Aussehen" wie z. B. in Αἰγυπτιακῷ σχήματι P Tor I, I, XV,

---

[33] Paulinische Reminiszenzen oder jedenfalls Sprachanklänge finden sich 1 Petr 2, 5: καὶ αὐτοὶ ὡς λίθοι ζῶντες οἰκοδομεῖσθε οἶκος πνευματικὸς εἰς ἱεράτευμα ἅγιον, ἀνενέγκαι πνευματικὰς θυσίας εὐπροσδέκτους θεῷ διὰ Ἰησοῦ Χριστοῦ.
[34] Zweimal Inf. -σθαι B³ (א 2°) A D G pm. Imp. 𝔓⁴⁶ B* (א 1°) L P al latt sy Cl Orig.

Röm 12, 2

16 oder auch in ὄψείς τε καὶ σχῆμα P Gieß I 40, 28, auch Herm (v) 65, 1:
ἀνὴρ . . . σχήματι ποιμηνικῷ, sondern ist wie auch Phil 2, 7; 1 Kor 7, 31
„die wesentliche Erscheinungsweise", besser die Wesenserscheinung in ihrem
Gehabe und Treiben, die Gestalt in ihrem Sichgeben. Diesem saeculum und
der Weise in seinem Treiben soll man nicht gleichwerden. Et nolite conformari
huic saeculo. Diesem Äon gegenüber bedarf es eines radikalen Nonkonformismus. Der Begriff ὁ αἰὼν οὗτος, der bekanntlich aus der jüdischen Apokalyptik
stammt und dort und bei den Rabbinen als הַזֶּה עוֹלָם einem הַבָּא עוֹלָם gegenübersteht [34a] – dieser Äon dem künftigen, von dem als von dem αἰὼν μέλλων im
Corpus Paulinum nur Eph 1, 21 spricht [35] –, taucht wiederholt in den Paulusbriefen auf. Ὁ αἰὼν οὗτος ist dasselbe wie ὁ κόσμος οὗτος. Vgl. 1 Kor 1, 20;
3, 18f; 2 Kor 4, 4; auch Eph 2, 2; 1 Tim 6, 17; 2 Tim 4, 10; Tit 2, 12; Gal 1, 4:
αἰὼν ὁ ἐνεστώς. Wie ist diese Welt, mit der man nicht konform werden soll, gesehen? 1) Παράγει . . . τὸ σχῆμα τοῦ κόσμου τούτου (1 Kor 7, 31). Sie ist im
Dahingehen. Sie ist im ständigen Ab-schied. Ihr Sein ist Ab-scheiden. Und seit
Christus ist sie ein καιρὸς συνεσταλμένος (1 Kor 7, 29), weshalb nun erst recht
das prinzipielle ὡς μή, die prinzipielle Distanz gegenüber dem Sichentziehen-
den, dem Abkünftigen, gilt. 2) Als solche ist dieser Äon eine dem Menschen
gegenüber übermächtige Macht, eine Summe von variablen Mächten, die freilich auch καταργούμενοι sind (1 Kor 2, 6.8; vgl. Eph 1, 21). Aber sie in ihrer
Macht oder als diese Macht ist ὁ θεὸς τοῦ κόσμου τούτου (2 Kor 4, 4), sie ist,
wie sie vorgibt, ὁ θεὸς τοῦ αἰῶνος τούτου (Eph 2, 2), der Ewigkeitsweltgott,
nach dessen Maßgabe sich das Leben der Menschen vollzieht. 3) Als solche steht
sie böse herein (Gal 1, 4) in dem tödlichen Geist der Sünde des Undankes und der
Selbstliebe, in den κοσμικαὶ ἐπιθυμίαι (Tit 2, 12), in der Sorge um sich selbst,
die sie bereitet (1 Kor 7, 31ff), in ihrem verblendenden Denken (2 Kor 4, 4),
in ihrer geliebten eigenen „Weisheit", die Torheit ist, während sie das apostolische Kerygma für Torheit hält (1 Kor 1, 20ff). 4) Die Christen leben mitten
in dieser Welt, mitten unter diesen πόρνοι τοῦ κόσμου τούτου und den Hab-
gierigen, Räubern und Götzendienern, und sie verkehren mit ihnen, müssen
mit ihnen verkehren, es sei denn, sie verließen die Welt, was nicht möglich ist,
es sei denn im Tod (1 Kor 5, 9ff) [36]. Diesem bösen, übermächtigen, unentrinn-
baren und doch vergehenden Äon und seinem Treiben werdet nicht konform,
mahnt der Apostel, und läßt schon ahnen, was in diesem Äon das Opfer bedeutet. Zunächst (V 2bc): ἀλλὰ μεταμορφοῦσθε τῇ ἀνακαινώσει τοῦ νοός.
Μεταμορφοῦσθαι kommt auch sonst im Bereich der religiösen Sprache vor:
in der Idee von der Metamorphose der Götter, im Zauber, in der Verwandlung
durch die Schau des Mysten (Pseud. Apol. XI 16.27.30.33ff u. a.), als moralische

---

[34a] 4 Esr 7, 50: „Gott hat nicht eine Welt geschaffen, sondern zwei." Vgl. 4 Esr 7, 10ff. 112f;
syrBar 8, 38.
[35] Vgl. Mt 12, 32; Mk 10, 30; Lk 20, 34; Hebr 6, 5. Zwischen diesem und jenem Äon liegt
die συντέλεια τοῦ αἰῶνος, Mt 13, 39.40; 24, 3; 28, 20 (Hebr 9, 26).
[36] Und natürlich kennzeichnet diesen Äon auch alles, was über die Menschen, die ihn bestimmen und von ihm bestimmt sind, Besonderes gesagt wird, z. B. die charakteristische
πλεονεξία und πορνεία der Heiden und das Leisten und Richten der Juden, sodann in der
Zeit nach Christus die Anomie und Apostasie.

359

Verwandlung bei Seneca, Ep. 6, 1f, aber auch in der Apokalyptik als eschatologische Verwandlung, wie z. B. syrBar 51, 5: „Sie werden verwandelt werden zum Glanz der Engel... und von Schönheit zur Pracht und vom Licht zum Glanz der Herrlichkeit..." Vgl. 1 Hen 104, 6; 4 Esr 7, 197 u. a. Nicht zufällig übersetzt 2 Kor 3, 18 vg das dortige μεταμορφοῦσθαι ἀπὸ δόξης εἰς δόξαν mit transformari und nicht mit reformari. Bei der durch das Erbarmen Gottes geforderten Metamorphose handelt es sich um eine fundamentale und radikale, um eine wunderbare Wesenswandlung. Dabei muß man dreierlei beachten:

1) das, was in der Formulierung der positiven Mahnung impliziert ist und Paulus wahrscheinlich sofort selbst in den Sinn kam: „sondern laßt euch wandeln durch Erneuerung eures Denkens". Der Gegensatz ist also nicht: „Gleicht euch nicht diesem Äon an, sondern verwandelt ihn." Die Christen werden primär nicht zur Weltveränderung und Weltverbesserung, zu Weltaktionen aufgerufen. Sich der Welt nicht anzugleichen, das fordert zuerst, nicht *sie* zu wandeln, sondern *sich selbst* wandeln zu lassen. Wie sollte man auch die Weltverhältnisse wandeln können, wenn man nicht selbst verwandelt ist, d. h. den Überschritt in die eschatologische Situation vollzieht? 2) Das ist das andere Bemerkenswerte: solches μεταμορφοῦσθαι ist, was die einzelne Existenz betrifft, nicht ein für allemal geschehen, sondern muß sich immer von neuem ereignen. Denn auch dieser Äon verlockt die Christen immer von neuem, sich ihm anzugleichen. Der Christ muß in seinem Wandel ständig werden, was er ist. Dabei ist jeder einzelne Christ gemeint, wie dann in V 3 das παντὶ τῷ ὄντι deutlich macht. 3) Überraschend ist für uns wohl auch das, daß diese radikale und fundamentale Existenzmetamorphose sich primär durch die „Erneuerung des Denkens vollzieht[37]. Der Begriff ἀνακαίνωσις, der sich im Gegensatz zum Verb außerhalb des NT nicht findet[38], steht bei Paulus 2 Kor 4, 16 im Blick auf den „inwendigen Menschen", der in der Taufe neu geboren ist und im Glauben lebt. Der Gegensatz ist διαφθείρεσθαι, „zerstört werden". Es meint eine Neuschöpfung. Nach Kol 3, 16 wird der in der Taufe „angezogene" „neue" Mensch „erneut" zur Erfahrung (ἀνακαινοῦται εἰς ἐπίγνωσιν) demgemäß, daß er εἰκών Christi ist. Aber nicht nur sein Sein wird in der Taufe erneuert, sondern auch seine Existenz. Auch von Tit 3, 5 her, wo das Substantiv im NT noch einmal vorkommt, läßt sich dieser Begriff etwas erhellen. Er ist auch dort auf die Taufe bezogen und steht neben παλιγγενεσία, „Wiedergeburt". Diese ἀνακαίνωσις, die also eine Neuschöpfung ist, wird durch den Heiligen Geist bewirkt, den Gott durch Jesus Christus über uns reichlich ausgegossen hat. Sie bringt unsere Rechtfertigung und eröffnet das künftige Erbe. Man sieht: auch von hier aus ist bei ἀνακαίνωσις an ein radikales und fundamentales Geschehen, an eine Neuschöpfung gedacht[39]. Sie betrifft in Röm 12, 2 den νοῦς. Die immer neue Verwandlung des Christen, die ihn sich nicht der Welt an-

---

[37] + ὑμῖν ℵ 𝔐 pl lat sy, vielleicht aus Eph 2, 2 (ZAHN).
[38] BAUER WB 110; BEHM in: ThWb II 455.
[39] Vgl. auch die Begriffe καινός und καινότης, die bei Paulus auf die eschatologische Erneuerung aufgrund der Tat Christi kraft des Geistes verweisen, z. B. Röm 6, 4; 7, 6; 2 Kor 5, 17; Gal 6, 15.

gleichen läßt, vollzieht sich primär in der ständigen Neugeburt des Denkens. Noῦς ist bekanntlich ein weiter und nicht leicht zu erfassender Begriff. Das wird u. a. auch an seiner Übersetzung an unserer Stelle erkennbar. Zum Beispiel wird er mit „Geist" (Tillmann, Lietzmann), „Bewußtsein" (Behm in: ThWb IV 766), „Sinn", „Gesinnung" (Karrer, Züricher Bibel, revidierte Luther-übersetzung, Lipsius, Gaugler, Th. Schlatter, Michel, Barrett: „mind" u. a.), „Vernunft" (Schlatter, Althaus, H. W. Schmidt, Schrage 164), „Wille" (Bultmann, Theologie 212), „Denken" (Weizsäcker, Barth, Kürzinger) wiedergegeben. Man kann seine Bedeutung an unserer Stelle klären einmal durch den Verweis auf verwandte paulinische Stellen, z. B. Röm 1, 28; 4, 17; Phil 4, 7. Danach meint es am ehesten „Sinn" oder – es ist ja ein „sinnender" oder „denkender Sinn" – präziser: „Denken". Ein Zweites ist es, daß dieser erneuerte voῦς imstande ist, δοκιμάζειν τί τὸ θέλημα τοῦ θεοῦ, wobei hier δοκιμάζειν wohl „prüfen und sich entscheiden für" oder auch „unterscheiden und entscheiden" bedeutet, wie etwa Röm 1, 28; 14, 22; Eph 5, 10; Phil 1, 10; 1 Thess 2, 4 [40]. Dann aber meint voῦς in der Tat „denken" oder „urteilen", aber mit dem Nebensinn eines entschiedenen oder auch existentiellen Denkens, das die Voraussetzung für eine kritische Entscheidung ist.

Die vom Christen geforderte und ihn vom Wesen und Treiben der Welt distanzierende, immer wiederholte Wandlung vollzieht sich also in einer immer wiederholten, grundlegenden Erneuerung seines Denkens. Es liegt allem anderen zugrunde. Dieser Gedanke findet sich übrigens auch sonst bei Paulus (vgl. Phil 1, 9f). Das erneuerte Denken von Röm 12, 2 ist hier das Denken der Liebe, ihre Einsicht und ihr Verständnis, das die Christen instand setzt, „zu prüfen und sich für das zu entscheiden, worauf es ankommt". Deutlicher in dieser Hinsicht sind noch Eph 4, 22ff; Kol 1, 9f.

Dieses erneuerte Denken, das die Weise der Wandlung des Menschen bzw. Christen ist, hat die Folge und das Ziel [41], daß es imstande ist, „den Willen Gottes" von jedem anderen Anspruch zu unterscheiden und sich für ihn zu entscheiden. Dieser Wille Gottes ist allgemein „die Heiligung" (1 Thess 4, 3). Er kann auch so umschrieben werden wie 1 Thess 5, 17: „Allezeit freut euch, unaufhörlich betet, für alles sagt Dank; das ist der Wille Gottes in Christus Jesus für euch." Aber er kann auch anders formuliert werden, z. B. Kol 1, 9ff; 4, 12; Eph 5, 17. Die Forderung, zu prüfen und zu entscheiden, zeigt, daß der Wille Gottes dann auch in der jeweiligen Situation zu erfragen, zu finden und zu tun ist, wie Schrage (Einzelgebote 169 u. a.) darlegt. An unserer Stelle (Röm 12, 2) wird er in seiner allgemeinen Forderung durch drei Adjektive näher gekennzeichnet, sei es, daß diese Attribute zu θέλημα sind, oder sei es, daß sie,

---

[40] Es ist nicht nur συνιέναι τί τὸ θέλημα τοῦ κυρίου Eph 5, 17. Vgl. auch SCHLATTER: „Darum betont der Fragesatz τί τὸ θέλημα τοῦ θεοῦ zwar, daß sich der Prüfende um die Gewißheit darüber zu bemühen hat, was in seiner Lage der Wille Gottes sei. Aber mit der Feststellung ‚Dies ist der Wille Gottes' erfolgt sofort auch die Einigung mit seinem Willen. In δοκιμάζειν ist hier wie überall das Prüfen und sein positives Ergebnis, die Zustimmung, zusammengefaßt."
[41] Zu εἰς τὸ c. Inf. vgl. BLASS-DEBR, § 402; E. HARMSEN, Über εἰς τό mit dem artikulierten Infinitiv in den Briefen an die Römer und Korinther, in: ZwTh 17 (1874) 345–359.

was wahrscheinlicher, wenn auch schwer zu entscheiden ist, als substantivierte Adjektive in ihrer Gesamtheit eine Apposition zu diesem (Zahn) sind. Der Wille Gottes, den das erneuerte Denken zu unterscheiden und für den es sich zu entscheiden vermag, ist, wie Paulus wahrscheinlich traditionell formuliert (Leenhardt), „das Gute, Wohlgefällige und Vollkommene". Wo dies geschieht, da ist der Wille Gottes getan. So kann Paulus Phil 4, 8f ausführlicher mahnen: „Im übrigen, Brüder, allem, was wahr ist, was ehrbar, gerecht, rein, liebenswert, ansprechend, wenn es irgendeine Tugend, irgend etwas lobenswertes gibt, dem denkt nach." Aber was ist wahr, gerecht, rein...? Das kann aus dem, was die Christen von „Paulus gelernt und angenommen, gehört und an mir gesehen" haben, entnommen werden. Nach Röm 12, 2 vermag es das neue Denken zu sehen und festzuhalten. Das neue Denken kann den Willen Gottes und also das Gute, das Gute und also den Willen Gottes sehen und erfassen und nach ihm tun. Tò ἀγαϑόν, das Gute, wird auch 12, 9 (vgl. 12, 21) genannt. Nach Gal 6, 10 „wollen wir, solange wir noch Zeit haben, allen Menschen Gutes (τὸ ἀγαϑόν) tun". Vgl. Eph 6, 8; 1 Thess 5, 15; Phm 6. Εὐάρεστον meint „das dem Herrn Wohlgefällige" (Röm 12, 1; Eph 5, 10; Kol 3, 20). Tò τέλειον findet sich bei Paulus nur hier. Phil 4, 12.15 zeigt, daß es immer von neuem zu ergreifen ist. Das τέλειον ist ja ein immerwährendes Ziel (vgl. Kol 1, 28). Die Liebe allein macht „vollkommen" (Kol 3, 14).

So sehen wir im ganzen: Röm 12 beginnt in Röm 12, 1f mit einem ausdrücklichen „Ich ermahne euch" im Sinn eines bittenden und befehlenden, beschwörenden und ermunternden, eindringlichen Anrufs des Apostels an die „Brüder". Dieser Anruf ist Anspruch, weil Zuspruch und Anspruch des göttlichen Erbarmens. Dieses mahnt die Christen zur leibhaftigen Selbsthingabe, zum Opfer der vom Apostel schon als Opfer Dargebrachten, also zum lebendigen, heiligen, Gott wohlgefälligen Opfer, zu dieser geistigen, moralischen, mystischen Gottesverehrung. Dazu ist nötig: 1) eine kritische Distanz zu diesem Äon, ein prinzipieller Nonkonformismus ihm und seinen Mächten gegenüber und 2) eine immer neue Ermunterung auch des Christen, primär in seinem Denken, die ihn instand setzt, den Willen Gottes, also „das Gute, Wohlgefällige und Vollkommene", zu sehen und zu tun, eine stete Erneuerung, die mit einer inneren Erhellung oder Erleuchtung über den Willen Gottes beginnt.

Aber wie verhält sich nun V 2 zu V 1? Formal ist er die Fortsetzung von V 1. Das gilt aber auch inhaltlich, sofern V 2 den Grundzug des leibhaftigen Opfers und des Gottesdienstes im Geist, von dem im einzelnen von V 3 ab gesprochen wird, angibt. Ohne die grundsätzliche Distanz von diesem Äon und – das ist die andere Seite – ohne die grundlegende Wandlung und Erneuerung des Denkens wird der Ruf des Erbarmens Gottes, der zum Opfer ruft, nicht gehört und der Gottesdienst im Geist nicht vollzogen. Nur unter der Voraussetzung der Neuschöpfung wird der Wille Gottes, d. h. das Gute, erkannt und getan.

2. 12, 3–21 Mahnungen zur Besonnenheit und Liebe

3 Durch die Gnade, die mir gegeben worden ist, weise ich einen jeden von euch an, strebt nicht über das hinaus, was geboten ist, sondern strebt danach, besonnen zu sein, ein jeder nach dem Maß des Glaubens, das Gott ihm zugeteilt hat. 4 Denn wie wir an dem einen Leib viele Glieder haben, die Glieder aber nicht den gleichen Dienst verrichten, 5 so sind wir, die Vielen, ein Leib in Christus, einzeln aber sind wir füreinander Glieder. 6 Wir haben unterschiedliche Gaben, je nach der uns verliehenen Gnade; sei es prophetische Rede, dann in Übereinstimmung mit dem Glauben. 7 Hat einer einen Dienst, dann diene er; ist einer ein Lehrer, so bleibe er beim Lehren; 8 wer Zuspruch übt, beim Zuspruch; wer Almosen austeilt, tue es in Einfalt; wer vorsteht, mit Eifer; wer Barmherzigkeit übt, mit heiterem Sinn. 9 Die Liebe sei ohne Heuchelei. Verabscheut das Böse, hängt dem Guten an. 10 In Bruderliebe seid einander herzlich zugetan; in Ehrerbietung kommt einander zuvor. 11 Laßt nicht nach im Eifer; brennt im Geist, und dient dem Herrn. 12 Freut euch der Hoffnung, seid geduldig in Bedrängnis, beharrlich im Gebet. 13 Nehmt Anteil an den Bedürfnissen der Heiligen, gewährt eifrig Gastfreundschaft. 14 Segnet eure Verfolger, segnet und verflucht nicht. 15 Freut euch mit den Fröhlichen, weint mit den Weinenden. 16 Seid eines Sinnes untereinander; strebt nicht nach Hohem, sondern laßt euch vom Geringen herabziehen. Haltet euch nicht selbst für klug. 17 Vergeltet niemandem Böses mit Bösem. Seid allen Menschen gegenüber auf das Gute bedacht. 18 Soweit es möglich ist, soviel an euch liegt, haltet mit allen Menschen Frieden. 19 Rächt euch nicht selber, ihr Lieben, sondern gebt Raum dem Zorn; denn es steht geschrieben: Mein ist die Rache, ich will vergelten, spricht der Herr. 20 Vielmehr wenn dein Feind hungert, gib ihm zu essen; wenn ihn dürstet, gib ihm zu trinken; tust du das, wirst du glühende Kohlen auf sein Haupt häufen. 21 Laß dich nicht vom Bösen besiegen, sondern besiege das Böse mit dem Guten.

Schon ein erstes Durchlesen des Abschnittes 12, 3–21 zeigt, daß Paulus jene grundlegende Mahnung von 12, 1 f jetzt in Einzelmahnungen entfalten will. Denn 12, 2 war, wie gesagt, noch kein näherer Hinweis darauf, was denn im Konkreten jenes vom Erbarmen Gottes geforderte „lebendige" Opfer ist, sondern zeigte uns negativ und positiv dessen Grundzug: kritische Distanz gegenüber diesem Äon und ein ständiges „transformari" der Existenz durch die Erneuerung des Denkens zum Begreifen und Ergreifen des Willens Gottes. Jetzt, in 12, 3 ff, geht Paulus aber dazu über, eben diesen Vorgang zu explizieren, damit er nicht im Allgemeinen und gar im Theoretischen bleibe [1].

Der Übergang in V 3 wird dabei ausdrücklich fixiert. Das γάρ ist zwar nur

---

[1] LEENHARDT: „Après avoir donné le principe théologique, l'apôtre descend au concret, pour illustrer." BARRETT: „Paul is about to give an authoritative exposition of his ethical first principles, and states the ground of his authority for doing."

weiterführend: „Ich sage nämlich…" Aber das λέγω… διὰ τῆς χάριτος τῆς δοθείσης μοι zeigt als neue Einleitung den neuen Ansatz an.

In den Ausführungen selbst, die die apostolischen Mahnungen konkretisieren sollen, gehören 12, 3–8 und 12, 9–21 jeweils näher zusammen. Dabei handelt 12, 3–8 von den Charismen im engeren Sinn, deren angemessener, nüchterner und selbstloser Gebrauch, nämlich bestimmt und begrenzt durch das von Gott den einzelnen gewährte Maß des Glaubens, auch zu der vom Erbarmen Gottes geforderten Hingabe gehört. Das ist eine unerwartete Entfaltung des christlichen Lebens bzw. seines Grundzuges, aber auch eine sehr bezeichnende. Offenbar spielen Charismen und Charismatiker auch in der römischen Gemeinde eine gewichtige Rolle. V 3 stellt die Gefahr des Charismatikers, das ὑπερφρονεῖν, und den Maßstab des charismatischen Lebens heraus. VV 4–5 begründen die Begrenzung der Charismen durch den Glauben mit dem Hinweis auf den einen Leib und die vielen Glieder, die verschiedene Verrichtungen haben. Sie sind ein Gleichnis für die christliche Gemeinde. Die VV 6–8 bringen noch Beispiele für die unterschiedlichen Charismen, die ihre Echtheit in der Selbstbescheidung des Glaubens erweisen. Ohne weiteren Übergang, aber sozusagen mit einem Satz (V 9) als Überschrift über das Folgende kommen dann Einzelmahnungen zur Realisierung der christlichen Lebensführung zu Wort. Die ἀγάπη, die an der Spitze der neuen Darlegung angemahnt wird, macht die Charismen, die dem Glauben angemessen sind, zu echten oder wirklichen, weil der Gemeinde dienenden (vgl. 1 Kor 13). Das steht oder kann auch hier im Hintergrund als verbindender Gedanke stehen. Neben der ἀγάπη steht als Stichwort der folgenden Ausführungen dann auch τὸ ἀγαθόν. Es umklammert die gesamten Ausführungen, die nicht mehr von Gaben und Diensten handeln, sondern von der christlichen Lebensführung, in der nun das geforderte „Opfer" deutlicher wird: V 9 und V 21 und in der Mitte des Abschnittes V 17.

Eigentümlich ist auch der Stil dieser konkreten Entfaltung der Grundforderung des „Opfers". Das betrifft weniger die VV 3–8, obwohl auch hier schon mit V 6 bzw. V 7 die abrupte Kargheit bei großer Präzision der Aussage, die doch vieles offenläßt, beginnt. In V 3 und VV 4–5 kann man vielleicht „zwei gutgebaute Vierzeiler", „deren dritte Zeile das Schwergewicht trägt", sehen, wie Michel meint, und so eine „fast rhythmische Aussage" finden. Jedenfalls zeigen sich rhetorische Formulierungen wie die Paronomasie in V 3, mit Wiederkehr desselben Wortstammes: φρονεῖν, ὑπερφρονεῖν, φρονεῖν, σωφρονεῖν, die sich im Deutschen kaum wiedergeben läßt. Man kann damit 1 Kor 11, 21f (29ff); 2 Kor 10, 2f; Gal 5, 7f; 2 Thess 3, 11 vergleichen. In den VV 6–8 wechselt der Stil, und zwar entsprechend der Wendung des Gedankens. Der Satz beginnt mit einem Partizip: ἔχοντες δέ, das wohl ein Verbum finitum darstellt. Dann findet sich kein Verb mehr. Vielleicht, aber nicht wahrscheinlich ist der Sinn von ἔχοντες δέ schon imperativisch (vgl. 1 Petr 3, 7f). Sicher bestimmt der Imperativ (ohne Verb) die vier mit εἴτε eingeleiteten Sätze (VV 6–8a) und die drei letzten, asyndetisch nebeneinandergestellten Satzglieder (V 8b). Man kann damit ungefähr Röm 2, 17–20.21f; 3, 21f vergleichen[2]. Auf-

---

[2] Blass-Debr., § 454, 3.

fallend im Ganzen ist jedenfalls der Parallelismus der Glieder, die rhetorische Verknappung der Sätze[3] und die gehäufte Artikellosigkeit bei προφητεία, διδασκαλία und den Abstrakta in V 8b[4]. Es ist, als ginge Paulus schon hier zu charismatischen Ausrufen über.

Aber noch auffallender ist der Stil in den VV 9–21. Hier finden sich 1) ein mehrfaches, ja fast durchweg beibehaltenes Asyndeton; 2) ein gehäufter Gebrauch des Partizips anstelle eines Verbum finitum, ohne Anschluß an ein imperativisches Verbum finitum, aber im imperativischen Sinn (VV 9–13; vgl. Eph 4, 1ff; 1 Petr 3, 7 u. a.), unterbrochen von Adjektiven[5]; hier steht 3) auch ein Infinitiv für einen Imperativ (V 15; vgl. Phil 3, 16[6]); dazwischen, gleichsam um den Tenor des Ganzen zu bewahren, finden sich, besonders gegen Ende, 4) Imperative ein: VV 14.16b.19.20.21; auch ist 5) das Homoioteleuton in V 15 (vgl. 1 Tim 3, 16) nicht zu vergessen.

Fassen wir noch einmal die rhetorischen Elemente, die 12, 3–21 bestimmen, zusammen, so sind es zahlreiche und mannigfache, nämlich Vierzeiler, Anakoluthe, Asyndeta, Paronomasie, Artikellosigkeit, wenige Verba finita, Ersatz durch Partizipien und Infinitive, dazwischen tragende Imperative, wovon sich ein Teil freilich den Zitaten verdankt (V 16b.20). Dabei lockert sich das Satzgefüge der vielfach abrupten Sätze allmählich: von den VV 3–5 zu 6–8 zu 9–21.

Dazu kommt noch ein anderer Sachverhalt, nämlich der, daß 1) die einzelnen Mahnungen, jedenfalls von 12, 9 ab, wie wir sehen werden, in keinem oder nur einem hintergründigen sachlichen Zusammenhang stehen und also kaum ein inhaltlich geordneter und fixierter Gedankengang vorliegt. Ein deutlicher Beleg dafür ist die Stichwortfolge (V 13f): διώκοντες – διώκοντας. 2) Diese Mahnungen sind in keinem Sinn erschöpfend, sollen es auch nicht sein. Es zeigt sich keine Spur von Systematik oder auch nur näherer Gliederung (außer der groben von VV 3–8 und 9–21). Es sind in den VV 9–21 herausgerissene Beispiele, und in den VV 3–8 ist es eine wahrscheinlich durch die römischen Gemeindeverhältnisse bedingter Gesichtspunkt, zu dessen Erörterung auch nur einzelne Beispiele herangezogen werden. Berücksichtigt man diese Beobachtungen, so wird man sagen können, daß sich das παρακαλεῖν des Apostels dort, wo es konkret entfaltet wird, nach einer kurzen Belehrung in den VV 3–5 zu spontanen Anrufen und Zurufen verdichtet (VV 6–8) und dann mit dem Wechsel des sachlichen Gesichtspunktes, d. h. mit dem Übergang zur näheren sittlichen Erläuterung des „Opfers", in – wenn wir so sagen dürfen – pneumatische Rufe ausbricht. Die Stimme des Erbarmens Gottes und die Verlautbarung der dem Apostel verliehenen Gnade, also die apostolische Paraklese dort, wo sie konkret wird, sind charismatische Rede. Das schließt aber die Übernahme traditioneller Elemente und von Schriftworten nicht aus. Die nächste formale Parallele zu unserem Kapitel ist 1 Thess 5, 14–22, wo nach

---

[3] BULTMANN, Stil, 75.
[4] BLASS-DEBR, § 258,1.
[5] Ebd. § 468, 2.
[6] Ebd. § 389.

asyndetischen Imperativen (VV 14.15) in V 16 solche Rufe einsetzen, V 18b kurz unterbrochen werden, dann VV 19–22 in knappen asyndetischen Sätzen enden. Apostolische Paraklese ist wohl mahnende Belehrung, aber sie ist auch – in unserem Kapitel besonders – spontane geistliche Anrede, die in der Tat das Denken und damit das Handeln der Christen immer von neuem trifft und erweckt, und zwar zum eigentlichen Sinn des christlichen Lebens: zum sich selbst-los freigebenden Opfer. Die christliche Existenz wird auf diese Weise durch die apostolische Paraklese in ihrem Wesenszug und im vielfältigen konkreten Verhalten getroffen, und zwar im Raum der Gemeinde und der Welt.

V 3 Mit einem weiterführenden γάρ, das zugleich einen leise begründenden Sinn hat, schließt sich V 3 an. Dabei entspricht dem παρακαλῶ das λέγω, das also auch in dieser Richtung seiner Bedeutung nach zu verstehen ist[7]. Ebenso entspricht dem διὰ τῶν οἰκτιρμῶν τοῦ θεοῦ das διὰ τῆς χάριτος τῆς δοθείσης μοι. Was der Apostel jetzt zur römischen Gemeinde sagt, ist ein Wort der ihm von Gott gegebenen χάρις, wie es ja auch nach Röm 15,15 ein Wort um der ihm von Gott gegebenen (διὰ c. Acc.) Gnade willen gibt. Die χάρις, die der Apostel mit dem Evangelium empfangen hat, also nicht der νόμος gebietet ihm dieses Wort und gewährt es ihm. *Sie* kommt durch ihn zur Sprache. Diese χάρις ist, wenn wir den Begriff kurz streifen, 1) die χάρις τοῦ θεοῦ (1 Kor 3, 10; 15, 10), die 2) Gott dem Apostel „gegeben" hat (1 Kor 3, 10; Röm 15, 15; Gal 2, 9 [Eph 3, 2.7.8]) und die er „empfangen" hat durch den κύριος Ἰησοῦ Χριστοῦ (Röm 1, 5), und zwar 3) aufgrund von Offenbarung (Gal 2, 7.9; vgl. 1, 12.15), und die er nun verwaltet (Eph 3, 2); 4) sie kommt vor und zu Wort und Werk im εὐαγγέλιον (Gal 2, 9; Eph 3, 6f.8f; Kol 1, 5f [2 Kor 6, 1f]); 5) ihr Vorkommen in das Evangelium und im Evangelium ist ein Geschehen der οἰκονομία des μυστήριον (Eph 3, 2f. 8f); 6) sie wurde vom Apostel aber empfangen mit dem Apostolat (Röm 1, 5; vgl. Gal 1, 12ff). Sie läßt ihn sein, was er ist, nämlich ἀπόστολος, und sie wirkt mit ihm zusammen in seiner apostolischen „Mühe" (1 Kor 15, 10). Sie „genügt", weil sie ihre δύναμις ἐν ἀσθενείᾳ hat (2 Kor 12, 9). So erfahren die Korinther durch des Apostels Gegenwart χάρις (2 Kor 1, 15); 7) sie dient im Evangelium des Apostels dazu, den Glaubensgehorsam zu erwecken (Röm 1, 5) und die οἰκοδομή der Ekklesia grundzulegen (1 Kor 3, 9f). Wenn Paulus in Röm 12, 3 die Gnade, die ihm von Gott verliehen worden ist, zu Wort kommen läßt, so meint er also die ihm mit dem Evangelium und dem Apostolat kraft deren Autorität wirksame Gnade[8]. Dem Inhalt nach ist es – aber daran brauchen wir hier nur zu erinnern – natürlich die in Jesus Christus geschehene Tat Gottes, in der Gottes gerecht machende Gerechtigkeit offenbar wurde (vgl. Röm 3, 21ff).

Dieses Wort der dem Apostel verliehenen Gnade sagt Paulus zu „jedem" in der römischen Gemeinde. Durch das παντὶ τῷ ὄντι ἐν ὑμῖν ist betont, daß es

---

[7] Es ist also kaum mit Lietzmann, Michel, H. W. Schmidt u. a. mit „ich schärfe ein" wiederzugeben, sondern einfach mit „sagen" oder höchstens mit „anweisen" (Käsemann).
[8] Barrett: „Paul has a special gift of grace for the building up of the churches (2 Kor 13, 10)."

kein Glied der Gemeinde gibt, das seiner nicht bedürfte, auch wenn es manche,
z. B. von den Charismatikern, von sich meinen sollten. Aber was sagt es? Das
ist zunächst für uns etwas rätselhaft formuliert. Es geht um ein φρονεῖν, und
φρονεῖν ist bei Paulus „urteilen" (1 Kor 13, 11; Phil 1, 7), aber auch „gesinnt
sein" (Phil 2, 2.5; 3, 15; 4, 2; 1 Kor 13, 11), „bedacht sein auf" (Röm 12, 16;
14, 6; Phil 3, 19; Kol 3, 2), „trachten", „bestrebt sein" (Röm 8, 5 f), „wollen"
(Gal 5, 10), wobei solche Unterscheidungen natürlich relativ sind. Solches
φρονεῖν, das hier in Röm 12, 3 am ehesten „trachten", „streben nach" heißt,
soll nicht ein ὑπερφρονεῖν παρ᾽ ὅ [9] δεῖ φρονεῖν sein. Das ὑπερφρονεῖν meint
ein φρονεῖν, das seine Grenze überschreitet und über das hinausgeht, was
nötig und möglich ist, oder ein φρονεῖν, das im Vergleich zu dem, was geboten
und erlaubt ist, ein übermäßiges, gegen Gottes Willen (δεῖ vgl. Röm 8, 26;
1 Kor 8, 2; 2 Kor 11, 30; 12, 1 u. a.) gerichtetes φρονεῖν darstellt. Die positive
Mahnung erläutert das noch ein wenig: ἀλλὰ φρονεῖν εἰς τὸ σωφρονεῖν: das
φρονεῖν soll im σωφρονεῖν sein Ziel haben und so die Weise des φρονεῖν sein,
sich also innerhalb des σωφρονεῖν, „dem besonnen, vernünftig, nüchtern, maß-
voll sein", halten (vgl. 2 Kor 5, 13; 1 Tim 2, 9.15; 2 Tim 1, 7; Tit 2, 6.12; 1 Petr
4, 7). Das ὑπερφρονεῖν, dem die Gnade durch Paulus wehrt, ist demnach ein
unbesonnenes, unvernünftiges, übermäßiges Streben, ein falsches ἐκστῆσαι
(2 Kor 5, 13). Aber was ist das gebotene σωφρονεῖν? [10] Das wird durch 12, 3 c
in einer Hinsicht deutlich: ἑκάστῳ ὁ θεὸς ἔμερισεν μέτρον πίστεως.
Ἑκάστῳ = ἕκαστος, ὡς αὐτῷ. Ἑκάστῳ ist natürlich nicht von λέγω, sondern
von ἐμέρισεν abhängig. Das σωφρονεῖν, das φρονεῖν, das nicht über das Gebotene hinausgeht, ist jenes φρονεῖν, das dem Maß des Glaubens entspricht.
Es setzt also Glauben voraus und hält sich in ihm, der in verschiedenem Maß
von Gott zugeteilt wird [11]. Πίστις, das gen. part. (Kühl) ist, ist Glaube im Sinn
der fides, qua creditur [12]. Auch sonst kennt Paulus ein verschiedenes Maß des
Glaubens, z. B. Starke und Schwache im Glauben (Röm 14 f). Er spricht „von
Mängeln an Glauben" (1 Thess 3, 10) oder auch vom „Wachsen" des Glaubens
(2 Kor 10, 15; 2 Thess 1, 3 u. a.). An unserer Stelle wird noch deutlich, daß das
Maß des Glaubens individuell einem jeden Gläubigen von Gott zugemessen
wird. Das φρονεῖν, das ein σωφρονεῖν sein soll, muß ein φρονεῖν in den Grenzen des jeweiligen persönlichen Glaubensmaßes sein. Das alles ist etwas kryp-
tisch gesagt. Sehen wir daher erst etwas weiter.

Die *VV 4–5* bringen einen Vergleich der Gemeinde mit dem menschlichen
Leib. Also muß das φρονεῖν ein Verhalten innerhalb der christlichen Gemeinde

---

[9] Παρ᾽ ὅ ist soviel wie „im Vergleich zu", „im Verhältnis zu" (Hebr 1, 4; 2, 9). Vgl. BLASS-
DEBR, § 236, 3.
[10] Nach ARISTOTELES, Nik. Eth. 1117b 13, ist σωφρονεῖν eine der vier Kardinaltugenden.
Aber bei Paulus ist sie „christianisiert" (KÄSEMANN). Zum Begriff σωφρονεῖν vgl. BAUERN-
FEIND in: ThWb IV 936 ff; LUCK in: ThWb VII 1099.
[11] Vgl. SCHLATTER: „Die Gefahr, der sich Paulus widersetzt, entsteht aus der verführeri-
schen Kraft des Gleichheitsideals."
[12] ZAHN: sie ist aber „der Glaube, welchen Paulus unter die χαρίσματα, die vom Geist in
der Gemeinde gewirkten Gaben auf dem Gebiet des Naturlebens, gestellt hat".

meinen. Wenn wir der Reihe nach die Aussagen in V 4 fixieren, so ist folgendes gesagt: 1) Wir Menschen haben *einen* Leib, und dieser hat viele Glieder. 2) Diese Glieder, und zwar auf ihre Gesamtheit gesehen (πάντα)[13] und ohne Ausnahme, haben nicht ein und dieselbe Funktion, sondern – das wird nicht ausdrücklich gesagt, versteht sich vielmehr von selbst – sehr verschiedene. Πρᾶξις ist Tätigkeit, Verrichtung wie Mt 16, 27; Herm(m) 5, 27; 7, 1; Herm(s) 4, 7. 3) In gleicher Weise sind wir, „die Vielen" – οἱ πολλοί semitisch „alle" (vgl. 5, 15; 5, 19) –, *ein* Leib in Christus, also in der personalen Herrschaftsdimension Christi. 4) Und wir sind als einzelne – τὸ δὲ καθ᾽ εἷς, der Nominativ ist durch vorausgesetztes τό adverbiell und durch κατά distributiv gebraucht[14] – in bezug auf jeden einzelnen[15] im Verhältnis zueinander (ἀλλήλων) Glieder. Die Aussage erinnert an 1 Kor 12, 12–14, nur daß dort nicht formuliert wird: ἓν σῶμα ἐσμεν ἐν Χριστῷ, sondern: Wie „alle Glieder des Leibes, obwohl sie viele sind, ἕν ἐστιν σῶμα, οὕτως καὶ ὁ Χριστός", Christus also der Leib ist, der viele Glieder hat. Das Bild ist, wie Barrett sagt, auf dem Wege zum Begriff des Leibes Christi, und auch Röm 12, 4 wird schon im Licht von 1 Kor 12, 12ff, das ja früher liegt, zu sehen sein[16]. Nach diesem Vergleich in Röm 12, 4f ist nicht nur erkennbar, daß das ὑπερφρονεῖν und das σωφρονεῖν, also das φρονεῖν, das ohne Glauben und im Glauben, der ein verschiedenes Maß in jedem einzelnen hat, geschieht, sondern auch daß es mit der Einheit der Gemeinde in Christus und der Verschiedenheit der Glieder der Gemeinde und ihrer Tätigkeit zusammenhängt. Das ὑπερφρονεῖν besteht offenbar in dem Bemühen eines Gliedes der Gemeinde, ohne Rücksicht auf das eigene Glaubensmaß es dem anderen gleichzutun oder gar ihm überlegen zu sein. Das σωφρονεῖν aber ist das besonnene Bestreben, unter der Beachtung des eigenen Glaubensmaßes die Einheit des Leibes in Christus zu bewahren und zu fördern. Allein der Glaube fügt die Vielfalt der Glieder und ihrer Dienste und Gaben zur Einheit zusammen.

Aber wieder entsteht die Frage, woran der Apostel dabei konkret denkt. Sie wird in den VV 6–8 nach einer Hinsicht beantwortet. Paulus hat die verschiedenen Charismen bzw. Charismatiker vor Augen und fürchtet, daß sie sich der Begrenzung durch ihren ihnen von Gott geschenkten Glauben entziehen und so nicht nur ihre Gaben, sondern auch die Einheit des Leibes der Gemeinde zerstören. Er sieht, kann man auch allgemein und im Blick auf V 8b sagen, die Echtheit der Charismen bedroht und damit die Einheit und also das Wesen der Gemeinde. Diese hängt an der Selbstlosigkeit der besonnenen Charismatiker. Solcher Gesichtspunkt wird in den genannten Versen so dargelegt, daß Paulus nach der grundlegenden Aussage in V 6a in den VV 6b–8a darauf dringt, daß jeder sein Charisma zur Geltung bringt, aber auch sich mit ihm be-

---

[13] In τὰ μέλη πάντα οὐ im Unterschied von πάντα τὰ μέλη οὐ ist τὰ μέλη allein das Subjekt und das stark betonte πάντα eine nachträgliche Näherbestimmung desselben in bezug auf das vermeintliche Objekt (ZAHN).

[14] ZAHN, KÜHL, RADERMACHER, 71; BLASS-DEBR, § 305.

[15] Vgl. 3 Makk 5, 34 LXX; auch Herm IX 3, 5; 6, 3: κατὰ (καθ᾽) ἕνα λίθον (Vulgarismus).

[16] Vgl. die Übersicht über die religionsgeschichtlichen Erklärungen des Begriffs „Leib Christi" bei KÄSEMANN, 323ff.

scheidet, und dann in V 8b, etwas abweichend, darauf, daß jedes Charisma *als*
Charisma, d. h. auch u. a. in der rechten Gestimmtheit, ausgeübt wird.

V 6 schließt sich mit einem weiterführenden δέ an den vorigen Satz an. Das
Partizip ἔχοντες könnte sich dem vorausgehenden ἐσμεν unterordnen (H. W.
Schmidt). Aber wahrscheinlich vertritt es ein Verbum finitum, also ἔχομεν.
Jedenfalls ist V 6a nicht von einem Imperativ, sondern von einem Indikativ
getragen. Wir haben χαρίσματα. Sie sind unterschiedlich, und zwar je nach
der uns gegebenen χάρις, die sich in ihnen austeilt. Sie sind damit der Gnaden-
erweis Gottes. Was χάρισμα in diesem Sinn meint[17], läßt sich am besten aus
1 Kor 12, 4 ff erkennen: verschiedene Gaben des einen Geistes (διαίρεσις und
φανέρωσις τοῦ πνεύματος), verschiedene Dienste, in denen der Herr wirkt,
verschiedene Kräfte, die der eine Gott gewährt, alle zum Nutzen und zur Erbauung der Gemeinde, wesenhafte Ausstrahlungen der ἀγάπη (1 Kor 12, 16;
13, 1 ff). Sie sind πνευματικά der ἀγάπη. Von diesen je nach der dem einzelnen
verliehenen Gnade verschiedenen Charismen werden zunächst (V 6–8a) vier
mit der hypothetischen Konjunktion εἴτε – εἴτε verbundene Gaben genannt,
und zwar in der Form, daß ihre Träger angewiesen werden, diese ihnen verliehene Geistesgabe in rechtem Maß und in ihrer Beschränkung gegenüber
den anderen zur Geltung zu bringen. Geschieht das, so wird das ὑπερφρονεῖν
vermieden und das σωφρονεῖν geübt und so die Einheit des Leibes der Ekklesia
bei aller Verschiedenheit der Dienste seiner Glieder bewahrt. Geschieht das
– so muß man den Gesamtzusammenhang sehen –, dann wird sich unter Anerkennung des persönlichen Glaubensmaßes jenes erneuerte Denken, jene
verwandelte Existenz, jene kritische Distanz vom weltlichen Geist, der immer
mehr will, als ihm gegeben ist, letztlich jene Freiheit der Selbsthingabe erweisen
und bewähren.

Als erstes Charisma wird die προφητεία genannt. Sie ist auch sonst für Paulus die höchste Gabe vor allen (vgl. 1 Kor 12, 10; 13, 2.8; 14, 1 ff. 22 ff. 39;
1 Thess 5, 20) und dient in besonderer Weise der Erbauung oder dem
„Nutzen" der Gemeinde (vgl. 1 Kor 12, 7; 14, 3.31)[18]. Diese Prophetie als
Charisma ist 1) eine Gabe des πνεῦμα (1 Kor 12, 10.11) und beruht auf
Offenbarung (1 Kor 14, 30; Eph 3, 5). 2) Sie tritt neben anderen Charismen
auf (1 Kor 12, 10; 14, 6); meist wird sie vor den anderen genannt (vgl. 1 Kor
12, 28 f; 13, 2.8; 14, 1 ff [22 ff] 39) oder steht als die entscheidende Gabe für
sich allein (1 Thess 5, 20). Sie gehört zu den χαρίσματα τὰ μείζονα (1 Kor
12, 31). 3) Sie dient der Belehrung, der Ermunterung, dem Trost und als
solche der „Erbauung" der Kirche (1 Kor 14, 3 ff. 24 f. 31). 4) Sie ist auf ihre
Wahrheit hin zu prüfen; es gibt auch falsche Prophetie (1 Kor 12, 10; 1 Thess
5, 21), die nicht κατὰ ἀναλογίαν τῆς πίστεως (Röm 12, 6) geschieht. 5) Es
handelt sich in den Gemeinden um mehrere Träger dieser Gabe (1 Kor
14, 29 ff). 6) Sie ist nicht eigentlich ein Vorhersagen der Zukunft, sondern ein

---

[17] Conzelmann in: ThWb IX 393 ff.
[18] Vom προφητεύειν ist 1 Kor 11, 4; 13, 9; 14, 1.3.5.31 f.39, von Propheten 1 Kor
12, 28 f; 14, 29.33.37; Eph 2, 20; 3, 5; 4, 10 die Rede.

Aufdecken z. B. des verborgenen Herzens und ein Verkündigen des göttlichen Willens (vgl. 1 Kor 14, 24f). Zu ergänzen ist in V 6b ein ἔχομεν. Im elliptischen Nachsatz ist ein Imperativ verborgen: „Sei es, daß wir prophetische Gabe haben, so geschehe sie entsprechend dem Glauben." Die Mahnung greift nicht auf V 3 zurück. Κατὰ ἀναλογίαν τῆς πίστεως heißt „im rechten Verhältnis zum Glauben", in Entsprechung zu ihm, in der rechten Proportion, oder auch: „in Übereinstimmung mit dem Glauben" (vgl. Plato, Polit. 257 B; P Flor 50, 91; Philo, Virtut. 95; Lv 27, 18). Dabei ist πίστις hier im Sinn von fides, quae creditur, zu verstehen wie Gal 1, 23; 3, 29f und nicht wie Röm 1, 5.8.12; 3, 28 u. a. als fides, qua creditur. Auch für Paulus gibt es schon, wie unser Brief zeigt, Homologien, die zwar noch nicht ausgebildet sind, aber doch schon Verbindlichkeit besitzen, so daß er sie an maßgebenden Stellen seiner Briefe verwendet, wie z. B. Röm 1, 3f; 4, 25; 8, 34 u. a. Ihr „Sitz im Leben" ist vor allem die Taufe (vgl. Röm 6, 17) und die Katechese (vgl. 1 Kor 15, 1ff)[19]. Gemeint ist also: Hat ein Glied der Gemeinde die Gabe der Prophetie, so verlasse er nicht den Glauben der Kirche, sondern er halte die Grenze, die ihm der Glaube auch persönlich setzt, sorgsam ein. In diesem Sinn sei er besonnen. Nur so ist sein Charisma auch Charisma. Und nur so bewahrt er die Einheit der Gemeinde, die ja auch in diesem Glauben das Kriterium für die Wahrheit des Charismas hat.

VV 7–8 Das zweite Beispiel, *V 7*, ist etwas anders gewendet. Jetzt handelt es sich um die διακονία. Sie ist nicht näher gekennzeichnet, und man wird daher mit Zahn „alle der Gemeinde gewidmete Dienstleistung", d. h. zahlreiche äußere Dienstleistungen, zu verstehen haben, wie etwa Röm 15, 25; 1 Kor 16, 15; Kol 4, 17 u. a., zu denen auch die 1 Kor 12, 28 erwähnten ἀντιλήμψεις (Hilfeleistungen) und κυβερνήσεις (Dienste der Leitung) gehören[20]. Auch solche diakonischen Dienste sind Charismen! Denn Paulus versteht auch sie nicht als Leistung, sondern als Gabe, die freilich realisiert werden muß. Mit anderen Worten: διακονία ist die generelle Bezeichnung des Dienstes in der Gemeinde, der neben die προφητεία zu stehen kommt. Er wird erst in den folgenden Ausführungen spezifiziert, welche dann διαιρέσεις διακονίων (1 Kor 12, 5) sind. Auf solches umfassendes Verständnis verweisen auch 1 Kor 16, 15 (Eph 4, 2; Kol 4, 12), auch 2 Tim 4, 5 oder, was διακονεῖν betrifft, 1 Tim 3, 10.13; 2 Tim 1, 8. Wer diese Gabe hat, der übe sie aus und bleibe bei ihr: ἐν τῇ διακονίᾳ. Er schaue nicht nach anderen Charismen aus, die vielleicht angesehener oder auffallender oder ihn selbst befriedigender sind. „Was dem mit der diakonischen Arbeit Beschenkten obliegt, ist, daß er bediene. Er hat nicht zu weissagen oder zu lehren oder zu regieren, sondern zu bedienen, und dadurch handelt auch er so, wie das ihm gegebene Maß des Glaubens es ihm ermöglicht und von ihm verlangt", sagt Schlatter zu unserer Stelle. Freilich, genaugenommen gehört auch das

---

[19] Vgl. ESTIUS, LAGRANGE, KÄSEMANN, BULTMANN in: ThWb VI 214; AUGUSTINUS, Doctr. IV 20, 40: secundum regulam fidei.
[20] Vgl. ZAHN; auch CORNELY, HUBY u. a.

„lehren" oder „regieren" hier zu der erwähnten διακονία. Mit dem dritten Beispiel V 7b ändert sich die Konstruktion. Dieser Wechsel zeigt an, daß Paulus jetzt zu verschiedenen Gruppen übergeht. Es wird gesagt: „ist einer Lehrer" – ἐν τῇ διδασκαλίᾳ; „ist einer Seelsorger" – ἐν τῇ παρακλήσει; ὁ διδάσκων meint den, der lehrhaft unterweist, der κατηχεῖ (1 Kor 14, 19; Gal 6, 6) und etwa auch die Schrift auslegt. Vom διδάσκειν des Apostels selbst wird 1 Kor 4, 17; Kol 1, 28 u. a., vom Lehren der Gemeinde Kol 3, 16; 1 Tim 2, 12 u. a. gesprochen. Es ist noch nicht ein festes Amt, aber es ist, meint Zahn mit Recht, „ein Stand", dessen regelmäßiger Dienst eben das Lehren ist. Die Lehrer sind nach den Past πιστοὶ ἄνθρωποι, denen Timotheus die apostolische Lehre weitergeben soll (2 Tim 2, 2), weil sie ἱκανοὶ ἔσονται καὶ ἑτέρους διδάξειν. Διδάσκαλοι werden im paulinischen Bereich (1 Kor 12, 28f) nach den ἀπόστολοι und προφῆται erwähnt und Eph 4, 11 als Gaben des Erhöhten zusammen mit den ποιμένες nach den ἀπόστολοι, προφῆται, εὐαγγελισταί. Auch der Lehrer kümmere sich um sein Charisma und wolle nicht etwa darüber hinaus noch die Kirche regieren. Auch das ist ein σωφρονεῖν, das die Einheit der Kirche bewahrt. Διδασκαλία meint wohl die Tätigkeit des Lehrers, die eine Belehrung der Glieder der Gemeinde darstellt (vgl. Röm 15, 4). Erst Eph 4, 1 und vor allem die Past gebrauchen das Wort im Sinn von Lehre. Nach H. W. Schmidt ist διδασκαλία „lehrhafte Unterweisung in christlichem Traditionsgut" (und im AT). Dasselbe Prinzip der Beschränkung auf ein Charisma gilt auch für den παρακαλῶν. Er ist wohl das, was wir „Seelsorger" nennen, nämlich der, der Zuspruch übt, tröstend und mahnend. Es ist bezeichnend, daß er vom διδάσκαλος unterschieden wird. In welcher Weise er seinen Dienst ausübt und seine Gabe fruchtbar werden läßt, wird nicht erwähnt. Ἡ παράκλησις ist nach 1 Thess 2, 3 soviel wie „Predigt". So hat man bei dem παρακαλῶν speziell an den Prediger gedacht[21]. Aber auch vom gegenseitigen παρακαλεῖν der Gemeindeglieder ist 1 Thess 5, 11 die Rede. Auch vom παρακαλῶν gilt, daß er nicht etwa Prophet sein soll. Dem widerspricht nicht, daß ὁ προφητεύων ... λαλεῖ παράκλησιν (1 Kor 14, 3). Auf diese vier Beispiele von Charismen folgen noch drei asyndetisch aufgereihte und äußerst knapp formulierte, sachlich anders ausgerichtete Gaben.

Hatte Paulus bisher einschärfen wollen (in den drei letzten Beispielen!), daß jeder in den Grenzen seiner Begabung Gott dienen soll, „so geht er jetzt dazu über, die Gesinnung aufzuweisen, in welcher diese charismatischen Dienstleistungen geschehen sollen", sagt H. W. Schmidt. Das Charisma muß auch in der Weise als solches behütet werden und damit die Gemeinde durchwalten, ohne ihre Einheit, und in diesem Fall ihre innere Einheit, zu verletzen, daß es von einer ihm angemessenen Gesinnung als *Gabe* freigegeben wird und wirken kann. Ὁ μεταδιδούς *(V 8b)* ist dabei allgemein der, welcher anderen von seinem Besitz oder Erwerb mitteilt (vgl. Eph 4, 28) – auch das ist ein Charisma und nicht eine Leistung! –, wahrscheinlich aber spezieller und

---

[21] Nach Barrett ist es schwer, zwischen Lehre und Predigt zu unterscheiden. Nach Zahn sind die Grenzen zwischen διδασκαλία und παράκλησις fließend.

sozusagen beruflicher der Almosenverteiler, auch der Verteiler von Kollekten oder der Armenpfleger überhaupt[22]. Er, der Gaben verteilt, tue das ἐν ἱλαρότητι, in Einfalt, ohne irgendwelche Nebenabsichten. Diese Einfalt, die im übrigen 2 Kor 8, 2; 9, 11.13 im Zusammenhang mit der Kollekte genannt wird, ist nach Eph 6, 5; Kol 3, 22 die ἁπλότης τῆς καρδίας, also jene innerste Einfalt, die lauter ist und von absoluter Sachlichkeit bestimmt. Wo Nebenabsichten eine Rolle spielen, ist die Gabe des Gebens, ist das Geben der Gabe innerlich gestört[23]. Ὁ προϊστάμενος ist entweder der „Vorsteher" der Gemeinde (vgl. 1 Thess 5, 12f; 1 Tim 5, 17; Hebr 13, 17; Apk 2, 2)[24], wie das Wort auch den Vorsteher der Familie bezeichnen kann (1 Tim 3, 4. 5.12)[25], oder es ist „der Fürsorger", der Patron (vgl. die προστάτις Röm 16, 2)[26]. Beides braucht in der Praxis natürlich nicht getrennt zu sein. Diese letztere Bedeutung paßt an sich besser in den Zusammenhang, wo dann drei caritative Tätigkeiten bzw. Funktionen erwähnt werden. Aber da Paulus nicht systematisch vorgeht, ist die erstere Bedeutung auch durchaus möglich. Jedenfalls ist auch dieses Vorsteher- oder Fürsorgeramt ein Charisma. Und dieses „Amt" wird bewahrt, wenn es mit σπουδή, mit Eifer, mit Ernst und Fleiß, mit Hingabe und nicht faul oder träge vollzogen wird (vgl. Röm 12, 11). Die Fürsorge oder auch das Vorstehen als Charisma erlaubt wesentlich keine Bequemlichkeit. Endlich: ὁ ἐλεῶν kann entweder speziell vom Jüdischen her den bezeichnen, der ἐλεημοσύνην ποιεῖ (Tob 1, 3; 4, 7; Spr 22, 8. 9; Mt 6, 2.3.4; Lk 11, 41; 12, 33 u. a.) oder, was hier im Zusammenhang wahrscheinlicher ist, der Barmherzigkeit aller Art übt, etwa als Krankenpfleger, Gefangenenfürsorger, Totengräber u. ä. Lk 10, 37 ist es „der barmherzige Samariter"[27]. Dieses Charisma – und es ist ein Charisma! – geschehe ἐν ἱλαρότητι, in Heiterkeit oder Fröhlichkeit[28], nicht gezwungen oder unwillig, nicht überlegen oder anmaßend, auch nicht murrend (1 Petr 4, 9) über diesen Dienst, sondern in heiterer Freude des Barmherzig-sein-Dürfens, in der fröhlichen Hingabe des selbst Empfangenden, Dankenden und Schenkenden. Natürlich

---

[22] Vgl. Kühl, Huby, Lietzmann u. a.

[23] Der Begriff stammt für Paulus wahrscheinlich aus dem jüdischen Hellenismus. Eine Abhandlung über die ἁπλότης findet sich TestIss 3ff. Dort ist ἁπλότης Ehrlichkeit, die nichts zurückbehält, Freigebigkeit, die selbstgenügsam ist, und zugleich Lauterkeit, die nicht an sich, sondern an den anderen denkt und danach handelt. J. T. Beck: Die ἁπλότης bezeichnet die Einfachheit „beim Mitteilen im Gegensatz gegen die vielen Rücksichten und Berechnungen der Klugheit". Barth: „In Einfalt, in jener inneren Freiheit, die das Geben nicht feierlich und das Nehmen nicht bitter macht, sondern Geben und Nehmen zu einem Zeugnis von der unerforschlichen Einfalt Gottes."

[24] So z. B. Zahn, Huby, Lietzmann, Schlatter, H. W. Schmidt, Barrett.

[25] Profan auch τοῦ πλήθους Jos. a VIII 300; οἱ προεστῶτες τῆς πολιτείας, Plut., Mor. 304 A.

[26] So wie Demosth. 4, 46; Epict., Diss. 3, 24, 3; P Faj 13, 8; Arist 182; Jos. a XIV 196 u. a. Vgl. auch Michel.

[27] In diesem allgemeinen Sinn auch TestZab 7, 1ff; 8, 1ff; Arist 208. Dabei kann statt ἐλεεῖν auch ἔλεος oder ἐλεημοσύνην ποιεῖν stehen (Tob 1, 3.16; TestZab 5, 1.3).

[28] Vgl. Lv R (131b): „R. Jischaq (um 300) hat gesagt: ,Die Tora will dich gute Sitten lehren, daß ein Mensch, wenn er Almosen gibt מציה עישה (= ὁ ἐλεῶν), sie mit fröhlichem Herzen בלב שמח geben soll.'" Strack-Billerbeck III 296, I 459.

erinnert sich Paulus an Spr 22, 8: „Einen fröhlichen Geber hat Gott lieb." Er zitiert es ja 2 Kor 9, 7. Aber er kann die ἱλαρότης[29] auch von dem ἐλεῶν im weiteren Sinn annehmen. Sie ist die innere Schönheit und Stärke der Barmherzigkeit, die ihr barmherziges Tun als Gabe versteht. Die Heiterkeit des Gütigen erweist, daß der sich Erbarmende, der Erbarmen Schenkende Empfangenes dankbar weitergibt und so mit seiner barmherzigen Fürsorge das erfahren läßt, was sie ist.

Damit ist der erste Teil der Entfaltung der grundlegenden Mahnung von 12, 1f zu Ende. Sie kommt zunächst überraschend, sie läßt auch manches im Dunkel. Man bedenke: das von der Barmherzigkeit Gottes aufgerufene „Opfer", das jedenfalls kritische Distanz von dieser Welt voraussetzt und eine neue Sicht des Lebens und ständig neuen Wandel der Existenz fordert, in denen man Gottes Willen erkennen und sich dafür entscheiden kann, dieses von der Barmherzigkeit Gottes gewährte und gebotene Opfer besteht nach Röm 12, 3ff zuerst darin, daß jedes Glied der Gemeinde in den Grenzen seines Glaubensmaßes bleibt und verschiedene Gaben als solche zur Geltung kommen läßt und sie nicht in überstiegenem Enthusiasmus oder auch in unangemessener Gesinnung verfälscht und dadurch die Einheit der Gemeinde in Gefahr bringt. Das „Opfer" besteht also zunächst darin, daß der Glaube nicht überschätzt wird und so in dieser Bescheidung die Gaben als Gaben bewahrt werden. Es besteht auch darin, daß er durch angemessene Gesinnung die Gaben als Gaben behütet.

Nicht zufällig und nebensächlich, sondern den ganzen Gedankengang indirekt tragend, ist in 12, 3–8 zweimal und in verschiedenem Sinn vom Glauben die Rede: 12, 3b und 6b. Neben die Mahnung zum Glauben tritt nun in 12, 9–21 die zur Liebe und zum Gutestun. Das Stichwort zu τὸ ἀγαθόν taucht im Anfang (V 9b), in der Mitte im Gegensatz zu τὸ κακόν (V 17) und am Ende (V 21) auf. Ἡ ἀγάπη ist, äußerlich gesehen, nur ein Stichwort, das erst nach 13, 1–7 in 13, 8–10 zur Sprache gebracht und ausdrücklich reflektiert wird. Aber das Stichwort ist sachlich zugleich schon jetzt das Leitwort. Für Paulus steht sie auch sonst allem voran, z. B. Gal 5, 22; 1 Kor 16, 14. Sie gilt als ἡ καθ᾽ ὑπερβολὴν ὁδός (1 Kor 12, 31; 13, 1ff; Kol 3, 14). In unserem Zusammenhang kommt sie gleich im ersten Satz (V 9) vor, der so etwas wie eine Überschrift über den folgenden Abschnitt darstellt. Dort entfaltet Paulus das vom Erbarmen Gottes gebotene Opfer in der vielfältigen Aufforderung zur Liebe. Bestreitet man das (mit Käsemann), so wird man sich fragen lassen müssen, wovon anders denn die VV 9–21 reden. Denn daß es sich um einzelne Charismen handele, ist zunächst nur eine formale Kennzeichnung allgemeiner Art. Die Mahnungen tragen vielfach traditionellen Charakter und werden oft im Anklang an hellenistisch-jüdische Weisheit oder an die Apokalyptik formu-

---

[29] Das Wort hat im Zusammenhang mit dem Geben eine weitverbreitete jüdische Tradition; z. B. Sir 35, 8: ἐν πάσῃ δόσει ἱλάρωσον τὸ πρόσωπόν σου καὶ ἐν εὐφροσύνῃ ἁγίασον δεκάτην…, PHILO, De spec. leg. IV, allgemein Spr 18, 22; PHILO, De plant. 166; Test Naph 9, 2; BAUER WB 742; BULTMANN in: ThWb III 298 300. Der Gegensatz wäre etwa γογγυσμός (1 Petr 4, 9; vgl. Jud 16).

liert. Aber sie werden anderseits mit Leidenschaft und in eigentümlichem Stil, man möchte sagen: charismatischem Stil, vorgetragen. Man hat eine Gliederung der VV 9–21 versucht. So teilt z. B. Kühl (Käsemann) den Abschnitt in die VV 9–13: Mahnungen, die auf das Leben innerhalb der Gemeinde zielen, VV 14–21 solche, die das Verhältnis zu den Außenstehenden betreffen. Das scheitert aber an V 16 a b. Eher wäre noch in VV 9–16 und 17–21: Liebe zu den Brüdern und zu allen Menschen, einzuteilen (Lagrange). Doch kommt dann V 14 dazwischen. Man wird wohl auf eine Gliederung in zwei Teile verzichten müssen.

V 9 Von 12, 9 ab handelt es sich nicht mehr um charismatische Dienste, sondern, wie Leenhardt formuliert, um „sentiments et dispositions communs à tous", Verhaltensweisen, die von allen gefordert werden. An der Spitze steht, wie gesagt, ἡ ἀγάπη. Von ihr wird gesagt, daß sie ἀνυπόκριτος[30] sein soll. Nur dann ist sie und nur dann vollzieht sich in ihr das vom Christen geforderte Opfer. Ἀνυπόκριτος ist ein seltenes hellenistisches Wort. In LXX Weish 5, 18 ist es Adjektiv zu Gottes κρίσις, seinem unbestechlichen Gericht, und 18, 15 zu Gottes ἐπιταγή. Neben der ἀγάπη erscheint ἀνυπόκριτος noch einmal bei Paulus, nämlich 2 Kor 6, 6 als Zeichen des echten Dieners Gottes. In 1 Petr 1, 22 ist von der ἀνυπόκριτος φιλαδελφία die Rede. 1 Tim 1, 5; 2 Tim 1, 5 sprechen von der ἀνυπόκριτος πίστις, nach Jak 3, 17 ist ἡ ... ἄνωθεν σοφία unter anderem ἀνυπόκριτος. Das Wort meint jedenfalls im Zusammenhang mit der ἀγάπη „aufrichtig", „ohne Heuchelei", „nicht vorspiegelnd", „eindeutig" u. ä. Man könnte der Sache nach sagen: die Liebe sei wahr, sie sei wirklich Liebe. Sie sei nicht wissend oder unwissend vorgetäuschte und heimlich selbstsüchtige, sondern unverstellte und unverfälschte, echte Liebe. „Die Liebe stellt nichts dar, führt nichts auf, schauspielert nicht; das ist ihr nicht möglich." „Da die Verstellung der Liebe fremd ist, ist sie mit der Wahrheit geeint", sagt Schlatter[31].

Diese Liebe wird auch nicht den Maßstab verlieren und vermeintlich „aus Liebe" das Böse übersehen oder lediglich beklagen und dann dahingehen lassen oder gar zudecken. Sie wird nicht mit sich selbst Furcht oder Weichheit verwechseln. Sie wird gerade auch in der Weise Liebe sein, daß sie das Böse verabscheut und dem Guten anhängt (V 9 b). Ἀποστυγεῖν[32] ist ein kräftiges Wort: „Abscheu, Ekel haben". Das Böse[33] ist nicht weiter charakterisiert; es ist alles Böse, vor dem und allein der treue Kyrios bewahren kann (2 Thess 3, 3). Ebenso ist das Gute, von dem bei Paulus öfters die Rede ist (z. B. Röm 2, 10; 7, 19; 9, 11; 12, 2; Gal 6, 10 u. a.), nicht näher gekennzeichnet, sondern von ihm nur gesagt, daß man ihm anhangen soll. Κολλᾶσθαι meint „sich an etwas hängen", z. B. 1 Kor 6, 16f an die Dirne, sich an den

[30] Wilckens in: ThWb VIII 569 ff.
[31] Zur Erläuterung im weiteren Sinn könnte man 1 Kor 13, 4–7 heranziehen.
[32] Bauer WB 199. G liest μισοῦντες, g vg it odientes. Die στυγητοί Tit 3, 3 sind in D die μισητοί, odibiles.
[33] Das substantivierte Adjektiv τὸ πονηρόν findet sich bei Paulus nur hier, wenn man 2 Thess 3, 3 nicht ebenso verstehen soll.

Herrn binden[34]. „Klammert euch an das Gute", übersetzt Barth mit Recht.
Zur Realisierung des vom Erbarmen Gottes geforderten Opfers gehört auch
Entschiedenheit gegenüber dem Bösen und für das Gute.

Nach dieser allgemeinen Mahnung folgen nun in den VV 10–13 einzelne.
Es sind fünf Paare mit zehn Gliedern. Aber sie sind nicht unter sachlichem
Gesichtspunkt zusammengeordnet, sondern fast jede steht als spontaner Zuruf für sich allein. Sie beginnen mit dem Hinweis auf die φιλαδελφία und
enden mit der Erwähnung der φιλοξενία[35]. Außer im letzten Glied fangen sie
alle mit einem Dativ an, der aber jeweils einen verschiedenen Sinn hat, was
das Übergewicht der Rhetorik über den sachlichen Zusammenhang zeigt. Alle
diese Mahnungen betreffen das Verhältnis der Glieder der Gemeinde zueinander.

V 10 Die „Bruderliebe" ist im Griechisch-Hellenistischen die Bruder- und
Geschwisterliebe im eigentlichen Sinn und vor dem NT nicht metaphorisch
gebraucht. Von dieser ist noch 1 Thess 4,9; Hebr 13,1; 1 Petr 1,22; 2 Petr
1,7ab (1 Clem 48,1; 47,5) die Rede. Der Dativ τῇ ἀδελφίᾳ meint hier „in
der Weise von" oder auch einfach: „in der brüderlichen Liebe" seid φιλό-
στοργοι, innig, zärtlich liebend. Im NT findet sich letzteres nur hier, sonst relativ häufig. Es betont die gegenseitige Herzlichkeit der brüderlichen Liebe, die
in der Gemeinde (εἰς ἀλλήλους!) herrschen soll. Die Gemeinde ist ja die
familia Dei. Die Liebe schließt die Ehrerbietung dem anderen gegenüber
nicht aus[36], sondern ein. Aber vielleicht ist ein Zusammenhang mit dem zweiten Glied im synthetischen Parallelismus nicht ins Auge gefaßt, jedenfalls
nicht sehr betont. Τιμή ist schon ein altes griechisches Wort. Im NT vgl. Röm
13,7, wo sie für die politischen Machthaber gefordert ist. Von der Ehre, die
man dem anderen erweist, ist auch 1 Kor 12,23f; 1 Thess 4,4; 1 Tim 5,17;
6,1 die Rede. Der Dativ ist hier ein Dativ der Beziehung: „was die Ehre an-
belangt", oder auch modal: „in der Weise von Ehrerbietung". Sie soll man
aber nicht nur anderen erweisen, sondern ἀλλήλους προηγούμενοι, das heißt:
„so geht einander voran" oder „so kommt einander zuvor"[37], möglich ist
auch: „so schätze einer den anderen höher"[38] im Sinn von Phil 2,3; 1 Thess
5,13[39]. Jedenfalls ist „die Ehre geben"[40] nicht nur Konvention, sondern ein

---

[34] Aber auch LXX 4 Kg 18,6; Sir 2,3; 19,2 u. a. Mit Sachen verbunden ψ 118,31; TestAs
3,1; TestJos 6,1ff; TestDan 6,10; TestGad 5,2: κολλήθητε τῇ ἀγάπῃ τοῦ θεοῦ, TestIss
6,1; TestBenj 8,1; aber auch 1QS I 4f; ferner Did 3,2 = Barn 20,2; 1 Clem 19,2; 31,1;
46,1. Es ist bezeichnend, daß der Sprachgebrauch wieder auf das (hellenistische) Judentum
verweist. Paulus nimmt offenbar einen traditionellen Satz auf, der deswegen nicht weniger
eindringlich ist und natürlich bei ihm im Zusammenhang mit seinen sonstigen Mahnungen
verstanden werden muß.

[35] Beide stehen übrigens Hebr 13,1f nebeneinander.

[36] J. T. BECK: „Das innige Verhältnis hebt die τιμή nicht auf, die äußere Achtung."

[37] ZAHN, KÜHL, LIETZMANN, MICHEL, BARRETT; BÜCHSEL in: ThWb II 910f.

[38] BLASS-DEBR, § 150.

[39] Vgl. sy arm it vg u.a. invicem praevenientes.

[40] Vielleicht ist auch an unserer Stelle angedeutet, was Pirke Aboth 4,15 zur Sprache kommt.
„Rabbi Matheja ben Cheresch (ca. 130 n. Chr.) hat gesagt: ,Komme jedermann mit dem
Friedensgruß zuvor.'" Vgl. Berakh 17a (STRACK-BILLERBECK I 382c).

Gebot unter anderen. Auch die Höflichkeit hat Zusammenhang mit der Selbstlosigkeit. Sie ist im tieferen Sinn Demut.

V 11 Allgemeiner ist die folgende Mahnung, die die Selbständigkeit und Unverbundenheit, die Spontaneität der einzelnen Mahnungen besonders erkennen läßt. „An (im) Eifer seid nicht lässig."[41] Σπουδῇ ist Dativ der Beziehung und ohne nähere Bestimmung. In griechischen Inschriften meint es vielfach den religiösen Eifer (vgl. Inscr. Magn. 85,12: πρὸς τὴν θεάν). Bei Paulus ist wohl der Eifer der konkreten Liebe gegenüber der Gemeinde gemeint (vgl. sonst 2 Kor 8,16.17; Hebr 6,10f; 2 Petr 1,5; Jud 3). Ὀκνηρός ist „faul", „saumselig", „lässig", „träge" u. ä., etwa in der Leitung oder auch allgemein in der Fürsorge für die Gemeinde, die in bestimmter Weise jedem ihrer Glieder geboten ist. Positiv ist diese Warnung, die ja ohne Einschränkung Trägheit meint, die sich dahintreiben läßt und mit der neuen Lebensführung nicht vereinbar ist, im nächsten Satz ausgedrückt: „Im Geist glüht!" Ζέω, im Griechischen in übertragenem Sinn von den menschlichen Leidenschaften, dem Zorn, der Herrschsucht, der Liebe, gebraucht, wird hier ergänzt durch τῷ πνεύματι, was wohl den heiligen Geist, der auch den Eifer schenkt, meint. Der Dativ kennzeichnet ihn als die Kraft, die solche Glut des Eifers erweckt. Das große Beispiel ist Apollos nach Apg 18,25: οὗτος ἦν κατηχούμενος τὴν ὁδὸν κυρίου ζέων τῷ πνεύματι ἐλάλει ... Das ζέων ist das Glühen des Eifers um den Herrn, wie er unter anderem in solchem λαλεῖν zum Ausdruck kommt, wie er aber Röm 12,11 allgemein vom brennenden Glauben, der im Charisma wirkt, gesagt wird. Der Geist soll nicht lau sein (Apk 3,15), so wie er nicht träge sein soll, und sein Brand soll nicht gelöscht werden (1 Thess 5,19). Zwei weitere einander zugeordnete Glieder sind: τῷ κυρίῳ δουλεύοντες, τῇ ἐλπίδι χαίροντες. Τῷ κυρίῳ lesen 𝔓[46] ℵ A B D[ba] P Ψ 33 87 u. a. vg sy[p] sy[h] sy[pal] u.a.,τῷ καιρῷ lesen D* F G d g Orig lat Ambrstr codd Hier u. a. [42] Es ist schwer, zu entscheiden, welche Lesart die ursprüngliche ist. Man fragt mit Recht, wie die zweite (καιρῷ)[43] aus der ersten (κυρίῳ) entstanden sein sollte, während umgekehrt das ungewohnte καιρῷ leicht zu κυρίῳ führen kann. Auch würde mit καιρῷ in diesem Zusammenhang (12a!) Gegenwart und Zukunft ins Auge gefaßt werden (Michel). Außerdem ist das allgemeine „dient dem Herrn" etwas vage. Aber gleichwohl muß es die ursprüngliche Lesart sein. Denn 1) lesen die besten Handschriften κυρίῳ; 2) ist das Prinzip der Paarung mehr rhetorisch als sachlich; 3) könnte τῷ κυρίῳ gut auf τῷ πνεύματι folgen. Aber vor allem hat καιρῷ δουλεύειν nicht nur nichts etwa mit Eph 5,16 zu tun, sondern

---

[41] SCHLATTER: „Eifer vertreibt die Trägheit; denn der Geist bringt in das inwendige Leben Glut hinein."
[42] Nach ZAHN ist καιρῷ vor Hieronymus „die im Abendland herrschende Lesart".
[43] Dafür J. T. BECK, KÜHL, BARTH, MICHEL, LEENHARDT, SCHRAGE, a. a. O. 40 Anm. 180, auch SCHLATTER, der sich sinnvoll mit dieser Aussage hilft: „Der Wille des Herrn ... bezeugt sich nicht nur durch Inspiration, sondern auch durch den Kairos, in dessen Deutung eine wesentliche Leistung ‚der Lehre' besteht." Aber δουλεύειν τῷ καιρῷ kann sowenig die Deutung durch Lehre heißen wie etwa „sich den Zeitgenossen anpassen" (ZAHN) oder „prendre en consideration la qualité des temps" (LEENHARDT).

ist in der Antike eine anstößige Redensart im Sinn von Opportunist sein[43a]. Es ist der, welcher der Zeit nachläuft und ihr nach dem Munde redet, was ja nicht gerade als Weise der selbstlosen Hingabe betrachtet werden kann. Das Erbarmen Gottes mahnt gewiß nicht dazu, dem Zeitgeist und den Zeitverhältnissen sich anzupassen und ihnen zu verfallen. Daß aus κυρίῳ καιρῷ werden kann, mag graphische Gründe haben, wie Lietzmann nachweist.

V 12 folgt ein neues Partizip im Sinn eines Imperativs. Der Dativ τῇ ἐλπίδι ist wohl dat. instr.[44], etwa „vermöge der Hoffnung", aber besser lokal[45] verstanden: „in der Hoffnung", „als Hoffende freut euch". Πάντοτε χαίρετε heißt es 1 Thess 5,16, und Röm 15,13 endet mit dem Segensgruß: „Der Gott der Hoffnung erfülle euch mit Freude und Frieden im Glauben, so daß ihr überströmt in der Hoffnung kraft des Geistes." Aber auch der Kyrios erweckt die Freude, sofern er selbst sie mit seiner „Nähe" ist (Phil 3,1; 4,4; 1 Thess 1,3). Diese Freude, die die Hoffnung im Glauben erweckt, ist stärker als alles Leid. „Als solche, die Leid erfahren, immer aber freudig sind", sagt Paulus von sich selber (2 Kor 6,10). Ja er kann so formulieren: „Wir freuen uns, wenn wir schwach sind, ihr aber stark seid" (2 Kor 13,9). Auch Kol 1,24 ist nicht zu vergessen. Die Hoffnung, die auch im Leid, ja gerade im Leid Freude hervorruft, gründet in der Hoffnung auf das Unsichtbare und Ewige. Freilich gehören dazu – und hier wird wohl ein unausgesprochener sachlicher Zusammenhang unwillkürlich wirksam – auch die Geduld und das Gebet. Es folgt jetzt τῇ θλίψει ὑπομένοντες. Der Dativ ersetzt nicht einen Akkusativ (Michel), sondern ist wahrscheinlich im Sinn von Röm 5,3 zu verstehen, als dat. instr., vielleicht auch als Dativ der Beziehung. Θλῖψις[46] ist jede Art von Bedrängnis, Not, Trübsal, die sich in der Endzeit steigert (1 Kor 7,28), die alle Christen erfahren (1 Thess 3,6) um des Wortes willen, so wie sie der Apostel selbst ständig erfahren hat (2 Kor 1,4.8; 2,4; 6,4 u. a.). Bezeichnend sind die Zusammenstellungen der Begriffe in Röm 8,35 oder 2 Kor 6,4. Nach unserer Aussage kann Paulus entweder meinen, was solche Bedrängnis betrifft, gilt es geduldig zu sein, oder paradox: durch solche Bedrängnis gilt es geduldig zu sein. Durch die letztere Aussage wäre diese mit der vorigen verbunden[46a]. Möglich ist auch, zu verstehen: der Trübsal standhalten. Wir könnten hinzufügen: dabei wissend, daß keine Bedrängnis uns von der Liebe Christi scheiden kann (Röm 8,35) und daß die ἀγάπη ... πάντα ὑπομένει (1 Kor 13,7), auch daß die Geduld, die die Bedrängnis erwirkt, wenn die Hoffnung uns hält, erprobt macht (Röm 5,3). Gerade in dem geduldigen, ausharrenden Auf-sich-Nehmen und Ertragen der Bedrängnisse erweist sich die Hingabe, zu der uns das Erbarmen Gottes ruft. Sie ist ein Verharren in der Hingabe oder im Hingegebensein.

[43a] BAUER WB 406f: LACT., Inst. V 2,10: *philosophum adulatorem et tempori servientem.*
[44] BLASS-DEBR, § 196.
[45] CONZELMANN in: ThWb IX 359.
[46] SCHLIER in: ThWb III 139–148.
[46a] AMBROSIASTER: *Hoc est spe gaudere, in tribulatione patientem esse, sciens multo maiora esse, quae pro his promissa sunt.*

Aber dazu bedarf es noch eines anderen: τῇ προσευχῇ προσκαρτεροῦν-
τες. Hier liegt ein gewisser sachlicher Zusammenhang mit dem Vorigen vor.
Der Ambrstr formuliert so: Necessaria est valde oratio, quia ut tribulatio
possit tolerari. Προσκαρτερεῖν findet sich schon im Griechisch-Hellenistischen, auch in der LXX im Sinn von „ausharren", „ausdauern bei", „unent-
wegt bedacht sein auf" u. ä., auch „sich eifrig und ausdauernd beschäftigen",
z. B. τῇ γεωργίᾳ (P Amh 65,3). In einer Urkunde über die Freilassung durch
eine jüdische Gemeinde (CGII p. 1005) heißt es, daß dem Sklaven
volle Freiheit geschenkt würde mit einer Ausnahme: χωρὶς ἐς τὴν προσ-
ευχὴν θωπείας σε καὶ προσκαρτηρήσεως, „abgesehen von der Ehrfurcht
gegen die Synagoge und dem regelmäßigen Besuch derselben" (Schürer III
93). Mit προσευχή steht es Kol 4,2 (vgl. Apg 1,14; 6,4; Eph 6,17f). Um in
der Bedrängnis geduldig bestehen zu können, bedarf es nicht nur eines ge-
legentlichen Gebetes, auch nicht nur des Gebetes zu bestimmten Gebets-
zeiten, sondern eines ständigen Gebetes[47], das sich natürlich nicht nur in
Worten ausspricht, sondern das Gebet im Herzen ist, die ständige innere
Zwiesprache mit Gott, das „ständig sich dankend und bittend offen zu dem
gegenwärtigen Gott hinwenden", das ständige Gebet im Geist. Vgl. auch
1 Thess 5,17: ἀδιαλείπτως προσεύχεσθε.

Mit *V 13* wendet sich der Blick wieder auf das Verhältnis der Gemeindeglieder
zueinander, von dem Paulus auch V 10 ausgegangen war: „Nehmt Anteil an
der Not der Heiligen." Κοινωνεῖν kommt auch sonst in Verbindung mit der
christlichen Caritas vor, z. B. Gal 6,6; Phil 4,15 (vgl. auch Röm 15,27). Man
braucht aber nicht speziell an eine Kollekte für Jerusalem zu denken, weil von
οἱ ἅγιοι die Rede ist, das Röm 15,25; 1 Kor 16,1ff; 2 Kor 8,4; 9,1.12 die
Glieder dieser Gemeinde meint, die freilich Röm 15,26 πτωχοὶ τῶν ἁγίων genannt werden. Auch sonst bezeichnen οἱ ἅγιοι allgemein die Glieder dieser
und jener Gemeinden überhaupt (vgl. Röm 1,2; 16,2.25; 1 Kor 1,2; 2 Kor 11
u.a.). Die χρεῖαι müssen überdies nicht nur materielle Bedürfnisse sein, sondern können jede Notlage einschließen. Eine Reihe von Handschriften liest
statt χρεῖαι: μνεῖαι, z. B. D G* it vg^{codd}, memoriis d* g Ambrstr. Aber wahrscheinlich liegt auch hier wie in V 11 eine mechanisch entstandene Korruptel
vor, wie Lietzmann meint. Denn „Anteilnahme an dem Gedenken, das den
Heiligen galt", u. ä. ist sehr weit hergeholt[48]. Außerdem wird im zweiten Glied
des Satzes eine solche χρεῖα (Bedarf, Mangel, Not aller Art u. ä.) ins Auge gefaßt. Sie wird auch Apg 2,45; 6,3; 20,34; 28,10; Phil 2,25; 4,16.19; Tit 3,14
sowie im Hellenistischen und Jüdisch-Hellenistischen ins Auge gefaßt.
Φιλοξενία ist konkrete Gastfreundschaft, die auch schon in der griechischen
Welt gefordert und geschätzt war, da der Verkehr über die Länder hinweg und

---

[47] Vgl. STRACK-BILLERBECK II 257f zu Lk 18,1: „Diese Mahnung (zum ständigen Gebet)
entspricht nicht der jüdischen Anschauung und Sitte; abweichende, der Mahnung Jesu entsprechende Stimmen lassen sich äußerst selten vernehmen."
[48] Möglicherweise ist für die Lesart μνείαις die Fürbitte für die Verstorbenen, „wenn nicht
sogar beginnender Heiligenkult" (KÄSEMANN) maßgebend gewesen.

die geringen allgemeinen Unterkunftsmöglichkeiten oft zweifelhafter Natur waren. Einem Herodes Atticus (Mitte des 2. Jahrhunderts n. Chr.) wurde von Delphi eine Statue errichtet mit der Inschrift: Ἡ πόλις τῶν Δελφῶν φιλίας καὶ φιλοξενίας ἕνεκεν. Im Jüdischen gehörte sie zu den großen Liebeswerken, vor der Erziehung von Waisenkindern, der Auslösung von Gefangenen, der Einführung der Braut in das Hochzeitsgemach, den Krankenbesuchen, der Totenbestattung und den Tröstungen von Traurigen. Und Schab 127a heißt es: „Die Gastfreundschaft ist größer als die Begrüßung der Schᵉkhina."[49] Erst recht gehörte sie zu den Geboten der Urgemeinde in ihrer oft prekären Situation. Gerade in ihr kann sich die ἀγάπη erweisen. Vgl. 1 Petr 4, 8f; Hebr 13, 1f; auch 1 Tim 3, 2: der Bischof muß u. a. φιλόξεινος sein; Tit 1, 8; auch 1 Clem 1, 2; 10, 7; 11, 1; 12, 3. In der Gastfreundschaft kann sich das vom Erbarmen Gottes geforderte Opfer realisieren. In Röm 12, 13 b weicht Paulus von der bisherigen Formulierung ab und geht zu διώκειν c. Acc. über. Das διώκειν in solchem Zusammenhang ist das hebräische רָדַף, „hinterhersein" (Is 5, 11; Os 6, 3; Sir 31, 5; Spr 15, 9 u. a.; ähnlich Röm 9, 30f; 14, 19; 1 Thess 5, 15; vgl. 1 Kor 14, 1; 1 Tim 6, 11; 2 Tim 2, 22; Hebr 12, 14; 1 Petr 3, 11 [Ps 33, 15]).

V 14 Die Fortsetzung überrascht. Das imperative Partizip wechselt mit Imperativen in einem Doppelspruch, der jeweils mit εὐλογεῖτε beginnt, im zweiten Glied außerdem noch negativ geformt ist. Der Anschluß an das Vorige ist stichwortartig. Was den Inhalt des Wortes betrifft, so handelt es sich um eine targumartige Paraphrase eines Jesuswortes, das selbst schon in zwei Fassungen in den Gemeinden umgelaufen war, wie Mk 5, 44 und Lk 6, 27f[49a] zeigen. In der Nähe stehen die Worte aus einem Christuslied in 1 Petr 2, 23 (vgl. 3, 8f; Jak 3, 9). Wahrscheinlich ist das Wort der urchristlichen katechetischen Tradition entnommen. Bezeichnend ist die Freiheit des Gebrauchs bei Übereinstimmung im Eigentlichen. Das aber, was von Jesus gefordert und getan wird, was jetzt aber die Barmherzigkeit Gottes durch Paulus beansprucht, und zwar in höchster Form: daß einer für seinen Feind um Heil bittet und den Frieden auf ihn legt (vgl. Mt 10, 13; Mk 10, 10; Lk 24, 50) und nicht wie die Synagoge Fluch auf ihn herabwünscht[50], wird von dem Apostel selbst realisiert. Wir denken an 1 Kor 4, 9ff, wo Paulus das Geschick der Apostel darstellt. Auch dies ist der Opfervollzug und im Sinn des Paulus der Christen Lebensentfaltung, ihr „mystischer Gottesdienst".

V 15 Jesu Wort wird sofort wieder verlassen; der Blick fällt wieder auf die Christen innerhalb der Gemeinde. Auch die Form des Verbs wechselt wieder:

---

[49] Strack-Billerbeck I 588f zu Mt 10, 40, und Exkurs 23 in Bd. IV 559ff.

[49a] Andere Anspielungen an Jesusworte bei Paulus Röm 13, 9f; 1 Kor 4, 12; 7, 10.25; 9, 14; 10, 27; 11, 23ff; 13, 2; 1 Thess 4, 15.

[50] Zur Feindesliebe vgl. die entgegengesetzte Maxime Tanch B פנחס § 4 (76ᵃ): „Jahwe sprach zu Moses also: ‚Befehdet die Midianiter, und erschlagt sie; denn sie befehdeten euch durch ihre Ränke' Nu 25, 16f. Von hier aus haben die Gelehrten gesagt: ‚Will dich einer töten, so komm ihm mit dem Töten zuvor.'" Vgl. Midr Ps 56 § 1. Strack-Billerbeck III 297, I 342 368ff.

ein zweigliedriger Infinitiv mit imperativem Sinn, der im Griechischen eine lange Geschichte hat, tritt an die Stelle der vorhergehenden Imperative. Χαίρειν μετὰ χαιρόντων ist soviel wie συγχαίρειν (vgl. 1 Kor 12,26; Phil 2,17f). Es ist auch eine traditionelle Mahnung, was ihr Gewicht ja nicht mindert. Sir 7,34 z. B. heißt es: „Halte dich nicht fern den Weinenden, und sei betrübt mit den Betrübten."[50a] Dereck Erez 6: „Und nicht sei der Mensch vergnügt unter den Weinenden, und nicht weine er unter den Vergnügten" (Strack-Billerbeck III 298). Mit Röm 12,15 ist bei Paulus 1 Kor 12,26 verwandt. Gerade hier wird deutlich, daß er von den Gliedern der Gemeinde spricht, aber auch was das Mitfreuen und Mitweinen bedeuten soll. Es schließt das Miteinander-, ja Füreinander-Leben ein. Es ist die Hingabe in der Weise, daß der andere ich bin und ich der andere und so des anderen Leben lebe (vgl. Phil 2,17f)[50b].

V 16 Nun folgen drei an sich selbständige Mahnungen, davon zwei wieder im Partizip. Sie werden durch das Stichwort φρονεῖν – φρόνημα zusammengehalten. Das mittlere Glied hat dabei besonderes Gewicht. Die erste Mahnung zielt auf die Eintracht der Gemeinde: εἰς ἀλλήλους = ἐν ἀλλήλοις (vgl. Röm 15,5). Die Mahnung τὸ αὐτὸ φρονεῖν meint allgemein das Bedachtsein auf dasselbe, das Erstreben desselben, nicht aber die Uniformität. Das Ganze hat die Einmütigkeit der Gemeinde im Auge (vgl. 2 Kor 13,11; Phil 2,2; 4,2; Kol 4,2 [3,15]), die Ausrichtung auf dasselbe Ziel auf demselben Weg. Aber wann kann sich solche Eintracht einstellen? Phil 2,5 spricht von einem φρονεῖν ἐν Χριστῷ. Und hier (Röm 12,16) sagt Paulus: dann, wenn der Ruf des Erbarmens Gottes und der dem Apostel gegebenen Gnade gehört wird: μὴ τὰ ὑψηλὰ φρονεῖτε, ἀλλὰ τοῖς ταπεινοῖς συναπαγόμενοι. Das erste meint wohl ähnliches wie Pirke Aboth 6,4: „Suche nicht Größe für dich, und suche nicht Ehre" (vgl. Pirke Aboth 1,13). Der Ambrstr bemerkt dazu: „Alta sapere superbia est; nam et diabolus cum alta saperit, apostatavit." Doch ist hier im Röm weniger an den Abfall des einzelnen als an die innere Zerstörung der Gemeinde gedacht, etwa dadurch, wie Michel meint, daß einer Anspruch auf höhere Offenbarungen erhebt, aber vielleicht doch eher dadurch, daß er im allgemeinen hochmütig ist. So meint μὴ ὑψηλὰ φρόνει in Röm 11,20 die Hochmutsgefühle der Heidenchristen gegenüber den Juden und Judenchristen. Der Gegensatz zum Hochmut ist entsprechend dem ὑψηλά: τοῖς ταπεινοῖς συναπάγεσθαι, wobei ταπεινά natürlich ein Neutrum ist. Συναπάγεσθαι ist „sich mitreißen lassen" (vgl. Gal 2,13; 2 Petr 3,17), „sich mitnehmen, verlocken, hinabziehen lassen"[51]; auch darin zeigt sich die Erneuerung des Denkens. Denn wen lockt ohne dieses das Niedere, das Geringe, das Unansehnliche, das Kleine an? Wer verzichtet in Wahr-

---

[50a] Häufiger findet man bei der Beschreibung des Vorbildes die Mahnung der zweiten Hälfte allein, vgl. z. B. TestIss 7: „Mit jedem betrübten Menschen seufze ich, und den Armen gebe ich mein Brot", oder TestJos 17,7: „Ihre Seele ist meine Seele und jeder Schmerz von ihnen mein Schmerz und alle meine Schwachheit meine Krankheit."
[50b] Vgl. Phil 2,17f. Auch hellenistisches Material findet sich, freilich kaum an der oft angeführten Stelle Epict., Diss. 2,5,23: ὅπου γὰρ τὸ χαίρειν εὐλόγως ἐκεῖ τὸ σνγχαίρειν.
[51] Lietzmann, H. W. Schmidt, Bauer Wb 1258.

heit ohne „Erneuerung" der Grundsicht seines Lebens auf irgendeinen Ruhm oder eine hohe Stellung oder überhaupt einen weltlichen, geistigen, geistlichen Vorrang? Mit einer neuen Warnung in V 16c: μὴ γίνεσθε φρόνιμοι παρ᾽ ἑαυτοῖς, enden die Appelle, und zwar jetzt mit einem Zitat aus Spr 3, 7, das in der LXX μὴ ἴσθι φρόνιμος παρ᾽ σεαυτῷ, also singularisch, lautet. Was damit im Sinn des Apostels gemeint ist, verrät Röm 11, 25. „Bei sich selbst verständig" ist etwa soviel wie: sich nicht um das apostolische Evangelium, um das „Mysterium", das allein der Apostel kennt, kümmern, sondern sozusagen eigene μυστήρια vorbringen und als Evangelium ausgeben. Allgemein ist natürlich auch daran zu denken, daß ein solcher φρόνιμος nicht auf das hört, was ein anderer Bruder sagt, sondern bei seiner Meinung auf alle Fälle verharrt. Auch die prinzipielle Verwerfung der Tradition oder die Flucht in den bloßen Enthusiasmus, der alles aufgrund von Eingebung schon weiß, gehört hierher.

12, 17–21 schließen sich im Gesamtsinn an V 14 an, sofern das Verhältnis zum anderen Menschen zur Sprache kommt. Nur steht jetzt im Vordergrund das Verhältnis zum Nichtchristen bzw. zu allen Menschen. Die Mahnung wird wieder meist mit imperativischen Partizipien vorgetragen. Wenn man gliedern will, kann man in die VV 17–18, 19–20, 21 einteilen. Jeder Abschnitt beginnt mit μή bzw. μηδενί. Aber diese negativen Formulierungen sind immer nur Einleitungen zu positiven Zurufen.

Die *VV 17–18* haben drei Glieder. In *V 17a* ist das fundamentale Vergeltungsprinzip, von dem „dieser Äon" lebt, aufgehoben. Er erinnert an Mt 5, 38f, wo das „Auge um Auge, Zahn um Zahn" von Jesus abgewiesen wird (vgl. Lk 6, 29). Auch 1 Thess 5, 15 ist der Gedanke schon von Paulus formuliert. 1 Petr 3, 9 kehrt er noch einmal im NT wieder. Aber auch im AT findet sich die Warnung, z. B. Jer 18, 20 oder Spr 17, 13, auch spielt er in der rabbinischen Tradition eine Rolle (vgl. Strack-Billerbeck III 299). So heißt es Gn R 38 (23): „R. Jochanan begann seinen Vortrag mit Spr 17, 13. R. Jochanan hat gesagt: Wenn Dir Dein Nächster mit Linsen zuvorkommt, komme Du ihm mit Fleisch zuvor. Denn er hat Dir zuerst eine Liebe erwiesen. R. Schimᵉon ben Abba (c. 280) hat gesagt: Nicht dies allein. Wer Gutes mit Bösem vergilt, sondern auch dies: Wer Böses vergilt, um Gutes zu erweisen! Denn die Tora sagt: Falls Du Deines Hassers Esel unter seiner Last erliegen siehst, Ex 23, 5." Man kam offenbar zu keiner Klarheit und hielt sich jedenfalls auf der Linie des Negativen.

V 17b ist nicht ganz sicher zu übersetzen. Abgesehen von einzelnen Textvarianten: G latt vg goth + οὐ μόνον ἐνώπιον τοῦ θεοῦ oder A + ἐνώπιον τοῦ θεοῦ καὶ, die wohl aus 2 Kor 8, 21 stammen, ist der Sinn von προνοεῖσθαι nicht recht klar. Der LXX-Text Spr 3, 4 lautet: καὶ προνοοῦ καλὰ ἐνώπιον κυρίου καὶ ἀνθρώπων. Προνοεῖσθαι heißt an sich „Vorsorge treffen", „auf etwas bedacht sein". „Sei auf Gutes bedacht!" Aber was heißt ἐνώπιον πάντων ἀνθρώπων[52]: vor allen Menschen, „in den Augen aller Menschen" (Althaus)? Darauf könnte der Zusatz in den genannten Handschriften bzw.

---

[52] Vgl. SNu 6, 26 § 42 (12b): „Er gebe dir Frieden Nu 6, 26; Frieden bei deinem Eingang, Frieden bei deinem Ausgang, Frieden mit allen Menschen עַם כֹּל אָדָם." Strack-Billerbeck III 299.

2 Kor 8, 21 (vgl. Polyk 6, 1) hinweisen. Möglicherweise und, wie mir scheint, wahrscheinlicher bedeutet es „gegenüber allen Menschen" (Lietzmann). Denn es fehlt gerade das κυρίου oder θεοῦ. Ἐνώπιον ersetzt dann einen Dativ.

So verstanden, wäre auch im gewissen Sinn ein sachlicher Zusammenhang mit *V 18* gegeben, wo das Erbarmen Gottes zum Friedenhalten mahnt. Εἰρηνεύειν trans. ist soviel wie „zum Frieden bringen", intrans. a) „im Frieden leben mit jemandem" (1 Clem 15, 1 u. a.), auch ἐν ἑαυτῷ (Herm [v] 3,6); b) „Frieden halten" (2 Kor 13, 11; 1 Thess 5, 13 u. a.); so wahrscheinlich auch hier, aber auch schon in der urchristlichen Tradition (Mk 9, 50; Hebr 12, 14). Zweierlei ist an unserer Stelle zu beachten: 1) μετὰ πάντων ἀνθρώπων, also nicht nur mit denen, die selbst gewillt sind, friedlich zu sein, sondern „mit allen", mit Menschen jeder Art und jeder Einstellung. 2) εἰ δυνατόν, τὸ ἐξ ὑμῶν, wobei das erste die allgemeine Situation im Auge hat (vgl. Mt 24, 24 parr; 26, 39 parr; Gal 4, 15) und τὸ ἐξ ὑμῶν die spezielle, etwa daß die Christen gehaßt, verleumdet, verfolgt werden und kein Versöhnungswille bei dem Feind vorhanden ist. Der Friedenswille des Christen soll unbegrenzt sein, aber nicht utopisch meinen, er könne auf jeden Fall Frieden schaffen[52a]. Wenn es nicht möglich ist und wenn es nicht in seiner Macht liegt, daß Friede wird, muß er es in Geduld als Gottes Willen tragen. Das Gebot des εἰρηνεύειν, aber auf die Gemeinde bezogen, findet sich im NT noch 1 Thess 5, 13; 2 Kor 13, 11; Eph 4, 3, allgemein (mit allen Menschen) Hebr 12, 14. Gott ist ja ὁ θεὸς τῆς εἰρήνης (Röm 15, 33; 16, 20; Phil 4, 9; 2 Kor 13, 11; Hebr 13, 20); vgl. 2 Thess 3, 16: ὁ κύριος τῆς εἰρήνης δῴη ὑμῖν τὴν εἰρήνην διὰ παντὸς ἐν παντὶ τρόπῳ. Er ist es auch in den Psalmen, z. B. ψ 33, 15.

Mit *V 19* wird ein Teilgedanke von V 17a aufgegriffen, und zwar zunächst weiterhin im imperativischen Partizip. Dabei geht es um eine negative und eine positive Mahnung. Zur letzten wird – und nun ausdrücklich – ein Schriftbeweis mit zwei Gliedern gegeben: Dt 32, 35, das in V 20 mit Spr 25, 21f fortgeführt wird und eine neue Mahnung enthält. Das γάρ in V 19b: γέγραπται γάρ, und das auf das Zitat folgende λέγει κύριος weisen auf den autoritativen Charakter hin[53], das letztere (vgl. Röm 14, 11; 1 Kor 14, 21) zugleich auf seinen prophetischen. Die Mahnung verbietet das Sichrächen dessen, dem Böses angetan wurde (vgl. Lv 19, 18), mit dem Hinweis auf das Zorngericht Gottes, dem Raum zu geben ist[54] und das die Gerechtigkeit wieder aufrichtet, weil es eine δικαιοκρισία ist (Röm 2, 8). Vgl. zur absoluten und zukünftigen ὀργή, die hier gemeint ist, Röm 2, 5.8; 3, 5; 4, 15; 5, 9; Eph 5, 6; Kol 3, 6; 1 Thess 1, 10; 5, 9 u. a. Es ist bemerkenswert, daß gerade Röm 12, 20 die Glieder der römischen Gemeinde mit ἀγαπητοί apostrophiert werden. Es ist eine Mahnung, die sich

---

[52a] Vgl. Epict., Diss. 4, 5, 24: εἰρήνην ἄγεις πρὸς πάντας ἀνθρώπους ohne Einschränkung.

[53] E. E. ELLIS, Paul's Use of the Old Testament (London 1957) 107ff. Vgl. O. MICHEL, Zum Thema Paulus und seine Bibel, in: „Wort Gottes in der Zeit." Festschrift K. H. Schelkle (Düsseldorf 1973) 114–119, 115.

[54] Τόπον διδόναι ist „Platz einräumen", „Raum geben", „Gelegenheit schaffen" u. ä. (נָתַן מָקוֹם). Vgl. Sir 13, 22; 19, 17; 38, 12; Lk 14, 9; Eph 4, 27. Ἐκδικεῖν ist hellenistisch „Recht verschaffen", vgl. Lk 18, 3; BAUER WB 473.

nur erfüllen kann, wenn sich die Gläubigen als „Geliebte" verstehen. Der Anspruch Gottes, der Rächer zu sein, lautet im masoretischen Text Dt 32, 35:
„Mein ist Rache und Vergeltung", was Hebr 10, 30 fast wörtlich wiedergibt:
ἐμοὶ ἐκδίκησις, ἐγὼ ἀνταποδώσω. In der LXX lautet der Text: Ἐν ἡμέρᾳ
ἐκδικήσεως ἀνταποδώσω, ἐν καιρῷ, ὅταν σφαλῇ ὁ ποῦς αὐτῶν. Dagegen
nähert sich der Targ Onk wieder mehr dem masoretischen Text[55]: „Vor mir
ist die Strafe, und ich, ja ich werde vergelten." Im Zusammenhang ergeht dann
im Jüdischen öfters die Mahnung, z. B. Spr 20, 22; Sir 28, 1 ff, die etwa TestGad
6 so lautet: ἄφες αὐτὸν καὶ δὸς τῷ θεῷ τὴν ἐκδίκησιν (vgl. JosAs 29, 3; 2 Hen
50, 3–5 u. a.). Aber in welchen Grenzen – nämlich in bezug auf die eigenen
Volksgenossen – das gemeint ist, zeigt Damask 9, 2: „Und so hat er gesagt: Du
sollst dich nicht rächen und sollst keinen Groll bewahren gegen die Söhne deines Volkes" (Lv 19, 18). Das NT kennt solche Einschränkungen nicht. Vielleicht ist mit ἐχθρός sogar der Nichtchrist allein gemeint (Michel, H. W.
Schmidt). Das geforderte Opfer ist auch in diesem Sinn radikal[56].

V 20 Mit einem adversativen ἀλλά[57] wird V 20 ein zweites Zitat eingeführt,
das fast genau Spr 25, 21 f LXX ist, aber auch im Targum nicht sehr verschieden
lautet. „Der Feind" ist für die Gemeinde der, der sie verfolgt oder verleumdet.
Es kann aber hier auch der persönliche Feind sein. Ψωμίζειν ist „mit Brocken
füttern" (vgl. Nm 11, 4; TestLev 8, 5; 1 Clem 55, 2; 1 Kor 13, 3). Es läßt bei
dem umstrittenen V 20b zweierlei Auslegung zu: 1) im Sinn eines Strafaktes,
wie z. B. 6 Esr 16, 54: „Nicht sage der Sünder, er habe nicht gesündigt. Denn
Feuerkohlen brennen auf dem Haupt dessen, der da sagt: Ich habe nicht vor
Gott und seiner Gerechtigkeit gesündigt" (vgl. auch Ps 140, 11); 2) im Sinn
einer Strafe, die Reue weckt, wie im Targum zu Spr 25, 31: „Denn glühende
Kohlen scharrst du auf sein Haupt, und Gott wird ihn dir übergeben oder wird
ihn dir zum Freunde machen."[58] In diesem Sinn ist wahrscheinlich auch Paulus
zu verstehen. „Glühende Kohlen" ist auch hier ein Bild für das Strafgericht.
Aber wer sie (in einem Becken) auf sein Haupt nimmt, nimmt die Strafe an
und gibt ein Zeichen der Reue[59]. Der Feind wird, gesättigt durch die Liebe,
zur Reue kommen und zum Freund werden[60]. Die letzte Mahnung vertieft als
Einzelmahnung die vom Erbarmen Gottes geforderte Liebe noch einmal zur
radikalen Feindesliebe. Das Opfer ist letztlich die unmöglich-mögliche
Feindesliebe.

V 21 zieht mit einer negativen und positiven Mahnung allgemeiner Art im Imperativ den Schlußstrich, primär unter die VV 17–21, aber dann auch unter das

---

[55] Strack-Billerbeck III 300.
[56] „Der Beschirmer ihres (der Gemeinde) Rechts ist der göttliche Zorn, dem sie den Platz
versperrte, wenn sie sich selber rächte. Für den tritt Gottes Zorn ein, der sich auf ihn verläßt.
Der Gott dargebrachte Glaube ist auch Glaube an seinen Zorn" (Schlatter).
[57] So א A B P vg. Doch gibt es auch Lesarten mit ἐὰν γάρ, ἐὰν δέ, ἐάν (Zahn).
[58] Strack-Billerbeck III 302.
[59] S. Morenz, „Feurige Kohlen auf dem Haupte", in: ThLZ 78 (1953) 187–192.
[60] Der Sachverhalt wird auch 1 Petr 2, 12 berührt.

Ganze. Es ist „eine abschließende Sentenz im Weisheitsstil" (Michel). In seiner Allgemeinheit finden wir das Wort schon im Griechischen, z. B. Polyaen., Strateg. 5, 12: Der Karthager Gisco erklärt: οὐ κακῷ κακὸν ἠμυνάμην, ἀλλὰ ἀγαθῷ κακόν. Im Jüdischen findet es sich z. B. TestBenj 4, 2 f: „Der gute Mensch hat kein finsteres Auge; denn er hat Erbarmen mit allen, auch wenn sie Sünder sind, ja auch wenn sie über ihn beraten zum Bösen. Οὕτως ὁ ἀγαθοποιῶν νικᾷ τὸν κακὸν σκεπαζόμενος ὑπὸ τοῦ ἀγαθοῦ, die Gerechten aber liebt er wie seine Seele." Auf den Angehörigen der Qumransekte bezogen, heißt es 1QS X 17 f: „Nicht will ich jemandem seine böse Tat vergelten, mit Gutem will ich jemanden verfolgen. Denn bei Gott ist das Gericht über alles Lebendige, und er vergibt dem Mann seine Tat" (vgl. CD IX 2–5). Für Paulus gilt es in seinem Zusammenhang mit diesem letzten Wort des Abschnittes die römische Gemeinde zum Widerstand und zum Sieg über das Böse aufzurufen und ihr zu sagen, wie man in Wahrheit diesen Sieg erringt, nämlich nicht so, daß man dem Bösen Böses entgegenstellt, oder auch nicht so – aber das spielt hier keine Rolle –, daß man der Illusion einer guten Welt verfällt. Jedenfalls – paulinisch gesprochen – nicht so, daß man sich diesem Äon angleicht, sondern so, daß man in neuer Sicht und mit neuem Willen dem Bösen das Gute[61] entgegensetzt und in diesem „Opfer", in dieser konkreten Hingabe und Ablösung von sich selbst den wahren Gottesdienst begeht[62]. Mit dem Guten in all seiner Mannigfaltigkeit und all seiner Entsagung den Sieg über das Böse zu erringen und das Gute siegreich werden zu lassen, dazu ruft das Erbarmen Gottes und seine dem Apostel verliehene Gnade, die im Evangelium wirksam ist, die Brüder in Rom auf.

Übersehen wir noch einmal Kap. 12, das ein charakteristischer Abschnitt paulinischer Paraklese ist, im ganzen. Diese ist ein bedrängender Ruf, der von Gott den Brüdern erwiesenen Barmherzigkeit und zielt in den VV 1–2 zunächst auf den Grundzug der christlichen Existenz, d. h., sie beschwört die römischen Christen, 1) sich Gott mit Leib und Geist zur Verfügung zu stellen und mit ihrer Existenz das lebendige, heilige, Gott wohlgefällige Opfer darzubringen. Das ist, was andere so nennen, jener „geistige", d. h. vernünftige, moralische oder auch mystische Gottesdienst, den die stoische Popularphilosophie, der jüdische Hellenismus und die hermetische Frömmigkeit kennen. 2) Aber dieses Opfer, das nicht eigenmächtige und eigensüchtige Leistung ist, wird nur möglich, wenn der Christ sich in seinem Existenzvollzug nicht nach der Lebensweise der Welt richtet und ihren Grundzug, die Selbstbehauptung und Selbstverherrlichung, nicht mitvollzieht, sondern im Innersten umdenkt und sein Denken ständig erneuert und so für den Willen Gottes, der das Gute, Wohlgefällige und Vollkommene will, offen und bereit ist.

Diese Wandlung im Denken und dieses Opfer erweisen sich nun aber in einzelnen konkreten Handlungen, die in 12, 3–21 in zwei Gruppen, VV 3–8 und 9–21, von der dem Apostel verliehenen Gnade angemahnt werden. Dabei betrifft die Mahnung der ersten Gruppe die Charismatiker der Gemeinde im

---

[61] LEENHARDT: „Le bien, c'est l'amour du prochain (12, 2) et généralement la volonté de Dieu (2, 16; 7, 13; 8, 28).
[62] Verwandt ist der Sache nach 1 Petr 2, 15; 3, 16.

weitesten Sinn. Die erste Mahnung zielt überraschend auf das σωφρονεῖν der
Glieder der Gemeinde und versteht unter dem Gebrauch eines wohlbekannten
philosophischen Wortes dies, daß sich der Charismatiker in den Grenzen seines
ihm von Gott verliehenen Glaubens hält und so die Einheit der Gemeinde in
Christus, ihrem „Leib", mit ihren vielen unterschiedlichen Gliedern bewahrt.
Die Charismen sind ja immer Dienste und Wirksamkeiten in der Gemeinde
und für sie und schließen z. B. Almosenverteilung oder auch Vorstehen ein.
Paulus kommt also zuerst darauf zu sprechen, daß das von der Barmherzigkeit
Gottes geforderte Opfer, das in der Abkehr vom Schema der Welt und in der
Erneuerung des Denkens seine Voraussetzung hat, in der Besonnenheit, d. h.
im Wissen und Beachten des zugeteilten Glaubens, zur Bewahrung der Einheit
der Gemeinde geschieht und die der Gemeinde dienenden charismatischen
Dienste von den höchsten bis zu den einfachsten sachlich vollzogen werden.

In der zweiten Gruppe, VV 9–21, ergehen – immer unter der Voraussetzung
jener in VV 1–2 von der Barmherzigkeit geforderten Transformation des Lebens – die Mahnungen des Apostels, summarisch gesagt, dahin, Liebe zu üben
und das Gute zu tun. Sie beginnen mit der Aufforderung zur ungeheuchelten
Agape (V 9) und zum Sichklammern an das Gute. Die echte Liebe wird von
den Gliedern der Gemeinde zu ihresgleichen gefordert. Das Stichwort ist etwa
φιλαδελφία. Aber auch gegenüber den „Feinden" bzw. allen Menschen soll sie
geübt werden. Das Stichwort ist: εὐλογεῖτε τοὺς διώκοντας. Eine allgemeine
und grundsätzliche Mahnung, jetzt an den einzelnen gewendet, schließt diese
Ausführungen ab (V 21). Die ἀγάπη ἀνυπόκριτος, könnte man sagen, und
ihr Handeln innerhalb und außerhalb der Gemeinde sind das, wozu das uns
erwiesene Erbarmen Gottes als zu dem lebendigen Lebensopfer aufruft. Im
ganzen aber gilt: Die Besonnenheit eines jeweils von Gott zugemessenen Glaubens, der die Charismen als die Konkretion der χάρις begrenzt, und die echte
ἀγάπη machen das von Gott geforderte und von seiner Gnade ausgerufene
lebendige Opfer aus[63].

[63] E. Käsemann, Gottesdienst im Alltag der Welt. Zu Römer 12 (Beihefte zur ZNW 26)
(1960) 165–171. Judentum, Urchristentum, Kirche. Festschrift für J. Jeremias (Berlin
²1964). Käsemann sieht in den paulinischen Ausführungen von Röm 12 das Thema des
„geistlichen Gottesdienstes" abgehandelt, in dem Gott „unsere Leiblichkeit beansprucht
und in unserem leiblichen Gehorsam die Welt, der wir angehören, zu seinem Dienst zurück-
führt". „Damit ist zugleich der antike ,kultische Temenos' grundsätzlich preisgegeben",
d. h. „heilige Zeiten und Orte" und auch „im kultischen Sinn privilegierte Personen". Ist
doch in bezug auf alle Glieder der Gemeinde von Charismen die Rede, die zugleich Dienste
sind. Und wird doch „die ganze Gemeinde und jedes ihrer Glieder ... zum allgemeinen Prie-
stertum aller Gläubigen gerufen, und zwar so, daß jeder auf das ihm Mögliche und Befoh-
lene, auf die Bewahrung seines Standes in und unter der Gnade angesprochen wird". Mir
scheint, daß hier der Text unter einen Gesichtspunkt gerückt wird, der keineswegs der Intention des Apostels entspricht. Es ist nirgends eine antikultische und antiamtliche Tendenz
sichtbar, und der Terminus λογικὴ λατρεία stellt das geforderte Opfer nicht in Gegensatz
zum Kult, sondern zu einer rationalen, moralischen und mystischen Frömmigkeit. Und auch
die Aussagen oder Mahnungen Röm.12, 3ff; 12, 9ff zielen nicht auf ein „allgemeines Prie-
stertum", sondern auf den rechten Gebrauch der Charismen und den Erweis echter Liebe.
Und endlich liegt darauf, daß sich das geforderte Opfer im „Alltag der Welt" abspielt, keinerlei Betonung. Natürlich spielt sich alles dort ab. (Wo denn sonst?). Aber es empfängt von
der Distanz vom Weltschema her seine Qualität.

3. 13, 1–7 Das Verhältnis der Christen zu den politischen Gewalten

1 Jedermann unterstelle sich den übergeordneten Gewalten. Denn es gibt keine Gewalt außer von Gott, und die, welche es gibt, sind von Gott verordnet. 2 Wer sich daher der Gewalt widersetzt, der widersteht der Anordnung Gottes. Die aber Widerstand leisten, werden selbst das Urteil empfangen. 3 Denn die Regierenden sind nicht ein Schrecken für die gute Tat, sondern für die böse. Willst du dich nicht vor der Gewalt fürchten? Tue das Gute, und du wirst Lob von ihr empfangen. 4 Denn sie ist Gottes Dienerin dir zugute. Tust du aber das Böse, fürchte dich; denn sie trägt das Schwert nicht ohne Grund. Denn sie ist Gottes Dienerin, Anwalt zum Zorn gegen den, der das Böse tut. 5 Darum muß man sich nicht nur um des Zornes, sondern auch um des Gewissens willen unterordnen. 6 Deshalb zahlt ihr ja auch Steuern. Sind sie doch Gottes Beamte, die ständig dafür Sorge tragen. 7 Gebt allen, was ihr schuldig seid. Wem ihr Steuern schuldet, die Steuern; wem Zoll, den Zoll; wem Furcht, die Furcht; wem Ehre, die Ehre.

Die apostolische Paraklese geht weiter. Aber diese Fortsetzung in Röm 13, 1–7 ist überraschend[1]. Denn ohne Übergang und sogar ohne Verknüpfung folgen Ausführungen über die von Gott gebotene, gehorsame Unterordnung aller unter die politischen Gewalten. Und so wie Paulus überraschend begonnen hat, endet er wieder in V 7. Dann folgt in den VV 8–10 mit Stichwortanreihung: τὰς ὀφειλάς (V 7) und μηδενὶ μηδὲν ὀφείλετε (V 8), aber auch mit einer gewissen sachlichen Verknüpfung eine gewisse Rückkehr zu den Ausführungen von 12, 9 ff. VV 8–10 schließen damit die Paraklese ab, soweit sie unter dem Gesichtspunkt der Entfaltung der ἀγάπη steht. Es folgen dann in den VV 11–14 nur noch Hinweise auf den eschatologischen Kairos, der das, was die Paraklese fordert, zum dringenden Appell werden läßt. Sie lassen damit in gewisser Weise und unter einem neuen Gesichtspunkt den allgemeinen Charakter der christlichen Existenz erkennen. Sie ist eine eschatologische. Aus diesem Befund läßt sich auch etwas Allgemeines für die Ausführungen von VV 13, 1–7 entnehmen: 1) Sie sind ein gewichtiges Zwischenstück inmitten der Ermahnung zur Liebe. 2) Sie sind das aber, sofern die VV 8–10 einen Abschluß der ἀγάπη-Paraklese darstellen, also zum Ausgangspunkt zurückkehren. 3) An diesem Ort gehören die VV 13, 1–7 auch zu dem, worin sich der eschatologische Grundzug der christlichen Existenz ausweist (vgl. 12, 1–2), den das Erbarmen Gottes als Opfer fordert unter der Voraussetzung einer

---

[1] Vgl. H. Schlier, Der Staat nach dem NT, in: Catholica 13 (1959) 241–259. E. Käsemann, Römer 13, 1–7 in unserer Generation, in: ZThK 56 (1959) 316–376; ders., Grundsätzliches zu Römer 13, in: Exeget. Vers. u. Besinn. II (Göttingen 1964) 204–222. Neuerdings die sorgfältige Arbeit von J. Friedrich - W. Pöhlmann - P. Stuhlmacher, Zur historischen Situation und Intention von Römer 13, 1–7, in: ZThK 73 (1976) 131–166.

Röm 13,1

Distanz von der Welt und eines erneuerten Denkens. 4) An diesem Ort gehören dann auch die Ausführungen von 13, 1–7 zur eschatologischen Paraklese und das, wozu sie auffordern, zu den Weisen des „Erwachens", als welches sich das ganze Leben der Christen vollzieht.

13, 1–7 ist nicht gerade einfach aufgebaut. 13, 1a enthält die Mahnung, den übergeordneten staatlichen Gewalten gehorsam zu sein. 13, 1b–2 bringt die Begründung und die sich aus ihrem Sachverhalt ergebende Folgerung. 13, 3–5 ist eine neue Begründung, nämlich der vorhergehenden Folgerung, samt Anweisungen zum Verhalten der Christen gegenüber der staatlichen Macht. 13, 6 bringt einen Hinweis auf der Christen faktisches Verhalten. 13, 7 endlich wiederholt ausführlich die Grundmahnung.

In *V 1* ist in dem klaren Obersatz die atl. Wendung πᾶσα ψυχή (כָּל־נֶפֶשׁ) vorangestellt und so betont davon gesprochen, daß jeder Mensch, jedermann ohne Ausnahme (vgl. Röm 2, 9; Apg 2, 43; 3, 23; Apk 16, 3) – hier im Blick auf die Christen –, sich den übergeordneten politischen Gewalten[2] unterordnen soll. Ὑποτάσσεσθαι[3] kommt im Sinn von „unterordnen" in verschiedenen Beziehungen vor, z. B. im Blick auf die Leiter der Gemeinden (1 Kor 16, 16; 1 Petr 5, 5), im Verhältnis der Frau zu ihrem Mann (Eph 5, 21 v. l.; Kol 3, 18 [1 Kor 14, 34]), der Kinder zu ihren Eltern (Lk 2, 51), der Sklaven zu ihren Herren (Tit 2, 9; 1 Petr 2, 18; 1 Clem 61, 1), vor allem aber im Blick auf Gott (Epict., Diss. 3, 24, 65; 4, 12, 11; Ps 61, 2; 2 Makk 9, 12; 1 Kor 15, 28b; Hebr 12, 9; Jak 4, 7; 1 Clem 61, 1) oder auf Christus (Eph 5, 24), auch zum Gesetz oder Willen Gottes (Röm 8, 7; 10, 3; 1 Clem 34, 5; Herm [m] 12, 5). Man kann vielleicht sagen, daß ὑποτάσσεσθαι ein stärkerer Ausdruck als ὑπακούειν ist[4], jedenfalls aber formaler und deshalb weiter greifend als unser „sich unterordnen", „sich unterstellen" u. ä. gegenüber unserem „gehorchen" oder „gehorsam sein". Die ἐξουσίαι, denen sich jeder unterordnen oder unterstellen soll, sind natürlich die auch im Folgenden im Singular oder Plural erwähnten, die V 3 ἄρχοντες heißen. Paulus meint die Träger der politischen Macht, die Inhaber der (höheren) politischen Ämter des umfangreichen Staatsapparates des römischen Weltreiches, wofür es ebenso wie für ἄρχοντες eine Menge Belege gibt[5]. Im NT finden sie sich Lk 12, 11f (gegenüber Mt 10, 18: ἡγεμόνες καὶ βασιλεῖς = Mk 13, 9, auch Lk 21, 12); Tit 3, 1 – dagegen 1 Tim 2, 2: βασιλεῖς καὶ οἱ ... ἐν ὑπεροχῇ ὄντες – und 1 Petr 2, 13. Diese ἐξουσίαι werden in unse-

---

[2] R. WALKER, Studie zu Römer 13, 1–7, in: TEH 132 (1966) 166, will unter ἐξουσία ὑπερέχουσαι allgemein „überragende Gewalten" verstehen und gerät so in eine höchst undurchsichtige spirituelle Auslegung des ganzen Abschnittes.
[3] DELLING in: ThWb VIII 36.
[4] Ebd.
[5] Vgl. zum Folgenden den reichhaltigen Aufsatz von A. STROBEL, Zum Verständnis von Römer 13, in: ZNW 47 (1956) 67–93, 75ff, ergänzt von W. C. VAN UNNIK, Lob und Strafe durch die Obrigkeit. Hellenistisches zu Römer 13, 3–4, in: E. E. ELLIS - E. GRÄSSER, Jesus und Paulus. Festschrift W. G. Kümmel zum 70. Geburtstag (1975) 334–343. Auch DELLING in: ThWb VIII 27ff 40ff.

rem Zusammenhang ausdrücklich als ὑπερέχουσαι, als übergeordnete, höher-gestellte, vorgesetzte charakterisiert, was, absolut gebraucht, etwa Polyb. 28, 4, 9; 30, 7, 12; 2 Makk 3, 1f u. a. vorkommt, von den Königen Weish 6, 5 bzw. mit ihnen zusammen 1 Tim 2, 2. Die Mahnung geht also dahin, daß sich jedermann, auch jeder Christ, den Inhabern höherer politischer Gewalt des römischen Imperiums unterordnen soll.

Diese Forderung wird in V 1b und c in positiven und negativen Formulierungen begründet. Diese Begründung lautet dahin, daß jede ἐξουσία – wie der Wechsel mit dem Plural zeigt – wiederum ein Konkretum[6], ὑπὸ θεοῦ, ist, was nicht so sehr die Herkunft – so mit D* G al Orig – als vielmehr die Einsetzung durch Gott meint[7]. Dabei ist das erstere natürlich im letzteren enthalten. Die starke Verneinung in V 1b ergibt in V 1a eine starke Bejahung. Αἱ δὲ οὖσαι (ἐξουσίαι) meint die faktisch bestehenden politischen Gewalten und läßt also erkennen, daß es sich nicht um eine Theorie handelt, sondern um ein jeweilig konkretes Verhalten gegenüber den politischen Machthabern. Eben diese sind ja auch „von Gott angeordnet" worden. Τάσσειν meint hier „einsetzen", „einstellen", „anstellen" (vgl. MartPol 10, 2), aber das auch schon im Griechisch-Hellenistischen[8]. Was aber folgt aus dieser Tatsache? Ungehorsam gegen die politischen Gewalthaber ist Widerstand gegen Gottes Anordnung.

V 2 Der Ungehorsame wird daher vor Gottes Gericht gestellt. Ἀντιτάσσεσθαι ist „sich entgegenstellen", „sich auflehnen", „Widerstand leisten" u. ä., schon seit Aeschines, auch LXX, Jos. b II 194, XIII 45 u. a., und zwar mit Dativ dessen, dem der Widerstand gilt (vgl. 3 Kg 11, 24; Os 1, 6; Spr 3, 34 und Jak 4, 6; 5, 6; 1 Petr 5, 5; 1 Clem 30, 2; IgnEph 5, 3 [= Spr 3, 34]). Hier ist es die διαταγή Gottes, wobei διαταγή „Anordnung" bedeutet[9] (vgl. 2 Esr 4, 11; im Plural Apg 7, 35; auch Gal 3, 19 [διαταγείς]). Es ist ein rechtlicher Begriff, vgl. z. B. lyk. Inschrift C J G 4300, 6 (2. Jahrhundert n. Chr.): τῶν θείων διαταγῶν, die kaiserlichen Anordnungen, oder eine Inschrift aus Hierapolis (Nr. 78): εἴ τις τὴν διαταγὴν τὴν ἐμὴν ποιήσαι[10]. Paulus nimmt an unserer Stelle den Begriff selbständig für die Inhaber höherer politischer Gewalt in Anspruch. Die ἐξουσία, die Anordnungen erläßt, ist selbst eine „Anordnung", eine „Verfügung" Gottes. Der ἐξουσία Widerstand leisten ist soviel wie sich gegen die Verfügung Gottes, die die Gewalthaber sind, auflehnen. Ἀνθίστημι in medialer Bedeutung (Perf.) ist sonst sowohl mit Personen (z. B. Gal 2, 11) als auch

---

[6] Vgl. einen Papyrus aus dem Jahr 55 n. Chr.: ἐπί τε πάσης τῆς ἐξουσίας καὶ παντὸς κριτηρίου, wo ἐξουσία ebenfalls die behördliche Obrigkeit meint, STROBEL, 77 Anm. 59.
[7] Vgl. Is 41, 2ff; Jer 21, 7.10; 22, 25 u. a.; Dn 2, 37; 5, 23; Spr 8, 15f; 21, 1; Sir 17, 17; Weish 6, 3; 4 Makk 12, 11; Arist 12, 11. Dazu W. SCHRAGE, Die Christen und der Staat nach dem NT (1971) 14ff.
[8] Beispiele bringt STROBEL, a. a. O.
[9] ZAHN, SCHLATTER, KÄSEMANN.
[10] Weitere Beispiele bei A. DEISSMANN, LO⁴, 70f; STROBEL, a. a. O. 86. J. FRIEDRICH usw. (136ff) bestreiten, daß διαταγή ein staats- oder verwaltungstechnischer terminus technicus ist.

mit Sachverhalten verbunden (Röm 9, 19); τῷ βουλήματι); aber es wird auch absolut gebraucht (vgl. Eph 6, 13; auch Jos. a XIV 424ff, XVIII 10). Es ist kaum von ἀντιτάσσεσθαι unterschieden. Im ganzen ist also mit Begriffen meist rechtlicher und politischer Art gesagt, daß jeder Bürger und Sklave sich den Trägern der politischen Gewalt unterordnen soll. Diese sind ja von Gott verordnet. Wer ihnen Widerstand leistet, tritt der Anordnung Gottes entgegen [11]. Das aber hat zur Folge, daß er sich – ἑαυτοῖς ist reflexiv gebraucht – das Gericht Gottes zuziehen wird. Κρίμα λαμβάνειν (wie Mk 12, 40; Lk 20, 47; Jak 3, 1) ist eine semitische Wendung mit eschatologischem Sinn. Mit seinen Ausführungen bewegt sich der Apostel ganz in antiken, vor allem auch jüdischen und jüdisch-hellenistischen Vorstellungen [12].

VV 3–4   Aber warum soll sich jedermann, also auch jeder Christ, den Vertretern der politischen Gewalt unterwerfen? Wir hörten: weil in ihnen Gottes Anordnung begegnet. In den VV 3 und 4 wird noch ein zweiter Grund genannt, sofern nun die ἐξουσία als διαταγή Gottes in ihrem Handeln bzw. in ihrem Dienst beschrieben wird. Daß das weithin mit der Erfahrung nicht übereinstimmt, übergeht der Apostel, obwohl er sie vielfach selbst machen mußte. Seine Aussagen haben grundsätzlichen Charakter. Zuerst, *V 3a*, legt Paulus den Sachverhalt thetisch dar. Οἱ ἄρχοντες (vgl. Tit 1, 9 v. l.) – wiederum auch auf vielen Inschriften, lateinisch: magistri, magistratus [13] – sind φόβος in dem Sinn, daß man sich vor ihnen fürchten muß, aber nur für die böse Tat. Das ἔργον steht anstelle des Täters. Die gute Tat braucht sich nicht vor ihnen zu fürchten. *V 3b* wechselt der Stil in den der Diatribe. Dabei erfolgt zunächst persönliche Anrede in der Form einer rhetorischen Frage, die einen Bedingungssatz ersetzt (vgl. auch V 4b). Die Behörden sind kein Schrecken für eine gute Tat. Wenn du sie (nun wieder τὴν ἐξουσίαν) nicht fürchten willst, tue das Gute. Das wird dir von ihr öffentliches Lob einbringen. Das ist natürlich nicht, wie Origenes [14] und Augustin [15] verstanden, himmlisches Lob, das Gott der guten Tat einmal zuteil werden läßt, es ist wohl auch nicht allgemein „Anerkennung" [16], auch nicht die laudatio judicialis, das offizielle Leumundszeugnis (vgl. 1 Petr 2, 14). Vielleicht denkt Paulus an die alte griechische Sitte, die sich in der römischen Zeit noch lang erhielt und in verschiedenen kaiserlichen Schreiben zum Ausdruck kam, die an Städte des römischen Imperiums gerichtet waren und ihr gutes Verhalten würdigten und lobten. Nur ein Beispiel sei angeführt [17]. In einem Schreiben an das Volk von Achaia, Böotien, Lokris, Phokis und Euböa aus dem Jahre 37 n. Chr. bedankt sich Kaiser Tiberius für die ihm erwiesenen Ehrungen und fährt dann fort: ἐφ᾽ οἷς ἅπασι ἐπαινῶ

---

[11] Vgl. Sir 4, 27: „Widerstehe den Herrschenden nicht."
[12] Vgl. STRACK-BILLERBECK III 303f. Für das hellenistische Judentum verweist STROBEL, a.a.O. 92 Anm. 10, mit Recht auf den Aristeasbrief.
[13] STROBEL, 79 Anm. 71.
[14] Ad Rom. comm.lib. IX 28, ed. Lommatzsch.
[15] Sermo 13 zu Ps 11, 10; MPG XXXV Sp. 109.
[16] KÜHL, BARTH, ALTHAUS.
[17] Weitere Beispiele bei STROBEL, 81f.

ὑμᾶς. Die Wendung ist fast formelhaft. Strobel macht darauf aufmerksam, daß Paulus den Stil solcher Belobung selbst verwendet und 1 Kor 11, 2.17.22 und Phil 4, 8 den Begriff ἔπαινος innerhalb eines bürgerlichen Tugendkataloges gebraucht. Ἔπαινος wird in offiziellen Schreiben für treue politische Gesinnung, ergebenen Diensteifer, kultische Verehrung des Kaisers und andere Ehrenbezeigungen (τιμαί) den Behörden und Einwohnern der Städte, auch Frauen, gespendet. Hier bei Paulus gilt das Lob „dem guten Werk" oder dem „Gutestun", und auch das kommt in zahlreichen offiziellen Schreiben in formelhaften Wendungen vor, die den ἀνὴρ καλός oder/und ἀγαθός, den καλὸς καὶ ἀγαθὸς πολίτης, aber auch τὰ καλῶς γενόμενα loben. Gemeint ist dann die antik-bürgerliche Ehrbarkeit. Daß auch die Diasporajuden mit diesen offiziellen Gepflogenheiten vertraut sind, zeigt ein Schreiben ἐν Βερενίκῃ Ἰουδαίων, das Strobel 85 Anm. 101 vorlegt.

An solche offiziellen Ehrungen von seiten der ἄρχοντες für den guten, wohlverdienten Bürger denkt auch Paulus in unserem Zusammenhang (V 4). Auch darin ist die ἐξουσία, die Gott eingesetzt hat, Dienerin Gottes, und zwar σοὶ εἰς τὸ ἀγαθόν. Θεοῦ ist zur Betonung vorangestellt. Διάκονος ist Femininum (vgl. Röm 16, 1). Σοί ist zu εἰς τὸ ἀγαθόν zu ziehen. „Das Gute" ist natürlich auch hier innerhalb des bürgerlichen Rahmens zu verstehen, z. B. gehört der erwähnte ἔπαινος zu solchem ἀγαθόν. Dienerin Gottes ist die politische Macht aber auch darin, daß sie den, der „das Böse tut", bestraft. V 4 b entspricht dem V 3b. Jetzt folgt chiastisch zunächst die Mahnung, Furcht zu haben, wenn „du Böses tust". Die Begründung aber ist: die politischen Machthaber" tragen nicht umsonst das Schwert" (V 4c). Der Ausdruck φορεῖν spielt wie im Griechischen an das ius gladii an, das die ordentliche Kapitaljurisdiktion über römische Bürger bedeutet, die seit Augustus als kaiserliches Spezialmandat mehr und mehr auch den Statthaltern übertragen wird. Eben diese Statthalter könnte Paulus mit den ἐξουσίαι konkret gemeint haben (vgl. Lk 20, 20). Vielleicht ist aber auch allgemein die staatliche Straf- und Polizeigewalt gemeint [17a]. Εἰκῇ meint: „ohne ein bestimmtes Recht" oder „ohne es zu gebrauchen", also in diesem Sinn „umsonst" [18]. Mit anderen Worten: die Furcht ist berechtigt, wenn man Böses tut im bürgerlich-rechtlichen Sinn; denn die politische Gewalt straft kraft eines ihr verliehenen göttlichen Rechts auch mit dem Tod, und auch das wiederum als θεοῦ … διάκονος (V 4d), die ἔκδικος εἰς ὀργήν ist. Ἔκδικος ist an sich „rächend" oder substantiviert „Rächer", „Vergelter" [19], z. B. Plut., Mor. 509 F; Herodian II 14, 3, VII 4, 5; Sir 30, 6; Weish 12, 12; 4 Makk 15, 29; von Gott auch 1 Thess 4, 6. Εἰς ὀργήν ist: „um das Zorngericht durchzuführen". Aber vielleicht ist auch hier ein staatsrechtlicher Begriff gebraucht. Ἔκδικος könnte Übersetzung von defensor, einem in Augusteischer Zeit gewählten städtischen Beamten, sein, der den Statthalter vertritt und „zwischen ihm und der Stadt

---

[17a] J. Friedrich usw., 140 ff.
[18] Bauer WB 439.
[19] Kühl, Barth, Leenhardt u. a.; Stählin in: ThWb V 441 f.

vermittelt", ein „Anwalt". Dann wäre ὀργή das irdische Gericht, das freilich Gottes Gericht vollzieht.

V 5 Aber weil der Träger der staatlichen Gewalt in seinem zweifachen Handeln gegenüber den Bösen und den Guten ϑεοῦ διάκονος ist, muß man sich ihm auch um des Gewissens willen unterordnen [20]. Der Vers ist entgegen Bultmanns Meinung keine Glosse, sondern variiert V 1 bzw. den Hauptgedanken des ganzen Abschnitts. Ἀνάγκη ist hier nicht pointiert gebraucht, sondern meint wie unser „notwendig" oft: „es ist geboten". Statt ὑποτάσσεσθαι א A B P O 48 33 81 sy^sin bo arm Orig Ambrstr Aug lesen D G it goth Iren^lat ὑποτάσσεσθε. Der Gegensatz „nicht um des Zornes, sondern auch um des Gewissens willen" ist nicht ganz korrekt. Er müßte διὰ τὸν φόβον – διὰ τὴν συνείδησιν lauten. Aber es ist klar, was gemeint ist. Die Furcht vor dem drohenden Gericht wird nicht übergangen. Auch sie ist ein Motiv des Gehorsams. Aber hinzu kommt noch, daß, wenn die ἐξουσία Gottes Dienerin ist, auch das Gewissen getroffen wird. Es, das nach Röm 2, 9 das vermittelnde Zeugnis des ins Herz geschriebenen Gesetzes der Heiden und damit der Menschen überhaupt ist, bindet den Menschen an Gottes ὑποταγή, also an das, was ihm als Gottes Gebot durch die Anordnung der politischen Gewalt zukommt. Die Unterordnung unter die politischen Gewalthaber, die Paulus inmitten seiner Paraklese der Liebe gebietet, ist nicht nur Resignation gegenüber der Übermacht, sondern eine Zustimmung des Gewissens, das darin etwas vom νόμος τοῦ ϑεοῦ erkennt.

V 6 Deshalb geschieht sie ja auch von seiten der römischen Christen, wie ihr konkretes Handeln zeigt. Sie zahlen ja (γάρ) auch Steuern und anerkennen damit die Behörden als λειτουργοὶ ... ϑεοῦ. Τελεῖτε könnte auch, wie Zahn meint, Imperativ sein. Aber das γάρ und das vorangestellte καὶ φόρους kennzeichnen V 6a als Begründungssatz. Imperativisch müßte es wohl διὰ τοῦτο τελεῖτε καὶ φόρους heißen. Φόρος = tributum ist die Steuer im Sinn Abgabe (vgl. Lk 20, 22; 23, 2) und wird gewöhnlich mit διδόναι oder ἀποδιδόναι (vgl. V 7; Jos. a XIV 203; Philo c. Ap. 1, 119), aber auch wie hier mit τελεῖν (vgl. z. B. Ps.-Plato, Alc. 1 p. 123, A; Jos. a V 181, XII 182) verbunden. In V 7 tritt neben φόρος: τὸ τέλος = vectigal, die indirekte Steuer, seit Xenophon, Plato, in Inschriften, Papyri, 1 Makk 10, 31; 11, 35; Jos. a XII 141; der Zoll (vgl. Mt 17, 25). Φόρος und τέλος trifft man nebeneinander bei App., Sicil. 2 § 6; Bell. civ. 2, 13 § 47; Vita Aesopi W c 92; PsClem Hom. 10, 23 u. a. V 6a wird noch einmal begründet, etwa in dem Sinn von: in der Tat sind sie, die διάκονοι ϑεοῦ, die ἐξουσίαι, λειτουργοὶ ϑεοῦ, die damit oder dazu eifrig beschäftigt sind. Dabei ist λειτουργοὶ ϑεοῦ für die Finanzbeamten eine paradoxe, ja groteske Formulierung. In Röm 15, 16 nennt sich Paulus einen λειτουργὸς Χριστοῦ Ἰησοῦ. Aber das besagt nicht, daß die staatlichen Steuereinnehmer für ihn so etwas wie religiosi sind, sondern zeigt nur die

---

[20] Käsemann, Grundsätzliches, 215 meint, daß es sich nicht um eine doppelte Motivation, sondern um eine Alternative handelt. Aber das ist durch nichts angezeigt.

Spannweite des Begriffs, über den Röm 15,16 Näheres zu sagen ist. An unserer Stelle ist λειτουργός ein profan-politischer Begriff, die Bezeichnung eines Beamten, der mit Steuereinnahmen beschäftigt und dazu bestellt ist. Προσκαρτεροῦν (vgl. Röm 12,12) hat sonst den Dativ dessen bei sich, mit dem sich der Betreffende emsig abgibt. Daß diese λειτουργοί auch λειτουργοὶ θεοῦ sind, ist eine der gewagten paulinischen Formulierungen. Wie es scheint, kann sich der Apostel nicht genugtun, Gott und die Profanität im Zusammenhang seiner Mahnungen zum Gehorsam den staatlichen Machthabern gegenüber um ihrer selbst willen zu betonen.

V 7 zieht dann das Fazit des Ganzen. Er wiederholt nicht das ὑποτάσσεσθε, sondern entfaltet es der Sache nach ein wenig durch den Hinweis darauf, daß es in der Erfüllung schuldigen Dienstes besteht. Auch dabei gebraucht er wieder weitverbreitete profane Terminologie. Ἀποδιδόναι wird hier wie oft zur Bezeichnung der Erfüllung von schuldigen Pflichten der Untergebenen, auch zur Bezeichnung von öffentlichen Leistungen, z. B. von θυσίαι und εὐχαί oder auch von τιμαί (Geldleistungen), gebraucht [21]. Es wechselt, wie gesagt, mit διδόναι. Auch mit τὰς ὀφειλάς ist ein stehender Begriff benutzt, und zwar aus dem Umgang von Untergebenen und Vorgesetzten (vgl. z. B. Lafossade Nr. 134,9f S. 55: τὴν ὀφειλομένην ... διὰ τὴν πατρίδα σου εὐσέβειαν, ebd. Nr. 57 S. 26: τὸ ὀφειλόμενον τέλος u. a.). Der Christ soll also – und darin weist sich das ὑποτάσσεσθαι aus – allen die schuldigen Pflichten erweisen. Diese werden in zweimal zwei Gliedern genannt: 1) Steuern zahlen, direkte und indirekte; 2) Ehrerbietung üben, d. h. Anerkennung des jus gladii und überhaupt der Strafgewalt, und Ehrerweisungen, wie sie für den römischen Bürger gegenüber seiner Obrigkeit selbstverständlich waren [22]. Dabei darf man den konventionellen Charakter solcher τιμή, der freilich anderseits bei aller Konvention Ausdruck einer Grundhaltung war, nicht übersehen. Zu τιμή im Sinn der Ehrung der politischen Machthaber vgl. Cognat IV Nr. 473 Z. 23ff S. 177: δίκαιον δέ ἐστιν τοῖς τοιούτοις τὰς πρεπούσας ἀποδιδόναι τιμάς [23]. Charakteristisch ist, daß anderes nicht in den Umkreis des ὑποτάσσεσθαι, also der gebotenen und gemahnten Stellung „jedes Menschen" gegenüber den Trägern der politischen Macht, fällt. Nicht als ob Steuern zu zahlen und Ehre zu erweisen exklusiv gemeint wären. Aber es ist typisch verstanden. Zur Erstattung der Schuldigkeit gegenüber den Herrschenden gehört weder ἀγάπη noch das προσκυνεῖν oder ähnliches. Nach 1 Tim 2,2 gehört freilich auch die Fürbitte dazu (vgl. 1 Petr 2,17). Sehen wir noch einmal zurück, so fällt auf, wie kurz, konkret und traditionell Paulus von dem, was wir Staat nennen, und von dem Verhältnis zu ihm spricht. Das hängt u. a. damit zusammen, daß er nicht zu den Machthabern selbst wie etwa im jüdischen Hellenismus der Arist spricht. Dies aber hängt wiederum damit zusammen, daß er innerhalb seiner Gesamtparaklese die

---

[21] STROBEL, 87f.

[22] Vgl. A. STROBEL, Furcht, wem Furcht gebührt, in: ZNW 55 (1964) 58–62.

[23] Weiteres bei STROBEL, Römer 13,83f.

Christen in einem Zwischenstück auf das hin anredet, was ihre Stellung zu den politischen Gewalthabern sein soll. Dabei können wir vielleicht annehmen, daß die Situation im Rom Neros, wie sie sich nach Tacitus (Ann. XIII 50f) und Sueton (Nero 10) darstellt, dies nach der Meinung des Apostels besonders verlangte. Möglich ist auch, wie z. B. Ridderbos und Käsemann meinen, daß ein gewisser christlicher Enthusiasmus zurückgewiesen werden soll, der gegenüber der staatlichen Macht die Zugehörigkeit der Christen zum himmlischen Staat ausspielte, deren Sinn sie mißverstanden. Aber vor allem ist auch der eschatologische Charakter dieses Zwischenstückes nicht zu übersehen, der durch Röm 13, 11–14 bestätigt wird. Was Paulus im Zusammenhang dieser paar Sätze sagt, ist, kurz gefaßt, dieses: 1) Die politischen Machthaber sind von Gott eingesetzt, und in ihnen begegnet Gottes Ordnung. 2) In ihrem Amt und seinem Wirken sind sie „Diener", ja „Beamte" Gottes. 3) Sie loben den bürgerlich gut Handelnden und bestrafen die im bürgerlichen Sinn Bösen. Sie haben ihre Kapitaljurisdiktion oder allgemeiner: ihre Straf- und Polizeigewalt, von Gott. 4) Daher sollen sich die Christen nicht gegen sie auflehnen, sondern das leisten, was sie ihnen schuldig sind, z. B. Steuer zu zahlen, Furcht, Ehre zu erweisen, was sie auch tun. 5) Sie sollen ihnen nicht nur aus Furcht vor Strafe, sondern auch um des Gewissens willen in diesem Sinn gehorchen.

Die Sprache, in der Paulus von alldem spricht, ist traditionell und profan wie auch die Forderungen, die er stellt, selbst. Freilich unterscheidet sich seine Paraklese von rein profanen und bürgerlichen Forderungen dadurch, daß Gottes Wille diesen Anspruch erhebt und – vergessen wir das nicht! – daß auch hier die dem Apostel übergebene χάρις spricht. Die Konsequenzen für das Verständnis des Staates sind aber diese: 1) Die politische Macht ist als solche nicht vom Teufel, sie ist Dienst für Gott. 2) Damit ist innerhalb der menschlichen Gesellschaft die von Enthusiasten jeder Art vertretene Gleichheit aller Bürger verbannt und die Autorität als Wille Gottes anerkannt. 3) Das Verhältnis zum Staat ist für den Christen eine Gewissensangelegenheit. 4) Politische Gewalt ist dem Manichäismus in bezug auf sein Verhältnis zur Macht entrissen worden. Sie ist aber auch den Göttern aus der Hand genommen, d. h. ihrem eigenen Gottsein. 5) So ist sie aufs Höchste gegründet. Alle anderen Fragen, die wir in bezug auf den Staat haben, z. B. seine Form, sein konkretes, maßgebendes Recht, das Unrecht, das durch ihn geschehen kann, die Möglichkeit, zu entarten und zu zerfallen, u. a. m., werden von Paulus nicht erörtert. Es kommt ihm im Zusammenhang nur darauf an, die römischen Christen an den den politischen Machthabern schuldigen Gehorsam, der letztlich Gehorsam gegen die von Gott gegründete und verordnete Macht ist, zu erinnern. Er kann das freilich nur, weil seine konkrete Mahnung eine grundsätzliche Überzeugung von der Legitimität der politischen Gewalt einschließt.

4. 13, 8–14 Das Gebot der Liebe in der eschatologischen Stunde

8 Bleibt niemandem etwas schuldig, sondern liebt einander. Denn wer den anderen liebt, hat das Gesetz erfüllt. 9 Denn das „Du sollst nicht ehebrechen", „Du sollst nicht töten", „Du sollst nicht stehlen", „Du sollst nicht begehren" und alle anderen Gebote sind in dem einen Satz zusammengefaßt: „Liebe deinen Nächsten wie dich selbst." 10 Die Liebe tut dem Nächsten nichts Böses. So ist die Liebe des Gesetzes Erfüllung.

11 Und das wißt ihr doch, welcher Augenblick es ist. Die Stunde ist gekommen, vom Schlaf aufzustehen. Denn unser Heil ist jetzt näher als damals, da wir zum Glauben kamen. 12 Die Nacht ist vorgerückt, der Tag ist nahe. Laßt uns daher die Werke der Finsternis ablegen und anlegen die Waffen des Lichts. 13 Als am Tage laßt uns unser Leben ehrbar führen, nicht mit Gelagen und Saufereien, ohne Unzucht und Ausschweifungen, ohne Zank und Streit. 14 Nein, zieht den Herrn Jesus Christus an, und hegt nicht das Fleisch, daß die Begierden erwachen.

VV 8–10 In den VV 8–10 kehrt Paulus wieder zu 12, 9 zurück und erweist so noch einmal die ἀγάπη als das Grundthema der Paraklese. Er begründet, worum es in allem bei dem Aufruf zur Liebe geht. Es handelt sich, wie wir schon sagten, dabei nicht nur um eine Stichwortverknüpfung: τὰς ὀφειλάς – ὀφείλετε (ὀφείλοντες ℵ* pc Orig u. a.), sondern auch um eine Gedankenverbindung. *V 8a* ist nicht recht deutlich. Wenn man den Wortlaut genau nimmt, so heißt er: „Bleibt niemandem etwas schuldig, außer daß ihr einander liebt." Aber das hat an sich und im Zusammenhang keinen Sinn. So versteht man den Satz auch so: „Bleibt niemandem etwas schuldig, die Liebespflicht ist nicht abzutragen."[1] Lietzmann übersetzt: „Bleibt niemandem etwas schuldig, sondern ihr müßt (ihr seid verpflichtet) einander lieben." Dabei ist vorausgesetzt, daß die Bedeutung von ὀφείλειν innerhalb des Satzes von „schuldig sein" (vgl. Mt 18, 28 u. a.) zu „verpflichtet sein" (vgl. Lk 17, 10 u. a.) wechselt. Aber vielleicht kann man den Satz auch so verstehen: „Bleibt niemandem etwas schuldig, sondern liebt einander." Das εἰ μή ist dann gleich dem aramäischen אלא adverbiale Überleitung und kommt in die Nähe von ἀλλά (vgl. 1 Kor 7, 10). Jedenfalls ist der Sache nach klar, daß Paulus die Mahnungen abschließt, indem er nun das Liebesgebot als solches ausdrücklich betont. Zunächst ergeht die negative Mahnung, die in μηδινὶ μηδέν alle Möglichkeiten, schuldig zu bleiben, ausschließt. Dann folgt die positive, die den Kreis der Mahnungen von 12, 9ff abschließt, das fundamentale ἀλλήλους ἀγαπᾶν. Dieses wird in *V 8b* damit begründet, daß, wer den anderen liebt, das Gesetz erfüllt. Es wird damit dasselbe umfassende Prinzip genannt wie in Lv 19, 18: „Du sollst dich nicht rächen, auch nicht deinem Volksgenossen

---

[1] Althaus, ähnlich Schlatter.

etwas nachtragen, sondern du sollst deinen Nächsten lieben wie dich selbst.“ Aber bei Paulus bezieht sich „der andere“ nicht mehr nur auf die υἱοὶ τοῦ λαοῦ σοῦ als die πλήσιοι, sondern es ist ὁ ἕτερος allgemein der andere im Sinn von ὁ πλησίον in V 9 und V 10[2]. In der gegenseitigen Liebe erfüllt sich das Gesetz[3]. Dabei ist für Paulus, was wir nicht vergessen dürfen, die ἀγάπη die ἐνέργεια πίστεως (vgl. Gal 5, 6). In der ἀγάπη, die den Glauben voraussetzt, richten wir ja, wie wir hörten, das Gesetz auf (vgl. Röm 3, 31).

Das geht *V 9* auch aus der Schrift hervor, wo sie davon spricht, daß ihre Gebote ihre Zusammenfassung in dem Gebot der Liebe haben, das Gesetz in seinen Einzelforderungen nichts als ἀγάπη meint. Zitiert werden im Anschluß an die zweite Tafel des Dekalogs (Ex 20, 13–17; Dt 5, 17–21) nach jüdisch-hellenistischer Überlieferung (LXX B Dt; Philo, De decal.; Mk 10, 19; Lk 18, 20) das sechste, fünfte, siebte, neunte bzw. zehnte Gebot. Aber diese zitierten Gebote des Dekalogs sind nur Beispiele, worauf Paulus wie auch sonst (z. B. Gal 5, 21; 1 Thess 4, 6) aufmerksam macht. Jede ἐντολή dieser Art, d. h. jede sittliche Forderung (Ridderbos), ist mitbedacht, was natürlich nicht die Unteilbarkeit des Gesetzes (vgl. Gal 5, 3) aufhebt. Jede ἐντολή wird ἐν τῷ λόγῳ τούτῳ (d. h. in dem ἀγάπη-Wort der Tora) ἀνακεφαλαιοῦται, zusammengefaßt[4] in dem Sinn, daß sie eingeschlossen ist in das Gebot der Liebe. Jedes Gebot ist ein Gebot der Liebe, in der die alle Gebote umfassende Liebe am Werk ist und sich zur Sprache bringt (vgl. Gal 5, 14). Formal steht Paulus hier in spätjüdischer exegetischer Tradition, nach der das Gebot der Liebe das große, allumfassende Prinzip der Tora כְּלָל נָדוֹל בְּתוֹרָה ist[5].

V 10 stellt noch eine sachliche und allgemeine Begründung der Mahnung zur gegenseitigen Liebe dar: sie fügt dem Nächsten nichts Böses zu. Diese Charakterisierung der ἀγάπη erinnert an 1 Kor 13, 4f. Aber an unserer Stelle wird nur das eine hervorgehoben, was sie ja auch Röm 12, 9ff kennzeichnet, so daß wieder die Rückkehr zu diesem Abschnitt deutlich wird. Die Folgerung (οὖν) aus dem Gesagten aber ist: die ἀγάπη ist das πλήρωμα νόμου. In V 10 liegt wieder ein Chiasmus vor: ἀγάπη steht am Anfang und am Schluß des Satzes. Sie ist wortwörtlich das letzte Wort des Aufrufs des Erbarmens Gottes und der dem Apostel gegebenen Gnade. Πλήρωμα ist wohl soviel wie πλήρωσις, vielleicht aber meint es auch, daß der volle Sinn des Gesetzes die ἀγάπη ist.

Die *VV 11–14* bringen den Abschluß der gesamten allgemeinen Paraklese von Kap. 12 und 13. Die Sätze stellen durch den Hinweis auf den „Kairos“ die apostolischen Mahnungen in ein besonderes Licht. Sie lassen deren eschatologischen Charakter erkennen. VV 11–14 sind offenbar ein Prosastück. Aber sie enthalten auch Teile rhythmischer Art, so daß man ihnen ein Tauflied zugrunde gelegt sehen könnte, dessen Gedanken und Formulierungen

---

[2] Natürlich gehört τὸν ἕτερον nicht zu νόμου, wie ZAHN, LEENHARDT u. a. meinen. Vgl. BAUER WB 623.
[3] Πεπλήρωκεν ist gnomisches Perfekt. Vgl. BLASS-DEBR, § 344.
[4] SCHLIER in: ThWb III 681.
[5] STRACK-BILLERBECK III 306.

Paulus für seine Aussagen benutzt. Die VV 11 ac und 13 b–14 sind gewiß erläuternde Prosa. Das Lied könnte so gelautet haben:

Ὥρα ἤδη ἡμᾶς ἐξ ὕπνου ἐγερθῆναι.
Ἡ νὺξ προέκοψεν, ἡ δὲ ἡμέρα ἤγγικεν.
Ἀποθώμεθα οὖν τὰ ἔργα τοῦ σκότους,
ἐνδυσώμεθα δὲ τὰ ὅπλα τοῦ φωτός.

Es erinnert dann an das Tauflied von Eph 5, 14. Doch muß alles ungewiß bleiben. Freilich, Paulus liebt es, Abschlüsse von größeren Abschnitten in erhöhtem Ton zu formulieren (vgl. Röm 8, 31 ff; 11, 33 ff).

V 11 Καὶ τοῦτο verlangt eigentlich einen Imperativ, an unserer Stelle etwa: ποιεῖτε. Ohne ihn deutet es eine Steigerung an[6], hier in dem Sinn: „und dieses um so mehr, als ihr die Zeit kennt". Bezogen ist καὶ τοῦτο auf die VV 8 ff und des weiteren auf die gesamte Paraklese von 12, 9 ab. Die römischen Christen wissen also um die „Zeit". Sie wissen, meint ὁ καιρός prägnant, um die eschatologische Entscheidungszeit, die jetzt angebrochen ist und in der sie jetzt leben. Καιρός in diesem Sinn findet sich auch 1 Kor 7, 29; 2 Kor 6, 2; Eph 5, 16; Kol 4, 5. Es ist ὁ νῦν καιρός von Röm 3, 26; 8, 18; 11, 5; 2 Kor 8, 14. Sie kennen ihn, sind sich seiner bewußt. Und diese Aussage bringt sie ihnen wieder in Erinnerung und birgt eine Mahnung in sich, ihrer eschatologischen Situation eingedenk zu sein. Welcher Art dieser Kairos ist, besagt der ὅτι-Satz. Er ist jedenfalls die Zeit, vom Schlaf aufzuwachen. Für καιρός wird jetzt ἡ ὥρα gesagt, auch im Sinn der eschatologischen Stunde wie 1 Joh 2, 18; Apk 3, 3.10 u. a. Das ἡμᾶς, das sich, wie erwähnt, in 𝔓46 D G pm u. a. findet, wird im parakletischen Zusammenhang durch ὑμᾶς ersetzt. Aber von welcher Art ist nun die Stunde und damit der καιρός. Sie fordert das ἐξ ὕπνου ἐγερθῆναι. Der Ausdruck findet sich auch Eph 5, 14 im übertragenen Sinn, und zwar in einem Taufzuruf. Das Bild ist auch im Hellenistischen weit verbreitet. So heißt es in einer alchemistischen Schrift[7]: ἔγειραι ἐξ Ἅιδου καὶ ἀνάστηθι ἐκ τοῦ τάφου καὶ ἐξεγέρθητι ἐκ τοῦ σκότους. Vgl. auch CHerm I 27, VII 1; Philo, De somn. I 164, II 292; OdSal 8, 3 ff; ActThom 110 u. a.[8] Der Sache nach gehört auch 1 Thess 5, 6 hierher. Das „erwachen" bzw. „sich vom Schlaf erheben" vollzieht sich in dem, was V 12 b genannt wird. Es ist eine Grundbewegung, die natürlich mit der in 12, 2 genannten Distanz von diesem Kosmos und der Erneuerung des Denkens identisch ist. Aus dem traditionellen Bild des Schlafes selbst ist zu entnehmen, daß jeder Konformismus mit der Welt ein Weltenschlaf oder auch ein Weltentraum ist. Die ὥρα, die jetzt angebrochen ist, ist die Auferstehungsstunde aus diesem Weltenschlaf, welcher nach Eph 5, 14 ein Todesschlaf ist. Das Sicherheben aus ihm muß aber in der eschatologischen Stunde immer von neuem geschehen. Man ist zwar einmal aus diesem Schlaf in der Taufe er-

---

[6] R. WALKER, a. a. O. 62: „Im Sinn des Apostels soll 13, 11 f. vorausgehende Imperative mit dem Hinweis auf das hereinbrechende Ende intensivieren."
[7] R. REITZENSTEIN, HMR 64, 233 f 314.
[8] H. SCHLIER, Der Brief an die Epheser, 241.

wacht, aber man muß wach bleiben, d. h. praktisch sich immer wieder aus dem niederziehenden Weltenschlaf erheben. Daß die eschatologische Stunde dafür gekommen ist als solche, die jetzt immer wieder kommt, erfährt im Zusammenhang eine zweifache Begründung (VV 11b und 12).

V 12 Davon ist die im Bild bleibende und eigentlich begründende in V 12 gegeben, der jetzt auf V 11b folgt, vielleicht aber, wenn wir ein zugrunde ligendes Lied annehmen dürfen, ursprünglich auf V 11a. Lassen wir V 12 auf V 11a folgen, so schließt sich dem Weckruf eine Proklamation der Stunde an, die ihn veranlaßt. V 12a weist ja darauf hin, daß „die Nacht vorgeschritten, der Tag aber nahe gekommen ist". Die Nacht ist, wie V 12b zeigt, „die Finsternis" (vgl. auch 1 Thess 5, 1). Und „die Finsternis" ist die Weltzeit vor Christus. Dieser Finsternis steht die ἡμέρα gegenüber, welche noch V 12b wie 1 Thess 5, 5 τὸ φῶς ist (vgl. auch Eph 5, 8 ff). Die ἡμέρα ist ἡ ἡμέρα τοῦ κυρίου von 1 Kor 1, 8; 5, 5; 2 Kor 1, 14; 1 Thess 5, 2; 2 Thess 2, 2 oder ἡ ἡμέρα (τοῦ) Χριστοῦ Ἰησοῦ von Phil 1, 6.10. Aber gerade damit ist sie „der Tag" schlechthin. Von „der Nacht" der Welt ist nun ausgerufen: προέκοψεν, wobei das προκόπτειν das Voranschreiten, das Vorschreiten der Zeit meint[9]. Sie ist noch nicht zu Ende, aber sie geht zu Ende. Dementsprechend wird von dem Tag gesagt, daß er „nahe gekommen" ist. Die Aussage entspricht Mk 1, 15; Jak 5, 8; 1 Petr 4, 7. Der Kairos, in dem sich die Menschen jetzt befinden, sagt der Apostel, ist also die Zeit, da die Weltennacht im Vergehen ist und der Tag des Herrn aufleuchtet und sie vertreibt. In diesem Morgengrauen oder in der Morgenfrühe heißt es vom Schlaf aufstehen. Weiterhin „schlafen" heißt den nahe gerückten Tag versäumen. Die Nähe des Tages ist bei Paulus hier zunächst zeitlich verstanden. Darauf verweist V 11b. Der Tag ist jetzt näher als damals, als „wir" – Paulus und die Christen überhaupt – „zum Glauben gekommen waren", was abschließend in der Taufe geschah. Ἐπιστεύσαμεν ist Aor. ingr. wie 1 Kor 3, 5; 15, 2.11; Gal 2, 16 u. a. Mit jedem Tag nimmt seine Nähe zu und seine Ferne ab. Es ist kein Datum. Seine Nähe ist ein unberechenbares, schlechthinniges Nahekommen. Damit ist seine zeitliche Nähe eine jederzeit bedrängende Ankunft, ja eine schon über uns gekommene Gegenwart. Und dieser neue Horizont ist Grund für die Notwendigkeit zu erwachen. Er hat sich unserer ja auch schon nach 1 Thess 5, 1 ff bemächtigt. Erwachen aus dem Weltenschlaf heißt aber, wie V 12b formuliert, „ablegen die Werke der Finsternis und anziehen die Waffen des Lichts". Und es heißt weiter, nach dem dritten Adhortativ in der ersten Person Pluralis: einen ehrbaren Lebenswandel führen (V 13a). Es heißt endlich, nach zwei Imperativen in der zweiten Person Pluralis, allgemein und doch konkret: „den Herrn Jesus Christus anziehen" und nicht „das Fleisch" fürsorglich pflegen. Die Redeweise der Mahnungen ist traditionelle Taufsprache, sowohl was das „Ablegen" und „Anlegen" als auch was das „Anziehen des Herrn Jesus Christus" betrifft. Auch der Gegensatz σκότος – φῶς und endlich der kleine Lasterkatalog V 13b gehören zur traditionellen Paraklesensprache. Vom „ablegen" (ἀποτίθεσθαι med.) im

---

[9] Bauer WB 1442; Stählin in: ThWb VI 712 716.

Zusammenhang mit bestimmten ἔργα ist z. B. auch Kol 3, 8 die Rede, in Eph 4, 22 im Zusammenhang mit „dem alten Menschen" und dessen ἀνα-στροφή, also der Seinsweise des Menschen, wie er vorkommt. Von den ἔργα τοῦ σκότους redet auch Eph 5, 11. Der Gegensatz ist auch dort das ἐνδύεσθαι des neuen Menschen. „Die Werke der Finsternis" sind solche Handlungen, die, von der Finsternis bestimmt, diese in sich tragen und sie verbreiten. Gal 5, 19 werden sie als ἔργα τῆς σαρκός aufgezählt, d. h. als Taten des selbst-süchtigen Wesens des Menschen. Von ihnen ist angesichts des καιρός, der uns aus dem Weltenschlaf aufstehen heißt, angesichts des „Tages", der nahe kommt und immer näher anbricht, abzulassen. Und dies geschieht in der Weise, daß man „die Waffen des Lichts" anlegt. Der Übergang von den „Werken" zu den „Waffen" [10] ist eigentümlich, aber bezeichnend. Die Werke, die man tun soll, werden unter dem Gesichtspunkt ihrer Wirksamkeit gesehen. Sie kämpfen, selbst vom Licht geschmiedet, für das Licht. Wo sie als Waffen wirksam wer-den, wird es licht. Zum Bild der Waffenrüstung, das eine lange und weitver-breitete Geschichte hat, vgl. auch Röm 6, 13; 1 Thess 5, 8, vor allem aber Eph 6, 11ff [11].

V 13 In bildloser Formulierung wird das noch einmal V 13 hervorgehoben, und dabei werden solche ἔργα τοῦ σκότους in durch drei parallele Paare ge-gliedertem Katalog vorgetragen. Es geht um ein εὐσχημόνως περιπατεῖν. Ὡς ist natürlich nicht ein „als ob" [12], sondern meint „als solche, die am Tage leben". Die Nähe des Tages und das Leben in ihm ist ja keine Fiktion, sondern eine Realität. Wir können in ihm jetzt schon unser Leben führen. Περιπατεῖν ist, wie wir sahen, das von Paulus bevorzugte Wort für die Lebensführung oder den Lebenswandel. Εὐσχημόνως ist 1 Kor 14, 40 mit κατὰ τάξιν verbunden. Es meint 1 Thess 4, 12 das stille, um die eigenen Angelegenheiten bekümmerte, arbeitsame Leben. Das Substantiv εὐσχημοσύνη (1 Kor 12, 23) und das Adjek-tiv εὐσχήμων (1 Kor 7, 35; 12, 24) bedeuten die Ehrbarkeit und Anständigkeit, die Ordentlichkeit im alltäglichen Leben. Was etwa konkret damit gemeint ist, zeigt der Katalog in V 13b, der in drei parallelen Paaren als Beispiel für das Gegenteil offenbar die Situation eines antiken ausschweifenden Gelages im Auge hat. Κῶμος ist ursprünglich der dionysische Festzug und dann der Fest-schmaus (vgl. Polyb. 10, 26, 13; Weish 14, 23; 2 Makk 6, 4; Philo, Cher. 92; Polyaen. 2, 12, 7: μεθύειν καὶ κωμίζειν, und bei Paulus Gal 5, 21 und 1 Petr 4, 3 in Lasterkatalogen im Sinn von Gelagen, und zwar sensu malo). So findet es sich auch mit ἡ μέθη (im Plural) verbunden, das „Trunkenheit", „Rausch", auch (wie Diod. Sic. 16, 19, 2) „Trinkgelage" bedeutet. Das „ehrbare Leben" läßt sich nicht auf Freß- und Saufgelage ein. Κοίτη ist „das Bett", „das Ehe-bett", aber auch „der Beischlaf" (Lv 15, 21ff; Weish 3, 13.16), allgemein „die geschlechtliche Ausschweifung", neben ἀσέλγεια (wie Weish 14, 26; 3 Makk

---

[10] Τὸ ὅπλον kann freilich auch „Werkzeug" heißen, was aber hier wegen ἐνδύεσθαι nicht paßt.
[11] Vgl. H. Schlier, a. a. O. 289.
[12] Barth, Barrett, Ridderbos, Käsemann.

398

2,26; Jos. a IV 151 u. a.), „die Zügellosigkeit, Üppigkeit" (vgl. Eph 4,19; Jud 4), neben ἀκαθαρσία und πορνεία (2 Kor 12,21; Gal 5,19, auch Mk 7,22; 1 Petr 4,3; 2 Petr 2,7). Gemeint sind die zügellosen Ausschweifungen beim Gelage. Dort hat man sich wohl auch das letzte Paar ἔρις καὶ ζῆλος zu denken, das eine rhetorische Verdoppelung darstellt wie 1 Kor 3,3: ζῆλος καὶ ἔρις. Auch in Lasterkatalogen stehen beide nebeneinander (2 Kor 12,20; Gal 5,20; 1 Clem 5,5; 6,4; 9,1). Ἔρις ist ein übliches Wort für Streit, Zank, im Lasterkatalog Röm 1,29; auch 2 Kor 12,20; Gal 5,20. Phil 1,15 steht es neben φθόνος. Ζῆλος ist neben Eifer im guten Sinn (z. B. Röm 10,2) „Eifersucht" wie in den angegebenen paulinischen Stellen [13]. Natürlich ist mit den genannten Beispielen nicht das ἀσχημόνως περιπατεῖν für den Apostel erschöpft, und natürlich ist das geforderte εὐσχημόνως περιπατεῖν nicht der einzige Ausweis des ἐν ἡμέρᾳ εἶναι. Aber es ist bezeichnend, daß Paulus in seiner abschließenden Mahnung es angesichts des nahen „Tages" für wert hält, seiner Erwähnung zu tun. Der Tag ist nahe gekommen und rückt auch für die nächtlichen Gelage und ihre Ausschweifungen und eifersüchtigen Streitereien heran, mit denen sich die Welt die Zeit vertreiben will.

V 14 Überraschend allgemein und grundsätzlich ist wieder das Gegenglied, die positive Mahnung (V 14), formuliert. Ihr folgt in V 14b noch eine allgemeine negative Adhortatio. Jetzt wendet sich auch der Hortativ in den Imperativ der zweiten Person Pluralis. Das ἐνδύεσθαι τὸν κύριον Ἰησοῦν Χριστόν innerhalb einer Mahnung ist singulär. Aber als Aussage dessen, was in der Taufe geschehen ist, kommt die Wendung Gal 3,27 vor. Christus ist wie ein himmlisches Gewand angezogen worden, d. h., der Täufling ist in das Sein und die Seinsweise Christi aufgenommen. Zum Gebrauch von ἐνδύεσθαι vgl. 1 Kor 15,53f [14]. Die Christen, die Christus Jesus „angezogen" haben, müssen ihn immer wieder von neuem „anziehen", also ihr „in dem Herrn Jesus Christus sein" immer von neuem bewähren und so ihren Stand befestigen. Dieser doppelte Aspekt, den angezogenen Christus immer wieder anzuziehen, findet sich in bezug auf den neuen Menschen in Kol 3,9f ausdrücklich, auch Eph 4,22 erinnert daran. Die Paraklese basiert, soweit der Mensch in Frage kommt, auf seiner Taufe. Sie will, daß der Getaufte in seinem Leben realisiert, was ihm in der Taufe geschehen ist, und zwar nicht nur mit einzelnen Taten, sondern mit dem „immer von neuem eingehen" in das ἐν Χριστῷ εἶναι, in dem er sich bewahren und bewähren soll. Was bedeutet dafür „Christus Jesus anziehen"? Es besagt – in der negativen Mahnung (V 14b) –, daß einer nicht für sein „Fleisch" besorgt sein soll. Πρόνοιαν ποιεῖσθαί τινος ist soviel wie „Sorge

---

[13] Der Plural in B sah Cl Ambrstr ist wohl nur Angleichung an die vorigen Paare. Vgl. 2 Kor 12,20; Gal 5,20.
[14] Zur Sache vgl. OdSal 33,11ff:
„Durch mich (‚die Gnade', ‚die reine Jungfrau') sollt ihr erlöst werden und selig sein, weil ich euer Richter bin.
Die mich anziehen, werden keinen Schaden nehmen,
sondern die neue, unvergängliche Welt gewinnen.
Meine Erwählten, wandelt in mir."

tragen für", „fürsorglich sein mit" u. ä. Es ist eine hellenistische Wendung, findet sich aber auch u. a. Dn 6, 19; Arist 80; Jos. c. Ap. 1, 9; 6, 62; Philo, Ebr. 87. Im NT ist es ein Hapaxlegomenon. Σάρξ ist, wie oft bei Paulus, der egoistische Mensch selbst bzw. die ihn bestimmende Macht seines selbstsüchtigen und selbstherrlichen Wesens und Treibens, z. B. Röm 8, 3 ff; 1 Kor 5, 5 u. a. Die Fürsorge der Christen soll nicht dem konkreten, eigenen, selbstsüchtigen Wesen gelten εἰς ἐπιθυμίας, so daß die ἐπιθυμίαι (wieder) herrschen und sie ihnen gehorchen (vgl. Röm 6, 12). Hegt und pflegt man das „Fleisch", dann kommt es zu den Begierden, die stets auf ein Entgegenkommen lauern. Man soll vielmehr, könnte man ergänzen, um den Herrn Sorge tragen, damit man unter seiner Herrschaft und seinem Heil bleibt. Nur solche Sorge entspricht der Stunde, nur sie ist ein Erwachen am näher kommenden Tag, der schon nahe gekommen ist.

Mit Röm 14, 1 beginnt der zweite Teil der apostolischen Paraklese. Nach dem Abschluß des ersten Teiles, der auf den Kairos des nahe gekommenen Tages hinweist, in dessen Licht die Christen stehen, überraschen die neuen Ausführungen in hohem Maß. Denn schon der erste Satz (14, 1), der nur mit einem fortführendem δέ an den ersten Teil der Paraklese anschließt, verrät, daß es sich um ein neues, für uns zunächst undurchsichtiges Thema handelt. Jedenfalls ist die Mahnung zur ἀγάπη (12, 9) und zum ἀγαθόν (12, 9.21) mit einer speziellen Mahnung zum προσλαμβάνεσθαι ἀλλήλους aufgenommen, das am Anfang (14, 1) und gegen Schluß der Ausführungen (15, 7) erscheint und also die Paraklese dieses zweiten Teiles bestimmt, was sich durch die dort behandelte Sache bestätigt. Daß die ἀγάπη aber nicht vergessen, sondern das Kriterium für die christliche Lebensführung geblieben ist, zeigt ihr Auftauchen in 14, 15.

Die Mahnung zur gegenseitigen Annahme ist nicht als eine allgemeine verstanden, sondern bezieht sich in der Hauptsache auf zwei Gruppen der römischen Gemeinde, welche Paulus die „Schwachen" und die „Starken" nennt (14, 1; 15, 1), wobei er sich selbst zu den „Starken" rechnet. Die „Schwachen" sind die „im Glauben Schwachen", deren Glaubensschwäche sich darin erweist, daß sie kein Fleisch, sondern nur Gemüse essen und keinen Wein trinken (14, 2.21; 14, 17), und zwar weil sie dieses βρῶμα und diese βρῶσις καὶ πόσις (14, 15.17.20f) für κοινόν halten, die Freiheit des Glaubens also durch die Furcht vor kultischer Verunreinigung beeinträchtigt sehen. Die „Schwachen" sind auch die – denn es werden die nachträglich in 14, 5f Erwähnten dieselben wie jene Asketen sein –, welche ἡμέραν παρ' ἡμέραν κρίνειν, „einen Tag einem anderen vorziehen", bestimmte Tage demnach bevorzugen. Die „Starken" im Glauben, die 14, 2ff.13ff gemeint sind und 15, 1 als ἡμεῖς οἱ δυνατοί bezeichnet werden, sind im Gegensatz zu den „Schwachen" diejenigen Christen, die „alles essen" und „Wein trinken" (14, 2.21) und nicht einen Tag vor dem anderen auszeichnen (14, 5f). Ihr Glaube ist nicht durch Furcht vor Verunreinigung geschwächt, sondern ist der Glaube des Apostels, der im Herrn Jesus Christus überzeugt ist, daß nichts von den Speisen an sich unrein ist (14, 14). Diese Vertreter zweier verschiedener Gruppen sollen sich gegenseitig „annehmen". Das heißt des näheren: die „Starken" sollen die „Schwachen" nicht „verachten" (14, 3.10), und sie sollen den „Schwachen" durch ihr Verhalten keinen Anstoß bereiten, indem sie sie gegen ihre Überzeugung, d. h. gegen ihren schwachen Glauben, zum Essen von Fleisch und Trinken von Wein verführen (14, 13 ff). Sie sollen „die Schwachheiten der Schwachen" ohne Selbstgefälligkeit und Anmaßung ertragen (15, 1). Die „Schwachen" aber sollen die „Starken" nicht „richten" (14, 3 f. 13). Denn durch beides wird nicht nur die Tischgemeinschaft, sondern auch die innere Einheit der Gemeinschaft der Gemeinde zerstört.

Diese Ausführungen über die gegenseitige „Annahme" sind aber ausdrücklich und vielfältig theologisch und christologisch begründet. Gott hat (auch) den „Starken" angenommen (14, 3). „Schwache" und „Starke" sagen Gott Dank (14, 6). Jeder hat sich einmal vor dem Richterstuhl Gottes zu verantworten (14, 10–12). Gottes Herrschaft transzendiert das gegensätzliche Verhalten, durch das das „Werk" Gottes nicht zerstört werden soll (14, 17.20.22). Von Gott ist die Gabe der Eintracht und Einmütigkeit der Gemeinde zu erbitten. Er gewährt sie (15, 5 f. 13). Christus ist ja auch für den „schwachen" Bruder gestorben (14, 15). Und er ist kraft des Todes und der Auferstehung der Herr über Lebende und Tote (14, 9), so daß wir ihm leben und sterben (14, 7 ff), ihm stehen oder fallen (14, 4), ihm auch essen und trinken und bestimmte Tage beachten oder auch nicht (14, 4 ff). Christus, der uns angenommen hat, ist uns darin, d. h. in der Selbstlosigkeit des Ertragens, im „nicht sich selbst zu Gefallen leben", auch Vorbild (15, 3.5). Er hat ja auch Juden und Heiden zur Ehre Gottes angenommen.

Diese theologische und vor allem christologische Untermauerung des zweiten Teiles der Paraklese hat natürlich auch Einfluß auf dessen formale Gestaltung. Denn so einfach der Gedankengang hinsichtlich der Mahnung, einander anzunehmen, ist, so treibt er mit den genannten Begründungen zu einem Höhepunkt oder ist mit ihm verbunden. Das erste ist besonders deutlich in 14, 1–12 und 15, 1–6, das letztere in 14, 13–23 und 15, 7–13. Man gewinnt u. a. dadurch den Eindruck, daß die konkrete Situation in der römischen Gemeinde das, wozu Paulus diese aufruft, mehr illustriert, als daß die dortigen Verhältnisse um ihrer und ihrer Beseitigung selbst willen erwähnt werden. Gewiß bekümmern den Apostel diese Verhältnisse in der römischen Gemeinde, von denen er irgendwoher Nachrichten erhalten hat, und er will sie durch seinen Zuspruch überwinden. Aber zugleich sind sie ihm markante Beispiele für grundlegende allgemeine Gefahren und Übel in der Kirche, die er grundsätzlich beseitigen will. Auch in Korinth stand er ihnen oder jedenfalls ähnlichen gegenüber.

5. 14, 1–12 Die Starken und die Schwachen in der römischen Gemeinde

1 Nehmt den im Glauben Schwachen an, damit es nicht zu Streitigkeiten um Überzeugungen kommt. 2 Der eine glaubt alles essen zu dürfen, der Schwache ißt nur Gemüse. 3 Wer ißt, soll den nicht verachten, der nicht ißt. Wer nicht ißt, soll den nicht richten, der ißt. Denn Gott hat ihn angenommen. 4 Wer bist du denn, daß du den fremden Knecht richtest. Er steht und fällt dem eigenen Herrn. Er wird aber stehen; denn der Herr ist imstande, ihn aufrecht zu halten. 5 Der eine bevorzugt den einen Tag vor dem anderen, der andere heißt jeden Tag gut. Jeder sei seines eigenen Urteils gewiß. 6 Wer auf den Tag achtet, tut es für den Herrn, und wer ißt, ißt dem Herrn zu Ehren. Er sagt ja Gott Dank. Und wer nicht ißt, ißt dem Herrn zuliebe nicht und dankt Gott. 7 Denn keiner von uns lebt sich selber, und keiner stirbt sich selber. 8 Leben wir, so leben wir dem Herrn; und sterben wir, so sterben wir dem Herrn. Wir leben oder sterben, wir gehören dem Herrn. 9 Denn dazu ist Christus gestorben und lebendig geworden, daß er über Tote und Lebende herrsche. 10 Du aber, was richtest du deinen Bruder? Oder auch du, was verachtest du deinen Bruder. Wir werden doch alle vor Gottes Richterstuhl stehen. 11 Denn es steht geschrieben: „So wahr ich lebe, spricht der Herr, vor mir wird sich jedes Knie beugen, und jede Zunge wird Gott lobpreisen." 12 Jeder von uns wird also Gott über sich selbst Rechenschaft geben müssen.

V 1 Paulus hat zunächst, wie er hier (V 1) ausdrücklich sagt, „den im Glauben Schwachen" vor Augen und fordert die Glieder der römischen Gemeinde allgemein auf, sich ihrer anzunehmen [1]. Προσλαμβάνεσθαι hat wie 15, 7a den allgemeinen Sinn von „freundlich und hilfsbereit (Zahn) annehmen". So ist es ja auch im Zusammenhang mit der Annahme durch Gott (14, 3) oder durch Christus (15, 7b) zu verstehen. Aber auch Phm 17: προσλαβοῦ αὐτὸν ὡς ἐμέ (vgl. 12 C ℵ D lat sy, auch Apg 28, 2, wo es den konkreten Sinn von Aufnehmen in die [Familien-]Gemeinschaft hat [2]), weist auf seine allgemeine Bedeutung. Es hat keinen „rechtlichen" (Michel) Klang und bezieht sich nicht auf die „Zulassung zur Gemeinde" oder gar auf die Taufe (Schlatter), sondern auf die Anerkennung als wirklichen Bruder [3]. Der Gegensatz wäre nicht das Ausstoßen aus der Gemeinde, sondern die abweisende Haltung ihm gegenüber als Bruder. Wen aber sollen die Angesprochenen „annehmen"? Τὸν ἀσθενοῦντα τῇ πίστει. Der Singular ist gnomisch zu verstehen. So wie es nach 1 Kor 8, 7ff; 9, 22; auch 2 Kor 11, 29f eine Schwäche der Erkenntnis und des Gewissens gibt, so hier eine Schwäche des Glaubens. Freilich nicht des Glaubens als sol-

---

[1] Zu ἀσθενέω und seinen vielfältigen Bedeutungen vgl. Stählin in: ThWb I 488ff.
[2] Hellenistische Beispiele bei Bauer WB 1422.
[3] Als „Christen im Vollsinn" (Asmussen).

chen, sondern seiner Implikationen und Konsequenzen (Leenhardt). Es
sind – um das gleich hier zu sagen – nicht solche, die „durch ihre Werke gerettet und selig werden wollen"; „sie wollen nur ihres Glaubens leben, wollen aber, um das tun zu können, jene besonderen Maßnahmen ergreifen; weil
sie es sich nicht zutrauen, ohne jenes Geländer, jene Prinzipien, jene Übungen
durchzukommen, weil sie ohne diese kleine Selbsthilfe aus der Gnade zu fallen
befürchten" (Barth III). Vgl. den Gegensatz Röm 4, 19. Das Urteil über die
Schwäche des Glaubens wird natürlich nicht von den „Schwachen" gefällt,
sondern von den „Starken", deren Überzeugung und Redeweise Paulus teilt.
Solche Annahme der „Schwachen" im Glauben soll aber nicht εἰς διακρίσεις
διαλογισμῶν geschehen. Διάκρισις ist hier nicht wie 1 Kor 12, 10; Hebr 5, 14;
1 Clem 48, 5 „Unterscheidung", sondern wie Apg 4, 32 D „Auseinandersetzung", „Disputation", auch „Zank", „Streit" u. ä. [4] Διαλογισμοί sind weniger
Gedanken, Erwägungen (Kühl) wie Röm 1, 21; 1 Kor 3, 20, oder auch Bedenken, Zweifel wie Phil 2, 14; 1 Tim 2, 8, sondern Überzeugungen, Haltun-
gen, vielleicht auch wie Jak 2, 4 Gesinnungen, oder Entscheidungen. Die römischen Christen sollen sich der im Glauben Schwachen annehmen, aber nicht
um ihre skrupulösen Überzeugungen oder Gesinnungen zu diskutieren [5], sondern – könnte man kurz formulieren – um sie zu respektieren. Es soll eine
gegenseitige Anerkennung der Brüder sein, die nicht miteinander streiten, sondern voreinander und vor ihren Überzeugungen, die ja Glaubensüberzeugun-
gen sind, Achtung haben. Anders „verwandelt sich die Gemeinschaft der beiden Gruppen in eine unleidliche theologische Diskussion" (Schlatter; vgl.
Barrett).

V 2 Doch worum geht es bei diesen möglichen Streitereien? Anders gefragt:
In welchem Sinn sind die einen „stark", die anderen „schwach" im Glauben?
Paulus deutet es nur an. V 2 antwortet auf diese Frage so: „Der eine glaubt alles
essen zu dürfen [6], der „Schwache ißt nur Gemüse" [7]. Πιστεύειν ist hier angesichts der eben erwähnten πίστις wahrscheinlich mit Lietzmann u. a. doppel-
sinnig zu verstehen: „ist so stark im Glauben" und „ist überzeugt... zu dürfen".
Kaum meint es: „er getraut sich" (Zahn, Michel). Bei den „Schwachen" handelt es sich also um Vegetarier aus religiösen Gründen. Später wird, wie wir
sehen, ihr Bild noch etwas deutlicher: sie essen aus Scheu vor ritueller Verunreinigung kein Fleisch und trinken keinen Wein (14, 17.21 [14, 15.17.20f]),
während die „Starken" sich nicht darum kümmern, sondern „alles essen". In
der nachgetragenen Parallelaussage (V 5) unterscheiden die „Schwachen"
bestimmte Tage und ziehen den einen oder die einen den anderen vor. Reli-
gionsgeschichtlich läßt sich die Zugehörigkeit dieser „Schwachen" in Rom
nicht mit Sicherheit klären. Frei gewählte Askese verschiedenster Art und aus
unterschiedlichen Gründen ist in der hellenistischen und jüdischen Antike weit

---

[4] Vgl. διακρίνεσθαι im Sinn von „streiten", „disputieren" Apg 10, 20; 11, 2; Jud 9.

[5] Also nur des weiteren, wie Kühl sagt, „Zweifelsgedanken" nachzugeben.

[6] „Il croit pouvoir manger" (Lagrange).

[7] 𝔓46 D* G lat Ephr lesen ἐσθιέτω, nach Barrett vielleicht die ursprüngliche Lesart. Vgl.
auch Michel.

verbreitet [8]. Von Vegetariern ist z. B. bei Apuleius (Metamorphosen XI 28) oder Spartianus (Vita des Didius Julianus c. 3), auch Preisendanz (Zauber I 104) die Rede. Bekannt ist die Fleisch- und Weinabstinenz (neben geschlechtlicher Enthaltsamkeit) bei den Pythagoreern bzw. Neupythagoreern, wie wir sie bei Diog. Laert. XIII 20, 38 oder in der Vita Apoll. I 8 von Philostrat belegt finden.

Im atl. und jüdischen Bereich [9] kann man, was vor allem den Verzicht auf Weingenuß betrifft, an das lebenslange (Ri 13, 4f; 1 Sm 1, 14; Am 2, 11f) oder zeitlich begrenzte (Nm 6, 2ff) Nasiräatsgelübde denken. Auch die Scheu Daniels vor Verunreinigung durch die Speisen und den Wein von der königlichen Tafel ist zu erwähnen [10], ebenso die dreiwöchige Vorbereitung auf das himmlische Gesicht durch Enthaltung von Fleisch und Wein (Dn 1, 5.8.12; 10, 2ff; vgl. auch 4 Esr 9, 21–26; 12, 51). Als Bußleistung treffen wir sie TestRub 1, 10; TestJud 15, 4 (vgl. 10, 3) [11], als Bewahrung vor Versuchung TestJos 3, 15. Aber das sind jeweilige besondere Situationen, in denen diese Askese geübt wird, und es handelt sich nicht um prinzipielle Enthaltsamkeit wie in Röm 14, 1ff.

Bekannt ist anderseits die im palästinensischen und hellenistischen Judentum betonte Hervorhebung nicht nur des Sabbats oder der Fasttage, sondern auch anderer Zeiten, die zu beachten sind. Aber wiederum charakterisiert Paulus die römischen Verhältnisse nicht näher, so daß sie erkennbar würden. Schlatter denkt an den jüdischen Kalender und die Anfänge der Sonntagsfeier. Aber genügt das? Die Unterscheidung von Tagen und Zeiten spielt besonders in der jüdischen Apokalyptik eine Rolle, vor allem im äthiopischen Henoch und im Buch der Jubiläen. So heißt es z. B. 1 Hen 82, 7ff: „Denn die Lichter, Monate, Feste, Jahre und Tage hat er mir gezeigt und enthüllt, Uriel…" Auch in den Qumrantexten finden sich solche ausgezeichneten Zeiten, z. B. Damask 3, 12ff: „Und die Häupter ihrer Dienstabteilungen mit ihren Ausgehobenen stellen sich ein zu ihren Festterminen, Neumonden, Sabbaten und zu den Tagen des Jahres, ab fünfzig Jahren und darüber…" [12] Gegen solche religiöse Einschätzung bestimmter Zeiten polemisiert später das KgPt, Clem. Alex. VI 5, 41: „Verehrt ihn (Gott) auch nicht in der Weise der Juden; denn auch jene, die da meinen, allein Gott zu kennen, verstehen nicht, indem sie Engel und Erzengel, Monate und Monde verehren. Und wenn der Mond nicht scheint, feiern sie den sogenannten ersten Sabbat nicht, auch feiern sie nicht Neumond, das Fest der ungesäuerten Brote, das (Laubhütten-)Fest und den großen Tag (Versöhnungsfest)." [13] Aber in diesen hellenistischen und jüdischen Texten findet

---

[8] Vgl. LIETZMANN, Exkurs; MICHEL, Exkurs; BEHM in: ThWb II 687ff, IV 926ff; STRATHMANN in: RAC I 749ff. M. HENGEL, 387 452; NILSON II 398f 402 507; G. BORNKAMM in: ThWb IV 67; auch ZAHN, 570 Anm. 4.

[9] Vgl. die möglichen Motive, die Schlatter aufzählt. Sein Ergebnis ist: „Über die Herkunft derer, die sich vom Tisch der Freien sondern, läßt sich nichts sagen."

[10] STRACK-BILLERBECK II 366f.

[11] Vgl. auch die Pharisäer, die nach der Zerstörung des Tempels kein Fleisch mehr aßen und keinen Wein mehr tranken.

[12] Andere Beispiele bei SCHLIER, Galaterbrief, 204f.

[13] HENNECKE-SCHNEEMELCHER, Neutestamentliche Apokryphen II/3 62.

man die Enthaltung von Fleisch und Wein nicht im Zusammenhang mit der Auszeichnung bestimmter Tage und Termine. Auch sind die Motive der genannten Askese sehr verschieden. Die Texte können deshalb nur die allgemeine Möglichkeit solcher asketischer Gruppen, wie sie in Röm 14, 1ff sichtbar werden, andeuten. Etwas näher kommt ihr vielleicht das, was Philo (Vitacontempl. 37) über die Therapeuten an der λίμνη Μαρεία berichtet. Sie sind Vegetarier und enthalten sich des Weines. Sie feiern in jüdischer Weise den Sabbat, aber dazu noch besonders jeden fünfzigsten Tag [14]. Das zeigt jedenfalls, daß es auch schon eine Verbindung von Askese und religiöser Beobachtung bestimmter Tage im jüdischen Hellenismus gab.

Im christlichen Bereich gibt es ein paar Nachrichten über Fleisch- und Weinabstinenz. Sie finden sich z. B. bei den Irrlehrern des 1 Tim 4, 3.8 (vgl. 5, 23). Jakobus, der Bruder des Herrn, soll nach Hegesipp (EusHistEccl II 23, 5) sich des Weines und Fleisches enthalten haben. Die Ebioniten behaupten nach Epiphanius (Haer. 30, 15, 3), Petrus sei Vegetarier gewesen. Nach Hipp. El. VIII 20 enthalten sich die Enkratiten bei dogmatischer Korrektheit „animalischer Nahrung, trinken Wasser, verzichten auf die Ehe und führen im übrigen ein hartes Leben" [15]. Ähnliches wird von den Anhängern des Satornilus (Hipp. El. VII 28) berichtet.

Was die Beobachtung bestimmter Tage und Zeiten innerhalb christlicher Gemeinden betrifft, so können wir an die galatischen Christen erinnern, die Paulus Gal 4, 8ff im Auge hat und deren Haltung er mit der Verehrung der στοιχεῖα und mit dem νόμος zusammenbringt. Nahe kommt solcher astrologisch begründeter und von Paulus als Symptom der Gesetzlichkeit verstandener Beobachtung von „Tagen, Monaten, Festzeiten und Jahren" am Rand des Christlichen, was Hipp. El. IX 16, 2f von der „Lehre" des Elchasai aufbewahrt hat und zitiert: „Er (scil. Elchasai) sagt nämlich: Es gibt böse Sterne der Gottlosigkeit... Hütet euch vor der Macht der Tage, an denen sie herrschen, und beginnt nicht mit euren Werken an ihren Tagen. Tauft weder Mann noch Frau an den Tagen, an denen sie Gewalt haben, wenn der Mond an ihnen vorübergeht und mit ihnen wandelt. Wartet den Tag ab, bis der Mond ihre Bahn verläßt... Achtet auch auf den Sabbattag, denn er ist einer von diesen Tagen. Hütet euch aber auch, am dritten Tag nach dem Sabbat etwas anzufangen..." [16] Einmal finden wir nun auch im NT die Kombination von Enthaltsamkeit von Speise und Trank und der religiösen Beobachtung von Tagen, nämlich Kol 2, 16ff, dort im Zusammenhang mit Engelkult und στοιχεῖα-Verehrung. Freilich sind die Röm 14 als die „Schwachen" Bezeichneten in Kol 2, 16ff überlegene, gnostische Gnostiker, die ihrerseits „verurteilen" und „verachten". Aber die Verbindung von Askese und Auszeichnung bestimmter Tage ist, abgesehen vom jüdisch-häretischen Einfluß [17] auf die christlichen Gnostiker in

---

[14] Bousset-Gressmann, 465–468.
[15] Vgl. auch „Das Buch von Thomas, dem Athleten" in der Bibliothek von Nag' Hammadi, Codex III, bei Hennecke-Schneemelcher I 223f.
[16] Hennecke-Schneemelcher II 532 Fragment 7.
[17] „They were not orthodox Jews... The closest parallel, perhaps, is to be found in the heretics of Colossae... it is probable, that they arose out of some kind of fusion between

Kolossä, dieselbe wie die von Paulus erwähnte in der römischen Gemeinde[18]. Auffallend ist nur dreierlei: 1) daß es sich bei den „Schwachen" in Röm 14 f nicht um die Frage handelt, die 1 Kor 8–10 breit zur Sprache gebracht wird, daß die „Schwachen", die sich vor Götzenopferfleisch, weil vor den Göttern fürchten und so auf das Essen von Fleisch überhaupt verzichteten; 2) daß ihr Verhalten nicht mit Gesetzlichkeit zusammengebracht wird wie in bezug auf die „Tage, Monate, Zeiten und Jahre" (Gal 4, 8–11.10); 3) daß es, soweit erkennbar, nicht von στοιχεῖα-Verehrung und Furcht getragen ist wie ebenfalls Gal 4, 8 ff; Kol 2, 16 ff, auch nicht in eine Gnosis eingebettet ist wie Kol 2, 16 ff. Dieser Unterschied wird im verschiedenen Charakter der römischen Gruppe und der galatischen und kolossischen Irrlehrer liegen. Denn es ist nicht anzunehmen, daß Paulus über die näheren Vorstellungen der „Schwachen" nicht orientiert ist. Möglicherweise, aber wenig wahrscheinlich spielt auch eine gewisse Scheu vor der fremden Gemeinde bei dieser Zurückhaltung eine Rolle, weshalb er ihr gegenüber „vorsichtiger als in den eigenen Kirchen argumentiert" (Käsemann). Bei einer entschiedenen Glaubensdifferenz ließe er gewiß, wie auch sonst, jede Vorsicht fahren. Auch Röm 16, 17–20, wenn es zum ursprünglichen Römerbrief gehört, würde dem lebhaft widersprechen.

V 3 zeigt, was Paulus unter dem προσλαμβάνεσθαι konkret versteht. Es geht einmal um ein „nicht verachten", nämlich des „Starken" gegenüber dem „Schwachen" oder, wie es jetzt heißt, dessen, der ißt, gegenüber dem, der nicht ißt, also dessen, der nur Gemüse ißt und kein Fleisch und keinen Wein trinkt. Und es geht zweitens um ein „richten" im Sinn des Urteil-Fällens bzw. Verurteilens (vgl. Röm 2, 1.3; 14, 4.10.13 a.22; 1 Kor 4, 5; 10, 29), das der „Schwache" gegenüber dem „Starken" vollzieht. Hierzu bringt Paulus sogleich in 14, 3c eine Begründung im Anklang an Psalmenwendungen (Pss 26, 10; 64, 5; 72, 24; vgl. 1 Clem 49, 6), die alles Richten dem „Schwachen" verwehrt: „Gott hat ihn (gemeint ist der „Starke", obwohl natürlich nicht auf ihn begrenzt) angenommen." Wenn dabei an die Taufe gedacht sein sollte, so doch auch nur im weiteren Sinn, wie die folgenden Ausführungen zeigen. Paulus bleibt zunächst bei diesem verurteilenden „Schwachen", der vergißt, daß Gott auch den Freien „angenommen" hat, und fährt mit neuer Begründung der Warnung des „Schwachen", den „Starken" nicht zu richten, fort.

V 4 bringt er im lebhaften Stil der Diatribe ein Bildwort, das dem antiken Sklavenrecht entnommen ist. Der (Haus-)Sklave kann nur von seinem eigenen Herrn zur Verantwortung gezogen werden und nicht von einem anderen Sklaven. Er ist nur für seinen Herrn da. Und nun schon bildlich: Er „steht oder fällt" seinem Herrn, wobei Christus „unter der Hand an die Stelle Gottes getreten" (Lietzmann) ist. Er wird aber gar nicht fallen in dem Sinn, daß er liegen

---

Judaism and gnosticism." Aber die „Schwachen" in Rom waren mehr Christen und weniger Gnostiker als die Häretiker in Kolossä.

[18] E. Lohse, Die Briefe an die Kolosser und Philemon (Göttingen 1968) Exkurs 186 ff. Bezeichnend ist auch die Charakterisierung der „Juden" in Diog 4, 1.5.

bleibt. Denn sein Herr ist imstande und auch willens, ihn aufrecht zu halten. Οἰκέτης, das nur hier von Paulus statt δοῦλος gebraucht wird, ist der Haussklave, aber auch allgemein der Sklave (vgl. Apg 10,7)[18a]. Ἀλλότριος ist „fremd" und ein verstärktes ἕτερος, ein ἕτερος οἰκέτης, über den niemand verfügt als der ἴδιος κύριος und der für niemanden da ist als für seinen κύριος. Also kann auch niemand als der eigene κύριος über ihn urteilen und richten[19]. Dieser Sinn liegt in der Frage von V 4a und ist natürlich zu dem „Schwachen" gesagt. Er tritt noch deutlicher dadurch heraus, daß von κυρίῳ στήκειν καὶ πίπτειν die Rede ist. Stehen und fallen läßt mithören: im Glauben festbleiben oder ihn preisgeben, von seinem Standort weichen und so zu Fall kommen. Vgl. zu πίπτειν in diesem Sinn Röm 11,11.22; 1 Kor 13,8; zu στήκειν 1 Kor 16,13: ἐν τῇ πίστει; Gal 5,1; Phil 4,1: ἐν κυρίῳ; 1 Thess 3,8 ebenso; 2 Thess 2,15: ἐν ἑνὶ πνεύματι. Der deutliche Gegensatz ist 1 Kor 10,12: ὁ δοκῶν ἑστάναι βλεπέτω μὴ πέσῃ. Τῷ κυρίῳ ist Dat. comm., also nicht „zum Nutzen oder Schaden des Herrn" (Lagrange, Michel), sondern „ihm zuliebe" oder „für ihn" (Zahn, Käsemann), so wie die folgenden Dative von κυρίῳ V 6ff. Aber der Sklave, den Paulus meint, der von Gott angenommen wird, kann, auch wenn er gefallen sein sollte, von seinem Herrn wieder aufgerichtet werden. Σταθήσεται ist passivisch[20]. Das Futur ist nicht eschatologisch zu verstehen, sondern ist Ausdruck der Gewißheit, daß der Kyrios den, der gefallen ist, wieder aus Gnaden annehmen wird. Er hat die Macht, ihn aufzurichten. Und er will es. Zu δυνατεῖ in diesem Doppelsinn vgl. 2 Kor 9,8. „Gnade ist mächtiger als des Menschen Verfehlung" (Käsemann). Wie soll aber dann, wenn über den „Starken" allein sein Herr verfügt und dieser Herr dem Gefallenen Gnade walten läßt, der „Schwache" ihn richten?

In *V 5* wird der Gedankengang unterbrochen[21]. Dem Apostel fällt noch ein anderer Unterschied der beiden Gruppen in der römischen Gemeinde ein. Er formuliert ihn parallel zu V 3: ὃς μέν – ὃς δέ. Κρίνειν hat nun eine andere Bedeutung, wie ἡμέραν παρ᾽ ἡμέραν zeigt. Es meint „auswählen", „den Vorzug geben", „auszeichnen" u. ä. Im zweiten Fall: κρίνει πᾶσαν ἡμέραν, bedeutet es „gutheißen", „anerkennen' (vgl. Xen., Hell. I 7,34)[22]. In welchem Sinn jener Vorzug oder jene Auswahl gemeint ist, ist schwer zu sagen. Aber so viel steht nach dem religionsgeschichtlichen Hintergrund fest: 1) daß sich die Auszeichnung bestimmter Tage jüdischem Einfluß, der sich in judenchristlichen Kreisen noch erhalten hat, verdankt und 2) daß sie nicht mit einer nomistischen Gnosis verbunden ist. Paulus sieht sie auf derselben Linie wie jene Enthaltsamkeit von Fleisch und Wein. Nur deshalb kann er sozusagen das Verhalten beider Gruppen in ihr Gewissen schieben und sie dazu auffordern, in

---

[18a] Bauer Wb 1102.
[19] Ὁ θεός lesen D G Ambrstr Pelag vg latt L min Chrys Thdt.
[20] Anders Bauer Wb 755; vgl. aber Käsemann.
[21] Γάρ lesen ℵ A C bo d g vg Ambrstr Pelag P. Es fehlt in 𝔓[46] B D G pm sy[p] sah goth Chrys Thdt. Wenn es ursprünglich ist, so Lietzmann, Barth, Kühl, Michel u. a., ist es jedenfalls nicht begründend, sondern fortführend (Lagrange, Lietzmann, Ridderbos u. a.).
[22] Bauer Wb 892.

ihrem Urteil zu Selbständigkeit und Festigkeit zu kommen. Der νοῦς ist wohl
der erneuerte von Röm 12, 2, der aber u. U. noch nicht zu voller Klarheit und
fester Überzeugung gekommen ist, der aber dazu kommen soll, damit sich
seine ἀνακαίνωσις auch realisiert. Πληροφορεῖσθαι ist hier wie Röm 4, 21;
IgnMagn 8, 2 „voll überzeugt sein", „von seiner Überzeugung erfüllt oder
durchdrungen sein". Es steht im Gegensatz zum διακρίνεσθαι (14, 23), das
dem persönlichen Glauben widerspricht, weil dieser auf jeden Fall feste Überzeugung in sich schließt. Wenn Paulus nun die „Starken" und die „Schwachen"
(ἕκαστος) nur dazu auffordert, ihr Verhalten in einem voll überzeugten Denken gegründet sein zu lassen, also das Verhalten beider Gruppen in der Gemeinde für möglich, wenn auch nicht in gleichem Maß für wünschenswert hält,
so tut er das nicht aus einem relativierenden Liberalismus heraus, der jede
Glaubenshaltung für berechtigt hält, sondern er sieht, daß der eigentliche, fundamentale und gemeinsame Glaube durch das genannte Verhalten nicht berührt wird, so daß es die Einheit der Ekklesia in Rom nicht zerstören kann. Es
gibt für den Apostel offenbar einen Freiheitsraum des Verhaltens und der theologischen Überzeugung, die es bestimmt, gerade vom Glauben her. Wenn dieser selbst freilich in seiner Grundlage und seinem Wesen angetastet wird, wie
in Galatien und Kolossä, widersteht der Apostel mit voller Entschiedenheit
bis zum Anathema über die, welche ein ἕτερον εὐαγγέλιον – das es gar nicht
gibt – verkündigen (Gal 1, 6ff). Aber auch wenn der Glaube im Sinn des Evangeliums durch das Verhalten der römischen Christen nicht tangiert wird, kann
er als persönlicher berührt werden, wenn z. B. der „Schwache" gegen sein Gewissen Fleisch ißt (14, 23). Dann handelt er gegen das Maß seines Glaubens,
der zwar gering, aber doch vorhanden ist und sein Handeln sowie seine Ge-
wissensüberzeugung bestimmt. Er ist, wie es 14, 1 heißt, „schwach" „im Glauben", und er „glaubt" (14, 2) nicht alles essen zu dürfen, sondern nur Gemüse. „Das Urteil der πίστις hat wie das der συνείδησις seine Gültigkeit, auch
wenn es in seinem Was fehlgreift" (Bultmann, Theologie 220; vgl. 326f). Dieses Urteil steht freilich innerhalb und unterhalb des unangreifbaren Glaubens
an das Evangelium.

V 6 Das geht daraus hervor, daß in beiden Verhaltensweisen der Christ an
den Herrn gebunden ist bzw. sich ihm unterstellt und, ihn bekennend, für ihn
da ist. Eigentlich erwartet man zwei Antithesen, deren jedes Glied mit einem
positiv bzw. negativ gekennzeichneten Partizip beginnt. Aber von der ersten
Antithese fehlt das zweite Glied und die Begründung der Behauptung[23]. Das
verrät, daß für Paulus jene Glaubensschwachheit, die in der Enthaltsamkeit
von Fleisch (und Wein) besteht, das bedeutsame Paradigma ist, zu dem er jetzt
wieder zurückkehrt. Φρονεῖν τὴν ἡμέραν, das jetzt für κρίνειν ἡμέραν παρ'
ἡμέραν gebraucht wird, heißt „auf den Tag achtgeben", „auf ihn bedacht sein",
natürlich im Sinn einer Bevorzugung vor anderen. Wer das tut, κυρίῳ φρονεῖ,
tut es *für* den Herrn und in diesem Sinn auch „im Hinblick" auf ihn (Michel).

---

[23] L P min syᵖ Chrys Thdt Bas fügen ein ὁ μὴ φρονῶν τὴν ἡμέραν κυρίῳ οὐ φρονεῖ ein.

Aber primär ist der Dativ ein Dat. comm.: „ihm zuliebe", „ihm zugute" u. ä.[24]
Ebenso ist es mit dem „Starken", der „alles ißt" oder, wie es jetzt verkürzt
heißt: „der ißt". Auch er tut es für den Kyrios. Er ißt ihm. Das erweist sich
darin, daß er das Tischgebet, das ein Dankgebet ist[25], spricht. Er gibt dadurch
zu erkennen, daß er die Speise, die er ißt, von Gott empfängt. Und er bekennt
sich auf diese Weise zu Gott, wie es jetzt wieder statt κυρίῳ heißt. Aber dasselbe gilt auch von dem „Schwachen". Auch er, der – wie es wieder verkürzt
und allgemein heißt – „nicht ißt", tut das für den Herrn. Denn auch er dankt
Gott, der ihm solche Speise gewährt. „In der Danksagung vereinigen sie sich"
(Schlatter). Was haben dann die erwähnten Unterschiede in der Lebensweise
für eine Bedeutung? Wie soll es dann zum Richten oder Verachten kommen?
Der Glaube, schwach oder stark, ist da. Es muß jeder nach seiner Glaubens-
erkenntnis handeln und in Glaubensgewißheit, wenn auch der wissende
Glaube der „Starken" dem Glauben und dem Stand unter dem Herrn, der
Bindung an ihn in seiner Freiheit für ihn, dem Evangelium entspricht.

VV 7–9   Es ist ja nicht nur in bezug auf Essen und Trinken und die Bevorzugung von bestimmten Tagen anderen gegenüber, sondern es ist allgemein
so, in allen Lebensverhältnissen, daß alle für den Kyrios da sind, weil er der
Herr aller ist (VV 7–9). Die Sätze sind formal und inhaltlich etwas aus dem
Zusammenhang herausgehoben[26]. Denn in VV 10ff kehrt Paulus zum Gedanken von Röm 14,1ff zurück. Außerdem wechseln VV 7–9 in den Wir-
Stil über. Und endlich sind dieselben Verse rhythmisch, so daß man zwar
nicht an ein „Taufbekenntnis" (Michel) denken muß – die speziellen Merk-
male fehlen –, wohl aber an ein vom Apostel unwillkürlich gebildetes Christuslied denken kann, dessen Schluß (V 9) im Anklang an eine kurze Homologie[27]
gebildet ist oder jedenfalls deren Motive verwendet. Auf diesen Schluß zielt
das „Lied" und findet in ihm seinen Höhepunkt. Von seinen Aussagen her
versinkt das römische Problem ins Nebensächliche.

Wie läßt sich die Behauptung von V 6 vom κυρίῳ φρονεῖν und vom κυρίῳ
ἐσθίειν bzw. οὐκ ἐσθίειν begründen? Damit (γάρ!), daß Paulus darauf hinweist, und zwar zuerst negativ – *V 7* – und dann V 8a positiv und mit anderer
Wendung noch einmal V 8b positiv, daß wir im Leben und Sterben zum Herrn
hin und bei dem Herrn sind und so niemals allein, daß er immer in unserer
Nähe ist, wir auch immer von ihm beansprucht und auf ihn verwiesen sind. „So
verliert der tiefste Gegensatz in unserem Dasein seine unbedingte Bedeutung"
(Althaus). Am einfachsten gesagt: Wir gehören nicht uns, sondern dem Herrn,
und zwar im Leben und im Sterben. Wir sind ihm zugehörig – *V 8* –, im Leben

---

[24] Ebendeshalb ist es auch nicht gleichgültig, wie er denkt. „Il ne suffit pas qu'une convic-
tion soit sincère pour qu'elle soit vraie. Le chrétien n'est pas libre, il pense pour le Seigneur
(κυρίῳ) (LEENHARDT).
[25] STRACK-BILLERBECK III 309; BEYER in: ThWb II 758; G. HARDER, Paulus und das Gebet
(Gütersloh 1936) 121.
[26] H. W. SCHMIDT spricht von „hymnischem Stil".
[27] Vgl. 1 Kor 15,3; 2 Kor 5,14f; Gal 1,4; 1 Thess 4,14.

und im Sterben ihm verpflichtet, und Dasein und Nichtdasein sind von ihm gewährt. Aber das kann auch so formuliert werden wie in V 8c: τοῦ κυρίου ἐσμέν, wir sind ihm zu eigen. Ebendas faßt nicht nur die vielfältige Bedeutung des κυρίῳ εἶναι zusammen, sondern begründet sie auch. Daß wir auf den Herrn zu und für ihn und vor ihm leben und sterben, ist unser Trost als sein Eigentum. Die antiken Parallelen, die Lagrange, Michel, Leenhardt u. a. anführen, haben nur formale Bedeutung, da der Gegensatz in unserem Zusammenhang nicht der andere Mensch oder die Öffentlichkeit u. ä. ist, sondern der Kyrios, der für uns da ist. Nahe unserem paulinischen Wort in seinem Zusammenhang kommt Pirke Aboth 4, 29: „Die Geborenen sind dazu da, daß sie sterben; die Gestorbenen, daß sie wieder lebendig werden; diese Lebenden, daß sie gerichtet werden. Man soll erkennen, wissen und erfahren, daß Gott der Bildner, der Schöpfer, der allwissende Richter, Zeuge, Kläger und zukünftige Richter ist. Vor seinem Angesicht gibt es weder Unrecht noch Vergessen, noch Ansehen der Person, noch Bestechung. Alles ist ja sein." Auch Tanch ואתחנן 5 a ist anzuführen, wo Metatron zu Gott spricht: „Herr der Welt, Moses ist in seinem Leben dein gewesen, und er ist in seinem Tod dein." [28] Dieses „dem Kyrios zu eigen sein" ist für Paulus aber die Folge und das Ergebnis des Todes und der Auferstehung des Herrn, die in V 9 in einer Art Glaubensformel erwähnt werden. Εἰς τοῦτο betont die Ausschließlichkeit des Zweckes jenes Heilsgeschehens: dazu und mit keinem anderen Ziel, als daß er der Herr über Tote und Lebende sei, ist Christus „gestorben und lebendig geworden". Die Formulierung erinnert vor allem [29] an 1 Thess 4, 14: εἰ πιστεύομεν, ὅτι Ἰησοῦς ἀπέθανεν καὶ ἀνέστη, wie denn auch G vg Ambrstr Pelag Orig (Contra Cels. II 65) u. a. in Angleichung daran lesen. Von den zahlreichen Varianten [30] ist ἀπέθανεν καὶ ἔζησεν A B C bo sah Cyrill die ursprüngliche Lesart. Ἔζησεν ist ingressiver Aorist [31] (vgl. Apk 13,14; 20, 4), durch den in unserem Fall der Endpunkt betont wird. „Er ist wieder lebendig geworden" (Kühl). Sterben und Auferstehung Jesu Christi geschahen, um seine Herrschaft über Tote und Lebende aufzurichten. In seinem nun Lebendigsein, in dem ζῆν (vgl. Röm 6,10; 2 Kor 13,4 [1 Thess 5,10]; auch Apk 1,18) des Gestorbenen ist sie aufgerichtet. Zu beachten ist noch, daß jetzt νεκρῶν chiastisch vorausgestellt ist. Darin deutet sich die Weite und Tiefe seiner Herrschaft an. Dieser Herr, dem wir leben und sterben, kennt als der Gestorbene und jetzt ewig Lebendige keine Grenze seiner Herrschaft. Sein Leben bemächtigt sich unseres Todes und schließt unser Leben in sich.

In V 10 kommt im Diatribenstil mit einer rhetorischen Frage die apostolische Mahnung von V 3 wieder zu Wort, und zwar in umgekehrter Reihenfolge: zuerst die (indirekte) Warnung vor dem Richten, dann vor dem Verachten. Denn wenn Christus der Herr ist und alle Getauften ihm zu und für ihn und

[28] STRACK-BILLERBECK III 309.
[29] Vgl. auch 1 Kor 15,3; 2 Kor 5,14f; Gal 1,4.
[30] Vgl. ZAHN, LIETZMANN u.a.
[31] BLASS-DEBR, § 318,1; 331.

vor ihm leben und sterben als die ihm Eigenen, wie soll dann noch ein Verurteilen der „Starken" und ein „Verachten" der „Schwachen" in Frage kommen? Allein sein Urteil ist dann maßgebend. Und es gibt, weil er der Herr ist
und wir ihm entgegenleben und -sterben, nur eines: unser aller Verantwortung vor Gott (V 10c) in Gottes Gericht[32]. Πάντες steht betont voran. Es
kann sich niemand ausschließen. Der „Starke" muß Rechenschaft geben über
seine Freiheit, der „Schwache" über seine Skrupulosität. Παριστάναι ist hier
forensisch gebraucht wie in Inschriften, Papyri (Bauer Wb 1245) und bei Paulus 2 Kor 4,14 im Sinn von „dem Richter vorführen". Βῆμα ist der öffentliche
Richterstuhl (vgl. Mt 27,19; Joh 19,13; Apg 18,12.16f), hier der Richterstuhl Gottes, vor dem sich alle Welt versammeln muß. Χριστοῦ lesen in Erinnerung an 2 Kor 5,10 ℵ pl vg^cl sy Polyk Mcion Orig[33]. Aber Christus ist für
Paulus in seiner Weltrichterfunktion Gottes Stellvertreter. Sachlich heißt das,
daß sich das eschatologische Urteil Gottes an unserem Verhältnis zu Christus
entscheiden wird. „Christi Freispruch verleiht Gottes Lob, 1 Kor 4,1f" (Althaus). Vor diesem allumfassenden letzten Gericht verschwindet das etwaige
Urteilen über den „Schwachen" und den „Starken" zu nichts.

V 11 Diese kritische, eschatologische Aussicht, die jeden zur Besinnung
rufen soll und kann und niemandem eine Ausflucht läßt, jeden vielmehr unter
diesen Vorbehalt stellt[33a], gründet, wie das freigestaltete Schriftwort, Is 45,23
mit Is 49,18 kombiniert, verkündet, in einem Schwur – ζῶ ἐγώ = „so war ich
lebe" (Nm 14,21.28; Dn 12,7 –, den Gott selbst ablegt: λέγει κύριος. Der
ὅτι-Satz gibt den Inhalt dieses feierlichen Schwures bekannt: die Proskynese
aller vor Gott und die akklamatorische Exhomologese, die ihm aus aller Mund
entgegenschallt. Weil es darum geht, weil das, wie Gott selbst schwört, die
Wirklichkeit ist: Gott lobpreisen in Ehrfurcht, weil das für jeden gilt, kann
man von dem Richterstuhl und dem Gericht Gottes reden, vor dem alle erscheinen müssen und vor dem jedes menschliche Richten zunichte wird. Nach
Phil 2,10f ist der ganze Kosmos vor Gott gerufen. Hier, Röm 14,11, jeder
einzelne Mensch. Alle und das All müssen vor Gottes kritischem Urteil bestehen. Was soll da noch menschliches Urteilen über andere? Jeder ist für sich
gefragt.

V 12 zieht mit einem ἄρα (+ οὖν, nur ℌ ℵ pl) die Konsequenz, die zuletzt
noch ein neues Motiv für die Abwehr des gegenseitigen Richtens und Ver-
achtens der römischen Christen kurz andeutet und sich aus der eschatologischen Gerichtssituation vor dem Richterstuhl Gottes ergibt: „Also wird ein
jeder von uns über sich selbst Rechenschaft geben." Sie wird also den Bruder
sich selbst verantworten und sich hüten lassen, das Gericht vorwegzunehmen.

---

[32] „In the end everyone must recognize that God, and not his own wisdom, or folly, or
even conscience (1 cor IV. 4) is the arbiter" (BARRETT).
[33] Vgl. LAGRANGE, LIETZMANN; anders ZAHN, KÜHL.
[33a] Vgl. H. SCHÜRMANN, Haben die Paulinischen Wertungen und Weisungen Modellcharak-
ter?, in: Greg 56/57 (1975) 237–269 261.

Zu λόγον διδόναι vgl. Mt 12, 36; Lk 16, 2; Apg 19, 40; Hebr 13, 17; 1 Petr 3, 15; 4, 5. Ἀποδοῦναι[34] an unserer Stelle B D* G lat. Τῷ θεῷ fügen wiederum ℌ ℜ D pl lat hinzu. Der ursprüngliche Text von B G 1739 it, bzw. was οὖν nach ἄρα betrifft: B D* G 1738, verstärkt in seiner Kürze das Gewicht dieser Schlußsentenz.

6. 14, 13–23 Der Christ soll dem Bruder kein Ärgernis geben

13 Laßt uns also nicht mehr einander richten, sondern achtet darauf, dem Bruder keinen Anstoß noch Ärgernis zu geben. 14 Ich weiß und bin im Herrn überzeugt, nichts ist an sich unrein, sondern unrein ist es nur für den, der etwas für unrein hält. 15 Denn wenn dein Bruder wegen einer Speise innere Not erfährt, wandelst du nicht mehr der Liebe gemäß. Richte nicht durch deine Speise den zugrunde, für den Christus gestorben ist. 16 Euer Gut soll nicht verlästert werden. 17 Denn das Reich Gottes ist nicht Essen und Trinken, sondern Gerechtigkeit, Friede und Freude im Heiligen Geist. 18 Denn wer Christus darin dient, ist Gott wohlgefällig und bei den Menschen anerkannt. 19 Laßt uns also dem nachjagen, was zum Frieden und zur gegenseitigen Erbauung dient. 20 Zerstöre nicht um einer Speise willen das Werk Gottes! Alles ist rein, doch ist es für den Menschen schädlich, wer es mit Anstoß ißt. 21 Es ist gut, kein Fleisch zu essen noch Wein zu trinken, noch (etwas zu tun), woran dein Bruder Anstoß nimmt. 22 Behalte du den Glauben, den du hast, bei dir vor Gott. Selig ist, wer sich nicht zu richten braucht bei dem, was er für gut befindet. 23 Wer aber, wenn er ißt, Skrupel empfindet, der ist gerichtet, weil er nicht aus Glauben handelt. Alles, was nicht aus Glauben geschieht, ist Sünde.

Mit V 13 setzt ein neuer Gedankengang ein, der einerseits vor allem in VV 13b.15.21, andererseits, damit zusammenhängend, in VV 16.20 zur Sprache kommt. Kurz gesagt, mahnt der Apostel jetzt die „Starken", dem „Schwachen", den er offenbar in Gefahr sieht, keinen Anstoß durch das eigene Verhalten zu geben und so das „Gut" nicht lästern und das „Werk Gottes" nicht niederreißen zu lassen. Diese Mahnungen stützen sich auf Grundsätze, die verschieden sind: 1) Nichts (keine Speise) ist an sich unrein, kann aber dem „Schwachen", der sie für unrein hält, unrein sein (VV 14.20b). 2) Wenn ein „Schwacher", ohne daß er Glaubensgewißheit hat, das für ihn Unreine ißt, so tut er damit Sünde (V 23). 3) Es geht überhaupt nicht, wenn es um die Herrschaft Gottes geht, um Essen und Trinken (V 17f).

---

[34] Hellenistische Belege bei Bauer WB 946.

V 13 zieht aus dem in 14, 1–12 Gesagten eine zusammenfassende Folgerung, die sich an alle richtet. Dabei wird jetzt auch das Verhältnis der „Starken" zu den „Schwachen" als ein κρίνειν bezeichnet. Das ἐξουθενεῖν von 14, 3 impliziert auch ein κρίνειν. Beide Gruppen der römischen Gemeinde haben zueinander ein „kritisches" Verhältnis, was ja nicht gerade das Normale in der christlichen Gemeinde ist. Übereinander zu Gericht sitzen und einander aburteilen soll nicht mehr (μηκέτι) sein. Aber V 13a ist nur die Überleitung zu dem neuen Gesichtspunkt bzw. zu der neuen Mahnung, die in der Weise der Diatribe in persönlicher Anrede und unter Ausnützung des verschiedenen Sinnes von κρίνειν in einem Wortspiel geschieht. Nicht wie eben um ein κρίνειν im Sinn des Richtens geht es mehr, sondern um ein κρίνειν in der Bedeutung „kritisch" bedenken oder „kritisch" darauf achten, und zwar „daß ihr dem Bruder keinen Anstoß ... bereitet". Πρόσκομμα und σκάνδαλον, die sich auch im Zitat Röm 9, 33 (vgl. 1 Petr 2, 6) finden, sind hier Äquivalente und unterstreichen in ihrer Plerophorie die Mahnung. Das bisherige Kritisieren bzw. gegenseitige Verurteilen soll ein Ende haben. Statt dessen soll man alles Urteil im Sinn von „Augenmerk" darauf richten, daß man dem Bruder nicht Anstoß noch Ärgernis[1] bereitet. Damit sind die Angeredeten jetzt die „Starken", und das neue Thema ist gewonnen. Auf keinen Fall sollen die „Starken" die „Schwachen" in Gefahr bringen.

V 14 Denn es ist so: 1) An sich ist nichts (keine Speise) unrein (κοινόν). Paulus denkt hier in den 1 Kor 8f näher ausgeführten Kategorien. Rituell Unreines gibt es an sich nicht (vgl. Mk 7, 14–23; und zur Sache Apg 10, 14; 15, 20.29; 1 Kor 10, 26ff; Gal 2, 1ff; 1 Tim 4, 3f; Tit 1, 15: vgl. aber auch 1 Makk 1, 62: φαγεῖν κοινά; 1, 47: κτήνη κοινά; Jos. a XI 8, 7: κοινοσφαγία [Zahn]). 2) Das ist nicht eine nur eigene Überzeugung des Paulus, sondern das kann er „im Herrn Jesus" beschwören. Οἶδα καὶ πέπεισμαι ist feierlich und eine Steigerung gegenüber dem πέπεισμαι von Gal 5, 10; Phil 2, 24; 2 Thess 3, 4. Aber eine solche feierliche Überzeugung gewinnt ihre Autorität erst dadurch, daß sie ἐν κυρίῳ Ἰησοῦ gefaßt ist, wobei die Nennung des Namens Jesu die Sache noch eindrücklicher macht und wie 1 Kor 11, 23, aber auch 12, 3; 1 Thess 1, 10; 4, 14 alte Tradition und Akklamation aufnimmt[2]. 3) Freilich schränkt Paulus wieder ein. Es gibt eine Ausnahme, die durch εἰ μή[3] angezeigt wird. Dem, der die Speise für unrein hält, der von ihrer Unreinheit überzeugt ist und damit auch vom Prinzip der notwendigen praktischen Unterscheidung von „rein" und „unrein", dem ist sie unrein. Der Begriff συνείδησις, der in 1 Kor 8, 7ff das hier erwähnte λογίζεσθαι erhellt, fehlt. Aber das λογίζεσθαι τι κοινόν ist der Sache nach natürlich ein solches des

---

[1] Zur Konstruktion τοῦτο κρίνειν ... τὸ μή vgl. 2 Kor 2, 1.
[2] ZAHN meint zu 14, 13–23, daß das κύριος Ἰησοῦς auf die „innergeschichtliche Erscheinung des Erlösers und, da es sich hier um einen Lehrsatz handelt, auf die Predigt und Lehre Jesu" hinweist, was aber kaum mit ἐν κυρίῳ Ἰησοῦ zu vereinbaren ist.
[3] Das zweimal betont vorangestellte βρῶμα (vgl. auch V 20) deutet die Geringfügigkeit der Ursache an, die so schwerwiegende Wirkungen im Gefolge hat (KÜHL).

Gewissens. Dieses ist zwar „schwach", aber es darf nicht übergangen werden. Denn ihm, das dem Menschen den Sachverhalt bindend „bezeugt", ist das, was an sich rein ist, nicht rein, sondern κοινόν. Damit wird die Wahrheit, nämlich daß nichts unrein ist, nicht der Subjektivität ausgeliefert, aber es wird an die Grenze der Behauptung der Objektivität erinnert. Diese Objektivität der Wahrheit steht innerhalb des menschlichen Zusammenlebens nicht über der Liebe.

V 15 führt mit einem γάρ die Mahnung von V 13b fort. Dem Bruder um der Speise willen, d. h. ja durch das Durchsetzen des (richtigen) Urteils des „Starken", Anstoß bereiten ist ihn „betrüben". Das aber ist die Liebe verletzen. Λυπεῖν spielt vor allem im 2 Kor eine Rolle; dort als gegenseitiges Betrüben oder Traurigmachen, aber auch Erbittern oder Kränken u. ä.[4] Eine vielzitierte jüdische Parallele ist TestBenj 6, 1ff: ὁ ἀγαθὸς ἀνήρ . . . οὐ λυπεῖ τὸν πλησίον. Eben dieses auf der Wahrheit seiner Überzeugung beruhende Verhalten des „Starken", das den Bruder zum mindesten unsicher macht, wenn es ihn nicht sogar gegen sein Gewissen zum Essen und Trinken verführt, ist der Gegensatz zum κατὰ ἀγάπην περιπατεῖν[5] und nach Paulus ein κατὰ σάρκα und nicht κατὰ πνεῦμα sein Leben führen (vgl. Röm 8, 4; 2 Kor 10, 2f; Gal 5, 16 u. a.). Das ist eine gewichtige Feststellung und eine indirekte Mahnung. Sie wird noch durch die direkte in V 15b verstärkt. Dem Bruder in dem genannten Sinn Anstoß bereiten ist gewiß kein Akt der Liebe. Es richtet ihn vielmehr zugrunde, oder, wie es genauer heißt, der „Starke" richtet ihn durch die Speise zugrunde. Ἀπολλύειν vom gegenwärtig schon wirksamen eschatologischen Verderben (vgl. 1 Kor 8, 11; 1, 18; 2 Kor 2, 15; 4, 3 [2 Thess 2, 10]) findet sich auch im rabbinischen Sprachgebrauch. bSanh 4, 5 heißt es: „Jeder, der eine Seele aus Israel verdirbt (אָבַד) . . ." Wer ist aber „jener", den der „Starke" nicht in seinem Glauben erschüttern, gegen sein Gewissen handeln lassen und so in seinem Leben jetzt und nach dem Tod bedrohen soll? Wer ist der „Bruder", den man nicht vernichten soll? Der, „für den Christus starb" oder, wie es 1 Kor 8, 11 heißt, „um deswillen (δι' ὅν) Christus starb". Mit einer homologieähnlichen Formel (vgl. Röm 5, 6.8; 8, 34; 14, 9; 1 Kor 15, 2; 2 Kor 5, 14f; 1 Thess 4, 14; 5, 10ff) wird er als der charakterisiert, für den Christus sein Leben hingab, der also ihm, seinem Herrn, gehört und für ihn lebt. Betrübt man den Bruder und bringt man über ihn (wegen der Speise!) Verderben, so verachtet man auch Christi Sterben am Kreuz, das ja allen Menschen zugute geschah und den Bruder zum „Bruder" macht. Man kann sich auch, indem man seine (an sich richtige) Überzeugung gegen das Gewissen des Bruders zur Geltung bringt, gegen Christi Heilstat vergehen.

V 16 ist schwierig. Er fügt eine zweite Mahnung mit μή an und kennzeichnet diese durch das οὖν als Folgerung aus V 15b (und a?). Tò ἀγαθόν wäre danach

---

[4] Bultmann in: ThWb IV 314–25.
[5] Vgl. Eph 5, 2: περιπατεῖν ἐν ἀγάπῃ.

das „Heil" oder der „Heilsstand" wie Röm 8, 28; 10, 15[6] und nicht die „Freiheit", die dem Christen zukommt und die der „Starke" mit Recht vertritt[7], erst recht nicht, wie Lietzmann sagt, „das christliche Ideal" oder, wie Barrett meint (vgl. Barth), „das Gute des Reiches Gottes, dessen Offenbarung die Christen entgegengehen", auch nicht „la foi chrétienne" (Leenhardt) oder auch die βασιλεία τοῦ θεοῦ (Asmussen, H. W. Schmidt) von V 17. Möglich wäre noch die ἀγάπη, die von Christus erwiesen und von den Christen gefordert wird und der Christen Lebensgrund und ihre alles andere bestimmende Lebensweise ist[8] (vgl. Röm 12, 9; auch Gal 6, 1; 1 Thess 5, 15). Der Heilsstand oder die Agape wird „geschmäht", „gelästert", wenn sozusagen das βρῶμα mehr als dieser oder diese gilt. Βλασφημεῖν ist ein starker Ausdruck (Michel), der freilich weder die „Schwachen" noch die „Starken", noch die Nichtchristen[9] allein im Auge hat, sondern alle diese Gruppen mit ihrem Treiben als Subjekt einschließt: die „Schwachen", die den „Starken" richten, die „Starken", die durch ihr Verhalten die ἀγάπη verletzen, und schließlich die Nichtchristen, die auf die wegen des βρῶμα zerstrittene Christenheit spottend herabschauen und sie verunglimpfen. Für solches umfassende βλασφημεῖν spricht auch die passive Formulierung, die das Subjekt offenläßt. Es geht ja auch in der Frage des βρῶμα, das dem Bruder Anstoß bereitet und ihn unter Umständen zu Fall bringt, das ihn, wenn man ihm gegenüber das Essen oder Nichtessen zur trennenden Glaubensfrage macht, „betrübt" und ihn, für den Christus gestorben ist, tödlich im Gewissen verletzt, gar nicht um eine letzte Entscheidung. Denn es geht nicht, wie vielleicht der eine oder andere der römischen Christen behauptet, um die βασιλεία τοῦ θεοῦ.

V 17 begründet mit einem γάρ VV 15 und 16. Der Satz kennzeichnet negativ und positiv das Wesen der Herrschaft Gottes, die sich nach Paulus als eschatologische (vgl. 1 Kor 6, 9f; 15, 50; Gal 5, 21; 1 Thess 2, 12; 2 Thess 1, 5) schon gegenwärtig realisiert (vgl. 1 Kor 15, 24f; Eph 5, 5; Kol 4, 11; 1, 13). Am nächsten kommt unserer begründenden und grundlegenden These 1 Kor 4, 20: οὐ γὰρ ἐν λόγῳ ἡ βασιλεία τοῦ θεοῦ, ἀλλ' ἐν δυνάμει, nur daß Röm 14, 17 den Sachverhalt, abgesehen von der verschiedenen Aussage, noch pointierter formuliert[10]: die Herrschaft Gottes *ist* nicht..., sondern sie *ist*... Gemeint ist: sie hat es nicht mit Essen und Trinken zu tun, sondern ist dort, wo „Gerechtigkeit", „Friede" und „Freude im Heiligen Geist" herrschen. Δικαιοσύνη ist wie Röm 5, 21; Phil 3, 9 die im Glauben empfangene und ergriffene „Macht" der im Handeln des Menschen sich realisierenden Gabe der in Jesus Christus erschienenen Gerechtigkeit Gottes. Auch εἰρήνη ist die vom Gott des Friedens (vgl. Röm 15, 33; 2 Kor 13, 11 u. a.) gewährte (Röm 15, 13;

---

[6] KÜHL, MICHEL, RIDDERBOS u. a.

[7] SANDAY-HEADLAM, LAGRANGE, ALTHAUS, SCHLATTER, BARRETT, KÄSEMANN.

[8] Ὑμῖν bzw., wie ZAHN, KÜHL mit Ψ D G lat sy[h] Cl für wahrscheinlicher halten, ἡμῶν ist vorangestellt und hebt so die Eigenheit dieses ἀγαθόν hervor.

[9] Auf sie allein bezieht ZAHN das βλασφημεῖν, und er verweist dazu auf Röm 3, 8; 1 Kor 10, 30; 1 Tim 6, 1; Tit 2, 5; Jak 2, 7; 1 Petr 4, 4 (2, 12; 3, 16); Apg 18, 6.

[10] Vgl. STRACK-BILLERBECK III 312.

Phil 4, 7 u. a.) und als solche im Glauben verwirklichte Friedensmacht. Nicht anders ist die Freude, die auch Röm 15, 13; Gal 5, 22 neben der εἰρήνη steht, Gottes mächtige Gabe, in die man durch die Gerechtigkeit und den Frieden Gottes im Glauben eingestimmt wird. Alle drei Weisen der Herrschaft Gottes vermittelt das πνεῦμα ἅγιον. Ἐν πνεύματι ἁγίῳ gehört nicht nur zur χαρά (Kühl, H. W. Schmidt), sondern auch zu δικαιοσύνη und εἰρήνη (Zahn, Lagrange, Althaus, Michel, Käsemann), die dadurch hinsichtlich ihres Wesens bzw. ihres Zugangs – im Heiligen Geist anwesend – gekennzeichnet werden (vgl. Röm 15, 13; Gal 5, 22; 1 Thess 1, 6), und dies zugleich als die Intention des Geistes (Röm 8, 6).

V 18 bekräftigt und ergänzt erläuternd V 17. Wer darin (ἐν τούτῳ, das sich summarisch auf das eben Gesagte, also auf Gerechtigkeit, Friede und Freude im Heiligen Geist bezieht)[11] Christus dient, hat das Wohlgefallen Gottes (vgl. Phil 4, 18), dessen Herrschaft er sich ja in der Annahme seiner Gerechtigkeit unterwirft. Er wird aber auch von den Menschen oder bei den Menschen, die hier die Nichtchristen (Zahn) oder jedenfalls diese einschließlich sind (Leenhardt), anerkannt[12] und ist bei ihnen angesehen, und zwar als solcher, der im echten Glauben, der in der Liebe wirksam ist, handelt.

V 19 zieht die Folgerung, die mit einem gefüllten Adhortativ (Zahn, Kühl, Ridderbos) abschließt[13]. Sie ist wieder wie V 13a an alle gerichtet und enthält zwei parallele Aufforderungen: 1) mit der jüdischen Wendung רָדַף שָׁלֹם, die wir etwa Pirke Aboth 1, 12b und bSanh 6b finden[14], die Mahnung, dem Frieden „nachzujagen" (vgl. Röm 9, 30; 12, 13; 1 Kor 14, 1; 1 Thess 5, 15; auch Hebr 12, 14; 1 Petr 3, 11), also alles zu erstreben, was Frieden schafft und zum Frieden beiträgt (τὰ τῆς εἰρήνης), und 2) die Bitte, damit der gegenseitigen Erbauung (vgl. Röm 15, 2; 1 Thess 5, 11) und dem Aufbau der Ekklesia zu dienen (vgl. 1 Kor 14, 12. 26)[15]. So unbestreitbar sachgemäß die Haltung der „Starken" ist, die, was die Speise und den Trank betrifft, keinen Unterschied von „rein" und „unrein" kennen, so wenig dient ihr intransigentes Verhalten dem Bruder, da dieser dadurch Anstoß und Betrübnis und nicht Liebe erfährt oder gar, wenn er wider sein Gewissen handelt, zugrunde geht. Das „Gute", das Heil, wird dann von allen durch Verhalten und Wort geschmäht. Gott ist ja Herr im Frieden, in der Gerechtigkeit und in der Freude, die Frucht des Heiligen Geistes sind. Seine Herrschaft *sind* Gerechtigkeit, Friede und Freude im Heiligen Geist. Wer darin Christus dient, hat Gottes und der Menschen Wohl-

---

[11] Ἐν τούτοις 𝔐 pl sy ist Interpretation.

[12] GRUNDMANN in: ThWb II 263.

[13] Der Indikativ διώκομεν ist freilich gut bezeugt (ZAHN, MICHEL), aber wohl ein alter Schreibfehler. Vgl. FOERSTER in: ThWb II 414, anders LAGRANGE, H. W. SCHMIDT, LEENHARDT.

[14] Vgl. STRACK-BILLERBECK I 215–218.

[15] BERTRAM in: ThWb II 640; GAUGLER II, BARRETT, RIDDERBOS, KÄSEMANN. Zu οἰκοδομή als göttlicher Bau vgl. E. PETERSON, Ἔργον in der Bedeutung „Bau" bei Paulus, in: Bib 22 (1941) 439–441.

gefallen. Deshalb ist der Friede, der aus der genannten Trias vor allem in Frage kommt, mit allen Mitteln zu erstreben[16] und sozusagen die Friedensburg, die Einheit der Ekklesia, zu erbauen.

Paulus kann sich nicht genugtun mit diesem seinem Anliegen und verrät damit, für wie gefährlich sich ihm die Situation in Rom – gerade im Blick auf die „Starken" – darstellt. Von V 20 ab bis V 23 folgt eine Reihe kurzer und prägnanter Sätze, die teilweise die VV 13–16 wiederholen.

V 20   Zunächst folgt im rhetorischen Singular die Mahnung, τὸ ἔργον τοῦ θεοῦ nicht niederzureißen. „Das Werk Gottes" ist weder „das Heilsgeschehen selbst", wie Michel meint, oder „Gottes Heil in Christus", wie H. W. Schmidt sagt, noch der Christenstand des Bruders (Zahn, Kühl, Lagrange), sondern der durch gegenseitige Erbauung errichtete Friedensbau der Gemeinde, worauf der Zusammenhang und etwa 1 Kor 3, 9ff hinweisen, wo die Gemeinde direkt als οἰκοδομή bezeichnet wird[17]. Dazu paßt auch das Verb καταλύειν, „niederreißen"[18]. V 20b erinnert noch einmal an den grundsätzlichen Tatbestand, jetzt etwas anders formuliert als V 14, und zwar zunächst positiv und wohl auch ein gängiges Schlagwort der „Starken" aufgreifend: πάντα ... καθαρά (vgl. Tit 1, 15). Aber zugleich wird der Satz wieder eingeschränkt, diesmal im Blick auf die Folgen, die es für den hat, der es διὰ προσκόμματος, unter Anstoß, als etwas Anstößliches, ißt. Für ihn ist es, wie Paulus jetzt sagt, κακόν.

V 21   Und so ergibt sich – dem κακόν formal-rhetorisch entgegengestellt – die Konsequenz, weder Fleisch zu essen noch Wein zu trinken, noch überhaupt – der Gesichtspunkt weitet sich – etwas zu tun, wodurch „dein Bruder Anstoß empfängt"[19]. „Gut" ist also m. a. W. die ἀγάπη und ihre Freiheit, auf die Gnosis ohne Glauben[20] zu verzichten. Der Apostel fordert, daß der „Starke" sich nicht gegen die Überzeugung des Bruders durchsetzen und so diesen gefährden soll.

V 22   Er soll daher – wird im Diatribenstil und also lebhaft drängend gesagt – seinen Glauben[21], der ihm von Gott nach Maß zugeteilt (V 12, 3) ist, für sich, d. h. aber vor Gott, haben und nicht vor dem Menschen demonstrieren. „Er bedarf nicht der Bestätigung seiner Freiheit durch Menschen, son-

---

[16] Wie gesagt, ist διώκωμεν zu lesen und nicht mit G L pm διώκομεν.

[17] Lietzmann, Barrett, Ridderbos, Käsemann. Vgl. Eph 2, 19ff; 1 Petr 2, 4f; Mt 16, 18; 18, 17.

[18] Bauer Wb 819.

[19] Die Langform + ἢ σκανδαλίζεται ἢ ἀσθενεῖ, die durch B 𝔐 D G pl lat sy[h] bezeugt wird, ist spätere plerophorische Interpretation (Lietzmann gegen Zahn, Kühl, Lagrange, Michel).

[20] Barrett: „It is far more important to preserve unharmed the conscience of your fellow-Christian and the unity of the Church than to exercise your undoubted right as an instructed Christian to eat flesh and to drink wine."

[21] ἥν fehlt wohl zu Unrecht in bo sah Orig D G vg arm u. a. (Lietzmann, anders Zahn, Kühl, Barrett u. a.).

dern durch Gott", sagt Michel. VV 22bf kehren wieder zum Gedanken der Gefährlichkeit des Zweifels zurück. Zunächst im Übergang (V 22b) mit dem Makarismus für den, der sich bei dem im Glauben gewonnenen und von ihm im Glauben geprüften Urteil [22] nicht zu richten braucht. Gemeint ist also der „Starke", der seinen Glauben nicht zur Waffe gegen den „Schwachen" machen, sondern vor Gott für sich haben soll.

V 23 Aber das ist nur die Überleitung zu V 23, der noch einmal vom „Schwachen" spricht, der trotz allen Zweifels den „Starken" nachahmt, der er doch nicht ist, weil er den Glauben, der ihm die Freiheit gibt, nicht hat. Ihm wird in einem Wortspiel, das schon V 22b mit dem ὁ κρίνων beginnt und nun sich im διακρίνεσθαι und κατακρίνεσθαι fortsetzt, die Gefahr, in der er schwebt, vor Augen gehalten. Und sie ist nicht gering. Διακρίνεσθαι ist „mit sich selbst im Streit liegen" und in diesem Sinn „zweifeln" [23], und zwar, wie Röm 4, 20 gesagt wird: τῇ ἀπιστίᾳ. Wer in solcher Unsicherheit „ißt", also entgegen seinem Glauben, der ihm das verwehrt und ihm das Fleisch essen verbietet, der erfährt schon jetzt die Verdammung im Gericht. Es geschieht ja οὐκ ἐκ πίστεως, wobei πίστις es gewiß mit der συνείδησις von 1 Kor 8, 10.12 zu tun hat, aber nicht ohne weiteres mit ihr identisch ist. Glaube ist eine Gewissenssache, doch das Gewissen nicht immer eine Glaubenssache. Daß πίστις hier im vollen Sinn der jedem nach Gottes Maß verliehene und vom Glauben zu ergreifende und zu bewährende Glaubensgehorsam ist, zeigt in V 23 nicht nur sein Gegensatz zum διακρίνεσθαι, sondern auch die mit κατακέκριται angedeutete Folge, vor allem aber der kategorisch abschließende Satz V 23b, der nicht nur allgemein klingt, sondern auch in der ganzen Weite seiner Aussage gemeint ist. Alles Handeln – so ist wohl zu verstehen –, das nicht im Glauben geschieht und nicht vom Glaubensgehorsam getragen ist, ist „Sünde". Dieser Glaube umschließt im einzelnen mancherlei Überzeugungen und Handlungen, z. B. die der „Starken" und die der „Schwachen", weil er, ist er in Wahrheit Glaube, auf Christus ausgerichtet ist und „in ihm" lebt als dem Kyrios (VV 14, 6ff) und so in dieser Bindung alles entscheidet, so daß in ihm verschiedenes Verhalten zu Recht bestehen kann. Ist freilich diese Bindung an den Kyrios gelöst und sind das Urteil und das Verhalten nicht mehr vom Glauben bestimmt, dann ist alles, was gedacht und getan wird, offene oder verborgene Selbstgefälligkeit (vgl. Röm 15, 1) und deshalb „Sünde". Sie droht dem „Starken", indem er in Verachtung des „Schwachen" und im Bedrängen des „Schwachen" gegen die Liebe, in der der Glaube wirksam ist, handelt. Und sie droht dem „Schwachen", weil er den „Starken" richtet und sich über dessen Glauben hinwegsetzt.

---

[22] „Ἐν ᾧ δοκιμάζει: in dem, was er aufgrund sorgfältiger Prüfung für gut befindet und entsprechend in seinem Tun zum Ausdruck bringt" (KÜHL). H. W. SCHMIDT: „bei seinen Entscheidungen".
[23] BAUER WB 289; BÜCHSEL in: ThWb III 950f.

7. 15,1–6 Christi Vorbild für die Starken

1 Wir, die Starken, müssen die Schwächen der Schwachen tragen und nicht uns zu Gefallen leben. 2 Jeder von uns soll dem Nächsten zu Gefallen leben, zum Guten, zur Erbauung. 3 Denn auch Christus hat nicht sich selbst zu Gefallen gelebt, sondern wie geschrieben steht: „Die Schmähungen derer, die dich schmähen, sind auf mich gefallen." 4 Denn was immer zuvor geschrieben wurde, ist zu unserer Belehrung geschrieben, damit wir in Geduld und durch den Trost der Schriften Hoffnung haben. 5 Der Gott der Geduld und des Trostes schenke euch, daß ihr untereinander eines Sinnes seid, Christus Jesus gemäß, 6 damit ihr einmütig mit einer Stimme Gott und den Vater unseres Herrn Jesus Christus lobpreist.

Daß sich Röm 15,1–6 wie auch 7–13 an Kap. 14 anschließt und weder mit Marcion zu streichen ist noch durch eine Doxologie wie 16,25ff mit ℵ L min (goth) Chrys Thdt und A P min (Lietzmann) von Röm 14 zu trennen ist[1], zeigt der Ein- bzw. Übergang in 15,1f. Das δέ ist nichts anderes als eine Fortführungspartikel, die zu einigen neuen Momenten führt (Kühl).

In *V 1*, wo der 14,19 gebrauchte „Wir"-Stil für die ganze Perikope einsetzt, ist noch an die spezielle Situation, die in Röm 14 zu Wort kam, gedacht. Aber langsam verliert sich der Abschnitt in Aussagen, die der Gesamtekklesia als solcher gelten. Terminologisch erinnert das τὰ ἀσθενήματα direkt an die vorher so genannten ἀσθενεῖς. Jetzt werden diese οἱ ἀδύνατοι und deren Gegenteil, zu denen sich Paulus rechnet, zum erstenmal als οἱ δυνατοί bezeichnet. Die Mahnung richtet sich also zum Schluß noch einmal an die „Starken", aber jetzt ganz allgemein und nicht mehr speziell auf die römischen Verhältnisse allein bezogen. Das geforderte Verhalten ist das βαστάζειν der Schwachheit der „Schwachen", eigentlich der „Unvermögenden", wobei βαστάζειν nicht etwa „dulden", sondern „annehmen" und „auf sich nehmen" der Schwachheiten in Liebe und so das Aufheben und Forttragen meint (vgl. Gal 6,2.5). Nach Leenhardt ist für Paulus Is 53,4 (vgl. Mt 8,17) nicht fern. Für dieses Tragen ist die Voraussetzung das μὴ ἑαυτοῖς ἀρέσκειν, das „nicht sich zu Gefallen leben", das „nicht selbstgefällig sein" (vgl. Gal 1,10), das den Hinweis auf Christi Verhalten (V 3) schon vorbereitet. Der Gegensatz ist 1 Thess 2,4; 4,1: ἀρέσκειν θεῷ, was der Sache nach natürlich auch hier eingeschlossen ist, wenn V 2 positiv τῷ πλησίον formuliert wird. Βαστάζειν selbst im Sinn von „auf sich nehmen" und „tragen" erinnert an Gal 6,2.5. Schon diese Formulierung weist also in ihrer Allgemeinheit und Neuartigkeit über den speziellen römischen Konflikt hinaus. Es geht allgemein um das Einander-Ertragen und um die Selbst-losigkeit, die dem Nächsten gefällig ist. Diese sind unsere

---

[1] Zu dieser Frage vgl. KÜMMEL, Einleitung, 225ff.

„Pflicht". Zu ὀφείλειν im Sinn von „verpflichtet sein" vgl. Röm 15, 27; 1 Kor 7, 36; 9, 10; 11, 10 u. a.[2]

V 2 Daß Paulus in V 1 zum allgemeinen und grundsätzlichen Verhalten, das von Gott gefordert ist, übergeht, macht V 2 deutlicher. Im Anschluß an das μὴ ἑαυτοῖς ἀρέσκειν heißt es: „Ein jeder von uns lebe dem Nächsten zu Gefallen", wobei das πλησίον an das Liebesgebot Mt 5, 43; 19, 19; 22, 39 parr (vgl. Röm 13, 8f; Gal 5, 14; Jak 2, 8) erinnert. Christlich geht es primär immer um den Nächsten, der uns begegnet, und nicht um den Fernsten, der leicht zur Ideologie wird. Durch den Zusatz εἰς τὸ ἀγαθόν bestätigt sich im gewissen Sinn, daß das ἀγαθόν in 14, 16 in der Tat das Heil, den Heilsstand der Liebe, meint. In 15, 2 wehrt es ein Mißverständnis des ἀρέσκειν τῷ πλησίον ab. Gemeint ist nicht ein „dem Nächsten zu gefallen suchen", wie etwa Gal 1, 10, was ja auch Selbstsucht sein kann, sondern ein „ihm zum Guten gefallen", nämlich in der Liebe. Das Ziel dieses ἀρέσκειν ist die οἰκοδομή. Dieses „nicht sich selbst, sondern dem Nächsten in Liebe zu Gefallen leben", das von jedem von uns – also auch von den ἀδυνατοί, die die δυνατοί in Liebe ertragen sollen – gefordert ist, bewirkt οἰκοδομή, „Erbauung", die die Ekklesia erbaut. Daß solches ἀρέσκειν τῷ πλησίον gefordert wird und gefordert werden kann, hat seinen Grund im ἀρέσκειν Christi.

Gewiß ist in *V 3* Christus wie in 1 Kor 4, 6; 11, 1; Eph 5, 1; Phil 2, 5f; 1 Thess 1, 6; 2, 14; 1 Petr 2, 21; Joh 13, 15 auch als unser Vorbild hingestellt, wie er ja zugleich nach Röm 8, 29 das „Urbild" (Käsemann) ist. Aber welcher Christus ist dieses Vorbild oder Urbild? Der, der nicht sich zu gefallen lebte, sondern die Gott geltenden Schmähungen der Menschen auf sich nahm und sie ihnen abnahm, der also in einem umfassenden und grundlegenden Sinn selbst-los nicht sich zugute, sondern Gott und den Menschen zu Gefallen lebte. Das οὐχ ἑαυτῷ ἀρέσκειν des Messias Christus (ὁ Χριστός!) wurde mit einem Schriftwort zum Ausdruck gebracht[3], und zwar aus dem Ps 69, 10, der auch Röm 11, 9f und sonst im NT vielfach auftaucht. Vielleicht legt Paulus das Wort des bedrängten Beters Christus selbst in den Mund. Jedenfalls ist mit σε Gott und mit ἐμέ Christus gemeint.

V 4 Dieses Schriftwort, das Christi selbstloses, Gott und dem Nächsten erwiesenes Wohlgefallen in seiner Passion verkündigte, kann aber im hiesigen Zusammenhang zitiert werden, weil allgemein von der Schrift des AT gilt, was *V 4* wie Röm 4, 24; 1 Kor 9, 10 und besonders 1 Kor 10, 11 (vgl. 2 Tim 3, 16) hervorgehoben wird: die atl. Schrift ist zu unserer Belehrung geschrieben, denen, wie 1 Kor 10, 11 sagt, das Ende der Äonen begegnet ist, in dem auch die Erfüllung der Schrift des AT offenbar wird. V 4 begründet also den Gebrauch von Ps 68, 10 LXX in unserem Zusammenhang mit dem allgemeinen Dienst, den das AT zu leisten hat und leisten kann. Es bringt im voraus

---

[2] Vgl. auch ὀφειλέται ἐσμέν, Röm 8, 12.
[3] Zu dem elliptischen Gebrauch von καθὼς γέγραπται vgl. Röm 8, 36.

Belehrung der Gemeinde aus des Herrn Mund. Πάντα ist zur Verstärkung von ὅσα bei B P 69 pc interpoliert (vgl. 1 Kor 10,11; 2 Kor 5,17; Gal 4,26). Statt des ursprünglichen προ-εγράφη lesen B lat Cl ἐγράφη, D προσεγράφη. Hinter ἔχωμεν fügen B Cl τῆς παρακλήσεως ein. Die Einfügung beruht wohl auf einer „mechanisch entstandenen Wiederholung" (Lietzmann). Die Didaskalia, die die Schrift des AT im voraus im Auge hatte und die durch das zitierte Psalmwort angedeutet wird, betrifft nicht die traditionelle jüdische Unterscheidung[4] von Gut und Böse, sondern, wenn man so sagen darf, die Christologie des Christus, der selbstlos die Gott zugefügten Schmähungen, also auch unsere Schmähungen, auf sich nahm. Sie hat dabei das Ziel, unsere, der Christen, Hoffnung zu erwecken und zu stärken. Das geschieht – so könnte man verstehen –, indem die Schriften ὑπομονή hervorrufen und Trost spenden. Aber wahrscheinlicher ist das erste διά der Begleitumstand, während das zweite, rhetorisch zugefügte kausalen Sinn[5] hat. Die ὑπομονή meint dann die Tragkraft oder Standhaftigkeit als Wirkung der Schriftaussagen, zumal, wie Schlatter betont, auch in V 5 ἡ ὑπομονή und ἡ παράκλησις zusammen genannt werden. Die Schriften des AT belehren uns durch das Beispiel oder auch durch ein Wort Christi über uns selbst, damit wir durch solches und ähnliches Trostwort unter geduldigem Ausharren Hoffnung haben. Παράκλησις ist hier wie V 5; 2 Kor 1, 3ff u. a. „Trost". Käsemann verweist auf 1 Makk 12, 9 als Parallele: παράκλησιν ἔχοντες τὰ βίβλια τὰ ἅγια. Aber auch sonst, wo das hebräische Äquivalent נחם vorliegt, meint παράκλησις, παρακαλεῖν in der LXX tröstenden Zuspruch, z. B. Gn 24, 67; 37, 35; 38, 12; 2 Sm 12, 24 u. a. Vgl. z. B. Is 57, 18 f:

> τὰς ὁδοὺς αὐτοῦ ἑώρακα
> καὶ ἰασάμην αὐτόν,
> καὶ παρεκάλεσα αὐτόν
> καὶ ἔδωκα αὐτῷ παράκλησιν ἀληθινήν.
> εἰρήνην ἐπ' εἰρήνην τοῖς μακρὰν καὶ τοῖς ἐγγὺζοῦσιν.

VV 5–6 Daß die Mahnung von 15,1ff nicht mehr nur die in Kap. 1 verhandelte Situation betrifft, sondern allgemein die Glieder der Gemeinde ins Auge faßt, läßt endlich auch das Gebet in den VV 5 und 6 erkennen, das die Einsinnigkeit der Ekklesia erbittet, die im einmütigen kultischen Lobpreis ihren Ausdruck finden soll. Das Gebet, dessen liturgischer Stil unverkennbar ist, bittet den „Gott der Geduld und des Trostes", also den, der Geduld wirkt und (in der Schrift) Trost spendet. Wenn er in *V 5* als θεὸς τῆς ὑπομονῆς καὶ τῆς παρακλήσεως (vgl. 2 Kor 1, 3) bezeichnet wird, so ist nicht so sehr der Gott gemeint, der Geduld und Trost ist, sondern der, der sie gewährt. Er ist der Gott, der Hoffnung erweckt und Frieden sich ausbreiten läßt (15,13.33) und so „der Gott der Liebe und des Friedens" genannt werden kann (2 Kor 13, 11). Dieser Gott gewähre[6] den Gliedern der Gemeinde τὸ αὐτὸ φρονεῖν,

---

[4] Rengstorf in: ThWb II 148.
[5] Lagrange, Michel, H. W. Schmidt, Käsemann.
[6] Δῴη ist Opt., wie auch sonst in Gebeten, z. B. Eph 1, 7; 2 Thess 3, 16.

„eines Sinnes zu sein", also das, was auch Röm 12,16; 2 Kor 13,11; Phil 2,2 (4,2) von ihnen erhofft bzw. von ihnen gefordert wird. Aber es ist nicht irgendeine Einheit, sondern ein einheitliches Denken und Wollen des Glaubens κατὰ Χριστὸν Ἰησοῦν, das sich an Christus Jesus ausrichtet und von Jesus Christus bewirkt wird. Er, der Kyrios, ist die Begründung und das Kriterium der von Gott geschenkten Einheit. Diese allein erbittet der Apostel für die römische Gemeinde. Sie betrifft natürlich im Zusammenhang immer noch die beiden Gruppen der „Starken" und der „Schwachen". Aber sie bezieht sich darüber hinaus auf jeden möglichen Zwiespalt in der Kirche [7]. Ob Paulus hier auch schon an die Einheit von Juden und Heiden denkt, auf die 15,7ff noch zu sprechen kommt, ist fraglich, wiewohl natürlich auch sie der Sache nach im τὸ αὐτὸ φρονεῖν ... κατὰ Χριστὸν Ἰησοῦν eingeschlossen ist.

Solches „eines Sinnes sein" kann und soll sich im einmütigen und einmündigen Lobpreis der Gemeinde erweisen, V 6. In dem gemeinsamen Gotteslob der versammelten Gemeinde findet ihre einheitliche Gesinnung offenen Ausdruck. Die Formulierung des Satzes V 6 ist wie die von V 5 selbst liturgisch [8], dabei aber und deshalb von großer Präzision. Ὁμοθυμαδόν, das aus der politischen Sphäre stammt [9], beschreibt die öffentliche Einmütigkeit und wird in diesem Sinn in der Apg häufig gebraucht (1, 14; 2, 46; 4, 24; 5, 12; 8, 6 u. a.). Hier in V 6 wird es verdeutlicht durch ἐν ἑνὶ στόματι δοξάζειν, im Lobpreis, der wie aus einem Mund erschallt. Das Einmütigsein erweist sich im Einstimmigsein des Gotteslobes der versammelten Gemeinde [10]. 1 Clem 34, 7 läßt die hier vorausgesetzte Situation deutlich erkennen: καὶ ἡμεῖς οὖν ἐν ὁμονοίᾳ ἐπὶ τὸ αὐτὸ συναχθέντες τῇ συνειδήσει, ὡς ἐξ ἑνὸς στόματος βοήσωμεν πρὸς αὐτὸν ἐκτενῶς εἰς τὸ μετόχους ἡμᾶς γενέσθαι τῶν μεγάλων καὶ ἐνδόξων ἐπαγγελιῶν αὐτοῦ. Solcher kultischer Lobpreis der in Christus einmütig versammelten Gemeinde rühmt – das ist die dritte Kennzeichnung – „Gott, den Vater unseres Herrn Jesus Christus". Es ist eine feierliche Schlußformel, in die der Satz mündet. 2 Kor 1, 3; 11, 31; Eph 1, 3; 1 Petr 1, 3 steht sie innerhalb bzw. im Zusammenhang mit einer Eulogie. In ihr hat „das letzte Glied identifizierenden Sinn" (Käsemann). Gott, dem das Rühmen der einmütig versammelten und einstimmig lobpreisenden Gemeinde gilt, ist kein anderer als der Vater unseres Herrn Jesus Christus, der solche Einheit stiftet und fordert.

---

[7] „Wo durch die Gemeinde ein Riß geht, da leidet auch die gottesdienstliche Gemeinschaft des Lobes Gottes" (ALTHAUS).

[8] BARRETT: „It is possible, though incapable of proof, that Paul is drawing upon a liturgical doxology."

[9] HEIDLAND in: ThWb V 186.

[10] Vgl. ἐξ ἑνὸς στόματος P Gieß 36, 12; PLATO, Rep. 2, 7 p. 364a.

8. 15,7–13 Die Annahme der Juden und Heiden durch Christus

7 Darum nehmt einander an, so wie auch Christus euch angenommen hat zur Ehre Gottes. 8 Denn ich behaupte, daß Christus um der Wahrheit Gottes willen Diener der Beschnittenen geworden ist, um die den Vätern gegebenen Verheißungen zu bestätigen. 9 Die Heiden aber mögen Gott für die Barmherzigkeit preisen. So wie es in der Schrift steht: „Darum will ich dich bekennen unter den Heiden und deinem Namen lobsingen." 10 Und wiederum heißt es: „Frohlocket ihr Heiden mit seinem Volk." 11 Und wiederum: „Lobt alle, ihr Heiden, den Herrn, und preisen sollen ihn alle Völker." 12 Und wiederum sagt Jesaja: „Kommen wird der Sproß Isais und erhebt sich, über die Völker zu herrschen. Auf ihn werden die Heiden hoffen." 13 Der Gott der Hoffnung erfülle euch aber mit aller Freude und Frieden im Glauben, auf daß ihr überströmt von Hoffnung durch die Kraft des Heiligen Geistes.

V 7 Mit den VV 15,7–13 kommt Paulus zum letzten Abschnitt innerhalb seiner aktuellen Paraklese von Kap. 14 und 15. Διό bezieht sich auf das einmütige Gebet. Es bringt noch ausdrücklich einen für den Apostel wichtigen Aspekt: Christus für Juden und Heiden das Heil, wobei auf den letzteren das Gewicht der Aussage ruht. Es folgt ein Imperativ, der das προσλαμβάνεσθαι von 14,1 wiederholt, aber 1) nicht nur an die „Starken" gerichtet ist, sondern allgemein an die Glieder der Gemeinde (ἀλλήλους), also auch an die „Schwachen", und 2), wie die erläuternde Fortsetzung in V 8ff zeigt, überhaupt den akuten Fall der „Starken" und der „Schwachen" nicht mehr allein im Auge hat, sondern die Gemeinde insgesamt, und zwar jetzt im Blick auf Juden- und Heidenchristen, die beide von Christus in seiner Treue und seinem Erbarmen angenommen worden sind. Der Blick weitet sich wieder auf den gesamten Menschenkosmos aus und faßt das grundlegende Ereignis der Versöhnung der heilsgeschichtlich geschiedenen Juden und Heiden ins Auge. Ihm gegenüber erscheint die Trennung der „Starken" und der „Schwachen" in Rom geringfügig, die sich vielleicht ja auch auf Heiden- und Judenchristen verteilen. Wie sollte sich nicht dieser Konflikt lösen, wenn Israel und die Heidenvölker von Christus angenommen sind?

Die Aufforderung, „einander anzunehmen", wird durch den καθώς-Satz begründet. Καθώς hat hier, wie oft, z. B. Röm 1,28; 1 Kor 1,6; 5,7; Phil 1,7, im einleitenden Satz einen begründenden Sinn[1]. Einander annehmen können – aber auch sollen – nur die von Christus selbst Angenommenen. Die Annahme fand am Kreuz Christi, des Messias, statt, also in der Weise, wie sie Paulus Röm 5,6.8, aber auch 14,15; 1 Kor 8,11 in dem „für uns" oder „um unseretwillen" andeutet. Christi Annahme aber war eine wahre Annahme. Sie geschah ja εἰς δόξαν τοῦ θεοῦ, was von Christi Tat nur hier erwähnt wird, wäh-

---

[1] BLASS-DEBR, § 453,2.

rend es in bezug auf das Handeln der Christen öfters genannt wird: 1 Kor 10, 31; 2 Kor 4, 15; Phil 1, 11; 2, 11. Gottes Herrlichkeit strahlte in diesem alle Welt durch Christus bergenden Geschehen auf. Es diente ja Gottes Doxa. Ob ἡμᾶς wie B D Ambrstr min Chrys Thdt oder ὑμᾶς wie א A C bo sah Orig G vg L min syᴾ goth u. a. zu lesen ist [2], ist schwer zu sagen. Obwohl das letztere stärker bezeugt ist und die Anrede durch ὑμᾶς intensiver wird, muß die Änderung in ἡμᾶς nicht „aus dem Kontext der Doxologie erklärlich" sein [3], sondern kann von dem umfassenden Blick des Folgenden her und im umfassenden Schlußabschnitt ursprünglich sein.

V 8 Mit λέγω γάρ, das einen feierlich bezeugenden Klang hat und hier etwa mit „verkündigen" wiederzugeben ist [4], wird in V 8 „unsere" Annahme näher charakterisiert. Sie geschah darin, daß den Juden in Christus die ἀλήθεια Gottes eröffnet und die Verheißungen an die Väter erfüllt wurden und den Heiden das Erbarmen Gottes widerfuhr. Freilich, so formuliert Paulus nicht, sondern seltsam gezwungen und z. T. plerophorisch. Der Messias hat uns, Gott zu verherrlichen, angenommen. 1) Ist doch Christus zum „Diener der Beschnittenen" geworden [5], womit nicht nur Jesu irdisches Werk (Käsemann), auch nicht nur sein „Opferweg" (Michel), sondern sein gesamtes „Werk", Kreuz und Auferstehung, gemeint ist; 2) dies geschah ὑπὲρ τῆς ἀληθείας θεοῦ, die nach Röm 3, 4f als die δικαιοσύνη im Sinn der Bundestreue Gottes zu verstehen ist, 3) welche sich im βεβαιῶσαι τὰς ἐπαγγελίας τῶν πατέρων erwies. Βεβαιοῦν hat auch hier einen juridischen Sinn und meint „bekräftigen" und „erfüllen" zugleich [6]. Betont ist ὑπὲρ τῆς ἀληθείας θεοῦ. Sie zur Geltung und Erscheinung zu bringen ist der für die περιτομή (= Beschnittenen) geleistete Dienst Christi.

V 9 Aber von Christus ist noch ein anderes Werk zu nennen, wenn auch nur indirekt: die Heiden mögen Gott für das Erbarmen preisen, das er ihnen eben durch Christus erwiesen hat. Grammatisch ist τὰ ἔθνη κτλ. gewiß mit βεβαιῶσαι von εἰς τὸ abhängig (Zahn, H. W. Schmidt). Aber sachlich enthält es eine von V 8a unabhängige Aussage. Denn an Röm 11, 11ff und 11, 30f ist nach der Formulierung von 15, 8f nicht gedacht. Jedenfalls entspricht dem ὑπὲρ τῆς ἀληθείας das ὑπὲρ ἐλέους, für das die Heiden Gott rühmen sollen [7]. Von eben diesem Lobpreis spricht ja schon die Schrift, die nun in vier ausdrücklich und verschieden eingeleiteten – καθὼς γέγραπται – καὶ πάλιν λέγει – καὶ πάλιν – καὶ πάλιν – Zitaten aus den drei Schriftgattungen: der Tora, den Nebiim und den Ketubim, zu Wort kommt. Sie sind alle durch das Stichwort ἔθνη und die verschiedenen Varianten für δοξάζειν verbunden und stellen

---

[2] SANDAY-HEADLAM, LAGRANGE, LIETZMANN, MICHEL, BARRETT, KÄSEMANN.
[3] „Ἡμᾶς (B D* P) est plus doxologique" (LEENHARDT).
[4] BAUER WB 929.
[5] ZAHN will mit B C* D* G γενέσθαι lesen.
[6] BAUER WB 247f; SCHLIER in: ThWb I 602.
[7] „Ἀλήθεια und ἔλεος (חֶסֶד וֶאֱמֶת) sind die schon längst aneinander gebundenen Worte, die zusammen das gnädige, hilfreiche Verhalten Gottes beschreiben" (SCHLATTER). Τὸ ἔλεος ist das Verhalten Gottes zu den Heiden nach Röm 9, 15.16.23; 11, 31.

selbst dessen nähere Entfaltung dar (vgl. ἐξομολογεῖσθαι, ψάλλειν, εὐφραίνεσθαι, αἰνεῖν, ἐπαινεῖν, ἐλπίζειν [Michel]). V 9a zitiert Ps 17, 50 bzw. 2 Sm
22, 50 fast wörtlich ohne die Anrede κύριε. Letzteres ist aber kein Hinweis darauf, daß Subjekt des ἐξομολογεῖσθαι Christus ist (H. W. Schmidt). Auch an
einen Vorbeter (Michel) wird man nicht denken dürfen, sondern an jedes einzelne Glied der Gemeinde, das dazu fähig ist. Das ἐν ἔθνεσιν kann der Judenchrist ebenso wie der Heidenchrist für sich in seinem Bekenntnis in Anspruch
nehmen. Mit anderen Worten: V 9b ist gleichsam die Überschrift über die folgenden Lobpreisungen, die zwei Aufforderungen an die Heiden und eine Verheißung für sie darstellen.

VV 10–11   Erst von hier ab stellt sich ja auch die Reihenfolge Tora, Nebiim,
Ketubim ein. V 10 zitiert nach der Einleitung „Und weiterhin spricht sie (die
Schrift)" die dritte Zeile aus dem Lied des Moses (Dt 32, 43). In ihr waren
die Heiden aufgefordert, in das Frohlocken[8] mit Israel einzustimmen, also in
unserem Zusammenhang die in Christus mit den Judenchristen geeinten Heidenchristen, im Gedanken an dieses ἔλεος, das ihnen widerfahren ist. „Weiter"
folgt in V 11 Ps 116, 1, der in der LXX

αἰνεῖτε τὸν κύριον, πάντα τὰ ἔθνη,
ἐπαινέσατε αὐτὸν, πάντες οἱ λαοί

lautet, hier also leicht variiert ist. Jetzt ist gegenüber V 10 eine dreifache Steigerung erkennbar: πάντα τὰ ἔθνη statt ἔθνη, der Jussiv im zweiten Glied statt
des Imperativs und πάντες οἱ λαοί, was ebenso wie hier πάντα τὰ ἔθνη, insgesamt die Völkerwelt (Kühl) meint, die zur Teilhabe am Jubel des christlichen Gottesdienstes einlädt. „Der Preis des christlichen Gottesdienstes ist
universal" (Käsemann).

V 12   Das letzte Zitat, das ausdrücklich als Wort des Propheten Jesaja eingeführt wird, enthält keinen Aufruf mehr wie das von VV 10 und 11, sondern
eine Verheißung, die sich für Paulus in Christus erfüllt hat, eine Verheißung
auch für die ἔθνη. Es lehnt sich an Is 11, 1.10 LXX an, läßt aber, vor allem
weil „die Wurzel Isais" schon erschienen ist, das ἐν τῇ ἡμέρα ἐκείνῃ aus und
kürzt den Satz. Das Gewicht liegt darauf, daß der ἀνιστάμενος, für Paulus der
Auferstandene und Erhöhte, seine Herrschaft über die Völker angetreten hat
und zur Hoffnung der Völker geworden ist. Aller Menschen Hoffnung hat Christus erfüllt. So können auch sie, die Heidenvölker, Gott für sein Erbarmen preisen.

Und dieser „Gott der Hoffnung" wird in *V 13,* der die gesamten Ausführungen
von Röm 14 und 15, 1–13 abschließt, zuletzt noch von Paulus für die Christen
aus Juden und Heiden in Rom, speziell wohl auch für die „Schwachen" und
„Starken", um die Gabe einer Fülle von Hoffnung angerufen. Das Gebet von
V 13 ist wiederum wie 15, 5f plerophorisch, und zwar so, daß unter anderem
bereits genannte Motive wieder auftauchen und in ihrem inneren Zusammen-

---

[8] Zu εὐφραίνειν BULTMANN in: ThWb II 772f.

hang deutlich werden. Angerufen wird „der Gott der Hoffnung", der Gott
also, der als „der Gott der Geduld und des Trostes" (V 5) Hoffnung ist und
Hoffnung erweckt. Und angerufen wird dieser Gott mit der Bitte, sich als sol-
cher auch zu erweisen. Aber das wird in vierfacher Weise auseinandergelegt.
Zuerst im Blick auf das, was die Voraussetzung der überströmenden Hoffnung
ist: er „erfülle euch (πληρῶσαι Opt.) [9] mit lauter Freude und Friede", die, wie
wir sahen, auch Röm 14, 17; Gal 5, 22 eng zusammengehören. Sie tragen die
Hoffnung in sich und werden von der Hoffnung getragen (vgl. Röm 12, 12).
Sie durchdringen sich (vgl. 1 Thess 2, 19). Der Gott der Hoffnung ist auch der
Gott des Friedens (vgl. Röm 15, 33; 16, 20; 2 Kor 13, 11; Phil 4, 7.9; 1 Thess
5, 23; 2 Thess 3, 16). Zweitens wird – was D G it auslassen – erwähnt, in welcher
Weise Freude und Friede, in denen die Hoffnung lebendig ist, empfangen und
bewahrt werden können: ἐν τῷ πιστεύειν, im Glauben. Drittens werden das
Ziel und die Frucht dieser im Glauben von dem Gott der Hoffnung gewährten
Gaben genannt: die Hoffnung oder, genauer, die Fülle, das Überfließen, Überströmen der Hoffnung, ihr περισσεύειν, das, wenn man hier daran erinnern
darf, dem Überströmen der χάρις (Röm 5, 15) entspricht. Es ist nicht so, als
hätte die römische Gemeinde keine Hoffnung und „der Gott der Hoffnung"
müsse gebeten werden, sie ihr zu schenken. Aber sie wie jede Gruppe oder
Richtung der Gemeinde hat nie genug Hoffnung. Hoffnung haben ist in Freude
und Friede des Glaubens überströmen von Hoffnung. Noch ein Viertes: Solches Überströmen der Hoffnung geschehe ἐν δυνάμει πνεύματος ἁγίου. Das
ἐν ist wohl instrumental zu verstehen. Nur der Heilige Geist gibt ihnen in seiner
Macht [10] ihr unglaubliches Hoffen [11]. Durch ihn erfüllt Gott im Glauben und
seiner Freude und seinem Frieden mit überschwenglicher Hoffnung. Es ist bezeichnend, daß der letzte theologische Abschnitt des Briefes mit der Bitte um
Hoffnung endet und dabei das eine große Thema des Briefes, die Gemeinschaft
von Juden und Heiden in Christus, die Gemeinschaft aller Menschen in ihm,
noch einmal berührt.

---

[9] Πληροφορήσαι ὑμᾶς ἐν (ἐν om. G) πάσῃ χαρᾷ καὶ εἰρήνῃ B G; vgl. den Wechsel von
πληροῦν und πληροφορεῖν Kol 4, 13; 2 Tim 4, 17 und πλήρωμα und πληροφορία D G Röm
15, 29 (LIETZMANN).
[10] Δύναμις τοῦ πνεύματος ἁγίου ist das πνεῦμα ἅγιον hinsichtlich seiner vielfältigen Auswirkungen (vgl. Röm 15, 19; 1 Kor 2, 4). So steht auch δύναμις manchmal für πνεῦμα, z. B.
1 Kor 5, 4; 6, 14; 15, 43; 2 Kor 6, 7; 12, 9; 13, 4; 2 Thess 1, 11, oder neben πνεῦμα, z. B.
1 Thess 1, 5.
[11] „Telle est l'œuvre secrète du Saint-Esprit, qui insère dans le présent la semence de
l'avenir (Rom 8.16, 23; 2 Cor 1.21–22). C'est par lui que Dieu ouvre à l'homme les possi-
bilitès inaccessibles aux forces naturelles, il est la ‚puissance' par excellence, la véritable
nouveauté, la jeunesse du monde ancienne" (LEENHARDT).

C. 15,14 – 16,27 Der Briefschluß

1. 15,14–21 Auftrag und Werk des Apostels

14 Ich bin, meine Brüder, was mich betrifft, überzeugt, auch ich persönlich, daß ihr voll guter Gesinnung seid, überreich an aller Erkenntnis und wohl imstande, einander zurechtzuweisen. 15 Ich habe euch aber zum Teil recht kühn geschrieben als einer, der euch einiges ins Gedächtnis rufen will kraft der mir von Gott gegebenen Gnade, 16 damit ich ein Diener Christi für die Heiden sei, der das Evangelium Gottes priesterlich verwaltet. Die Heiden sollen als wohlgefällige, im heiligen Geist geheiligte Opfergabe dargebracht werden. 17 Ich habe also Grund, mich in Christus Jesus vor Gott zu rühmen. 18 Denn ich werde nicht wagen, etwas zu verkündigen, was nicht Christus durch mich gewirkt hat zum Gehorsam der Heiden in Wort und Werk, 19 in der Kraft von Wundern und Zeichen, in der Macht des Geistes. Daher habe ich das Evangelium Christi von Jerusalem aus und in weitem Umkreis bis nach Illyrien gewirkt. 20 Dabei habe ich meine Ehre dareingesetzt, nicht dort zu verkündigen, wo der Name Christi schon bekanntgemacht war, um nicht auf fremdem Grund zu bauen, 21 sondern wie geschrieben steht:

„Sehen werden die, welchen nichts über ihn verkündigt wurde,
und die nicht gehört haben, werden Einsicht gewinnen."

Mit Röm 15,14–21 wendet sich Paulus noch einmal zu dem zurück, was ihm im Eingang seines Briefes am Herzen lag: zur Darlegung seines Verhältnisses zur römischen Gemeinde und direkt und indirekt des Sinnes seines Briefes, und zwar innerhalb der Erörterung seines apostolischen Auftrages überhaupt. So entsprechen sich 15,14ff und 1,8ff in mancherlei Hinsicht. Beide Abschnitte umfassen jeweils den Lehrtext des Briefes und lassen dann auf ihre Weise erkennen, daß das im „Lehrtext" vorgetragene Evangelium eine aktuelle Botschaft in Briefform für die römische Gemeinde ist.

V 14 bringt zuerst eine captatio benevolentiae, die wohl, salopp gesagt, „eine gute Portion von Schmeichelei" (Käsemann) enthält, dabei aber doch aufrichtig gemeint ist. Paulus spricht seine Überzeugung (πέπεισμαι) gegenüber seinen „Brüdern" aus, wie er die Christen in Rom insgesamt noch einmal nennt. Er betont seine Überzeugung durch die Formulierung καὶ αὐτὸς ἐγώ, „auch ich meinerseits" (und nicht etwa nur ihr selbst) oder „was mich betrifft" (und nicht etwa nur andere Apostel), bin ich von euch überzeugt. Wovon? Daß sie – in entsprechender Formulierung: καὶ αὐτοί, „auch ihr selber", ohne Zutun anderer, auch meiner [1] – imstande sind, einander zu belehren und dazu die Voraussetzung haben, nämlich voll guter Gesinnung und überreich

---

[1] ZAHN: „Ihr selbst, ohne daß ich oder ein anderer euch belehrt."

an aller Erkenntnis sind[2]. Man sieht, der Satz ist in seiner Plerophorie sehr eindrücklich und soll es auch sein. Das hellenistische ἀγαθωσύνη, das sich auch ψ 51, 5[3] und 2 Chr 24, 16 im Gegensatz zu κακία findet, taucht Gal 5, 22 zwischen χρηστότης und πίστις als „Frucht des Geistes" auf und Eph 5, 9 als „Frucht des Lichts" neben δικαιοσύνη und ἀλήθεια. 2 Thess 1, 11 ist als Gabe Gottes πᾶσα εὐδοκία ἀγαθωσύνης erwähnt. Von dieser „Rechtschaffenheit" sind sie erfüllt (μεστοί; vgl. Röm 1, 29). Aber sie sind auch, wie betont wird, erfüllt von πάσης τῆς[4] γνώσεως, wobei γνῶσις wohl die charismatische Heilserkenntnis[5] meint, wie etwa 1 Kor 1, 5. Und als solche, die die Fülle der genannten charismatischen Gaben haben, die der Geist verleiht, der rechtschaffenen Gesinnung gegen den Bruder und der geistlichen Erkenntnis des Heils, sind sie imstande, ἀλλήλους[6] νουθετεῖν. Νουθετεῖν ist „ans Herz legen", „zurechtweisen", „warnen", „mahnen" und dergleichen. Es spielt in der jüdischen Weisheitsliteratur eine Rolle, kommt im NT außer Apg 20, 31 nur im Corpus Paulinum vor: 1 Kor 4, 14; Kol 1, 28; 3, 16; 1 Thess 5, 12.14; 2 Thess 3, 15. Hier in Röm 15, 14 meint es deutlich die gegenseitige brüderliche Weisung aufgrund der allseitigen gütigen Offenheit zueinander und der vielseitigen Einsicht in das Heil. „Voll von Güte und mit der ganzen Erkenntnis erfüllt, sind sie als die Gemeinde, in der einer den anderen mahnt" (Schlatter). Aber warum dann des Apostels Brief an diese Gemeinde? Er verdankt sich seinem weltweiten Apostolat, seinem apostolischen Amt oder Mandat, auf das er nun in verschiedener Hinsicht zu sprechen kommt.

V 15 macht Paulus zunächst angesichts der schwerwiegenden Aussage von V 14 eine kleine Konzession, die freilich nicht den Kern der Sache trifft oder auch nur zu seinem Anspruch überleitet. Sein Brief ist τολμηροτέρως[7] geschrieben, „ziemlich kühn". Freilich, wie gleich wieder eingeschränkt wird, nur „zum Teil". Die Kühnheit betrifft sowohl die Tatsache des Briefes selbst an eine solche Gemeinde wie die in Rom, die Paulus weder gegründet hat noch, abgesehen von einzelnen Gliedern, näher kennt, als auch seine weite und tiefe Thematik und konzessionslose Theologie der Gnade[8]. Ἀπὸ μέρους geht kaum auf einzelne Teile des Briefes, sondern qualifiziert die „Kühnheit", wenn man recht versteht, als doch nicht ganz so kühn[9]. V 15b bringt eine weitere Entlastung seiner „Kühnheit" bzw. der Tatsache dieses allzu kühnen Briefes, zu-

---

[2] Vgl. 1 Thess 4, 9; 5, 1.

[3] Ἠγάπησας κακίαν ὑπὲρ ἀγαθωσύνην, ἀδικίαν ὑπὲρ τὸ λαλῆσαι δικαιοσύνην.

[4] Der Artikel fehlt bei 𝔓⁴⁶ A C 𝔖 D G pm. Aber vgl. 1 Kor 8, 7; 13, 2; dagegen 1 Kor 8, 1.

[5] „Einsicht in die Heilsgeschichte" (MICHEL, KÄSEMANN).

[6] Ἄλλους für ἀλλήλους lesen 𝔖 33 al sy. Aber es hat im Zusammenhang keinen Sinn. Denn es geht hier nicht darum, daß die römischen Christen auch andere, sondern sich selber erkennen. Anders ZAHN, der auf 2 Tim 2, 2; Hebr 5, 12; IgnRom 3, 1 verweist.

[7] So B A gegen τολμηρότερον 𝔓⁴⁶ ℵ C D G pl.

[8] BARTH III verweist auf 2 Petr 3, 15–16. Sie betrifft nicht nur den paränetischen Teil, wie zuletzt wieder ZELLER, a. a. O. 66, behauptet.

[9] LAGRANGE, L. GAUGUSCH, Untersuchungen zum Römerbrief. Der Epilog (15, 14 – 16, 27), in: BZ 24 (1938/39) 164–184 252–266, 165.

gleich aber eine unanfechtbare Begründung seines Schreibens. Paulus hat ihn geschrieben ὡς ἐπαναμιμνήσκων[10]. Das meint: „als einer, der (nur) erinnert", im Sinn einer Wiederholung bereits bekannter und gefestigter Überlieferung: Das ist eine ähnliche Untertreibung, wie die, welche auch die Einfügung von Röm 1, 3f als gemeinsamer Basis der römischen Gemeinde und des Apostels in das Präskript veranlaßte. Die Tatsache und der Inhalt des Briefes sind etwas kühn, freilich, wenn man sie recht versteht, nur ein wenig. In ihm liegt ja auch nur eine, freilich paulinische Wiederholung und Erinnerung der christlichen Überlieferung vor, die die römische Gemeinde auch kennt, nicht mehr. Dazu kommt noch eines, das nun freilich die ganze Konzession überflüssig macht und das ὡς ἐπαναμιμνήσκων indirekt charakterisiert. Diese „Erinnerung", die sein Brief an die römische Gemeinde darstellt, ist ja eine solche, die um der dem Apostel verliehenen Gnade Gottes willen, d. h. in seinem Auftrag und seiner Vollmacht, die „Liturgie" des Evangeliums für die Völker zu vollziehen, gegeben ist. Mitten im Satz bricht Paulus „aus der Entschuldigung heraus, um sein Recht zu behaupten" (Käsemann). Sein Recht gründet aber darin, daß ihm die „Gnade" von Gott gegeben ist[11]. Χάρις ist bei Paulus das, wovon er lebt, besser: das, was er lebt. Der Ruf der Gnade Gottes hat ihn zum Apostel gemacht (Gal 1, 15). In seiner Berufung und Sendung wirkt sie sich aus. Gott überließ sie ihm, und er wurde ihr anheimgegeben und von ihr beansprucht, und zwar in, mit und unter seinem Apostolat. Sie übergab sich ihm, so daß er kraft ihrer Apostel wurde und ist. Ebendas ist an unserer Stelle von einer von Paulus wiederholten Wendung gesagt (vgl. Röm 12, 3; 1 Kor 3, 10; Gal 2, 9 [Eph 3, 2.7f]). Ἡ χάρις, könnte man sagen, ist der Apostolat hinsichtlich seines innersten Wesens, das er zu Wort bringt. Dabei ist sie, und zwar in der Form der Sendung „von Gott her", (ἀπὸ τοῦ θεοῦ)[12], „gegeben" und von seiten des Paulus durch Christus „empfangen" (Röm 1, 5). Das letztere ist nach Gal 1, 12.15f dahin zu verstehen, daß Jesus Christus sich ihm in sein Wort hinein offenbarte, indem er, wenn wir 2 Kor 4, 6 hier heranziehen dürfen, in des Paulus Herz aufleuchtete. Dieser Jesus Christus ist ja selbst „die Gnade Gottes" (Röm 5, 15). Sie läßt ihn sein, was er in ihrem Dienst ist, und sie „müht" sich nun durch ihn in seinem apostolischen Amt, das aber als „Amt" mit ihr erfüllt ist und durch sie nicht „leer", nicht wirkungslos bleibt (1 Kor 15, 9f). In des Apostels Sendung, die seine Existenz umgreift und bestimmt, äußert sich ihre „Macht". In welcher Weise? In der „Macht" des Evangeliums (Röm 1, 16; 1 Kor 1, 18.24), in das sich die Gnade als Wort des Apostels begab. Das Evangelium ist, wenn man so sagen darf, die „Sprache" des Apostels, der Apostolat ist die Gestalt des Evangeliums. In diesem Sinn kann man die Zusammengehörigkeit und zugleich die Unterschiedenheit von χάρις καὶ ἀποστολή (Röm 1, 5) vielleicht definieren. Das geht auch aus dem unwillkürlichen und doch begründeten Wechsel der Begriffe εὐαγγέλιον – χάρις – ἀποστολή Gal 2, 7ff her-

---

[10] Biblisches Hapaxlegomenon. Sonst ἀναμιμνήσκειν 1 Kor 4, 17; 2 Tim 1, 6.
[11] Vgl. H. Schlier, Die „Liturgie" des apostolischen Evangeliums (Röm 15, 14–21), in: Martyria, Leiturgia, Diakonia. Festschrift H. Volk (1968) 242–259.
[12] Ὑπὸ τοῦ θεοῦ lesen 𝔓⁴⁶ A C D G u. a.

vor. Die Gnade war Paulus mit dem Evangelium in der Weise der Sendung und mit der Sendung in der Weise des Evangeliums gegeben worden. In seinem etwas „kühnen" Brief „erinnerte" Paulus die römische Gemeinde nur an das, was sie – gewiß auch in formulierten Homologien und Paraklesen – schon kannte.

V 16 Doch woher nahm er das Recht dazu? Aus einer Tatsache, die zu weit mehr autorisierte: er „erinnerte" um der ihm von Gott mit seinem Apostolat verliehenen „Gnade" willen. Sein Apostolat aber läßt ihn einen λειτουργὸς Ἰησοῦ Χριστοῦ εἰς τὰ ἔθνη sein (V 16a), der in dem priesterlichen Dienst des Evangeliums die Völker als Opfergabe darbringt (V 16b). In seinem priesterlichen Dienst vollzieht Paulus das große Weltopfer für Gott. Wie sollte er – steht dahinter – nicht auch an die römische Gemeinde einen Brief richten? Εἰς τὸ εἶναί με ist als finaler Infinitiv von δοθεῖσαν abhängig (Zahn). Λειτουργός bezeichnet im Griechisch-Hellenistischen den, der im Auftrag einer öffentlichen Dienstleistung steht, welche dem Gemeininteresse dient. In der späteren hellenistischen Zeit ist die Reihe der „Liturgien" sehr vermehrt worden [13]. Auch im sakralen Bereich taucht der Begriff λειτουργός auf. Doch gewinnt er auch den allgemeinen Sinn von „Diener" oder „Arbeiter". In dieser Bedeutung kommt er auch in der LXX öfters vor, z. B. Jos 1, 1A; 2 Sm 13, 18; 3 Kg 10, 5. Aber an drei Stellen der LXX hat er kultischen Sinn. So kommt er Is 61, 6; 2 Esr 20, 40 (= Neh 10, 40); Sir 7, 30 neben bzw. für ἱερεύς vor. Vgl. auch Arist 95. Diese Bedeutung nimmt Paulus offenbar hier auf, wie das folgende ἱερουργεῖν zeigt, während Röm 13, 6, wie wir sahen, die ἄρχοντες, die Inhaber politischer Ämter, λειτουργοὶ θεοῦ genannt werden und Phil 2, 25 Epaphroditus wohl als einer, der allgemein Dienst tut, λειτουργός heißt. Ἱερουργεῖν, das das λειτουργός erläutert, meint den Vollzug heiliger Riten, besonders auch des Opfers, also auch den priesterlichen Dienst, hat aber 4 Makk 7, 8 den νόμος als Objekt [14]. Für Paulus findet solches ἱερουργεῖν [15] in der Weise statt, daß er „priesterlich das Evangelium Gottes ausrichtet" und darin die Heidenwelt Gott als wohlgefälliges Opfer darbringt [16]. Damit sind sein Apostolat und die ihm von Gott übergebene „Gnade" bedeutsam charakterisiert. Bei dem Dienst seiner Sendung handelt es sich nicht um einen profanen, etwa den der religiösen oder philosophischen Propaganda oder auch der sozialen Mission, sondern um einen hinsichtlich seiner Herkunft, seines Mittels, seines Zieles und seines Ergebnisses göttlichen. Dabei ist dieser Dienst wesentlich ein öffentlicher und amtlicher. Seine Opferhandlung ist nicht ein persönlich-charismatisches Unternehmen, sondern der Vollzug eines von Gott autorisierten, legitimierten und an den Apostel delegierten Mandates. Als solche ist sie weiterhin eine eschatologische Dienstleistung. Sie ist ja Erfüllung und Voll-

---

[13] H. ROSTOVTZEFF, Die hellenistische Welt II (1955) 482.
[14] Vgl. zum Begriff λειτουργός, λειτουργεῖν, λειτουργία STRATHMANN in: ThWb IV 221 bis 238; H. SCHLIER, a.a.O.
[15] Zu ἱερουργεῖν vgl. C. WIÉNER, Ἱερουργεῖν (Römer 15,16), in: Stud. Paul. Congr. II 399 bis 404.   [16] SCHRENK in: ThWb III 252, 28ff.

endung des atl. Opferdienstes, sozusagen der neue, eigentliche und letzte Gottesdienst. „Was der Kult besagen will, erfüllt sich in der Endgeschichte" (Michel). Es geht nicht um eine „Spiritualisierung" eines kultischen Phänomens und kultischen Begriffes, sondern um eine Erneuerung, die in der Endgeschichte stattfindet. Jetzt, da die Gerechtigkeit setzende und durchsetzende Bundestreue Gottes sich in Jesus Christus ereignet hat (Röm 3, 21 ff; vgl. 15, 8) und so „der Tag des Heils", den der Prophet verheißen hat (2 Kor 6, 2), gekommen ist und sich seine Gegenwart im Evangelium erweist, jetzt wird das Opfer nicht mehr im Tempel zu Jerusalem durch rituellen Vollzug dargebracht, sondern die Völker, deren sich das apostolische Evangelium bemächtigt hat, sind das Opfer, „geheiligt durch den heiligen Geist", der im Evangelium wirksam ist, und so das Opfer, das Gott angenehm ist. Diese Universalität wird in unserem Text besonders betont. Dreimal werden „die Völker" erwähnt, in den VV 16.18, so wie sie auch im Eingang des Briefes mehrmals genannt werden (VV 1, 5.13; vgl. 1, 14.16). In VV 19 ff wird diese Universalität geradezu Thema.

Aber zunächst merkt der Apostel, daß er wieder, und jetzt in umgekehrter Weise, den Römern gegenüber zu weit gegangen ist. Wer sollte von solchem λειτουργὸς Χριστοῦ Ἰησοῦ εἰς τὰ ἔθνη einen, wenn auch manchmal zu kühnen Brief nicht annehmen? Zwar war schon in V 15 b darauf hingewiesen, daß es die Paulus von Gott verliehene „Gnade" ist, die ihn zu seiner „Erinnerung" – die freilich mehr ist, als nur Bekanntes ins Gedächtnis zu rufen – ermächtigt. Aber jetzt nach solcher Selbstdarstellung als Opferpriester des eschatologischen Kosmos muß diese Gnade noch einmal betont werden, besser gesagt: noch einmal umschrieben werden.

V 17 hebt hervor, daß er solchen „Ruhm" – ἡ καύχησις ist wie 2 Kor 1, 12 der Gegenstand des Rühmens (Michel, Käsemann) und meint solches λειτουργὸς Χριστοῦ Ἰησοῦ εἶναι und solches ἱερουργεῖν τὸ εὐαγγέλιον τοῦ θεοῦ – „in Christus Jesus", also von ihm bemächtigt durch ihn hat. Damit hat er ihn auch von Gott und nicht von den Menschen. Πρὸς τὸν θεόν ist adverbial [17] wie Hebr 2, 13; 5, 1.

V 18 Das ergibt sich schon aus dem, daß sein Wirken nur im Gehorsam gegen Christus geschieht. Der Satz ist sehr pointiert formuliert. Er „wagt", im Sinn von er „erdreistet sich nicht", jemand anderen als Christus (etwa sich selbst) zu Wort kommen zu lassen (vgl. 2 Kor 10, 12; Jud 9). Das wird prägnant formuliert: er wagt nur, das zu sagen, was Christus durch ihn zum Gehorsam (um Gehorsam zu erwecken) der Völker gewirkt hat. Das λαλεῖν meint im Zusammenhang nichts anderes als das εὐαγγελίζεσθαι (V 20), das ἱερουργεῖν τὸ εὐαγγέλιον τοῦ θεοῦ (V 16), πληροῦν τὸ εὐαγγέλιον τοῦ Χριστοῦ (V 19) oder auch das ἀναγγέλλειν im Prophetenzitat (V 21). Im Sinn von „verkündigen" steht es auch 1 Kor 3, 1; 2 Kor 4, 13 (Eph 6, 20; Kol 4, 4 u. a.). Es ist – könnte man sagen – der „in ihm redende Christus" (vgl. 2 Kor 13, 9), der „verkün-

---

[17] BLASS-DEBR, § 160.

digt". Aber Paulus spricht von dem, was Christus durch ihn „gewirkt hat"[18], und läßt damit schon durch diesen Begriff erkennen, was er gleich auseinanderlegt: daß Christi Wirken und also sein, des Apostels, λαλεῖν λόγῳ καὶ ἔργῳ geschieht. Wieder erweist sich das λαλεῖν des Apostels – und jetzt noch umfassender – als „Verkündigung". Er erzeugt damit auch ὑπακοὴν ἐθνῶν[19], womit natürlich an die ὑπακοὴ πίστεως (Röm 1, 5; 16, 61; vgl. Röm 16, 19; 2 Kor 7, 15; 10, 5.6) gedacht ist. Λόγῳ καὶ ἔργῳ gebraucht Paulus freilich sonst nicht so formelhaft wie hier (2 Kor 10, 11; vgl. 1 Thess 2, 17).

V 19 Es meint summarisch, wie die Fortsetzung zeigt, einen λόγος, der von „Zeichen und Wundern" begleitet ist, eine Verkündigung mit der Kraft[20] wunderbarer Machttaten, die nach 2 Kor 12, 12 zum apostolischen Wirken gehören und nach 1 Thess 1, 5 den Logos des Evangeliums als machtvollen erscheinen lassen. Vgl. auch 1 Kor 2, 4; Gal 3, 15; 1 Thess 2, 1.13; Hebr 2, 4. Sie selbst, die „Zeichen und Wunder", in deren δύναμις Paulus durch Christus das Evangelium verkündigt, geschehen ἐν δυνάμει πνεύματος[21], durch die Macht des Geistes (gen. epexeg.). Durch sie ermächtigt Christus selbst den Apostel zu seinem den Gehorsam der Völker erweckenden Wort[22]. Der Apostel ist das Instrument Christi für das Heil der Völker. Er hat seinen „Ruhm" wahrhaftig nur in Christus Jesus. So ist auch die weltweite Wirkung des Evangeliums zu verstehen, die dem apostolischen Auftrag entspricht. Er, Paulus, hat ja „das Evangelium von Christus", wie es jetzt genannt wird, im Osten „zur Vollendung gebracht", wie der singuläre[23] Ausdruck πληροῦν[24] wörtlich lautet. Er meint vielleicht „zu Ende verkündigt" und damit im dortigen Raum seinen Auftrag völlig durchgeführt zu haben (Perfekt!)[25]. Im Osten, d. h. genauer: „von Jerusalem an im weiten Umkreis oder im weiten Bogen – κύκλῳ ist lokativer Dativ[26] – bis nach Illyrien". Jerusalem und Illyrien sind wohl als die Grenzen der apostolischen Verkündigung zu verstehen. Schlatter

---

[18] „Jedes Wort von ὧν bis ἐθνῶν hat Gewicht" (ZAHN).
[19] „Das Große, was Christus durch ihn schafft, ist der Gehorsam der Völker. Sie waren bisher Gott ungehorsam, 11, 30, nun aber werden sie gehorsam, da sich Christus ihnen durch seine Botschaft offenbart, so daß sie an ihn glauben" (SCHLATTER).
[20] 𝔓46 D G it lesen ἐν δυνάμει αὐτοῦ, was vielleicht wegen der Seltenheit des Ausdrucks ursprünglich ist (BARRETT).
[21] Ἁγίου A C D G 1739 al lat sy^hmg bo sah Orig Ath u. a., + θεοῦ 𝔓46 ℵ 𝔐 pm sy^ph Text B. ZAHN, KÜHL, H. W. SCHMIDT, KÄSEMANN.
[22] „La double mention de δύναμις = puissance souligne l'efficacité de l'action permanente du Christ dans l'apostolat" (LEENHARDT).
[23] Πληροῦν τὸν λόγον τοῦ θεοῦ Kol 1, 25; 2 Tim 4, 17 ist keine genaue Parallele.
[24] Vgl. DELLING in: ThWb VI 296 πλήρης κτλ.
[25] Kaum ergibt sich die Formulierung (mit ZAHN) „daraus, daß das Evangelium als eine Botschaft, deren Verkündigung Gott geboten hat, eine zu erfüllende Aufgabe darstellt". Leenhardt spricht von einer zweifachen „plénitude" des Evangeliums, „d'avoir été très efficace et d'être universellement connu". P. STUHLMACHER, Gegenwart und Zukunft in der paulinischen Eschatologie, in: ZThK 64 (1967) 430 Anm. 15, versteht unter πεπληρωκέναι „das heilsgeschichtliche und eschatologische, also durchaus auch zeitlich zu verstehende zur Fülle und Vollendung Bringen des Evangeliums."
[26] Vgl. GAUGUSCH, a. a. O. 167 Anm. 3.

meint, daß wir dadurch erfahren, daß sich von den makedonischen Städten aus auch in den Orten an der Adria Gemeinden gebildet hätten (vgl. Kühl). Das ist freilich nur im Licht der Paulus zur Eile nötigenden Parusie zu verstehen.

V 20 Dabei ließ er sich – das ist ein neuer Gedanke im Zusammenhang, der trotz Röm 1, 15 und vielleicht zur Beschwichtigung der römischen Gemeinde im Blick auf das dortige ὑμῖν τοῖς ἐν Ῥώμῃ εὐαγγελίζεσθαι gerade hier am Ende des Briefes noch einmal zur Sprache gebracht wird – von dem Grundsatz leiten, nur dort das Evangelium zu verkündigen, wo der Name Christi noch nicht aufgerichtet war. Οὕτως δέ wird sich auf εὐαγγελίζεσθαι beziehen [27]. Φιλοτιμούμενον (א A C) ist trotz der guten Bezeugung von φιλοτιμοῦμαι (𝔓46 B D* G) als lectio difficilior wahrscheinlich ursprünglich. Paulus setzt seine Ehre darein (vgl. 1 Thess 4, 11; 2 Kor 5, 9), nur dort das Evangelium zu verkündigen, wo Christi als des Kyrios Name noch nicht „genannt“, d. h. durch Proklamation bekannt ist. Er würde sonst „auf fremdem Grund aufbauen“. Aber gerade das würde der χάρις des Kyrios widersprechen, die ihn nach 1 Kor 3, 5ff zur „Grundlegung“ berufen hat, während andere darauf aufbauen (vgl. 1 Kor 3, 10; 2 Kor 10, 15f). Er wäre dann nach seinem eigenen Verständnis nicht mehr Apostel Christi (vgl. Röm 1, 1f; Gal 1, 1).

V 21 Sein Grundsatz, nach dem er bei seiner weltweiten Verkündigung handelt, ist schon durch die Schrift belegt, wie Is 52, 15 LXX erkennen läßt. Daß damit Paulus die Rolle des Gottesknechtes für sich beansprucht, ist nicht gesagt [28]. Das Gewicht des prophetischen Schriftwortes liegt für ihn einzig und allein in der Aussage, daß sich durch seine apostolische Verkündigung die Verheißung für die Heiden erfüllt hat. Sie, denen bisher nichts über Christus verkündigt worden ist, sollen „sehen“, und die nicht gehört haben, sollen verstehen. Diese eschatologische Stunde ist jetzt hereingebrochen. Und er, Paulus, der ihre Verheißung als Weisung annimmt, ist ihr Werkzeug.

2. 15, 22–33 Ankündigung der Reise nach Spanien über Rom und nach Jerusalem

22 Oft bin ich daran gehindert worden, zu euch zu kommen. 23 Jetzt aber habe ich keinen Spielraum mehr in diesen Gegenden, habe aber seit vielen Jahren Verlangen, zu euch zu kommen. 24 Ich hoffe bei der bevorstehenden Reise nach Spanien auf der Durchreise euch zu sehen und von euch das Geleit dorthin zu erhalten, wenn ich zuvor mein Verlangen nach euch einigermaßen gestillt habe. 25 Jetzt jedoch mache ich mich nach Jerusalem auf,

---

[27] ZAHN, KÜHL, LAGRANGE, MICHEL, RIDDERBOS, anders KÄSEMANN.
[28] Vgl. JEREMIAS in: ThWb V 706; LEENHARDT.

den Heiligen einen Dienst zu erweisen. 26 Es haben nämlich Makedonien und Achaia beschlossen, eine Sammlung für die Armen der Heiligen in Jerusalem zu veranstalten. 27 Sie haben es beschlossen, und sie sind es ihnen auch schuldig. Denn wenn die Heiden an ihren geistlichen Gaben teilbekommen haben, dann sind sie verpflichtet, ihnen mit irdischen Gütern zu dienen. 28 Wenn ich das vollendet und ihnen diesen Ertrag versiegelt überbracht habe, will ich auf dem Weg über euch nach Spanien ziehen. 29 Ich weiß aber, wenn ich zu euch komme, werde ich mit der Fülle des Segens Christi kommen. 30 Ich ermahne euch aber, Brüder, durch den Namen unseres Herrn Jesus Christus und durch die Liebe des Geistes, mit mir gemeinsam in den Gebeten für mich vor Gott zu kämpfen, 31 auf daß ich vor den Ungläubigen in Judäa gerettet werde und mein Dienst für Jerusalem den Heiligen wohlgefällig sei 32 und ich frohen Herzens zu euch komme und mich nach Gottes Willen mit euch zusammen erquicke. 33 Der Gott des Friedens aber sei mit euch allen!

Hatte Paulus in 1, 8ff nur allgemein und z. T. etwas verdeckt von seinem Verlangen, nach Rom zu kommen, gesprochen – daß ihm „bis jetzt" ständig Hindernisse in den Weg gelegt wurden –, so deutet er am Schluß seines Briefes wenigstens an, daß diese Hindernisse, jedenfalls zum Teil, mit seiner Mission im Osten zusammenhingen, erwähnt wieder sein jahrelanges Verlangen, die römische Gemeinde zu besuchen, erklärt aber zugleich, daß Rom nur eine Zwischenstation auf einer Reise nach Spanien ist, und – so wird man wohl im Zusammenhang verstehen müssen – nennt abrupt ein konkretes, schweres Hindernis: seine bevorstehende und, wie er weiß, gefährliche Reise nach Jerusalem, um dort eine Kollekte der Gemeinden in Makedonien und Achaia der Gemeinde in Jerusalem zu überbringen. Seine apostolische Situation zur Zeit der Abfassung dieses Briefes hat sich ein wenig erhellt. Aber auch jetzt hat man den Eindruck, daß er ihre Hintergründe nur vorsichtig berührt, was sich im übrigen auch in seinem Stil, der unsicher geworden ist, ausdrückt. Erst in VV 30ff gewinnt er bezeichnenderweise wieder seine Größe.

V 22 Διό ist unbestimmt, bezieht sich aber wahrscheinlich auf die Erwähnung seiner Aufgabe im Osten (VV 19ff). „Weil ich im Osten zu tun hatte" (Lietzmann),„weil der Apostel bisher weit ausgedehnte Gebiete nicht nur predigend durchzogen, sondern in denselben auch seine Aufgabe als Heidenapostel, wie eben er sie auffaßt, erfüllt hat" (Zahn). Deshalb ist er auch öfter gehindert worden, zu ihnen zu kommen. Das ἐνεκοπτόμην nimmt das ἐκωλύθην von Röm 1, 13 [1] auf. Vgl. zu ἐγκόπτειν Gal 5, 7; 1 Thess 2, 18 (1 Petr 3, 7; Apg 24, 4). Τὰ πολλά ist verstärktes πολλάκις (vgl. Röm 1, 13). Es waren mancherlei und häufige Hindernisse, die den Apostel davon abhielten, „zu euch zu kommen".

---

[1] 𝔓⁴⁶ B D haben auch 15, 22 πολλάκις.

VV 23–24 Aber sie sind jetzt beseitigt, *V 23.* Er hat ja in diesen östlichen Gegenden – zu κλίματα vgl. 2 Kor 11,10; Gal 1,21 –, also in seinem bisherigen Missionsfeld, keinen „Spielraum" (Käsemann) mehr, keine Gelegenheit. Τόπον ἔχειν ist eine übliche Wendung. Anderseits ist seine ἐπιποθεία, sein Verlangen und seine Sehnsucht, zu ihnen zu kommen, sein schon 1,11 erwähntes ἐπιποθεῖν ἰδεῖν ὑμᾶς schon lange Jahre[2] in seinem Herzen und nicht erloschen. Mit einem nach VV 19ff nicht mehr überraschenden ὡς ἂν πορεύωμαι εἰς τὴν Σπανίαν[3] schließt *V 24* das Anakoluth. Ὡς ἄν ist temporal („sobald") zu verstehen, „bei der bevorstehenden Reise nach Spanien"[4] (vgl. 1 Kor 11,34; Phil 2,23). Einige Koinezeugen (L min Thdt) ergänzen ἐλεύσομαι πρὸς ὑμᾶς hinter Σπανίαν (Lietzmann). Die Aussage wird in V 24b deutlicher. Mit einem neuen Satz klärt der Apostel den Plan seines Besuches in Rom. Es ist eine Hoffnung, noch keine Gewißheit, wenn auch ein fester Entschluß, die ihn bewegen (vgl. V 28f). Seine Reise führt aber nur auf einer Durchreise (διαπορευόμενος) nach Rom. Bei dieser Gelegenheit will er sie „sehen" (θεᾶσθαι), d. h. kennenlernen. Er möchte aber auch von ihnen nach Spanien „Geleit empfangen". Προπέμπειν[5], an sich „geleiten", ist urchristliche Missionssprache, wie Apg 15,3; 1 Kor 16,6.11; 2 Kor 1,16; Tit 3,13f; 3 Joh 6 (vgl. Apg 20,38; 21,5) zeigen. Es schließt nicht nur Verabschiedung unter Gebet und Segen und kurze Begleitung (Apg 20,30; 21,5) ein, sondern auch etwa ein Begleitschreiben, Ausstattung mit Lebensmitteln und Geld und die Stellung von landeskundigen Begleitern. Darin wird auch Paulus, der Spanien, in dem sich eine Reihe jüdischer Niederlassungen findet, und die westlichen Länder und das westliche Mittelmeer nicht kennt, seine einschränkende Äußerung verstehen. Zu seinem Plan gehört aber auch, wie er nachträglich und etwas verklausuliert hinzufügt, daß er sich zuerst (πρῶτον) und einigermaßen (ἀπὸ μέρους) an ihnen „gesättigt hat", also sein Verlangen nach ihnen im geistlichen Austausch mit ihnen, wie er 1,11f schon andeutete, gestillt hat. Man merkt der Formulierung des Satzes deutlich die Vorsicht dessen an, der sich dieser römischen Gemeinde gegenüber unsicher fühlt, anderseits aber seiner Autorität „in Christus" und seiner Gebundenheit an das eschatologische Geschehen der Welteroberung durch das Evangelium gewiß ist. „Bis an die Grenzen der bewohnten Erde" (Röm 10,18) ergeht der Schall des Evangeliums, das ihm auferlegt ist. In der Mitte aber liegt Rom, die schon lange ersehnte Gemeinde, die ihm nur indirekt bekannt ist.

V 25 kommt Paulus überraschend auf eine andere Reise zu sprechen: νυνὶ δὲ πορεύομαι εἰς Ἰερουσαλήμ[6]. Das νυνί meint jetzt und der Sache nach vor der Reise nach Rom. Der Ton der Aussage wirkt bestimmt, wiewohl die Angabe

---

[2] Πολλῶν lesen 𝔓⁴¹ א A D G Ψ pl Chrys Thdt, ἱκανῶν B C P 81 326 al. Zu ἀπὸ ἱκανῶν ἐτῶν vgl. 2 Makk 1,20.
[3] Meist Ἰσπανία oder Ἰβηρία (MICHEL).
[4] BLASS-DEBR, § 455,2.
[5] BAUER WB 1406/07.
[6] Vgl. 1 Kor 16,4; 2 Kor 8,9f.19; 9,1.

des Zweckes dieser Reise zunächst sehr allgemein ist: διακονεῖν τοῖς ἁγίοις. Doch das διακονεῖν wird sofort erläutert. Es ist die Ablieferung einer heidenchristlichen Kollekte für die judenchristliche Gemeinde in Jerusalem. Es ist also nicht durativ verstanden (Käsemann gegen Michel). Οἱ ἅγιοι, das sonst bei Paulus immer, z. B. Röm 1, 7; 8, 27; 12, 13; 16, 2 (1 Kor 1, 2); 6, 1.2 u. a., und in anderen ntl. Schriften, z. B. Hebr 3, 1; 6, 10; 13, 24; Apk 5, 8 u. a., vielfach die Christen meint, sind hier die Glieder der Jerusalemer Gemeinde (vgl. 1 Kor 16, 1.15; 2 Kor 8, 4 u. a.). Sie heißen hier οἱ πτωχοὶ τῶν ἁγίων[7]. Der Genitiv τῶν ἁγίων ist nicht Gen. part., sondern Gen. epexegeticus[8]. Οἱ πτωχοί ist wohl apokalyptische Selbstbezeichnung der Jerusalemer Urgemeinde (vgl. Gal 2, 10), ein Ehrenprädikat, das sie vom frommen Israel und dessen frühjüdischen Gruppen, z. B. der von Qumran (1 QM XI 8 f. 13), übernommen hat[9]. Von dieser Kollekte, die freilich auch z. B. von den Gemeinden Galatiens gefordert ist (1 Kor 16, 1 ff; Apg 20, 4), ist ausführlich 2 Kor 8 f die Rede, was das Gewicht verrät, das Paulus ihr zulegt (vgl. auch Apg 24, 17). Sie ist, wie Gal 2, 10 zeigt, von der Jerusalemer Gemeinde bzw. ihren Repräsentanten als eine rechtliche Verpflichtung verstanden, die Paulus für seine Person übernehmen mußte. Daß er sie in unserem Zusammenhang der römischen Gemeinde gegenüber mehr als einen Akt der Liebe sehen wollte, ergibt sich schon aus dem Begriff κοινωνία, „Mitteilung", „Anteilgabe" u. ä., während in 1 Kor 16, 1 λογεία, 2 Kor 9, 12; Phil 2, 30 λειτουργία, 2 Kor 8, 20 ἁδρότης, die mehr juridischen Sinn haben, von ihm gebraucht werden[10].

VV 26–27 Auch verschweigt er seinen eigenen, nicht geringen Anteil am Zustandekommen der Kollekte (2 Kor 8 f), erklärt diese vielmehr als ein εὐδοκεῖν, einen (offiziellen?) Beschluß Makedoniens und Achaias, *V 26.* Dabei wiederholt er das εὐδόκησαν in V 27a und verstärkt damit die Rolle der spendenden Gemeinden. „Es beschlossen Makedonien und Achaia ... Denn sie beschlossen ...", *V 27.* Und um diese Kollekte und seine διακονία für die Römer noch annehmbarer zu machen, fügt Paulus hinzu, daß die Heidenchristen dazu verpflichtet sind, und begründet das V 27b. Sie sind der Jerusalemer Gemeinde Schuldner. Denn sie haben Anteil erhalten an τοῖς πνευματικοῖς αὐτῶν, wobei τὰ πνευματικά die geistlichen Gaben wie 1 Kor 9, 11 etwa im Sinn des Evangeliums mit allem, was es umfaßt, meint, „die Gnadengaben des neuen Äons" (Michel). Dafür schulden sie (ὀφείλουσιν) ihnen ein λειτουργεῖν τοῖς σαρκικοῖς, also irdische Gaben. Mit λειτουργεῖν spielt Paulus doch unwillkürlich an eine rechtliche Verpflichtung an, die die Heidenchristen erfüllen müssen. Er könnte – das ist jedenfalls der Tenor seiner Ausführungen – im Blick auf sie wiederholen, was er 1 Kor 9, 11 im Blick auf sich selbst und seine Gemeinden gesagt hat: „Wenn wir für euch geistliche Gaben gesät haben, ist es dann zuviel, wenn wir von euch irdische Gaben erwarten?"

---

[7] Vgl. L. CERFAUX, La théologie, 112 ff.
[8] Anders KÜHL, BARTH 3, ALTHAUS.
[9] BAMMEL in: ThWb VI 885–915, 909.
[10] GEORGI, Kollekte, 72 f.

V 28 schließt diesen Gedankengang ab und kehrt wieder zur Reise nach Spanien über Rom zurück. Der Satz ist an sich klar, nur macht der Begriff σφραγισάμενος in diesem Zusammenhang Schwierigkeiten. Ἐπιτελεῖν findet sich im Sinn von „abschließen", „erledigen" in bezug auf die Kollekte auch 2 Kor 8, 6.11. Klar ist auch, daß der mit einem explikativen καί eingeleitete zweite Partizipialsatz das ἐπιτελέσας erläutern oder näher charakterisieren soll. Ferner kann σφραγίζεσθαι καρπόν kaum etwas anderes meinen als die Frucht, also den Ertrag der Sammlung, versiegeln, wobei Paulus wahrscheinlich, wie A. Deißmann (Neue Bibelstudien 65 f) nachwies, das Bild von der Versiegelung des Getreidesackes nahm. Dann liegt aber m. E. am nächsten [11], anzunehmen, daß die Wendung nicht nur die Versiegelung, sondern die versiegelte, d. h. gesicherte Übergabe der wohlgefüllten Kollekte meint [12]. Wenn Paulus also seinen Dienst für die Heiligen getan und die Kollekte sicher in Jerusalem übergeben hat [13], dann wird er über Rom (δι' ὑμῶν) nach Spanien reisen.

V 29 Dann ist er von dieser schwer auf ihm liegenden Last, der sicheren Übergabe der Kollekte, befreit und wird mit der ganzen Fülle des Segens Christi, mit der er selber gesegnet ist und so den Segen Christi schenken kann, zu ihnen kommen. Mit der Betonung ἐν πληρώματι εὐλογίας Χριστοῦ [14] hebt er der römischen Gemeinde gegenüber noch einmal seine apostolische Vollmacht und die Fülle seiner Geisteswirksamkeit, die er von Christus hat, hervor. „Der Ton der καύχησις ist unverkennbar" (Michel) [15]. Aber der Gedanke an Jerusalem läßt ihn noch nicht los. Er weiß um die Schwierigkeit und Gefährlichkeit seines Unternehmens, das, wenn es scheitert, auch seine Pläne für den Westen mit seinem Zwischenaufenthalt in Rom zum Scheitern bringen kann. So setzt er mit einer ergreifenden, mahnenden Bitte an die römischen Christen, die zeigt, wie er seinerseits mit ihnen verbunden ist, in den VV 30–33 an.

V 30 Das παρακαλεῖν des Apostels, das er an seine „Brüder" richtet [16], ist die fordernde Bitte „unseres Herrn Jesus Christus", in dessen Namen der Apostel spricht, und es ist die beschwörende Stimme der ἀγάπη, die der Geist

---

[11] Mit L. RADERMACHER in: ZNW 32 (1933) 87–89.
[12] BAUER WB 1576f; MICHEL; ALTHAUS u. a.
[13] Es wird viel um diesen Ausdruck gerätselt. ZAHN z. B. meint, daß Paulus" für die Jerusalemer auf diese sinnenfällige Frucht des von ihnen in die Heidenwelt ausgestreuten geistlichen Samens sein Siegel als ein aus Israel hervorgegangener Apostel der Heiden aufdrücken will". Die Versiegelung besteht „in der Überbringung der Kollekte nach Jerusalem durch Paulus selbst". KÜHL: „Durch persönliche Überbringung will der Apostel ihnen dieses Werk der Liebesgabe gleichsam urkundlich und damit unwiderleglich bestätigen." LEENHARDT sieht in dem Siegel „une garantie d'intégrité et de bonne qualité".
[14] + τοῦ εὐαγγελίου ℜ ·pl vg^clem sy.
[15] Nach H. W. SCHMIDT liegt eine Erinnerung an Gn 32, 24ff vor. „Paulus sagt dann, wenn ich zu euch komme, dann komme ich als einer, der aus schwersten Kämpfen gesegnet hervorgeht." Aber ist das nicht etwas zu weit hergeholt?
[16] Ἀδελφοί fehlt zu Unrecht 𝔓⁴⁶ B 76 Chrys Bas.

ins Herz gegeben hat [17], so wie Röm 12,1 das Erbarmen Gottes in des Apostels Mund zu Wort kam. Noch einmal läßt Paulus die römische Gemeinde indirekt erkennen, wer der ist, der – jetzt mit großer Feierlichkeit und Eindringlichkeit – an sie seinen Brief schreibt: das Sprachrohr der Liebe des heiligen Geistes und des Herrn Jesus Christus. Und diese bitten durch ihn um das Gebet der Gemeinde für ihn. Auch das ist feierlich formuliert: Sie möge doch in ihren Gebeten – es ist gewiß zuerst, aber nicht ausschließlich an die Gebete im Gottesdienst gedacht – für ihn vor Gott συναγωνίσασθαί μοι, „mit ihm gemeinsam kämpfen". Die Situation erfordert einen Gebetskampf, und zwar einen der Gemeinde mit dem Apostel zusammen, so daß jedes Glied der Gemeinde wie Epaphras aus Kolossä in den ἀγών für Paulus vor Gott eintritt. Vgl. Kol 4,12: ἀγωνιζόμενος ὑπὲρ ὑμῶν ἐν ταῖς προσευχαῖς.

V 31 Der gemeinsame Kampf des Gebetes geht um ein Zweifaches: einmal darum, daß er, der Apostel, vor den Ungläubigen in Judäa – also nicht nur in Jerusalem? – gerettet werde. Die ἀπειθοῦντες – ein polemischer Ausdruck (vgl. Röm 2,8; 10,21; 11,30.31) – sind nach 11,31; 10,21 (ὁ λαὸς ἀπειθοῦν καὶ ἀντιλέγων) die, die οὐ . . . ὑπήκουσαν τῷ εὐαγγελίῳ (Röm 10,16; vgl. 2 Thess 1,8), mit anderen Worten die Juden, die das Evangelium nicht angenommen haben und jetzt Todfeinde des Apostaten, des Apostels, geworden sind [18]. Ihnen, d. h. ihren tödlichen Anschlägen, möge er „entrissen" werden [19]. Es möge das geschehen, was er in 2 Kor 1,10 berichtet: „Er (Gott) hat uns aus dieser furchtbaren Todesnot errettet (ἐρρύσατο) und wird uns erretten (ῥύσεται). Auf ihn hoffen wir, daß er uns auch noch retten wird, wenn auch ihr gemeinsam im Gebet für uns eintretet." Aber es gibt noch eine zweite Gefahr: daß der apostolische Dienst [20] der Kollekte für Jerusalem den Heiligen, wie sich vielleicht die judenchristliche Gemeinde in Jerusalem selbst bezeichnet, nicht wohlgefällig ist, mit anderen Worten: daß sie die Kollekte der Heidenchristen, die Paulus überbringt, ablehnen und damit das letzte konkrete Band zwischen diesen und der Jerusalemer Gemeinde, das zu festigen der Apostel Mühe um Mühe aufwandte, zerreißen. Das hätte dann auch schwere Rückwirkungen auf die römische wie auch alle anderen Gemeinden. Denn die Jerusalemer Gemeinde hat im Sinn des Apostels theologische Bedeutung.

V 32 Aber der gemeinsame Gebetskampf, den der Apostel erbittet, hat noch ein anderes Ziel. Die kommenden Ereignisse in Jerusalem werden ja auch für die Romreise entscheidend sein. Das, was der zweite ἵνα-Satz sagt, ist von dem Inhalt des ersten abhängig. Die Bewahrung des Apostels und die Annahme der Kollekte in Jerusalem sind die Voraussetzung der Reise nach Rom. Und diese ist, wie jetzt sichtbar wird, das Hauptziel in der Zukunft.

---

[17] Vgl. Kol 1,8.
[18] Vgl. 2 Thess 3,2: ἵνα ῥυστῶμεν ἀπὸ τῶν ἀτόπων καὶ πονηρῶν αὐτῶν.
[19] Ἀπό statt ἐκ, weil es noch nicht eingetroffen ist (RIDDERBOS).
[20] Statt διακονία lesen B D* G (vg?) δωροφορία.

Dieses Ziel, das letztlich die Frucht des gemeinsamen Gebetes für Paulus ist, wird sehr bezeichnend formuliert. Es ist nicht nur vom ἐλθεῖν, sondern vom ἐν χαρᾷ ἐλθεῖν die Rede[21]. In der Fülle des Segens Christi kommen schließt ein „in Freude kommen" ein, und dieses geschieht in der Freude der Dankbarkeit für die Errettung und für die gefundene Gemeinsamkeit mit Jerusalem. Und es ist vom Kommen διὰ θελήματος θεοῦ (vgl. Röm 1,10; 1 Kor 1,1; 2 Kor 1,1; 8,5; Gal 1,4 u.a.) die Rede. Ob er kommt und ob er in Freude kommt, hängt von Gottes Willen ab, ebenso ob der Apostel nach Rom kommt und sich mit der Gemeinde und in der Gemeinde „ausruht". Das διὰ θελήματος θεοῦ[22] bezieht sich wohl auf den ganzen Satz, also auf das Kommen in Freude und auf das συναναπαύεσθαι. Es ist für die Mühe und Sorge, die der Apostel angesichts der bevorstehenden Reise nach Jerusalem hat, bezeichnend, daß die römische Gemeinde das (gemeinsame) „Ausruhen" als ersehntes Ziel erbitten soll, wobei das συναναπαύεσθαι[23] gewiß die 1,11f genannte gegenseitige geistliche Erquickung, besonders das συμπαρακληθῆναι, einschließt.

V 33 Der gesamten Situation entspricht der Segensgruß, der Röm 16,20; Phil 4,9; 2 Kor 13,11; 1 Thess 5,23; 2 Thess 3,16; Hebr 13,20, hie und da leicht abgewandelt, wiederkehrt. Angerufen wird „der Gott des Friedens". Paulus greift unwillkürlich angesichts der nächsten Zukunft zu einer traditionell-jüdischen Formulierung (vgl. TestDan 5,2; Sifr Nm 6,26 § 42; vgl. Röm 16,20). Der Gott, der Friede ist und Frieden schenkt, der die Heilsmacht des Friedens auf die Völker legt, sei auch mit der römischen Gemeinde in ihrem Unfrieden und mit allen ihren Gliedern, so daß der Apostel, *wenn* er kommt, sich inmitten ihres Friedens ausruhen kann. Ein liturgisches ἀμήν, in dem die Gemeinde den Anruf des Apostels bekräftigt, schließt den Briefteil ab. V 33 könnte zur Not mit seinem liturgischen Segenswunsch und dem bestätigenden liturgischen ἀμήν[24] den Abschluß des Briefes markieren[25]. Aber H. W. Schmidt hat recht, wenn er darauf hinweist, daß „der kurze Satz... aus den vorausgegangenen Ausführungen" erwächst und „keineswegs als Briefschluß dient"; denn „als solcher wäre er allzu kurz und abrupt ausgesprochen". Es folgt jedenfalls noch das merkwürdige Kap. 16, von dem die VV 25–27 in Sprache, Inhalt und durch die variierende Stellung innerhalb des Röm verraten, daß es sich dort um eine später angefügte Doxologie handelt.

Röm 16,1–23, das wir zunächst von Kap. 16 berücksichtigen, gliedert sich in einfacher Weise in vier unterschiedliche Abschnitte. 16,1f ist ein kurzes Empfehlungsschreiben für die διάκονος der Kirche in Kenchreä, Phöbe. 16,3–16

---

[21] Von den mannigfachen Varianten des Satzes sei nur die von 𝔓46 B genannt, die ἔλθω für ἐλθών A C pc lesen lassen.
[22] Nicht τοῦ κυρίου Ἰησοῦ B oder Χριστοῦ Ἰησοῦ D* G it oder Ἰησοῦ Χριστοῦ ℵ* Ambrstr.
[23] Sonst nur Is 11,6 LXX.
[24] Vgl. nach den Doxologien Röm 4,25; 9,5; 11,35; 16,27.
[25] 𝔓46 A G pc lassen ἀμήν fort. 𝔓46 setzt es hinter 16,25.27. An unserer Stelle steht es A C D F Y pl vg syp bo u.a.

enthält die Aufforderung zur Übermittlung von Grüßen an zahlreiche Glieder der römischen Gemeinde. Fünfzehnmal heißt es in einer gewissen Monotonie ἀσπάσασθε, während die, denen der Gruß übermittelt werden soll, abwechslungsreich und in einer gewissen Vertrautheit charakterisiert werden. Das sechzehnte ἀσπάσασθε (V 16) ist eine Aufforderung zum gegenseitigen „heiligen Kuß". Ein Gruß „aller Gemeinden Christi" für die angeschriebene Gemeinde (ἀσπάζονται) schließt diesen Abschnitt.

Man könnte im Anschluß an V 16b weitere Grüße einzelner Gemeindeglieder in der Umgebung des Apostels erwarten, also etwa wie 1 Kor 16,19f: ἀσπάζονται – ἀσπάζεται. Aber die VV 17–20 legen überraschend eine leidenschaftliche Mahnung an die „Brüder" dazwischen, sich vor Irrlehrern zu hüten, die mit einer eschatologischen Verheißung und einem Segenswunsch abschließt, der sich mit kleinen Varianten 1 Kor 16,23; 1 Thess 5,28; 2 Thess 3,18 (Kol 4,18) als Briefschluß findet. Dann erst folgen VV 21–23 die Grüße von Mitarbeitern des Apostels und einzelnen Personen aus seiner Umgebung, und zwar ohne Segenswunsch am Ende. Einen solchen fügen anstelle von V 20b D G Ψ pl als V 24 an. Er „begegnet in mannigfachen Formen auch bei den Zeugen, welche die Doxologie 16,25–27 hinter 14,23 stellen" (Lietzmann). Es läßt sich nicht leugnen, daß dieses Kapitel ein seltsamer und singulärer Abschluß des Briefes ist. Es läßt sich auch nicht leugnen, daß offenbar schon frühzeitig, wie 16,24 und 16,25–27 zeigen, Unsicherheit in bezug auf den Briefschluß bestand. Aber es läßt sich ebensowenig leugnen, daß auch 16,1–23 paulinischen Charakter hat und daß dieser Abschnitt als gesonderte fragmentarische Überlieferung oder gar als selbständiger Brief sehr unwahrscheinlich ist. Wie soll man Röm 16,1–23 (24) oder 16,1–27 als einen paulinischen Brief etwa nach Ephesus verstehen? Seit wann ist die paulinische Ordnung eines Briefes: 1) Empfehlung; 2) zahlreiche Grüße an einzelne Personen; 3) Warnung vor Irrlehrern; 4) Grüße der Absender, und das Ganze ohne relevanten dogmatischen Teil? Alle Lösungsversuche sind in dieser Hinsicht Hypothesen.

3. 16,1–2 Empfehlung der Phöbe

1 Ich empfehle euch nun Phöbe, unsere Schwester, die Diakonisse der Gemeinde in Kenchreä ist. 2 Nehmt sie auf im Herrn, wie es Heiligen geziemt, und steht ihr bei, in welcher Angelegenheit immer sie eure Hilfe braucht. Denn sie selbst wurde vielen ein Beistand, auch mir persönlich.

V 1 schließt mit einem δέ an 15,33 an[1]. Kapitel 16 fährt also im Brief fort, und zwar zunächst mit einer Empfehlung für Phöbe; nach Zahn, Kühl, Leenhardt, Althaus, Ridderbos, H. W. Schmidt u. a. als die Überbringerin dieses

---

[1] D* G it arm lassen es fort.

Briefes, dagegen Käsemann u. a. Freilich ist das nur eine Vermutung. Συνίστημι ist hier „empfehlen" im guten Sinn[2]. Es ist also eine kurze συστατικὴ
ἐπιστολή (2 Kor 3, 1). Phöbe ist, wie der Name verrät, wohl heidnischer Herkunft und wahrscheinlich eine Freigelassene. Jetzt aber ist sie „unsere
Schwester"[3], also Glied der christlichen Gemeinde (vgl. Phm 2). Sie ist noch
mehr: Das καί, das B C* 47 bo lesen, ist ursprünglich (Kühl, Lietzmann,
Michel) und hat im Zusammenhang steigernden Sinn. Sie ist auch διάκονος[4]
der ἐκκλησία[5] in Kenchreä, dem östlichen Hafen von Korinth am Saroni-
schen Meerbusen (vgl. Apg 18,18). Es gibt in dieser ἐκκλησία also einen
weiblichen διάκονος, der, wie das Partizip (οὖσαν) und die Angabe der ört-
lichen Gemeinde, aber auch die Erwähnung von Phöbes verdienstlicher Tätigkeit andeuten, einen ständigen Dienst ausübt und in ihm anerkannt ist, also
so etwas wie einen Amtstitel trägt[6]. Das ist in zweierlei Hinsicht bemerkenswert: einmal sofern es neben Phil 1, 1 die frühe Ausbildung solcher Titel belegt – auch die Adressaten wissen, was ein διάκονος ist[7] – und zweitens sofern es belegt, daß die Urkirche auch weibliche Amtsträger, freilich nur διάκονοι und nicht ἐπίσκοποι, kennt.

V 2 Die Empfehlung der Phöbe geht dahin, sie „im Herrn" „aufzunehmen", „wie es sich für Heilige geziemt". Die Gemeinde soll sich ihrer mit
Rat und Tat annehmen, ihr Unterkunft gewähren und in jeder Hinsicht ihr
Hilfe zukommen lassen, und zwar dies, wie gesagt, um des Herrn willen und
in seinem Geist als solche, die Heilige sind, von denen man dies erwarten
kann. V 2b spricht von diesem Beistand noch ausdrücklich. Παριστάνειν ist
hier wie 2 Tim 4,17, aber auch schon im Griechischen und Hellenistischen
„hilfreich zur Seite treten", „beistehen", „helfen" u. ä.[8] Πρᾶγμα ist allgemein
„Geschäft", „Unternehmen", „Angelegenheit", „Aufgabe" u. ä (vgl. 1 Thess
4, 6), nicht aber speziell hier „Rechtshandel" (vgl. 1 Kor 6,1). Und χρῄζειν
τινος meint wie im klassischen Griechisch, in Inschriften, Papyri, LXX „nötig
haben", „bedürfen" u. ä.[9], wie 2 Kor 3,1. Die Gemeinde soll der Phöbe alle
Unterstützung gewähren, deren sie in ihren Angelegenheiten bedarf. Ist sie
doch eine ἀδελφή, eine διάκονος, und noch eines: Hat sie sich doch (V 2b)
als προστάτις vieler und auch des Apostels selbst erwiesen. Προστάτις, Femininum von προστάτης, ist an sich patrona, kann aber hier nicht im technisch-

---

[2] BAUER WB 1565.
[3] 𝔓[46] A G pc d*: „eure Schwester".
[4] Διακονίσσα kommt erst im 2. Jahrhundert vor.
[5] Hier fällt das erstemal im Röm und auch nur beiläufig der Begriff ἐκκλησία (KÄSE-
MANN).
[6] ZAHN, KÜHL, LAGRANGE, LEENHARDT, H. W. SCHMIDT, LIETZMANN, MICHEL, KÄSEMANN.
[7] KÜHL betont mit Recht, daß es neben ihr auch männliche gegeben hat. „Was also in Korinth selbst noch nicht Bestand zu haben scheint: geordnete Gemeindeverhältnisse, hat es
im nahen Kenchreae bereits gegeben… Die Verhältnisse in Korinth sind also wahrscheinlich als Ausnahmeverhältnisse zu beurteilen und dürfen keinesfalls zur Norm für die Beurteilung in der apostolischen Zeit gemacht werden."
[8] BAUER WB 1245; REICKE in: ThWb V 836.
[9] BAUER WB 1750.

juridischen Sinn als „Vorsitzende" oder „Vertreterin", die rechtlichen Schutz über Fremde und Freigelassene ausübt, verstanden werden – προστάτις ἐμοῦ! –, sondern allgemeiner oder bildlich als solche, die vielen Gliedern der Gemeinde und dem Apostel selbst hat Hilfe und Schutz zuteil werden lassen[10]. Das mag die angeschriebene Gemeinde wohl bewegen, diese „Schwester" und „Diakonin" bei sich aufzunehmen und sie in allen ihren Angelegenheiten tatkräftig zu unterstützen[11].

4. 16, 3–16 Apostolische Grüße

3 Grüßt Prisca und Aquila, meine Mitarbeiter in Christus Jesus. 4 Sie haben für mein Leben ihren Hals gewagt. Ihnen bin nicht nur ich dankbar, sondern alle Gemeinden der Heiden. 5 (Grüßt) auch ihre Hausgemeinde. Grüßt meinen geliebten Epainetos, der die Erstlingsgabe der Asia für Christus ist. 6 Grüßt die Maria, die sich für euch viel bemüht hat. 7 Grüßt Andronikos und Junias, meine Volksgenossen und (einstigen) Mitgefangenen, die unter den Aposteln hervorragen und auch schon vor mir in Christus waren. 8 Grüßt meinen Geliebten im Herrn, Ampliatus. 9 Grüßt Urbanus, unseren Mitarbeiter in Christus, und meinen geliebten Stachys. 10 Grüßt den in Christus bewährten Apelles. Grüßt die vom Haus des Aristobul. 11 Grüßt meinen Volksgenossen Herodion. Grüßt die vom Haus des Narcissus, die dem Herrn angehören. 12 Grüßt Tryphaina und Tryphosa, welche sich im Herrn gemüht haben. Grüßt die geliebte Persis, die sich viel im Herrn abmühte. 13 Grüßt Rufus, den im Herrn Auserwählten, und seine Mutter, die auch die meine ist. 14 Grüßt Asynkritos, Phlegon, Hermes, Patrobas, Hermas und die Brüder, die bei ihnen sind. 15 Grüßt den Philologos und die Julia, Nereus und seine Schwester und Olympas und alle Heiligen bei ihnen. 16 Grüßt einander mit heiligem Kuß. Es grüßen euch alle Gemeinden Christi.

Ohne Übergang folgt nun eine lange Reihe von Grüßen an die Glieder der angesprochenen Gemeinde, seien diese namentlich genannt oder den erwähnten Hausgemeinden zugehörig. In diesem Katalog ist auffallend: 1) die immer gleiche Wendung ἀσπάσασθε, die die Gemeinde zur Übermittlerin seiner

---

[10] Προστάτης im übertragenen Sinn auch Herodian II 6,2: πατέρα τε ἤπιον καὶ χρηστὸν προστάτην. Vgl. ferner, worauf KÜHL aufmerksam macht, die Stellung von προιστάμενος zwischen μεταδιδούς und ἔλεος in Röm 12,8, den Wechsel zwischen προίστασθαι und ἐπιμελεῖσθαι 1 Tim 3,5 und die Wendung προίστασθαι καλῶν ἔργων πρὸς τὰς ἀναγκαίας χρείας Tit 3,14; vgl. 3,8. Vgl. ZAHN, LEENHARDT, H. W. SCHMIDT u. a.

[11] Vgl. zur Empfehlung anderer Mitarbeiter des Apostels 1 Kor 16,10; Kol 4,10.

Grüße macht und ihr die Gegrüßten vorstellt (vgl. Schlatter). Freilich, bei der Verlesung des Briefes im Gottesdienst hörten die Gegrüßten auch selbst die Grüße; 2) demgegenüber die abwechslungsreichen Kennzeichnungen der Gegrüßten; 3) die vielfache Betonung des vertrauten Verhältnisses des Apostels zu ihnen, den Gliedern einer bunt zusammengesetzten Gemeinde, die sich in den jüdischen oder heidnischen Namen widerspiegeln.

V 3 Die Liste beginnt mit der Aufforderung, Prisca und Aquila zu grüßen. Sie sind uns aus der Apg bekannt. So erwähnt Apg 18,1ff, daß Paulus das judenchristliche Ehepaar in Korinth nach ihrer aufgrund des Ediktes des Claudius erfolgten Vertreibung aus Rom getroffen hatte und daß es mit ihm nach Ephesus gekommen war (Apg 18,18f.26). Von dort lassen sie und ihre Hausgemeinde die korinthische Gemeinde grüßen (1 Kor 16,19). 2 Tim 4,19 soll Timotheus sie in Rom grüßen. Während Apg 18,2 der Mann Aquila vor seine Frau Priscilla, wie ihre Deminutivform dort lautet, und auch 1 Kor 16,19 Aquila vor Prisca zu stehen kommt, ist es auffallenderweise an unserer Stelle und 2 Tim 4,19 umgekehrt, was wohl auf die größere Bedeutung dieser Frau in der Gemeinde schließen läßt. Beide werden im Rückblick auf Korinth und Ephesus Mitarbeiter des Apostels „in Christus Jesus" genannt, so wie V 9 Urbanus und V 21 Timotheus und auch sonst einzelne seiner Missionsgehilfen (vgl. 2 Kor 8,23; Phil 4,3; Phm 1.24).

V 4 Von beiden wird dazu erwähnt, daß sie für sein, des Apostels, Leben ihren Hals [1], also ihr Leben, aufs Spiel gesetzt haben. Bei welcher Gelegenheit das geschah, ist nicht zu sagen. Aber Apg 18,12; 19,23; 1 Kor 15,32; 2 Kor 1,8; 6,5; 11,23 zeigen, daß für solche Lebensrettung vielfache Gelegenheit gegeben war. Beiden – den Judenchristen! – weiß sich Paulus, aber nicht nur er, sondern wissen sich alle heidenchristlichen Gemeinden, deren Apostel er ja ist, zu Dank verpflichtet.

V 5 Mit Prisca und Aquila soll aber auch ihre Hausgemeinde gegrüßt werden, d. h. die Christen, die sich in ihrem Haus zum Gottesdienst versammeln (vgl. Apg 12,12; 1 Kor 16,19; auch Kol 4,15; Phm 2). Dem Gruß an das christliche Ehepaar folgt in unserer Liste der an den Heidenchristen Epainetos. Der Name ist griechisch und auf Inschriften bezeugt. Epainetos wird in seinem Verhältnis zu Paulus wie Ampliatus (V 8) und Stachys (V 9) als ἀγαπητός μου bezeichnet und damit wie die ἀγαπητοί Röm 1,7; 12,19; 1 Kor 10,14; Phil 2,12 (vgl. ἀδελφοί μου ἀγαπητοί 2 Kor 7,1; 12,19 u. a.) als Glied der christlichen Gemeinde, als „Bruder". Aber er ist ein besonderer Bruder. Er ist der Erstbekehrte der Asia wie nach 1 Kor 16,15 Stephanas der von Achaia. Das betont Paulus mit einer gewissen Feierlichkeit: er ist „die Erstlingsgabe für Christus". An ἀπαρχή [2] haftet wohl auch hier noch etwas von der Opfersprache (vgl. Röm 11,16), wie die Ergänzung εἰς Χριστόν verrät.

---

[1] Vgl. A. Deissmann, Licht vom Osten (Tübingen ⁴1923) 94f.
[2] Vgl. auch 2 Thess 2,13; 1 Clem 42,4.

V 6 Nach ihm wird zunächst eine Maria bzw. nach 𝔓⁴⁶ א 𝔄 D G pm eine Μαριάμ³, die vielleicht – denn der Name kommt auch als weibliche Form des römischen Namens Marius vor – Judenchristin ist. Sie hat sich viel um die Gemeinde „bemüht", so wie 16, 12 die dort genannten Tryphaina und Tryphosa. Εἰς ὑμᾶς ist mit 𝔓⁴⁶ 𝔄 al sy (D G lat) dem ἡμᾶς 𝔄 pm vorzuziehen. Woher Paulus über sie Bescheid weiß, ist schwer zu sagen. Aber woher weiß er auch von dem κοπιᾶν ἐν κυρίῳ der beiden Frauen in V 12? Κοπιᾶν⁴ ist sonst vielfach für die apostolische Mühe (κόπος), z. B. 1 Kor 4, 12; 15, 10; Phil 2, 16, oder auch für die mühevolle Tätigkeit von Gemeindegliedern oder Vorstehern, z. B. 1 Kor 16, 16; 1 Thess 5, 12, gebraucht.

V 7 Es schließen sich Grüße an Andronikos und Junias⁵, zwei Judenchristen, der eine mit hellenistischem, der andere mit lateinischem Namen, an. Συγγενής (vgl. 16, 11.21; auch 9, 3) ist der Stammesgenosse, also der Angehörige desselben Volkes, was Paulus vielleicht angesichts der Heidenchristen in der Gemeinde besonders betont (Michel). Aber ebenso bemerkenswert und der Gemeinde vor Augen zu halten ist noch anderes, nämlich 1) daß sie mit oder wie Paulus irgendwo gefangensaßen (συναιχμαλώτους μου; vgl. Kol 4, 10; Phm 23) und 2) daß sie unter den Aposteln hervorragten. Die ἀπόστολοι, die paarweise als „Jochgenossen"⁶ verkündigten⁷, sind entweder Gesandte einer Gemeinde (Phil 2, 25; 2 Kor 8, 23) – in diesem Fall wahrscheinlich Delegaten Antiochiens – oder wandernde Verkündiger des Evangeliums⁸ (1 Kor 15, 7), judenchristliche Missionare von der Art wie jene, gegen die Paulus 2 Kor 11, 5; 12, 11 als ὑπερλίαν ἀπόστολοι oder ψευδαπόστολοι (2 Kor 11, 13) polemisiert. Apg 14, 4.14 werden Barnabas und Paulus als solche Missionare bezeichnet. Vgl. auch Did 11, 4; Herm (v) 3, 5, 1; Herm (s) 9, 15, 4; 16, 5; 25, 2. Von diesem weiten Begriff des ἀπόστολος hat Paulus dann den Apostelbegriff, der das „Sehen" des Auferstandenen voraussetzt und präzis ein ἀπόστολος οὐκ ἀπ' ἀνθρώπων οὐδὲ δι' ἀνθρώπου, ἀλλὰ διὰ Ἰησοῦ Χριστοῦ καὶ θεοῦ πατρός (Gal 1, 1) oder kurz der κλητὸς ἀπόστολος (Röm 1, 1) oder ἀπόστολος Χριστοῦ (1 Thess 2, 7) genannt wird, entwickelt und von daher dann auf „die Zwölf" und auf sich beschränkt, z. B. Mt 10, 2; Mk 6, 30; Lk 6, 13; Apg 1, 2 u. a.; Gal 1, 17.19; 1 Petr 1, 1; 2 Petr 1, 1; Apk 21, 14. 3) Andronikos und Junias zeichnen sich aber nicht nur unter den Aposteln im weiteren Sinn aus, sondern waren auch schon vor Paulus Christen geworden, gehörten also zu den frühesten Gliedern der sich konstituierenden Gemeinden. Ist Ἰουνιάς vielleicht, worauf der volle Name Junianus deuten

---

³ Vgl. BLASS-DEBR, § 53, 3; BAUER WB 971f.

⁴ A. v. HARNACK, Κόπος (κοπιᾶν, οἱ κοπιῶντες) im frühchristlichen Sprachgebrauch, in: ZNW 27 (1928) 1–10.   [dronikos.

𝔓⁴⁶ it bo aeth vg Ambrstr. LAGRANGE, LYONNET halten die Junia für die Frau des An-
⁶ BAUER WB 590; RENGSTORF in: ThWb VII 267; LIETZMANN, SCHLATTER, MICHEL, KÄSEMANN.

⁷ Vgl. J. JEREMIAS, Paarweise Sendung im NT, in: Abba (Göttingen 1966) 132–139.

⁸ „Hervorragende Missionare", ZAHN. Vgl. KÜHL, JÜLICHER, LIETZMANN, H. W. SCHMIDT, ALTHAUS u. a.

könnte, ein Sklave bzw. ein Freigelassener, so wird man das von den folgenden Genannten mit ziemlicher Bestimmtheit sagen können, wie Lietzmann in seinem Exkurs über die in den VV 5–33 auftretenden Namen nachgewiesen hat. Das weist auf die soziale Struktur der angeschriebenen Gemeinde hin und ist ein Zeichen der beginnenden Überwindung der antiken sozialen Schranken in der Ekklesia.

VV 8–13 Ampliatus ist wie Epainetos „mein Geliebter im Herrn", *V 8.* Οὐρβανός[9], der einen geläufigen römischen Namen wie Rufus, Julia, Lucius, Tertius, Gaius, Quartus trägt, ist zwar nicht wie Prisca und Aquila des Apostels Mitarbeiter, aber συνεργὸς ἡμῶν ἐν Χριστῷ, also Mitarbeiter im weiteren Kreis der paulinischen Mission (Michel); Στάχυς, ein häufiger griechischer Name von Sklaven, ist wiederum als ὁ ἀγαπητός μου bezeichnet, *V 9.* Nicht weit davon entfernt ist die Kennzeichnung des Apelles, *V 10,* der trotz des griechischen Namens ein ehemaliger Jude sein kann. Er ist ὁ δόκιμος ἐν Χριστῷ, „ein bewährter Christ". Die Leute vom Haus des Aristobul sind seine Sklaven oder Hausgenossen. Ob Aristobul – ein relativ häufiger griechischer Name, den auch Juden trugen – etwas mit dem Bruder Agrippas I., der in Rom zwischen 45 und 48 n. Chr. starb, oder etwas mit dessen Neffen zu tun hat, ist fraglich. Aber natürlich ist es möglich. Dafür spricht, daß Paulus *V 11* einen Stammesgenossen (τὸν συγγενῆ μου), also einen ehemaligen Juden, gleich darauf grüßen läßt, der in einer sonst unbekannten Kurzform Ἡρωδίων heißt und vielleicht ein Freigelassener des herodianischen Hauses ist, also zu den ἐκ τῶν Ἀριστοβούλου gehört. Ναρκίσσος, ein Name griechischen Ursprungs, ist „ein in der Kaiserzeit sehr beliebter Name von Freien und Sklaven (Lietzmann). Der hier Genannte hat ein Haus, dessen Glieder (Narcissiani CSL III 3973, VI 15640) zum Teil Christen sind: τοὺς ὄντας ἐν κυρίῳ. In den ActP 48,7; 49,15; 61,8.27 ist er zum Presbyter gemacht worden. *V 12* gilt der Gruß wieder drei Frauen, die mehr oder minder griechische Namen tragen, von denen die beiden ersten Τρύφαινα καὶ Τρυφῶσα enger zusammengehören und sich „im Herrn (um die Gemeinde) bemüht haben". Besondere Anerkennung erhält die dritte, Πέρσις, die wohl auch, wie ihr Name zeigt, eine Sklavin ist oder war. Sie, die „geliebte" Persis, hat sich viel um die Gemeinde gekümmert, „im Herrn bemüht". Was wäre die Ekklesia ohne diese christlichen, im Herrn eifrigen Sklavinnen und Freigelassenen? In *V 13* werden ein Ῥοῦφος, der also lateinisch Rufus heißt, und seine Mutter gegrüßt. Diesen Rufus mit dem Mk 15,21 genannten zu verbinden, hat bei der Häufigkeit des Namens keinen Sinn. Er wird singulär im hiesigen Zusammenhang ὁ ἐκλεκτὸς ἐν κυρίῳ genannt, was ihn wohl als ausgezeichneten Christen bezeichnet[10]. Seine Mutter ist auch, wie Paulus sagt, „meine Mutter". Er muß also ihre Mütterlichkeit erfahren haben.

---

[9] Der Name findet sich auf einer Katakombeninschrift.
[10] BAUER WB 481.

VV 14–16 Die Grußliste mit der stetigen Wiederholung des ἀσπάσασθε und der ausführlicher oder knapper lobenden Charakterisierung der Gegrüßten wird zu lang. So faßt Paulus in *VV 14f* mit einer zweimaligen Aufforderung, sie zu grüßen, je eine Reihe von Namen zusammen, kennzeichnet sie nicht mehr im einzelnen und fügt das eine Mal viele Bekannte und Unbekannte mit καὶ τοὺς σὺν αὐτοῖς ἀδελφούς (V 14), das andere Mal mit καὶ τοὺς σὺν αὐτοῖς πάντας ἁγίους (V 15) zusammen. Vielleicht wird auch, wie Lietzmann meint, in V 14 und V 15 je eine familia gegrüßt, die mit den ungenannten Brüdern zusammen eine Hausgemeinde bilden. Die hier erwähnten Namen sind hellenistisch und weisen wieder auf Sklaven und Freigelassene hin (zum einzelnen vgl. Lietzmann und Michel). Diese erstgenannte Hausgemeinde umfaßt fünf Personen, die namentlich genannt werden, aber darüber hinaus werden ungenannte, aber zu ihnen gehörige Brüder erwähnt. Die andere Hausgemeinde enthält den Namen Φιλόλογος, den wir als den Namen eines Freigelassenen aus Plutarch (Cic. 48f) kennen. Ἰουλίας, eine Frau mit römischem Namen, ist vielleicht die Frau des Φιλόλογος. Ein zweites Paar taucht auf: Nereus und seine Schwester, wobei Nereus als Sklavenname bekannt ist. Der fünfte, der auch hier wieder genannt ist, ist diesmal ein Olympas, welches die Kurzform für einen der häufigen Namen wie Ὀλυμπιοδῶρος[11] oder dergleichen darstellt. Ein Freigelassener dieses Namens ist uns bekannt. Auch mit diesen Christen einer römischen Familie sind andere ἅγιοι zu einer Hausgemeinde verbunden. Unsere Grußliste schließt *V 16* mit dem bisherigen Stichwort ἀσπάσασθε, dem dann ein ἀσπάζονται entspricht. Aber die Aufforderung ἀσπάσασθε ist jetzt anders gemeint. Es ist nicht mehr an Übermittlung von Grüßen des Apostels an einzelne Gemeindeglieder gedacht, sondern Paulus fordert die Gemeindeglieder auf, sich gegenseitig mit dem „heiligen Kuß" zu grüßen, den Paulus auch in 1 Thess 5, 26 erwähnt. Er ist als ein liturgischer Akt innerhalb des Gottesdienstes der Gemeinde verstanden (vgl. 1 Kor 16, 20; später Just Apol I 65). Er ist, wie 1 Petr 5, 14 formuliert, das φίλημα ἀγάπης und also ein Ausdruck der heiligen Verbundenheit der Gemeinde untereinander[12]. Aber die angeschriebene Gemeinde steht nicht allein, sondern ist in die weite Bruderschaft aller Kirchen Christi eingeschlossen. In deren Namen grüßt zuletzt der Apostel die römische Gemeinde, die ihm vor Augen steht[13]. Alle Gemeinden Christi wenden sich durch ihn der angesprochenen Gemeinde zu[14]. Dabei ist die Formulierung ἐκκλησίαι τοῦ Χριστοῦ singulär. Paulus kennt sonst nur ἐκκλησίαι ἐν Χριστῷ (Gal 1, 22; 1 Thess 2, 14) oder ἐκκλησίαι... ἐν... κυρίῳ Ἰησοῦ Χριστῷ (1 Thess 1, 1; 2 Thess 1, 1). „Daß

---

[11] LIETZMANN 127.

[12] Vgl. K. M. HOFMANN, Philema Hagion (1938) 24f. „Das ist der Schluß eines an die Gemeinde gerichteten Briefes. Wir sind in eine gottesdienstliche Versammlung versetzt, die nach dem Vernehmen des apostolischen Wortes ihre Eintracht durch den heiligen Gruß bezeugt" (SCHLATTER).

[13] Dieser Gruß fehlt in D G it. Dafür findet sich in D* G* it hinter συγγενεῖς μου (V 21) ein ähnlicher angefügt: καὶ αἱ ἐκκλησίαι πᾶσαι τοῦ Χριστοῦ.

[14] BARTH III, 224: „Wo das Evangelium evangelisch, apostolisch verkündigt wird, da grüßt die ganze Kirche aller Zeiten und aller Orte je die Kirche, die es dann im besonderen hören darf."

er... die Gemeinde in Rom von den Gemeinden des Ostens, *seinen* Gemeinden, grüßt, webt ein weiteres Band zwischen ihm und den Römern" (Althaus).

5. *16, 17–20 Warnung vor Irrlehrern in der Gemeinde und Segen*

17 Ich ermahne euch aber, Brüder, auf die achtzugeben, welche Spaltungen und Ärgernisse hervorrufen im Widerspruch zu der Lehre, die ihr gelernt habt. Wendet euch von ihnen ab! 18 Denn solche Leute dienen nicht unserem Herrn Jesus Christus, sondern ihrem Bauch und täuschen durch schöne und wohlklingende Rede die Herzen der Arglosen. 19 Denn die Kunde von eurem Gehorsam ist zu allen gedrungen. So freue ich mich über euch. Ich will aber, daß ihr weise seid zum Guten, geschieden vom Bösen. 20 Der Gott des Friedens wird bald den Satan unter eure Füße zermalmen. Die Gnade unseres Herrn Jesus Christus sei mit euch.

Die Grußliste des Apostels wird nach V 16 nicht fortgeführt. Es folgen auch nicht etwa Einzelgrüße aus der Umgebung des Paulus. Diese werden erst VV 21 ff vorgebracht. Die VV 17–20 bringen vielmehr überraschend noch einmal sachliche Ausführungen, und zwar eine eindringliche Warnung der angeschriebenen Gemeinde vor solchen Gemeindegliedern (?), deren Wirksamkeit die Rechtgläubigkeit der Gesamtgemeinde bedroht.

V 17 Der Abschnitt steht unter einem παρακαλῶ δὲ ὑμᾶς, ἀδελφοί, das – wie 12, 1 ff die langen parakletischen Ausführungen und 15, 30 die kurze Bitte um das Gebet der Brüder – die hiesige Warnung und Mahnung einleitet. Das δέ, das sich auch Röm 12, 1 findet, ist eine Übergangspartikel, die, wie 16, 1 zeigt, in solchem Zusammenhang nicht adversativ sein muß, sondern einen fortführenden Übergang anzeigen kann. Von den vielerlei Nuancen, die παρακαλεῖν haben kann, wird man im Blick auf das Folgende am ehesten mit „beschwören" zu rechnen haben[1]. „Die Brüder", an die im ganzen Brief bereits neunmal ausdrücklich appelliert wurde, werden auch hier apostrophiert, wodurch das παρακαλεῖν in seiner Eindringlichkeit verstärkt wird. Sie werden beschworen, σκοπεῖν, „achtzugeben", „achtzuhaben"[2]. Sie stehen in einer Gefahr, und sie sollen sie sorgsam ins Auge fassen. Sie sollen achtgeben auf bestimmte Leute – sie werden wieder nicht mit Namen genannt –, die gewisse Spaltungen und Ärgernisse in der Gemeinde hervorrufen, und zwar auf solche, die der Lehre, die sie als Christen gelernt haben, widersprechen. Es ist also vorausgesetzt, daß es eine διδαχή gibt, die man „lernen" kann, womit eine bestimmte fides, quae creditur, gemeint ist, die sich vielleicht in einer formulierten Tradition,

---

[1] D*: ἐρωτῶ!
[2] D G it: ἀσφαλῶς σκοπεῖτε.

wie z. B. der von Röm 1, 3; 1 Kor 11, 23; 15, 1f, niedergeschlagen hat. Es ist
der τύπος διδαχῆς von Röm 6, 17, dem die Christen übergeben sind und der
„Gehorsam" verlangt, innerhalb dessen erst das Charisma angemessen wirksam werden kann. Mit ihm ist der „Ansatz dazu geliefert, daß die Pastoralen
von der gesunden Lehre sprechen können und sich auf sie berufen" (Käsemann). Diese διδαχή wollen diejenigen, auf die die Gemeinde sorgsam achten soll, offenbar verfälschen und so beseitigen und rufen damit διχοστασίαι,
„Zwistigkeiten", „Spaltungen" – Gal 5, 20 neben ἐριθεῖαι und αἱρέσεις –,
Ärgernisse der Verführung (vgl. Apk 2, 14), in der Gemeinde hervor. Vgl.
1 Clem 46, 5; 51, 1; Herm (s) 8, 7, 5; 10, 2; Herm (v) 3, 9, 9; Herm (m) 2, 3;
auch 1 Kor 3, 3 𝔓⁴⁶ 𝔄 D G pm it sy Iren Cypr neben ζῆλος καὶ ἔρις. Auf solche
die Lehre der Gemeinde zerstörenden Irrlehrer zu achten, werden die Angeredeten beschworen. Sie werden aber auch aufgefordert: ἐκκλίνετε ἀπ᾽
αὐτῶν, ihnen auszuweichen und sich von ihnen abzuwenden, also den Umgang mit ihnen zu meiden (vgl. Mt 18, 17; 2 Thess 3, 6; Tit 3, 10 [3]. Es ist klar,
daß mit diesen Gegnern nicht etwa die „Schwachen" von 14, 1ff gemeint sein
können, daß sie auch sonst nicht aus dem Röm zu identifizieren sind. Sie erinnern vielmehr an jene Ungenannten von 2 Kor 11, 13ff; auch Phil 3, 18f;
Gal 6, 11ff, ohne daß sie mit diesen identisch sein müßten. Auch der Tenor der
paulinischen Polemik ist ähnlich, während Röm 14, 1ff überhaupt keine Polemik kennt.

V 18 kennzeichnet die anonymen, der Gemeinde gefährlichen Gegner noch
nach einer anderen Seite. V 18a wird zunächst festgestellt, daß solche Leute
(οἱ τοιοῦτοι mit verächtlichem Ton?) „unserem Herrn Christus" nicht dienen.
Zu δουλεύειν τῷ κυρίῳ Χριστῷ vgl. z. B. Röm 12, 11; 14, 18; Eph 6, 7; Kol
3, 24. Der Dienst für unseren Herrn Christus wäre das, daß sie als Christen und
christliche Lehrer die rechte Lehre, die auf dem Evangelium beruht, verkündigten. So aber – und nun folgt keine nähere inhaltliche Charakterisierung,
die es uns erlaubt, sie historisch zu identifizieren (Judaisten oder Gnostiker?),
sondern ein grober polemischer Ausdruck, den Paulus auch Phil 3, 19 verwendet – dienen sie „dem eigenen Bauch". Κοιλία meint vergröbernd das, was
sonst σάρξ im abwertenden Sinn bedeutet: den an sich selbst, die Welt und die
Mächte verfallenen und von ihnen getriebenen Menschen. Nach Gal 5, 19f
sind διχοστασίαι, αἱρέσεις u. a. ἔργα σαρκός. Aber zu diesem δουλεύειν τῇ
ἑαυτοῦ κοιλίᾳ, also zur Charakteristik der gemeinten Irrlehrer, die die Gemeinde zu zerstören drohen, gehört noch ein anderes: sie täuschen die „Arglosen" (ἄκακοι), und zwar durch einschmeichelnde und wohlklingende Rede,
durch die sie ihre häretische Verkündigung verdecken. Χρηστολογία, das nur
hier im NT vorkommt [4], ist Schönrednerei. Εὐλογία meint hier salbungsvolle,
aber verlogene Rede [5]. Zu ἄκακος vgl. z. B. Diod. Sic. 13, 76: ἄκακος καὶ τὴν

---

[3] „La ‚sainteté' du peuple de Dieu a toujours exigé une certaine rigueur, une discipline
corporative. On ne peut jouer avec le feu, ni avec les poisons violents" (Leenhardt).
[4] Nach Julius Capitolinus, Pertinox 13, sind es Leute, die schöne Worte im Mund führen,
aber schlecht handeln.
[5] Bauer WB 638.

ψυχὴν ἁπλοῦς. Die „Arglosen"[6], die die χρηστολογία und εὐλογία nicht durchschauen, werden von den Irrlehrern betört und getäuscht.

V 19 Denn – so wird man das γάρ verstehen müssen – ich spreche jetzt nicht von eurem Glauben, sondern von euer aller „weise sein". Was euch angeht, so habe ich in bezug auf eure ὑπακοή[7], welche natürlich die Röm 1, 5 erwähnte ὑπακοὴ πίστεως ist, nichts auszusetzen. Sie ist allen bekannt. Ihr Ruf ist überall hingedrungen (vgl. 1, 8). Und so kann auch gesagt werden: „Ich kann mich also über euch freuen." Die Gemeinde ist noch nicht verwirrt oder gar gespalten. Aber sie ist von einem gefährlichen Gegner bedroht, und so soll sie nicht harmlos sein, sondern weise sein oder werden. Dabei handelt es sich nicht um eine Bitte, sondern um einen Befehl: θέλω. Und das „weise sein" soll ein solches „zum Guten hin" sein, das wie Röm 8, 28; 14, 16 wiederum das Heil meint. Das aber schließt ein „ἀκέραιος sein" gegenüber dem „böse sein" ein. Ἀκέραιος ist „rein", „lauter" (Mt 10, 16); Phil 2, 15 neben ἄμεμπτος, 1 Clem 2, 5 neben εἰλικρινής. Mit εἰς τὸ κακόν ist etwa „geschieden vom Bösen" gemeint. Alles ist, was nicht übersehen werden darf, trotz seiner Schärfe etwas versteckt und zurückhaltend ausgedrückt. Gemeint ist der Sache nach: Die durch Spaltung und Häresie von seiten betörender Irrlehrer bedrohte Gemeinde, deren Glaube weithin bekannt ist, die aber gegenüber deren eindringlicher und täuschender Rede recht ahnungslos ist, soll sich auch weise zum Heil hinwenden.

V 20 Sie hat ja auch eine Verheißung, die, in einem „feierlichen Prophetenspruch" (Michel) als eine Gewißheit ausgesprochen, zugleich im Zusammenhang wie eine Bitte klingt[8]. Auf diese verweist die Wendung „der Gott des Friedens" (vgl. Röm 15, 33), auf jene die futurische Aussage, die von dem Sieg über den Satan, der in Kürze errungen wird, spricht. Der Gott *des* Friedens, der über den Kosmos hereinbrechen wird wie auch in jedes Menschen Herz, wird sich als solcher erweisen, wenn er den Satan, der hinter der versuchten Zersetzung der Gemeinde steht, zerschmettert und die Christen auf den besiegten Feind ihre Füße setzen[9] und ihn zertreten werden, was in Kürze geschieht. Eine Anspielung auf Gn 3, 15 liegt nicht vor[10], wohl aber spricht der Prophetenspruch in den Vorstellungen apokalyptischer Tradition, wie sie TestLev 18, 37[11] und in der zwölften Bitte des Sch^emone Esre[12] in Erscheinung

---

[6] „Ἄκακοι haben keine Erfahrung vom Umgang und den mancherlei Gestalten der Schlechtigkeit" (SCHLATTER). Vgl. BAUER WB 57f.

[7] Vgl. Röm 6, 17; 10, 16; 15, 18.

[8] Zu V 20 vgl. W. SCHMITHALS, Die Irrlehrer von Römer 16, 17–20, in: StTh 13 (1959) 51–69. Jetzt auch J. BAUMGARTEN, Apokalyptik, besonders 155ff 213ff.

[9] Ψευδαπόστολοι als Handlanger des Satans (2 Kor 11, 12ff; Phil 3, 18f).

[10] Anders ZAHN, KÜHL, LEENHARDT u. a.

[11] Καὶ ὁ Βελίαρ δοθήσεται ὑπ᾽ αὐτοῦ (dem messianischen Priester) καὶ δώσει ἐξουσίαν τοῖς τέκνοις αὐτοῦ πατεῖν ἐπὶ τὰ πονηρὰ πνεύματα. Vgl. TestSim 6, 6; AssMos 10, 1; Jub 23, 29.

[12] „Das Reich des Übermuts entwurzele rasch in unseren Tagen."

treten. Συντρίβειν im Sinn von „die Feinde vernichtend zerschmettern" findet sich im Hellenistischen und in der LXX z. B. 1 Makk 3, 22 u. ö. Σατανᾶς kommt als die gegenwärtige und zukünftige Verderbensmacht bei Paulus oft vor (1 Kor 5, 5; 7, 5; 2 Kor 2, 11; 11, 14; 12, 7; 1 Thess 2, 18; 2 Thess 2, 9), fehlt aber außer an unserer Stelle im Römerbrief. Das eschatologische ἐν τάχει (wie Apk 1, 1; 22, 6; auch Lk 18, 8) ist kaum, wie Kühl meint, „auf die nahe Parusie bezogen, verheißt vielmehr zur Beruhigung der Leser die völlige Ausrottung der Irrlehre nach kurzem Kampf". Anders Schlatter, H. W. Schmidt u. a., Baumgarten, Apokalyptik a. a. O. Der Abschnitt schließt wiederum überraschend mit einem Segenswunsch [13], wie er in Varianten am Schluß der paulinischen Briefe bzw. des Briefpräskriptes erscheint. Ἡ χάρις τοῦ κυρίου ἡμῶν Ἰησοῦ umfaßt dabei alles Heil, das der Gemeinde „durch unseren Herrn Jesus" zuteil werden möge. Der Gnadenwunsch erscheint mit geringen Abweichungen in D G it als V 24. Syᵖ bringt V 24 hinter der Doxologie, V 27. Er erscheint auch besonders dort, wo die Doxologie hinter 14, 23 steht.

6. 16, 21–23 Grüße aus der Umgebung des Apostels

21 Es grüßen euch mein Mitarbeiter Timotheus sowie Lucius und Sosipater, meine Volksgenossen. 22 Ich, Tertius, der Schreiber des Briefes, grüße euch im Herrn. 23 Es grüßt euch Gaius, mein und der ganzen Gemeinde Gastgeber. Es grüßt euch der Stadtkämmerer Erastus und der Bruder Quartus.

VV 21–23 werden die Grüße wieder von neuem aufgenommen, diesmal als Grüße der Umgebung des Apostels. In V 22 unterbricht der Schreiber des Briefes diese Liste mit einem persönlichen Gruß. An erster Stelle grüßt, *V 21*, Timotheus, der ständige Begleiter und Gesandte des Apostels. Mit Recht wird er, der auch 2 Kor 1, 1; Phil 1, 1; Kol 1, 1; 1 Thess 1, 1; 2 Thess 1, 1; Phm 1 mit Paulus zusammen im Präskript genannt wird, ὁ συνεργός μου genannt. Hier wird er erst jetzt erwähnt, da er auch der römischen Gemeinde persönlich nicht bekannt ist (H. W. Schmidt). Es folgen drei wiederum ausdrücklich als οἱ συγγενεῖς bezeichnete Judenchristen, von denen uns Lukios [1] und Jason, der nicht mit dem in Apg 17, 5–9 gleichzusetzen ist, unbekannt sind. Σωσίπατρος mag der Reisebegleiter Σώπατρος von Apg 20, 4 sein (Lietzmann). In *V 22* grüßt, entgegen dem Brauch, der Schreiber des Briefes, Tertius, der wie der V 23 genannte Quartus einen bei Sklaven und Freigelassenen üblichen Namen trägt. Er fügt zu ἀσπάζομαι ein ἐν κυρίῳ hinzu. Aber alle Grüße an die Ge-

---

[13] Doch vielleicht ist mit Schlatter und H. W. Schmidt der Indikativ zu lesen und der Satz eine Verheißung.

[1] Ein römischer Name (vgl. Apg 13, 1). Jason und Sosipatros sind griechische Namen.

meinde ergehen ἐν κυρίῳ. „Nach dem Gruß des Schreibers melden sich auch noch die führenden Männer der korinthischen Gemeinde" (Schlatter). *V 23* grüßt dann zunächst noch Gaius, der der 1 Kor 1, 14 (nicht Apg 20, 4) erwähnte sein wird. Er ist der Gastgeber des Paulus [2], aber auch ὅλης τῆς ἐκκλησίας, d. h. aller Christen, die auf der Durchreise sind. Zuletzt grüßen noch der οἰκονόμος von Korinth, d. h. der auf Inschriften und Papyri oft erwähnte Rentmeister der Stadt (Lietzmann), mit Namen Ἔραστος, der aber als Ortsansässiger wahrscheinlich von jenem in Apg 19, 22 und 2 Tim 4, 20 zu unterscheiden ist, und endlich der uns sonst nicht bekannte „Bruder" Quartus. Mit Grüßen also und ohne Segenswunsch beendet das Kapitel den ganzen Brief. Kein Wunder, daß man sich genötigt sah, eine Doxologie anzufügen [3].

7. *16, 25–27 Die Doxologie*

25 Dem aber, der die Macht hat, zu stärken nach meinem Evangelium und der Verkündigung Jesu Christi kraft der Offenbarung des Geheimnisses, das ewigen Zeiten verschwiegen war, 26 jetzt aber ans Licht trat, durch prophetische Schriften nach dem Auftrag des ewigen Gottes allen Völkern bekanntgemacht, den Glaubensgehorsam zu erwecken – 27 ihm, dem allein weisen Gott, gebührt durch Jesus Christus die Herrlichkeit in alle Ewigkeit. Amen.

Daß diese Doxologie nicht zum ursprünglichen Röm gehört, läßt sich schon aus der unsicheren Stellung in den Handschriften erkennen [1]. Von den mannigfachen Variationen seien hier nur fünf erwähnt: 1) daß die Doxologie bei Marcion (nach Orig, Commentaria in ep. Rom. VII 453 Lommatzsch) ganz fehlt, aber ebenso fehlen Röm 15 und 16 überhaupt; 2) daß 16, 24–27 hinter 14, 23 allein steht, in vg 2089 Altlateiner nach Kapitelverzeichnissen Cypr; 3) daß sie auch in F G g Archetypus von D fehlt, dort aber 15, 1–16, 24 dem 1, 1–14, 23 angeschlossen ist, daß sie hinter 14, 23 eingefügt ist, in 𝔖 L min (goth) Chrys Thdt, bzw. zweimal erscheint, nämlich hinter 14, 23 und 16, 23 A P min; 4) daß sie wie in 𝔖 an Kap. 15 angefügt ist, so daß 16, 1–23 als Nachtrag erscheint; 5) aber am besten belegt ist die uns gewohnte Stellung hinter 14, 1–16, 23 in 𝔓61 ℵ B C D bo sah d e f vg syp, die freilich wie Ambrstr noch 16, 24 am Ende hinzufügt. Das Bedürfnis nach einem angemessenen Briefschluß, das ja auch

---

[2] ξένος verweist auf die φιλοξενία (ZAHN). Vgl. Röm 12, 13; 1 Tim 5, 10; Hebr 13, 22; 1 Petr 4, 12; 3 Joh 5.
[3] V 24, in dem der Segensgruß von V 20 wiederkehrt, fehlt in 𝔓46 𝔖 pc vg^codd Orig. Er gehört nicht zum ursprünglichen paulinischen Text (ALTHAUS).
[1] Vgl. P. WENDLAND, Die urchristlichen Literaturformen, 351 Anm. 1; die Übersicht bei LIETZMANN, 130f, wo auch die vermutete Textgeschichte nach DE BRUYNE, in: RB 25 (1908) 423ff, und P. CORSSEN in: ZNW 10 (1909) 1ff 57ff dargelegt wird. Vgl. auch die Ausführungen von W. G. KÜMMEL, Einleitung, 225f.

16, 24 mit seinen Varianten hervorrief und das bei der Verlesung des Briefes im Gottesdienst zwingend hervortrat, war der Anlaß, daß dieser Lobpreis hinzugefügt wurde. Die Doxologie selbst ist, wie wir sehen werden, inhaltlich nicht paulinisch, nähert sich aber immerhin, wie einzelne Stichworte zeigen, der Diktion des Eph und Kol. Dabei versucht sie, auch Motive des Röm in ihr liturgisches Schema aufzunehmen, die freilich für unseren Brief nicht charakteristisch sind. Es muß natürlich offenbleiben, ob Paulus eine Doxologie der liturgischen Gemeindetradition entnommen und an das Ende des Briefes gestellt hat.

Formal liegt wie Röm 11, 36b; Gal 1, 5; Eph 3, 20f; Phil 4, 20; Jud 24f die nominale Form der Doxologie vor: auf die vorangestellte Bezeichnung Gottes im Dativ, welcher erst am Schluß (V 27) ausdrücklich genannt wird, folgt der Lobpreis im Nominativ. Ein ἀμήν bestätigt ihn[2]. Die formale und inhaltliche Mitte füllt die plerophorische Angabe des Heilsgeschehens aus, um deswillen Gott die „Ehre" zuteil wird, in unserem Fall der Offenbarung des bisher verborgenen Mysteriums. Auffallend ist das Vorherrschen der Dreizahl: drei Präpositionalwendungen, die vom Infinitiv στηρίζειν abhängen, drei Partizipialaussagen, die den entscheidenden Begriff μυστήριον näher bestimmen, drei Präpositionalaussagen, die die dritte partizipiale Verdeutlichung des Offenbarungsgeschehens erläutern.

Noch eines ist in diesem Zusammenhang zu erwähnen. Die Doxologie ist ein Anakoluth. Das ᾧ in V 27 fehlt zwar in B pc f sy[p], ist aber „textkritisch unanfechtbar" (Lietzmann)[3]. Vielleicht – so Käsemann – kann man den Relativsatz literarisch im Schema der Responsion innerhalb des Gottesdienstes verstehen. Das Relativpronomen hätte dann mehr den Sinn eines Demonstrativpronomens[4].

V 25 Diese eigentümlich disponierte und gefüllte Doxologie, die in einem Anakoluth endet, gilt dem, der die Macht hat, die Gemeinde zu stärken. Das δέ hat wiederum den Sinn einer Überleitung. Gott wird zunächst durch das Partizip ὁ δυνάμενος mit Infinitiv charakterisiert. Es entspricht damit Eph 3, 20; Jud 24f (vgl. Jak 4, 12). Dabei klingt die bei Paulus sonst oft und in verschiedenem Sinn erwähnte δύναμις an (vgl. Röm 1, 20; 9, 17; 1 Kor 1, 18; 2, 5 u. a.). Hier ist es die Macht des Mächtigen, ὑμᾶς στηρίξαι. Στηρίζειν kann neben (συμ-)παρακαλεῖν auftauchen (Röm 1, 11; 1 Thess 3, 2) und meint die Bewahrung und Kräftigung des Glaubens in den inneren und äußeren Anfechtungen (1 Thess 3, 2; 2 Thess 3, 13), „in Wort und Werk" (2 Thess 2, 17). Diese Festigung der Gemeinde durch Gott ergeht κατὰ τὸ εὐαγγέλιόν μου καὶ τὸ κήρυγμα Ἰησοῦ Χριστοῦ. Das κατά bezeichnet das Evangelium des Apostels (Röm 2, 16; 2 Tim 2, 8; auch 1 Kor 15, 1; 2 Kor 11, 7

---

[2] Vgl. E. Lohmeyer, Das Vater Unser (Göttingen 1946) 165ff; Käsemann.
[3] Freilich sind die sachlichen Gründe für den Wegfall von ᾧ, die Zahn anführt, darunter vor allem der Hinweis auf ntl. und frühchristliche Parallelen, zu beachten.
[4] Vgl. E. Kamlah, Traditionsgeschichtliche Untersuchungen zur Schlußdoxologie des Römerbriefes (Diss. Tübingen 1955) 72 86.

u. ä.) als das, gemäß dem Gott imstande ist, die Gemeinde zu stärken, als das
Mittel, wodurch sie gestärkt wurde, als die Norm, nach der sie gestärkt werden
kann. Tὸ κήρυγμα Ἰησοῦ Χριστοῦ wird man nicht vom εὐαγγέλιόν μου unterscheiden und auch nicht mit „Predigt" wiedergeben (Zahn, Schlatter). Des
Paulus Evangelium, durch das Gott die Gemeinde stärkt, ist das κήρυγμα von
Jesus Christus. Der Genitiv ist ein Gen. obj. Das καί ist explikativ. Tὸ κήρυγμα
Ἰησοῦ Χριστοῦ charakterisiert des Apostels Evangelium. Dabei läßt es erkennen, daß es auch über sein Evangelium hinaus Botschaft von Jesus Christus
gibt, in der Gott seine Macht, mit der er die Gemeinde stärkt, ausübt. Betonter
aber ist mit dieser zweifachen Wendung die Legitimität und Autorität seines,
des Apostels, Evangeliums, und zwar konkret des Evangeliums, wie es im Röm
laut geworden ist.

Aber was ist der Inhalt des κήρυγμα Ἰησοῦ Χριστοῦ, bzw. was ist das im
Evangelium des Apostels vorgebrachte und wirksame Geschehen, kraft dessen – κατά hat hier einen etwas anderen Sinn als in V 25 a – Gott die Gemeinde
„stärken" kann? Die „Offenbarung" des (eschatologischen) Geheimnisses.
Von dieser ἀποκάλυψις des μυστήριον ist auch 1 Kor 2, 7ff; Eph 3, 3ff; Kol
1, 26f; 2 Tim 1, 10; Tit 1, 2; 1 Petr 1, 20 (vgl. auch Eph 6, 19; Kol 2, 2; 4, 3) die
Rede. Gemeint ist auch hier mit μυστήριον das Heilsgeschehen in Christus, das
freilich den Heilsratschluß Gottes in sich schließt und umgekehrt. Und
ἀποκάλυψις hat ihren eschatologischen Sinn nicht verloren, so gewiß sie in das
Evangelium eingegangen ist und dort als revelatio laut wird (vgl. Gal 1, 12ff;
Eph 3, 3ff). Von diesem Geheimnis und damit auch von seiner Offenbarung
ist zweierlei zu sagen: es ist ein Geheimnis, das „ewigen Zeiten" „verschwiegen war", also könnte man mit 1 Kor 2, 7 (πρὸ τῶν αἰώνων) oder mit 2 Tim
1, 9 (πρὸ χρόνων αἰωνίων; vgl. Tit 1, 2) oder mit Eph 3, 9 (ἀπὸ τῶν αἰώνων)
oder mit Kol 1, 26 (ἀπὸ τῶν αἰώνων καὶ ἀπὸ τῶν γενεῶν) sagen: seit und
vor den Äonen, Zeiten und Geschlechtern sich verbarg, das von Ewigkeit her
und die Geschichte hindurch bis jetzt im Schweigen Gottes ruhte. Vielleicht
darf man zur Erläuterung IgnEph 19, 1 oder noch eher IgnMagn 8, 2: εἷς...
θεός ... ὁ φανερώσας ἑαυτὸν διὰ Ἰησοῦ Χριστοῦ τοῦ υἱοῦ αὐτοῦ, ὅς ἐστιν
αὐτοῦ λόγος ἀπὸ σιγῆς προελθών, heranziehen. Freilich ist dort die σιγή oder
ἡσυχία θεοῦ schon spekulativ entfaltet und das Schema „verborgen" – „enthüllt" unbetont.

V 26   Auf diesen Sachverhalt der Verborgenheit des im Schweigen Gottes
verschwiegenen Geheimnisses in den und für die vergangenen Zeiten, die sich
in die Ewigkeit verlieren, und der jetzigen Offenbarung im apostolischen Evangelium kommt es unserem Lobpreis gerade an [5]. Das bisher von Ewigkeit her
den Zeiten verschwiegene Geheimnis ist „jetzt an den Tag gekommen". Das
νῦν ist das eschatologisch-heilsgeschichtliche, das sich im selben Zusammenhang Kol 1, 26 (νῦν δὲ ἐφανερώθη τοῖς ἁγίοις), Eph 3, 5 (νῦν ἀπεκαλύφθη

---

[5] „Dieu avait gardé jusqu'ici le silence concernant son dessain (μυστηρίου σεσιγημένου),
mais maintenant il a parlé par son Fils, et il fait proclamer sa parôle par l'apôtre, pour qu'elle
développe tous ses fruits (Col 1, 25)" (LEENHARDT).

τοῖς ἁγίοις), 2 Tim 1, 10 (χάρις... φανερωθεῖσαν δὲ νῦν) findet. Es ist das „jetzt" des Heilstages. Φανεροῦν erinnert an Röm 3, 21; Kol 1, 26; 2 Tim 1, 10; Tit 1, 3 und meint „an den Tag", „ans Licht treten" und so das ewige Geheimnis als solches offenbar in der Zeit erscheinen lassen. Aber wie geschieht das? Das deutet eine zweite passive Partizipialwendung an, die mit einem enklitischen τε [6] an das Vorhergehende angeschlossen ist und in der der Autor wieder auf sein Evangelium und das Kerygma von Jesus Christus in freilich eigentümlicher Weise zurückgreift. Der Satz ist überfüllt, und man hat den Eindruck, daß gerade in ihm Motive des Röm zusammengefaßt werden sollen, soweit das stilistisch in einer Doxologie möglich ist. Er spricht davon, daß das μυστήριον nicht nur geoffenbart, sondern auch „bekanntgemacht worden ist". Das γνωρισθέντος [7] (vgl. Eph 1, 9; 3, 9 ff; 6, 19; Kol 1, 27) ist von φανερωθέντος zu unterscheiden [8]. Und zwar geschah die Bekanntmachung διὰ γραφῶν προφητικῶν. Damit sind die Schriften des AT gemeint, das, wie Röm 1, 2 sagte, das Evangelium Gottes zuvor durch Gottes Propheten in heiligen Schriften verkündete, wofür dann auch sein vielfältiger Gebrauch im Röm Zeugnis ablegt. Aber vielleicht sind auch ntl. Schriften gemeint (vgl. 1 Petr 1, 19), wozu der Autor den Röm rechnete. Daß aber überhaupt Schriften als Kundgabe des Geheimnisses genannt sind, läßt den späten Ort der Doxologie erkennen und wirft auch ein Licht auf ihr Verständnis des apostolischen Evangeliums und des Kerygmas Jesu Christi. Diese Kundgabe durch „prophetische Schriften" geschah aber κατ᾽ ἐπιταγὴν τοῦ αἰωνίου θεοῦ, „auf Befehl des ewigen Gottes" (vgl. 1 Kor 7, 6; 2 Kor 8, 8; 1 Tim 1, 1; Tit 1, 3). Gottes Wille und Auftrag stehen dahinter, des Gottes, der ewig bis jetzt geschwiegen, aber jetzt geoffenbart hat [9]. Αἰώνιος θεός kommt im NT nur hier vor. Es ist aber ein in jüdisch-hellenistischer Literatur häufig erscheinender Begriff, z. B. Gn 21, 33; Is 26, 4; 40, 28; Bar 4, 8.11 u. ö.; 1 Hen 75, 3; Jub 12, 29; 13, 8; 25, 15; Sus 42 Θ: 2 Makk 1, 25; Philo, De plant. 8, 74; OrSib fgm III 17 u. a. [10] Er sieht Gott als den Gott der Urzeit und der Endzeit, den Gott aller Zeiten und über allen Zeiten [11]. Die Kundgabe des göttlichen Geheimnisses durch die prophetischen Schriften geschah aber auch εἰς ὑπακοὴν πίστεως (Gen. obj.), womit Röm 1, 5 aufgenommen ist und die prophetischen Schriften bzw. das durch sie geoffenbarte Geheimnis Gottes einen missionarischen Charakter erlangen, und zwar einen universalen: εἰς πάντα τὰ ἔθνη. Die Verkündigung der geschehenen Offenbarung des bis jetzt verschwiegenen Geheimnisses Gottes ist weltweit, und die prophetischen Schriften gehen alle Völker an [12].

---

[6] D E lassen es zur Erleichterung weg, wie es auch die Lateiner vielfach übergehen.

[7] Die Ausdrucksweise γνωρίζειν τὸ μυστήριον findet sich im NT noch Eph 1, 9; 3, 3; 6, 19. Sie ist nach G. Kuhn in: NTSt (1961) 336 „geläufige Wendung in den Qumrantexten.

[8] Schon deshalb ist der Zusatz καὶ τῆς ἐπιφανείας τοῦ κυρίου Ἰησοῦ Χριστοῦ, den Orig „beharrlich bezeugt" und also „ohne Zweifel im Text vorgefunden hat" (Zahn), hier unmöglich. Vgl. auch Kühl.

[9] Zu κατ᾽ ἐπιταγὴν θεοῦ 1 Tim 1, 1; Tit 1, 3.

[10] Bauer Wb 56.

[11] Sasse in: ThWb I 208.

[12] Vgl. 1 Tim 3, 16.

In *V 27,* dem letzten Satz der Doxologie, wird endlich gesagt, wer der ist, der gemäß dem apostolischen Evangelium und dem Kerygma Jesu Christi überhaupt imstande ist, die Gemeinde zu festigen: der μόνος (vgl. 1 Tim 1, 17; Jud 25; 2 Makk 1, 25) σοφός (vgl. 4 Makk 1, 12; 1 Clem 60, 1) θεός, was wohl der allein oder einzig weise Gott und nicht der einzige und weise Gott bedeutet. Die Doxologie nimmt mit diesem jüdisch-hellenistischen Begriff (vgl. Philo!) das auf, was Röm 11, 33 ff anklang: Gottes Geheimnis übersteigt alles menschliche Verstehen, weil sie eben göttliche Weisheit ist. Διὰ Ἰησοῦ Χριστοῦ gehört sachlich zum Folgenden. Die Stellung am jetzigen Ort würde erleichtert, wenn das Relativpronomen ᾧ mit B pc f sy^p Orig lat gestrichen werden könnte[13], was aber nicht angeht[14]. Diesem mächtigen und allweisen Gott gehört die Doxa in die Ewigkeiten der Ewigkeiten[15]. Sie strahlt aber „durch Jesus Christus" auf. Die Doxologie schließt mit einem bekräftigenden ἀμήν. Vielleicht ist das ein Zeichen dafür, daß man hier von διὰ Ἰησοῦ Χριστοῦ ab die respondierende Stimme der Gemeinde im Gottesdienst hören muß: „durch Jesus Christus – ihm sei die Herrlichkeit – in alle Ewigkeit – Amen". Es ist seltsam, daß gerade der Röm mit einer interpretierenden Doxologie, die ein Anakoluth ist, endet. So wie es seltsam ist, daß er in ein Kapitel ausläuft, das eine Empfehlung, eine Flut von Grüßen, unterbrochen von einer heftigen Warnung, enthält und in den Lesern den mehr oder minder starken Zweifel an der Zugehörigkeit von Kap. 16 zum Röm erweckt. Es mag uns aber daran erinnern, 1) wie sehr man an ihm interessiert war, 2) wie gut man verstanden hat, daß dieser Brief als Schluß jedenfalls einen Lobpreis des einzig weisen Gottes fordert, 3) ganz allgemein: daß wir von Fragmenten leben.

---

[13] So 𝔓⁴¹ א A D P min vg sy^p bo arm Orig^lat Ambrstr.
[14] Vgl. Gal 1, 15; 2 Tim 4, 18; Hebr 13, 21. Εἰς τοὺς αἰῶνας τῶν αἰώνων ist schon 4 Makk 18, 24 zu finden, also hellenistisch-jüdisch.
[15] 𝔓⁴⁶ B C Ψ L sy^h sah Chrys al lassen τῶν αἰώνων fort.

DIE ZEIT JESU

Festschrift für Heinrich Schlier

Herausgegeben von Günther Bornkamm und Karl Rahner

Mit Beiträgen von G. Bornkamm, P. Brunner, A. Deissler, E. Dinkler, H.-G. Gadamer, H.-G. Gaffron, J. Gnilka, J. Kremer, G. Krüger, V. Kubina, N. Lohfink, R. Pesch, K. Rahner, J. Ratzinger, K. H. Schelkle, R. Schnackenburg, B. Welte und H. Zimmermann.

In dieser, Heinrich Schlier zur Vollendung seines 70. Lebensjahres gewidmeten Festschrift erstatten hervorragende Wissenschaftler beider Konfessionen, Alt- und Neutestamentler, Dogmatiker und (Religions-)Philosophen – Freunde, Kollegen und Schüler Heinrich Schliers – stellvertretend für viele andere den Dank für ein bedeutsames Werk, dessen Einfluß und Anregung sich auch in den Beiträgen dieses Bandes vielfältig spiegeln.

Die Herausgeber Günther Bornkamm und Karl Rahner gingen bei der Konzeption des Werkes davon aus, daß die „Zeit Jesu" heute mehr denn je dem forschenden Denken der Theologie und der dieser verpflichteten Philosophie aufgegeben ist. Deshalb sollte es zugleich ein richtungweisender Gesprächsbeitrag in der gegenwärtigen theologischen Diskussion sein.

So veranschaulichen die hier gesammelten Beiträge nicht nur die Breite dieser Diskussion, sondern auch die Vielfalt notwendiger Bemühungen von exegetischer Detailforschung bis zu dogmatischer und philosophischer Grundbesinnung. Hier nennt der Themenkatalog ebenso zentrale biblische Texte wie theologische Fragen.

Daher verdient dieses Werk nicht nur die Beachtung der Theologen aller Fachdisziplinen, sondern gleichermaßen auch der Seelsorger, der Katecheten und interessierten Laien, die der eindringlichen und kritischen Fragestellung der heutigen Theologie aufgeschlossen begegnen.

336 Seiten, Leinen, ISBN 3-451-16093-5

HERDER FREIBURG · BASEL · WIEN

Heinrich Schlier

Die Zeit der Kirche

Exegetische Aufsätze und Vorträge

I

5. Auflage, 322 Seiten, gebunden, ISBN 3-451-13457-8

Besinnung auf das Neue Testament

Exegetische Aufsätze und Vorträge

II

2. Auflage, 376 Seiten, gebunden, ISBN 3-451-14184-1

Das Ende der Zeit

Exegetische Aufsätze und Vorträge

III

320 Seiten, gebunden, ISBN 3-451-16235-0

Drei Bände ausgewählter exegetischer Aufsätze und Vorträge aus rund vier Jahrzehnten des reichen und bewegten Forscherlebens Heinrich Schliers, eine Fülle von Studien zu der unerschöpflichen Thematik der neutestamentlichen und altchristlichen Theologie, die aus der Theologie der Gegenwart nicht mehr wegzudenken sind. Alle Beiträge spiegeln das Ringen um den Anspruch der Schrift in unserer Zeit.
Heinrich Schliers meisterhafter Stil seiner Schriftauslegung ist so tief und lebendig, daß seine Werke nicht nur dem Fachtheologen, sondern ebenso dem Seelsorger und vielen am rechten Schriftverständnis interessierten Laien dienen kann.

HERDER FREIBURG · BASEL · WIEN